Der Dialog der beiden großen Brüder Thomas und Heinrich Mann war oft Disput. Unterschiede des Temperaments und der Moralität führten zu einer »repräsentativen Gegensätzlichkeit«, die sich zunächst in der Kunstauffassung, dann vor allem in den politischen Anschauungen der beiden offenbarte. Im Ersten Weltkrieg kam es zum Bruch, als sich Heinrich in seinem ›Zola‹-Essay gegen den Bruder wandte und dieser sich in den ›Betrachtungen eines Unpolitischen‹ zur Wehr setzte. Bei einer schweren Erkrankung Heinrichs 1922 bahnte sich die Versöhnung an, die zu mehr als einem »modus vivendi« kaum führen konnte. Im Exil erst fanden die Brüder zu neuer Gemeinsamkeit. Als Thomas 1946 mit bedrohlicher Krankheit kämpfte, bekannte ihm Heinrich, er empfände es als müßig, weiterzuleben ohne ihn.

Diese sehr menschlichen Dokumente sind zugleich bedeutende literarische Zeugnisse: sie enthalten Kommentare und Selbstinterpretationen zu fast allen großen Werken, von den ›Buddenbrooks‹ bis zum ›Doktor Faustus‹, von ›Im Schlaraffenland‹ bis zum ›Henri Quatre‹. Zugleich reflektieren sie das Zeitgeschehen, das beide Brüder mitzubestimmen suchten, ein halbes Jahrhundert literarisches und politisches Leben.

Die Neuausgabe im Taschenbuch bringt sämtliche bisher bekannt gewordenen Briefe der Korrespondenz zwischen Thomas und Heinrich Mann.

Thomas Mann wurde 1875 in Lübeck geboren und wohnte seit 1893 in München. 1933 verließ er Deutschland und lebte zuerst in der Schweiz, am Zürichsee, dann in den Vereinigten Staaten, wo er 1939 eine Professur an der Universität Princeton annahm. Später hatte er seinen Wohnsitz in Kalifornien, danach wieder in der Schweiz. Er starb am 12. August 1955 in Zürich.

Heinrich Mann wurde 1871 in Lübeck geboren. 1890–1892 volontierte er im S. Fischer Verlag in Berlin; 1893 lebte er in Paris, danach bis 1914 an verschiedenen Orten in Deutschland und Italien, später in München, ab 1928 in Berlin. 1933 emigrierte er nach Frankreich, 1940 nach Kalifornien. 1949 nahm er die Berufung zum Präsidenten der neu zu gründenden Akademie der Künste zu Berlin an, starb jedoch 1950 vor Antritt dieses Amtes in Santa Monica, Kalifornien.

Thomas Mann
Heinrich Mann

Briefwechsel 1900–1945

Herausgegeben
von Hans Wysling

Fischer Taschenbuch Verlag

Aus den Beständen der Deutschen Akademie der Künste zu Berlin,
des Schiller-Nationalmuseums zu Marbach
und des Thomas-Mann-Archivs der Eidgenössischen Technischen
Hochschule zu Zürich herausgegeben von Hans Wysling
Die erste Ausgabe erschien 1968,
die erweiterte Neuausgabe 1984
im S. Fischer Verlag GmbH, Frankfurt a. M.
Diese 3., erweiterte Ausgabe wurde von Cornelia Bernini redigiert

Veröffentlicht im Fischer Taschenbuch Verlag GmbH,
Frankfurt am Main, Juli 1995

Lizenzausgabe mit freundlicher Genehmigung des
S. Fischer Verlags GmbH, Frankfurt am Main
Erweiterte Neuausgabe
Gesamtherstellung: Clausen & Bosse, Leck
Printed in Germany
ISBN 3-596-12297-X

Gedruckt auf chlor- und säurefreiem Papier

ZUR EINFÜHRUNG

1

»Brüder sein, das heißt: Zusammen in einem würdig provinziellen Winkel des Vaterlandes kleine Jungen sein und sich zusammen über den würdigen Winkel lustig machen; heißt: die Freiheit, Unwirklichkeit, Lebensreinheit, die absolute Boheme der Jugend teilen. Heißt dann: einzeln, aber immer in organischer Verbundenheit und im Gedanken aneinander, hineinwachsen, hineinaltern ins eben noch radikal ironisierte ›Leben‹, hineinwachsen vor allem durch das Werk, das als Erzeugnis absoluter Boheme gemeint war, aber sich als eingegeben vom Leben, als in seinem Dienste getan und damit als sittlich verwirklichend erweist. Brüder sein, wie wir es sind, das heißt aber auch: gemeinsam dem wirklichkeitsreinen Unernst von einst im tiefsten die Treue halten; es heißt: mit jener halb geistigen, halb kindheitsprovinziellen Erregung und Schüchternheit, welche die große Welt der Wirklichkeit uns einflößt, die Ironie der Frühzeit verbinden; und es heißt: in Stunden besonders pointierter und unter dem kindlichen Gesichtspunkt unglaubwürdiger Verwirklichung sich aus dem Einzeldasein wieder zueinanderfinden, sich lächelnd anblicken und, wenn nicht mit dem Munde, so doch mit den Augen zueinander sagen: ›Wer hätte es gedacht.‹«

In seiner Ansprache zu Heinrichs sechzigstem Geburtstag zeichnet Thomas Mann den gemeinsam abgeschrittenen Weg mit genauer Treue nach. Was ihn nach seinem Empfinden für immer mit dem Bruder verband, war die Erinnerung an die »wirklichkeitsreine« Jugend: die gemeinsam verlebte und verträumte Kindheit im väterlichen Haus an der Beckergrube zu Lübeck und jene Monate in Palestrina und Rom, die sie, durch nichts gebunden, durch nichts gehalten, in absoluter Freiheit verwartet und verspielt hatten. Die ersten Berührungen mit der Wirklichkeit – der frühe Ruhm, Liebe und Ehe, das Sich-Behaupten gegenüber der Gesellschaft und der Tradition, das Sich-Bewahren und -Bewähren gegenüber dem Leben –, aber auch alle spätere »Abgebrühtheit durchs Wirkliche« vermochten der Erinnerung ans Kindlich-Lebensreine nichts anzuhaben. Selbst die Vereinzelung im Bruderzwist, jene Vereinseitigung, aus der heraus Thomas im Bruder gerade das angriff, was ihm im Innern selbst zu schaffen machte, hatte vor dem Kindheitserlebnis keinen Bestand. Unter dem »kindlichen Gesichtspunkt« war der Streit im letzten unglaubwürdig, das »kindliche Gefühl« blieb unverletzt – es mochte jahrelang verschüttet sein, doch abzutöten war es nicht.

Die Beckergrube: Das war der Ort der frühen Träume, weltabgeschiedener Märchenseligkeit und auch der ersten Versuche, sich selbst im Spiele zu erleben, dem Zauberer gleich eine Welt in die Luft zu spielen, sich in Rollen aufzuteilen und dabei »Herr der Geschichte« zu bleiben. Beide Brüder haben in ihren Lebenserinnerungen von den Märchenbüchern gesprochen, aus denen die Mutter den Kindern einst vorgelesen; Andersens Märchen waren da, die ›Kinder- und Hausmärchen‹ der Brüder Grimm, dann jenes große, braune Buch mit den Goldverzierungen und Bildern von Doré: die raffinierten Märchen von Perrault. Und zu ihnen gehörte auch das alte Mythologiebuch von Nösselt – es trug eine Pallas Athene auf dem Deckel und hatte schon der Mutter beim Mythologieunterricht gedient. Die Märchen gewährten jenes »träumerische Sichgehenlassen«, den Zustand freien Schwebens, der Enthobenheit aus Zeit und Raum. Mochten sich draußen hart die Dinge stoßen: das alles, erinnert sich Heinrich, »schlief ein, als ich zuviel las und die Häuser der Straße nicht hersagen konnte«. Märchenbücher! Thomas Mann hat der »Ur-Einfalt des Märchens« bis ins Alter die Treue bewahrt; er glaubte ihr in Wagners Mythen wieder zu begegnen, im jungen Siegfried, in Tannhäusers Venusberg-Verlockung, aber auch im nächtlichen Wunderreich von ›Tristan und Isolde‹. Wie Heinrich, nur eindringlicher und tiefer, hat er all seine Werke mit Märchen und Mythen verbunden, im Grunde hat er zeit seines Lebens immer nur Märchen erzählt: die Dornröschengeschichte in der ›Königlichen Hoheit‹, das Märchen vom Glückskind im ›Felix Krull‹, oder, im ›Joseph‹, die Geschichte vom Sohn, der auszog, ein Königreich zu finden. Königsträume und Götterspiele, sie füllten seine Kindheit aus, und an sie denkt der Dichter zurück, wenn er im Alter von Segensaufstieg und Erhöhung berichtet.

Dann war da Heinrichs Puppentheater – Hanno spielt damit und auch der Bajazzo. Heinrich, der gerne Maler geworden wäre, hatte einige Dekorationen selbst gefertigt, dazu kamen alle die Figuren aus Porzellan, Papiermaché und Biskuit, Möpse, Teckel und Jagdhunde, die Thomas »mit Atlasschabracken, Flicken aus den Beständen der Schwestern« zu schmücken liebte. »Zwischen Kinderspiel und Kunstübung ist in meiner Erinnerung kein Bruch, keine scharfe Grenze«, schrieb er später in einem Lebensrückblick. Künstlertum, das ist für ihn das »bewahrte Kindliche«. Gewiß, der Spieltrieb verbindet sich mit geistiger Reife, das »Infantile, das Spiel kommt zu Würden«, doch im Innersten des Künstlers bleibt das Kindlich-Kindische, das Spielerische bewahrt.

Im Spiel entdecken die Kinder auch die Freiheit des Darüberstehenden, die Überlegenheit des »Herrn der Geschichte«. Es gibt ihnen Macht und verspricht ihnen Wirkung. Sie blicken mit der Distanz des Überlegenen auf die Selbstbefangenheit der Papiermaché-Köpfe, die immer nur sich selbst spielen, die, festgebannt im Gehäuse ihrer typisierten Individualität, die Welt immer nur aus dem gleichen Blickwinkel zu sehen vermögen. Der Freie und Überlegene aber kennt alle Perspektiven. Er ist der Agile, der Vielfältige; die Figuren sind die Starren und Einseitigen. Wer verschiedene Standpunkte einnehmen, aus allen Blickwinkeln zu sehen vermag, ist der Reichere. Er erhebt sich über die individuelle Vereinzelung und verfügt über die Fülle der Möglichkeiten: er trägt »den Keim, den Ansatz, die Möglichkeit zu allen Befähigungen und Betätigungen« in sich. Bei dem träumerischen Erproben aller Standpunkte ergeht es den Brüdern wie später Krull, der sich niemals in seiner Individualität genügt, »sondern schauspielerisch ins andere hinüberstrebt«, und damit erleben sie auch schon die ersten Schauer der Verfremdung, des Identitätsverlustes – wer bin ich denn, daß ich so viele Rollen in mir weiß? Und halb zögernd, halb mit Lust übertragen sie den illusionären Charakter des Spieles auf das Leben selbst: sie empfinden, wie Krull, »das Illusionäre von Welt und Leben«.

Die Zeit der kindlich-selbstsicheren Theaterexperimente ist bald vorbei. Erste dichterische Versuche umkreisen die Halt- und Ratlosigkeit des Ichs, das sich in unablässiger Selbstbespiegelung seiner Fragwürdigkeit, aber auch der Fragwürdigkeit der Welt immer schmerzlicher bewußt wird. ›Haltlos‹ ist denn auch der Titel einer autobiographischen Novelle, die Heinrich Mann 1890 geschrieben hat: »Die schwarze Flut von Nörgelei und Verachtung, in die schon der Knabe geraten durch fortwährende Selbstbespiegelung, Zerlegung des eigenen Innern und Schlüsse auf die Außenwelt, schlug über seinem Kopf zusammen, jede Hoffnung begrabend.« Dieses Ich kennt »keinen eigenen Entschluß« mehr, kein »eigenes zielbewußtes Streben«; es hat sich nur immer tiefer »in die eigene innere Verbitterung, Welt- und Ichverachtung« hineingelebt; »mit einer nur ihm selbst bekannten, immer ängstlich verborgenen Innenwelt der gemeinen Alltäglichkeit als etwas anderes, etwas ganz Fremdes gegenüberstehen – das hatte ihm selbst geschmeichelt«. Thomas Mann folgte 1895 mit der Novelle ›Walter Weiler‹ – sie ist später, umgearbeitet, unter dem Titel ›Der Bajazzo‹ erschienen –, der Geschichte eines haltlosen Träumers und Taugenichts, der schließlich an dem »Ekel, den mir das Leben – mein Leben – den mir ›alles das‹, und ›das Ganze‹ einflößt«, zugrunde geht. Die Helden beider Novellen sind Außenseiter, sie mißtrauen der Umwelt und verachten sie. Wie Wellkamp – aus Heinrichs Roman ›In einer Familie‹ (1894) – leiden sie beide an der »Krankheit des Willens«: »Nur außergewöhnliche Charaktere werden in unserer unfruchtbar kritischen und zu schlichten Handlungen unfähigen Zeit ganz frei von dieser seelischen Krankheit sein, welche in ihren Opfern die Empfindsamkeit gegen sich selbst, die Selbstkritik zu immer schwächlicherer Verfeinerung ausarten läßt, während zugleich die Fähigkeit, ihre Handlungen nach ihrer besseren Einsicht zu lenken und zu regeln, in ihnen immer mehr erlahmt. Bei weicheren, von vornherein zur Reflexion und zum Empfindungsdilettantismus bestimmten Naturen pflegt die Krankheit des Willens zu einem vollständigen Aufgeben der Initiative zu führen; die Selbstkritik nimmt eine so virtuose Vielseitigkeit an, daß die einfachste Entscheidung nach einer bestimmten Seite hin dem Betroffenen unmöglich wird und sein Leben sich in einer ewig schwankenden Ratlosigkeit verliert.«

Was dem Ich noch eine Art von Überlegenheit über sich selbst und die Umwelt sichert, ist die »Lust am Psychologischen« und das »Vergnügen, die Menschen zu durchschauen« – sowohl der Bajazzo wie Andreas Zumsee, der Held von ›Schlaraffenland‹, halten sich daran –, und es sind die Vergnügungen des Ausdrucks, die Ekstasen der Artistik, die später Tonio Kröger und Mario Malvolto

erleben. Aber psychologische Erkenntnis verödet das lebendig-
warme Gefühl, Ästhetizismus wird nur um den Preis der Teilhabe
am Menschlichen erkauft: die »Macht des Geistes und Wortes, die
lächelnd über dem unbewußten und stummen Leben thront«, sichert nur eine Überlegenheit im luftleeren Raum. Der Artist ist
isoliert, er vermag weder mitzufühlen noch zu handeln. Zudem
wendet sich sein Trieb zur Analyse auch gegen das eigene Ich.
Tonio Kröger wird, so heißt es schon 1899 in einer Notiz, »von der
psychologischen Erkenntnis« ganz einfach aufgerieben; Mario
Malvolto (in ›Pippo Spano‹, Heinrichs Künstler-Novelle von 1905)
wird zum hellsichtigen Komödianten seiner selbst und damit zum
Opfer seiner »neurasthenischen Überreizbarkeit«. Was bleibt, ist
zunächst nur die mit Sehnsucht gemischte Verachtung, die sich
gegen die Außenwelt, gegen die Gewöhnlich-Einsträngigen, den
»wohlgelungenen Typus« wendet, der von den »einsamen Verfei-
nerungen« der Tonio und Mario nichts weiß, und ein existentieller
Ekel, der sich gegen »alles das«, »das Ganze«, wendet, auch gegen
das eigene Ich und dessen ohnmächtiges Versagen in der Welt.
›Tonio Kröger‹ und ›Pippo Spano‹ entstanden erst nach dem Ita-
lienaufenthalt, der die abtrünnigen Söhne noch einmal aufs engste
vereinigte. Nach der Beckergrube nun Palestrina und Rom, Via
Torre Argentina 34. Beide Brüder haben jener Zeit von 1896–98
in ihren Lebenserinnerungen gedacht: »Ich reiste«, schreibt Thomas Mann, »und wir verlebten, was wenige Deutsche tun, einen
langen, glutheißen italienischen Sommer zusammen in einem
Landstädtchen der Sabiner Berge, Palestrina, dem Geburtsorte des
großen Musikers. Den Winter, mit seinem Wechsel von schnei-
denden Tramontana- und schwülen Sciroccotagen, verbrachten
wir in der ›ewigen‹ Stadt als Untermieter einer guten Frau, die in
der Via Torre Argentina eine Wohnung mit steinernen Fußböden
und Strohstühlen innehatte. Wir waren Abonnenten eines kleinen Restaurants namens ›Genzano‹, das ich später nicht wieder-
fand und wo es guten Wein und vorzügliche ›Croquette di Pollo‹
gab. Abends spielten wir Domino in einem Café und tranken
Punsch dazu. Wir verkehrten mit keinem Menschen. Hörten wir
Deutsch sprechen, so flohen wir. Wir betrachteten Rom als Berge
unserer Unregelmäßigkeit, und wenigstens ich lebte dort nicht um
des Südens willen, den ich im Grunde nicht liebte, sondern ein-

fach, weil zu Hause noch kein Platz für mich war.« Der monatliche Wechsel gewährte ihnen »die soziale Freiheit, die Möglichkeit, ›abzuwarten‹. Bei bescheidenen Ansprüchen konnten wir tun, was wir wollten, und das taten wir. Mein Bruder, der ursprünglich gern Maler hätte werden wollen, zeichnete damals viel. Ich verschlang, im Qualm unzähliger 3-Centesimi-Zigaretten, skandinavische und russische Literatur und schrieb. Erfolge, die sich allmählich einstellten, freuten mich, ohne mich zu überraschen. Meine Lebensstimmung setzte sich aus Indolenz, schlechtem bürgerlichem Gewissen und dem sicheren Gefühl latenter Fähigkeiten zusammen.« – »Ich sehe ihn«, erinnert sich Heinrich, »an meiner Seite, wir beide jung [...]: an nichts gebunden – hätte man gesagt. Man weiß nicht, wieviel unerbittliche Verpflichtung ein Gezeichneter, der sein Leben lang hervorbringen soll, als Jüngling überall hin und mit sich trägt. Es war schwerer, als ich mir heute zurückrufen kann. Später wäre der Zustand der Erwartung unerträglich gewesen. Wir bedurften der ganzen Widerstandskraft unserer Jugend.«

Sie lasen und sprachen, vor allem wohl über Nietzsche – nicht umsonst ist das Gespräch mit dem Teufel im steinernen Saal zu Palestrina angesiedelt. Und sie schrieben. Heinrich eine ganze Reihe von Novellen – ›Das Stelldichein‹, ›Ein Verbrechen‹, ›Doktor Biebers Versuchung‹ –, Thomas den ›Bajazzo‹, die Satire ›Luischen‹ – »es gehörte zu den ersten Sachen von mir, die Dir imponierten« –, dann ›Tobias Mindernickel‹, die Geschichte eines T. M., der wie der Bajazzo dem Lebensekel erliegt. In leeren Stunden zeichneten und dichteten sie an dem ›Bilderbuch für artige Kinder‹: »Fünfundsiebzig Kunstwerke von Meisterhand, worunter achtundzwanzig kolorierte Bilder und siebenundvierzig Kupfer, nebst sechzehn begleitenden Kunstgedichten und vielen Textbemerkungen sittlich belehrenden und erheiternden Inhalts mit Sorgfalt und unter besonderer Berücksichtigung des sittlichen Gedankens für die heranreifende deutsche Jugend gesammelt und herausgegeben« – Viktor Mann hat in seiner Familienchronik davon berichtet. Heinrich aber saß während vieler Wochen täglich am Tisch und strichelte mit der Zeichenfeder an einer »endlosen Bilderfolge, die wir ›Das Lebenswerk‹ nannten und deren eigentlicher Titel ›Die soziale Ordnung‹ lautete. Wirklich stellten diese

Blätter, die wir zum langen Fries und dicker Rolle zusammenkleb-ten, die menschliche Gesellschaft in allen ihren Typen und Grup-pen dar, vom Kaiser und Papst bis zum Lumpenproletarier und Bettler – es war nichts ausgelassen in diesem trionfo sozialer Stu-fung, wir hatten Zeit und amüsierten uns wie wir konnten.« In Stunden des Übermuts – Thomas Mann denkt noch im Brief vom 18. Februar 1905 daran zurück – planten sie gemeinsam »eine Art Gipper-Roman [...], der ursprünglich das schöne Lied ›Der Oni-bus fährt *durch* die Stadt‹ als Leitmotiv haben sollte. Und schließ-lich sollte es der Onibus sein, der Biermann ins Gefängnis fährt.« Nun, aus dem Gipper-Roman wurde nichts, aber Biermann ging als Hugo Weinschenk in die ›Buddenbrooks‹ ein. Ein Gemein-schaftswerk à la Goncourt? Tatsächlich scheinen die Brüder daran gedacht zu haben: »Noch in der ersten Hälfte unserer Tätigkeit«, schreibt Heinrich im Bericht über sein Zeitalter, »teilten mein Bruder und ich einander denselben heimlichen Gedanken mit. Wir hätten ein Buch gemeinsam schreiben wollen. Ich sprach als er-ster, aber er war vorbereitet.« Mit der Niederschrift des Romans begann Thomas Mann Ende Oktober 1897, in Rom. Gleichzeitig schrieb Heinrich Mann die ersten Zeilen zu seinem »Roman unter feinen Leuten«, ›Im Schlaraffenland‹: »1897 in Rom, Via Argen-tina 34, überfiel mich das Talent, ich wußte nicht, was ich tat. Ich glaubte einen Bleistiftentwurf zu machen, schrieb aber den bei-nahe fertigen Roman.«

Die ›Buddenbrooks‹ und ›Im Schlaraffenland‹. Hier zeigen sich deutlich auch schon die Verschiedenheiten des Temperaments, des Zugriffs, des Zieles. Die ›Buddenbrooks‹ umkreisen, bei allem äußeren Reichtum an Welt, persönlichste Erfahrungen ihres Dich-ters, Erfahrungen freilich, die er sich in seinem Drang nach Selbst-bestätigung philosophisch zu untermauern suchte: Schopenhau-ers nihilistische Metaphysik, die Gewißheit, daß Zeit und Raum als Täuschungen der Maja zu nehmen sind, daß Welt und Leben illusionären Charakter haben; Nietzsches Entlarvungspsycholo-gie, sein Perspektivismus, seine Analyse vor allem des dekadenten Künstlers, der sich neurotisch in Rollen auflöst, keine Werte mehr vertritt und keine mehr setzt. Ein nihilistischer Ästhetizismus also, der die Welt nur noch phänomenal nehmen möchte, dabei aber nicht ganz sicher ist, ob nicht auch der Nihilismus selbst als ästhetisches Phänomen genommen werden soll – Thomas Mann zitiert in einem der Briefe an Heinrich zwei Verse von Platen:

> Dem frohen Tage folgt ein trüber,
> *Und Alles hebt zuletzt sich auf.*

»Dieses allgemeine Sichaufheben«, fügt er bei, »ist ein durchdringend melancholischer aber auch radikal tröstlicher Gedanke. Die Welt ist gleich Null – – –« Gegen alles das dann Tonys Lebenswille, ihre unverwüstliche Kindlichkeit.

Heinrichs Roman ist philosophisch weit weniger befrachtet, dafür energischer in der sozialkritischen Tendenz. Während sich Thomas Mann melancholisch-ironisch in sein Ich und dessen Problematik vertieft, wendet sich sein Bruder mit satirischer Gewalt gegen das »äffische« Getue einer sich auf den Schein gründenden Großstadtgesellschaft. Die ›Comédie humaine‹ noch einmal zu erzählen, den Karneval des Menschlichen, sozial zugespitzt, bis ins Groteske und Makabre hinein zu steigern: das ist das Ziel eines kämpferischen Moralismus und eines Wahrheitsradikalismus, der sich im Zerstören zu bewähren sucht, auch wenn er nichts zu bieten hat als sich selbst und sein Rebellentum. Nietzsche auch hier. Für Heinrich war er vor allem Anarchist, sein Werk das Dynamit, das alle festgefahrenen Konventionen sprengen sollte. »Damals«, schreibt Heinrich in einem späteren Aufsatz über Nietzsche, »schien es uns selbst zu rechtfertigen, wir verstanden es nach den Neigungen unseres Geistes, mit eingeschlossen seine Ausschweifungen. Wir vertrauten mit Freuden dem Individualisten, der es bis auf das Äußerste war, dem Gegner des Staates, – noch eher wär' er ein Anarchist, als ein ergebener Bürger des ›Reiches‹. 1890 und die nächsten Jahre war dies eine Haltung der persönlichen Unabhängigkeit. Derart bereitete man sich auf die eigenen Leistungen vor, und höchst willkommen war uns dieser Philosoph. Er stellte an die Spitze seiner geforderten Gesellschaft den stolzen Geist, – warum nicht uns selbst?« Das mochten schon Heinrichs Gedanken gewesen sein, als er in Rom am ›Lebenswerk‹ kritzelte und wartete; eine ähnlich abwartende Haltung nimmt im ›Schlaraffenland‹ der Schriftsteller Köpf ein: er durchschaut das Treiben der Gesellschaft, begnügt sich aber mit der Inkognito-Haltung des Zuschauers.

Die verschiedenen Intentionen der Verfasser widerspiegeln sich in ihren Helden: Die erotisch-musikalisch-metaphysische Traumwelt des Hanno Buddenbrook erweist sich als lebensunfähig, sie ist nur im Tode gesichert. Er leistet um des Traumes willen auf die Welt Verzicht. Andreas Zumsee dagegen möchte sich opportunistisch zum Helden dieser Welt aufschwingen. Er glaubt sie manipulieren zu können. In Wirklichkeit aber beherrscht sie ihn: er ist ihr Produkt und schließlich ihr Opfer.

Thomas Mann, weich und labil, sichert sich seine träumerische Freiheit zunächst in »passivem Indertum«, seine geistige Freiheit in evasiver Ironie; rückwärts gewandt, vergangenheitsschwer, wird er über das Märchenhaft-Romantische schließlich in den Raum des Mythischen zurückdringen, im Mythos Geborgenheit und zugleich, in der Wiederholung des Mythos, eine auf das Leben bezogene und lebensfähige Freiheit entdecken. Heinrich, labil auch er, übernimmt den aktivistischen Part. Er wendet sich dialektisch-kritisch nach außen, verschwendet sich an ideologische und utopische Vorwegnahmen, treibt in ausschweifender Dynamik Psychologie und Satire ins Prophetische vor. Beide suchen sich im Werk zu befreien und glauben, der Dichter habe die Aufgabe, angesichts festgefahrener Ordnungen das unbeschränkte Reich der Möglichkeiten zu öffnen. Was Heinrich vom Erstling seines Bruders gesagt hat, gilt auch vom ›Schlaraffenland‹: »Dies war die tatkräftige Art eines neu Beginnenden, sich zu befreien von den Anfechtungen eines ungesicherten Gemütes.«

Überblickt man Kindheit und Jugend der Brüder, dann überwiegen, bei allen schon sichtbaren Unterschieden des Temperaments, die Gemeinsamkeiten. Sie suchen sich beide in der Kunst das zu bewahren, was ihnen in der Normalität bürgerlicher Ordnung verlorengehen könnte: das Spiel mit den tausend Möglichkeiten, die Ungebundenheit des Geistes. Sie empfinden sich gleichermaßen als Gezeichnete und Ausgezeichnete, als »Sorgenkinder des Lebens« und als Erwählte. Die äußeren Motive bestätigen die innere Exponiertheit: Beide haben gleichermaßen die Spannungen zwischen Deutsch und Fremd, Bürgerlich und Künstlerisch, Gesund und Krank auszuhalten. Heinrich Mann geht als Zwanzigjähriger »heim nach Italien« und führt von da an ein zarathustrisches Wanderleben; in ›Zwischen den Rassen‹, einem melancholisch-bitteren Buch, zeigt er in Lola einen Menschen, dem die Zugehörigkeit zu einem Volk und einer Rasse zum Problem wird. Thomas Mann zeigt die gleiche Spannung in Tonio Kröger und Paolo Hofmann. Heinrich gegenüber mag er als der Bürgerlich-Seßhafte erscheinen, aber kaum ein Dichter läßt seine Eisenbahnzüge und Karawanen so oft ins Abenteuerlich-Unwegsame ausfahren wie er. Außerbürgerlich sind sie beide durch ihren Beruf, und für beide hängt er geheimnisvoll mit der Krankheit zusammen. Sie »schafft einen kritischen Gegensatz zur Welt, zum Lebensdurchschnitt, stimmt aufsässig und ironisch gegen die bürgerliche Ordnung und läßt ihren Mann Schutz suchen beim freien Geist«. Was Thomas Mann die »Krankheit meiner Jugend« genannt hat, ist die Ohnmacht des wirklichkeitsreinen, wirklichkeitsscheuen Träumers, der mit seiner Mischung von Haß und Neid, Verachtung und Sehnsucht auf die Welt der Selbstsicheren und Dummen blickt. Wie Heinrich erhebt er sich im Werk über die »zynische Charakterschwäche« der Zeit und sichert sich so das traumhafte Bewußtsein von Erlesenheit, das Fluch ist und Segen in einem.

2

Heinrich war der ältere. Auf einem frühen Kinderbild sitzt er, abseits von den Geschwistern, mit abweisend-hochmütiger Miene auf einem Stuhl, ein Buch auf dem Knie. So ist in der »Fürsten-Novelle« Erbprinz Albrecht gezeichnet, Klaus Heinrichs ältester Bruder: »Er schien unkindlich und von äußerster Zurückhaltung, menschenscheu aus Verlegenheit und stolz aus Mangel an Grazie.« Klaus Heinrich muß es hinnehmen, daß Albrecht einmal mehrere Jahre lang kein Wort mit ihm spricht, »ohne daß ein bestimmter Streitfall zwischen den Brüdern vorgelegen hatte«. Der Vorfall ist autobiographisch; Erika Mann hat später davon berichtet: Weich, verwundbar, liebebedürftig und »voll liederlichen Hohns über das Ganze«, in ständiger Notwehr gegen die Gemeinheit des Lebens, hatte Thomas keine Waffe gegen den kühlen Hochmut des Bruders, der im Grunde wohl ebenso prinzlich-lebensängstlich gestimmt war wie er. Stumm, wie Klaus Heinrich, erlitt er die manchmal bis aufs Blut verletzenden Ausfälle des Älteren – sie entsprangen der äußersten Gereiztheit derer, die früh gezeichnet sind und es schwer haben in ihrer »strengen, schwierigen, sehnsüchtigen Einsamkeit«.

Zweifellos litt der junge Thomas Mann unter der Überlegenheit seines Bruders. Das »brüderliche Welterlebnis« war ihm Schicksal, Stachel und Ansporn. Sein Werk steht zunächst im Zeichen der Selbstbehauptung. Wo er hinwollte, da schien der andere immer schon zu sein, nur die ihm eigene Zähigkeit und sein Ehrgeiz, es besser zu machen, verhinderten, daß er erdrückt wurde. Immer war er spät, immer war er langsam, aber kurz vor dem Ziel überholte er den andern, und wenn er endlich abschloß, dann war sein Werk das gültige. Die Folge war, daß Neid und Mißgunst den Älteren erfüllten und er sich beklagte, er sei vom Bruder geplündert worden. Als ihm, zur Zeit des Bruderzwistes, Thomas vorwarf, das »brüderliche Welterlebnis« habe ihm alles persönlich gefärbt und ihn zu Exzessen hingerissen, da weist er ihn in einem nie abgeschickten Brief mit schroffer Deutlichkeit zurück: »Du hast, nach allem was ich sehe, Deine Bedeutung in meinem Leben unterschätzt, was das natürliche Gefühl betrifft, und überschätzt hinsichtlich der geistigen Beeinflussung. Die letztere, negativ von Gestalt, ist von Dir einseitig erlitten worden, Du mußt diese Wahrheit schon hinnehmen, es ist keine bloße Schmähung, wie alle die mehr pathetischen als ethischen Wendungen Deines Briefes. Was mich betrifft, ich empfinde mich als durchaus selbständige Erscheinung, u. mein Welterlebnis ist kein brüderliches, sondern eben das meine. Du störst mich nicht.« Das hätte Thomas Mann nicht behaupten wollen; noch in seinem letzten Lebensjahr spricht er in einem Brief von dem großen Schatten, der sich durch sein ganzes Leben gezogen und ihn mit »banger Verlegenheit« erfüllt habe. »Dabei war mein inneres Verhalten zu dem Älteren und seinem abweisend geistesstolzen Werk immer das des aufblickenden kleinen Bruders, und es malt sich autobiographisch in ›Königliche Hoheit‹, wo Klaus Heinrich zu seinem Bruder, dem Großherzog, sagt: ›Ich habe immer zu dir emporgeblickt, weil ich immer gefühlt und gewußt habe, daß du der Vornehmere und Höhere bist von uns beiden und ich nur ein Plebejer bin, im Vergleich mit dir. Aber wenn du mich würdigst, an deiner Seite zu stehen und deinen Titel zu führen *und dich vorm Volk zu vertreten*, obgleich ich mich garnicht so präsentabel finde und diese Hemmung hier habe, mit meiner linken Hand, die ich immer verstecken muß, – dann danke ich dir und stehe dir zu Befehl.‹« Zum Schluß des Briefes jedoch bekennt Thomas Mann: »Unbeschreiblich aber war meine Erschütterung, und wie ein Traum erschien es mir, als Heinrich mir kurze Zeit vor seinem Tode eines seiner Bücher mit den Worten widmete: ›*Meinem großen Bruder*, der den ‹Doktor Faustus› schrieb‹. Wie? Was? Der große Bruder war doch immer er gewesen!« Da färbt noch einmal, zum letztenmal, das »brüderliche Welterlebnis« den Sinn der Worte.

Eine Betrachtung des Frühwerks ist aufschlußreich. Die ersten Jahre von Thomas Manns Schaffen stehen im Zeichen bewundernden Nacheiferns. Es dem Bruder gleichzutun, es besser zu machen als er, ist ein Hauptziel aller Bemühung. Das geht bis in die Wahl der Vorbilder. Über Heinrich Heine, den »Guten«, schreibt er schon 1893, in der Schülerzeitschrift ›Der Frühlingssturm‹, einen Aufsatz. Heines Ästhetizismus bestärkte beide Brüder in dem Gefühl »schwer bestimmbarer Überlegenheit«, das sie von der in Scheinnormen befangenen bürgerlichen Gesellschaft von Anfang an trennte. Heines Desillusionierungstechnik nahm in vielem Nietzsches Entlarvungspsychologie vorweg: »Es war das ›Pathos der Distanz‹ dem größten Teil unserer Mitschüler gegenüber, das jeder kennt, der mit fünfzehn Jahren Heine liest und in Tertia das Urteil über Welt und Menschen entschlossen fällt«, schreibt Thomas Mann 1896 im ›Willen zum Glück‹.

Seine erste Prosa-Skizze, ›Vision‹ (1893), ist Hermann Bahr gewidmet, dessen »nervöse Romantik« auch auf Heinrich Mann wirkte. Durch Bahr ließ sich Heinrich zu den Goncourts, zu Barbey d'Aurevilly, Huysmans, Maeterlinck und Bourget führen, und in den Novellen ›Das Wunderbare‹ (1896), ›Das Stelldichein‹ (1897) oder noch in ›Doktor Biebers Versuchung‹ (1898) ergab er sich einem Mystizismus, der deutlich an Bahrs ›Mystik der Nerven‹ erinnert. (Bahrs Skizzenbuch ›Fin de siècle‹ war 1890 beschlagnahmt worden; der dekadente Mystizismus ist hier ins Raffiniert-Exzessive vorgetrieben.)

Der an Bahr genährte Sinn für das Unerklärliche und Rätselhafte wird an E. T. A. Hoffmann weiterentwickelt und bestimmt auch

Heinrichs Novelle ›Das gestohlene Dokument‹ (1897). Thomas Mann folgt dicht auf mit der Erzählung ›Der Kleiderschrank‹, einer »Geschichte voller Rätsel«, die sich bis in Einzelheiten an eines der ›Phantasiestücke in Callots Manier‹ anlehnt, nämlich an ›Don Juan‹, jene »fabelhafte Begebenheit, die sich mit einem reisenden Enthusiasten zugetragen« hat – die Rupfenwand im Kleiderschrank und, bei Hoffmann, die Tapetentür vermitteln gleicherweise zwischen der grauen Nüchternheit des Fremdenzimmers und der traumhaft-todverfallenen Wunderwelt des Märchens. Von Hoffmann hat Thomas Mann wohl auch das Intoxikations- und Rauschmotiv übernommen, das von da an in allen seinen Werken die Entgrenzung des Wirklichkeitsbereichs einleitet: Albrecht van der Qualen nimmt ein Gläschen Cognac, Thomas Buddenbrook raucht seine russischen Zigaretten; Hans Castorp trinkt sich in die abgründigen Gefilde seiner Walpurgisnacht, aber auch in die mythischen Tiefen seines Schnee-Traums hinein; Krull ergibt sich bis zur Ausschweifung dem Mocca, bevor er sich von Kuckuck zu seinen panerotisch-kosmischen Visionen hinreißen läßt.

Vor Hoffmann noch hatten beide Brüder den wirkungssüchtigsten Zauberer unter den Romantikern kennengelernt: Richard Wagner. Wagner-Klänge rauschen in fast allen Frühwerken Heinrichs herauf. Schon in seinem ersten Roman, ›In einer Familie‹, borgt er sich Wagners Hörselberg-Musik, um Wellkamps Liebe ins Abenteuerlich-Ungeheure zu steigern, und in den ›Göttinnen‹ (1903) erweist er sich auf den Spuren d'Annunzios als Liebhaber Venedigs, der Tristanstadt. Während Heinrich später zu Puccini und Donizetti hinüberwechselte, blieb Thomas Mann dem Meister seiner Jugend treu: Krulls Weltentraum ist so gut von »wogendem Schwall« und »tönendem Schall« erfüllt wie Hannos frühe Träumereien. Mit neunzehn las er Nietzsches Wagner-Kritik, mit fünfundzwanzig verfiel er, allen kritischen Regungen zum Trotz, in einem aufwühlenden Anfall von Pubertätserotik, dem »Wunderreich der Nacht« aufs neue. Er hat im Brief vom 7. 3. 1901 angedeutet, wie sehr ihm damals Musik und Metaphysik, Wagner und Schopenhauer in eins gingen. (Die Einblicke in Schopenhauers »welterotische Konzeption«, die Schauer des mystischen Adepten, der hier erfährt, was ihm »zukommt«: das ist allerdings ein Erlebnis, das er nicht mit dem Bruder teilt, das ihm allein gehört. Und gerade dieses Erlebnis hat für sein Lebenswerk konstituierende Bedeutung; aus dem »süßen Schlaf« seiner schlummerherrlichen Helden läßt er alle Weltenträume aufsteigen – das geht in einem weitgespannten Bogen von Thomas Buddenbrook über Hans Castorp zu Joseph und Felix Krull.)

Ob Thomas Mann selbständig zu Nietzsche gefunden hat oder ob auch hier der Bruder der Wegbereiter war, wissen wir nicht. Heinrich kannte den ›Zarathustra‹ schon als Zwanzigjähriger, die moralkritischen Schriften las er 1894. Im selben Jahr notierte sich Thomas Mann die ersten Nietzsche-Zitate – aus ›Jenseits von Gut und Böse‹ –, und 1895 erwarb er den soeben erschienenen VIII. Band der Großoktav-Ausgabe (er enthält die Wagner-Schriften und die Dichtungen), die weiteren Bände folgten.

Auf Paul Bourget dagegen dürfte ihn mit Sicherheit der Bruder aufmerksam gemacht haben. Heinrich widmet dem französischen Beschwörer und Überwinder der Décadence seinen Erstling. Kurz darauf hält Thomas Mann in seinem Notizbuch erste Lesefrüchte aus Bourget fest. Allerdings distanzierte er sich schon bald: Als Mitarbeiter der Zeitschrift ›Das Zwanzigste Jahrhundert‹, deren Redaktion vom April 1895 bis Ende März 1896 in Heinrichs Händen liegt, kommt er gelegentlich auf Bourgets ›Cosmopolis‹ und das nationale Empfinden im allgemeinen zu sprechen; aber er hält es nicht für eine zukunftsträchtige Kraft, sondern für einen »literarischen Geschmack«. Für Heinrich mochte die Mitarbeit an dieser nationalistischen Zeitschrift ein Experiment sein; er wollte es, von Bourget beeindruckt, mit einer eindeutigen Haltung wenigstens versuchen. Für Thomas Mann war »das einfältige Blättchen«, das der Bruder schon bald »mit einigem Widerwillen« redigierte, kaum mehr als eine willkommene Gelegenheit, Geld zu verdienen und sich so einige äußere Freiheit zu verschaffen. (Daß Thomas Mann übrigens auch seine ersten Novellen in Zeitschriften veröffentlichte, die der Bruder schon erobert hatte, sei nur am Rande erwähnt. ›Gefallen‹ erschien 1894 in M. G. Conrads ›Gesellschaft‹, ›Der Wille zum Glück‹ 1896 im ›Simplicissimus‹.)

Bei alledem darf man nicht übersehen, daß Thomas Mann bei der Wahl seiner Vorbilder von Anfang an einen durchaus eigenständigen Geschmack entwickelt. Er liest die Russen – allen voran Tolstoi –, die Skandinavier, den nordischen Fritz Reuter. Heinrichs Geschmack dagegen ist einseitig auf die Franzosen ausgerichtet; auf Bourget folgen Flaubert, Balzac, Hugo, Zola.

Was Thomas Mann am Werk seines Bruders studiert, ist vor allem die Kunst des Zitierens. Heinrich Mann ist ein Meister der Anspielung. Für seinen ersten Roman wählt er die Konstellation der ›Wahlverwandschaften‹ – Goethes Werk wird im Gespräch genannt –; die Verführungsszene taucht er in Venusberg-Musik. Auch die Novelle ›Das Wunderbare‹ ist von ›Tannhäuser‹ inspiriert; zudem beschwört Heinrich hier die untergründige Venuswelt aus Eichendorffs ›Marmorbild‹ – »Zauberberg« ist ein Wort von Eichendorff; Nietzsche, in der ›Geburt der Tragödie‹, hat es ihm nachgesprochen. In ›Doktor Biebers Versuchung‹ endlich wird auf Flauberts ›Versuchung des heiligen Antonius‹ angespielt; Antonius Bieber, der Arzt der Nervenklinik, setzt sich im entscheidenden Moment ans Klavier und spielt – aus ›Tristan und Isolde‹. Hannos Träumereien am Klavier, der verwunschene Park aus der »Fürsten-Novelle«, darin die Prinzenkinder mit ihren Spielen von Liebe und Tod, Gabriele Eckhoff als kleine Märchenkönigin am Rande des Springbrunnens, dann am Klavier – dies alles ist bei Heinrich schon da: Wagner-Kult, Jugendstil, fin de siècle. Aber Heinrichs Erzählungen sind nicht geblieben, es fehlt ihnen jene letzte Durchdringung, Verwandlung, »Beseelung« des Stoffes, die allein den Dichter ausmacht.

Aus Heinrichs loser Anspielungstechnik entwickelt Thomas Mann eine eigentliche Kunst der Komposition. Er verweist nicht nur vorübergehend auf bekannte vorgebildete Figuren und Situationen der Weltliteratur, vielmehr stützt er ganze Erzählungen auf vorgegebene Handlungsmuster ab. Diese Muster ermöglichen zugleich auch jenes Erzählen zwischen den Sphären, jene »Kunst der Mischung«, in der Stimmen aus allen Zeiten ineinanderklingen. Im ›Kleiderschrank‹ bilden das Feenmärchen und Hoffmanns ›Don Juan‹-Version zusammen mit der Albrecht-van-der-Qualen-Handlung die Textur der Erzählung. ›Tristan‹, aber auch die »Fürsten-Novelle« und ›Wälsungenblut‹ lehnen sich an Wagnerische Mythen an. Im frühen ›Krull‹ spielen das Märchen vom Glückskind, Goethes ›Dichtung und Wahrheit‹ und Manolescus Hochstapler-Memoiren ineinander. Im ›Tod in Venedig‹ und kurz

darauf im ›Zauberberg‹ verwendet Thomas Mann erstmals Motive
aus antiken Mythen als konstituierende Elemente – wieweit ihn
Heinrich Manns ›Göttinnen‹ oder ›Mnais‹, die Novelle von 1906,
dazu angeregt haben, ist nicht bekannt; auffällig ist nur, daß er im
selben Augenblick zu seinen Hadesfahrten ansetzt, da der Bruder
die Novelle ›Rückkehr vom Hades‹ veröffentlicht (1911).

Inzwischen scheint er seinerseits einiges zum Raffinement von
Heinrichs Kompositionskunst beigetragen zu haben: Während in
›Jagd nach Liebe‹ und in der ›Schauspielerin‹ Puccini-Klänge (aus
›La Bohème‹ und ›Madame Butterfly‹) nur zur Untermalung bestimmter Szenen dienen, sind in der ›Kleinen Stadt‹ die Einflüste-
rungen der Goldoni, Beaumarchais, Donizetti und Verdi aufs
kunstvollste ineinanderkomponiert; zur gleichen Zeit, da Thomas
Mann sein Märchen von den Königskindern dem ›Meistersinger‹-
Lustspiel angleicht, Reminiszenzen aus Bangs ›Hoheit‹ und Heinrich Manns ›Contessina‹ darin verwendet und außerdem Klänge
aus der ›Zauberflöte‹ und aus den Psalmen herüberwehen läßt,
schafft Heinrich Mann eine commedia dell'arte, die sich neben
Hofmannsthals irisierenden Kabinettspielen wohl sehen lassen
darf.

In der Benützung biographischer und dokumentarischer Quellen
hatten sie es sich schon lange gleichgetan. Im Drange nach »Realisation« ziehen sie alles irgendwie Brauchbare heran, um der fiktiven Welt Wahrscheinlichkeitscharakter zu geben. Thomas Mann
hält sich, manchmal wortgetreu, an den Bericht seiner Schwester
Julia, als er in den ›Buddenbrooks‹ die Schicksale der Tony dem
Lebenslauf seiner Tante Elisabeth nachbildet. 1910 exzerpiert er
im Hinblick auf Krulls Südamerikareise ein Reisetagebuch seiner
Schwiegermutter. (»Das Benützen der Erlebnisse ist mir Alles gewesen; das Erfinden aus der Luft war nie meine Sache: ich habe die
Welt stets für genialer gehalten, als mein Genie«, vermerkt er gelegentlich in einem der frühen Notizbücher, und er ist sichtlich
froh, sich hier auf Goethe berufen zu können.) Heinrich seinerseits beschreibt, von seinem Bruder fast eifersüchtig beobachtet,
Lolas Kindheit nach den Erinnerungen, die seine Mutter aufge-
zeichnet hatte. Ähnlich wie die ›Buddenbrooks‹ müssen es sich
auch seine Werke oft gefallen lassen, als Schlüsselromane ge-
brandmarkt zu werden.

Unzählige Anleihen bei der Wirklichkeit sollen vor allem den historisierenden Werken den Charakter des Authentischen verleihen. Um ›Fiorenza‹ mit wahrheitsgetreuen Details ausstatten zu können, studiert Thomas Mann die Burckhardt, Villari und Vasari und hält das Verwertbare in unzähligen Exzerpten fest; gleichzeitig sammelt er Bildmaterial, besucht Kunstausstellungen, und schließlich treibt ihn sein »Hunger nach dem Wirklichen« zu einer Reise nach Florenz. Und so Heinrich. Die nachgelassenen Notizenkonvolute zeigen, daß er im Hinblick auf die ›Göttinnen‹ nicht nur d'Annunzio, Henri de Régnier, E. T. A. Hoffmann und Flaubert, sondern über sie hinaus eine lange Reihe von historischen Quellen- und Bildwerken herangezogen und »produktiv« gelesen hat – selbst der Baedeker konnte da nützlich sein. Der Biographie und der Historie ließ sich, wie Tonio Kröger sagt, »das gleichgültige Material« entnehmen, »aus dem das ästhetische Gebilde in spielender und gelassener Überlegenheit zusammenzusetzen« war.

Die geistige Nähe der Brüder wird noch deutlicher sichtbar, wenn man nicht nur ihre Arbeitstechnik, sondern auch die Themen, Motive und Figuren ihrer Werke miteinander vergleicht. Es ist faszinierend zu sehen, wie sich das Briefgespräch in den Büchern fortsetzt. In Thomas Manns Werken insbesondere wimmelt es schon in der Frühzeit von offenen und geheimen Anleihen, von Erinnerungen, Anspielungen, verhüllten Enthüllungen. Das ›Schlaraffenland‹ zum Beispiel hat ihn hundertfältig stimuliert. Einige Andeutungen mögen genügen: Wenn Tonio Kröger die nordische Gefühlsheimat gegen die »bellezza« ausspielt, tut er das mit Worten, die ähnlich schon Claire Pimbusch gesprochen hat. Türkheimer wird von Heinrich als »Renaissancemensch« bezeichnet und mit Cesare Borgia verglichen: Tonio Krögers Ausfall ist also gezielt. Von James L. Türkheimer führt eine gerade Linie sodann zu Samuel N. Spoelmann in der ›Königlichen Hoheit‹, der nach den frühesten Notizen mit ähnlich angelsächsischem Nimbus hätte Davis heißen sollen. Schillers »Drum soll der Sänger mit dem König gehen, sie beide wohnen auf der Menschheit Höhen« wird schon im ›Schlaraffenland‹ zitiert. Türkheimers Gemahlin aufersteht in Mme Houpflé, das Glückskind Andreas Zumsee erhält einen Nachfolger in Felix Krull. (Schon Zumsee wird auf seinem Weg nach oben einem »Märchenprinzen« verglichen, von seinem »glücklichen Selbstbewußtsein«, seiner »glücklichen Naivität« ist wiederholt die Rede. Das Dandy- und das Pulcinella-Motiv, die ganze Illusionsthematik sind hier vorgegeben, aber sie erscheinen bei Thomas Mann philosophisch vertieft – Schopenhauers Schleier der Maja hatte er sich ja auch zu dem Gesellschaftsroman ausborgen wollen, den er nicht lange nach dem Erscheinen des ›Schlaraffenlands‹ auszudenken begann und später an Gustav von Aschenbach abtrat.) Übrigens wird auch Zumsee mit Tannhäuser verglichen; Hans Castorps Hörselberg-Erfahrungen überhöhen und vertiefen die seinen. Aber das alles ist schon längst keine Nachahmung mehr, es ist höchstens noch Demonstration: Siehst du, was sich aus solchen Themen machen läßt? Seit den ›Buddenbrooks‹ hatte Thomas Mann das Gefühl, der größere Schriftsteller zu sein.

Heinrich seinerseits bezieht sich mehr und mehr auf Motive des Bruders: In seiner Novelle ›Der Unbekannte‹ (1906) greift er die Tonio-Kröger-Problematik auf. ›Professor Unrat‹ läßt an die satirischen Schulkapitel in den ›Buddenbrooks‹ denken. Diederich Heßlings Erfahrungen beim Militär gehen auf Thomas Manns Garnisonserlebnisse zurück – dieser hat sie um 1913 im ›Krull‹ auch selbst verwertet. Viele Figuren wiederholen sich in Variationen: Gugigl schlägt Permaneder nach; Erneste in ›Zwischen den Rassen‹ folgt auf Sesemi Weichbrodt – ihrer beider Modell ist Thérèse Bousset, die Inhaberin des Pensionats vor dem Mühlentor zu Lübeck. Nicht immer kann mit Sicherheit gesagt werden, welcher der Brüder ein Thema, ein Motiv zuerst aufgreift: vieles liegt in der Luft, ist beiden zuhanden, und was als Anleihe erscheint, erweist sich als gemeinsamer Besitz. Gemeinsam variieren sie in der Frühzeit vor allem den Typus des décadent; aber während ihm Heinrich alles Heroische nimmt – das zeigt sich bei Wellkamp, Claude Marehn, Arnold Acton –, schafft Thomas Mann den »Helden der Schwäche«, der aus dem Trotzdem lebt, über seine Hemmnisse triumphiert und so Größe gewinnt.

3

Spannungen ließen sich nicht vermeiden, und weil sich die Brüder zu gut kannten, saßen die Hiebe tief. Es begann zur ›Fiorenza‹-Zeit. Anlaß war Heinrich Manns Renaissance-Trilogie ›Die Göttinnen‹. Der Roman kam Ende 1902 bei Langen heraus. Im März 1903 besprach Thomas Mann in der ›Freistatt‹ Toni Schwabes Roman ›Die Hochzeit der Esther Franzenius‹. Er lobte darin die Sprache der Verfasserin, »eine leise und innig bewegte Sprache von sanfter Gehobenheit, die in außerordentlichen Momenten das gehaltene Pathos der Bibel streift. Eine zarte Eindringlichkeit der Wirkungen wird erzielt, die, um es näher zu bezeichnen, ungefähr das Gegenteil ist von jener Blasebalg-Poesie, die uns seit einigen Jahren aus dem schönen Land Italien eingeführt wird. Zuweilen bei Storm kommen Stellen, wo ohne den geringsten sprachlichen Aufwand die Stimmung sich plötzlich verdichtet, wo man die Augen schließt und fühlt, wie die Wehmut einem die Kehle zusammenpreßt.« Ähnliches sagt Tonio Kröger; mit dem Ausdruck »Blasebalg-Poesie« aber wendet sich Thomas Mann gegen die von d'Annunzio (und Balzac) entfachten Lohen in Heinrich Manns Stil. »Was ich sagen wollte, ist dies: Uns armen Plebejern und Tschandalas, die wir unter dem Hohnlächeln der Renaissance-Männer ein weibliches Kultur- und Kunstideal verehren, die wir als Künstler an den Schmerz, das Erlebnis, die Tiefe, die leidende Liebe glauben und der schönen Oberflächlichkeit ein wenig ironisch gegenüberstehen: uns muß es wahrscheinlich sein, daß von der Frau *als Künstlerin* das Merkwürdigste und Interessanteste zu erwarten ist, ja, daß sie irgendwann einmal zur Führer- und Meisterschaft unter uns gelangen kann. [...] Es ist nichts mit dem, was steife und kalte Heiden ›Die Schönheit‹ nennen.«
Unterirdisch hatte es schon lange geschwelt. Im Reisejahr 1901, bei gemeinsamen Aufenthalten in Italien, hatte Thomas Mann wohl Näheres von Heinrichs Italien-Roman gehört, und damals begann er in den Notizbüchern den Charakter jenes neurasthenischen Renaissanceschwärmers zu entwerfen, der unter dem Namen Albrecht oder Eugen in die Novelle ›Die Geliebten‹, später in den ›Maja‹-Roman hätte eingehen sollen. Albrecht wird als »jener Nietzscheanische Typus« dargestellt, »der beständig für das Le-

ben, die Schönheit, den dummen Instinkt, die Kraft eintritt«, dabei aber »mit dem Sonnenschirm zu Pferd« sitzt. In Albrecht versucht Thomas Mann all das zu karikieren, was damals – so heißt es im ›Lebensabriß‹ – zur »Mode- und Massenwirkung« von Nietzsches Philosophie gehörte: den »simplen ›Renaissancismus‹, Übermenschenkult, Cesare Borgia-Ästhetizismus«, die »Blut- und Schönheitsgroßmäuligkeit, wie sie damals bei groß und klein im Schwange war«. Nun, ›Die Geliebten‹ sind nicht geschrieben worden, auch ›Maja‹ nicht; aber das Pathos des neurasthenischen Kraftanbeters ist aus den Notizen von 1901/02 noch zweimal auferstanden, in Axel Martini zunächst, »der, während ihm die ungesunde Röte über den Wangenhöhlen glomm, beständig rief: ›Wie ist das Leben so stark und schön!‹, jedoch um zehn Uhr vorsichtig zu Bette ging«, und in Helmut Institoris, der die italienische Renaissance als eine Zeit verherrlicht, »die ›von Blut und Schönheit geraucht‹ habe«, dabei aber »zart und nervös« ist und sich meist in Sanatorien aufhält.

›Die Göttinnen‹ waren eine wahre dionysische Orgie, auch wenn sich Heinrich Mann der Faszination durch das ruchlose Leben immer wieder entzog und seinen Kult selbst als »hysterische Renaissance« entlarvte. Tonio Kröger wendet sich als erster gegen das Leben »als eine Vision von blutiger Größe und Bilderschönheit«, und mit Savonarola bezieht Thomas Mann gegenüber allem lebensgläubigen Ästhetizismus den Standpunkt des asketischen Moralisten. »Ich bin«, lautet eine Notiz von 1902, »im Vergleich mit H., dem vornehmen, kalten, ein weichmütiger Plebejer, aber mit sehr viel mehr Herrschsucht ausgestattet. Nicht umsonst ist Savonarola mein Held...« Selbst daß Heinrich in ›Pippo Spano‹ den Künstler als neurasthenischen Schwächling und Komödianten bloßstellte, der nicht »von der Kraft, sondern vom Willen zur Kraft« lebt, konnte Thomas Mann nicht davon abhalten, in den ›Betrachtungen‹ dem »ästhetizistischen Renaissance-Nietzscheanismus« des Bruders und der »Schönheits-Großmäuligkeit des d'Annunzio« seinen pessimistischen Moralismus entgegenzustellen; er hielt sich an Heinrichs Faszination, nicht an dessen kritisches Bewußtsein. Sein Tolstoiismus wies ihn an die Seite der Pascal und Meyer – »die epische Luft, der faustische Duft, Kreuz, Tod und Gruft«: Dürers ›Ritter, Tod und Teufel‹ war seine Sphäre.

Dem »Ruchlosigkeits-Ästhetizismus« des Bruders gegenüber vertrat er seit da die »nordisch-moralistisch-protestantische, id est deutsche« Welt. »Es war«, erinnert sich Thomas Mann im Institoris-Kapitel des ›Doktor Faustus‹, »der Gegensatz zwischen Ästhetik und Moral, der ja zu einem guten Teil die kulturelle Dialektik jener Epoche beherrschte und sich in diesen beiden jungen Leuten gewissermaßen personifizierte: der Widerstreit zwischen einer schulmäßigen Glorifizierung des ›Lebens‹ in seiner prangenden Unbedenklichkeit – und der pessimistischen Verehrung des Leidens mit seiner Tiefe und seinem Wissen.« Es folgt ein Satz, der das Verhältnis der Brüder zueinander wie kaum ein zweiter zu bestimmen vermag: »Man kann sagen, daß an seiner schöpferischen Quelle dieser Gegensatz eine persönliche Einheit gebildet hatte und erst in der Zeit streitbar auseinandergefallen war.«

Durch die ›Jagd nach Liebe‹ vergrößerte sich die aufgerissene Kluft. Das zeigt vor allem Thomas Manns fulminanter Brief vom 5. 12. 1903. Die Spannungen begannen sich auf den ganzen Familienkreis auszuwirken. »Wenn es noch dabei sein Bewenden hätte«, schrieb Julia Mann am 20. 11. 1904 ihrem ältesten Sohn, »daß T[homas] und L[öhr]s wie ein großer Teil des lesenden Publikums Deinen letzten Roman scharf verurtheilten, – aber daß Du Dich von den Geschwistern abwendest, thut mir für Dich *sehr leid*. Halte Dich zu ihnen, mein lieber Heinrich, schicke ihnen ab und zu einige freundliche Zeilen und Kritiken, u. zeige ihnen nicht, daß Du Dich von der litterarischen Welt nicht so anerkannt fühlst, als es T. momentan ist [. . .]. Ihr seid *beide* gottbegnadete Menschen, lieber Heinrich, – laß das persönliche Verhältnis zu T. und L.s nicht getrübt werden; wie konnten 1½ Jahre es so ändern blos weil Deine letzten Arbeiten nicht durchwegs gefielen. Das hat doch mit d. geschwisterl. Verhältnis *nichts zu thun*!« Daß Heinrich in seinem Roman bekannte Münchener Persönlichkeiten »in zu gewagter Weise« dargestellt hatte, verzieh ihm insbesondere seine Schwester Julia nicht. Durch ihre Heirat mit dem Bankier Löhr gesellschaftlich verbunden, vertrat sie immer entschiedener den bürgerlich-puritanischen Standpunkt.

Thomas Mann fühlte sich ihr schon durch die äußeren Umstände verknüpft. Seine Heirat auferlegte ihm gesellschaftliche Rücksichten und Verpflichtungen. Die Zeiten »bohemehafter Absolutheit und Beziehungslosigkeit« waren für ihn vorbei. Insgeheim, und gerade Heinrich gegenüber, empfand er seinen Entschluß als eine Art von Verrat an jener Freiheit, die ihn seit den Römer Tagen mit Heinrich verbunden hatte und ihm lange als unabdingbare Voraussetzung des Künstlertums erschienen war: »Ein Gefühl von Unfreiheit, das in hypochondrischen Stunden sehr drückend wird, werde ich freilich seither nicht los«, gesteht er ihm ein knappes Jahr nach der Vermählung, »und Du nennst mich gewiß einen feigen Bürger. Aber Du hast leicht reden. Du bist absolut. Ich dagegen habe geruht, mir eine Verfassung zu geben.« Schon in der Verlobungszeit hatte er sich seines »Glückes« wegen gewissermaßen entschuldigt: »Ich habe es nicht ›gewonnen‹, es ist mir nicht ›zugefallen‹, – ich habe mich ihm *unterzogen*: aus einer Art Pflichtgefühl, einer Art von Moral, einem mir eingeborenen Imperativ, den ich, da er ein Zug vom Schreibtisch *weg* ist, lange als eine Form von Liederlichkeit fürchtete, den ich aber mit der Zeit doch als etwas Sittliches anzuerkennen gelernt habe. Das ›Glück‹ ist ein Dienst – das Gegentheil davon ist ungleich bequemer; und ich betone das, nicht, weil ich irgend etwas wie Neid bei Dir voraussetzte, sondern weil ich argwöhne, daß Du im Gegentheile sogar mit etwas Geringschätzung auf mein neues Sein und Wesen blickst.« Wenn er in der ›Schweren Stunde‹ erzählt, wie Schiller »aus dem Freibeutertum des Geistes in einige Rechtlichkeit und bürgerliche Verbindung eingetreten war, Amt und Ehren trug, Weib und Kinder besaß«, spricht er aus eigener Erfahrung.

Die Fronten waren damit bezogen. Auf der einen Seite standen Thomas und Julia, die – dem Scheine nach – bürgerlichen Geschwister, auf der andern die Bohemiens, Heinrich und Carla. In der literarischen Überspitzung nehmen diese Bindungen inzestuöse Gestalt an; schon das Verhältnis zwischen Claude Marehn und Ute in der ›Jagd nach Liebe‹ weist in diese Richtung, aber auch Heinrichs Novelle von 1905, ›Schauspielerin‹, die ebenfalls Carla zur Heldin hat. Im gleichen Jahr schildert Thomas Mann in seiner Fragment gebliebenen »Fürsten-Novelle«, der Vorstufe zur ›Königlichen Hoheit‹, die Tristan-und-Isolde-Liebe der Märchenkinder Klaus Heinrich und Ditlind, macht dann aber das Inzest-Motiv zum Gegenstand einer besonderen Novelle mit neuer persönlicher Konstellation, so daß er am 17. 1. 1906 an Heinrich schreiben kann, die nähere Bekanntschaft mit der ›Schauspielerin‹ zeige, »daß ich, wie Du mir schon zarthin andeutetest, mit ›Wälsungenblut‹ gewissermaßen gethane Arbeit gethan habe«. (Wie später im ›Erwählten‹ entspringt die Liebe zwischen den exceptionellen Geschwistern auch in ›Wälsungenblut‹ der »übergroßen Heikligkeit«; in ihrem narzißtischen Hochmut kennen Siegmund und Sieglinde wie Grigorß und Sibylla nur die Liebe zu ihresgleichen, die »Ebenbürtigkeitswonne«.) Heinrich blieb Carla bis über deren Tod hinaus aufs engste verbunden, das Drama ›Schauspielerin‹ (1911) und späte Briefe an Karl Lemke beweisen es.

Andere Spannungsursachen kamen hinzu. Daß Heinrich sich nicht entschließen konnte, seinem Verhältnis zu Ines (Nena) Schmied, einer aus Brasilien gebürtigen Sängerin, eine eindeutigere Form zu geben, störte Thomas Mann vor allem, weil dadurch die Kluft zwischen Julia und dem älteren Bruder noch vertieft wurde. Nach seinem Gefühl war die Gemeinschaft der Geschwister seit der Beckergrube geheiligt, sie gehörte zum Traumbesitz der Kindheit. Wer dieses Traumbild zerstörte, verging sich gegen den »Familiensinn«. In seinem Brief vom 1. 4. 1909 erinnert er Heinrich an das Zusammensein im lübischen Vaterhaus. Ähnlich empfindet er ein Jahr darauf Carlas Selbstmord als Verletzung des »geschwisterlichen Solidaritätsgefühls« – noch im ›Lebensabriß‹ tadelt er ihn als »Verrat an unserer geschwisterlichen Gemeinschaft«, als Untreue gegenüber »unserer wirklichkeitsreinen Jugend«. Umgekehrt konnten ihn Beweise echten Familiensinns buchstäblich zu Tränen rühren. Als Heinrich ›Fiorenza‹ gegen Kerr in Schutz nahm, schrieb er ihm zum Beispiel (11. 11. 1913): »In meinen besten Stunden träume ich seit Langem davon, noch einmal ein großes und getreues Lebensbuch zu schreiben, eine Fortsetzung der Buddenbrooks, die Geschichte von uns fünf Geschwistern: wir sind es wert. Alle.« Und im Brief vom 15. 10. 1905 stoßen wir unvermittelt auf den Satz: »*Ich bin durchdrungen von der Nothwendigkeit, daß wir zusammenhalten.*«

Im gleichen Jahr hatte er den ›Professor Unrat‹ gelesen und sich insgeheim in einer ganzen Reihe von Vorwürfen Luft gemacht, die sich alle gegen Heinrichs »Schnellfertigkeit« wenden. »*Anti-Heinrich*« sind diese Ausfälle im 7. Notizbuch überschrieben:

Ich halte es für unmoralisch, aus Furcht vor den Leiden des Müßigganges ein schlechtes Buch nach dem andern zu schreiben.

»Künstlerische Unterhaltungslektüre« – Alles gut. Wenn es nur zuletzt nicht doch eine contradictio in adjecto wäre!

Das alles ist das amüsanteste und leichtfertigste Zeug, das seit Langem in Deutschland geschrieben wurde.

Drüber und drunter! Der Schüler Ertzum giebt einen Aufsatz ab, nachdem er vor Beginn des Schreibens ins Kabuff geschickt wurde; Cigarrenhändler und Cafétier sind Schüler des Gymnasial-Professors: Dergleichen ist wohl kaum noch »Unbedenklichkeit des Künstlers« sondern etwas mehr, nämlich Belletristenthum, das sich ins Zeug legt. Das Buch scheint nicht auf Dauer berechnet.

In Wahrheit, Grütze essen muß sehr leichtsinnig machen – und sehr produktiv. Aber vielleicht ist Produktivität nur eine Form des Leichtsinns.

Unmöglichkeiten, daß man seinen Augen nicht traut.

Unrath ruft im Concertsaal: »Ins Kabuff!«!

Eine gottverlassene Art von Impressionismus. (»Er klomm steil«.)

Von dieser Heftigkeit waren nicht einmal die Ausfälle in der ›Freistatt‹ gewesen. Schnellfertigkeit: das hieß zunächst unsorgfältige Motivation. Thomas Mann konnte sein Unbehagen an den reißenden Handlungsabläufen, den abrupten seelischen Umschwüngen, den theatralischen, ja kinomäßigen Übersteigerungen und Raffungen in Heinrichs Werken je länger, je weniger unterdrücken. Die Ironie, mit der er nach der Lektüre der ›Stürmischen Morgen‹ an Heinrich schreibt (7. 6. 1906), ist kaum mehr verhüllt: »Ein glanzvolles Buch wieder, das alle Deine Vorzüge zeigt, Dein hinreißendes Tempo, Deinen berühmten ›Schmiß‹, die entzückende Prägnanz Deines Wortes, Deine ganze erstaunliche Virtuosität, der man sich hingiebt, weil sie zweifellos direkt aus der Leidenschaft kommt.« Und im Brief vom 1. 4. 1909 rügt er die »steile und grelle Art«, die zu Heinrichs Genie gehöre.

Der Vorwurf der Schnellfertigkeit bezieht sich aber auch auf Heinrichs Produktivität ganz allgemein. ›Professor Unrat‹ war im Sommer 1904 in einem Wurf entstanden, die ›Jagd nach Liebe‹ hatte Heinrich kurz nach den ›Göttinnen‹ »in sechs Monaten hingelegt«, und Thomas Mann hatte ›Zwischen den Rassen‹ noch nicht zu Ende gelesen, da lagen schon ›Die Branzilla‹ und, fast gleichzeitig, ›Der Tyrann‹ abgeschlossen vor: »Mein Gott, Du hast schon wieder etwas fertig«, heißt es im Brief vom 7. 6. 1907. Bis 1909 hatte Heinrich an die zehn Romane geschrieben, dazu eine Unzahl von Novellen, während Thomas Mann auf zwei Romane und zwei Novellenbändchen zurückblicken konnte. »Was mich betrifft«, schreibt er 1906 für eine Zeitschrift, »so heißt es, die Zähne zusammenbeißen und langsam Fuß vor Fuß setzen, – heißt es, Geduld üben, den halben Tag müßig gehen, sich schlafen legen und abwarten, ob es nicht morgen bei ausgeruhtem Kopf doch vielleicht besser wird. Irgend etwas Größeres fertigzumachen, dem einmal Unternommenen die Treue zu halten, nicht davonzulaufen, nicht nach Neuem, in Jugendglanz Lockendem zu greifen, dazu gehört bei meiner Arbeitsart in der Tat eine Geduld – was sage ich! eine Verbissenheit, ein Starrsinn, eine Zucht und Selbstknechtung des Willens, von der man sich schwer eine Vorstellung macht und unter der die Nerven, wie man mir glauben darf, oft bis zum Schreien gespannt sind.« Dem Bruder gesteht er am 6. 2. 1908: »Meine Produktionsart macht starrsinnig und apathisch«; dem »Mühelosen« stellt er auch hier den Asketen gegenüber, der unter der Geißel des Talents lebt, sich Zeit nimmt, in aller Schaffensnot und Verzweiflung die Langsamkeit preist und so das Vollendete schafft. In einem Brief an Katja vom August 1904 stehen die Sätze, die Flaubert zum Heiligen erheben – Schiller, in der ›Schweren Stunde‹, wiederholt sie fast wörtlich: »Nur bei Damen und Dilettanten sprudelt es, bei den Schnellzufriedenen und Unwissenden, die nicht unter dem Druck und der Zucht des Talentes leben. Denn das Talent ist nichts Leichtes, nichts Tändelndes, es ist nicht ohne Weiteres ein Können. In der Wurzel ist es ein *Bedürfnis*, ein kritisches Wissen um das Ideal, eine Ungenügsamkeit, die sich ihr Können nicht ohne Qual erst schafft und steigert.« Und Spinells Satz, daß der Schriftsteller ein Mann sei, dem das Schreiben schwerer falle als allen andern Leuten, steht gegen die Schnellfer-

tigkeit so gut wie jene »Ungenügsamkeit«, die es Aschenbach verbietet, »sich mit einem fröhlichen Ungefähr und mit einer halben
Vollkommenheit zu begnügen«.

Noch ein weiterer Konflikt zeichnet sich schon in frühen Jahren
ab: der Konflikt zwischen dem artistischen Künstler und dem moralischen Literaten. Er ist komplizierter als die bisher genannten,
denn Thomas Mann hat ihn nicht nur gegen den Bruder auszutra-
gen, sondern auch gegen sich selbst. Die Spannung wird hier zum
Zwiespalt.

In Nietzsches Schule hatte es sich Thomas Mann früh angewöhnt,
im Künstler den Schauspieler und Scharlatan zu sehen, die mor-
bide »Zwischen-Spezies« des Artisten, dessen sinnlich-äffisches
Talent nur zur Nachahmung tauge. Nietzsche hatte in seiner
Wagner-Kritik den »Charakter-Verfall« des Künstlers gegeißelt
und die »Heraufkunft des Schauspielers in der Musik« prophezeit.
Wagner erschien ihm als »*histrio*, der größte Mime, das erstaun-
lichste Theater-Genie, das die Deutschen gehabt haben, unser
S c e n i k e r *par excellence*«. »Das Problem des Schauspielers hat
mich am längsten beschäftigt«, schrieb Nietzsche in einem Apho-
rismus der ›Fröhlichen Wissenschaft‹, »ich war im Ungewissen
darüber (und bin es mitunter jetzt noch), ob man nicht erst von da
aus dem gefährlichen Begriff ›Künstler‹ – einem mit unverzeih-
licher Gutmüthigkeit bisher behandelten Begriff – beikommen
wird. Die Falschheit mit gutem Gewissen; die Lust an der Verstel-
lung als Macht herausbrechend, den sogenannten ›Charakter‹ bei-
seiteschiebend, überfluthend, mitunter auslöschend; das innere
Verlangen in eine Rolle und Maske, in einen S c h e i n hinein; ein
Überschuß von Anpassungs-Fähigkeiten aller Art, welche sich
nicht mehr im Dienste des nächsten engsten Nutzens zu befriedigen wissen«: solche Instinkte, glaubte Nietzsche, hätten sich am
ehesten im niederen Volke ausgebildet, das frühzeitig lernt sich
anzupassen und die Mimicry zur Kunst entwickelt, bis es schließlich »den Schauspieler, den ›Künstler‹ erzeugt (den Possenreißer,
Lügenerzähler, Hanswurst, Narren, Clown zunächst, auch den
classischen Bedienten, den Gil Blas: denn in solchen Typen hat
man die Vorgeschichte des Künstlers und oft genug sogar den des
›Genie's‹)«.

Umgekehrt hatte Nietzsche den Künstler auch als Erkennenden

dargestellt. Die morbid-neurotische Verfassung des Artisten hatte
dessen Sinne verfeinert und geschärft. Er war Psychologe und als
solcher mit einem Wahrheitswillen, einem Radikalismus begabt,
der bis ins Gehässig-Selbstzerstörerische führen konnte. Noch zur
›Tonio-Kröger‹-Zeit spricht Thomas Mann von der alles zugrunde
richtenden »psychologischen Hellsicht«, vom »Erkenntnisekel«
des Literaten, und er wiederholt jenen Fluch auf die Literatur, den
er schon im Brief vom 13. 2. 1901 an Heinrich ausgestoßen hatte:
»Ach, die Litteratur ist der Tod! [...] Mir graut vor dem Tage, und
er ist ja nicht fern, wo ich wieder allein mit ihr eingeschlossen sein
werde, und ich fürchte, daß die egoistische Verödung und Verkünstelung dann rasche Fortschritte machen wird...« Immerhin
nimmt Lisaweta die Literatur in Schutz: »Wie also: Die reinigende, heiligende Wirkung der Literatur, die Zerstörung der Leidenschaften durch die Erkenntnis und das Wort, die Literatur als
Weg zum Verstehen, zum Vergeben und zur Liebe, die erlösende
Macht der Sprache, der literarische Geist als die edelste Erscheinung des Menschengeistes überhaupt, der Literat als vollkommener Mensch, als Heiliger, – die Dinge so betrachten, hieße sie nicht
genau genug betrachten?« In den Notizen zum »Litteratur-Essay«
von 1909 scheint diese Ansicht gesiegt zu haben. Mit aufkläre-
rischer Leidenschaft spricht Thomas Mann jetzt selbst von der
»spinozistischen Wirkung der Literatur«, von der »Erlösung der
Leidenschaften durch ihre Analyse« und sieht die vornehmste
Entwicklungsstufe des Literaten in Schopenhauers Typus des Heiligen: »Der Literat«, schreibt er in seinem Aufsatz ›Der Künstler
und der Literat‹, »ist anständig bis zur Absurdität, er ist ehrenhaft
bis zur Heiligkeit, ja, als Wissender und Richtender den Propheten
des Alten Bundes verbündet, stellt er in der Tat auf seiner vor-
nehmsten Entwicklungsstufe den Typus des Heiligen vollkommener dar als irgendein Anachoret einfacherer Zeiten.«
Immer wieder hat Thomas Mann in seinen Werken den bajazzo-
haften Künstlertyp gegen den des asketischen, zur Selbstkasteiung
neigenden Moralisten ausgespielt. Christian Buddenbrook mit
seinen Eulenspiegeleien und Dandyposen steht gegen Thomas, der
mit eiserner Disziplin an der Rolle des Bürgers festhält. (Rollen-
träger sind beide, und beider Rollen sind einander zugewiesen;
nicht umsonst hält Thomas Mann in einer Notiz fest, daß »Tho-

mas = griechisch didymos«, Zwilling, bedeutet.) Savonarola kämpft mit mönchischem Eifer gegen den heidnischen Hedonismus des Lorenzo an – für das komödiantische »Künstlervölkchen« hat er nur Verachtung übrig. In Krull tritt wieder der Künstler als Komödiant und Proteus-Natur auf, in Aschenbach, seinem Gegenspieler, der Literat als Heiliger. Allerdings repäsentiert keiner von beiden seinen Typus rein: Krull ist bei allem erotischen Abenteurertum Soldat und Moralist, Aschenbach erlebt den Absturz aus der Höhe moralischen Wollens in die tiefste Entwürdigung.

Seinem Bruder gegenüber hat Thomas Mann, der doch selbst so viel des Komödiantischen, der Libertinage und des Bohemetums ins sich wußte, immer die Position des Bürgers und Moralisten bezogen. Er scheut sich nicht, dem Bruder vorzuwerfen, es fehle seiner Kunst an Würde, an jener Zucht, Selbstbeherrschung, Langsamkeit, die das Werk der van der Qualen und von Aschenbach auszeichnet; ja, bisweilen hat es den Anschein, als wolle er die Rolle des Künstler-Komödianten ganz auf Heinrich abschieben. »Du weißt«, schreibt er ihm am 18. 2. 1905 (er hat soeben ›Fiorenza‹ vollendet), »ich glaube, daß Du Dich ins andere Extrem verloren hast, indem Du nachgerade nichts weiter mehr, als nur Künstler bist, – während ein Künstler, Gott helfe mir, *mehr* zu sein hat, als bloß ein Künstler.« Ähnlich stellt er ein Jahr später, im Brief vom 17. 1. 1906, seinen ›Friedrich‹ gegen das ›Schlaraffenland‹ und ›Die Jagd nach Liebe‹: »Das Entscheidende ist, daß ein Stoff, mit dem ich es Jahre lang aushalten soll, an sich, als Gegenstand, eine gewisse *Würde* besitzen muß. Ich habe für einen modernen Großstadt-Roman in den letzten Jahren eine Menge merkwürdigen Materials gesammelt, habe so viel erlebt und erlitten, daß es schon ein beträchtliches Buch werden könnte. Aber ich traue mir nicht mehr die Geduld und (Verzeihung!) die Bescheidenheit zu, zwei, drei Jahre die Bürde *irgend eines* modernen Romanes zu schleppen.«

Wieder werden in den Werken die Vorwürfe variiert. Tonio Kröger, »haltlos zwischen krassen Extremen, zwischen eisiger Geistigkeit und verzehrender Sinnenglut hin und her geworfen«, wird dem fahrenden Volk, den »Zigeunern im grünen Wagen«, zugerechnet. (»Der Litterat als Abenteurer«, heißt es in einer Notiz zur Novelle; »Typus Henry. Man ist als Litterat innerlich Abenteurer genug.

Aeußerlich soll man sich gut anziehen, zum Teufel, und sich benehmen wie ein anständiger Mensch!«) Heinrich hat die »Zigeuner« prompt auf sich bezogen – er nahm sie wohl als Rückzahlung für Siebelind, den schwächlichen Dichter in den ›Göttinnen‹ –, und schon in der ›Jagd nach Liebe‹ läßt er selbst Akrobaten in einem »grünen Wagen« auffahren, und Ute, die Schauspielerin, fragt den überheblichsten der gaffenden Bürger, ob er denn glaube, eine wertvollere Existenz zu sein als die Leute im Wagen: »Sie würden sich irren.« Damit nicht genug. In seinem Essay von 1905 läßt er Flaubert sagen: »wenn vor dem Tor meiner Stadt Zigeuner aus ihrem grünen Wagen lugen, regt sich in mir etwas Brüderliches.« Aschenbach fühlt sich seinerseits zu parieren bemüßigt: »Nur ewiges Zigeunertum findet es langweilig und ist zu Spotte geneigt, wenn ein großes Talent dem libertinischen Puppenstande entwächst, die Würde des Geistes ausdrucksvoll wahrzunehmen sich gewöhnt und die Hofsitten« der »Einsamkeit annimmt«.

Tatsächlich waren weder Heinrichs Lebenswandel noch seine Werke dazu angetan, Thomas Manns bürgerliche Bedenken zu zerstreuen. Fast alle Frauen, die in Heinrichs Leben eine Rolle spielten, waren Schauspielerinnen oder Demimondäne, oft beides, das geht in einer langen Reihe von Carla über Ines Schmied, Tilla Durieux, Ida Roland, Maria Kanova zu Trude Hesterberg und Nelly Kröger. Seine Freunde, Wedekind, Steinrück und alle anderen, waren Theatermenschen, seine Vorbilder, von Heine bis zu Wagner, Theatraliker. »Beim Theater« ist ein langes Kapitel in Heinrichs Lebensrückblick überschrieben. Auch seine Gestalten sind Komödianten, ob sie sich nun auf der Bühne bewegen oder im Leben. Was Mario Malvolto von sich sagt, kann man im ›Henri Quatre‹ wieder lesen: »Totus mundus exercet histrionem«: »Jeder macht seinen Komödianten. Totus mundus –.« Komödianten bewegen sich so gut in der ›Kleinen Stadt‹ wie in der Wilhelminischen Ära. Als Thomas Mann daranging, im ›Hochstapler‹-Roman den schauspielerischen Typus des Künstlers, den Dandy à la Barbey d'Aurevilly zu zeichnen – noch wußte er nicht, daß er ihm in Aschenbach einen Gegenspieler geben würde –, da fixierte er Krulls Geburt in den Notizen auf 1871; offenbar war das Werk zunächst als eine Art »Anti-Heinrich« gedacht. Erst später setzte er statt Heinrichs Geburtsjahr sein eigenes ein: die Selbsterforschung zeigte ihm, wie viel Histrionisches in seinem eigenen Blute mitpulsierte.

Daß Heinrich im Bajazzo-Typus so wenig aufging wie er in dem des »Heiligen«, hatte er natürlich nicht übersehen. Das gesellschaftskritische, das soziale: das politische Element in Heinrichs Dichtungen sprach deutlich genug dagegen. Die Aversionen, die sich gerade auf diesem Gebiet schon früh herausgebildet hatten, verschärften sich in den Jahren des Ersten Weltkrieges dermaßen, daß alle artistischen und privat-menschlichen Spannungen hinter sie zurückzutreten hatten.

4

Thomas Mann stand im Banne Nietzsches und einer großen deutsch-romantischen Tradition, wenn er anfänglich die Apolitie des Geistes statuierte. Wie Burckhardt hatte auch Nietzsche Staat und Kultur als Antagonisten gesehen. Politik: das bedeutete fast schon so viel wie Verrat am Geist. Künstler und Intellektuelle hatten sich über alle gesellschaftlichen Ordnungen und Zwänge zu erheben und so dem Geist seine absolute Freiheit zu sichern. Das Ergebnis war im Falle Thomas Manns ein Ästhetizismus, der mit Verachtung auf alle bürgerlichen Macht- und Interessenkämpfe herabsah und die Überlegenheit des Geistes dadurch behauptete, daß er das »Leben« radikal ironisierte.

Die ›Buddenbrooks‹ waren kein gesellschaftskritisches Buch, sie waren, wie alle frühen Werke Thomas Manns, »Bemühungen um ein problematisches Ich«. Die industrielle Revolution, die Heraufkunft des vierten Standes spielen darin kaum eine Rolle; der »Verfall einer Familie« wird nicht als Beispiel historischer Dialektik genommen – es geht nicht um Sozialisierung der Gesellschaft, sondern um jenes von Schopenhauer beschriebene Gesetz, daß Vergeistigung immer auch einen Schwund der vitalen Kräfte mit sich bringe, daß nur – so folgert Thomas Mann – der Gewöhnliche gesund sei, das Genie aber mit Notwendigkeit krank. Im Mittelpunkt steht das Individuum, das Soziale wird an den Rand gedrängt. Was Thomas Mann am 23. 4. 1925 über den ›Zauberberg‹ an Julius Bab schreibt, hätte er schon von den ›Buddenbrooks‹ sagen können: »Daß das Soziale meine schwache Seite ist –, ich bin mir dessen voll bewußt und weiß auch, daß ich mich damit in einem gewissen Widerspruch zu meiner Kunstform selbst, dem Roman befinde, der das Soziale fordert und mit sich bringt. Aber der *Reiz* – ich drücke es ganz frivol aus – des Individuellen, Metaphysischen ist für mich nun einmal unvergleichlich größer. Sicher, Roman, das heißt Gesellschaftsroman, und ein solcher ist der Zbg. bis zu einem Grad auch ganz von selbst geworden. Einige Kritik des vorkriegerischen Kapitalismus läuft mit unter. Aber freilich, das ›Andere‹, das Sinngeflecht von Leben und Tod, die Musik, war mir viel, viel wichtiger. Ich bin deutsch, – glauben Sie nicht, daß ich das Wort im Sinn unbedingten Selbstlobes und ohne nationale Selbstbezweifelung gebrauche. Das Zolaeske ist schwach in mir, und daß ich auf den 8 Stunden-Tag hätte kommen müssen, mutet mich fast wie eine Parodie des sozialen Gesichtspunktes an.« Das gleiche gilt, trotz allen späteren Bemühungen, auch von der ›Königlichen Hoheit‹ und dem ›Felix Krull‹. Ein »sozialkritisches Buch« im strengen Sinne des Wortes hat Thomas Mann nie geschrieben. Er kam von Nietzsche her, nicht von Marx. Seine »Anlagen und Bildungsüberlieferungen« – er hat es im ›Lebensabriß‹ selbst gesagt – waren »moralisch-metaphysischer, nicht politisch-gesellschaftlicher Art«.

Anders Heinrich. Er holte sich bei Nietzsche den Freipaß zu schrankenlosem Experimentieren. Nach seiner Begegnung mit Bourget versucht er es mit dem nationalistischen Standpunkt, ergibt sich in den Novellen des fin siècle einem ungehemmt-romantischen Mystizismus, geißelt im ›Schlaraffenland‹ die spätkapitalistische Gesellschaft und huldigt alsbald, in den ›Göttinnen‹, bis zur Ausschweifung einem nietzscheanischen Renaissancismus und Schönheitskult. Aber Politisches und Artistisches folgen so dicht aufeinander, daß man geneigt ist, beides aus einem im Grunde haltlosen, aber agil und dynamisch sich gebärdenden Ästhetizismus abzuleiten. Die frühe Hinwendung zur Sozialkritik ist unverkennbar, doch bei aller Energie des Zugriffs scheint das l'art pour l'art auch die politische Satire zu bestimmen. In der Folge aber tritt eine Wendung ein, die sich in allen Schriften von 1905 abzeichnet: Hochmut, Einsamkeitsbewußtsein, Lebenshaß sollen um der Teilnahme am Menschlichen willen überwunden werden. »Dieser

Bürgerhasser«, erkennt er im Essay über ›Gustave Flaubert und George Sand‹ (1905), »ist selbst ein Bürger. Merkwürdiger wäre es, wenn er keiner wäre. Gute Satiren schrieb nie jemand, er hätte denn irgendeine Zugehörigkeit gehabt zu dem, was er dem Gelächter preisgab: ein Apostat oder ein Nichteingelassener. In Satiren ist Neid oder Ekel, aber immer ein gehässiges Gemeinschaftsgefühl.« Das hatte nicht nur Flaubert, sondern auch Tonio Kröger erkannt. George Sand, in ihrer Warmblütigkeit, wirkt befreiend und lösend auf den verkrampften Ästheten-Hochmut des mönchischen Artisten. Die »Macht ihrer Menschlichkeit« vermag für Augenblicke die »fixe Idee der Kunst« aus Flauberts Bewußtsein zu drängen. »Sie will, daß er sich endlich in die eigene Güte und Zärtlichkeit füge, sich zu ihr bekenne, an der Liebe der Einfachen teilnehme, etwas von seinem Herzen zu Papier bringe.« Und wie Flaubert eines ihrer Stücke liest, erkennt er, daß die Kunst, die ihm »Absehen und Enthaltung vom Leben ist, kalte Herrschaft über das Leben, unerbittlich gegen die Menschheit«, auch anders sein kann, nämlich »verbündet mit dem Leben, gütig gegen alle, leicht für den, der sie übt«. Erlösung von der dekadenten Lebensfremdheit: Was sich bei Thomas Mann in den Briefen an Katja kundtut, offenbart sich in Heinrichs Briefen an Nena. Am 13. 7. 1905 versucht er ihr gegenüber seine frühen Werke damit zu verteidigen, »daß es bei einem gewissen Nerven- und Geisteszustande lügnerisch wäre, wollte man die Natur einfach und schlicht wiedergeben. Daß Fieberhaftigkeiten, Grotesken, Gewaltsamkeiten unter Umständen das einzig Echte und Redliche sind«. Und er fährt fort: »Es war mir keine Liebe beschieden und nichts, was mir geliebt zu werden wert schien. Aus Mangel an Zärtlichkeit behauptete ich, nur auf Sinnlichkeit komme es an; und behauptete es um so lauter, je weniger ich es innerlich glaubte.«

Auch bei ihm beginnt im Privatesten, was sich sehr bald ins Allgemeine auswirken wird: Der isolierte Geist soll gesellschaftsfähig, ja gesellschaftbestimmend werden. Während sich Thomas Mann nur sehr zögernd auf das Gesellschaftlich-Politische einläßt, wendet sich Heinrich immer entschiedener von dem Flaubertschen Ästhetizismus ab, Maupassant, Balzac, Hugo, Zola werden seine Meister, und in den programmatischen Aufsätzen von 1910 – es ist, »als spräche ein Mensch von 1789« – bekennt er sich zu den

Menschenrechten: »Freiheit: das ist die Gesamtheit aller Ziele des Geistigen, aller menschlichen Ideale. Freiheit ist [...] Fortschritt und Menschlichkeit. Frei sein heißt, gerecht und wahr sein, heißt, es bis zu dem Grade sein, daß man Ungleichheit nicht mehr erkennt. Ja, Freiheit ist Gleichheit.«

Thomas Mann hatte diese Entwicklung mit nervösem Gespür schon früh vorausgeahnt. Am 27. 2. 1904, er hat gerade Heinrichs Novelle ›Fulvia‹ gelesen, schreibt er dem Bruder: »Viel merkwürdiger, seltsam interessant, für mich noch immer ein bischen unwahrscheinlich ist die Entwicklung Deiner Weltanschauung zum Liberalismus hin [...]. Du mußt Dich wohl ganz ungeahnt jung und stark damit fühlen? Wirklich, ich würde Deinen Liberalismus als eine Art bewußt eroberte Jugendlichkeit auffassen, wenn er nicht, wahrscheinlich, ganz einfach ›Reife des Mannes‹ bedeutete. Reife des Mannes! Ob ich's auch soweit bringen werde? Fürs Erste verstehe ich wenig von ›Freiheit‹. Sie ist für mich ein rein moralisch-geistiger Begriff, gleichbedeutend mit ›Ehrlichkeit‹. (Einige Kritiker nennen es bei mir ›Herzenskälte‹.) Aber für politische Freiheit habe ich gar kein Interesse. Die gewaltige russische Literatur ist doch unter einem ungeheuren Druck entstanden? Wäre vielleicht ohne diesen Druck garnicht entstanden? Was mindestens bewiese, daß der Kampf für die ›Freiheit‹ besser ist, als die Freiheit selbst. Was ist überhaupt ›Freiheit‹? Schon weil für den Begriff so viel Blut geflossen ist, hat er für mich etwas unheimlich Unfreies, etwas direkt Mittelalterliches... Aber ich kann da wohl garnicht mitreden.« Entsprechend hielt er ›Zwischen den Rassen‹ für das »gerechteste, erfahrenste, mildeste, *freieste*« Werk von Heinrich, weil es »keine Tendenz« habe – »keine Beschränktheit, keine Verherrlichung und Verhöhnung, kein Trumpfen auf irgend etwas und keine Verachtung, keine Parteinahme in geistigen, moralischen, aesthetischen Dingen, – sondern Allseitigkeit, Erkenntnis und Kunst.« Dies ausgerechnet von einem Roman, in dem Heinrich die »ungeheure Güte der Demokratie« zeigen wollte, ihre Kraft, »Würde zu wecken, Menschlichkeit zu reifen, Frieden zu verbreiten«.

Vollends nicht mehr mitreden konnte er, als gleichzeitig mit der ›Königlichen Hoheit‹ die ›Kleine Stadt‹ erschien, das Hohelied der Demokratie, in dem das Volk die Hauptfigur ist, die Piazza der

Schauplatz: hier spielt sich »das öffentliche Leben«, der Kampf der Fortschrittlichen gegen die Rückständigen ab. »Menschen, Menschen sind wir alle‹«, rügt gleichzeitig Klaus Heinrichs Lehrer, Dr. Überbein – ein »faules Lied«, ein »ordinäres Lied«. Er liebt den »Sonderfall«, die »Würde der Ausnahme«, und über alle Menschlichkeit und Gemütlichkeit geht ihm das Pathos der Distanz, die Forderung nach Größe und Sendung. Einerseits hat sich Thomas Mann darüber beklagt, daß die Rezensenten die politischen, sozialkritischen Elemente seines Romans über Gebühr betont hätten, so daß die geistig-dichterischen, bekenntnishaften zu kurz gekommen seien; umgekehrt spricht er von der »Aussöhnung des aristokratisch-melancholischen Bewußtseins mit *neuen* Forderungen, die man schon damals auf die Formel der ›Demokratie‹ hätte bringen können«. Bahr hatte in dem Roman geradezu ein »Fanal der Demokratie« erblickt – »mein Bruder«, schreibt Thomas Mann am 11. 1. 1910 an Kurt Martens, »ein leidenschaftlicher Demokrat der neuesten Prägung (sein letzter Roman ist äußerst interessant als Zeitprodukt) *war entzückt* über Bahrs Ausdeutung von ›Königliche Hoheit‹.« In den ›Betrachtungen‹ gesteht er offen, »daß ein tiefes Zögern jene Wendung zum Demokratischen, zur Gemeinsamkeit und Menschlichkeit begleitet« habe; er wolle nicht »leugnen, daß das Buch, ungeachtet seiner demokratischen Lehrhaftigkeit, eine wahre Orgie des Individualismus« darstelle. Seine eigentliche Liebe gehöre nun einmal den »aristokratischen Monstren«.

Inzwischen hatte Heinrich Mann bereits seinen ›Untertan‹ zu schreiben begonnen, die »Geschichte der öffentlichen Seele unter Wilhelm II.«, wie im Manuskript der Untertitel hieß. Schon seit 1906 hatte Heinrich sie dokumentiert. Es war der Versuch, eine »ganz naheliegende Zeit, wenigstens all ihr Politisch-Moralisches, in ein Buch zu bringen«, und rückblickend durfte Heinrich mit Recht sagen, daß er stofflich, stilistisch, besonders in seiner »Anschauung der Zeitgenossen« um einiges vorgegriffen habe. Die Forderung nach Zeitnähe machte auch Thomas Mann zu schaffen; aber er vermochte den Übergang »aus dem Metaphysisch-Individuellen ins Soziale« noch lange nicht zu finden. Während er 1909, in den Notizen zu ›Geist und Kunst‹, in einer Anspielung auf Heinrich festhält, daß Literatentum »bei politischer Teilnahme zu einem fast trivialen, fast kindlichen Radicalismus führen kann«, gesteht er dem Bruder im Brief vom 8. 11. 1913 »die Unfähigkeit, mich geistig und politisch eigentlich zu orientieren, wie Du es gekonnt hast«; sein Teil sei »eine wachsende Sympathie mit dem Tode, mir tief eingeboren: mein ganzes Interesse galt immer dem Verfall, und das ist es wohl eigentlich, was mich hindert, mich für Fortschritt zu interessieren. Aber was ist das für ein Geschwätz. Es ist schlimm, wenn die ganze Misere der Zeit und des Vaterlandes auf einem liegt, ohne daß man die Kräfte hat, sie zu gestalten. [...] Oder wird sie im ›Unterthan‹ gestaltet sein? Ich freue mich mehr auf Deine Werke als auf meine. Du bist seelisch besser dran, und das ist eben doch das Entscheidende. Ich bin ausgedient, glaube ich, und hätte wahrscheinlich nie Schriftsteller werden dürfen. ›Buddenbrooks‹ waren ein Bürgerbuch und sind nichts mehr fürs 20. Jahrhundert. ›Tonio Kröger‹ war bloß larmoyant, ›Königliche Hoheit‹ eitel, der ›Tod in Venedig‹ halb gebildet und falsch.« (Der ›Zauberberg‹, an dem er seit dem September 1913 schrieb, vermochte ihn vor solchem Unmut nicht zu bewahren.)

»Sache derer, die früh vertrocknen sollen, ist es, schon zu Anfang ihrer zwanzig Jahre bewußt und weltgerecht hinzutreten«, konnte er zwei Jahre später im ›Zola‹-Essay seines Bruders lesen. Er hatte es inzwischen an Zeitnähe nicht fehlen lassen: In den ersten Kriegsjahren verfaßte er seine drei Aufsätze zum Zeitgeschehen, ›Gedanken im Kriege‹, ›Friedrich und die große Koalition‹ und den Brief ›An die Redaktion des ‹Svenska Dagbladet›, Stockholm‹. Noch einmal nahm er dann den ›Zauberberg‹ vor, der ja auch im politischen Sinne ein »Zeit-Roman« sein sollte. Aber das zu verarbeitende Material war noch nicht »spiel- und kompositionsreif«. So zwang er sich denn – es war Ende Oktober 1915 – zu jener Generalrevision seiner Grundlagen, »dem mühsamen Gewissenswerk der ›Betrachtungen eines Unpolitischen‹«, durch welches er dem Roman »das Schlimmste an grüblerischer Beschwerung« abzunehmen hoffte.

Schon der Titel zeigt, daß es sich auch hier noch um einen Versuch handelt, den apolitischen Romantizismus zu retten, den Thomas Mann von Nietzsche übernommen hatte. Wenn das Buch zur Einseitigkeit drängte, oft mehr Polemik war als Selbsterforschung und Rechenschaft, so ist das zunächst als Reaktion auf die Entente-

Propaganda zu verstehen, die auch von westlich gesinnten deutschen Literaten unterstützt wurde: »der Pazifismus der politischen Literaten, Expressionisten, Aktivisten von damals ging mir ebenso auf die Nerven, wie die jakobinisch-puritanische Tugendpropaganda der Ententemächte, und ich verteidigte dagegen ein protestantisch-romantisches, un- und antipolitisches Deutschtum, das ich als meine Lebensgrundlage empfand«, wird er am 8. 2. 1947 an Hermann Hesse schreiben. Was er verteidigen wollte, war auch jetzt noch die geistige Freiheit, eine apolitisch-ästhetizistische Unparteilichkeit; aber unter dem Druck von außen und im Blick auf das Ganze glaubte er sie nur durch Einseitigkeit und Parteinahme erhalten zu können. »[...] ich war immer zu sehr Ironiker, um eigentlich selbstbewußt zu sein...«, heißt es im Brief vom 1. 10. 1915 an Paul Amann. In einem späteren Brief an den gleichen Empfänger spielt er auf Lessing an: »Wer die Wahrheit zu besitzen glaubt, der kann kein Wahrheitsliebender sein. [...] Ich bin so weit entfernt, mich durch meine écrits geistig festzulegen, daß die schriftstellerische Erledigung meiner Gedanken vielmehr das einzige und sichere Mittel ist, sie loszuwerden, über sie hinaus zu andern, neuen, bessern und womöglich ganz gegenteiligen zu gelangen – sans remords!«

Neben dem Gedanken des Fortschreitens jener des Ausgleichs: »[...] ich stehe auf jede Weise dazwischen, in der Mitte, – gerade darin, scheint mir zuweilen, bin ich deutsch, daß ich völlig ein Mensch der Mitte, ein mittlerer Mensch bin.« So steht es im Brief vom 8. 6. 1916 an Ernst Bertram. Jahrzehnte später wird er schreiben: »Ich bin ein Mensch des Gleichgewichts. Ich lehne mich instinktiv nach links, wenn der Kahn rechts zu kentern droht, – und umgekehrt.« So hielt er sich denn an die Treitschke und Troeltsch, übernahm die Rolle des Reaktionärs, und seine Schriften erwecken bisweilen den Eindruck, als vertrete er aus ganzem Herzen einen hanebüchen-chauvinistischen Patriotismus. Daß er in einer tieferen Schicht seine erasmische Versatilität nicht aufgegeben hatte, zeigt ein Brief vom 4. 11. 1915 an Oskar A. H. Schmitz, der soeben sein Buch über ›Das wirkliche Deutschland‹ veröffentlicht hatte: »Liberalismus«, schreibt Thomas Mann da im Settembrini-Ton, »Liberalismus als Herzenssache ist ganz mein Fall.«

Ein persönlicher Anlaß zur Versteifung und Vereinseitigung war sodann der ›Zola‹-Essay seines Bruders, ein sorgfältig getarntes Bekenntniswerk, in dem Heinrich das Wilhelminische Reich unter der Maske von Louis Bonapartes Frankreich, sich selbst aber unter der Maske Zolas darstellte. Der ›Zola‹-Essay war in vielem eine direkte Erwiderung auf die ›Gedanken im Kriege‹. Heinrich begnügte sich nicht mit sachlich-politischen Erörterungen, sondern diesmal führte er den Angriff mit jener an Nietzsche geschärften psychologischen Reizbarkeit und Gehässigkeit, die ja dem Bruder nicht unbekannt war.

Der Essay erschien Ende 1915 in den ›Weißen Blättern‹. Da ihn Thomas Mann von Heinrich nicht zugestellt erhielt, wandte er sich am 31. 12. 1915 an Maximilian Brantl; ungeduldig schrieb er am 5. 1. 1916 auch noch an Bertram. Wenig später hält er endlich Brantls Exemplar in Händen, und wie er es am 18. 6. 1916 zurückschickt, bittet er »tausend mal um Entschuldigung wegen der Bleistiftstriche. Ich habe angefangen, zu radieren, fürchtete aber, die Sache dadurch zu verschlimmern. Übrigens gehören Bleistiftstriche beinahe zu diesem Artikel; es scheint, daß die trefflichsten Doppelsinnigkeiten von den meisten Lesern nicht bemerkt werden.« (Das Heft mit den Anstrichen und Randglossen ist uns aus Brantls Nachlaß erhalten; die Radierspuren neben dem zweiten Satz, den Thomas Mann noch im Brief vom 31. 12. 1917 einen »unmenschlichen Exzeß« nennt, sind deutlich sichtbar.)

Thomas Mann fühlte sich durch den Essay aufs empfindlichste getroffen. Am 15. 1. 1916 schreibt er an Bertram: »Ich habe gelesen u. bin selbst dadurch überrascht, daß das ja fast noch mehr gegen mich, als gegen Deutschland geht.« Von da an sind die ›Betrachtungen‹ eine Stellungnahme vor allem gegen den Bruder. »Was mich empört«, verzeichnet Thomas Mann im 10. Notizbuch, »was mich anwidert, ist die gefestigte Tugend, die doktrinäre, selbstgerechte und tyrannische Hartstirnigkeit des Civilisationsliteraten, der [...] verkündigt, daß jedes Talent verkümmern müsse, das sich nicht der Demokratie verschwört. Dann will ich lieber in Freiheit u. Melancholie verdorren, als durch politische Borniertheiten blühen u. selig werden.« Und: »Hingabe an eine Doktrin mag mit 20 Jahren ein schönes Zeichen sein. Mit 45 ist es das Philisterium, die Unterkunft.« Wieder geht es zuerst und zuletzt um den Freiheitsbegriff. »›Freiheit‹«, notiert er sich, »ist ein bis zum Nihilis-

43

mus geistiges Prinzip und kann daher auf die Dauer – länger als 100 Jahre – kein *politisches* Prinzip sein. Um so weniger kann es den Anspruch auf absolute, ewige politische Geltung erheben in einem Augenblick, wo der Geist selbst in eine Periode neuen *Bindungs-* und nicht Auflösungsbedürfnisses tritt.«

Heinrich hatte in seinem Essay die gegenseitige Durchdringung von Politik und Literatur gefordert. »In seinen Anfängen«, schreibt er von Zola – wieder ist es verhüllte Autobiographie –, »hatte er das politische Handwerk verachtet, wie nur je ein Literat. Jetzt sah er wohl, was die Politik in Wirklichkeit war: ›das leidenschaftlich bewegte Feld, auf dem das Leben der Völker ringt, und wo Geschichte gesät wird für künftige Ernten von Wahrheit und Gerechtigkeit‹. Literatur und Politik hatten denselben Gegenstand, dasselbe Ziel und mußten einander durchdringen, um nicht beide zu entarten.« Und hier kommt er zu seinem Kernsatz: »Geist ist Tat, die für den Menschen geschieht; – und so sei der Politiker Geist, und der Geistige handle!« – »Nein, der Geistige handle *nicht* [...]«, hält ihm Thomas Mann in einer Notiz entgegen. »Die Kluft zwischen Gedanke und That, Dichtung und Wirklichkeit wird immer breit und offen bleiben. [...] Der Geistige hat zu wirken, nicht zu handeln. Verkennt er dies, reißt seine Leidenschaft ihn ins Wirkliche, so gerät er in ein falsches Element, wo er sich schlecht, dilettantisch u. ungeschickt ausnimmt, menschlich Schaden leidet u. sich in ein falsches und unnötiges Märtyrertum kleiden muß, um noch eine leidliche Figur zu machen. Wirke Künstler, handle nicht.«

Sowohl Goethe wie Nietzsche bestärkten ihn in dieser Haltung. Von Goethe notiert er sich den Satz, daß ein gutes Kunstwerk zwar moralische Folgen haben könne, »aber moralische Zwecke vom Künstler fordern, heißt ihm sein Handwerk verderben«. Die Politisierung Nietzsches nennt er eine »Verhunzung«, denn »dieser war künstlerischer Individualist und liebte deutsches Wesen nur, sofern es un- und überpolitisch war«. Nicht daß es Thomas Mann an einer Au-dessus-de-la-mêlée-Haltung gelegen hätte, aber sowohl der Tendenzschriftsteller wie der politische Aktivist schienen ihm gegen das Wesen der Kunst: gegen die Freiheit zu verstoßen.

Wie früher, glaubte er auch jetzt noch, Heinrichs aktivistische

Haltung als literatenhaften Ästhetizismus beschreiben zu können. »Die inneren Dinge sind nicht einfach«, lautet eine Notiz: »Ich, der Bürger, bin im Geistigen mehr Zigeuner, als der geistige Politiker, und dieser aesthetizistischer als ich, der Aesthet, – wie denn Heinrichs ›Untertan‹ ein eminent aesthetizistisches Werk ist, wenn auch auf eine negative Art.« Und in den ›Betrachtungen‹, im Kapitel über ›Ästhetizistische Politik‹, gibt er Heinrich zu bedenken, daß man auch »als ›dienender‹ Sozial-Moralist und Verkünder entschlossener Menschenliebe ein Erz-Ästhet geblieben sein kann«. In einer vorausgehenden Notiz bezeichnet er den politisierenden und moralisierenden Ästhetizismus kurzerhand als »Unzucht mit der Tugend«.

Die angeführten Zitate zeigen mit genügender Deutlichkeit, daß ihn die Psychologie des Romancier-Politikers fast noch mehr beschäftigte als dessen politische Wirksamkeit. Am tiefsten betroffen fühlte er sich dort, wo sich Heinrichs Invektiven auf seine künstlerische Existenz bezogen, wo er des Schmarotzertums, der »politischen Streberei« und des Ehrgeizes ganz allgemein bezichtigt wurde. Gegen den »unanständigen Psychologismus der Zeit« hatte er sich schon in der Novelle ›Ein Elender‹ wenden wollen. Damals, in den Auseinandersetzungen mit Theodor Lessing und Kerr, hatte er »Anständigkeit als Velleität« gefordert und Aschenbachs Künstlertum aus dieser Velleität abgeleitet. Jetzt, im Kapitel ›Gegen Recht und Wahrheit‹, wehrt er sich gegen die »psychologischen Erbärmlichkeiten« seines eigenen Bruders: »Aber Psychologie ist ja das Billigste und Gemeinste. Es gibt nichts Irdisches, worin sich nicht durch ›psychologische Analyse‹ Erdenschmutz entdecken und isolieren ließe, keine Tat oder Meinung, kein Gefühl, keine Leidenschaft. Man sage mir doch, welchen Nutzen Psychologie je auf Erden gestiftet hat! Hat sie der Kunst genützt? Dem Leben? Der ›Würde des Menschen‹? Nie. Nützlich sein kann sie einzig dem Haß, der außerordentlich ›psychologische Kommentare‹ liebt, weil durch solche schlechterdings alles kompromittiert werden kann. Wer gerade nicht haßt, dem muß ›Psychologie‹ als die überflüssigste Errungenschaft der Neuzeit erscheinen. – Und wenn ich dem Zivilisationsliteraten mit gleicher Münze heimzahlte? Wenn ich ihm ›psychologisch‹ begegnete? Wenn ich ihn anhielte, die Art von Erkenntnis, mit der er mich traktiert, gegen sich selbst zu wenden und sich zu fragen, ob Politik nicht ein Vorwand sein kann? Neigte er im mindesten zu sittlicher Hypochondrie, er müßte erbleichen und verstummen. Aber er neigt nicht zu sittlicher Hypochondrie, – ach, nein.« Längst schon hatte sich ihm Nietzsches psychologische Reizbarkeit zu »Überreiztheit«, die Gehässigkeit der Erkenntnis zu »Unverschämtheit« verzerrt, und erneut wandte er das, wogegen er in sich selbst ankämpfte, nach außen, gegen den Bruder.

Es sind nicht nur die psychologischen »Infamien«, die ihn 1918 – in seinem Brief vom 3. Januar – daran hindern, dem Bruder die Hand zu reichen. Er *brauchte* den Streit mit Heinrich, um die ›Betrachtungen‹ fertig schreiben zu können. Im übrigen war er schon während der Niederschrift selbst geneigt, sie für ein »Rückzugsgefecht romantischer Bürgerlichkeit« zu halten. Die sachlichen Aspekte der Auseinandersetzung vermochte er bereits in dem Brief vom 18. 4. 1919 an Karl Strecker durchaus ruhig und gerecht zu beschreiben: »Ich glaube, ehrlich gesprochen, nicht an meinen überlegenen Rang und Wert, ich glaube nur an Unterschiede des Temperaments, des Gemüts, der Moralität, des Welterlebnisses, die zu einer im Goethe'schen Sinne ›bedeutenden‹ Feindschaft und repräsentativen Gegensätzlichkeit geführt haben – auf der Grundlage sehr stark empfundener Brüderlichkeit. Bei mir überwiegt das nordisch-protestantische Element, bei meinem Bruder das romanisch-katholische. Bei mir ist also mehr Gewissen, bei ihm mehr aktivistischer Wille. Ich bin ethischer Individualist, er Sozialist – und wie sich der Gegensatz weiter umschreiben und benennen ließe, der sich im Geistigen, Künstlerischen, Politischen, kurz in jeder Beziehung offenbart.«

Mit dem »Bruderhaß« hingegen wurde er nicht fertig, und auch nach der Versöhnung von 1922 dauerte es noch lange, bis die Wunden einigermaßen vernarbten. »Freudig bewegt, ja abenteuerlich erschüttert, wie ich bin«, schreibt er am 2. 2. 1922 an Ernst Bertram, »mache ich mir doch keine Illusionen über die Zartheit und Schwierigkeit des neu belebten Verhältnisses. Ein modus vivendi menschlich anständiger Art wird alles sein, worauf es hinauslaufen kann. Eigentliche Freundschaft ist kaum denkbar. Die Denkmale unseres Zwistes bestehen fort [...].« 1922 gab er die ›Betrachtungen‹ in gekürzter Form heraus; auf den extremsten

Äußerungen wollte er nicht beharren. Heinrich seinerseits ließ sich herbei, in der Neuausgabe des ›Zola‹-Essays von 1931 die ausfälligsten Stellen zu tilgen. In seinem Erinnerungswerk, 1945, schreibt er im Rückblick auf die Kriegszeit, es sei seines Bruders Natur gewesen, zu repräsentieren, nicht, zu verwerfen. »Sein Gewissen hatte einen schweren Weg, bis es gegen sein Land entschied. Um so höher wird ihm sein Entschluß vergolten, hier mit Liebe, dort mit Haß. Er ist ein Zeuge außerhalb der Reihe. Und er ist nicht lau.« Er zitiert dabei die Prinzessin von Orange: »Niemals irren, bei unserem Herrn im Himmel heißt das Lauheit.« Opportunismus hatten sich die Brüder gegenseitig vorgeworfen. Heinrich rügte Thomas Manns Hang, mit der deutschen Tagesstimmung zu gehen; dieser hielt seinen Bruder für einen Mitläufer und Wortführer der westlichen Zivilisationsliteraten. In der Folge relativierten sich ihre Positionen, und die Versöhnung vermochte vielleicht zu zeigen – jedenfalls sprach Thomas Mann es aus –, daß Brüder nach Stunden »besonders pointierter und unter dem kindlichen Gesichtspunkt unglaubwürdiger Verwirklichung sich aus dem Einzeldasein wieder zueinander finden« konnten.

5

Die zwanziger Jahre standen im Zeichen des »modus vivendi«, von dem Thomas Mann in seinem Brief an Bertram spricht. Daß sich der Briefwechsel dieser Jahre auf ein paar Reisegrüße beschränkt, hat nicht nur den äußeren Grund, daß die Brüder nahe beisammen wohnten und sich besuchen konnten, wann sie wollten – sie taten es auch –; der Hauptgrund liegt darin, daß die kindlich-brüderliche Vertrauensseligkeit von einst weitgehend verschüttet war. Auch waren beide Persönlichkeiten des öffentlichen Lebens geworden. Heinrich Manns Werke erlebten nach dem Krieg ungeahnte Auflagezahlen, allein vom ›Untertan‹ wurden in vier Wochen 100000 Exemplare abgesetzt. Kurt Wolff gab die Gesammelten Werke heraus: auch Heinrichs frühere Werke wurden jetzt entdeckt. Die Trilogie ›Das Kaiserreich‹ – ›Der Untertan‹, ›Die Armen‹, ›Der Kopf‹ – machte ihn zum Dichter der Weimarer Republik; es gab Deutsche, die in ihm den kommenden Reichspräsidenten sahen. Politik umschäumte ihn. 1923 wohnte er als erster deutscher Gast den Entretiens de Pontigny bei, er wurde 1924 von Masaryk, 1931 von Aristide Briand empfangen.

Während er schon lange ein »öffentlicher Mann« war, bemühte sich Thomas Mann in zermürbenden Gedankengängen um ein neues Verhältnis zur Politik. Die kühnen Zugriffe des Bruders waren seine Sache nicht. »Vielleicht kann von einer gewissen Entwicklung zueinander hin doch die Rede sein: Mir ist so zu Mute, wenn ich mich erinnere, daß der mich zur Zeit eigentlich beherrschende Gedanke der einer neuen, persönlichen Erfüllung des Humanitätsgedankens ist«, schreibt er am 2. 2. 1922 an Bertram. Im Juli dieses Jahres begann er mit der Niederschrift seiner Rede ›Von deutscher Republik‹ – er las sie im Herbst des gleichen Jahres seinem Bruder und einigen Freunden erstmals vor. Die ›Betrachtungen‹ waren ihm aus dieser Perspektive ein »Kriegsprodukt, an dem mir selbst heute manches Periphere unhaltbar scheint, dessen apolitische Humanität aber nur großes Mißverstehen ins politisch Reaktionäre umdeuten konnte. Eine gewisse anti-liberale Tendenz dieser Bekenntnisschrift erklärt sich aus meinem Verhältnis zu Goethe und Nietzsche, in denen ich meine höchsten Meister erblicke [...]. Über meine Idee der Humanität«, fährt er im Brief vom 1. 3. 1923 an Félix Bertaux fort, »versuchte ich Auskunft zu geben in der Schrift ›Von deutscher Republik‹, die mir als Abfall vom Deutschtum und Widerspruch zu den ›Betrachtungen‹ verübelt worden ist, während sie innerlich ihre gerade Fortsetzung bildet.« Wieder ist seine Langsamkeit evident: Während sich Heinrich in seinem politisch-utopischen Drang bereits der sozialen Demokratie zugewendet hat, versucht sich Thomas Mann an ihrer bürgerlich-humanistischen Form. Äußere Erfolge waren indes auch ihm nicht versagt: 1926 war er, drei Jahre nach dem Bruder, in Paris; 1929 erhielt er – nicht für den ›Zauberberg‹, sondern für die ›Buddenbrooks‹ – den Nobelpreis.

Die inneren Rivalitäten blieben bestehen. Das zeigen die Briefe, in denen die Brüder zu den Problemen der neugegründeten Sektion für Dichtkunst der Preußischen Akademie der Künste Stellung beziehen. Obwohl ihm der Bruder Zurückhaltung empfiehlt, übernimmt Heinrich 1931 deren Vorsitz und erhält so den inoffiziellen Titel eines »Präsidenten der Dichterakademie«. Und wie Thomas kurz darauf als Nachfolger Liebermanns zum Präsidenten der Gesamtakademie vorgeschlagen werden soll, da ist es Heinrich, der ihm dringend davon abrät – übrigens mit Erfolg, denn Thomas Mann ist der Betriebsamkeit im Grunde abgeneigt.

Die Nachwehen des Bruderzwists sind am deutlichsten in Heinrichs Schlüsselroman ›Der Kopf‹ (1925) zu spüren. Das »brüderliche Welterlebnis« bestimmt auch die Freunde Terra und Mangolf, die hier für Heinrich und Thomas stehen. »Uns trennt«, heißt es gleich zu Beginn des Romans, »ein einziges Wort, das er anbetet: Erfolg.« Und später wird Terra sagen: »›Dein Leiden liegt auf der Hand. Es rührt daher, daß Du wider Dein besseres Wissen ein großer Streber bist. [...] Du verachtest zuviel, es wird Dir schaden. Ich hasse lieber. [...] Ich hasse die Erfolge, zu denen Du Dein Gewissen erst überreden mußt.‹« Die Szene ist grell beleuchtet: »Sie sahen einander glühend an, prophetisch jeder erfüllt von der ganzen Wahrheit seines Lebens, und tödlich gespannt, zu kämpfen für seine Wahrheit.« Mangolf kommt zum Erfolg, indem er sich in die bestehende Gesellschaftsordnung fügt. Terra dagegen ist der Rebell, der sich im Kampf gegen die träge Konvention aufreibt. Schuldig gesprochen werden Terra wie Mangolf: »Wir haben beide durch Stolz gesündigt.« Der Hochmut, die superbia, ist ihrer beider Teil. Er habe den ›Kopf‹ noch nicht gelesen, schreibt Thomas Mann am 23.4.1925 an Julius Bab: »Ich [...] vermute aber im Voraus, daß das Prinzip der Arbeitsteilung zwischen uns Brüdern gewahrt bleibt.«

Auch Thomas Manns innere Vorbehalte blieben bestehen. Wie er 1930 ›Die große Sache‹ bespricht, sind alle früheren Einwände wieder da: Der Roman ist, schreibt er, »in einem Grade reizgeladen und reizüberladen, daß die Lust, die er bereitet, jeden Augenblick im Begriffe ist, zur Pein zu werden«. Er vermißt an diesem »überwahrheitsgetreuen Hexensabbath« die »epische Güte«: »Schon das Tempo des Romans ist erbarmungslos und läßt nicht zu Atem kommen: [...] gereizt und gebannt von einem Stil, der an edler Schmissigkeit nicht seines gleichen hat, einer Mischung aus Saloppheit und Glanz, Tages-Argot und intellektueller Hochspannung, wird man von Wirbel zu Wirbel gerissen und landet betäubt vom Drunter und Drüber leidenschaftlich-burlesker Abenteuer und krasser Travestieen, erschöpft vor Lachen über ihre vornehme Unwahrscheinlichkeit und zu Tränen ergriffen von Geistesgüte.« Das sind die Vorwürfe, die er schon in der ›Freistatt‹ und im »Anti-Heinrich« vorgebracht hatte. Aber auch jene aus der Zeit der ›Betrachtungen‹ fehlen nicht: »Dieser Gesellschaftsphantast, der zugleich ein Gesellschaftsprophet ist, hat es erlebt, daß die Zeit sich seinem durchaus sozial und politisch orientierten Talent fügte. [...] Krisis, Umschichtung, soziales Abenteuer, Politisierung bis ins Mark – es fehlt nicht an Leben in der Bude, der Gesellschaftsromancier ist in seinem Element.« Das Problem der Freiheit wird erneut angeschnitten: »Was die republikanische Gesellschaft betrifft, so könnte kein Todfeind der Freiheit mehr Hohn über sie ausschütten und sie klamaukhafter darstellen, als es in diesem Roman geschieht.« Die Wirklichkeit werde »zur Farce gesteigert durch einen Ästhetizismus, der der Gemeinheit nur vorzuwerfen hat, daß sie nicht gemeiner ist und sie ins Überwirkliche hebt. [...] das alles ist streng, noch im Jux und noch in der Güte, streng und schmerzhaft, einsam in seiner Gesellschaftlichkeit, wissend und ahnungslos, faszinierend und schwer erträglich, rührend und beleidigend wie was? Wie das Genie.« Das war deutlich genug, und Heinrich war wohl damals noch nicht so weit, daß er sich, wie im ›Zeitalter‹, hätte eingestehen können: »Ich habe, um oft vollkommen zu sein, oft improvisiert; ich widerstand dem Abenteuer nicht genug, im Leben oder Schreiben, die eins sind.«

Was die Brüder in der Folgezeit zusammenschloß, war der gemeinsame Feind. Heinrich Mann wurde früher ausgebürgert als sein Bruder. Bald war er einer der Leiter der Volksfront in Frankreich. Thomas Mann ließ es erst 1936 zum endgültigen Bruch mit Deutschland kommen; aber nachdem er Stellung bezogen hatte, wurde *er* zum geistigen Führer der Emigranten. In den dreißiger Jahren vollzog sich in Thomas Mann, was er die »Politisierung des Geistes« nannte. »Wir haben alle«, schreibt er am 8. 4. 1945 an Hermann Hesse, »unter argem Druck, eine Art Vereinfachung erfahren. Wir haben das Böse in seiner ganzen Scheußlichkeit erlebt und dabei – es ist ein verschämtes Geständnis – unsere Liebe zum Guten entdeckt. Ist ›Geist‹ das Prinzip, die Macht, die das *Gute* will, die sorgende Achtsamkeit auf Veränderungen im Bilde der Wahrheit, ›Gottessorge‹ mit einem Wort, die auf die Annäherung an das zeitlich Rechte, Befohlene, Fällige dringt, dann ist er politisch, ob er den Titel nun hübsch findet oder nicht. Ich glaube, nichts Lebendes kommt heute ums Politische herum. Die Weigerung ist auch Politik, man treibt damit die Politik der bösen Sache.« Da klingt nach, was er 1941 in seiner Ansprache zu Heinrich Manns siebzigstem Geburtstag gesagt hatte: Daß die »Totalität des Menschlichen« das Politische einschließe, daß sie es gewesen, wovon der bürgerliche Geist in Deutschland nichts gewußt habe. »Es war der verhängnisvolle Fehler dieser gebildeten deutschen Mittelklasse, zwischen Geist und Leben, Denken und Wirklichkeit, einen scharfen Trennungsstrich zu ziehen und von der Höhe einer absoluten Kultur verachtungsvoll auf die Sphäre des Sozialen und Politischen herabzublicken.« Es habe an jenem Pragmatismus gefehlt, der »Lebensfreundlichkeit, Lebensverbundenheit« sei: Verantwortungsgefühl des Geistes für das Leben. Heinrich gesteht er in dieser Ansprache zu, daß er die neue Situation des Geistes früher geschaut und erfaßt habe als die meisten: »du hast das Wort ›Demokratie‹ gesprochen, als wir alle noch wenig damit anzufangen wußten.«

Heinrich war auch in den ersten Jahren des Exils die treibende Kraft. Er verfaßte Hunderte von Artikeln zum Tage – in der ›Neuen Weltbühne‹, in der ›Dépêche de Toulouse‹, im ›Pariser Tageblatt‹ und in der ›Internationalen Literatur‹. »Mein Ziel ist bei allem das Deine«, schreibt er am 25.5.1939 dem Bruder: »die deutsche Erhebung muss dem Krieg zuvorkommen. [...] Zum Jahreswechsel muss Hitler am Boden liegen.« Thomas Mann folgte mit unzähligen Aufsätzen und Reden: ›Achtung, Europa!‹, ›Das Problem der Freiheit‹, ›Dieser Krieg‹. Die Radiosendungen ›Deutsche Hörer!‹ schlossen sich an. Die geschichtlichen Ursachen endlich, die Deutschland in den Krieg geführt hatten, versuchte er im ›Doktor Faustus‹ zu analysieren.

Heinrichs dramatische Flucht nach Amerika führte die Brüder wieder zusammen. Politische Differenzen gab es jetzt kaum mehr. »Mit Deinem Vater verstehe ich mich politisch jetzt wirklich recht gut«, soll Heinrich einmal zu Erika gesagt haben. »Nur etwas radikaler ist er als ich.« – »Das klang unendlich komisch«, kommentierte Thomas Mann, »aber was er meinte, das war unser Verhältnis zu Deutschland [...], auf das er weniger zornig ist als ich, aus dem einfachen Grunde, weil er früher Bescheid wußte und keinen Enttäuschungen ausgesetzt war.« Auch innerlich waren sich die Brüder inzwischen um einiges nähergekommen. 1938, als Heinrich sein Meisterwerk, den ›Henri Quatre‹, vollendet hatte, widmete er es dem Bruder mit den Worten: »Dem Einzigen, der mir nahe ist.« In ein anderes Werk trug er die Widmung ein: »Meinem grossen Bruder, der den ›Doktor Faustus‹ schrieb.« Zum ›Joseph‹ und zur ›Lotte‹ fand er kluge, gute Worte.

In Amerika Fuß zu fassen, wie der Bruder es getan, gelang Heinrich Mann nicht mehr. In tiefer Einsamkeit, mehr und mehr in die Vergangenheit eingesponnen, vollendete er seine Alterswerke. »Mag sein, daß zuletzt die persönliche Gegenwart zurücktritt hinter die Erinnerung. Ohne Ursache und kaum dass ich weiss warum, habe ich plötzlich angefangen, ›Buddenbrooks‹ zu lesen«, gesteht er Thomas Mann am 15. 4. 1942. Der Bruder tat alles, um die durch den ungleichen Erfolg entstandene Entfernung zu verringern, aber er konnte nicht verhindern, daß sich Heinrichs Einsamkeit zu einer eigentlichen Menschenscheu steigerte. Thomas Mann hat im ›Bericht über meinen Bruder‹ Heinrichs damaliges Leben geschildert: »Am Morgen, wenn er seinen starken Kaffee gehabt, früh sieben Uhr wohl bis Mittag, schreibt er, produziert unbeirrbar in alter Kühnheit und Selbstgewißheit, getragen von jenem Glauben an die Sendung der Literatur, den er so oft in Worten von stolzer Schönheit bekannt hat, – fördert das aktuelle Werk, indem er, immer noch mit eingetauchter Stahlfeder, Blatt auf Blatt mit seiner überaus klaren und deutlich ausgeformten Lateinschrift bedeckt, – gewiß nicht mühelos, denn das Gute ist schwer, aber doch mit der trainierten Fazilität des großen Arbeiters.« Im letzten Abschnitt kommt er auf Heinrichs Werke zu sprechen: »Da entstehen denn die unermüdeten, von seines Geistes Siegel unverwechselbar geprägten Neuigkeiten, von denen man bald hören wird: die in eigentümlichem Emaille-Glanz historischen Kolorits leuchtenden episch-dramatischen Szenen, die, überraschende Stoffwahl, dialogisch das Leben des preußischen Friedrich erzählen; der Roman ›Empfang bei der Welt‹, gespenstische Gesellschaftssatire, deren Schauplatz überall und nirgends; ein neuer Roman schon wieder, ich weiß noch nicht welchen Gegenstandes; vor allem (ich finde: vor allem) das faszinierende Memoiren-Buch ›Ein Zeitalter wird besichtigt‹, von dem große Teile in der Moskauer ›Internationalen Literatur‹ zu lesen waren und dessen englische Übersetzung abgeschlossen ist: eine Autobiographie als Kritik des erlebten Zeitalters von unbeschreiblich strengem und heiterem Glanz, naiver Weisheit und moralischer Würde, geschrieben in einer Prosa, deren intellektuell federnde Simplizität sie mir als die Sprache der Zukunft erscheinen läßt.«

An eine Rückkehr nach Deutschland vermochten beide nicht zu glauben. Als man Heinrich als Präsidenten der Akademie der Künste nach Ostberlin berief, konnte er sein Mißtrauen nicht verhehlen: »Mag sein, man will mich herumzeigen und verkünden, daß wieder einer zurückgekehrt.« Er starb, bevor er die Reise antreten konnte. »Mein Bruder hat nach menschlichem Ermessen einen milden Abschied gehabt«, berichtet Thomas Mann am 30. 3. 1950 an Eva Lips: »eine Gehirnblutung im Schlaf, ohne einen Laut und eine Regung von seiner Seite. Am Morgen war er einfach nicht mehr zu erwecken. Das Herz arbeitete noch einen Tag lang weiter bei längst unstörbarer Bewußtlosigkeit. Es ist im Grunde eine gnädige Lösung. Denn an seine Übersiedlung nach Berlin wollte er glauben und glaubte im tiefsten doch nicht daran, daß er dem Unternehmen noch gewachsen sein werde. Er ruhe in Frieden, nach einem tatenreichen Leben, dessen Spur nicht so bald vergehen wird.«

In seinem letzten Roman, ›Der Atem‹ (1949), hat Heinrich Mann noch einmal zu seinem Bruder gesprochen. Die sterbende Maria Theresia von Traun, Baronin Kowalski, sagt zu ihrer Schwester, der erfolgreicheren Marie-Louise, Duchesse de Vigne: »»Marie-Lou, hasse mich nicht, weil ich lebte, oder weil ich sterbe. Ich weiß, du haßtest mich nur mit Selbstverleugnung, wir waren doch Schwestern. [...] Wir kränkten uns mit unserer Unabänderlichkeit, gleichwohl habe ich dich geliebt, Marie-Lou, am meisten, wenn wir verfeindet waren. Du weißt es. Weißt du es nicht?«« Aus dem Traum spricht sie weiter: »»Sehr jung war ich, als du mir schon ansahest, daß ich es bis zu dem Rang einer Sternkreuzordensdame niemals bringen werde. Es verstimmte dich, obwohl du schon damals vorgehabt hast, mich zu überholen. [...] Dich verstimmte, daß ich den Wettbewerb ausschlug, anstatt trotz Widerstand besiegt zu werden. Dies währte bis du für endgültig hin-

nahmest, deine, nicht meine Natur sei der Erfolg.‹« Der Wirklichkeit schon entrückt, fügt sie bei: »›Marie-Louise, ma sœur bien
aimée, tu m'as vaincue et bien vaincue, est-ce là une raison pour
me haïr? [. . .] Mußt du allein sein, dann wärest du es gern mit mir,
bevor es endet. Wir dürfen uns wieder lieben. War es doch von
Haus aus, mit allem, was uns bevorstand, daß wir uns liebten so
gut wie haßten.‹«
Von Haus aus: Da schwingt noch einmal, zum letztenmal, die
Erinnerung an die Kindheit mit, in der begann, was ihrer beider
Leben bestimmte: Brüderlichkeit, Brüderlichkeit als Schicksal.

Hans Wysling

BRIEFWECHSEL

Garnisons-Lazaret, München.

Mittwoch d. 24. x. 1900

Lieber Heinrich:

Dies ist ein Gratulationsbrief. Es ist also wahr, man kann Erfolg haben! Mir wird eine zweite Auflage (und wer weiß, was in der Zeiten Hintergrunde schlummert) wohl niemals blühen, aber erquickend ist der Gedanke doch. Ich bekam wahrhaft eine Art von Schreck, als ich die Kunde vernahm. In 1½ oder 2 Wochen 2000 Exemplare! Herzlichen Glückwunsch und möge es so weiter gehen. Alle 14 Tage 600 M, das wäre doch eine ganz hübsche Leibrente. Ich beginne auch an das grüne Häuschen zu glauben.

Ich bin in diesen Tagen ebenfalls ein wenig berühmt; aber nicht *so* arg. Piepsam hat allseitig Erschütterung hervorgerufen. Ich habe Lobschreiben und Bekanntschaftsanträge in Händen und höre, daß in der Redaktion sogar Büchersendungen begeisterter Schriftsteller meiner warten. Das Bewußtsein, gewirkt zu haben ist doch süß; aber das Bedürfnis, einen etwas größeren Styl in diese Wirksamkeit zu bringen, wird nur immer stärker dadurch.

Wie Du siehst, bin ich bereits invalid und zwar so gründlich, daß ich, nachdem ich 8 Tage in der Kaserne revierkrank gelegen, am Sonntag hierher geschafft worden bin. Es handelt sich um meinen rechten Fuß, der, was ich niemals geahnt, ein Plattfuß ist und durch die Parademarsch-Exercitien sehr schlimm geworden ist. Im Übrigen sei er viel tausendmal gesegnet, denn wie die jungen Ärzte mir sagen, wird er wahrscheinlich Herrn Dr. von Staat nötigen, mich nach ungefähr 8 Wochen wieder zu entlassen. Ich müsse nur, fügen sie mit vertraulicher List hinzu, immer wieder Schmerzen darin bekommen. Es sind zwei liebenswürdige junge Leute, die täglich im Gefolge des Oberarztes 2mal zu Besuch kommen, meine Werke kennen und stets sehr artig sind.

Überhaupt bin ich hier entschieden lieber, als in der Kaserne. Es ist ja langweilig, und ich bin matt vom vielen Liegen; aber durch Grautoff, der in diesen schlechten Tagen den Liebesboten zwischen mir und der Freiheit macht, bin ich mit Lektüre wohl ver-

sorgt und studire sogar meinen Savonarola als ob ich zu Hause wäre. Die Verpflegung ist ein bischen derb, aber solid und gut.
Man wird wohl Alles thun, um mich der Armée zu erhalten. Ich soll zunächst einige Tage ruhen und dann eine Art von Druck-Verband bekommen, der die Stellung des Fusses corrigiren soll. Wer weiss, ob das gelingt und wie lange es dauert. Wäre ich gesund, so könnte ich von heute an schon zu Hause wohnen. Ich muss mich gelegentlich vorsichtig umhören, wie es aufgenommen würde, wenn ich Privatbehandlung beantragte.
Wie ist es mit Dir? Ich schreibe aufs Gerathewohl nach Riva, ohne zu wissen, ob Du noch dort bist. Mama schrieb mir neulich, Du hättest Lust, gleich wieder nach München zu kommen. Warum auch nicht? Es ist kühl hier, aber sonst nicht übel. Mein leeres Zimmer steht Dir zur Arbeit frei.
Ich bin sehr neugierig, wie meine Angelegenheit sich abwickeln wird. Der dumme Herr, der mich für tauglich erklärte, hat den Fuss einfach übersehen. Mit dem nachträglichen Freispruch sind die Leute deshalb immer sehr schwerfällig, weil sie sich fürchten, Schadenersatz zahlen zu müssen. Man muss, glaube ich, schriftlich auf Alles derartige verzichten. Mein Schaden würde immerhin ungefähr 500 Mark betragen. Aber hübsch wäre es doch, wenn ich schon *dieses* Frühjahr meine Studienfahrt nach Florenz machen könnte!
Holitscher lässt Dich grüssen. Er hat mir seinen »Vergifteten Brunnen« dedicirt und mir sehr dankbar über den »Weg zum Friedhof« geschrieben. Ich habe ihn beauftragt, ein Exemplar des betr. Simplicissimus an Fischer zu schicken und gleichzeitig um Nachricht über »Buddenbrooks« zu bitten. Ich weiß noch immer nichts über das Schicksal dieser ehrenwerthen Familie. Gute Kunde würde mir gerade augenblicklich sehr wohlthun. Fischer sollte das Buch nur nehmen wie es ist. Des litterarischen Erfolges bin ich sicher; der buchhändlerische wird wohl gleich Null sein und der pekuniäre für mich ebenfalls, obgleich Mama mir neulich strenge Weisung gegeben hat, 1000 Mark zu verlangen.
Herzlichen Gruss und schreibe mir mal hierher.   Dein T.

Garnisonslazaret, München

Freitag d. 2. XI. 1900 (Allerseelen)

Lieber Heinrich:

Besten Dank für Deine Briefe, die ich, trotzdem Dr. von Staat es längere Zeit zu verhindern suchte, schliesslich beide richtig erhalten habe, sowie für die Ferrarenser Karte mit dem Denkmal, die mich ganz besonders erfreut hat. Die Figur ist sehr anregend. Könntest Du nicht eine größere Photographie davon ausfindig machen und sie mir als Rolle schicken – in die Herzogstrasse, denn für dies Mal werde ich nun doch wohl nicht mehr lange hier sein.

Mit meinen Füssen steht es im Prinzip noch unverändert. Die Wasserglas-Verbände (ein Ersatz für Gips) sind ihnen abgenommen, und sie werden, da die Entzündung noch nicht ganz gewichen ist, nun wieder mit nassen Umschlägen behandelt. Aber sie sind verbaut und werden es bleiben; und darum möchte ich nun bald wieder zum Dienst entlassen werden, damit sie nach den ersten Übungen prompt wieder versagen. Man will zwar, dass ich mir, für schweres Geld, federnde Plattfuss-Einlagen oder gar besonders construirtes Schuhzeug anschaffen soll; aber wenn man mich nicht unmittelbar dazu zwingt, so werde ich das nicht thun, denn ich bin der Meinung, dass der nicht felddienstfähig ist, der durch irgend einen Apparat seine Gliedmassen corrigiren muss, und ich denke, diese Ansicht werde ich zur Geltung bringen können. Wann? Das kann ich natürlich nicht sagen; aber es wäre sehr hübsch, wenn ich schon zu Weihnachten frei würde, und ich würde dann wahrhaftig gern bald nach Florenz übersiedeln, um das Nöthige an Ort und Stelle zu lesen. Aber leider sind wir ja noch nicht so weit, und es fragt sich auch noch, was ich mit meiner Wohnung, resp. mit meinen Möbeln anfangen würde. Doch das findet sich leicht, wenn ich, erst wieder im schlichten Rock des freien Mannes einhergehe.

Das, was Du über unser Verhältnis zum Publikum und unsere Erfolgsarten schriebst, stimmte mich sonderbar wehmüthig. Es ist wahr, alle Wirkungen sind im Grunde verfehlt, und befriedigen können Einen Erfolge eigentlich nur, wenn man eitel ist, was ich zum Glück ein bischen bin. Aber so wie Du den Erfolg des »Schlaraffenl.« schilderst, ist es nun sicher doch nicht beschaffen. Wissbegierige Schüler und Commis sind natürlich auch unter Deinen

Lesern; aber der Hauptreiz für das Publikum besteht doch, glaube ich, nicht so sehr im Erotischen als in dem Satyrischen und Sozial-Kritischen, wofür man ja jetzt in Deutschland merkwürdig empfänglich ist. Die rein artistischen Bemühungen natürlich gehen verloren, aber das Gesellschaftlich-Satyrische ist doch eine bedeutend edlere Wirkung, als das Geschlechtliche.

Ich bin jetzt übel daran, denn die Sorgen, die »Buddenbrooks« mir machen, scheinen jetzt, da sie fertig sind, erst recht zu beginnen. Fischer schrieb mir, nachdem er die erste Hälfte gelesen und also noch keine Ahnung hatte. Nach einigen Elogen und Einwänden kommt er zu dem Schluss, dass er, wenn ich das Buch auf die Hälfte zusammenstreichen wollte, sehr geneigt sei, es zu verlegen. Über dieses Bubenstück von einer Zumuthung ist er selbst gleich darauf so erschrocken, dass er es »ungeheuerlich« nennt und beinah um Verzeihung bittet; aber als Verleger könne er nicht anders sprechen. Die traurige Sache ist ja die, dass der Roman über 1000 Seiten bekommen wird, nur in 2 Bänden erscheinen kann, 8 bis 10 Mark kosten und also unter den heutigen Umständen recht, recht unverkäuflich sein wird. Dennoch klammere ich mich daran, dass das Buch erscheint, wie es ist, denn, vom künstlerischen Gewissen nicht zu reden, fühle ich einfach nicht die Kraft, noch einmal die Feder daran zu setzen. Ich habe es mit äusserster Anstrengung zu Ende geschrieben und will nun endlich Ruhe davor haben, um mich mit anderen Dingen beschäftigen zu können. In meinem ausführlichen Antwortschreiben an Fischer, habe ich mich denn auch entschieden geweigert, das Buch zusammenzustreichen, mich aber im Übrigen sehr nachgiebig und resignirt gezeigt. Ich bin, wie die Dinge liegen, bereit, jeden Contract zu unterschreiben, der auch nur den Anschein wahrt, alsob ich die Arbeit dreier Jahre nicht einfach verschenkte. Er soll einen componiren, der ihn einigermassen sicher stellt, der die Honorirung beschränkt, bedingt, verschiebt, der z. B. bestimmt, dass mir ein eventueller Verlust seinerseits von späteren Honoraren abgezogen werden soll. Aber er soll das Buch bringen, wie es ist. Zwischen langwierig und langweilig ist doch noch ein Unterschied! Ein zweibändiger Roman ist doch auch heute noch keine unbedingte Unmöglichkeit! Und dann habe ich ihm gesagt, dass der Roman ja keineswegs das letzte Buch ist, das ich ihm geben werde, und dass schliesslich Alles darauf ankommt, ob er – auch als Kaufmann – ein bischen an mein Talent glaubt und ein für alle Mal dafür eintreten will oder nicht. Ich muss nun wieder geduldig warten, bis er die Geschichte zu Ende gelesen hat und abermals schreibt. Aber die Sache ist schwierig, schwierig und droht einen schlechten Gang zu nehmen. Es wäre sehr traurig, wenn ich mit dem Buche sitzen bliebe; ich fühle schon jetzt, wie mich das am Weiterproduziren hindern würde. – Übrigens: Auch Schmähkarten bekommst nicht Du allein. Ich habe eine gereimte über Piepsam, des Inhalts, dass ich selbst augenscheinlich das Saufen nicht lassen könne und darum das »Geschreibsel« lieber »bleiben« lassen solle. Wie graziös! Dr. Geheeb schickte mir zum Trost ein ganzes Packet Verlags-Novitäten nebst der Bitte, recht bald wieder so netten Anstoss zu erregen.

Über die Frage, ob Fünftel oder Sechstel habe ich der Mutter schon sehr eindringlich geschrieben, und Dein Brief wird wohl das Übrige thun. Ich bin so ziemlich sicher dass wir das Fünftel bekommen. Es wäre ja sinnlos, unter 5 Personen mit Sechsteln zu wirtschaften, und Mama hat das Prinzip der gleichen Theilung ja selbst gewünscht und eingeführt.

Ich mache Dir noch Mittheilung, wenn ich meine Adresse wieder wechsele. Die nächste Zeit wird wahrscheinlich sehr unangenehm für mich, da ich in der Ausbildung zurück bin, viel nachexerziren und anfangs noch in der Kaserne schlafen müssen werde. Dabei bin ich vom langen Liegen so matt, dass ich nicht weiss, wie ich den Dienst leisten soll. Wollte man sich doch kurz fassen und mich hinauswerfen!

Herzlichen Gruss

Dein   T.

München, den 25. XI. 1900 Sonntag

Lieber Heinrich,

heute komme ich endlich dazu, von mir hören zu lassen, wenn auch nur kurz und vorläufig, denn ich bin todmüde.

Deinen letzten Brief bekam ich in der Herzogstraße, als ich gerade einmal vorübergehend auf den Beinen war. Aus dem Lazareth entlassen, kam ich nämlich alsbald wieder ins Revier, weil mein Fuß durch die ersten Schritte rückfällig wurde. Nach einer Woche weiteren Liegens unter den widerwärtigsten Umständen exercirte ich ein paar Tage und meldete mich dann wieder krank, theils, weil ich es wirklich war, theils, um die Leute zu bewegen, mich frei zu lassen. Es geschah aber nichts, und seit Mittwoch bin ich wieder im Dienst. Das ist in sofern erfreulich, als ich heute endlich einmal einen Sonntag außerhalb des Revier-Krankenzimmers verbringen kann, des ungesündesten und ekelhaftesten Aufenthaltsortes, den ich in meinem Leben zu sehen bekommen habe. Was mir die nächste Zeit bringen wird, ist ungewiß. Ich habe, durch Mama's Vermittlung, ihren Arzt, Hofrath May, zu Rathe gezogen. Er hat meinen Fuß untersucht und glaubt nicht, daß ich den Dienst werde leisten können. Auch kennt er sowohl meinen Hauptmann wie den Ober-Stabs-Arzt persönlich und wird, wenn ich mich wieder krank melden muß, was doch wohl über Kurz oder Lang, vielleicht schon nächste Woche geschehen wird, für mich arbeiten. Ich glaube und bin fast überzeugt, daß ich das Jahr nicht zu Ende dienen werde; aber wie lange sich die Sache noch hinziehen kann, weiß Niemand. Vielleicht werde ich nächste Woche frei, vielleicht Neujahr, vielleicht später. Du siehst, ich kann Dir in Betreff meiner Fahrt nach Florenz beim besten Willen nichts annähernd Sicheres sagen. Auch wäre mir, glaube ich, nach dem Freiwerden eine Beruhigungs- und Erholungsfrist vor der Reise unbedingt nöthig. So, wie ich mich jetzt fühle, möchte ich nicht in den Schnellzug steigen. Ich würde Dir gern angenehme Versprechungen machen und Dir bestimmter und tröstlicher antworten. Aber die Dinge sind dunkel und ungewiß, und sie erfreulicher zu arrangiren, fehlt es an Zeit und Kraft. Du mußt zusehen, wie Du es mit Florenz, Riva und Deiner Kasse machst; ich kann Dir nichts versprechen. Aber natürlich erhältst Du augenblicklich Nachricht, wenn irgend eine Wendung eintritt.

Für das »Schlaraffenland« wird wahrhaftig eine Reklame großen Stils gemacht. Grautoff erzählte mir von einem neuen Waschzettel, der an *Sternberg* anknüpft.

Schaukal ist ein kurioser Kauz. Mir hat er ebenfalls seine Werke geschickt und sein Porträt dazu: wahrscheinlich infolge seiner Bekanntschaft mit Lobgott Piepsam. Weißkirchen liegt in Mähren, und S., reich verheirathet, bekleidet dort, wie ich höre, ein staatliches Amt. Gott weiß, was er an mir findet, denn daß er Dir viel näher steht, ist ja sicher. Ich habe bei flüchtigem Durchblättern seiner Bücher manches Ansprechende gefunden; aber ich lese Verse überhaupt sehr schlecht, und mein Tolstojismus läßt mich beinahe schon Reim und Rhythmus als ruchlos empfinden.

Von »Buddenbrooks« noch nichts Neues. Der »König von Florenz« ruht natürlich; aber die »Cultur der Renaissance« habe ich bekommen und sehe, daß die beiden Bände ein großartiges Material enthalten. Wie geht es Deiner »Herzogin«?

Hoffentlich kann ich Dir bald über alle schwebenden Fragen gute Kunde geben.

Herzlich

Dein T.

München, den 17. XII. 1900

Lieber Heinrich:

Siehe, es ist Alles gut geworden – wenigstens für den Augenblick, und so problematische Existenzen wie ich sind gewöhnt, sich an den Augenblick zu halten.

Es bedurfte natürlich nur der Herstellung eines privaten und gesellschaftlichen Verhältnisses zu den ärztlichen Machthabern, damit sich Alles wende; diese verdanke ich dem Arzte Mama's, den Du kennst. Er ist mit dem Oberstabsarzt befreundet, hat ihn bearbeitet, und nun bin ich für untauglich zum Infanterie-Dienst erklärt worden, habe vorläufig, in Erwartung der Bestätigung meiner Zurückstellung durch die höchste Instanz, Urlaub erhalten, darf Civilkleider tragen und muß mich, bis zu meinem offiziellen Ausscheiden aus dem Regiment, nur noch hie und da in der Kaserne sehen lassen, um meine Gegenwart in München zu bekunden und meinen Urlaub verlängern zu lassen. Es handelt sich, wie gesagt, nur um Untauglichkeit für den Infanterie-Dienst und um Zurückstellung. Was nächstes Jahr werden wird, ob ich dann auf der Trainkarre oder dem Protzkasten das frische, fröhliche Soldatenleben fortsetzen werde, das steht bei Gott. Ich denke immer, es muß sich auf eine oder die andere Art vermeiden lassen. Könnte ich mich nicht im gegebenen Augenblick in eine Wasserheilanstalt oder ein ähnliches Asyl zurückziehen? Darüber wird noch zu berathschlagen sein. Denn ich habe an den Kasernen- und Lazareth-Sensationen dieser 2½ Monate wirklich genug.

Vollkommen kann das Glück ja niemals sein, und so mußte denn jetzt grade die schmerzliche Geschichte mit dem Steuerzahlen kommen, die mich vorübergehend um meine Florenzfahrt ernstlich besorgt gemacht hat. Aber es muß ja gehen und wird auch. (Fontane.) Wann, das weiß ich noch nicht genau. Meine Zurückstellung kann bis Neujahr perfect sein, sie kann sich aber auch bis Mitte, ja Ende Januar verzögern. Vielleicht werde ich also erst Anfang Februar reisen, und ich denke, daß mir zwei Monate, Februar und März, für Florenz ganz wohl genügen werden.

Also Du willst später noch etwas Schlaraffenlandartiges machen? Über Sternberg klärt Grautoff Dich, soviel ich weiß, gründlich auf. Ich weiß beinahe nichts von ihm, nur, daß er sehr kinderlieb ist und Anlaß zu einem der immer zahlreicheren Corruptionsprozesse gegeben hat, auf die Berlin so stolz ist. Ewers' Artikel »Ein neuer sozialer Roman« habe ich bekommen. Äußerlich ein bischen lodderig, hat er dem Buch doch sicher Käufer gewonnen. Überhaupt glaube ich, daß der Erfolg noch größer ist, als wir wissen. In seiner Weihnachtsbücherliste zählte neulich Engels in der »Münchener Zeitung« den Roman unter den Büchern auf, die jeder anständige Mensch besitzen müsse. Jedenfalls sind der »Herzogin« die Pfade aufs Beste geebnet.

Wüßte ich nur erst, was mit »Buddenbrooks« werden wird! Ich weiß so sicher, daß Kapitel darin sind, wie sie heute nicht Jeder schreiben kann, und doch muß ich fürchten, damit sitzen zu bleiben. Vom »König von Florenz« sind eigentlich bis jetzt nur die psychologischen Pointen und ein gestaltloser Traum vorhanden; alles Übrige muß noch kommen. Der Doppelsinn des Titels ist ja beabsichtigt. Christus und Fra Girolamo sind Eins: nämlich die Genie gewordene Schwäche zur Herrschaft über das Leben gelangt. Höchster Moment: Das bruciamento delle vanità. – Übrigens drängen jetzt Novellenstoffe herzu, sodaß es sehr möglich ist, daß vor dem ersehnten Theaterstück noch ein Band Erzählungen fertig wird.

Ich vergaß noch zweierlei: Erstens: Die Broschüre über Sternberg, die Grautoff Dir versprochen hat, ist *vielleicht* vergriffen oder verboten, soll ich Dir sagen. Sonst bekommst Du sie. Zweitens: Mein Burckhardt ist siebente, durchgearbeitete Auflage und hat, elegant ausgestattet, 12 Mark gekostet. »Durchgearbeitet« heißt ja kaum »vermehrt«, und 6 lire ist jedenfalls verlockend billig. –

Ich genieße meine Freiheit mit Zärtlichkeit und Hingebung. Es könnte ja noch schöner sein, nämlich, wenn ich ganz und endgültig frei geworden wäre. Aber man muß dankbar sein, und in diesem Sinne: Der liebe Gott hurrah, hurrah, hurrah.

Hast Du die 100 Mark bekommen? Ich habe noch nichts davon gehört.

Dein T.

München, den 29. XII. 1900

Lieber Heinrich:

Herzlichen Dank für die beiden Bilder, das interessante Napoléon-Kupfer und den wunderschönen Murillo. Beides soll nett gerahmt werden und die Madonna sogar als Staffeleibild auf meinen Tisch kommen. Mir ist es gegangen, wie, glaub' ich, auch voriges Jahr: ich habe es schließlich aufgegeben, Dir was zu schicken. Denn was auch wohl? Von Italien aus ist gut Geschenke machen; aber die Frauentürme als Tinte- und Streusandfaß oder Ähnliches – das geht doch nicht gut.

Hast Du heil Weihnachten mit Hartungens verlebt? Bei uns war es ganz friedlich und hübsch: die Löhr'schen Herrschaften waren da, es gab gut zu essen, und daß ich aus dem fürchterlichen Handel mit Dr. von Staat so glimpflich davongekommen, stimmte mich weich und glücklich. Heute habe ich noch einmal Uniform getragen und bin »als zur Zeit dienstuntauglich[«] zur Disposition der Ersatzbehörde entlassen worden. Das bedeutet mutmaßlich, daß ich nächstes Jahr noch einmal vor der Ober-Ersatz-Commission zu erscheinen habe, was hoffentlich nicht viel mehr als eine Formalität ist, denn erstens bin ich ja schon ein ziemlich alter Herr und zweitens kann ich ja so viele Atteste »beibringen« wie die Herren nur wünschen.

Meine Florenzfahrt ist nun also gottlob nur noch eine Geldfrage, womit sie ja leider noch immer eine Frage ist. Die 200 und soundso viel Mark Steuern, die die Mutter mir vom nächsten Quartalsgeld abzuziehen unerbittlich gewillt ist, machen mich ja einfach zur Kirchenmaus, und ich weiß nicht, wie es werden soll. Dir, mit Deinen Schlaraffen-Einnahmen, macht es nichts; aber ich breche darunter zusammen. Gott sei Dank arbeite ich nun wieder, wenn

auch noch nicht am »Savonarola«, um den ich nur immer so auf
Sammetpfoten herumschleiche, sondern an einer neuen Novelle
bitter-wehmütigen Charakters, und hoffentlich habe ich auf diese
Weise noch ein paar kleine Einkünfte. Auch hält man das Sich
erholen ja doch vor Gewissensunruhe nicht lange aus, denn das
Arbeiten ohne Feder und Tinte wagte man ja kaum sichselbst gegenüber »Arbeit« zu nennen.

In der Secession ist jetzt wieder eine Copieen-Ausstellung nach
florentinischen Renaissance-Plastikern (della Quercia, Pisano,
della Robbia, Fiesole etc.): für mich äußerst interessant, weil man
durch die Porträtbüsten den Typus der Leute von damals auf so
angenehme Art kennen lernt. Was muß es in Florenz nicht Alles
zu lernen geben! Käme ich nur hin, damit der Traum meiner Seele
zustande kommt. Ich hätte so Manches in dem Stücke auszudrük-
ken, aber ich beherrsche das Äußerliche der Sache noch lange nicht
genug; aus ein paar Büchern ist das nöthige Material nicht zu entnehmen.

Fast hätte ich es vergessen: Ich werde ja wohl demnächst meinen
ersten Prozeß erleben. Herr Tesdorpf nämlich hatte in einem
Schreiben an Mama der Ansicht Ausdruck gegeben, daß ich mich
durch das Simuliren eines Gebrechens vom Militärdienst frei
gemacht hätte, worauf ich ihm (endlich! es war mir eine Wohltat!)
einen stark gewürzten Brief, den boshaftesten meines Lebens, ver-
abfolgt habe, der so gut getroffen hat (oh, man hat doch Talent!),
daß der alte Esel nun droht, mich zu verklagen. Kann ich das nicht
in Ruhe abwarten?

Laß wieder einmal von Dir hören.

Herzlich   Dein T.

München, den 8. Jan. 1901

Lieber Heinrich:

Ich finde nichts von Ewers. Wenn das B[erliner] T[ageblatt] sein
Manuskript verbimst hat, so hat er doch jedenfalls Anspruch auf
Schadenersatz? Aber *das* ist es ja nicht, sondern wir müssen nun
über meine Florentiner Angelegenheit zum Schlusse kommen,
und so habe ich mich denn hingesetzt, um zwischen zwei Kerzen
zu rechnen und bin noch ganz blaß davon. Hier in München sind

Zahlen ja eigentlich ziemlich bedeutungslos für mich, und so war es möglich, daß ich mich bislang leichtfertig und hoffnungsvoll über die Verhältnisse hinwegtäuschte. Gezwungen, sie fest ins Auge zu fassen, muß ich mit Vicco sagen: »Ich zitter ganz!« Die Wahrheit in ihrer scheußlichen Nacktheit ist die, daß ich nach Ein-kassierung der Fünftel-Trümmer, (abgesehen von meinen Civil-Schneiderschulden, abgesehen vom Miethszins und selbst abgese-hen von der Pension für Mama, wovon ich gar nicht absehen dürfte,) im Besitze von rund zweihundertundvierzig Mark sein werde. »Du fragst – o frage mich nicht, warum!« Genug, es ist so. Das Papier mit den unwiderleglichen Zahlen liegt neben mir. Mich ekelt's, sie hier noch einmal zu wiederholen. Zuflüsse sind für die nächste Zeit nicht zu erhoffen. Was ich jetzt schreibe, wird für den Simplicissimus zu lang, wird auch von heute auf morgen nicht fertig, und Fischer schweigt über »Buddenbrooks«. Es bleibt bei den 240 M für ein Vierteljahr, und damit die Reise anzutreten, wäre Aberwitz. Ich kann nicht nur nicht am 15ten oder 20ten, ich kann auch nicht vorm April nach Florenz fahren, davon habe ich mich in diesen Tagen überzeugen müssen, und es thut mir nur leid, daß ich Dich mit mir so lange in einer angenehmen Hoffnung erhalten habe, die so sehr der soliden Grundlage entbehrte. Denn schließlich: lägen nicht die Dinge so ungeschickt, daß Du gerade zum Frühling wieder heraufkommen willst, – den Aufschub an sich könnte ich am Ende verwinden. Ich bin im Winter recht gern in München und würde Manches versäumen, wenn ich jetzt rei-ste. Es giebt allerhand Premièren, Richard Strauß kommt, Wüll-ner kommt, die Aufführungen der Litterarischen Gesellschaft kommen; ich kann Novellen schreiben und vorderhand Burck-hardt und Villari lesen. Ich bringe den Winter schon herum. Und steht es denn fest, daß Du schon Anfang April hierher kommst? Ich sehe nicht ein, was Du hier dann schon willst und warum Du nicht wenigstens bis zum Mai dort unten bleiben kannst. Wenn ich nach Deiner Abreise noch 14 Tage allein in Florenz sein müßte, so wäre ich auch damit einverstanden. In dem Augenblick, wo Du mir sagst: Den Monat April können wir in Florenz zusammen sein, bin *ich* getröstet, und Du wirst schließlich, in Gesellschaft der Hartungens und der »Herzogin«, die Zeit bis dahin schon auch zu verbringen wissen. Übrigens sehe ich ein, daß ich Dir nähere Aufklärungen über meine Geldverhältnisse schuldig wäre, aber die Auseinandersetzung wäre beschämend und zwecklos. Äußere Dich nur, bitte, über den April.

Jawohl, in der M[ün]ch[e]ner Z[ei]t[un]g ist das »Schlaraffenland« zusammen mit Holitschers Jüngstem durch Leo Greiner sehr rühmend besprochen worden. Bekommst Du die Ausschnitte denn nicht durch Langen? Dr. F. Grautoff läßt Dich grüßen; Dein Buch habe ihm *sehr* gefallen, der Verleger der Leip[ziger] N[euesten] N[achrichten] erlaube aber nicht, daß etwas darüber gebracht werde. – Übrigens ist die Reklame großartig. Ich hörte neulich, daß auf den Programmen der Variété's Annoncen stehen. – Will Langen Dich in Paris studiren *lassen*? Das kannst Du sicher sehr wohl erreichen, wenn Du willst. Wie gut Du aufgehoben bist und wie hell Dein Stern zu leuchten beginnt! Fischer schweigt, wie gesagt, und wenn ich mahne, so bekomme ich wahrscheinlich den Wechselbalg sofort wieder ins Haus. Wenn nun Niemand das Buch haben will? Ich glaube, ich würde Bankbeamter. Ich habe manchmal solche Anwandlungen.

Herzlich   Dein T.

München, den 21. I. 1901

Lieber Heinrich:

Für heute nur die beiden beifolgenden Zeitungsausschnitte, die Du mir bei Gelegenheit – es eilt nicht – zurückschicken könntest. Der irre Hymnus in den Neuesten ist natürlich von Grautoff. Aber wahr ist, daß Piepsam beinahe mit jedem Satze lebhafte Heiterkeit erregte und anhaltend beklatscht wurde. Daß ich gut gelesen habe, macht mir besonderen Spaß, und am stolzesten bin ich darauf, daß Direktor Stollberg (vom Schauspielhaus), der erschienen war, sich außerordentlich zu amüsiren schien, mir demonstrativ applaudirte und eine besondere Verbeugung entgegennahm. So ein Theaterdirektor ist eine so wichtige Macht!

Ich habe die Zeitungsnotizen auch an Fischer geschickt. In Betreff »Buddenbrooks« beginne ich, Hoffnung zu fassen. Holm, der mir ja schon wiederholt empfohlen hat, doch zu Langen überzugehen, versicherte mir neulich in einer Gesellschaft, die er gab, ausdrücklich, daß Langen im Prinzip gegen einen zweibändigen Roman nichts einzuwenden hätte. Auch sprach er sehr freundschaftlich und verlockend darüber, wie er mir in pekuniären Fragen Langen gegenüber zur Seite stehen würde etc. Daraufhin habe ich Fischer nun gemahnt und kann etwas getroster, als bisher, die Entscheidung abwarten, ob er mich fallen lassen will oder nicht.

Für dies Mal nichts weiter. Über Capus und die Bücher in den allernächsten Tagen.

Herzlich

Dein T.

München, den 25. 1. 1901

Lieber Heinrich:

Falls kein Vorabdruck von Capus in einer Zeitung erzielt wird, kann das Buch etwa im März oder April erscheinen, anderenfalls erst im Herbst.

Die Yriarte'schen Bücher konnte Rieger in seinen Katalogen nicht ausfindig machen; ich habe ihn beauftragt, sich danach zu erkundigen; das wird aber wohl noch ein paar Tage dauern.

Die beiliegende Besprechung des »Schlaraffenlandes« hatte Martens für die »Zeit« geschrieben. Sie war schon gesetzt, hat dann aber einer anderen, ich weiß nicht von wem und welcher Art, weichen müssen. Abgesehen von der kühnen Behauptung, daß der dichterische Werth mit dem *Ernst* steigt und fällt, ist es wohl das Vernünftigste, was über das Buch bemerkt worden ist.

Ich will es nun also so machen, daß ich, wenn ich Geld habe und mir sonst nichts, z. B. von militärischer Seite, in den Weg gelegt wird, um den 15ten März herum reise. Bis dahin bin ich hier sicher in jeder Weise beschäftigt. Wir sind dann noch einen halben Monat in Florenz zusammen, und zu Anfang April kann ich Grautoff dort erwarten, der auch, wenn er irgend die Mittel auftreibt, eine Studienfahrt dorthin machen will. Wenn wir nachher in Venedig zusammentreffen könnten, so wäre das *sehr* schön. Wenn irgend möglich möchte ich auch Ferrara und Bologna sehen; vielleicht auf der Hinreise? Hoffentlich macht sich das Alles nach Wunsch.

Holitscher läßt Dich bestens grüßen; ich bekomme demnächst das Buch über englische Kunst von ihm und schicke es Dir dann.

Verzeih meine Knappheit. Wenn ich in Briefen nicht von vornherein einen rapid geschäftsmäßigen Ton anschlage, so mähre ich drei

Stunden daran; und der Tag ist hin. Dabei werde ich sowieso mit meinen Sachen immer erst fertig, wenn mir das Fertigwerden schon gar keinen Spaß mehr macht. Man hat viel Ärger und wenig Freude an sich, als Mensch und als Künstler. Schluß. Sonst gebe ich noch mehr solche Joachim Pamps-Sprüche von mir.

Herzlichen Gruß und auf Wiedersehn.   Dein T.

München, den 13. II. 1901

Lieber Heinrich:

Das Kunstbuch hast Du hoffentlich bekommen; Holitscher schickt es Dir mit seinem Gruß und den besten Wünschen für das Werden der »Herzogin«.

Leider kann ich Dir über die französischen Bücher noch immer keine Auskunft geben, und zwar, weil ich mich vorläufig in Riegers Buchhandlung nicht blicken lassen darf. Ich habe dort nämlich damals für mich, aufs Geratewohl und koste es wem es wolle, die deutsche Ausgabe des Vasari bestellt und erst dann von Grautoff erfahren, daß das ein Werk von so und so viel Bänden im Preise von gut und gern hundert Mark und obendrein furchtbar langweilig ist. Darauf habe ich mich natürlich bei Rieger nicht wieder vorgestellt. Du erfährst hoffentlich, was Dir noththut, auch auf anderem Wege, und ich muß mir Vasari auf der Staatsbibliothek ansehen, wenn ich das Bedürfnis habe.

Geht es Dir gut? Mir sehr verschieden. Wenn der Frühling kommt, werde ich einen innerlich unerhört bewegten Winter hinter mir haben. Depressionen wirklich arger Art mit vollkommen ernst gemeinten Selbstabschaffungsplänen haben mit einem unbeschreiblichen, reinen und unverhofften Herzensglück gewechselt, mit Erlebnissen die sich nicht erzählen lassen, und deren Andeutung natürlich wie Renommage wirkt. Sie haben mir aber Eines bewiesen, diese sehr unlitterarischen, sehr schlichten und lebendigen Erlebnisse: nämlich, daß es in mir doch noch etwas Ehrliches, Warmes und Gutes giebt und nicht bloß »Ironie«, daß in mir doch noch nicht Alles von der verfluchten Litteratur verödet, verkünstelt und zerfressen ist. Ach, die Litteratur ist der Tod! Ich werde niemals begreifen, wie man von ihr beherrscht sein kann, *ohne* sie bitterlich zu hassen! Das Letzte und Beste, was sie

mich zu lehren vermag, ist dies: den Tod als eine Möglichkeit aufzufassen, zu ihrem Gegentheil, zum *Leben* zu gelangen. Mir graut vor dem Tage, und er ist ja nicht fern, wo ich wieder allein mit ihr eingeschlossen sein werde, und ich fürchte, daß die egoistische Verödung und Verkünstelung dann rasche Fortschritte machen wird... Genug! in alle diese Wechselfälle von Glut und Frost, von lebensvoller Gehobenheit und Sterbensekel platzte neulich ein Brief von S. Fischer hinein, in dem er mir mittheilte, daß er zum Frühjahr zunächst einen zweiten kleinen Novellenband von mir bringen und zum Oktober »Buddenbrooks« unverkürzt, wahrscheinlich in drei Bänden herausgeben wolle. Ich werde mich photographiren lassen, die Rechte in der Frackweste und die Linke auf die drei Bände gestützt; dann kann ich eigentlich getrost in die Grube fahren. – Nein, es ist wirklich gut, daß das Buch nun doch ans Licht kommen wird. Es ist so viel persönlich Demonstratives darin, daß ich, namentlich für die werthe Collegenschaft, eigentlich erst damit ein Profil bekommen werde. Übrigens weiß ich von Fischers Bedingungen noch nichts, die wohl auf vorsichtige Clauseln in Betreff der Honorirung hinauslaufen werden. – Was den Novellenband angeht, so wird er ja ein schmales Ding, das mir nur eine vorläufige kleine Namensauffrischung und etwas Taschengeld eintragen soll. Der Inhalt wird sein: 1.) »Der Weg zum Friedhof« (als Titelstück). 2.) »Luischen«. 3.) »Der Kleiderschrank«. 4.) »Gerächt«. 5.) Eine Burleske, die ich in Arbeit habe, und die wahrscheinlich »Tristan« heißen wird. (*Das* ist echt! Eine Burleske, die »Tristan« heißt!) Und vielleicht noch 6.) Eine längst geplante Novelle mit dem unschönen aber spannenden Titel »Litteratur«. (*Illae* lacrimae!)
Bis heute weiß ich es noch nicht anders, als daß ich am 15ten März nach Florenz fahren werde. Es kommt darauf an, ob ich mit dem, was ich zuvor erledigen muß, bis dahin fertig werde, denn das nöthigste Geld kann ich mir wohl sicher verschaffen, besonders seit ich Fischers ausdrückliche Versicherung in Händen habe, daß er »durchaus nicht gesonnen« ist, mich »fallen zu lassen«. Du bekommst natürlich noch Nachricht. Laß auch Du mal wieder von Dir hören.

Herzlich   Dein T.

Lieber Heinrich: Ich glaube nun allerdings mehr und mehr, daß es
auch am 15ten noch nichts mit mir wird, sondern daß ich erst Anfang April, wenn auch Grautoff nach Fl[orenz] fährt, aufbrechen
werde, obgleich ich sehr wohl weiß, daß das höchst unweise gehandelt ist, und daß gerade Dein Einfluß augenblicklich das einzig
richtige für mich wäre. *Ich kann mir nicht denken, daß Du mir
meine Unzuverlässigkeit übelnimmst?* Die versprochenen Confessionen unterlasse ich oder vertage sie doch, erstens aus Unruhe
und zweitens, weil Du jetzt wohl kaum in der Stimmung bist, dergleichen anzuhören. Herzlichen Glückwunsch zur Übersetzung
des Schlaraffenlandes ins Französische! Was für ein Spaß muß das
für Dich sein! Mit einem Wort, Du erblühst, während ich zur Zeit
innerlich arg in die Brüche gegangen bin. Ich wünsche mir im
Grunde nichts Besseres, als einen soliden Typhus mit befriedigen-
dem Ausgang, – obgleich es ziemlich tactlos ist, Dich mit solchen
Äußerungen nervös zu machen. – Also: Es ist nicht vollständig
ausgeschlossen, aber Du kannst nicht damit rechnen, daß ich vor
Anfang April zum Reisen komme.

Dein T.

München, den 7. III. 1901

Lieber Heinrich:

Ich hätte Deinen Brief natürlich sofort beantwortet, aber seit ungefähr 8 Tagen hat sich die ganze für mich einlaufende Post oben
in meinem Briefkasten festgestaut, sodaß ich, wenn ich durchs
Gitter sah, nie etwas erblickte. Wie ich den Kasten heute zufällig
öffne, fällt mir ein ganzer Wust von Zuschriften, zum Theil wichtigen, entgegen, darunter auch die Deine.

Nein, Du kannst ganz ruhig sein und getrost nach Italien fahren;
ich mache vorderhand keine »Dummheiten«. In »Buddenbrooks«
ist eine gute Stelle: da, wo die Nachricht kommt, daß der ruinirte
adelige Gutsbesitzer sich erschossen hat, und Thomas Buddenbrook mit einem Gemisch von Nachdenklichkeit, Spott, Neid und
Verachtung vor sich hin sagt: »Ja, ja, *so ein Rittersmann!*« Das ist
sehr charakteristisch, nicht nur für Thomas Buddenbrook, und

mag Dich bis auf Weiteres durchaus beruhigen. Auch von dem Typhus will ich zur Stunde garnichts wissen. Das Ganze ist Metaphysik, Musik und Pubertätserotik: – ich komme nie aus der Pubertät heraus. Auch Grautoff hatte schon große Angst; aber die Sache ist so wenig akut, sie schlägt so langsam Wurzeln, und es liegt augenblicklich so wenig praktischer Grund dafür vor, Ernst zu machen, daß Ihr unbesorgt sein könnt. Freilich, was einmal wird, dafür kann ich nicht einstehen, und ob ich zum Beispiel, die fixe Idee vom »Wunderreich der Nacht« im Herzen, die Wiederholung des Militärdienstes aushalten werde, ist eine Frage, die michselbst beunruhigt. Aber vorher strömt ja noch viel Wasser zum Meere, und vorher sind wir ja noch hier zusammen. – Ausführlichere Confessionen erlasse ich mir, weil Schreiben und Auseinanderklauben die Dinge nur vertieft und übertreibt. Und es sind Dinge, die nicht übertrieben werden dürfen. Es handelt sich um keine Liebesgeschichte, wenigstens nicht im gewöhnlichen Sinne, sondern um eine Freundschaft, eine – o Staunen! – verstandene, erwiderte, gelohnte Freundschaft, die, wie ich ohne Ziererei zugebe, in gewissen Stunden, besonders in solchen der Depression und Einsamkeit, einen etwas zu leidenden Charakter annimmt: Grautoff behauptet sogar, ich sei ganz einfach verliebt wie ein Secundaner, aber das ist gesprochen wie ers versteht. Meine nervöse Constitution und philosophische Richtung hat die Sache unglaublich complicirt, sie hat hundert Seiten, die simpelsten und die geistig abenteuerlichsten. Aber in der Hauptsache herrscht ein tief freudiges Erstaunen vor und über ein in diesem Leben nicht mehr erwartetes Entgegenkommen. Damit genug. Vielleicht lasse ich mir mündlich einmal mehr entschlüpfen.

Eben bekam ich auch Deine Karte. Das mit Genua ist ein guter Einfall. Sollte ich, bevor Du nach dem Süden gehst, nach Florenz gelangen, so kommst Du doch auch noch ein bischen dorthin?

Wegen des Märchenbuches schreibe ich.

Herzlichen Gruß!   Dein T.

Lieber Heinrich:

Herzlichen Glückwunsch zum Geburtstage! Hoffentlich verlebst Du ihn wohlgemuth und mit Frühlingskribbeln im Rücken. Wir sind noch weit vom Lenze. Es war allerdings schon einmal beinahe sommerlich, aber seit ein paar Tagen ist es wieder gründlich Winter geworden, mit Frost und fußhohem Schnee. Ich habe ja eigentlich garnichts dawider, denn selbst im Wechsel der Jahreszeiten und den Veränderungen, die sie bringen, erkenne ich jedes Mal den Mangel an Treue und Dauer wieder, den ich im Läben mehr fürchte und hasse, als alles Übrige; aber es hat zur Folge gehabt, daß mein altes Geck zur offenen Meuterei übergegangen ist, sodaß ich mich nun auf allgemeines Verlangen entschlossen habe, ihm den Prozeß zu machen. Ich habe mich schon bei einem als schneidig bekannten Dentisten gemeldet und werde mir eine nachhaltige Narkose ausbitten, während der dann alles irgendwie zweifelhafte heraus»gegraben« werden mag. Die Execution muß in den nächsten Tagen vor sich gehen. Hoffentlich hat sich der Fall durch die Verschleppung nicht allzu sehr complicirt, und hoffentlich geht die Chloroformirung einigermaßen gut vonstatten. Auch ist zu wünschen, daß die Geschichte nicht zu viel Zeit in Anspruch nimmt, erstens wegen der fertig zu stellenden Poesieen, und dann, weil man mich augenblicklich in Oel malt und das Bild bis zu meiner Abreise fertig werden muß. Es soll für Mama eine Überraschung sein; laß also nichts verlauten.

Im Übrigen ist, vielleicht grade wegen des physischen Ernstfalles, meine Stimmung entschieden gesünder, als um die Zeit, da ich Dir zum letzten Male schrieb; abgesehen natürlich von den unvermeidlichen Schwankungen.

> »Dem frohen Tage folgt ein trüber,
> *Und Alles hebt zuletzt sich auf*«.
>
> (Platen)

Dieses allgemeine Sichaufheben ist ein durchdringend melancholischer aber auch radikal tröstlicher Gedanke. Die Welt ist gleich Null – – –

Nun konnte ich aber garnicht mehr, das Geck that allzu weh. Es thut mir sehr leid, daß Du auf diese Weise den Brief zu spät bekommst. Ich will auch nicht zu philosophiren fortfahren, damit er wenigstens heute noch abgehen kann.

Seit vier Stunden habe ich die Operation hinter mir, die überraschend angenehm vonstatten gegangen ist. Ich wurde nicht mit Chloroform sondern mit Brom-Äthyl narkotisirt, was dem Magen garnichts anhat, dafür aber sehr schnell verfliegt. Die ersten zwei oder drei Athemzüge waren recht peinlich, aber dann kam prompt eine vollkommene, tiefe Bewußtlosigkeit von ungefähr zwei Minuten, während derer man mir mit Muße 4 oder 5 Wurzeln herausgezogen hat. Ich habe noch ein bischen mit den Wunden zu schaffen, bin aber sonst ganz vergnügt. Das Geck wird mir nun weder Kummer noch Freude mehr bereiten. Schade um ihn! Aber er wollte es nicht anders.

Gestern bekam ich wieder äußerst schmeichelhafte Briefe von Fischer und seinem Lector, sowie den *Contract*, der garnicht so ganz übel ist. Der Kernpunkt ist: *20% Honorar vom Ladenpreis jedes abgesetzten Exemplares*. An sich beinahe glänzend. Dafür aber gehört auf 6 Jahre hinaus Alles, was ich schreibe, *unter den selben Bedingungen* ihm, ausgenommen Dramen, für die besonderes Abkommen zu treffen sein würde – (Lyrik und Kritik kommt für mich nicht in Betracht.) Reducirt er die 6 auf 3 oder 4 Jahre, so unterschreibe ich. Thut er es nicht, so – unterschreibe ich schließlich auch. Denn wenn ich das Risiko bedenke, das er aus scheinbar echtem Enthusiasmus mit den (wie es nun heißt: 4bändigen) Buddenbrooks übernimmt, wird mir ganz gerührt zu Sinn. Die Satzarbeiten sollen nächsten Monat beginnen; sie werden mich weidlich schwitzen machen. Aber es scheint nun doch die Zeit zu kommen, wo dies Werk dreijähriger Qual anfängt, mir ein wenig Genugthuung, Behagen und Freude zu bereiten. Dr. Heimann schreibt mir: »Es ist eine hervorragende Arbeit, redlich, positiv und reich. Ich bewundere es, daß der Zug zum Satirischen und Grottesken *die große epische Form nicht nur nicht stört, sondern sogar unterstützt*.« Dies Letzte ist mein besonderer Stolz. Also Größe trotz der Gipprigkeit! Auf Größe war nämlich während der

Arbeit fortwährend mein heimlicher und schmerzlicher Ehrgeiz gerichtet. Mit dem quantitativen ins Kraut Schießen des Buches wuchs beständig mein Respekt davor, sodaß ich einen immer höheren Stil von mir verlangte. Es ist gut, daß es so bescheiden anhebt und sich zum Schluß durchaus nicht als irgend ein Roman sondern als etwas ganz Anderes und vielleicht garnicht Häufiges entpuppt. Manchmal habe ich direkt Herzklopfen bei diesem Gedanken. Hoffentlich folgt kein Kater.

Grautoff wird seine Florenzfahrt wohl verschieben müssen; dagegen fährt Holitscher jetzt hin, sodaß ich auf jeden Fall Gesellschaft haben werde. Ich denke, so zwischen dem 10ten und 20sten n. M. zu reisen. Hoffentlich kommst Du nicht zu zeitig wieder herauf. Es wäre sehr nett, wenn wir in Venedig zusamentreffen könnten. Schluß für heute. Damit der Brief endlich fort kann.
Herzl. Gruß!   T.

München, den 1. IV. 1901

Lieber Heinrich:

Nein, jetzt kommen kann ich schlechterdings nicht, obgleich die cinquelire-Pension ja sehr verlockend ist. Aber erstens habe ich keinen Pfennig Geld, zweitens müssen meine neue Novelle und mein Porträt erst fertig werden, und drittens fühle ich mich hier augenblicklich viel zu wohl. Ich verneine und ironisire eigentlich nur noch aus alter Gewohnheit am Schreibtisch, im Übrigen aber lobe, liebe und lebe ich, und da es nun obendrein Frühling geworden ist, so ist das Ganze einfach ein Fest. Reise ich, so ist es fürs Erste vorbei und kommt so nicht wieder; das kennt man. Ich will es festhalten bis zum letzten Augenblick. – Es malt mich natürlich ebender gute Junge, dem ich (gesetzt, daß man nicht immer vom Fatum sprechen muß, sondern Personen dankbar sein darf) so unberechenbar viel Dank schulde, und zwar thut er es, weil es uns beiden Spaß macht. Mündlich, wenn ich mal in Stimmung bin, sollst Du ausführlicher von ihm hören. Übrigens werde ich ihm den Novellenband oder auch einen Abschnitt von »Buddenbrooks« widmen, den er kennt und liebt: – was nun zuerst erscheint. Meine Erkenntlichkeit kennt keine Grenzen. Mein sentimentales Bedürfnis, mein Bedürfnis nach Enthusiasmus, Hin-

gebung, Vertrauen, Händedruck, Treue, das so lange bis zur Aus-
zehrung und Verkümmerung hat fasten müssen, es schwelgt nunmehr – – –

Aber mußt Du denn jetzt durchaus nach Neapel? Kannst du nicht
noch ein paar Wochen damit warten *oder es fürs Erste ganz fahren
lassen*, zumal Du nicht einmal Lust dazu hast?! Es wäre so nett,
wenn ich Dich kurz nach Mitte d. M. in Florenz vorfände und wir
dort noch ein Weilchen zusammen sein könnten. Schreibe mir
doch noch einmal, ob Du nicht vorderhand ganz einfach dort bleiben kannst, wo Du es gut hast. Mit der Sendung des Bädecker
warte ich bis dahin.

Was Fischers Bedingungen betrifft, so mußt Du bedenken, daß Du
ja auch sofort eine ganze Menge Baargeld bekommen hast, während ich bis September 1902 überhaupt nichts zu sehen bekommen
werde; erst dann (ein Jahr nach Erscheinen) erfolgt die erste Abrechnung. Ist die Auflage verkauft, so bekomme ich ja allerdings
2 Mille, denn der Ladenpreis muß doch wohl 10 Mark betragen.
Aber wer sagt mir, daß auch nur 100 Exemplare verkauft sein werden? – Übrigens habe ich es nicht besser und nicht einmal so gut
erwartet.

Meine Karte in Betreff des Märchenbuches ist Dir wohl aus Le-
vanto zugegangen.

Heute bekam ich wieder ein neues Buch von Schaukal. Du auch?
Das Geld besorge ich.

Also nochmals: Meine Bitte geht dahin, daß Du einfach auf unbestimmte Zeit geruhig in Florenz bleibst. Um den Zwanzigsten
komme ich hin. Du kennst ja Neapel und kannst, wenn Du es als
Milieu gebrauchst, Deine Erinnerung leicht durch Photographieen
etc. auffrischen. Erlasse Dir die Fahrt und schreibe mir, daß Du
mein Kommen in Florenz erwarten willst.

Herzlichen Gruß!   Dein T.

Lieber Heinrich:

Ich habe eben noch einmal, so gut ich konnte, mit der Lehrerin gesprochen. Der Verleger ist auf einige Tage verreist, wird aber nach seiner Rückkehr Papyria besuchen. Es ist sicher ratsam, daß Du selbst mit ihm conferirst und ihm das Buch preist. P. weiß doch natürlich nicht recht, um was es sich handelt, obgleich sie den besten Willen an den Tag legt.

Ich bin überhaupt dafür und bitte geradezu darum, daß Du Deinen Aufenthalt dort unten abkürzest und möglichst bald hierher oder nach Venedig (am besten hierher) kommst. Ich bin schon wieder fertig. Meine letzten Münchener Erlebnisse und der Luftwechsel fangen an, die Wirkung zu versagen, und ich habe schon wieder schwer erträgliche Stunden. Auch besitze ich nur noch ca 175 Lire, die Venezianer Tage werden ziemlich kostspielig werden, und wenn ich die Heimreise hinzurechne, so wird mir flau.

An die Casa Kirsch, die im Bädeker als Pension bezeichnet ist, habe ich geschrieben: Zwei gute Zimmer mit je einem Bett zum 15ten, *vielleicht schon früher.* – Auch an Grautoff.

Miß Edith und Miß Mary lassen grüßen. Erstere möchte Dein Schlaraffenland lesen. Sie hat damals, unbegreiflicher Weise, darauf gewartet, daß Du es ihr anbötest. Miß Mary, deren Geburtstag vorgestern war und der ich ein Körbchen Zuckerfrüchte geschenkt habe, hat mir viel Freude gemacht. Aber nun werde ich ihr, glaube ich, zu melancholisch. She is so very clever, und ich bin so dumm, immer die zu lieben, die clever sind, obgleich ich doch auf die Dauer nicht mitkann. Seit gestern ist Regenwetter.

Schreibe also nur, bitte gleich, wann ich Dich erwarten kann.

Dein T.

Vielen Dank für das Autogramm, das mich ganz paff machte. Es ist doch wohl Photographie oder dergl.? Echt wäre es ja unschätzbar!

München, den 15. 9. 1903
Konradstraße 11 pt.

Lieber Heinrich:

Hier die beiden Billets. Die 6 Mark-Plätze waren schon heute bis auf die der letzten Reihe vergriffen, und auch von denen zu 8 sind dies schon ziemlich die letzten. Ich habe für mich nur für »Hedda Gabler« Billet genommen, weil ich außerdem in diesen Tagen noch zwei Erstaufführungen im Schauspielhaus mitmachen möchte.

Noch Eins. Richard Schaukal hat in der »Rheinisch-Westfälischen Zeitung« einen Artikel über mich veröffentlicht und ist so taktfest gewesen, darin (übrigens Deine »Begabung« betonend) einen Angriff auf die »Göttinnen« einzuflechten. Da ich nicht wissen kann, ob Dir das Blättchen nicht irgend einmal zu Gesichte kommt, so möchte ich Dir ausdrücklich versichern, daß ich dem Verfasser niemals Veranlassung gegeben habe, sich einzubilden, ich könnte, besonders wenn von mir die Rede ist, an einer Herabsetzung Deiner Leistungen Wohlgefallen haben oder sie irgend billigen. Da er sich vorher, gelegentlich einer nahezu verliebten Personal-Schilderung (er spricht sogar von meiner »feinen, nervösen Nase«!) meinen »Freund« nennt, so habe ich der Mitwelt gegenüber, soweit sie die »Rh. W. Z.« liest, theil an der Verantwortung für diese Dummheit und bin sehr versucht, der Redaktion meinen Unwillen zur Veröffentlichung kund zu thun. Jedenfalls hat Schaukal sich für diesen Freundschaftsdienst von mir keines sehr warmen Dankes zu versehen.

Mit herzlichem Gruß   T.

München, den [5. 12. 1903]
Konradstraße 11 pt.

Lieber Heinrich!

Ich bin jetzt wieder »mein König auch«, wie der Bärenhäuter zu sagen pflegte, und kann Dir den versprochenen Brief schreiben, nachdem ich in letzter Zeit wieder einmal die Noth und Drangsal einer Terminarbeit durchgekostet habe. Ich sollte mich nicht wieder darauf einlassen; es ist zu scheußlich. Es handelte sich, wie ich Dir, glaub' ich, schon erzählte, um einen Beitrag für das erste Heft der Neuen Rundschau, bisher Neue Deutsche R., die unter dem neuen Namen vom Januar an in »künstlerischer« Ausstattung erscheint. Fischer und Bie hatten mir in Berlin das Versprechen abgenommen, bis zum 20ten ein Manuskript zu liefern, und das schien mir wieder, trotz gegentheiliger Erfahrungen, ein Leichtes zu sein. In München war ich zunächst ruhebedürftig; dann beschäftigte ich mich, sehr angenehm und aufregend, mit Möbelanschaffungen, und schließlich im letzten Augenblick, machte ich mich, wie am Montag Morgen über den Aufsatz, über die Studie her, die ich im Kopfe hatte, und kratzte sie bei niedrigem Barometerstand, gehetzt und ohne jede Stimmung in acht Tagen aufs Papier. Als sie »fertig« war, hatte ich das deutliche Bewußtsein, daß sie mir vollständig ausgerutscht sei und schickte sie bösen Gewissens ab, in der bestimmten Erwartung, sie mit Hohn und Schande als untauglich zurückzubekommen. Nun habe ich schon die Correctur gehabt und einen Dankesbrief von Fischer: er habe die Arbeit mit großem Genuß gelesen, ich hätte mich darin nun auch als ein Meister der Skizze bewährt, und übrigens werde zur Stunde das 11–13te Tausend von »Buddenbrooks« gedruckt. So geht es immer. Ich arbeite mit Ekel und ohne die geringste Genugthuung, ich gebe den Dreck in tiefster Verzweiflung weg, und dann kommen die Briefe, das Geld, die Lobsprüche, die Händedrücke, die »Verehrung«. Alle haben Genuß daran, nur ich nicht. Und das ist doch gemein. Aber vielleicht ist es in der Ordnung so.

Du fragtest nach meiner Königsberger Reise. Sie ist schlecht und recht verlaufen. Bei der Vorlesung, in einem sehr großen und sehr vollen Saal, war ich nervöser als sonst und infolge dessen heiser. Aber der Beifall war freundlich und die Zeitungsberichte sehr respektvoll. Ida wiederzusehen, war ein wunderlicher Eindruck. Sie erwartete mich mit den Leuten, bei denen sie, wie sie mit ihrer Ach Gott, Kindchen-Miene betonte, seit 15 Jahren im Hause ist, nach der Vorlesung auf dem Korridor. Sie war nicht viel grauer, als früher, aber ohne Zähne, sprach mit ihrer alten heulenden Stimme und benahm sich gegen mich ungefähr wie früher gegen Großmama: mit kleinen Augen knixend. – Bei Ewers, den ich gleich auf der Redaktion besuchte, war ich am folgenden Tage zu Tische. Die Frau, ein bißchen dürftig, klappsch und gewöhnlich, gefiel mir nicht sonderlich. Sie sind hübsch, fast reich eingerichtet und schienen sich in K. recht glücklich zu fühlen, während sie über Leipzig und besonders F. Grautoff nicht genug klagen konnten. Ewers selbst fand ich ziemlich unverändert, nur voller und mit längerem Schnurrbart. Unglaublich, wie er das Lübische conservirt hat! Er erzählte, er plane einen »phantastischen Roman«, – mit einer beinahe parodistischen Breite-Straßen-Aussprache. Übrigens war er nett, freundschaftlich und herzlich, auf Grund alter Erinnerungen. Er bedauerte, daß ich keine Verse mehr mache, wie damals, als ich ihm meine Gedichte an das »Meer« und den Wallnußbaum immer zum Recensiren brachte, und betonte nochmals, er hätte mich nicht wiedererkannt, so sehr verändert hätte ich mich seit damals. Tjaja! – Das Haupterlebnis und -Ergebnis der Reise war dann das Zusammentreffen mit Gerhart Hauptmann gelegentlich eines Diners bei Fischer in Grunewald. Ich war mir von seiner Persönlichkeit einen solchen Zauber, wie sie thatsächlich ausübt, bei Weitem nicht vermuthend gewesen. Ein lichter Kopf, durchgearbeitet, tief und doch klar; ein Wesen, würdevoll und sanft, weich und doch stark. Er ist ganz eigentlich mein Ideal. So hätte man auch werden können, wenn man nicht einen »Schaden« hätte, wie das kleine Üz bei Ibsen sagt... Sein Altruismus, seine wundervolle Menschlichkeit, von der auch sein letztes Stück »Rose Bernd« wieder voll ist, umgiebt thatsächlich seine Person wie ein Schimmer und macht sie ehrwürdig. – Es gab auch viel Schlaraffenland-Komik. Brahm vom Deutschen Theater sagte wörtlich: »Nu, Herr Mann, wie is' mit'n Schtiek? Schicken Se's mir! Wer brauchen junge Talente!« Die gute Seele! Die wird sich hüten, meine Dialoge aufzuführen! Denkt wahrscheinlich, daß es nun so weiter geht mit der Wirkung auf die breiteren Schichten – und irrt sich. Der Erfolg von »Buddenbrooks« ist zuletzt ein Mißverständnis. Und damit zur Hauptsache, zu Deinem Roman!

Meine Eindrücke? Sie sind nicht grade sehr angenehm, – was Eindrücke ja aber auch durchaus nicht zu sein brauchen. Es ging nicht gerade behaglich zu bei der Lektüre, – was ja aber auch durchaus nicht nöthig ist. Ich habe mich mit dem Buche herumgezaust, es fortgeworfen und wieder aufgenommen, geächzt, geschimpft und dann auch wieder Thränen in den Augen gehabt... Tage lang bin ich, bei dem tiefsten Barometerstand seit hundert Jahren (laut Erklärung der meteorologischen Warte), mit der Pein umhergegangen, die es mir erweckt hat. Nun weiß ich ungefähr, was ich Dir zu sagen habe.

Daß ich mit Deiner litterarischen Entwicklung nicht einverstanden bin, – muß einmal ausgesprochen werden; am besten jetzt, wo Du, soviel ich weiß, nichts Eigenes vorhast, – und auch sonst könnte es Dich wohl kaum beirren. Das Vortreffliche in diesem neuen Roman entgeht mir gewiß nicht. Die Schilderung von Nymphenburg, die Automobilfahrt, die Novelle vom Kupferstecher, Claude's Meditation auf der Piazzale mit jenem Wort alleräußerster Hoffnungslosigkeit: »Das Leiden selbst interessirt zuletzt nicht mehr« – das sind Dinge, die Dir in Deutschland niemand, ganz einfach überhaupt niemand nachmacht. Ich stelle dies voran, dick unterstrichen. Und doch: Solche Bücher, wie »Die Jagd nach Liebe«, liegen meiner Überzeugung nach (die vielleicht nur mein Wunsch ist) nicht allein außerhalb der deutschen Entwicklung – das wäre kein Einwand – sondern auch außerhalb Deiner eigenen.

Wenn ich zehn, acht, fünf Jahre zurückdenke! Wie erschienst Du mir? Wie warst Du? Eine vornehme Liebhabernatur, neben der ich mir mein Lebtag plebejisch, barbarisch und spaßmacherhaft vorgekommen bin, voller Discretion und Cultur, voller Reserve der »Modernität« gegenüber und in voller Linie historisch begabt, ledig jedes Applausbedürfnisses, eine delicate und hochmüthige Persönlichkeit, für deren litterarische Äußerungen jetzt in Deutschland sehr wohl ein empfängliches erlesenes Publicum vorhanden wäre... Und nun, statt dessen? Statt dessen nun diese verrenkten Scherze, diese wüsten, grellen, hektischen, krampfigen Lästerungen der Wahrheit und Menschlichkeit, diese unwürdigen Grimassen und Purzelbäume, diese verzweifelten Attacken auf des Lesers Interesse! Die Operation der Zank, der angekettete Kellner, Paniers Verlobung, das Kartenduell, Frau von Traxi, alle diese sinnlosen und unanständigen Lügengeschichten, – ich lese sie und kenne Dich nicht mehr. Der seelische Gehalt des Werkes, die Sehnsucht aus schwacher Künstlichkeit nach dem Leben, diese Sehnsucht, die sich dem einsamen und sinnlichen Künstler gern als Liebessehnsucht darstellt, – wie soll sie rühren, wie überzeugend wirken, da auch nicht ein Versuch gemacht ist, dem Leben nahe zu kommen, auch nur eine Miene und Regung dieses simplen

Wildfangs zu belauschen und festzuhalten? Alles ist verzerrt, schreiend, übertrieben, »Blasebalg«, »buffo«, romantisch also im üblen Sinne, die falschen Gesten der Repräsentanten des Christenthums aus den »Göttinnen« sind wieder da und die dazu gehörige dick aufgetragene Colportage-Psychologie, selbst Ute, die eine unsterbliche Figur hätte werden können, ist durch Maßlosigkeit verdorben, und schließlich fragt man sich, wie Du eigentlich dazu kamest, den fernhinwirkenden Possart zu verspotten, in einem Buch, dessen Titel lieber lauten sollte: »Die Jagd nach *Wirkung*«.

Lieber Heinrich, ich rede aufrichtig und sage Dinge, die ich längst auf dem Herzen habe. Es ist, meiner Einsicht nach, die Begierde nach Wirkung, die Dich corrumpirt, wenn anders nach diesem Buche wirklich von Verderbnis gesprochen werden muß. Du hast mir zuviel von Wirkung und Erfolg geredet in letzter Zeit. Du hast mir gegenüber den Schluß von »Salome« an »Wirksamkeit« dem der – Cavalleria verglichen, hast, als ich Dir von »Königliche Hoheit« erzählte, vor Allem betont, der Titel werde sich gut im Schaufenster ausnehmen, während ich, ohne heilig thun zu wollen, bis dahin noch nicht ans »Schaufenster« gedacht hatte, Du hast den Unterschied zwischen uns beiden dahin formulirt, daß ich dem deutschen Volksempfinden näher stünde, Du dagegen »es mit der Sensation machen müßtest«... Was da – machen! Wer »macht« denn irgend etwas! Die Auflagen von »Buddenbrooks« sind ein Mißverständnis, ich sage es noch einmal, und nach Allem, was ich hege und plane, wird außer den paar Hundert innerlich Interessirten kein Hahn krähen. Auch weiß ich wohl: nicht der Erfolg von »Buddenbrooks« hat es Dir angethan – es wäre dumm und lächerlich, das anzunehmen –, sondern, früher schon, das Buch als Leistung, als Quantität. Deine Besorgnis, infolge Deiner Nervenkrankheit hinter mir, der ich doch auch nicht gerade unter zärtlichen Bedingungen arbeite, an Leistung zurückzubleiben, wurde zum Ehrgeiz. Mit einer hygienischen Disciplin, von der ich niemals recht wußte, ob ich sie bewundern oder verachten sollte, hast Du Dich weit über mich hinaus zur Arbeitsfähigkeit trainirt, die quantitative Leistung Deines letzten Jahres stellt einen Record dar, der meines Wissens noch von keinem ernsthaften Schriftsteller erreicht ist, – aber (verzeih' die Trivialität!) nicht die Menge thut es, und das »Wunderbare« ist viel, viel mehr, als die »Jagd nach Liebe«; Du hast Dich so gesund gemacht, daß Du sechs Stunden am Tage arbeiten kannst, aber was Du machst, ist krank, nicht weil es »krankhaft« wäre, sondern weil es das Resultat einer schiefen und unnatürlichen Entwicklung ist und einer Wirkungssucht, die Dir unaussprechlich schlecht zu Gesichte steht.

Stünde sie Dir besser zu Gesicht, fühltest Du Dich eigentlich wohl und daheim in dieser Fratzenwelt der krassen Effecte, – Du würdest selbstständiger, stolzer, abgeschlossener erscheinen. Es wirkt als Schwäche und Armuth, daß Du Grautoffs unmögliche Flunkerei, Possart habe bei einer Trauerbotschaft das Zimmer verlassen und sei weiß geschminkt wieder herein gekommen, widerstandslos in Dein Buch aufnimmst. »Pferdezähne«, als Wort und Beobachtung, ist nicht von Dir. Der skurrile Gebrauch von »leicht« (»leicht widerlich«, »leicht albern«) ist nicht von Dir. Lappalien, die man kaum unter vier Augen erwähnen darf, gewiß. Aber es geht weiter. In Riva, im Ruderboot, haben wir schon einmal einen Anlauf zu einer Auseinandersetzung über diesen unangenehmen Gegenstand genommen. Im Laufe von allerlei philosophisch-psychologischen Disputen, in denen wir unsere entgegengesetzten Standpunkte vertraten, hatte ich Dir von meinem Plane erzählt, einen Roman »Die Geliebten« zu schreiben. In den »Göttinnen« fand ich den psychologischen Inhalt dieser Gespräche in oberflächlicher und grottesker Weise verwerthet, vor Allem aber den Gegensatz »Die Geliebten – die Ungeliebten« wie etwas Gegebenes und allgemein Gebräuchliches wiederholt wörtlich benützt. Auf meinen Vorhalt, daß damit mein Titel unmöglich sei, hast Du, wie es scheint, »Die Geliebten« gestrichen; aber mit einer Art später Naivetät, die Dich ebenfalls nicht sonderlich kleidet, hast Du »Die Ungeliebten« – stehen lassen! Weiter. In »Tonio Kröger« sind als Gegensatz des Künstlers, wie ich ihn verstehe, »die Gewöhnlichen« genannt. Es ist von den »liebenswürdig Gewöhnlichen«, von den »Wonnen der Gewöhnlichkeit« die Rede. Und in der »Jagd nach Liebe« finde ich den Ausdruck »die Gewöhnlichen« als Bezeichnung für das Gegentheil des Künstlers wiederholt benützt. Kleinlicher Geiz, nicht mehr, der vor seinen kümmerlichen Schätzen eifersüchtig Wache hält. Sehr gut! Aber dann könntest Du an die Geschichte von dem reichen Manne denken, der dem Armen sein einziges Schaf wegnahm; und ich von meiner Seite wäre zu stolz und zu skrupulös, um Schlagwörter eines Anderen, in denen sich eine ganze Anschauung, ein ganzes Pathos und Erlebnis ausspricht, ohne Weiteres als Gemeingut zu behandeln. Du hast mich bereits versichert, daß Du den Stoff »Königliche Hoheit« natürlich genau so vollkommen in Dir trügest, wie ich. Und was soll ich thun, wenn Du nun eines Tages in einem neuen Werk ganz beiläufig und gelegentlich einmal von der »Königlichen Hoheit« des Künstlers sprichst? Es wäre pedantisch, die Sache dann noch weiter ausführen zu wollen.

Dies Alles spielt in den Styl hinüber. Er ist wahllos, schillernd, international. Ich sehe ab von Schnellfertigkeiten wie der adjectivische Gebrauch von »theilweise«. Aber ich vermisse jede Strenge, jede Geschlossenheit, jede sprachliche Haltung. Neben Gallicismen stehen oesterreichisch-bayrische Mundartlichkeiten. Neben einem preziösen »Ach! Ach!« steht etwas gänzlich Unstilisirtes wie »Hast du 'ne Ahnung!« Alles, was wirken kann, ist herangezogen, ohne Rücksicht auf Angemessenheit. Das Kunstmittel des Leitmotivs paßt nicht hinein. Die vorgestellten Genetive, skandinavischen Ursprungs, passen nicht hinein. Das schlicht epische »Aber« ohne starken logischen Gegensatz am Anfang des Satzes, ebenfalls skandinavischen Ursprungs, – es paßt nicht hinein. Und schließlich wirken auch die medicinisch genauen Krankheitsbeschreibungen, die in einem realistischen Roman am Platze sind, in diesem Buch styllos. Wolltest Du consequent sein, so hättest Du Krankheiten schildern müssen, die zwar unmöglich sind, die niemand kennt, die aber durch wilde Scheußlichkeit erregen und »es mit der Sensation machen«.

Ehrgeiz, Naivetät, Skrupellosigkeit – das sind ja wohl Eigenschaften des »Künstlers«, des »reinen Künstlers«, dessen Rolle Du übernommen hast, und ich würde Dir diese Eigenschaften nicht zum Vorwurf machen, wenn ich nicht wüßte, daß sie Deinem ursprünglichen Sein und Wesen so vollständig fremd sind. Mein Gedächtnis bewahrt ein Wort von Dir, das Du einmal sprachst, als von Fielitz und seinem Verhältnis zu seiner Frau die Rede war. »Wenn *das* Künstlerthum ist«, sagtest Du, »so bin ich jedenfalls kein Künstler.« Nein, Du warst keiner; sondern etwas Besseres, Höheres, Reineres. Nun ist es anders. »Ich war nervenkrank«, hast Du Dir gesagt, »ich will gesund, künstlerisch, wirksam sein. Auch der Geist ist eine Nervenkrankheit, ich will ganz sinnlich, ganz körperlich, ganz Scene sein.« Und Du schriebst in sechs Monaten die Jagd nach Liebe, ohne zu bedenken (oder bedachtest Du's?), daß unter Deinen Händen nur ein neues Genre von Unterhaltungs- oder Zeitvertreib-Lektüre entstand, nämlich eine Unterhaltungslektüre mit allen Errungenschaften der Neuzeit.

Auch mit dem Historischen willst Du wohl fertig sein. Auch die Überwindung des Historischen gehört wohl zu Deinem Künstlerthum. Ich habe von Dir gehört, daß Du des Historischen müde seist, daß nun doch das ganz Moderne, Gegenwärtige und – o mein Gott! – Lebendige Dich interessire; während meiner Überzeugung nach die historische Novelle Dein eigentliches Gebiet ist. Die »Göttinnen«, die neben gellenden Geschmacklosigkeiten ganz wundervolle Schönheiten enthielten, habe ich nicht nur gegen Schaukal vertheidigt. Ich habe auf den großartigen äußeren Reichthum und die sinnliche Schönheit dieses Werks, vor Allem aber auf seine historische Tiefe hingewiesen, die wie ein kunstvoller Gobelin den grotesken Ereignissen als Folie dient. Da aber in der »Jagd nach Liebe« von der Schönheit nicht viel, vom Historischen garnichts übrig ist, – was bleibt?

Es bleibt die Erotik, will sagen: das Sexuelle. Denn Sexualismus ist nicht Erotik. Erotik ist Poesie, ist das, was aus der Tiefe redet, ist das Ungenannte, was Allem seinen Schauer, seinen süßen Reiz und sein Geheimnis gibt. Sexualismus ist das Nackte, das Unvergeistigte, das einfach bei Namen Genannte. Es wird ein wenig oft bei Namen genannt in der »Jagd nach Liebe«. Wedekind, wohl der frechste Sexualist der modernen deutschen Litteratur, wirkt sympathisch im Vergleich mit diesem Buch. Warum? Weil er dämonischer ist. Man spürt das Unheimliche, das Tiefe, das ewig Zweifelhafte des Geschlechtlichen, man spürt ein Leiden am Geschlechtlichen, mit einem Worte, man spürt Leidenschaft. Aber die vollständige sittliche Nonchalance, mit der Deine Leute, haben sich nur ihre Hände berührt, mit einander umfallen und l'amore machen, kann keinen besseren Menschen ansprechen. Diese schlaffe Brunst in Permanenz, dieser fortwährende Fleischgeruch ermüden, widern an. Es ist zu viel, zu viel »Schenkel«, »Brüste«, »Lende«, »Wade«, »Fleisch« und man begreift nicht, wie Du jeden

Vormittag wieder davon anfangen mochtest, nachdem doch gestern bereits ein normaler, ein tribadischer und ein Päderasten-Aktus stattgefunden hatte. Selbst in der rührenden Scene zwischen Ute und Claude an des Letzteren Sterbebett, dieser Scene, bei der ich weich wurde, bei der ich gern vergessen hätte, – selbst da muß unvermeidlich Ute's »Schenkel« in Action treten, und ein Schluß war nicht möglich, ohne daß Ute nackt in der Stube umherging! Ich spiele nicht Frà Girolamo, indem ich dies schreibe. Ein Moralist ist das Gegentheil von einem Moralprediger: ich bin ganz Nietzscheaner in diesem Punkte. Aber nur Affen und andere Südländer können die Moral überhaupt ignoriren, und wo sie noch nicht einmal Problem, noch nicht Leidenschaft geworden ist, liegt das Land langweiliger Gemeinheit. Ich habe mehr und mehr die Identität von Moral und *Geist* begriffen und verehre ein Wort Börne's, das mir eine unsterbliche Wahrheit zu enthalten scheint: »Die Menschen«, sagt er, »wären geistreicher, wenn sie sittlicher wären« ...

Ich bin zu Ende. Manches ist härter herausgekommen, als es beabsichtigt war, und ich würde den Brief wohl mildernd copiren, wenn mich nicht fortwährend eine Art Schreibkrampf belästigte. Magst Du die Epistel also lesen wie sie ist. Du wirst mich, denke ich, nicht mißverstehen. Ich bin, weiß Gott, von Geburt kein Pamphletist und muß *gelitten* haben, um ein paar Seiten zu schreiben wie auch nur diese hier. Auch sollst Du mir nicht naives Vertrauen in die Richtigkeit des eigenen Urtheils vorwerfen, wie dem guten Schaukal. Ich bin durchaus nicht ohne Zweifel. Vielleicht, wenn Du diesen Brief aufbewahrst und er kommt dereinst ans Tageslicht, vielleicht werden sich spätere Leute einmal über den Töffel von einem jüngeren Bruder amüsiren, der Deine Größe so garnicht zu schätzen wußte – vielleicht. Ich habe mir unterdessen nach meinen geringen Kräften eine historische Parallele zurechtgemacht, mit deren Hülfe ich der »Jagd nach Liebe« einen gewissen Rang zuweisen kann. Durch mein Naschen am Studium der italienischen Renaissance bin ich indirekt mit den Epikern des Quattro- und Cinquecento, mit Bojardo, Luigi Pulci, dem Autor des »Morgante«, und ihresgleichen bekannt geworden; ich denke mir, daß es Dir nicht einmal unangenehm ist, wenn man Dich zu ihnen stellt. Es waren skurrile Köpfe, sehr groß im Erfinden an Zoten, Fratzen und Possen. Sie haben nie »die Schmerzen gelindert je des Beladenen«, haben nie »die Thränen gestillet je der Geängsteten«. Sie waren keine Dichter, keine Seher und Verkünder. Sie waren Künstler, und was sie schrieben, war eine künstlerische Unterhaltungslektüre, eine tolle und bunte Flucht abenteuerlicher, unmöglicher und obscöner Diversionen. Sie will ich nennen, wenn ich Dein Werk vertheidige gegen Leute, die kommen und glauben werden, es einfach geringschätzen zu dürfen.

Ein angenehmes Weihnachtsfest und ein fruchtbares neues Jahr!

Dein T.

d. 5. XII. 1903.

Auf die Rückseite des letzten Briefblattes hat Heinrich Mann mit Tintenstift kaum leserliche Notizen zu einer Antwort gekritzelt. Die einzelnen Abschnitte hat er nach ihrer Verwertung vertikal durchgestrichen. Die Zeichen bedeuten:

[...] vom Autor getilgt

˙...˙ vom Autor nachträglich eingefügt

⟨...⟩ vom Herausgeber ergänzt

Obere Blatthälfte

zu I) *Etwas* tiefere Gründe hat das Skurrile doch. Schlussscene mit von Eisenmann. Claude *sieht* es so. *Verachtung* des Lebens.

II Das *Sexuelle* eine grauenhaft einfache Sache. Matthacker. Nur romantisch, verstehe das Dämonische nicht. Nana. Grösse. Bei mir *fehlt* die Grösse: der Held ist zu schwach, die Weiber sind auch keine Nanas, sie bedeuten auch nichts, sie verkörpern nicht die Corruption eines Kaiserreichs.

Geheimnisserei mit körperl. Vorgängen. »Bescheissen«

Moral – Geist, wozu so viel Geist: bis man nur noch Essais schreibt?
1 Über das Innerliche liest man scheint es weg. Und doch stellt sich mir, wenn ich an das Buch denke, *nur das Innerliche* vor Augen: als seien darin nur Claude und Ute. Nichts anderes hat mich daran interessirt, alles Übrige ist die Flucht der Erscheinungen, [halb unwirklich,] possenhaft, roh, schmutzig, halb unwirklich, ganz unzulänglich: [wie dem einsamen Menschen] [so] wie Cl.⟨aude⟩ sie sieht, wie ich sie sehe. Wüst und unwirklich sind die ·er verzettelt an sie sein Gefühl· anderen, nicht er, *auch nicht seine Krankheit*. Wie oft ist seine Einsamkeit betont und

Wir tragen ganz dieselben Ideale in uns. Du sehnst Dich nach der Gesundheit des Nordens, ich mich nach der des Südens. Ich habe Dir schon bei T. Kröger zu bedenken gegeben, dass es nicht nur eine blauäugige Gewöhnlichkeit giebt. Die Wiederholung des Wortes Gewöhnlichkeit in der J.⟨agd⟩ n.⟨ach⟩ L.⟨iebe⟩ war möglichenfalls eine Art Antwort? [Aber das weiss ich nicht mehr. Thatsache ist nur, dass ich ein Croniqueur bin.]

Untere Blatthälfte

Es sind zwischen uns Gradunterschiede. Ich habe von dem zigeunerhaften Künstlerthum soviel mehr, dass ich nicht widerstehen kann. Ich bin mehr Romane, fremder und haltloser.
                                                            Und ich bin so viel kränker.

Mir gebricht es so vielmehr an Ruhe, an Zeit zum Abwägen.
Ich habe die Angst: höre ich auf, ist es aus mit mir. * Dann das Geld. Ich denke, wenn ich von Wirkung spreche, *ausschliesslich* an das Geld. Ich [habe ein] behaupte mein volles Recht, mich über die [bloss] Eitlen lustig zu machen, denen am Beifall um seiner selbst etwas liegt. Mir ist das unbestimmte Geräusch des Volkes dahinten, ([Miss] Mrs Browning) gleichgültig. Ich weiss zu gut, dass der Ruhm nur ein weithin verbreiteter Irrthum

über meine Person wäre; dass man klatschen würde, ohne zu wissen wem. Alles was Cl.[⟨aude⟩ u. Ute darüber von sich geben, ist mir Ernst! Ich weiss, ich bin allein, u wäre es auch noch auf einer

————————

2 die Gleichgültigkeit von allen, ausser von Ute! Es wäre stillos gewesen, das übrige mit Theilnahme, Sachlichkeit u Ernst zu behandeln. Ich halte also den Stil des Buches trotz allem für richtig. Das schliesst aber nicht aus, dass das Buch selbst [überhaupt] unberechtigt sein kann. Ein Charakter wie Claude *darf* vielleicht garnicht Medium eines Weltbilds sein. Das Bild wird zu krank, wüst, unerträglich. Das hiesse mit anderen Worten, ich hörte überhaupt auf, zu schreiben.
* Hygien⟨ische⟩ Disciplin schon *vor* Erscheinen Buddenbrooks.

München d. 23. XII. 1903
Konradstr. 11 pt.
Lieber Heinrich:
Herzlichen Dank für Deinen Brief! Es ließe sich wiederum eine Menge darauf erwidern, aber hol' es der Teufel! Uns beiden ist am wohlsten, wenn wir Freunde sind, – mir gewiß. Es sind meine übelsten Stunden, wenn ich Dir feindlich gesinnt bin. Gewisse Spitzen in meiner kleinen Buchbesprechung in der »Freistadt« waren sachlich bewußt gegen Dich gerichtet; dies muß ich der Wahrheit zu Ehren feststellen. Aber ich möchte nun auch wissen, wer Dir das mit dem Fanatismus und dem Weihrauch geschrieben hat. Wenn ich ihn (oder sie) auch nur von Weitem kenne, so verpflichte ich Dich, mir zu sagen, wer es ist. Ich muß wissen, wer wider mich ist.
Nächstens schicke ich Dir zwei kleine Studien, die ich ohne Scham auf Bestellung des Geldes wegen angefertigt habe.
Herzlich

T.

München, den 8. 1. 1904
Konradstraße 11 pt.

Lieber Heinrich:

Meine kurz abschließenden Zeilen von neulich waren aufrichtig gut gemeint, denn sie stellten den Entschluß dar, *Dir, den ich an menschlicher Vornehmheit, an seelischer Reinheit und Klarheit mir so weit überlegen weiß, über alle Irrungen und Wirrungen hinweg energisch die Hand* zu reichen. Aber Du mußtest die ein bißchen komisch biedermännische Geste, mit der ich es that, wohl mißverstehen, *mußtest sie oberflächlich und frivol finden, weil Du nicht wissen konntest, daß sie nur das Losreißen von einem langen Nachdenken,* Grübeln, Bohren und Brüten war, diesem ungesunden und entkräftenden Zustand, in den ich nur zu leicht verfalle und den ich so hasse, weil er unfruchtbar ist. Du weißt doch, daß mit mir nicht zu disputiren ist; es geht schriftlich so wenig wie mündlich. Ich bin nicht imstande, eine Gedankenreihe zu isoliren, ein Gespräch künstlerisch durchzuführen. Ich gerate innerlich vom Hundertsten ins Tausend[st]e, mein ganzes psychologisches Wissen wird aufgewirbelt, steigt mir zu Kopfe, die Complicirtheit der Welt überwältigt mich, die Erkenntnis, daß alle Gedanken nur Kunstwerth aber keinen Wahrheitswerth haben, würgt mich physisch an der Kehle, ich gerate ins Zittern, ich habe Magenklopfen (eine Eigenheit von mir, anstelle des üblichen Herzklopfens), das Gehirn dreht sich mir herum, und wenn ich nicht auf der Stelle verrückt werden will, muß ich mich zusammennehmen und »Hol's der Teufel!« sagen. Das mag egoistisch sein, aber wenn Du wüßtest, was ich um Deinet- und unseres Verhältnisses willen schon für Gedankenqual ausgestanden, wenn Du wüßtest, welche Zucht und Kasteiung für mich, dessen »Geistigkeit« ja wahrscheinlich nur ein Correctiv seines ursprünglich vorwiegenden trüben und trägen Musikantenthums ist, ein Brief wie mein vier Bogen langer über Dein Buch bedeutet, so würdest Du weniger streng mit mir reden. Das erste Gefühl, das Dein letzter Brief mir erweckte, war eine naive Entrüstung, ähnlich wie damals, als Du mir egoistische Gleichgültigkeit Mama *und Vicco gegenüber vorwarfst, während ich mich um Mama bereits gegrämt und krank gegrübelt hatte zu einer Zeit, wo Du in Italien Bilder besahst, und zu einer Zeit, wo ichselbst mir in einem noch weit* entsetzlicheren Maße zu schaffen machte, als ich es heute thue. Neulich bekam ich plötzlich eine Karte von Onkel Friedel, eine Ansichtskarte von einem Nordsee-Dampfer, auf der mit etwas entstellter Schrift zu lesen stand: »Dein Buch ›Die Buddenbrooks‹ haben mir viele Leiden bereitet. Ein trauriger Vogel, der sein eigenes Nest beschmutzt! Dein Onkel Friedrich Mann.« Zuerst empfand ich eine Art von komischem Stich. Dann dachte ich: »Du Thor! Er begreift also nicht, daß ich mich besser, länger, leidenschaftlicher mit ihm beschäftigt habe, als sonst irgend jemand.« Ein ähnliches Mißverständnis steht zwischen uns, und ich sage nicht, daß das Deine Schuld ist. Meine besten Briefe an Dich sind nicht geschrieben worden, – aus Egoismus, freilich! Denn meine organisirenden Kräfte stehen leider in gar keinem Verhältnis zu meiner Erlebnis- und Erkenntnisfähigkeit, und bei meiner schmerzlichen Langsamkeit würden, wenn ich alle diese guten Briefe schreiben wollte, meine eigenen Sieben Sachen, die so wie so hinter meinem Erlebnis zum Verzweifeln im Rückstande sind, überhaupt nicht mehr vorwärts kommen, – während doch vielleicht etwas daran gelegen ist, daß sie vorwärts kommen.

Du bist zu streng und zu schwermüthig. Was bedeutet zuletzt das Urtheil eines Künstlers über den anderen! Gestern schickte mir Schaukal einen Brief, den ein junger Dichter in Brünn, Hans Müller, ihm geschrieben hat, Verfasser eines Gedichtbuches, das sehr gut sein soll und, glaube ich, »Die lockende Geige« heißt. In dem Briefe (er ist zehn Seiten lang, am Weihnachtsabend *wunderhübsch hingeplauscht) steht folgende Passage: »Es ist eine Schändung Th. Mann und Knoop in einer Zeile zu nennen. Th. M. ist der christliche Journalist, nicht so weit, als Sie meinen, von Wasserclosets ›Renate‹ entfernt, nur ist der Jude Wassermann raffinirt ›gescheit‹ und darum degoûtant. Mann dagegen in seiner ›Kühle‹ fast ein wenig komisch. Die Buddenbrooks sind sicherlich ein langweiliges, aber darum doch miserables Buch (denken Sie jetzt eine Secunde an Goethe!) und von den Novellen Tristan schreibe ich alle – mit Ausnahme des Tonio Kröger – «* (also doch! die christliche Red.) »in 48 Stunden. Dieses Gefühl aber darf ich nicht haben, sonst ist es mit dem ›Beugen‹ vorbei. Mein Novellenbuch ›Die Rosen des heiligen Antonius‹ wird's übrigens – hoff' ich – beweisen.« – Ein Prachtjunge! Und ich wollte, Du fändest meine

Sachen ebenfalls langweilig, miserabel und journalistenhaft: wir könnten dabei die besten Freunde sein, – in den guten Stunden wenigstens, wo man sich vom Geiste ausruht und mit einem Hol's der Teufel zum Lübeckisch-Familiär-Menschlichen zurückkehrt. Nur in dieser gesunden Fähigkeit, auszuspannen und, wie Wagner, sächsische Witze zu machen, liegt die Möglichkeit, das außerordentliche Dasein des Künstlers auszuhalten.

»Alle harmlosen Beziehungen aufgehoben«! Melancholie und nichts weiter! Und gar das »Nichtgeltenlassenwollen« Deiner Persönlichkeit! Ich glaube nicht, daß Du Dich hervorragend glücklich und harmonisch entwickelt hast (aber wer thut das heute? Ich vielleicht?), glaube, daß Du weniger, als Du Dir einredest, berufen bist, *auf Erden die trübe und zweifelhafte Mischung aus Lucifer und Clown darzustellen, die man »Künstler« nennt, daß Du weniger oft peinlich, ja peinigend wirken würdest, wenn Dir diese Rolle zu Gesicht stünde, daß du eigentlich zu gut, zu* vornehm, rein, schamhaft, heikel und anständig dazu bist, daß Du Dich wahrscheinlich im Inselverlag unter exklusiven ästhetischen Liebhabern und hochmüthig historischen Gourmands besser, würdiger, wohlthuender ausnehmen würdest, (zu Deinen wohlklingendsten künstlerischen Äußerungen gehört der »Gang vors Thor« in der »Insel«) daß schließlich Deine eigene Auffassung und Darstellung Deines Seins und Wesens, wie Du sie mir in Deinem großen Briefe gabst, nicht ebenso objektiv wahr zu sein braucht als sie plausibel und logisch unanfechtbar ist (Du selbst nanntest sie, recht skeptisch, »die mir geläufige Rechtfertigung meines Selbst«): – aber abgesehen davon, daß das alles ganz falsch sein kann, – bedeutet es denn ein »Nicht gelten lassen wollen« Deiner »Persönlichkeit«?! Deiner Persönlichkeit! Oft kommt jetzt das Gespräch auf Dich bei Löhrs, wo ich zweimal die Woche zu Mittag esse. Wir sitzen dann und machen alle drei sehr ernste, fast leidende Gesichter. Jeder sagt ein halbwegs gescheites Sprüchlein über Dich, *Für und Wider, und dann tritt stummes Grübeln ein. Endlich sage ich: »Der Fall Heinrich ist nämlich ein Fall, über den ich stundenlang nachdenken kann.« »Ich auch«, sagt Lula. »Ich auch«, sagt Löhr. Und wiederum nach einer Pause sage ich mit orakelhafter Betonung: »Daß er uns allen so viel zu schaffen macht, beweist, daß er mehr ist, als wir Alle.«* Dies ist wortgetreu wiedergegeben und zeigt meine »Überheblichkeit« im frechsten Lichte. Du weißt nicht, wie hoch ich Dich halte, weißt nicht, daß, wenn ich auf Dich schimpfe, ich es doch immer nur unter der stillschweigenden Voraussetzung thue, daß neben Dir so leicht nichts Anderes in Betracht kommt! Es ist ein altes Lübecker Senatorssohnsvorurtheil von mir, ein hochmüthiger Hanseaten-instinkt, *mit dem ich mich, glaub' ich, schon manchmal komisch gemacht habe, daß im Vergleich mit uns eigentlich alles Übrige minderwerthig ist.*

Überheblich? Nein, mag ich's der gesamten Collegenschaft gegen-über sein: Dir gegenüber bin ich's gewiß nicht. Aber freilich bist Du wieder zu streng, wenn Du »Würde und Bescheidenheit« von mir verlangst. Ich habe weder das Eine noch das Andere, – bin zu pathologisch und zu kindisch, zu sehr »Künstler«, um es zu haben. Du bist anders. Du würdest niemals, wie Wagner, die Partitur eines Nebenbuhlers vom Flügel *schmeißen, sondern bist der hei-lige Litterat, der zwischen Leistungen und Handlungen unter-scheidet und niemals einer Handlung wie der von mir in der »Frei-statt«* begangenen fähig wäre. Du bezeichnest Sie [sic], in äußerst eleganter Umschreibung, als eine Gemeinheit – nun! Ich könnte mich vertheidigen, könnte von einer geistigen Leidenschaft reden, die, wenn irgend echt, von »Weihrauch« nicht betäubt werden kann; aber ich will meine That nicht im Stiche lassen, sondern sie auf mich nehmen, – ich habe Schlimmeres zu vergessen. Nur fra-gen will ich, ob Du beim Abschätzen des Grades meiner Schlech-tigkeit die Offenheit, mit der ich Dir ganz ohne Noth und gegen Deinen Glauben die »Handlung« eingestand, nicht hättest *ein biß-chen in Betracht ziehen können und ob ich für diese Offenheit nicht verdient hätte, den Namen des Ehrenmannes zu erfahren, der mich Dir angab und dem* ich vielleicht ahnungslos zuweilen die Hand drücken muß.

Wollen wir nun schließen? Ich denke, wir thäten gut, unserem Verhältnisse Zeit zu lassen, sich auszureifen; es ist ja so, wie es ist, gewiß nichts Definitives. Wir stehen knapp diesseits und jenseits der Dreißig, in einem Alter also, wo man leicht für Ethos hält, was bloß Pathos ist, und immer geneigt ist, an die Ewigkeit seines Zu-standes zu glauben. Trotzdem fühle ich in meinen besseren Stun-den die Fähigkeit zu den überraschendsten Schwenkungen und *Reaktionen in mir. Du lobtest, als ich euch den ersten Akt meiner*

Fiorenza-Dialoge vorlas, die Gestalt des Pico: nun, wer diesen Pico hinlegt, kann doch wohl kein ganz dumpfer und verstockter Nazarener sein, sondern muß eine gewiße Souveränität besitzen. Sie ist vorhanden, glaube mir! Sie ist vorhanden in Gestalt meiner Ironie, die ich gegen mich selbst fleißiger verwende, als gegen die ganze übrige Welt, *und die zuweilen in eine zugleich eitle und überlegene Freude an meiner eigenen zweifelhaften Persönlichkeit* übergeht. Ich lese jetzt, eigentlich zum ersten Mal, Heine's Buch über Börne und stieß neulich auf folgende Zeilen:

»Psychologisch merkwürdig ist die Untersuchung, wie in Börnes Seele allmählich das eingeborene Christenthum emporstieg, nachdem es lange niedergehalten worden von seinem scharfen Verstand und seiner Lustigkeit. Ich sage Lustigkeit, gaité, nicht Freude, joie; die Nazarener haben zuweilen eine gewisse springende gute Laune, eine witzige, eichkätzchenhafte Munterkeit, gar lieblich kapriciös, gar süß, auch glänzend, worauf aber bald eine starre Gemüthsvertrübung folgt: es fehlt ihnen die Majestät der Genußseligkeit, die nur bei bewußten Göttern gefunden wird.«

Du glaubst nicht, welchen Genuß mir dergleichen bereitet, obgleich es mich doch eigentlich ärgern sollte. Ich strich es dick an, schrieb Ecce ego! an den Rand und war ganz selig.

Lies mit diesem Citat als Motto mein »Wunderkind«, das mir ein gutes Beispiel für die nazarenische gaité zu sein scheint. Ich schicke Dir die beiden anspruchslosen Gelegenheitsarbeiten gleichzeitig mit diesem Brief. Die N. Fr. Pr. hat mir lange die Belege vorenthalten, und mein Exemplar der Neuen Rundschau, die pro Heft M 2,50 kostet, ist in den Händen der Mutter. Ich schicke Dir »Ein Glück« darum jetzt in der Correctur. Nun muß ich noch für den »Tag« einen Aufsatz über Gabr. Reuters neuen Roman schreiben; aber dann soll es wirklich ein Ende mit der Verzettelung haben, und ich will wieder zu ernsthaften Dingen übergehen. Was hast Du vor?

Herzlichen Gruß!   Dein   T.

Lieber Heinrich:

Herzlichen Dank für die Novelle! Ich habe sie zwei mal mit freudi-
ger Theilnahme gelesen, werde sie morgen zu Löhrs bringen und
demnächst, wenn ich nach Polling fahre, selbst der Mutter überreichen. Es ist eine glänzende kleine Sache, fest, edel, meisterhaft
und von jener romanischen Gedrungenheit des Styls, die so ganz
Dein eigen ist. Ich habe mir wieder gedacht, daß Du heute eigentlich der Einzige bist, der noch Geschichten, Abenteuer, richtige
»Novellen« erzählen kann, dem noch »was einfällt«. Und den
Vorzug, den Du selbst mit großem Recht der »Jagd nach Liebe«
zusprichst: daß nämlich Jeder, der einmal etwas von Dir gelesen,
Dich nach den ersten zwei Seiten wiedererkennen müsse, besitzt
auch »Fulvia« ganz ausgeprägt; es ist ein ächter und vollkommener H. M. Was ich hauptsächlich bewundere, ist, daß Du den naiven Ton der Erzählung (auch des Dialogs) mit so viel sprachlicher
Vornehmheit zu vereinen gewußt hast. Und das Beste vom Ganzen ist für mich, der ich momentan fürs Charakteristische
schwärme, die treuherzige Erzählung von der Beschießung Vicenza's. Eine sehr gute Einzelheit ist auch, daß Raminga sich immer
von ihrem Hündchen das Gesicht lecken läßt; und ganz wundervoll die Stelle: ». . . bis wir auch unsere Augen sahen. Wie vieles
Stürmische mußte in ihnen geschehen sein in dieser Nacht, ohne
daß wir's gesehen hatten. Jetzt waren sie still wie Geister.« – Eine
Antipathie habe ich gegen die Inversion nach »wie«, die Du gern
gebrauchst. Ich kann es nicht recht erklären, warum mir die Wendung »Wie bist Du lächerlich!« zugleich preziös und platt, also
häßlich erscheint. »Wie Du lächerlich bist!« ginge hier allerdings
auch nicht. Es ist auch nur eine ganz persönliche Geschmacksemp-
findung von mir. Viel merkwürdiger, seltsam interessant, für
mich immer noch ein bischen unwahrscheinlich ist die Entwicklung Deiner Weltanschauung zum Liberalismus hin, die sich auch
in dieser Arbeit ausspricht. Seltsam, wie gesagt, und interessant!
Du mußt Dich wohl ganz ungeahnt jung und stark damit fühlen?
Wirklich, ich würde Deinen Liberalismus als eine Art bewußt eroberte Jugendlichkeit auffassen, wenn er nicht, wahrscheinlicher,
ganz einfach »Reife des Mannes« bedeutete. Reife des Mannes!

Ob ich's auch soweit bringen werde? Fürs Erste verstehe ich wenig von »Freiheit«. Sie ist für mich ein rein moralisch-geistiger Begriff, gleichbedeutend mit »Ehrlichkeit«. (Einige Kritiker nennen es bei mir »Herzenskälte«.) Aber für politische Freiheit habe ich gar kein Interesse. Die gewaltige russische Litteratur ist doch unter einem ungeheuren Druck entstanden? Wäre vielleicht ohne diesen Druck garnicht entstanden? Was mindestens bewiese, daß der Kampf für die »Freiheit« besser ist, als die Freiheit selbst. Was ist überhaupt »Freiheit«? Schon weil für den Begriff so viel Blut geflossen ist, hat er für mich etwas unheimlich *Un*freies, etwas direkt Mittelalterliches... Aber ich kann da wohl garnicht mitreden.

Ich habe in letzter Zeit nicht viel gethan und ein sehr böses Gewissen dabei, denn ich hätte so viel zu thun! Im »Tag« ist ein längerer Essay von mir erschienen, angeblich über Gabriele Reuter, aber sehr allgemein und persönlich gehalten. (Ich habe augenblicklich kein Exemplar davon.) Das ist eigentlich Alles, denn mit »Fiorenza« stecke ich noch immer im 2ten Akt. (Die Dialoge sollen in der Neuen Rundschau erscheinen) Es ist eine neue und erregte Zeit für mich, zu stiller Arbeit wenig geeignet. Buddenbrooks haben das 18te Tausend, und auch die Novellen stehen nun vor dem 3ten. Ich muß mich erst in die neue Rolle als berühmter Mann einleben; es erhitzt doch sehr. Die Zeitungen beunruhigen mich mit ihrer Gier nach Beiträgen. Die Neue Fr[eie] Presse schickte mir nach vergeblichen Telegrammen ihren Agenten auf den Leib und bot 300 M für noch so was wie das »Wunderkind«. Meine Post ist sonderbar buntscheckig geworden. An einem Tage habe ich neulich nach Amsterdam, Malaga und New York geschrieben. Kürzlich eröffnete ich den »Neuen Verein« mit einer Vorlesung (Kunstgespräch aus Tonio Kröger und »Wunderkind«) und wurde sehr gefeiert. Einladungen nach Breslau und Lübeck habe ich vorläufig abgelehnt. Ich bin gesellschaftlich eingeführt, bei Bernsteins, bei Pringsheims. Pringsheims sind ein Erlebnis, das mich ausfüllt. Tiergarten mit echter Kultur. Der Vater Universitätsprofessor mit goldener Cigarettendose, die Mutter eine Lenbach-Schönheit, der jüngste Sohn Musiker, seine Zwillingsschwester Katja (sie heißt Katja) ein Wunder, etwas unbeschreiblich Seltenes und Kostbares, ein Geschöpf, das durch sein bloßes Dasein die kul-

turelle Thätigkeit von 15 Schriftstellern oder 30 Malern aufwiegt... Dies spricht der Rausch; aber es ist diesmal einer, der,
wenn ich in ihm handle, unermeßliche Folgen der verschieden-
sten Art haben kann. Eines Tages fand ich mich in dem italienischen Renaissance-Salon mit Gobelins, den Lenbachs, der
Thürumrahmung aus giallo antico und nahm eine Einladung
zum großen Hausball entgegen. Er war am nächsten Abend. 150
Leute, Litteratur und Kunst. Im Tanzsaal ein unsäglich schöner
Fries von Hans Thoma. Ich hatte Frau Justizrath Bernstein (Ernst
Rosmer) zu Tisch. Zum ersten Mal seit den 18 Auflagen war ich
in großer Gesellschaft und hatte in der anstrengendsten Weise zu
repräsentiren. Leute gingen um mich herum, beguckten mich,
ließen sich mir vorstellen, horchten auf das, was ich sagte. Ich
glaube, ich habe mich nicht übel gehalten. Ich habe im Grunde
ein gewisses fürstliches Talent zum Repräsentiren, wenn ich einigermaßen frisch bin... An diesem Abend lernte ich die Tochter
des Hauses kennen, nachdem ich sie früher nur gesehen, oft,
lange und unersättlich gesehen und sie nur einmal bei der An-
trittsvisite flüchtig begrüßt hatte. Nach acht Tagen war ich wieder dort, zum Thee, »um« der Mutter ein Buch wieder zu bringen, das sie mir geliehen. Ich traf sie allein. Sie... sie rief Katja
herunter, und wir plauderten zu dritt eine Stunde. Ich durfte
noch einmal in Ruhe den Thoma'schen Fries betrachten. Eine
Einladung zum Mittagessen wurde mir in Aussicht gestellt.
Hatte ich mich getäuscht, wenn ich ein Entgegenkommen ge-
spürt hatte? Nein! Zwei Tage darauf saß der jüngste Sohn bei
mir, Klaus, der Musiker, in Erwiderung meines Besuches. Er
überbrachte mir eine Karte seines Vaters, der leider zu beschäftigt sei, um mich selbst aufzusuchen. Ich hatte ihn schon auf dem
Balle flüchtig kennen gelernt: ein höchst erfreulicher junger
Mensch, soignirt, unterrichtet, liebenswürdig, mit norddeutschen Formen. Kein Gedanke an Judenthum kommt auf, diesen
Leuten gegenüber; man spürt nichts als Kultur. Wir schwatzten
allerlei über Kunst, über seine Musik, seine Schwester... Das ist
6 Tage her. Seitdem ist nichts geschehen. Es ist ja überhaupt
nichts geschehen. Alles lebt nur in meiner Phantasie, aber es ist
zu kühn, zu neu, zu bunt, zu herrlich abenteuerlich, als daß ich es
schon jetzt daraus vertreiben möchte. Die *Möglichkeit* ist mir

aufgegangen und macht mich fiebern. Ich kann nichts Anderes denken. Klumpe-Dumpe fiel die Treppe hinunter und erhielt dennoch eine Prinzessin zur Frau. Und ich bin, Brust heraus, ich bin mehr, denn Klumpe-Dumpe! Die Sache ist so furchtbar complicirt, daß ich Vieles darum geben würde, wenn ich sie mündlich in irgend einem stillen Winkel mit Dir durchsprechen könnte. Das sage ich gleich: Es ist müßig, zu fragen, ob es mein »Glück« sein würde. Trachte ich nach dem Glück? Ich trachte nach dem Leben; und *damit* wahrscheinlich »nach meinem Werke«. Ferner: ich fürchte micht nicht vor dem Reichthum. Ich habe niemals aus Hunger gearbeitet, habe mir schon in den letzten Jahren nichts abgehen lassen und habe schon jetzt mehr Geld, als ich im Augenblick zu verwenden weiß. Auch ist alles Vergängliche mir nur ein Gleichnis. Ob ich meine Füße des Abends an einem Petroleumofen oder an einem Marmor-Kamin wärme, kommt für den Grad meines Behagens nicht in Betracht... Aber das Alles greift viel zu weit vor. Es gilt, die Ereignisse abzuwarten, und es hat wohl nicht einmal Sinn, um Rath zu bitten, denn ich lasse mich doch von ihnen tragen. Frau Prof. Pr. besucht jetzt auf 14 Tage ihre Familie in Berlin. Nach ihrer Rückkehr wird wohl die Diner-Einladung kommen. Katja hoffe ich vorher bei Bernsteins zu treffen, wo ich nächstens vorlesen soll. Was wird geschehen? Ganz praktisch gedacht, habe ich, wie gesagt, den Eindruck, daß ich der Familie willkommen wäre. Ich bin Christ, aus guter Familie, habe Verdienste, die gerade diese Leute zu würdigen wissen... Was wird geschehen? Wahrscheinlich nichts. Aber ist nicht die Möglichkeit schon ein verwirrendes Erlebnis?

Noch etwas, was Dich angeht. Verzeih, daß ich es bis jetzt vergaß! Auf dem Balle bei P.s lernte ich Albert Langen kennen. Er ließ sich mir vorstellen, der ich früher in seinem Bureau gearbeitet habe, und benahm sich fast unterwürfig. Wir sprachen von Dir. »Wenn ich mir« sagte ich »erlauben darf, Ihnen einen Rath zu geben, so ist es der: Halten Sie fest an meinem Bruder und lassen Sie ihn niemals fallen! *Einmal hat* er einen großen Erfolg.« – »Ich denke nicht daran!« sagte er. »Ich weiß, warum Sie das sagen. Ich habe in dieser Hinsicht große Fehler begangen, ich weiß es. Ich denke nicht daran, Ihren Bruder fallen zu lassen!« Es

klang sehr eifrig und überzeugend, und ich berichte es Dir, weil Du einmal Befürchtungen äußertest. Du kannst ganz ruhig sein.
Herzlichen Gruß!   T.

München, d. 27. III. 1904

Lieber Heinrich:

Mein Glückwunsch wird Dich einen Tag zu spät erreichen, aber ich schreibe ihn doch an Deinem Geburtstage nieder, was ich eigentlich viel richtiger finde. Also gute Gesundheit und glückliches Gelingen dessen, was Du beginnst! Du willst Anfang Mai hierher kommen? Ich dachte, Mitte April nach Riva zu gehen, sodaß wir noch 14 Tage dort zusammensein und eine Welt von Dingen besprechen könnten. Aber ich weiß garnichts Bestimmtes, und eigentlich wird es mir immer unwahrscheinlicher. Wenn sich meine große Lebensangelegenheit bis Mitte April *nicht* entscheidet (sie kann sich jeden Tag entscheiden) so muß ich doch hier bleiben, um sie weiter zu betreiben, und hat sie sich entschieden, so werde ich mich wohl erst recht nicht trennen können. Augenblicklich ist Katja krank in der Chirurgischen Klinik, wohin ich ihr heute Morgen ein paar schöne Blumen geschickt habe, mit Erlaubnis der schönen Lenbach-Mama, die immer ermuthigend lächelt, wenn ich ihr gegenüber bereits einfach von »Katja« rede. Die Sache steht, nach allerlei Schwankungen, bei denen ich nicht ganz wenig ausgestanden habe, zur Zeit so gut, daß sie vielleicht nicht besser stehen könnte. Ich, der ich sonst von einer wahrhaft indischen Passivität bin, habe in Wort und That eine unglaubliche Initiative an den Tag gelegt und bin in guten Stunden voller Zuversicht. Manchmal fürchte ich freilich auch, daß meine Phantasie der Wirklichkeit weit voraus ist. Natürlich bin ich vollkommen dérangirt, und zur Arbeit fehlt jede Ruhe und jene egoistische Eingezogenheit, die dazu nöthig ist. Ach, das Leben! das Leben!
Herzlichen Gruß!   T.

Lieber Heinrich:

Jetzt zu Weihnachten muß denn doch irgend etwas geschehen, das sehe ich wohl; ich bedarf Deiner Nachsicht und Einsicht ohnedies nur zu sehr. Du wirst begreifen: diese Zeitläufte sind dem Briefschreiben so ungünstig, sie führen für mich so viel Erregung und Verwirrung und Anspannung und Abspannung mit sich, daß ich Dich nicht hindern konnte, in der Ferne den Eindruck zu gewinnen, als hätte ich es überhaupt aufgegeben, mich um das nicht ganz simple Problem unseres Verhältnisses noch weiter zu grämen und als lebte ich skrupellos meinem »Glücke«... Nun, das ist natürlich Unsinn. Das »Glück« selbst müßte etwas minder Problematisches sein, damit es sich so verhalten könnte – und mein Mißtrauen dagegen geringer. Das Glück ist ganz und gar etwas Anderes, als diejenigen, die es nicht kennen, sich darunter vorstellen. Es ist schlechterdings nicht geeignet, Ruhe und Behagen und Skrupellosigkeit ins Leben zu bringen, und ich bestreite ausdrücklich, daß es zur Erleichterung und Erheiterung beizutragen vermag. Ich habe das gewußt. Nie habe ich das Glück für etwas Leichtes und Heiteres gehalten, sondern stets für etwas so Ernstes, Schweres und Strenges wie das Leben selbst – und vielleicht *meine* ich das Leben selbst. Ich habe es mir nicht »gewonnen«, es ist mir nicht »zugefallen«, – ich habe mich ihm *unterzogen*: aus einer Art Pflichtgefühl, einer Art von Moral, einem mir eingeborenen Imperativ, den ich, da er ein Zug vom Schreibtische *weg* ist, lange als eine Form von Liederlichkeit fürchtete, den ich aber mit der Zeit doch als etwas Sittliches anzuerkennen gelernt habe. Das »Glück« ist ein Dienst – das Gegentheil davon ist ungleich bequemer; und ich betone das, nicht, weil ich irgend etwas wie Neid bei Dir voraussetze, sondern weil ich argwöhne, daß Du im Gegentheile sogar mit etwas Geringschätzung auf mein neues Sein und Wesen blickst. Thu das nicht. Ich habe es mir nicht leichter gemacht. Das Glück, *mein* Glück ist in zu hohem Grade Erlebnis, Bewegung, Erkenntnis, Qual, es ist zu wenig dem Frieden und zu nahe dem Leide verwandt, als daß es meinem Künstlerthume dauernd gefährlich werden könnte...

Das Leben, das Leben! Es bleibt eine Drangsal. Und so wird es mich denn wohl auch mit der Zeit noch zu ein paar guten Büchern veranlassen.

Um aber ein wenig gegenständlicher zu werden – so weiß ich nicht, ob Du Dich völlig in meine Lage versetzen kannst. Es gilt, sich, mit nicht immer ganz frischen Kräften, in eine ganz neue Daseinsform einzuarbeiten, in einem nie gewohnten Grade aktiv zu sein, überhaupt zu »sein«, während man früher nur repräsentirte. Ich mache meine Sache nicht schlecht, wie es scheint. Man versichert mir daß ich viel weltlicher geworden bin; und zum Frack trage ich eine hellgraue Velvet-Weste mit Silberknöpfen. Dies sei als symbolische Pointe hergesetzt, damit ich nicht zu weitläufig zu werden brauche. Sonst bekommst Du den Brief noch nicht einmal am ersten Feiertage... Nochmals, es gilt andauernd, sich menschlich stramm zu halten, und oft genug läuft das ganze »Glück« auf ein Zähne zusammenbeißen hinaus. Die letzte Hälfte der Werbezeit – nichts als eine große seelische Strapaze. Die Verlobung – auch kein Spaß, Du wirst das glauben. Die absorbirenden Bemühungen, mich in die neue Familie einzuleben, einzupassen (soweit es geht). Gesellschaftliche Verpflichtungen, hundert neue Menschen, sich zeigen, sich benehmen. Berlin – ein üppiges Abenteuer. Lübeck – ein skurriler und rührender Traum. Und zwischendurch tagtäglich die fruchtlosen und enervirenden Extasen, die dieser absurden Verlobungszeit eigenthümlich sind: dies Alles aufgezählt noch immer als Entschuldigung für mein Schweigen. Du wirst verstehen; ich konnte nicht anders. Selbst mit dem Alleinsein war nichts anzufangen. Es giebt ein oberflächliches Alleinsein wie es einen oberflächlichen Schlaf giebt. Erst jetzt wird es langsam ein bischen besser, ruhiger, gewohnter, wurschtiger. Aber ich bin so kaput, daß ich ernstlich mit dem Gedanken umgehe, nach Neujahr noch auf 8 bis 10 Tage zu verschwinden, mich nach Polling zurückzuziehen und nichts zu thun, als arbeiten und erotinfreie (?) Winterluft athmen.

Nun, vorher kommt noch Weihnachten, und es ist jammerschade, daß Du nicht dabei sein kannst. Es wird völlig neuartig und amüsant dies Jahr. Am zweiten Feiertage sind die Mutter, Löhrs, Vicco und Grautoff mit mir bei Pringsheims. Doch eine wunderliche Constellation, die ich da bewerkstelligt habe!

Aber zur Hochzeit kommst Du doch sicher! Es soll garnicht strapaziös werden. Nicht einmal kirchliche Trauung (Katja mag nicht) und das Diner im allerengsten Familienkreise, in dem aber Du keinesfalls fehlen darfst. Ich freue mich schon längst darauf, Dich in der Arcisstraße einzuführen; auch ist man dort sehr gespannt, Deine Bekanntschaft zu machen. Deine Kunstleistung weiß man sehr zu schätzen, und ich zweifle keinen Augenblick, daß auch Dir die neue Familie durchaus angenehm sein wird. Bislang verträgt sich Alles vorzüglich. Die Mutter wird von Katja schon »Mama« und »Du« genannt, und Lula ist mit Katja schon so weit, daß sie neulich auf der Straße zu ihr gesagt hat: »Guten Tag, Du Löweneckerchen!« Und dabei weiß man nicht einmal, was ein Löwenekkerchen eigentlich ist.

Also nochmals, zur Hochzeit mußt Du unbedingt kommen. Es wird Ende Januar werden bis die Einrichtung fertig ist – Du wirst also, hoffe ich, schon vor der Zeit hier sein. Und wenn Du ein Übriges thun willst, so schreibst Du vorher noch an Katja ein paar freundliche Zeilen, in denen Du sie als zukünftige Schwägerin begrüßt. Das ist, glaube ich, Sitte, und eigentlich ist es schon ein bischen spät. Aber Du kannst es ja als Weihnachts- oder Neujahrsgruß oder Zusage zur Hochzeit einkleiden, oder so. Jedenfalls würde es angenehm beruhren.

Ja, das ist nun der Brief. Viel ist nicht daraus geworden; aber ich durfte weder zu ausführlich noch zu difficil werden, da ich wieder erst im allerletzten Augenblick angefangen hatte.

Grüße Doctor von Hartungen, den ich ebenfalls in schamloser Weise vernachlässigt habe. Auf Wiedersehn!

Dein Tommy.

Baur au Lac
Zürich den 18. II. 1905.

Lieber Heinrich:

Heute finde ich endlich eine ruhige Abendstunde, um Dir für die schöne Gabe zu danken, die Du meiner Frau (das schreibt sich so hübsch) und mir, zusammen mit Carla, zur Hochzeit gespendet hast. Du kennst das Geschenk ja selbst noch nicht, wirst es aber hoffentlich recht bald bei uns sehen und kannst im Voraus versichert sein, daß es wunderhübsch ist: geschmackvoll, ganz unmittelbar brauchbar und darum eigentlich erfreulicher, als das Prunkgeräth aus der Tiergartenstraße, das daneben stand, auf der Tafel. Hat Dir Mama von unserer Hochzeit berichtet? Sie wenigstens war ja dabei und vertrat mit Löhrs und Vicco in guter Haltung unsere Familie. Das Ganze war ein sonderbarer und sinnverwirrender Vorgang, und ich wunderte mich den ganzen Tag, was ich da im wirklichen Leben angerichtet hatte, ordentlich wie ein Mann. Kannst Du Dir denken, daß Du einem weinenden Elternpaar die Tochter vom Herzen reißt und sie als Dein Weib ins Weite entführst? Ich habe es mir, weiß Gott, auch nicht denken können. Und alles das ist doch eigentlich noch immer die Folge davon, daß wir uns damals in Palestrina eine Art Gipper-Roman ausdachten, der ursprünglich das schöne Lied »Der Onibus fährt *durch* die Stadt« als Leitmotiv haben sollte. Und schließlich sollte es der Onibus sein, der Biermann ins Gefängnis fährt. Aber nun ist es wahrhaftig dahin gekommen, daß ich von einem »Roman meines Lebens« sprechen kann, wie ich es in Lübeck, nach der Vorlesung, bei Tische that, als ich mit ganz aufrichtig bewegter Stimme sagte: »Einige von Ihnen wissen, daß ich an einem bedeutsamen Wendepunkte meines äußeren und menschlichen Lebens stehe. Bis Berlin hat mich das Mädchen begleitet, das eingewilligt hat, meine Frau zu sein, und ein ganz neues Kapitel in dem Roman meines Lebens soll beginnen, ein Kapitel, das in schönem Rausch concipirt ward und das nun mit Liebe, Kunst und Treue aufgebaut sein will...« Und der Onibus ist nun am Ende derjenige des Hôtels Baur au lac, wo ich zur Zeit mit Katja auf größtem Fuß lebe, mit »Lunch« und »Diner« und abends Smoking und Livree-Kellnern, die vor einem her laufen und die Thüren oeffnen... Übrigens keine Glücksrenommistereien! Ich habe, trotz der Versicherungen von allen Seiten über die hygienische Förderlichkeit der Ehe, nicht immer einen guten Magen und darum auch nicht immer ein gutes Gewissen bei diesem Schlaraffenleben und sehne mich nicht selten nach ein bischen mehr Klosterfrieden und... Geistigkeit. Wenn ich nicht unmittelbar vor der Hochzeit etwas fertig gemacht hätte, nämlich »Fiorenza«, so wäre mir wohl sehr schlecht zu Muth. Es war wieder eine ganz unerhörte Qual damit, und trotz aller Präcedenzfälle war ich diesmal zum Sterben von der

Berechtigung der Verzweiflung überzeugt, mit der ich das dicke (viel zu dicke) Manuskript nach Berlin absandte. Dann, der täglichen Plage ledig, resignirte ich mich. Es war eine schwere Niederlage, aber sie sollte mir lehrreich sein. Schon seit dem »Tonio Kröger« waren mir die Begriffe »Geist« und »Kunst« zu sehr in einandergelaufen. Ich hatte sie verwechselt und sie, in diesem Stück, doch feindlich gegen einander gestellt. Das hatte zu diesem Solneß-Absturz geführt, diesem Fiasko in dem Bemühen eine geistige Construction mit Leben zu erfüllen. Umkehr! Zurück zur Buddenbrook-Naivetät! – Nun scheint sich auch hier wieder, soweit das möglich ist, ein äußerer Erfolg entwickeln zu wollen. Fischer schrieb mir, daß Bie ihm das Stück als »etwas ganz Erlesenes« bezeichnet habe. Das hat mich kindisch froh gemacht, aber gleichviel, ich will mich diesmal tapfer gegen die oeffentliche Meinung stemmen und nicht aufhören, die Arbeit als künstlerisch durchaus verfehlt zu betrachten. Psychologisch wird wohl ein paar mal an Äußerstes gerührt, und als Stilist glaube ich damit zu bestehen. Aber es bleibt ein Zwitter. Nun, Du wirst sehen. Und Du selbst? Es scheint zu strömen bei Dir. Du scheinst Dich ganz gefunden zu haben und solche Irrungen und inneren Niederlagen überhaupt nicht zu kennen... Du weißt, ich glaube, daß Du Dich ins andere Extrem verloren hast, indem Du nachgerade nichts weiter mehr, als nur Künstler bist, – während ein Dichter, Gott helfe mir, mehr zu sein hat, als bloß ein Künstler. Wir müssen wohl beide, als Neurastheniker vielleicht, eine fatale Neigung zum Extrem haben, – was aber auch wieder unsere Stärke sein mag. Bahr, noch immer vortrefflich, hat neulich das »Talent« ganz einfach als die Eigenschaft definirt, »extrem zu empfinden und dies noch extremer auszudrücken«. – Ich bin sehr gespannt auf Deine »Schauspielerin«, die doch wohl nächstens als Buch erscheinen muß. Weißt Du übrigens, daß Du in dem letzten Buch der Preuschen eine Rolle spielst?

Ende des Monats beziehen wir unsere Münchener Wohnung (Franz Joseph-Straße 2 III). Sie wird wunderhübsch. Und hoffentlich gerathe ich dort bald wieder ins Arbeiten.

Katja sagt Dir schönsten Gruß und Dank. Auf Wiedersehen im Frühling!   Dein   T.

Lieber Heinrich:

Ich benutze den Sonntag-Nachmittag, den ich immer ganz still und allein in der Wohnung verbringe, dazu, Dir zu den Documenten, die ich für Dich in Bereitschaft habe, den Geleitbrief zu schreiben.

Um mit dem Anfange anzufangen, so sind mir Deine Abschiedszeilen, am 3ten d. Ms. hier aufgegeben, am 9ten in aller Morgenfrühe zu Händen gelangt. Nun, das ist München! Und die Vorlesung des jungen Herrn Schmied sollte auch erst ein paar Tage darauf stattfinden, sodaß ich noch rechtzeitig darauf aufmerksam gemacht wurde. Ich bin hin gegangen und habe es nicht bereut. Du hast gewiß recht, ihm eine schöne Begabung zuzusprechen. Die Proben, die er las – Du kennst sie, nehme ich an – waren allerliebst, von einer Sicherheit des Humors, wie sie in so zarten Jahren gewiß selten ist. Ich bin begierig, was er machen wird. Man sagte mir, daß er in Berlin um 6 Uhr abends aufzustehen und die Nacht durch zu sumpfen pflegte, auch die Arbeit im Ganzen nicht liebe. Da er Neurastheniker ist, so könnte man das bedenklich finden. Aber andererseits hat es sein Gutes, Leichtes, sich nicht zu ernst zu nehmen. Hoffen wir das Beste, für ihn und von ihm. Ich ließ mich mit ihm bekannt machen und habe ihm mein aufrichtiges Vergnügen ausgedrückt. Nun ist er, soviel ich weiß, schon bei Dir in Riva und wird Dir längst Alles erzählt haben. Den Bericht Gumppenbergs, überraschend freundlich, lege ich Dir immerhin bei.

Der andere Zeitungsausschnitt, ein Aufsatz von Salten über »Götz Krafft« (weißt Du überhaupt, was das ist?), ist mir zugeschickt worden und hat mir, witzig wie er ist, solchen Spaß gemacht, daß ich Dir die Lektüre ebenfalls gönne. Die Citate sind unbezahlbar. Aber steht er allein damit, der Zauberer? Schreibt Ompteda vielleicht anders? Ich mache mich anheischig, über zehn andere Lieblinge einen ebenso komischen Artikel zu schreiben. Gott Lob! ich bin kein Liebling mehr. Ich bin frei. Die Meisten, die »Buddenbrooks« preisen, finden Götz Krafft nun doch viel inniger. Und was ich seitdem geschrieben, was ich schreibe und schreiben werde, wird's nie über das 3te Tausend bringen. Wie ich aufathme! Wie die Luft frischer wird um mich!

Drittes Document: das Concept meines Scheidebriefes an Richard Schaukal. Er hat nun auch meine Geduld erschöpft. Wie ers gemacht hat, wirst Du Dir denken können und Einzelheiten dem Schriftstück entnehmen. Lies es, bitte, und schicke es mir gelegentlich zurück, bei welcher Gelegenheit ich gern ein Wort der Billigung von Dir hören würde. Ich hatte keine Lust mehr, einen so albernen Freund mit mir zu schleppen.

d. 17. x.

Hier wurde ich Sonntag nun doch unterbrochen und komme erst heute dazu, den Brief zu beenden, was den Vortheil hat, daß ich gleich noch zwei weitere Documente anfügen kann: die Verlobungsanzeige des kleinen Ehrenberg, die ich separat an Dich weiter reiche, und ein Exemplar der Buchausgabe von »Fiorenza«. Ich möchte wohl, Du läsest es einmal im Zusammenhange und sagtest mir Deinen Eindruck. Ich kann an den *vollständigen* Unwerth des kleinen Werkes nicht glauben. Auf dramatisch-technische Fehler, die zu vermeiden ich nicht einmal den Versuch gemacht habe, sollte man mich nicht mit der Nase stoßen. Und die culturfeindliche Tendenz ist zum Lachen. Ein Buch, wie gesagt, das *geschrieben* ist, alsob es von Einem aus Lorenzo's Kreise stammte, ist niemals culturfeindlich; und zum Überfluß ist es an allen entscheidenden Stellen ganz objectiv-untendenziös.

Aber ich rede von mir... Wie warst Du mit dem Aufsatz der Frau Wassermann-Speyer zufrieden? Ich fand ihn nicht dumm, wenn auch ein bischen verworren und widerspruchsvoll. Jedenfalls einmal Jemand, der sich ein bischen auf Deine Art und Herkunft versteht und also unterrichtend wirken kann.

Soll ich noch zwei Worte über Deinen eigenen letzten Zukunft-Beitrag sagen? Nun, er war offenbar eine Nebensache, ohne viel Leidenschaft gemacht und ein Erzeugnis des Arbeitsbedürfnisses, das Dich so ehrt; trug auch wohl als sprachliches Gebilde (für mich) das Zeichen der Schnellfertigkeit ein bischen zu sichtbar. Im Übrigen aber natürlich sehr gut, die beiden kleinen Mädchen (ich kenne sie) rührend, Herr Schumann, trotz seinem conventionellen Typus in der Beleuchtung Deines Styles neu wirkend. Wenn eben Einer etwas *ist*...

Ich werde, da das Wetter sich aufgeklärt hat, in den nächsten Tagen mit meiner Tiergarten-Novelle fertig, die zuerst im Januar-Heft der Neuen Rundschau erscheinen soll und dann dem Kgl. Hoheit-Band nicht zur Unehre gereichen wird. Gott Lob, ich werde allmählich wieder zum Künstler. Mein letztes Jahr, das Jahr meiner Verlobung und Hochzeit war quälend unproduktiv. Nun bin ich eingelebt und arbeite regelmäßig. Ablenkungen (»Versuchungen«: ich lese den St. Antoine – ich las nie dergleichen!) wird es genug geben: die Geburt des Kindes, die Kunstreise etc. Aber ich hoffe mich gut zu halten, zumal Gesundheit und Stimmung seit der Massage-Kur (die ich dann und wann wieder aufnehme) weit weniger bleiern sind, als Jahre lang. Nun, das ist übergenug! Du wirst um Stoff verlegen sein, mir 6 Seiten zu antworten. Ich würde gern hören, was Dich beschäftigt, was Du schreibst. *Ich bin durchdrungen von der Nothwendigkeit, daß wir zusammenhalten.*

In diesem Sinne   Dein   T.

München d. 22.x.1905
Franz Joseph-Str. 2

Lieber Heinrich:

Nimm herzlichen Dank für Deinen Brief! Ich habe mich über dies Werk zu sehr gegrämt, als daß ein solcher Brief nicht wunderbar lösend, – *Thränen* lösend auf mich wirken müßte. In der That, er hat mir mehr als einmal Thränen der Freude in die Augen getrieben. Ich habe ihn Katja vorgelesen, habe ihn ihre Mutter lesen lassen, habe ihn bei Löhrs von Jof vorlesen lassen. Er meinte: »Dieser Brief müßte veröffentlicht werden, zu Deiner und Heinrichs Ehre«. Lula sagte: »Verwahr' ihn gut, denn *einmal wird* er veröffentlicht werden. Übrigens habe ich immer gewußt, daß Fiorenza euch einander wieder nähern würde«. – Mit einem Worte, ich bin glücklich. Nun mögen die Anderen salbadern, was sie wollen. Ein Feuilleton ist schon da, das es als »kalte Verstandesarbeit des Norddeutschen T. M.« bezeichnet. Es wird sicher noch viel besser kommen. Leb' wohl, nochmals Dank!

                                                                         T.

Lieber Heinrich:

Ich habe mich sehr über Deinen Brief gefreut, besonders über die angekündigte Widmung. Eigentlich schuldest Du mir ja eine, seit ich Dir den Abschnitt in »Buddenbrooks« zueignete. Ich bin gewaltig neugierig auf die »guten Gründe«, die Dich zur Widmung bewogen, und damit (aber nicht nur darum) auf die Novelle selbst.

Über das Familienereignis wirst Du unterdessen des Näheren unterrichtet worden sein, durch Mama oder Lula. Es ist also ein Mädchen: eine Enttäuschung für mich, wie ich unter uns zugeben will, denn ich hatte mir sehr einen Sohn gewünscht und höre nicht auf, es zu thun. Warum? ist schwer zu sagen. Ich empfinde einen Sohn als poesievoller, mehr als Fortsetzung und Wiederbeginn meinerselbst unter neuen Bedingungen. Oder so. Nun, er braucht ja nicht auszubleiben. Und vielleicht bringt mich die Tochter innerlich in ein näheres Verhältnis zum »anderen« Geschlecht, von dem ich eigentlich, obgleich nun Ehemann, noch immer nichts weiß.

Die Geburt war wider Erwarten ganz schrecklich schwer, und meine arme Katja hat so grausam leiden müssen, daß es ein Gräuel war und kaum auszustehen. Ich werde den Tag all meiner übrigen Lebtage nicht vergessen. Ich hatte einen Begriff vom Leben und einen vom Tode, aber was das ist: die Geburt, das wußte ich noch nicht. Nun weiß ich, daß es eine ebenso tiefe Angelegenheit ist, wie die beiden anderen. Gleich danach war dann alles Idyll und Frieden (das Gegenstück zum Frieden nach dem Todeskampf), und das Kind an der Brust der Mutter zu sehen, die selbst noch wie ein holdes Kind wirkte, war ein Anblick, der die Foltergräuel der Geburt (die im Ganzen fast vierzig Stunden gedauert hatte) nachträglich verklärte und heilig sprach. Die Kleine, die auf Wunsch der Mutter Erika heißen soll, verspricht, sehr hübsch zu werden. Momentweise glaube ich, ein klein bischen Judenthum durchblicken zu sehen, was mich jedesmal sehr heiter stimmt.

Nun, und von dem »Judenthum« lasse ich mich auf den Hauptpunkt dieses Briefes bringen, welcher Hauptpunkt eine Bitte ist. Die Bitte aber betrifft das Manuskript, das in Begleitung dieser Zeilen an Dich abgeht: »Wälsungenblut«, eine Judengeschichte, und für das ich um einen Rathschlag von Dir, geradezu um Deine Hülfe bitte. Die Novelle soll im Januarheft der Neuen Rundschau erscheinen und ist schon im Satz. Professor Bie aber beanstandet den Schluß, den allerletzten Satz mit den Fremdwörtern, von dem er fürchtet, daß der Durchschnittsleser ihn als roh empfinden würde, und bittet mich himmelhoch, die Sache, seiner Gala-Nummer zu Liebe, auch am Schluß noch so discret einzuhüllen, wie ich es im ganzen Verlaufe gethan. Er hat gewiß recht. Der äußerste Schluß hat mirselbst gleich nicht gefallen. Aber ich mochte mit dem Gedankenstrich (Du wirst sehen, mit welchem) nicht schließen, sondern hatte das Bedürfnis, das Ganze danach noch einmal mit einer Replik auf die Spitze zu stellen – und weiß nun beim besten Willen nichts Besseres. Daß es nicht angeht, die jüdischen Ausdrücke einfach durch deutsche zu ersetzen, ist klar. Das wäre garnichts. Aber was thun!? Wie würdest Du schließen? Wenn Du irgend einen Einfall hast, – enthalte ihn mir nicht vor! Aber es eilt. – Die Schreibfehler im Manuskript sind, glaub ich, nicht sinnstörend, und Du wirst sie Dir leicht verbessern können. Ich bin überhaupt begierig, zu hören, was Du zu der Geschichte meinst. Sie gehört in den Band »Königliche Hoheit«.

Hast Du gelesen, daß G. Frenssen für seinen neuen Roman sofort 200 000 Mark Honorar erhalten hat? Ich schenke ihn mir. Was ist Frenssen? Nichts, als ein Zeichen, daß die litterarische Cultur in Deutschland allgemach soweit vorgeschritten ist, daß sogar holsteinische Landpastoren ganz leidliche Bücher schreiben können. Eine Erscheinung ohne jeden Persönlichkeitswerth. Ein gutmüthig-poetischer Mensch, der sogar, wie man aus dem »Jörn Uhl« ersieht, einmal von der »Umwerthung aller Werthe« gehört hat. Von ernsthaftem Künstlerthum, Schicksal, Strenge, Leidenschaft, kann garnicht die Rede sein. – Aber man nennt mich mit ihm zusammen...

Adieu. Schreibe bald.   T.

Lieber Heinrich:

Ich möchte vor meiner Reise (die ich am 9ten antrete) nochmal von mir hören lassen und Dir vor Allem für Deine guten Worte über »Wälsungenblut« danken. Was Du über den Schluß sagst, hat mich sehr in dem Glauben an diesen Schluß befestigt: an seine Möglichkeit und innere Berechtigung. Und ich bin denn auch entschlossen, ihn in der Buchausgabe beizubehalten. Für die Rundschau will ich meinetwegen, Bie zu gefallen, einen anderen einsetzen, der kein schlechter Compromiß zu sein braucht, denn es ist ja nicht unbedingt nöthig, den Schluß auf die »Rache« zu stellen. Vielmehr ist ja vorher so reichlich motivirt, daß sich noch vier, fünf andere Schlußpointen denken ließen. Ich könnte z. B. sagen: »Und Beckerath?« – »Nun, dankbar soll er uns sein. Er wird ein minder triviales Dasein führen, von nun an.« Das wäre die »Königliche Hoheit«. – Bie hat insofern recht, als die jüdischen Ausdrücke ein bischen aus dem Style fallen, was für einen Schlußtrumpf sich gewiß nicht ohne Weiteres verbietet, aber ebenso gut auch vermieden werden kann. Du sagst: Das Charakteristische der Wohlanständigkeit opfern ist Kitsch. Aber man kann auch sagen: Die Kunst ist gerade, äußerst charakteristisch zu sein, ohne irgend eine stilistische Empfindlichkeit zu verletzen. Und »beganeft« durchbricht den Styl, das muß man zugeben. Vorher ist all dergleichen vermieden, umschrieben, verhüllt. Das Wort »Jude, jüdisch« kommt nicht vor. Der jüdische Tonfall ist nur ganz discret ein paar mal angedeutet. Von Herrn Aarenhold ist gesagt, er sei »im Osten an entlegener Stätte geboren«. Zu dieser Art ironischer Discretion paßt »beganeft« nicht, obgleich es psychologisch durchaus begründet ist. Und der Styl ist mir, unmoralischer Weise, beinahe noch wichtiger, als die Psychologie... Ich sage das Alles nur, um zu rechtfertigen, daß ich Bie für die Rundschau nachgebe. Im Buche soll der von Dir so gut befürworteten Fassung wieder ihr Recht werden.

Was treibst Du? Ich höre von Mama, daß Dich ein neuer Roman beschäftigt, dessen Anfang aus Mama's Memoiren gemacht ist. Darf ich wissen, um was es sich handelt? Und wie steht es mit Deiner Gesundheit? Ich habe neulich mal wieder einen scharfen

Anfall meiner nervösen Dyspepsie gehabt und einen Tag sehr übel zu Bett gelegen. Aber diese Anfälle kommen jetzt doch immer seltener, und die Kur bei meinem Spezialisten (Massage, Elektrizität; zuletzt wurde der Mastdarm direkt durch einen weit eingeführten Gummischlauch electrisirt) hat mir sehr merklich geholfen.

Katja ist wieder auf, wenigstens einen guten Theil des Tages. Sie nährt die Kleine selbst, der das gut anschlägt. Zuweilen, wenn ich morgens mit weich massirtem Leib und leidlich kräftigem Magen erwache, das Kind schreien höre und Arbeitslust spüre, habe ich ein durchdringendes Gefühl von Glück, wie ich es seit zwanzig Jahren nicht mehr kannte.

Ich schreibe zur Zeit an einem Artikel für die M[ünchner] Neuesten Nachrichten, über »Erfindung« und »Beseelung«... Wie hat Dir übrigens meine Replik in den Lübecker Anzeigen gefallen – wenn Du das Blatt bekommen hast? Harden, der sie irgendwo abgedruckt gelesen hatte, schrieb sehr lobend dafür an meine Schwiegermutter (er liest mich, seit Wedekind ihn auf mich aufmerksam gemacht) und schloß: »Il ira loin, – wenn er sich nicht verweichlicht.« Sehr gut. Das Deutsche noch besser, als das Französische.

Was dieses »loin« wohl sein wird, – wenn das »wenn« (und es ist nicht das einzige) sich als unbegründet erweisen sollte? Zuweilen hege ich ehrgeizige Pläne. Was sagst Du z. B. zu diesem: einen historischen Roman namens »*Friedrich*« zu schreiben? Seit ich zweimal in Potsdam und Sanssouci war, ist die Gestalt mir aufregend nahegekommen. Und mein letztes litterarisches Erlebnis ist Carlyle's »Friedrich der Große«, der kürzlich in einer ausgezeichneten deutschen Ausgabe erschienen ist. Ein herrliches Buch – wenn auch sein Begriff vom Heldenthum sich von meinem, wie ich schon in »Fiorenza« andeutete, wesentlich unterscheidet. Einen Helden menschlich-*allzu*menschlich darstellen, mit Skepsis, mit *Gehässigkeit*, mit psychologischem Radicalismus und dennoch positiv, lyrisch, aus eigenem Erleben: mir scheint, das ist überhaupt noch nicht geschehen... Die Gegenfigur würde sein Bruder *(das Bruderproblem reizt mich immer)* der Prinz von Preußen, der die Voss liebte, ein Träumer, der am »Gefühl« zu Grunde ging... Ob ich zu dieser Aufgabe berufen bin? Ich bin nun dreißig.

Es ist Zeit, auf ein Meisterstück zu sinnen. Es ist nicht unmöglich, daß ich nach »Kgl. Hoheit« (das ein Kinderspiel ist im Vergleich [zu] dem neuen Plan) alles andere vom Tische streiche und mich über Friedrich hermache. Was sagst Du dazu? Hältst Du's für möglich? –

– Das letzte Münchener Ereignis ist die Ernennung Hermann Bahrs zum Ober-Regisseur (d. h. Direktor) des K. Schauspiels. Eine interessante Sache! Er verspricht, das Hoftheater zu einem Burgtheater und noch besser zu machen und stellt ein köstliches Programm auf, mit Euripides, Plautus, Kleist, Hebbel und – »Fiorenza«. In der That, ich habe das gehört. Er sei inflammirt von Fiorenza, und es solle eine seiner ersten Premièren werden. Nun, es wird nichts so heiß gegessen. Und vorläufig ist es nur eine private Nachricht; von Bahr direkt hörte ich noch nichts. Vorläufig reist er umher und sucht neue Kräfte, – die Fiorenza freilich nöthig hätte. Ich glaube nicht an die Kunde; aber sie hat mich doch sehr erschüttert. Und die Tatsache allein, daß das Stück Bahr so gefällt, freut mich. Kein Wunder übrigens. Ich habe früher sehr viel von ihm gelernt.

So das ist Alles, was ich zu erzählen hatte. Und nun Du.

Herzlich   Dein   T.

München d. 17. 1. 1906
Franz Joseph-Str. 2.

Lieber Heinrich:

Ich habe Dir noch für Dein Weihnachtsgeschenk zu danken: für die »Schauspielerin«, – auf deren Umschlag ich mit erhobenen Augenbrauen »6tes bis 10tes Tausend« las. Genießen alle Stücke dieser Bibliothek solchen Großvertrieb, oder hat's gerade die »Schauspielerin« getroffen? Das sollte mich nicht wundern, denn es ist ein hinreißend unterhaltendes Buch, das für die Vielen ebenso gut wie für uns Andere ist. Ich bewundere es sehr, virtuos im Tempo wie es ist und bei den schwierigen, psychologisch entscheidenden Stellen doch auch sorgsam verweilend. Ich hatte es damals in Zeitungsausschnitten nur unvollkommen gelesen; nun zeigt mir die nähere Bekanntschaft, daß ich, wie Du mir schon zarthin andeutetest, mit »Wälsungenblut« gewissermaßen gethane Arbeit gethan habe – und zwar sehr gut und vollständig gethane. Weniger schade also, daß die Geschichte *nicht erscheint*. Das schrieb ich Dir wohl nicht? Also kurz und kühl: Von meiner Dezember-Reise zurückkehrend, fand ich hier bereits das Gerücht vor, ich hätte eine heftig »antisemitische« (!) Novelle geschrieben, in der ich die Familie meiner Frau fürchterlich compromittirte. Was hätte ich thun sollen? Ich sah meine Novelle im Geiste an und fand, daß sie in ihrer Unschuld und Unabhängigkeit nicht gerade geeignet sei, das Gerücht niederzuschlagen. Und ich muß anerkennen, daß ich menschlich-gesellschaftlich nicht mehr frei bin. Ich sandte also ein paar herrische Telegramme nach Berlin und erreichte, daß die Januar-Nummer der »Rundschau«, die schon fix und fertig gewesen war, *ohne* »Wälsungenblut« erschien. Fischer übernahm (aus Furcht vor Langen) die Kosten des Neudrucks, die garnicht bitter gewesen sein mögen. Genug, die Leute waren um ihren Skandal, und ich, der ich anfangs einigermaßen ins Gebiß geschäumt hatte, bin nun ziemlich gleichmüthig. *So* gut war die Sache ja nicht, und das daran, was Werth hat, nämlich die Milieu-Schilderung, die ich wirklich für sehr neu halte, läßt sich wohl einmal anderweitig verwerthen. Ein Gefühl von Unfreiheit, das in hypochondrischen Stunden sehr drückend wird, werde ich freilich seither nicht los, und Du nennst mich gewiß einen feigen Bürger. Aber Du hast leicht reden. Du bist absolut. Ich dagegen habe geruht, mir eine Verfassung zu geben.

Schlimm ist hauptsächlich, daß ich, der ich ohnehin so wenig fertig bringe, auch noch die skrupulöse Arbeit langer Wochen aus Rücksichten unterdrücken muß. Nun, in Ermanglung von ganz frischem Ruhm freue ich mich daran, daß »Fiorenza« langsam durchdringt, wahrhaftig, es kommt zu Ehren. Die zweite Auflage ist erschienen, was, wie Fischer wohl richtig bemerkte, für ein Drama soviel bedeutet wie für einen Roman zehn Auflagen. Auch wird es jetzt, was anfangs garnicht der Fall war, viel und ausführlich besprochen, fast immer mit dem Hinweis, daß eine reich bemittelte Bühne die Aufführung wagen müsse. Das ist nun freilich eine fragwürdige Frage, die ich am liebsten ganz umginge. Sollte Bahr Ernst machen wollen, so weiß ich nicht, ob ich nicht einfach Nein sage. Er ist bei einem große Theil der Presse so verhaßt, so sehr zur politischen Person geworden, daß ich voller Bedenken bin. Ist »Wälsungenblut« antisemitisch, so ist »Fiorenza« anticlerical, und ins Parteigezänk gerissen zu werden, das zu vertragen ist es viel zu zart. Ich denke aber, die Lust zu solchen Experimenten wird meinem alten Meister schon im Voraus ausgetrieben werden, wenn er überhaupt seinen Posten antritt.

In Basel, wohin ich Ende dieses Monats auf zwei Vortragsabende gehe, will ich den Leuten einmal (was ich noch nie versuchte) den ersten Akt selbst vorlesen. Für diesen ersten reichen zur Noth meine Stimmmittel. Du moquirst Dich wahrscheinlich über die viele Reiserei; aber ich kann mir nicht helfen, das Repräsentiren macht mir Spaß und die Luftveränderung reißt mich jedesmal aus der geistigen Stagnation, zu der ich neige. Die Tournée Prag, Dresden, Breslau verlief durchaus erfreulich und ehrenvoll. Mir scheint manchmal, daß ich, wenn ich es darauf anlegte, aus mir eine Art Wüllner des Lesepultes machen könnte, einen Besieger schwacher Mittel vermöge nervöser Elastizität. Ich habe diesmal wieder gesehen, was die Übung macht. In Prag schwitzte ich noch und machte wahrscheinlich keine gute Figur. In Dresden (wo ich zweimal sehr herzlich bei Tante Elisabeth zu Mittag aß und in der Hofoper Straußens »Salome« hörte – eine tolle Zauberei! aber das interessirt Dich nicht) in Dresden beherrschte ich den Saal schon besser. Und in Breslau, wo ich doch eigentlich schon müde war, hatte ich einen lächerlichen Erfolg. Die Zeitungen brachten verliebte Personal-Beschreibungen, so keck und podiumsicher war ich gewesen. Aber in den Pausen verlernt man es jedesmal wieder, und in Basel werde ich wohl wieder schwitzen.

Prag ist über alles Erwarten schön, wenigstens das prachtvolle Palastviertel jenseits der Moldau; und da die Reise dorthin durchs Terrain des Siebenjährigen Krieges geht, so machte ich sie am Tage und sah mich aufmerksam um. »Friedrich...« Mir zappelt das Herz, wenn ich nur daran denke. Ja, ja, es ist nun so gut wie sicher, daß es mein nächster Roman werden soll. Ich bin noch nicht frei dafür. »Kgl. Hoheit« will noch gemacht sein. Aber schon seit einiger Zeit habe ich angefangen, Nahrung, Studienmaterial für den Friedrich-Roman an mich zu ziehen, und ich habe Stunden eines excitirten Glaubens daran. Was mich auf den Stoff hinweist, ist gewiß Ehrgeiz, aber kaum in Hinsicht auf Volksthümlichkeit.

Das Entscheidende ist, daß ein Stoff, mit dem ich es Jahre lang aushalten soll, an sich, als Gegenstand, eine gewisse *Würde* besitzen muß. Ich habe für einen modernen Großstadt-Roman in den letzten Jahren eine Menge merkwürdigen Materials gesammelt, habe so viel erlebt und erlitten, daß es schon ein beträchtliches Buch werden könnte. Aber ich traue mir nicht mehr die Geduld und (Verzeihung!) die Bescheidenheit zu, zwei, drei Jahre die Bürde *irgend eines* modernen Romanes zu schleppen. »Mein ›Friedrich‹« – das ist was Anderes. Das giebt Stolz im Tragen, giebt Halt, läßt aushalten... Was Du in Deinem Briefe zur Sache sagst, habe ich mit Begierde gelesen und viel darüber nachgedacht. Wohl wahr, daß mein »historischer Instinkt« nicht sehr hoch entwickelt ist (– obschon ich glaube, daß Du die Richtigkeit meines »Schiller« unterschätzest. Ich kann mich nicht überzeugen, daß Einer an Form zunehmen könne ohne zugleich auch an Skepsis zuzunehmen. Ein Formalist ist fast schon ein Symbolist, und das mit der »Freiheit« will ich vertreten. Ich bin sehr auf Schiller zurückgekommen, habe ihn sehr studirt. Er war zuletzt *nur* noch Künstler und also garnicht mehr sachlich, wenigstens im Innersten nicht, so wenig wie Wagner, der auch allerlei Sachlichkeit vorgab und doch nur ein großer Künstler war – und den Schiller's Bedürfnis in der erstaunlichsten Weise anticipirte. Wenn Du seine Briefe an Goethe zur Hand hast, so lies gleich den vom 29. December 1797 über das Symbolische in der Kunst und die Zukunft der Oper. Man traut seinen Augen nicht.) Was ich in historischer Hinsicht vermag, ist, wie ich in »Fiorenza« gezeigt zu haben glaube, der *Ton*. (Hier verwundern sich die Kunsthistoriker wie ich ihn so aus dem Handgelenk, bei einem Minimum von Studien getroffen habe.) Aber der Ton ist fast schon der Geist und jedenfalls die Atmosphäre. Er macht die Musik, er macht, künstlerisch gesprochen, auch die Geschichte, und objektiv-historische Psychologie ohne subjektive Beseelung ist, scheint mir, ein ledernes Unding, – besonders, wenn es sich um einen großen Mann handelt, bei dem die Hauptsache eben seine – zeitlose – *Größe* ist. Das eigentlich Anmaßende meines Unterfangens scheint mir denn auch weniger darin zu liegen, daß ich, der unhistorisch Subjektive, einen historischen Roman schreiben will, als vielmehr darin, daß ich, der Lyriker, die *Größe* darzustellen unternehme. Denn dazu gehört Wis-

sen um die Größe, Erfahrung, Erlebnis in der Größe... Habe ich
sie? – Ich bin mir bewußt, daß, ohne Absicht und Plan, diesem
Unternehmen viel Studium und Gedankenarbeit vorangegangen
ist. Meine Lektüre, die längst nicht mehr aus »Belletristik« sondern aus Biographieen, Memoiren, Briefwechseln bestand, zielte
darauf. Vom Studium des Künstlerthums gelangte ich unverse-
hens zum Studium der Größe. Mein »Schiller« ist ein kleiner,
»Fiorenza« ein größerer vorläufiger Ausweis über den Erfolg dieser Studien auf dem Gebiete des Heldenthums... Nein, gewiß,
mein Verdienst, wenn das Werk einmal gethan ist, wird nicht auf
dem Gebiet des Historischen liegen. Aber wenn mir im Großen
gelingt, was, wie ich höre, mir im Kleinen gelungen ist: Größe
fühlbar zu machen, intim und lebendig darzustellen, – so soll mein
Stolz keine Grenze kennen. – Verzeih dies Gerede! Ich bin dieser
Tage in einer fieberhaften Stimmung und Exaltation.
Dir geht es doch gut? Es war mir eine Freude, zu hören, daß jetzt
Freundschaft und Familienverkehr Dein Leben erwärmen. Sicher
wird das auch in Deinen neuen Produktionen zu spüren sein (nach
denen ich sehr verlange). Und eines Tages, paß auf, giebst Du Dir
auch die »Verfassung«.
Wie ist es eigentlich zur Zeit mit Deiner Gesundheit. Bei mir hat
sich die ganze Neurasthenie mehr und mehr auf den Magen con-
centrirt, der sich bei wachsender Vorsicht meinerseits auch immer mimosenhafter beträgt. Warum ißt man also nicht Marzi-
pan?
Den Artikel, der aber wenig bedeutend ist, schicke ich Dir, sobald
er erschienen.

Dein T.

München d. 22. 1. 1906.
Franz Joseph-Str. 2.

Lieber Heinrich:
Heute kam der Simplicissimus mit Deiner Novelle, die ich unver-
züglich und begierig gelesen habe. Ich will Dir gleich meinen Eindruck mittheilen. Dies seltsam seltsame, tiefe Ding, das in
höchster Abgeschlossenheit und Concentration, in raschen, starken, bedeutenden Pointen die perverse Tragödie des Genies als

Schulknabengeschichte giebt, ist in meinen Augen das Innigste und Außerordentlichste, was Du geschrieben hast. Dies ist freilich das Urtheil eines Interessirten, den mit diesem Gebilde all das verbindet, was für die Welt in der Widmung seinen sichtbaren Ausdruck gefunden hat. Die Arbeit steht mir so nahe, daß ich sie fast als von mir empfinde und sie ist *als* Arbeit so schnell und leicht mein eigen geworden, daß ich nach einmaliger Lektüre und einem zweiten Überfliegen aus dem Kopf die Reihenfolge der Absätze angeben könnte. Mit einem Worte: ich nehme nicht Theil, ich *habe* Theil daran, und wo man Theil hat, da hat man wohl eigentlich kein Urtheil. Dennoch glaube ich meiner Sache sicher zu sein.

Dies gilt nicht als Brief; Du sollst nur schnell meinen Glückwunsch und Dank haben. Nach Basel schreibe ich wieder.

Das Klösterlein hat sich noch nichts merken lassen. Bei der Rundschau bin ich schon ziemlich compromittirt, weil ich mehrmals aus Gutmüthigkeit unmögliche Stümpereien empfohlen habe. Ich müßte es also diesmal schon wirklich mit Glauben thun.

Adieu. Ich suche wieder Fühlung mit »Kgl. Hoheit« zu gewinnen, das mir schon ganz emtfremdet war. Und für den »Friedrich« fange ich wirklich schon an, zu notiren. Wenn ich nur fleißiger sein könnte und ein wenig sichtlicher von der Stelle rückte. Aber meine Arbeitstaktik, die ein fortwährendes Zögern ist, wird sich nicht mehr ändern lassen.

Katja erwidert herzlichst Deinen Gruß. Sie erholt sich zu langsam. Wenn wir des Kindes wegen abkömmlich sind, wollen wir im frühen Sommer zur Stärkung die Küstenfahrt Bremen-Genua machen. Das soll das Kräftigste sein, was es giebt, und ich kann's auch brauchen.

Dein T.

München d. 13. III. 1906
Franz Joseph-Str. 2.

Lieber Heinrich:

Vielen Dank für Deinen Brief. Er hat mir sehr wohl gethan. Ich habe in letzter Zeit so viel Widriges erlebt und fange erst langsam an, es unter mich zu bekommen. Schaukal angehend, so intriguirt es mich freilich, daß er das einfach so gethan haben soll, ohne in dem Glauben erschüttert zu werden, es sei gut und recht gethan. Aber ich kann ihm, aus mehr als einem Grunde nicht antworten. Erstens bin ich jetzt, um solche Sache durchzufechten, nicht gesund genug. Der Artikel würde so viel Mühe machen, mich so viel Nervenkraft kosten. Du weißt nicht, wie qualvoll ich mich beim Ausdenken einer Polemik aufrege und in innerem Zank verzehre. Dann aber würde S[chaukal] natürlich antworten und sagen, daß wir uns ja gerade erst gelegentlich »Fiorenza's« erzürnt haben (während ich in Wahrheit erst ungeduldig wurde, als er mir ein dickes Manuskript schickte, damit ich es bei Fischer unterbrächte und mir dazu schrieb, die ersten zwei Akte von »F[iorenza]« hätten ihm »nicht gefallen« und den 3. habe er nicht gelesen.) Und dann würde er (ich kenne ihn) meine liebenswürdigen und unermüdlich dankenden und anerkennenden Briefe an ihn produciren. Nein, ich kann nichts thun, so sehr, vielleicht, der Artikel im B[erliner] T[ageblatt] mir schaden mag. Aber daß keiner sich findet, von allen »Freunden« und »Verehrern« keiner, der sich alarmirt genug fühlte, diesem beschränkten und selbstgerechten Gecken oeffentlich oder wenigstens privat über den Mund zu fahren, das kränkt mich. Du kannst es nicht thun, denn dann heißt es: es ist sein Bruder. Genug, man wird ihn laufen lassen müssen. Übrigens glaube ich, daß er den Racheakt vor sichselbst leugnen wird. Er wird sich einbilden bona fide gehandelt zu haben; während es natürlich ganz klar ist, daß er ohne meinen Brief von damals den Aufsatz ganz anders oder überhaupt nicht geschrieben haben würde. Wassermann (der nachgerade ein Meister ist) nennt er einen jüdischen Journalisten; aber er hat es noch nie oeffentlich gesagt. Und über Deine Bücher, die er für freche Mache hält hat er oeffentlich auch geschwiegen. Daß »Fiorenza« Mache und zwar schlechte Mache ist, brachte er ins Berliner Tageblatt. Und die *Roheit* dabei ist, daß er *weiß* wieviel Schmerzen mir das Buch gemacht hat. Wirklich, er verdiente, gezüchtigt zu werden. Aber ich kann und mag nicht.

Ich höre, Du gehst auch nach Dresden? Wieso? Wir freuen uns auf Deinen Münchener Aufenthalt. Anfang Mai gehen wir auf 14 Tage nach Venedig. Und werden dann wohl den ganzen Sommer mit dem Baby und der Wirtschaft irgendwo auf dem Lande verbringen. Das wird uns allen Dreien gut thun. Ich thue zur Zeit nichts, als den Friedrich-Plan mit Studien nähren. Ich muß dazu eine Menge Neues an mich ziehen: allein das Militärische, den *Krieg.* Aber ich werde mir schon eine Anschauung machen.

Hier war auch schon Frühling, aber heute 2 Grad Kälte.

Gruß! T.

München d. 21. III. 1906
Franz Joseph-Str. 2.

Lieber Heinrich:

Herzlichen Dank! Dein Artikel hat mich sehr erquickt, gerührt, erheitert. Es ist wie unter Jungen: Einer hat mir was gethan, und der ältere Bruder kommt und rächt mich.

Also, ich finde den Artikel vorzüglich. Was ich taktisch an ihm auszusetzen hätte, wäre nur, daß Du ihn ganz auf das Wort »Mache« (in Anf[ührungs]Strichen) stelltest, – welches doch in der Schaukal'schen Kritik nicht vorkommt. Wenn er replicirt, so kann er hier einsetzen und wird vielleicht leugnen, mir den Vorwurf gemacht zu haben, den Du zurückweist. Er ist dann zwar leicht zu überführen, denn sein Aufsatz lief thatsächlich auf den Vorwurf der Mache hinaus; nur wirkt das Wort bei Dir unrichtiger Weise als Citat. Ich habe mir vorläufig erlaubt, die Anführungsstriche des Titels zu tilgen und im ersten Satz ein »›Literatur‹ und« einzufügen, nämlich: »... hat im ›Zeitgeist‹ die ›F[iorenza]‹ von T. M. für ›Literatur‹ und Mache erklärt«. Dann habe ich den Artikel, damit wir mit dem Zeitgeist keine Zeit verlieren, an *Harden* geschickt. Wie wir beide zu ihm stehen, Du litterarisch und ich persönlich, wird er nicht gut Nein sagen können. Ich denke mir, daß er den Artikel vielleicht im Notizbuch als Brief bringt. Die Correctur habe ich gebeten, eventuell an mich zu senden. Vielleicht bist Du schon hier, wenn sie kommt. –

Mama schreibt, Du wirst in Berlin lesen? Vielleicht auch in Dresden? Gestern besuchte mich der Berliner Kritiker Lublinski und erzählte, Du habest in Berlin unter der »heraufkommenden Generation« eine fanatische Gemeinde. Wann liest Du dort? Ich soll hier in der ersten April-Woche auftreten. Es wäre hübsch, wenn Du dazu noch hier wärst.

Nächsten Dienstag ist Dein Geburtstag. Da Du an dem Tage wohl unterwegs sein wirst, so sei schon heute beglückwünscht. Herzlichen Gruß!
                                                                                            T.

                                                                    München d. 7. VI. 1906
                                                                    Franz Joseph-Str. 2.
Lieber Heinrich:
Rechts von mir liegt ein ganzes Stößchen schriftlicher Angelegenheiten, das sich in den letzten 14 Tagen angesammelt hat. Von Dir ist nichts dabei; und doch bekommt das Stößchen Schuld erst durch die Schuld an Dich ihr rechtes Gewicht. Ich will sie schleunig zuerst abtragen; das Stößchen und mein Gewissen werden dann auf einmal sehr erleichtert sein.
Die ersten Tage nach meiner Rückkehr vom Weißen Hirsch (und Berlin) war ich totmüde und schlief den halben Tag. Dann kamen wirklich vier, fünf Tage voll Erneuerungsgefühl und Arbeitsstimmung, deren Frische ich nicht zum Briefschreiben benutzen wollte. Und dann bereitete sich ein Magen-Anfall vor, der gestern, pünktlich an meinem Geburtstage, seinen Ausbruch und Höhepunkt erreichte. Ungefähr eine Woche lang gehe ich in solchen Fällen in tiefer Verdüsterung, geistiger Oede und neurasthenischer Menschenscheu umher, unfähig, auch nur zu lesen und unwissend, was aus mir werden soll. Es will aber nichts weiter werden, als eine Nacht, die ich vollständig schlaflos verbringe, indem ich vor Darm-Nervenschmerzen ächze, würge, mich erbreche, ganz grausam leide. Das war die Nacht auf gestern. Den Tag darauf bin ich dann sehr schwach und milde, gewissermaßen verklärt; und dann komme ich langsam wieder in Gang. So heute. Und nun will ich Dir also für Deine »Stürmischen Morgen« danken, die ich schon auf dem Weißen Hirsch – so begierig und in einem Zuge wie sonst kaum noch ein Buch – gelesen und mit denen ich mich auch hier noch wiederholt beschäftigt habe.
Ein glanzvolles Buch wieder, das alle Deine Vorzüge zeigt, Dein hinreißendes Tempo, Deinen berühmten »Schmiß«, die entzückende Prägnanz Deines Wortes, Deine ganze erstaunliche Virtuosität, der man sich hingiebt, weil sie zweifellos direkt aus der Leidenschaft kommt. Die vier guten Dinge werden Deinen Ruhm

mehren. Daß mir das mir gewidmete auch heute noch das liebste ist, ist wohl in der Ordnung. Ich bestätigte Dir schon, wie nahe mir diese Geschichte steht. Aber dann kommt gleich »Der Unbekannte«.

d. 8.

Siehst Du, es ging nicht weiter. Mir wurde so schwindelig und übel vom Gebücktsitzen, daß ich abbrechen mußte. – Also: den »Unbekannten« bewundere ich sehr und bilde mir ein, daß Wenige das Stück so zu schätzen wissen werden, wie ich, der seine persönlichste Symbolik sieht und fühlt. Von dem Empfindungsgehalt abgesehen, ist es ausgezeichnet gemacht, höchst geschickt vorbereitet und wahrscheinlich gemacht. Das war nöthig; denn daß der Junge bis zum Aeußersten nichts merkt, nicht begreift, ist eigentlich ein bischen unwahrscheinlich. Aber was liegt zuletzt an der Wahrscheinlichkeit. Die größten Sachen sind unwahrscheinlich. (Siehe Björnson über Ibsen in der letzten »Zukunft«.) Und durch das wiederholte »Auf das Einfachste verfalle ich nie« ist viel gegen die Unwahrscheinlichkeit gethan. Übrigens – wie rührend und echt ist das Ganze! Das Verhältnis des Schuljungen (dieses Schuljungen) zur Welt, zu dem Treiben im Elternhaus! Du mußtest das einmal machen – auch das. Die Einzelheiten, die mir am meisten Vergnügen gemacht haben, kennst Du selbst; es sind sicher die, die auch Dir am meisten Vergnügen gemacht haben. Kurzum – herzlichen Glückwunsch! – Hast Du Langens »März«-Prospect bekommen? Da ist Absatz und Erstabdruck für Alles, was Du schreibst! Mir geht es miserabel. Die Wirkung vom Weißen Hirsch ist eher negativ. Ich sage es niemandem von meiner Umgebung, wie schlecht und erschöpft und abgenutzt und tot und fertig ich mich fühle. Ohne Frau und Kind und Anhang wäre mir wohler und wurstiger. Mich quält der Gedanke, daß ich mich nicht hätte menschlich attachiren und binden dürfen. Ich hatte schon damals den Verdacht, daß es ein *Rest* von Kraft sei, mit dem ich mir das aeußere Glück eroberte. Genug! Ich glaube, Du hörst dergleichen nicht gern und hast auch ein Recht, es abzulehnen. Du hast Deinem Künstlerthum strenger und treuer gedient, und Dein schöpferischer Egoismus braucht nicht zu wissen, daß ich, der scheinbar Glücklichere, es längst unvergleichlich schwerer habe, als Du. Genug, die dunklen Redensarten des Kummers ekeln mich. Man will mit solchem Gerede nur stören und auf sich aufmerksam machen. Ich hoffe auf den Sommer in Oberammergau.

Brieger-Wasservogel hat mir nochmals geschrieben. Hast Du endgültig abgelehnt? Er sagt, daß, unter dem gleichen Vorbehalt wie ich, Wassermann, Du, Hirschfeld, Salus, R[icarda] Huch, Tony Schwabe etc. ihm zugesagt hätten. Wollen wir ihm nicht vielleicht doch erlauben, irgend was abzudrucken? Ich habe ihm noch garnicht wieder geantwortet.

Wir gehen am 15ten aufs Land.

Herzl. Gruß   T.

München d. 11. VI. 1906
Franz Joseph-Str. 2.

Lieber Heinrich:

Deine Theilnahme thut mir unendlich wohl und mehr noch fast Dein Vertrauen, mit dem Du mich nun in Deine Lebensangelegenheiten einführst. Ich wußte davon, war gleich, als man mir die erste Andeutung machte, sehr bewegt und bin es nun aufs Neue, indem ich mich unter den seelischen Wirklichkeiten, die hinter Deinen Worten stehen, zu orientiren suche. Es scheint ein ganz ähnliches Verhältnis wie damals zwischen mir und Katja zu sein, bei aller Verschiedenheit der beiden Frauen und der äußeren Umstände. Ihr seid einig, seid eurer sicher (gegenseitig und eurerselbst) – das ist eigentlich schon eine günstigere Sachlage, als die unsrige von damals. Und aeußere Hindernisse von Dauer scheinen nicht vorhanden. Ich sehe hier viel Glücksmöglichkeit – auch für mich; denn es wäre doch nicht ausgeschlossen, daß Du wenigstens einen Theil des Jahres mit Deiner Frau in München lebtest, und das könnte dann ein schönes und behaglich anregendes Zusammenleben ergeben, wie ich es mir träume, wenn ich die Eindrücke vonseiten der Familie meiner Frau wieder einmal fremd, grässlich, demüthigend, entnervend, entkräftend finde. Aber Deine Verlobte ist Sängerin? Oeffentlich? Wird es ein Wanderleben werden? Ich weiss nicht, ob ich Dir das wünschen soll? Denn so sehr ich eine gewisse Bewegtheit, Freiheit, Rastlosigkeit, Unsicherheit wünschenswerth finde und für mich selbst Fäulnis und Stagnation und Verweichlichung durch ein bequemes Luxus-Bourgeois-Dasein fürchte: ich glaube doch von früher her zu wissen, daß auch Du eine ganze Portion Sesshaftigkeit und Bedürfnis nach bürgerlichem Behagen in Dir hast; – ich denke noch der heiteren Wollust, mit der Du damals Deine Wohnung, Deine Bibliothek, Deine comfortable und sichere Installirtheit in der Zieblandstrasse genossest. – Nun, das muss sich finden. Ich bin jedenfalls gebunden und habe eine goldene Kugel an jedem Bein, – das mag nun gut oder schlecht für mich sein. (Grautoff hat erklärt, dass er hier nicht vorwärts kommt, geht Oktober definitiv nach Paris, um dort als freier Kunstschreiber zu leben und nothfalls Stiefel zu putzen. Das ist vielleicht eine grosse Dummheit, und doch werde ich ihm mit einer gewissen Sehnsucht nachblicken.) An Eckerthal kann ich also, der ich eben vom Kuraufenthalt zurückkomme, unter keinen Umständen denken, – es sei denn dass ein *körperlicher* Zusammenbruch erfolgte, was nicht wahrscheinlich ist, denn ich schlafe und esse gut, und nur die liebe Seele ist matt bis auf den Tod. Dagegen begrüsse ich mit Freuden Deinen Gedanken, im Sommer nach Ober-Ammergau zu kommen. Thu das ja! Wir können dann über die Zukunft sprechen und uns überhaupt das Leben ein bischen zurechtlegen. – Ich baue sehr auf den Landaufenthalt; er muss mich wieder zu Kräften bringen. Wie wenig mit der »Conception« gethan ist, das fühlt man erst, wenn die Kräfte, der Muth, die Lustigkeit fehlen, um (bei hoch entwickeltem Talent, grosser Ungenügsamkeit und Gewissenhaftigkeit!) zu *arbeiten*, die Mühe, die Widerwärtigkeiten der Periode, die Strapazen des Rhythmus auf sich zu nehmen. Der »Friedrich«, die »Maja«, die Novellen, die ich schreiben möchte, könnten vielleicht Meisterwerke werden, aber man verzehrt sich in Plänen und verzagt im Anfangen. Kleist hat seinen Robert Guiscard nicht gemacht und Hartleben nicht seinen Diogenes. Schrecklich, schrecklich! Nun, hoffen wir! Nochmals Dank für Deine Theilnahme und herzlichen Gruss.

T.

München d. 27. Mai 1907
Franz Joseph-Str. 2

Lieber Heinrich:

Dank für Deine Karte. Ich bin froh, daß Du einen sympathischen Aufenthalt gefunden hast. Freilich, das Gr. Hôtel war Schwindel, – eine anspruchsvolle Spelunke. Was ein wirkliches »Grand Hôtel« ist, habe ich erst jetzt in Frankfurt wieder gesehen, im »Frankfurter Hof«: Da weiß man doch, wofür man zahlt und thut's mit einer Art Freudigkeit. – Also, wir waren dort und haben uns die sechste und vorläufig wohl letzte Aufführung von »Fiorenza« angesehen. Wir fuhren Donnerstag Abend und waren Samstag Abend wieder hier. Das ganze Abenteuer ging so schnell, daß es jetzt hinter mir liegt, wie ein sonderbarer Traum, von dem ich noch ein bischen wirr im Kopfe bin. Die Aufführung, so unzulänglich sie großen Theils war, hat mir doch gezeigt, daß das Stück als Stück bei Weitem nicht so unmöglich ist, wie fast Alle geglaubt haben, und daß, was lebendig angeschaut ist, eben auch auf dem Theater lebt, es sei nun »dramatisch« oder nicht. Von den Darstellern war wirklich gut nur der Cardinal, dieser aber geradezu unübertrefflich, eine überaus verschmitzte, pikante und seltsame Figur. Der Lorenzo – miserabel, wodurch der III. Akt, an sich eine harte Geduldsprobe, arg beeinträchtigt wurde. Aber die Andacht des Publikums war rührend. Nach dem II. Akt mußte ich zweimal und nach dem III. dreimal auf der Bühne für den anhaltenden Beifall danken, zuletzt ohne die Darsteller. Auch sonst ging es uns gut. Eine Dame aus der Familie Rothschild fuhr uns in ihrer Equipage spaziren, und nach dem Theater soupirten wir in ihrem luxuriösen Haus. Auf der Rückreise hatten wir blödsinnige Hitze. Nun bin ich müde, sehnsüchtig nach Arbeit und weise alle Triumphe, Vorlesungen, alles persönliche Hervortreten von der Hand. – Ich habe auf der Reise mit »Zwischen den Rassen« begonnen, das Langen mir schickte, und habe gestern fast den ganzen Tag gelesen, sodaß ich schon zu zwei Dritteln fertig bin. Das Schönste war bisjetzt die Gugigl-Episode, mit Arnold. Wenn ich fertig bin, Näheres. Mein Gott, wenn ich *vergleiche* * mit dem, was sonst heute bei

(* und nicht nur dann! Aber will man sich seines Werthes freuen, so muß man schließlich vergleichen.)

uns an Romanen gemacht wird! – so fühlt sich mein Familien-
Ehrgeiz sehr befriedigt. Was nun die Busse, Hesse und Simpel
wohl wieder sagen werden!
Herzlichen Gruß! T.

München d. 7. 6. 1907
Franz Joseph-Str. 2.

Lieber Heinrich:
Großer Gott, Du hast wieder etwas fertig, – und ich bin noch nicht
einmal mit Deinem Letzten fertig, – das heißt, ich habe es längst zu
Ende gelesen, aber es hat darum nicht aufgehört, mich zu beschäftigen und wächst mit der Distanz – als Kunstwerk, denn gelesen
habe ich es entschuldbarer Weise vorwiegend als persönliches Dokument und Bekenntnis, – reißend schnell gelesen oder besser gesagt: hingerissen schnell und oft in tiefer Bewegung. Ich kann
nicht sehr essayistisch sein (unser Haushalt löst sich auf, stellt
eigentlich nur noch einen Haufen Holzwolle dar, und ich schreibe
mit einer noch ungewohnten Füllfeder). Aber ich möchte Dir doch
kurz meine Eindrücke mittheilen. Sie lassen sich dahin zusammenfassen, daß »Zwischen den Rassen« mir – wenigstens im
Augenblick – das liebste und nächste Deiner Werke ist – warum?
Zunächst, wie gesagt, als Bekenntnis. Du hast nie soviel Hingabe
gezeigt, und bei aller Strenge seiner Schönheit hat dies Buch dadurch etwas Weiches, Menschliches, Hingegebenes, das mich
ganze Abschnitte lang in einer unwiderstehlichen Rührung festgehalten hat. Aber der eigentliche Grund seiner besonderen Wirkung liegt doch wohl tiefer. Sie beruht, meine ich, darin, daß dies
Buch das gerechteste, erfahrenste, mildeste, *freieste* Deiner Werke
ist. Hier ist keine Tendenz, keine Beschränktheit, keine Verherrlichung und Verhöhnung, kein Trumpfen auf irgend etwas und
keine Verachtung, keine Parteinahme in geistigen, moralischen,
aesthetischen Dingen, – sondern Allseitigkeit, Erkenntnis und
Kunst. Das liegt im Stoff; aber der Stoff warst Du. »Zwischen den
Rassen«, das ist soviel wie »*Über* den Rassen«, und da die »Rasse«
schließlich nur ein Symbol und Darstellungsmittel ist, so läuft es
hinaus auf ein »Über der *Welt*«. In diesem Sinne, scheint mir, ist
dies Buch, – Dein menschlichstes, weichstes Buch, – zugleich Dein

souveränstes und künstlerischstes, und dieses Zugleich ist gewiß der Ursprung meiner großen Ergriffenheit.

Dank für Deine Geburtstagskarte. Der Tag hat sich mir sehr freundlich und festlich gestaltet. Montag oder Dienstag ziehen wir um: Seeshaupt, Villa Hirth. Ob ich diesen Sommer mit »Kgl. Hoheit« einigermaßen zu Rande komme? Frankfurt hat mich wieder sehr abgelenkt, demoralisirt und ermüdet. Aber am See will ich mein Möglichstes thun.

Besuchst Du uns mal, vielleicht von Polling aus, wohin Du ja zunächst gehst?

Herzlichen Gruß, auch von Katja!   T.

Seeshaupt, d. 19. VI. 07

Lieber Heinrich:

Den beifolgenden Geschäftsbrief an Dich machte ich auf, weil er »Seeshaupt, Villa Hirth« adressirt war. Entschuldige.

Ich denke, daß auch Du jetzt besseres Wetter hast. Willst Du uns nicht mal besuchen? Es ist ein gutes Gasthaus nicht weit von uns. Ich bin möglichst fleißig und arbeite hier wenigstens wieder *regelmäßig*, wenn auch die tägliche Kraft nicht weit reicht.

Mama hatte Dir ein Zimmer bereitet; sie war wirklich betrübt. Ich habe ihr auch meinerseits geschrieben, daß ihre Zusage verloren gegangen sei. Sie wird übrigens nur auf einen Tag nach München fahren, um Lula zu besuchen, wenn ich recht verstanden habe.

Auch von Katja herzlichen Gruß.   T.

Seeshaupt, d. 22. VI. 07

Lieber Heinrich:

Dank für Deine Karte. Den Löwen habe ich bekommen (vor Kurzem), aber für Fracht und Zoll fast ebenso viel zahlen müssen wie der ganze Kerl gekostet hat.

Seit Grautoff fort ist, habe ich eigentlich gar keine Verbindung mehr mit den »Neuesten«, zumal auch Busching abgegangen ist. Nur den Feuilletonisten Grimm kenne ich noch flüchtig, und an ihn werde ich denn schreiben und Ewers die Antwort selbst mittheilen. Ich schulde ihm so wie so einen Brief. – »Sehr, sehr schwer?« Ich habe »Zw[ischen] d[en] Rassen« in drei, vier Sitzungen gelesen: für meine Verhältnisse rapide. Und dabei langweilen mich jetzt alle neuen Romane, – allerdings wohl nicht wegen ihrer »Schwere«. Ich finde das Buch, unter anderem, so unterhaltend wie nur eins von Dir.

Ich arbeite nach Kräften. Aber was für kleine Schritte! Eine *Geduld* ist nöthig! Ein *Starrsinn*! – »Nord u[nd] Süd« hat den Versuch ü[ber] d[as] Theater für 400 M acceptirt. Er soll auch als Separat-Druck vertrieben werden. – Ist Harden nicht köstlich?

T.

Seeshaupt, d. 5. VII. 07.

Lieber Heinrich:

Ich habe mich noch wegen Luftkurorten erkundigt: Über 1000 m sind ja sämtliche Brenner-Orte, die von Kuffstein keine Reise sind, also Gossensass, Brennerbad, Mattrai(?), Steinach. Sonst käme vielleicht noch Kohlgrub (vor Ammergau) in Betracht, das aber bloß 900 oder 950 hoch ist. Hast Du Dich unterdessen entschlossen?

Eine Frage meinerseits: Katja fehlt es ein bischen an geistiger Beschäftigung, woran sie doch von früher her gewöhnt ist. Im Winter muß man sie anhalten, wieder Collegien zu hören. Für jetzt bin ich auf folgenden Einfall gekommen. Du giebst doch den deutschen Flaubert bei Müller heraus. Ist die Übersetzung aller Bände schon vergeben? Würdest Du vielleicht einen der von Dir übernommenen an Katja abtreten? Sie hat Lust und würde es aller Voraussicht nach so gut, ja besser machen, als der Durchschnitt. Ist etwas zu machen?

Die besten Wünsche für Deine Gesundheit!

T.

München d. 2. X. 1907

Lieber Heinrich:

Ich habe dem Otto Eisenschitz schon aus Mangel an Material abgesagt. Sein Unternehmen scheint eine Art Cabaret, und persönliches Auftreten dort wäre wohl nicht recht würdig. Ich würde Dir jedenfalls rathen, abzuwarten, wie die Sache sich macht und wer sonst dabei ist.

Ja, kurze Zeit nach Deiner Abreise setzte das dauerhafte Wetter

ein, mit abendlichen Nebeln, die der Moorlandschaft ein phanta-
stisches Aussehen gaben. Zuletzt wurde es sehr warm, und der
Umzug neulich war recht gräßlich. Nun leben wir seit einigen Tagen hier in der Arcisstraße bei halb ausgepackten Koffern, bis unsere Wohnung in Stand gesetzt ist, was hoffentlich morgen der
Fall sein wird. Ich habe den Kopf voll Aufführungssorgen, denn
Fiorenza *soll* noch in diesem Monat in Scene gehen – und zwar,
wenn Alles gut geht in einer vorzüglichen Besetzung, unter dem
künstlerischen Beirath des Professors Hierl-Deronko, eines hiesigen großen Tieres. Heine hat den Prior übernommen, Lützenkirchen den Lorenzo. Ich bemühe mich, den Frankfurter Giovanni,
der mustergültig war, herzubekommen. Aber das Künstlerhaus
soll weder Akustik noch Optik haben, und vor Falkenbergs Gobe-
lin-Regie habe ich ebenfalls ein bischen Angst. Außerdem vor der
Dauer des Abends. Jedenfalls würde ich mich ungeheuer freuen,
wenn Du kommen könntest. Vielleicht wird doch noch bis November verschoben, – fast wahrscheinlich.
Arbeitsstimmung unter den obwaltenden Umständen minimal. In
der Franz Joseph-Straße, bei einer eingezogenen Lebensführung
muß es besser werden.
Katja grüßt herzlich.   T.

                                              München den 16. x. 1907
                                              Franz Joseph-Str. 2
Lieber Heinrich:
Ich habe neulich eine Karte nach Riva adressirt: wegen Carla, –
daß sie ja doch bestimmt nicht kommen könnte und daß ich mich
auch scheue, bei dem experimentellen Charakter des Ganzen noch
Experimente im Einzelnen zu machen. Die Aufführung ist, wie ich
voraussah, auf November verschoben. Es zeigt sich natürlich, daß
es Zeit kostet, sie auf die Beine zu bringen. Du wirst bis dahin wohl
so wie so schon hier sein. – Wir hatten vorgestern interessanten
Besuch: von S. Fischer, Verlag, der express herbeieilte, um die
Honorarfrage betr. »K. H.« (was sowohl »Klaus Heinrich« wie
»Kgl. Hoheit« heißt) zu ordnen. Ich las ihm ein Kapitel vor und
bekam recht stolze Bedingungen zugestanden: 6000 für den Vorabdruck und 10 Tausend gleich honorirt. Mir ist nicht ganz ge-

heuer bei diesem Optimismus. – Meinen Glückwunsch zu dem herzstärkenden demokratischen Erlebnis. Ich gönne es Dr. von Staat.

Herzlich

T.

München d. 15. Jan. 1908
Franz Joseph-Str.

Lieber Heinrich:

Vielen Dank für Deine Karte und die Zeitung. Das mit d'Annunzio hat ja seine schöne Seite, aber man hat doch den Eindruck, daß die Liebe der Nation zur Begeisterung von diesem schlechten kleinen Wagner-Imitator in recht eitler Weise ausgenützt wird. Oder findest Du nicht? – Neulich waren wir bei Bernstein, der mir viel vom Prozeß erzählte. Nach der ersten halben Stunde hat Harden zu ihm gesagt: »Na, da können wir ja aufhören!« So frech ist die Tendenz von Anfang an hervorgetreten. Außerdem soll das ganze Bildungsniveau unglaublich gewesen sein. Bernstein hält die Revision für aussichtslos. – Hier friert es immer noch Stein und Bein. In »K[önigliche] H[oheit]« bin ich nun, Gott Lob, bei der Liebesgeschichte angelangt. Aber es hat noch große Compositionsschwierigkeiten. Herzlichen Gruß von uns beiden.

T.

Polling d. 6. Febr. 08

Lieber Heinrich:

Hier und heute endlich mache ich mich daran, Dir für Deinen stimmungsvollen römischen Brief zu danken. In München hatte ich in der letzten Zeit soviel um die Ohren, daß ich nicht dazu kam. Nun bin ich auf fünf, sechs Tage hier. Dann kommt Katja auf einen, und wir fahren zusammen zurück. Es ist starker Frost, und die Schreibbedingungen sind, auch abgesehen von der Tinte, nicht sehr günstig. Aber ich halte mich doch jeden Vormittag zwei Stunden am Schreibtisch fest und erzähle ein Stückchen weiter. Wie lange noch? Alles nimmt immer viel mehr Raum und Zeit in Anspruch, als ich dachte. Aber es muß wohl so sein. Es ist eine Sache, bei der das Erzählen in hohem Grade Selbstzweck ist. Auch glaube ich, daß es niemals eigentlich langweilig wird. Aber kurzweilig ist es auch nicht gerade.

Deinen Brief habe ich mehrmals mit großer Theilnahme gelesen. Ja, Rom. Ich möchte wissen, wie mir zu Muthe wäre, wenn ich die Stätten wiedersähe. Vielleicht garnicht. Ich komme mir oft recht stumpf vor. Meine Produktionsart macht starrsinnig und apathisch. Frisch erhalten kann wohl nur das Gegentheil davon: die Improvisation und Gelegenheitslyrik. – Es ist so schön, was Du über die Spanische Treppe schreibst. Ich bin sicher, daß ich nie eine Treppe in dieser Weise werde bewundern können. Diese Fähigkeit zum freien Genuß schöner Sichtbarkeiten ist es gewiß hauptsächlich, was Du Deiner »mühelosen Jugend« verdankst. Ich habe sie nicht; stak in den Jahren, wo man dergleichen entwickelt wohl zu tief in schwierigen Innerlichkeiten. – Nie hätte ich gedacht, daß Herr Dräge noch da sein würde. Warst Du auch im Genzano, wo wir abonniert dazu waren? An dem Brunnen in der Villa B. schrieb ich theilweise »Luischen«; es gehörte zu den ersten Sachen von mir, die Dir imponirten. – Ich träume oft davon, einmal mit Katja nach Rom zu fahren. Ich glaube doch, daß ich den Wandel der Zeiten mit Genugthuung empfinden würde. Man hat es schließlich »zu was gebracht«. Hoffentlich geht es mir nach weiteren zehn Jahren wiederum entsprechend besser. Manchmal glaube ich, daß, wenn mein Körper aushält, es mir so zwischen 50 und 60 am besten gehen wird. –

Die Prozeß-Einzelheiten, die Bernstein mir erzählte, habe ich schon jetzt nicht mehr so recht beisammen. Es waren so »Imponderabilien«. Jedenfalls war die Tendenz des Ganzen schamlos. Jede zweite Frage Bernsteins wurde vom Vorsitzenden als »Suggestiv-Frage« zurückgewiesen. Dabei schüchterten er selbst und der Staatsanwalt die Zeugen mit allen Mitteln ein. Auf die Elbe soll rücksichtslos gedrückt worden sein (mit allerlei Enthüllungs- und Skandaldrohungen), und dem Dr. Hirschfeld (der selbst homosexuell ist) drohte der Staatsanwalt mit »sehr unangenehmen« Fragen für den Fall, daß etc. Hardens Schlußrede, die ausgezeichnet gewesen sein soll, ist von der Presse verstümmelt; besonders ist einmütig ein glänzender Ausfall gegen die Presse weggelassen (er hat in direkter Anrede, mit glühender Verachtung zu den Journalisten hinübergesprochen und bei dieser Gelegenheit selbst den

Gerichtshof erschüttert.) Grautoff, der kürzlich in Berlin war, hat Harden besucht. Er mache einen sehr gebrochenen Eindruck, sei aber doch wohl schon wieder gesund genug, um zu schreiben und *finde nur den Ton nicht.* Siegfr. Jakobsohn habe versichert, »nach Stilkes(?) Schätzung« sei die Abonnentenzahl der »Z[u-kunft]« von 18000 auf 2000 gesunken. Das Publicum habe hinter H[arden]'s Kulissen gesehen, das sei das Schlimme. Ich weiß nicht, wieviel davon zutreffend ist. Aber ich fürchte, Hardens *Macht* (sein ganzer Stolz) ist durch den Prozeß gebrochen – und vielleicht nicht wiederherzustellen. Das fühlt er, und darum »findet er den Ton nicht«. Es ist ein Jammer. Dagegen hat sich jetzt in Berlin der »Werdandi-Bund« konstituiert, und das ist, wie Oncle Friedl sagen würde, »das Allerschlimmste«. Geheimrath Thode, Wagners Schwiegersohn leider Gottes, sitzt ihm vor, und in einem ersten Aufruf tritt der Bund mit Bieremphase und in unglaublichem Deutsch für Gesundheit und deutsches Gemüth in der Kunst ein. Es ist das Ekelhafteste, was man sich denken kann, und Nordhausen hat es [in] den Neuesten schon freudig begrüßt. Daß durch diesen Esel von Thode Wagners Name mit der Sache verquickt ist, könnte einen grämen, aber es ist schließlich ganz recht. Mir wird immer wohl, wenn ich merke auf welchem lächerlichen Mißverständnis Wagners bürgerliche Popularität beruht. Gott Lob, den wahren Wagner hat man schließlich doch für sich.

Hast Du in der »Neuen Revue« den Aufsatz über Dich gelesen? Ein Schüler. Das »gotische Zackenwerk, das in schwere Meeresluft stößt« und die [»]graue Herrlichkeit, die trotzig und traumhaft in den Azur greift«, sind ganz »der Meister«. Über mich dagegen hat, sonderbarer Weise, plötzlich ein Florentiner Blatt: »Nuova antologia« eine ausführliche Besprechung gebracht, worin ich als »ingegno acuto ed anima sensibile e raffinata« bezeichnet werde. Ich werde also lieber nicht in den Werdandi-Bund eintreten.

Eben kommt Deine Karte. Sobald ich wieder in München bin, werde ich das Papier besorgen. – Ja, es ist ein guter Witz, daß das selbe Heft Arams Kritik und Deinen Aufsatz enthält. Von mir bekommt diese Redaktion nichts mehr zu sehen. Der einfachste Takt hätte geboten, dann auch gleich den Anfang meiner Sache fürs Februarheft zu lassen. Ich habe übrigens das Februarheft heute (d. 6.) noch nicht bekommen. Auch das Honorar nicht. Nie wieder.

Unsere erste Gesellschaft neulich (14 Pers.) ist würdig verlaufen.

Auf Wiedersehn.   T.

München, den 29. April 1908
Franz Josephstr. 2.

Lieber Heinrich:

Das Wetter ist regnerisch aber warm. Kalt wird es nun jedenfalls nicht mehr werden, und so lüpfen wir denn die Flügel. Wir denken, am 2ten abends zu reisen, einen Tag in Verona (oder Vicenza) zu bleiben und am 4ten in Venedig einzutreffen. Mit dem Treffen in Bozen ist es also wohl nichts Rechtes; wir bevorzugen beide die erleichternde Nachtreise. Es wäre sehr nett, wenn Ines mitkäme. Mit ihr und Carla werden wir dann ja auch eine mächtige Gesellschaft sein. Aber ich glaube doch, daß es besser ist, wenn jeder seine Zimmer selbst bestellt, da Carla's Kommen unsicher ist, Ines nur auf einige Tage kommt und ich nicht recht weiß, wie Ihr die Zimmer gelegen wünscht. Kurzum, die Bestellung ist mir zu kompliziert. Wir werden vielleicht gar nicht bestellen. Man bekommt schon was.

Mit Langen habe ich neulich im Theater gesprochen. Der Plan ist da, aber die Ausführung ist ungewiß und steht jedenfalls noch in weitem Felde. Ich habe Ewers nach Kräften empfohlen, und L[angen] versprach mir, wenn es je ernst werden sollte, sich seiner erinnern zu wollen.

Also von Dir ist die »Kiste Gemälde«, deren Absendung im Auftrage des H[errn] Gustav Wolff mir vor 14 Tagen durch den römischen Spediteur angezeigt wurde. Sie liegt bei Wetsch und soll 31,50 Mark Transport kosten. Ich habe den Spediteur um Aufklärung ersucht, aber keine Antwort bekommen. Wir werden sie nun also abholen lassen und aufbewahren.

Von Harden mündlich. Er war sehr gehoben durch den Ausgang des hiesigen Prozesses, trotz andauernder Schlaflosigkeit. Er meint, daß Eulenburg überhaupt nicht mehr vor Gericht erscheinen wird. Die Sache werde vermittelst Krankheit etc. ins Unendliche hingezogen werden oder man werde E[ulenburg] entfliehen lassen. Isenbiel sitzt nun jedenfalls schön in der Tinte. Möge es ihm so recht schlecht ergehen. Die Münchener Verhandlung soll sehr dramatisch gewesen sein und der bon juge Meyer das Gegenteil von dem Berliner Vorsitzenden. Ja, das Bayernland. Leider hatte ich Bernsteins nicht habhaft werden können, sonst wäre ich dabei gewesen.

Der Insel-Verlag hat noch nicht geschickt. Hoffentlich thut ers bald.

Mögen Deine Zahnleiden bald ein Ende nehmen. Schwere Erinnerungen befähigen mich zum Mitgefühl.

Die herzlichsten Grüße an Ines und Dich von uns beiden.

T.

München d. 10. Juni 1908
Franz Joseph-Str.

Lieber Heinrich:

Ich hatte wirklich ganz vergessen, daß der Brief von Löhr zu Anfang Geburtstagswünsche enthielt. Ich schickte ihn Dir der Bequemlichkeit halber und ausschließlich deshalb. Verzeih, wenn es einen anderen Anschein hatte.

Die Nachricht von Deiner Krankheit hat mich recht bekümmert. Nur gut, daß Du Hartungen bei Dir hast. Ich hoffe von Herzen, daß Deine Wiederherstellung schneller von statten gehen wird, als Du glaubst. Bitte, laß Weiteres hören.

Mit dem Fontane bin ich wohl zu ungeduldig gewesen. Ich bin es leicht in Betreff verliehener Bücher. Hoffentlich ist Ines nicht gekränkt. Ich tröste mich damit, da sie sich schließlich ein gutes Buch gekauft hat.

Katja hat Dir die Pantoffeln besorgt, von Tiez. Sie sollen nicht sehr schön sein, sind aber auch nicht teuer, sodaß Du Dir mit gutem Gewissen bald schönere kaufen kannst. Es waren im Augenblick keine besseren zu finden.

Bevor wir nach Tölz übersiedeln wollen wir noch Lula in Starnberg besuchen. Sie soll erschöpft und gealtert sein, woran zu einem großen Teil, wie ich jetzt erst sehe, ihr mesquines Männchen schuld, dessen Lieblingsthema bekanntlich Krieg, Krebs und Hungertuch sind. Kurz, Lula verdient viel Mitleid. – Ich arbeite regelmäßig und langweile mich tötlich. Gute Besserung!

T.

[München] den 30. IX. 1908
Franz Joseph-Str. 2.

Lieber Heinrich:

Hier hast Du Bie's Antwort. Sie ist ziemlich unvollständig. Vor Allem antwortet er nicht auf meine Frage, ob er Deinen Roman *gleich* nach meinem, also spätestens im Juniheft beginnen lassen kann. Du mußt Dir nun überlegen, ob Du ihm Dein Manuskript zur Prüfung schicken willst.

Kommst Du nicht einmal abends? Donnerstag sind Loehrs bei uns, und Samstag gehen wir in »Antonius und Kleopatra«. Rufe uns an! Man könnte bei dem schönen Wetter einmal nachmittags auf die Wiese gehen.

Herzlichen Gruß

T.

München den 10. XI. 1908

Lieber Heinrich:

Ist denn die Luft nun wirklich so trocken in Nizza wie Nietzsche immer behauptete? Ich freue mich, daß Du mal hingekommen bist und darüber urteilen kannst. – Dein M[anuskrip]t will ich schon aufheben, kann aber nicht anders denken, als daß Bie zugreifen wird. – Heute war die Interpellation im Reichstag. Aber viel verspreche ich mir nicht, nachdem die Adresse bereits abgelehnt ist. Ein erstes Telegramm besagt, daß Bülow »ernst *aber frisch*« ausgesehen haben soll. – »K[önigliche] H[oheit]« geht mir augenblicklich von der Hand und nähert sich seinem opernhaften Ende. – Herzliche Grüße auch von Katja.

T.

München, den 7. XII. 1908
Franz Joseph-Str. 2.

Lieber Heinrich:

Ich hatte heute einen Brief von Fischer: Er, Bie und Heimann sind übereingekommen, daß »Die kleine Stadt« für den fortsetzungsweisen Abdruck in der Rundschau nicht geeignet ist. Wenn es Dir von Wert sei, solle Heimann Dir das eingehender begründen. Darauf verzichtest Du wohl, und ich werde Fischer in diesem Sinne schreiben. Er fügt aber seiner Absage Folgendes hinzu: »Für mich liegt die Sache so, daß ich sehr gern die Werke Ihres Bruders in meinen Verlag aufnehmen würde, wenn er den Wunsch hat, mir seine zukünftige Produktion zu übertragen. Ich würde dann natürlich auch den vorliegenden Roman als Buch bringen.«
Das mußt Du Dir nun überlegen.

Wie Katja Dir schon schrieb: ich bin nicht in Briefschreibe-Zustand. Für die N[eue] Fr[eie] Pr[esse] habe ich einen Schmarren gemacht, der 300 M wegen, die ich für Weihnachtsgeschenke brauche. Er fängt an:

»Etwas erzählen? Aber ich weiß nichts. Gut, also ich werde etwas erzählen.« Und so geht es weiter.

Der Wiener Ausflug war wirklich so hübsch wie möglich, wenn man mir auch thatsächlich ins Gesicht sagte, daß man sich auf Dich viel mehr gespitzt habe. Das Haupterlebnis war wohl ein halber Tag bei Hofmannsthal in Rodaun, von dem ich noch heute ganz entzückt bin. Als er mir aus seinem Lustspiel vorlas, setzte er eine Brille auf, gerade wie Du.

Es bessert meine Müdigkeit und Zittrigkeit nicht, zu hören, daß es Dir auch nicht gut geht. Hofmannsthal war ebenfalls gerade vollständig kaput und arbeitsunfähig, als ich in Wien war. Es ist merkwürdig wie gerade die Besten Alle am Rande der Erschöpfung arbeiten. Hoffentlich kannst Du bald Deinen Roman fertig schreiben, an dessen Bedeutung und Werth ich *fest glaube*. Ich wollte, ich könnte halb so fest an »K[önigliche] H[oheit]« glauben, von dem ich mir ein klägliches Fiasko erwarte. Nun, ich habe noch allerlei in Petto.

Herzlichen Gruß, auch von Katja, und gute Besserung.

Heute waren wir mit Inez bei Mama zum Thee.

Bitte, grüße Herzog und sage ihm meinen Glückwunsch zum

Schillerpreis. Die Ausgabe ist sehr, sehr schön. Ich freue mich schon auf den nächsten Band.

T.

Harden spricht hier nächstens über »die politische Lage«.

München den 22. XII. 1908

Lieber Heinrich:
Unterm Heutigen lassen wir eine kleine Weihnachtsgabe an Dich abgehen, die Dir hoffentlich willkommen ist und Dir – namentlich – *paßt*. Wenn nicht, so wird sie anstandslos zurückgenommen. Laß es Dir gut gehen und sei herzlich gegrüßt von Katja und

T.

München den 27. XII. 08
Franz Joseph-Str. 2.

Lieber Heinrich:
Deine Bonbonière ist köstlich. Nimm in Katja's und meinem Namen schönen Dank dafür!
Hoffentlich geht es Dir besser. Ich wollte, die Festzeit mit ihren Unregelmäßigkeiten wäre vorüber. Die Kinder waren reizend, recht wie es im Buche steht, bei unserer Bescherung; aber nun sind sie doppelt so ungezogen wie sonst. Hofmannsthal schickte mir seine Gedichte mit einer Widmung zu Weihnacht, das hat mich beinahe am meisten gefreut.
Ein gutes neues Jahr!

T.

München, den 25. III. 1909.
Franz Joseph-Str. 2.

Lieber Heinrich:
Herzlichen Glückwunsch zu Deinem Geburstag!
Da ich Dir »K[önigliche] H[oheit]« noch nicht schicken kann, so nimm vorlieb mit der Neuausgabe des »Kl[einen] Herrn Friedemann«, die etwas vermehrt ist. »Die Hungernden« sind eine Art Vorstudie zum Tonio Kröger und standen mal in der »Zukunft«. »Das Eisenbahnunglück« machte ich kürzlich für die »Neue Freie Presse«.

Ich hoffe, es geht Dir leidlich. Ist die kleine Stadt fertig?

Ich habe mich meines Darmes wegen wieder einer lästigen Massagekur unterziehen müssen. Im Übrigen halte ich mich so ungefähr und bereite Mehreres vor: einen Essay, der allerhand Zeitkritisches enthalten soll, und eine Novelle, die sich ideell an »K[önigliche] H[oheit]« anschließen wird, aber doch eine andere Atmosphäre haben und, glaube ich, sozusagen schon etwas »18. Jahrhundert« enthalten wird. Überhaupt ist mir immer, als begänne nun eine neue »Periode«, wie Schaukal sagen würde.

Wir erwarten täglich und stündlich Katja's Niederkunft. Gott gebe, daß sie glatt vonstatten gehe. Katja grüßt und beglückwünscht Dich herzlich.

Dein T.

München den 1. IV. 1909
Franz Joseph-Str. 2.

Lieber Heinrich:

Dein Brief hat mir großen Kummer gemacht und mich sehr erschüttert, – zumal ich im Augenblick wenig widerstandsfähig bin. Die siebzehn Stunden mit Katja haben mir tüchtig mitgespielt, und noch heute bin ich ganz unfähig, mich schriftlich in die Ines-Lula-Sache zu vertiefen, so sehr ich es, seit der Lektüre Deines Briefes innerlich gethan habe. Laß mich Dir hauptsächlich das Eine sagen, daß Du die Sache in der steilen und grellen Art behandelst, die zu Deinem Genie gehört, die aber für den kleinen, menschlichen Wirklichkeitsfall »Lula« viel zu streng, zu geistreich, zu leidenschaftlich ist. Um Deiner eigenen Gesundheit und Nervenkraft willen die wahrhaftig zu wertvoll ist, als daß sie sich solcher Lappalien wegen verzehren dürfte, bitte ich Dich herzlich, die Angelegenheit ruhiger, viel ruhiger anzusehen! Wenn Lula und Ines einander nicht leiden können, so ist das schließlich nicht so erstaunlich, denn es sind sehr verschiedene Wesen, und kluge Leute brauchten sich ob solcher Damen-Antipathie keine grauen Haare wachsen zu lassen. Lula kann sagen, daß sie, als sie die Einladung ablehnte, Ines nicht mehr als Deine Braut zu betrachten brauchte. Sie hatte gehört, es werde nichts aus der Verbindung und so sagte sie: »Entweder – oder. Wenn sie nicht seine Braut ist,

so ist sie eine Fremde und geht mich nichts an.« Zwischendinge
versteht sie nicht. Und was den Besuch in der Pension bei Ines
betrifft, so kann Lula sich, vollkommen mit Recht, darauf berufen,
daß Katja Ines ja auch nicht besucht hat. Offenbar ist das wirklich
nicht Sitte, und niemand hat daran gedacht, ich auch nicht. Wer
wird denn überhaupt so genau sein! Fange bei Dir an und frage
Dich, ob Du in gesellschaftlichen Dingen – z. B. meinen Schwiegereltern gegenüber – nicht immer nur genau das gethan hast,
wozu Du Lust hattest! Und Ines selbst! Lula ist voller Schwächen
und Nücken, aber daß sie immer noch fünfmal disziplinierter ist,
als Ines, darüber kann doch – ich bitte tausend mal um Verzeihung! – kein Zweifel walten! Niemand hat Anstoß an Ines' Verhalten in Venedig, in München, in Tölz genommem; Katja und ich
wenigstens haben sie immer acceptiert, wie sie ist. Aber daß sie das
Recht verwirkt hat, ihrerseits besonders kritisch zu sein, das finde
ich denn doch.* Sei gerecht und sieh Licht und Schatten richtig
verteilt! Woher weißt Du überhaupt, daß Lula damals nicht zu
Mama kommen wollte? Du hättest das nie zu erfahren brauchen
und nie erfahren dürfen. Hat Ines Lula bei Dir verklagt (wie sie
mich bei Mama verklagt hat; ich sei in Venedig häßlich zu ihr
gewesen!)? Das fände ich fast so ungehörig wie Lula's Absage.
Zumal, wenn sie Deine Verlobte nicht mehr ist, hat sie kein Recht,
Dich mit Deiner Schwester an einander zu bringen. Oder glaubte
sie, daß da nichts mehr zu zerstören sei? Ich habe den Eindruck,
daß sie auf Lula ungünstig vorbereitet war, daß Du ihr von vornherein allzu viel von Bürgerlichkeit und Enge in den Kopf gesetzt
hattest. Viel Schuld trägt die arme, thörichte Mama, die sich in der
ganzen Sache so hahnebüchen wie möglich benommen hat. Ihr
Verdienst ist es nicht, wenn es zwischen Ines und uns nicht gerade
so steht wie zwischen Ines und Lula. Daß das Geburtstagsgeschenk
von ihr war, wirst Du unterdessen erfahren haben, und hoffentlich
hast Du eine gelinde Neigung zur Heiterkeit verspürt angesichts
des Mißverständnisses. Erfährt Mama nun von der Rücksendung,
so ist der Jammer groß, und es giebt Weinkrämpfe und täglich

* Katja's Mutter hat Ines dreimal aufgefordert, sie doch zu besuchen. Sie kam nicht. Das war, wenn man will, ein arger Verstoß.
  Also man will nicht.

zwei wirre Briefe an Dich und uns. Bedenke, daß sie von Jahr zu Jahr kümmerlicher und schwächer wird! An Deiner Stelle würde ich ihr recht beruhigend schreiben!

Mir ist nicht wohl bei der Nachricht, daß Du »K[önigliche] H[oheit]« in der Rundschau liest. Ich fürchte, Du bist nicht in der Verfassung, das Spiel, das ich dort, im Sinne meines Buches, mit unserem geschwisterlichen Verhältnis treibe, zu nehmen, wie es genommen werden muß. Wenn der Ton nur nicht gar zu gut getroffen wäre. Wie, wenn Du nun damals zu Lula gesagt hättest: »Höre mal, Ines erwartet, daß Du ihren Besuch erwiderst, Du mußt hingehen.«? Meinst Du nicht, daß sie gegangen wäre? Etwas weniger Fremdheit und Steifheit! Etwas mehr Derbheit und Geschwisterlichkeit! Ich finde immer, Geschwister sollten sich garnicht überwerfen können. Sie lachen sich aus oder schreien sich an, aber sie nehmen nicht schaudernd von einander Abschied. Denke doch an die Beckergrube N°· 52! Alles Übrige ist sekundär! – Das ist nun wohl ein allzu gutmütiges Geschwätz; aber etwas Wahres ist daran, glaube mir! Katja hatte gestern Fieber, was mir einen schönen Schrecken einjagte. Aber es ist nichts und heute wieder Alles in Ordnung.

Heute Morgen, als ich in mein Zimmer trat, manövrierte das Zeppelin'sche Luftschiff gerade vor meinen Fenstern. Die Dächer schwarz von Menschen, die ganze Stadt auf den Beinen, große Begeisterung. Immerhin imposant.

Lebe wohl, lieber Heinrich, ich hoffe, bald wieder freundlich von Dir zu hören: auch über die Kleine Stadt. Ich denke, daß Nord und Süd anbeißen wird. Dr. Osborn, der neue Redakteur, ist ein gebildeter Mann.

Herzlich   Dein T.

Katja's Niederkunft war sehr schwer und qualvoll. Es fehlte nicht viel, so hätte zur Zange gegriffen werden müssen, da die Herztöne des Kindes schon schwach wurden. Das Kind ist wieder mehr der Typus Mucki, schlank und etwas chinesenhaft. Es soll Angelus, Gottfried, Thomas heißen.

München den 5. IV. 1909

Lieber Heinrich:

Dein Brief hat mich sehr erleichtert. Besten Dank dafür und für die schönen Blumen, über die Katja sich herzlich gefreut hat. – Die »Zukunft« ist doch ein gutes Blatt. Taine von Sänger und Mereschkowski über Gogol. Auch den netten kleinen Artikel von Scheffler über G. Hirth hinten in der Rundschau empfehle ich Dir. Wie etwas, was hier Nummer Eins ist, sich trottelhaft erweist, an berlinisch anspruchsvollem, großem europäischem Maß gemessen. Vorgestern war ich in illustrer Gesellschaft: Mottl, Kaulbach, Knorr, Maffei, Speidl (mit Kammerherrnknöpfen und Stern). Aber mein Gott, wie enttäuscht wird bei solchen Gelegenheiten die Provinzialen-Ehrfurcht! Wenn ich die Gesellschaft, den Salon zu schildern hätte, so würde immer diese Provinzialen-Enttäuschung daraus sprechen.

Herzlichen Gruß. T.

München den 10. V. 1909
Franz Joseph-Str. 2.

Lieber Heinrich:

Mit mir steht es auch nicht zum besten, und darum habe ich mich entschlossen auf 3 bis 4 Wochen der Welt und allem Wohlleben Valet zu sagen und zu Bircher-Benner nach Zürich zu gehen, einem hygienischen Zuchthause, dessen Erfolge jetzt sehr gerühmt werden. Ich reise morgen Abend.

Die Beilagen soll ich Dir von Grautoff überreichen. Hoffentlich läßt Du Dich durch seine Flatterien bestricken.

Dank für Deine Karte und herzlichen Gruß. Die Meinen sind wohl.

T.

Lieber Heinrich:

Vielen Dank für Deinen Brief. Mit der Martini-Scene hast Du vollkommen recht; ich hatte von Anfang an das selbe Gefühl, und doch konnte ich es nicht lassen, mag auch jetzt nicht streichen. Innerlich berief ich mich immer auf Ibsen, der in den Kronprätendenten seinem Skule auch eine solche Scene mit einem Dichter giebt (»Die Gabe des Schmerzes«). Die Gefahr, die darin liegt, auf den Unterschied zwischen conventioneller und wirklicher Hoheit aufmerksam zu machen, fürchte ich weniger. Dieser Unterschied wird in dem Buch überhaupt nicht gemacht, und ich glaube nicht, daß ein Leser die Hoheit Axel Martinis wirklicher finden wird, als die Klaus Heinrichs. Es ist nur eine andere Form. Aber das Schlimme ist, daß es *die* Form ist, die durch all die anderen Hoheitsformen symbolisiert wird und nun auf einmal selber auftritt, wenn auch geistig eingekleidet in die selbe Ironie, die Alles durchdringt. Des Dichters Neid auf den jungen Weber halte ich nicht für falsch. Diese Art von Neid und Sehnsucht gehört ja innerhalb dieses (intellektuell sehr – abgeschlossenen) Buches geradezu zur Hoheit. Man muß bedenken, daß die Tendenz des Buches, wenn auch mit einer etwas hinterhältigen Didaktik, auf das *Leben* weist oder doch auf einen Compromiß von Hoheit und Leben. Der junge Weber als Vertreter des Lebens ist eine solche Hinterhältigkeit, und der Neid auf ihn gehört unbedingt zum Humor des Ganzen. Einerlei: Die Scene ist fehlerhaft. Den Durchschnittsleser werden ein paar lebhafte Détails darüber wegtäuschen. Wir anderen lernen etwas dabei; und so mag der Fehler stehen bleiben. –

Ich reise am 5ten von hier ab, direkt nach Hause, in der Hoffnung auf eine gute Nachwirkung. Es liegt so viel Arbeit vor mir, daß ich nicht weiß, wo ich anfangen soll. Hoffentlich bringt Tölz Ruhe und Entschluß.

Auf Wiedersehn!   T.

Lieber Heinrich:

Heute ist Deine Vorlesung bei den Buchhändlern. Ich habe sehr daran gedacht, dazu nach München zu kommen; aber erstens wird wohl Ines dabei sein, der eine Begegnung mit mir vermutlich nicht angenehm wäre, und dann bin ich auch nicht wohl, sitze mit meiner Arbeit fest, bin vergrämt und müde.

Die Messe im Dom hat mich gestern sehr bewegt. Heute erheiterte mich die Rückholung des Advokaten. Das Ganze liest sich wie ein hohes Lied der Demokratie, und man gewinnt den Eindruck, daß eigentlich nur in einer Demokratie große Männer möglich sind. Das ist nicht wahr, aber unter dem Eindruck Deiner Dichtung glaubt man es. Auch an die »Gerechtigkeit des Volkes« ist man unter diesem Eindruck zu glauben geneigt, obgleich sie wohl noch weniger wahr ist, – es sei denn, daß man für »Volk« »Zeit« oder »Geschichte« setzt. Ich zweifle zum Beispiel, ob das »Volk« diesem Buch bei seinem Erscheinen gerecht werden wird; aber ich glaube bestimmt, daß sich eines Tages viele Blicke darauf richten werden. Übrigens wer weiß. Vielleicht kommt es schon jetzt zur Zeit. Es enthält viel in hohem und vorgeschrittenem Sinne Zeitgemäßes. Ich bin sehr neugierig auf seine Wirkung, – eigentlich viel neugieriger, als auf die von »K[önigliche] H[oheit]«.

Herzlichen Gruß.   T.

Lieber Heinrich:

Wir werden also nach menschlicher Voraussicht Mittwoch Abend reisen und Donnerstag in Mailand sein. Bitte, zwei einbettige Zimmer zu belegen (eventuell auch ein zweibettiges, wenn günstiger.) – Katja läßt Dir vorläufig durch mich tausend mal für das wunderhübsche Bilderbuch danken.

Herzlichst   T.

München den 12. XII. 09
Franz Joseph-Str. 2.

Lieber Heinrich:

Wir sind nun glücklich wieder eingelaufen, nach bewegten Wochen. In Berlin hatte ich noch unerwartet viele Aufregungen und zwar wegen »Fiorenza«, die plötzlich von der »Akademischen Bühne« aufgeführt werden sollte, während ich doch seit dem Sommer mit Reinhardt so gut wie einig war. Da gab es nun ein Protestieren und Prozessieren und Conferieren, und schließlich hielt ich für die Studenten, die sich in Unkosten gestürzt hatten, im Kroll'schen Opernhause eine Vorlesung vor fast leerem Hause, denn man hatte in der Eile die Preise nicht herabgesetzt, und alle Leute hatten natürlich ihre 6 bis 12 Mark-Billets zurückgegeben. Eine ganz tolle Geschichte in ihren Einzelheiten.

Anbei zwei Ausschnitte. Das »Echo«, damit Du siehst, wie Servaes sich verändert hat, und den mit Spannung erwarteten Busse. Er läßt ja keine Hoffnung, aber innerhalb dieser Hoffnungslosigkeit ist er doch fast sympathisch, ernst und traurig. Du wirst ihn schon mehr reizen. Sonst ist nichts Lesenswertes mehr gekommen. Wie findest Du Bahr? Wassermann, den ich in Berlin traf, verspricht zum Frühjahr einen *langen* Aufsatz, in Fortsetzungen, politisch, aesthetisch und unter allen Gesichtspunkten. – Bitte, schicke die beiden Ausschnitte *an Mama*.

Ewers über Dich ist eigentlich überraschend hübsch, mit offenbarer Empfindung für die Größe der Sache. Ich will die »Kl[eine] St[adt]« jetzt noch einmal in Ruhe lesen.

Wie geht es Dir?

Herzliche Grüße auch von Katja.   T.

München den 18. XII. 1909
Franz Joseph-Str. 2.

Lieber Heinrich:

Ich schicke Dir als Drucksacke einen italienischen Artikel über K[önigliche] H[oheit] zur Lektüre. Ich habe nicht viel davon verstanden, nicht mal die Überschrift. Vielleicht erklärst Du mir so ungefähr den Gesichtspunkt.

Bei dieser Gelegenheit möchte ich Dich noch Folgendes fragen. In

Nizza sprachen wir über Deine augenblickliche Vermögenslage und über das Hemmende, was sie gerade in Deinem jetzigen Zustande für Dich hat. Wenn Du dich langweilst und Dir das Nizza'er Klima nicht bekommt und Geldmangel Dich hindert, weiterzureisen, etwa nach Palermo oder Afrika und zwar unter angemessenen Umständen, kurz, wenn Dir nur ein paar tausend Mark fehlen, um über diese Arbeitspause angenehmer hinwegzukommen, so kann ich dem nicht gut zusehen, ohne Dich zu bitten, an den wirtschaftlichen Früchten von »K[önigliche] H[oheit]« doch unbedenklich ein bischen teilzunehmen. Ich hatte diesen Vorschlag schon in Nizza auf der Zunge, dachte aber, daß die »Kleine Stadt« Dir schon helfen würde. Nun scheint die Ungeschicklichkeit des Verlegers da ja wirklich Vieles vereitelt zu haben. Es hätte für dies zeitgemäße, im höchsten Sinne aktuelle Buch eine viel ernstere, auch politische, Propaganda gemacht werden müssen. Andererseits habe ich dieses Jahr so gute Geschäfte gemacht, daß ich ein paar tausend Mark schmerzlos entbehren kann. Du könntest sie zu Deiner Bequemlichkeit ausgeben, ohne Dir wegen der Rückzahlung Sorgen zu machen. Bitte, wenn Dir damit gedient ist, laß mich's gleich wissen.

Herzlichen Gruß.   T.

[München, den] 21. XII. 1909

Lieber Heinrich, der Kragenbeutel kommt von uns und ist hoffentlich willkommen. Die besten Wünsche und Grüße von uns beiden,

                                                                    T. u. K.

München, den 30. XII. 1909

Lieber Heinrich:

Vielen Dank für den »Pester Lloyd«, den ich nebst dem Vorigen *und* einer Kritik aus der B. Z. am Mittag (heute erhalten) an Mama weitergebe. Der Lloyd ist wirklich sehr annehmbar, ja erfreulich. Überhaupt irrst Du sicher, wenn Du von »Fiasko« sprichst. Es *kann* sich nur um ein rein geschäftliches, ganz scheinbares handeln. Dergleichen fällt niemals unter den Tisch, das ist unmöglich. Es steht zu fest und zu hoch. Neulich sprach ich Heymel, kein Licht, aber man hört einen ganzen Kreis, wenn man ihn hört. Er redete von Dir wie man in seiner Sphäre eigentlich nur von George redet – (oder früher redete, denn in letzter Zeit wird G. ganz stark kritisiert, was ihm hoffentlich gut bekommt.) Das Aeußere ist ja ein Accidenz. Ich muß hoffen, daß man es haben kann, ohne ein Trottel zu sein und bin überzeugt, daß Du es auch jeden Tag haben kannst. Aber sein Fehlen darf Dich über die wahre Wirkung nicht täuschen.

T.

München den 10. 1. 1910.
Franz Joseph-Str. 2.

Lieber Heinrich:

Anbei zwei Drucksachen, deren Rücksendung nicht nötig ist. Auf den Leitartikel in der Frankfurter [Zeitung] bin ich recht stolz. Wenn es mit der Schickele'schen Aktion Ernst ist, solltest Du Dich unbedingt beteiligen, damit man politisch direkt von Dir hört. Die »Kl[eine] St[adt]« gehört viel eher über den Strich, als »K[önig-liche] H[oheit]«. – Übrigens sagte mir Jaffe, daß er mit der Kl[ei-nen] St[adt] zu Weihnachten ein gutes Geschäft gemacht hat.

Ich sammle, notiere und studiere für die Bekenntnisse des Hoch-staplers, die wohl mein Sonderbarstes werden. Ich bin manchmal überrascht, was ich dabei aus mir heraushole. Es ist aber eine un-gesunde Arbeit und für die Nerven nicht gut. Vielleicht ist dies der Grund, weshalb es Kerr jetzt wirklich gelungen ist, mich zu ener-vieren und in meiner Arbeit zu stören. Im »Tag« hatte er ja schon ein paar mal nach mir gespuckt. Jetzt hat er gelegentlich eines Aufsatzes über Shaw folgenden Satz in die [Neue] Rundschau ein-geschmuggelt: »Er prahlt nicht wie etwa *mittlere Romanboß-ler. Jeder komisch neurasthenische Commis und alter Sanato-riumskunde, der eines Tages Romane schreibt, wird sich in hoher sozialer Stellung schildern und die Achillesverse* [sic] *novellig ver-tuschen* etc.« Wie gefällt das? Es merkt es natürlich kein Mensch außer mir selbst, aber das ist gerade das Feine daran. Schon wenn er nur das Wort »sozial« weggelassen und nur »in hoher Stellung«

geschrieben hätte, hätte Bie was gemerkt und ihm den Satz gestrichen. Ich muß gestehen, daß mir Tage lang sehr übel davon war.
Ich kann Feinde und nun gar eine so ekelhafte Art Feindschaft
innerlich nicht brauchen, ich bin darauf nicht eingerichtet. Aber
wenn er sich einmal stellt, mich allgemeinverständlich angreift, so
soll ihm die Polemik mit mir schlechter bekommen, als die mit
dem armen Sudermann.
Herzliche Grüße! T.

München den 26. 1. 1910
Franz Joseph-Str. 2.

Lieber Heinrich:

Das B[erliner] T[ageblatt] ist doch ein braves Blättchen. Monty
Jacobs ist der Sache ja nicht ganz gewachsen, aber manches ist ihm
doch *nicht* entgangen, und es bleibt merkwürdig, daß gerade dies
Blatt etwas Warmes, Lobendes bringen mußte. Die politische Gesinnung muß doch wohl zum Verständnis gewisser Dinge oder
doch zur Sympathie damit prädisponieren. – Den Aufsatz der
Sauer habe ich Mama ebenfalls zu lesen gegeben. Du hast ihn doch
bekommen? Er ist sehr fein, wenn sie auch die beiden Bücher allzu
ausschließlich vom artistischen Standpunkt betrachtet. Ungefähr
das Gegenteil von Bahr. Ebenso gab ich Mama den Artikel der
Frost in der »Zukunft«. Bei aller Genugthuung findet sie ihn
»etwas schwülstig«, mit gewissem Recht wie mir scheint. Das Bedeutendste ist wohl die Passage, wo sie Dich als Darsteller der Zeit,
der Modernität feiert. Aehnliches habe ich auch empfunden und
Dir gesagt, als ich auf jene gewisse Verwandtschaft mit Reinhardt
anspielte. Als Thatsache ist der Aufsatz in der Zukunft jedenfalls
sehr, sehr erfreulich.

Über »K[önigliche] H[oheit]« habe ich seit Bahr nicht viel Ermuti-
gendes zu sehen bekommen. Das Buch wird von der Kritik entschieden nicht recht für voll, nicht recht ernst genommen, und ich
habe den Eindruck, daß der Erfolg des Deinen – im höheren Sinne
– viel größer ist. Auch die Wohlwollendsten bezweifeln den Lust-
spielschluß; Jemanden hat das »strenge Glück« an Sudermann
erinnert. Das Ganze, oder doch die zweite Hälfte gilt als Faschings-
spaß, und ich bin an dieser Auffassung wohl etwas schuldig, da ich

das Buch im ersten Waschzettel als »epischen Scherz« bezeichnete. Wirklich rührend ist das Referat der Litterarhistorischen Gesellschaft Bonn; aber auch dieser sanfte, gescheidte Gelehrte
glaubt nicht an die »Lösung des Nichtzulösenden«. Nachgerade
glaube ich selbst nicht mehr daran. Der Schluß ist wohl ein bischen
populär verlogen – wie zuletzt auch der Schluß von Zwischen den
Rassen. Im Grunde hat natürlich Überbein recht; und wer schon
vor K[önigliche] H[oheit] einen »Friedrich« plante, hat wohl nie so
ganz innerlich an ein »strenges Eheglück« geglaubt. Was nicht
hindert, daß man praktisch daran glauben kann.

Dein Brief über Kerr hat mir sehr wohlgetan und die Verdauung
des unbekömmlichen Bissens sehr gefördert. Die Sache ist vergessen.

Herzliche Grüße auch von Katja. T.

München den 17. ii. 1910.

Lieber Heinrich:

Mögen die zwei Mille Dir wohl anschlagen. Die »größeren Ausgaben« hat wohl Le Gâté [?] verschlungen? Was Du vom Insel-Verlag erzählst imponiert mir sehr. Das zeigt doch, daß er auf Dich
hält und an Dich glaubt. Ich höre über die Kleine Stadt nur begei-
sterte Aeußerungen. Jeder erklärt es für Dein bestes Buch, – und
ist das letzte, das Du schriebst. Bald, gehörig ausgeruht, fängst Du
wieder an. – Ich kann wieder mal nicht anfangen und finde hundert Ausflüchte. Was da ist, ist das psychologische Material, aber
es hapert mit der Fabel, dem Hergang. Auch muß ich aufpassen,
daß der Kuchen nicht wieder so auseinander geht und daß nicht
wieder aus einem Novellenstoff ein Roman wird. Ich lese Kleists
Prosa, um mich so recht in die Hand zu bekommen, und war nach
dem Kohlhaas wütend auf Goethe, der ihn wegen seiner »Hypochondrie« und seines »Widerspruchsgeistes« abgelehnt hat. Die
»Verlobung in St. Domingo«, ein Prachtstück von Erzäh-
lungskunst, schwieg er tot, während er das Drama »Toni«, das
Körner daraus machte, freundlich aufnahm, es bei Hofe vorlas und
eine Dekoration dazu entwarf. Dies zu Deinem Goethe-Voltaire-
Kapitel.

Viele Grüße, auch von Katja T.

München den 20. II. 1910.

Lieber Heinrich, zu Deinem starken, schönen Brief in der Zukunft muß ich Dir herzlich gratulieren. Die Adresse, an die er sich richtet... ist meiner Überzeugung nach seiner nicht ganz würdig und unfähig an Deinem Glauben, Deinem Schwunge teilzunehmen. Aber desto nötiger waren ja Deine Worte und sie werden der Wirkung des Buches aufs glücklichste nachhelfen. Machst Du Dich nicht allmählich wieder an Deinen großen Essay? Es sieht ganz so aus. Die besten Wünsche u. Grüße!

T.

München, den 16. III. 1910.
Franz Joseph-Str. 2.

Lieber Heinrich:

Anbei die Trophäen, die mir große Freude gemacht haben. Herzlichen Glückwunsch! So ist es. Sobald man den »Tyrannen« aufs Theater gestellt hatte, war es der Mühe wert, Artikel darüber zu schreiben; vorher nicht. Hoffentlich folgt nun Reinhardt nach.

Infolge einer gerechten Wallung ganz unegoistischer Art bin ich mit einem niederträchtigen Narren (Carla's früherer Kritiker Lessing) in oeffentliche Polemik geraten, die noch nicht zu Ende ist und meine Nerven im Handumdrehen völlig auf den Hund gebracht hat.

Auch sonst hatte ich kleine Freuden. Ein Bruder Katja's ist den Geschwistern Schmied in Berlin auf dem Ball der Reinhardt'schen Theaterschule begegnet. Ines' Bruder hat sich ihm als »intimer Freund« und Verehrer von Dir präsentiert und bei dieser Gelegenheit den Auftrag an mich hinzugefügt, ich hätte ja unter dem Titel »K[öni]gl[iche] Hoheit« einen außerordentlich hohlen und schlechten Roman geschrieben. Antwort: »Das sagen Sie ihm nur selber. Ich lehne den Auftrag ab.« Es ist mir aber durch einen Dritten dann doch mitgeteilt worden. Wenn der junge Schmied betrunken war, so entschuldigt das die Aeußerung, aber nicht die Meinung, – die also wohl auch die Deiner Verlobten und überhaupt derer um Dich ist. Unsere Freunde waren nie das Beste an uns.

Herzlich   T.

Lieber Heinrich:

Es sollte mir leid thun, wenn ich Dich durch meine recht kleinen Geschichten auch nur vorübergehend beunruhigt habe, – wie ich mich schäme, daß ich mich davon beunruhigen lasse. Von meinen beiden »Feinden« ist der Eine ein erbärmlicher Tropf, der andere gar nur ein thörichter Sprudler. Daß ich mich mit dem Ersteren überhaupt einließ, war letzten Grundes ratloser Thätigkeitsdrang. Das Geheimnis ist, daß ich mit dem »Hochstapler« nicht anfangen konnte; aus gequälter Unthätigkeit schlug ich los, dessen bin ich mir innerlich wohl bewußt, und habe damit meine Kräfte natürlich nur weiter heruntergebracht. Nun muß ich sehen, wie ich wieder zu einiger Frische komme. Das Material sollst Du haben, wenn das »Liter[arische] Echo« vom 1. April vorliegt. Der Hergang wäre Dir sonst nicht verständlich.

Die Sache mit Reinhardt ist sehr problematisch. Ich habe es erst vor ein paar Wochen erreicht, daß er endlich den Fiorenza-Kontrakt mit Fischer unterschrieb, der 1000 Mark Conventionalstrafe vorsieht. Ich argwöhne fast, daß der Fuchs den »Tyrannen« nur heranzieht, um seiner Verpflichtung gegen mich und Fischer auf gute Art wieder ledig zu werden, indem er nämlich hofft, daß ich wegen übermäßiger Kürzung der »Fiorenza« protestieren und zurücktreten werde. »Fiorenza« muß, wenn ein leidlich normaler Theaterabend daraus gemacht werden soll, buchstäblich um die Hälfte gekürzt werden. Das ist in Frankfurt und hier geschehen. Striche man es also soweit, daß noch ein Akt folgen kann, so könnte überhaupt nicht mehr von einer Aufführung des Stückes die Rede sein, sondern das Programm des Abends würde etwa lauten: »Scenen aus Fiorenza und Der Tyrann«. Das wäre ja denn auch ganz hübsch, nur wäre es etwas Anderes, als ursprünglich beabsichtigt war, und ich weiß nicht, ob »Scenen aus Fiorenza« die Absichten des Stückes deutlich werden lassen würden. Der Gedanke, die beiden Sachen zusammen spielen zu lassen, gefällt mir dabei eigentlich immer besser*; ich frage mich nur, ob es nicht

---

* Die Verantwortung wäre geringer, die Veranstaltung außerordentlicher.

beiden schaden würde und muß mir sagen, daß Reinhardts Behauptung, er könne den »Tyrannen« sonst nicht placieren, eine leere Redensart ist. Irgend ein paar Einakter von Strindberg würden zur Abendfüllung genügen. – Mit R. über solche Fragen zu korrespondieren, ist unmöglich. Ich spreche ihn aber jedenfalls im Sommer, wenn er hier spielt und will dann Alles mit ihm verabreden. Womöglich bist Du auch dabei. »Fiorenza« ist erst für die nächste Saison vorgesehen.

Herzliche Grüße! T.
Schicke mir, bitte, Deine Novelle!

[München, den 25. III. 1910]
Herzliche Glückwünsche zum Geburtstag

von T. und K.

den 16. Juni 1910
Franz Joseph-Str. 2.

Lieber Heinrich:

Herzlichen Glückwunsch! Denn es ist doch wohl ein freudiges Ereignis. Wie hoch beläuft sich die Rente denn nun? Die Herstellung zweier Bände in 5 Jahren wird Dir, glaube ich, keine Schwierigkeiten machen, da ja auch Novellensammlungen gelten. Übrigens entstehen unter solchen Umständen die besten Sachen.

Fischer antwortet mir: »Die Frankfurter Tantiemen betrugen 10%, meine Vertriebsgebühren davon gleichfalls 10%.« Das ist freilich erheblich weniger als in Deinem Fall. Aber es ist wohl eben alles mit Rücksicht auf die Rente festgesetzt worden.

Für die schnelle Rückzahlung von 1000 M bin ich sehr dankbar. Wenn die Rente hoch genug ist, entschließt Du Dich doch vielleicht, das Übrige in viertel- oder halbjährigen Raten abzutragen. Mir wäre das, glaube ich, der liebste Modus. Übrigens betone ich, daß die Rückzahlung der ersten 2000 überhaupt nicht eilt. Die hatte ich Dir ja in meinem Brief nach Nizza auf beliebig lange Zeit angeboten. Es handelt sich also eigentlich nur noch um 3000.

Katja läßt bestens grüßen. Es geht ihr gut.

Herzlich T.

Lieber Heinrich:

Eben kamen die Photographien von Carla's Leiche an, und Mama unterlag einem neuen Schmerzensausbruch, der sehr schwer zu beruhigen war. Das Schlimme ist, daß Mama an dem Mißtrauen krankt, daß sie uns mit ihrer Trauer zur Last fällt, – eine unsinnige und, da keine Beteuerungen helfen, auf die Dauer kränkende Einbildung. Mama strebt fortwährend weg, weiß freilich selbst nicht, wohin. Ich will froh sein, wenn Du hier bist. Am Sonnabend kommen Katja's Mutter und Cousine auf einen Tag zu Besuch. Mama will, was ich verstehe, niemanden sehen und fährt an diesem Tage mit Tante E[lisabeth], die abreist, nach München. Sie will auch nach Polling, um einiges zu holen. Am Sonntag oder Montag erwarten wir Dich dann. Du wirst wohl am besten thun, wenn Du Mama nach Polling begleitest und mit ihr hierher fährst.

Wir sind Alle übel daran. Es ist das Bitterste, was mir geschehen konnte. Mein geschwisterliches Solidaritätsgefühl läßt es mir so erscheinen, daß durch Carla's That unsere Existenz mit in Frage gestellt, unsere Verankerung gelockert ist. Anfangs sagte ich immer vor mich hin: »Einer von uns!« Was ich damit meinte, verstehe ich erst jetzt. Carla hat an niemanden gedacht, und Du sagst: »Das fehlte auch noch!« Und doch kann ich nicht anders, als es so empfinden, daß sie sich nicht hätte von uns trennen dürfen. Sie hatte bei ihrer That kein Solidaritätsgefühl, nicht das Gefühl unseres gemeinsamen Schicksals. Sie handelte sozusagen *gegen eine stillschweigende Abrede*. Es ist unaussprechlich bitter. Mama gegenüber halte ich mich. Sonst weine ich fast immer.

Der Hauptzweck dieses Briefes ist, Dich zu bitten, daß Du, bevor Du zu uns kommst, Lula besuchst. Du thust ihr Unrecht, und Du machst Dich nach meiner Auffassung eines Mangels an Selbstachtung schuldig, wenn Du *Einen von uns* für einen gemeinen Philister hälst. Das kann niemand von uns sein. Wenn Du diesen Zeitpunkt vorübergehen läßt, so besteht Gefahr, daß der Bruch zwischen Dir und Lula etwas so Definitives wie Carla's Tod, ja etwas dem Tode Carla's ganz Aehnliches wird. Ich appelliere an Deinen Geist und an Dein Herz und wäre schwer enttäuscht, wenn Du kämest ohne Lula gesprochen zu haben.

Herzlich   T.

Bad Tölz, den 7. Aug. 1910.
Landhaus Thomas Mann.

Lieber Heinrich:

Nachdem ich Dir einen langen Brief geschrieben, kassiere ich ihn, weil ich sehe, daß er bei dem jetzigen Zustande Deiner Nerven eher schaden als nützen würde und sage Dir einfach, daß wir Dich jedenfalls erwarten. Dein Brief enthält viel Fieberhaftes und Tadelnswertes, vieles, was strikt und fest zurück[zu]weisen ist. Aber ich erhoffe von mündlicher Aussprache mehr, als von weiterer Korrespondenz, die in unserem Falle immer etwas litterarisch Zugespitztes haben wird. Mama kehrt erst Dienstag oder Mittwoch zu uns zurück. Du wirst gut thun, mit ihr zu fahren.

Mit herzlichen Grüßen von uns beiden   T.

Tölz, den 18. IX. 1910

Lieber Heinrich:

Vielen Dank für Deine Karte und auch noch für den Kerr. Hast Du in der »[Neuen] Rundschau« von seinem Reiterleben in den Weltteilen gelesen? – Erst neulich, als Ida ihr Pinger hier war, habe ich bemerkt, daß das Märchenbuch, das Du den Kindern geschenkt, »Der Kinder Wundergarten« ist. Ich habe einen ganzen Abend darin gelesen. – Also die Komödie ist fertig und abgeliefert? Glückwunsch! Reinhardt ist übrigens noch in München; ich sah ihn flüchtig nach der sehr großartigen Mahler-Symphonie. Der Hochstapler rückt langsam vorwärts.

Herzlich   T.

Auch von mir einen schönen Gruß, und noch vielen Dank für den Weltspiegel.

                                                                K.

Tölz den 5. X. 1910

Lieber Heinrich:

Dank für Deine Karte! Den Fontane finde ich aber sehr flau.

Die beifolgende Korrektur von Franz Moeser Nachf., Verlagshandlung in Leipzig, fand ich gestern bei unserer Rückkehr von München hier vor. Wir sind 8 Tage lang umgezogen und haben zwischendurch viel Theatralisches mitgemacht. Ein Frühstück bei Reinhardt war recht interessant.

Morgen haben wir Taufe und daran schließt sich Familien-Logier-besuch. Hoffentlich haben wir Dich in der zweiten Hälfte d. Ms. (vielleicht mit Richter) noch einmal zu Gast.

Herzlich T.

München, den 16. XI. 1910
Mauerkircher Str. 13.

Lieber Heinrich:

Dein Telegramm bekam ich in Weimar und sah gleich ein, daß es dann also nicht ginge. Bis zum 21 sten zu warten verbot sich mir ganz und gar. Ich habe bis zum 8 ten Dezember zwei Zeitungsbei-träge herzustellen, die, da sie noch garnicht angefangen sind, oh-nedies knapp fertig werden werden. Aber ich höre ja, daß auch der Neue Verein wenigstens den Tyrannen bringen möchte, und wenn die drei Sachen am 21. den Erfolg haben, den ich bestimmt erwarte, so ist ja wahrscheinlich, daß Reinhardt sie übernimmt. Ich werde sie dann in Berlin doch noch sehen. Ich bin heute früh von Weimar zurückgekehrt, wo ich im Vitzthum'schen Hause wirklich rührende Gastfreundschaft genoß. Er ist jetzt Kammer-junker und Johanniter, auch etwas dick geworden, sonst aber ganz unverändert. Alles, was ich an Eindrücken von kleinhöfischem Wesen gewann (durch Erzählungen und Augenschein) waren strikte Bestätigungen meiner Intuitionen in K[önigliche] H[o-heit]. Es schadet nichts, daß ich nicht vorher da war. Übrigens war ich doch auch historisch tief impressioniert. Was einen da auf Schritt und Tritt – und besonders in den rührenden Stübchen, die das Allerheiligste bilden, – anweht, ist etwas so viel Verwandteres, als die dämliche Münchener Maler-Tradition. – Schönen Gruß und die herzlichsten Wünsche! Nichtwahr, Du benachrichtigst mich kurz!

T.

München, den 24. XI. 1910
Mauerkircher Str. 13.

Lieber Heinrich:

Ich bin über das Berliner Ereignis bisher nur aus drei Zeitungen unterrichtet: den [Münchener] Neuesten [Nachrichten], dem B[erliner] T[ageblatt] und der Frankfurter [Zeitung], – bin also ununterrichtet, denn über die Aufnahme, das Verhalten des Publikums stand nichts darin, und das unwissende Gesudel, das sie zur Sache vorbrachten, kommt nicht in Betracht. Ich hätte gern ein ungefähres Bild von dem Verlauf des Nachmittags. Der »Tag«, aus dem dergleichen vielleicht zu gewinnen gewesen wäre (denn Kerr weiß doch wenigstens ungefähr, um was es sich handelt), war mir nicht zugänglich. Ich habe den 21. in Bedauern verbracht, daß ich nicht anwesend sein konnte. Aber es ging eben nicht. Bist Du noch in Berlin und wirst Du Dich in München aufhalten, bevor Du nach Wien oder südwärts gehst.

Mit herzlichen Grüßen, auch von Katja,   T.

München den 23. XII. 1910

Lieber Heinrich:

Von beifolgendem Schreiben bitte Kenntnis zu nehmen. Ich habe meine Photographie geschickt, weil ich die Liste löblich finde.

Du wirst ja jetzt in Berlin Abend für Abend gespielt. Das muß ein stolzes Gefühl sein.

Vergnügten Weihnachtsabend mit Mama und Vicco. Hoffentlich kommt Dir unsere Gabe halbwegs erwünscht.

                                                                       T.

München, den 26. Jan. 1911
Mauerkircherstr. 13

Lieber Heinrich:

Ich habe eben mit Löhr gesprochen. Das Resultat ist negativ. Ein solches Geschäft entfernt sich zu weit vom üblichen Geschäftstypus der B[ayerischen] H[andelsbank]. Ihre Geschäfte beschränken sich auf Bayern. Ich denke also, daß Hartungen mit einer oesterreichischen Bank Fühlung suchen sollte.

Die Wirkung Deiner politischen Proklamationen zeigt sich natürlich so und so. Das B[erliner] T[ageblatt] hat ja, wie ich höre, doch noch unter rühmender Zustimmung einen Auszug aus »Geist und That« gebracht. Die »D[eutsche] Tageszeitung« ist ungefähr wie Onkel Friedels Maria: »die allerschlimmste«. Sie war es auch, die erklärte, ich verstünde nicht mehr vom Fürstentum, als ein deutscher Fürst vom Ghetto. Bahrs Aeußerung fand ich übrigens recht billig und abgestanden. Ein Kopf wie er gerät mit der »Menschlichkeit« leicht ins Triviale.

Von meiner Reise bin ich recht befriedigt zurückgekehrt. Sie war anstrengend, bot aber viel Anregendes und Lehrreiches. Sehr merkwürdig z. B. ein Nachmittag bei Frau Stinnes in Mühlheim-Ruhr. Namentlich aber Münster in Westfalen, eine ganz überraschende Stadt, tief katholisch bei ausgesprochen nord- und niederdeutscher Bevölkerung und voller altertümlicher Schönheiten. Die modernen beschränken sich auf die große Fenstermalerei von Melchior Lechter (einem geborenen Münsterer) im Museum, deren Farben freilich alles derartige übertreffen, auch die Ste. Chapelle in Paris. Ganz wundervoll.

Katja hat sich nicht zum Fortgehen entschließen können. Sie hatte eine leichte Influenza und kränkelt immer noch etwas. Sie wäre Dir dankbar, wenn Du ihr eine Übersetzungsarbeit (französisch) verschafftest, vielleicht vom Müller'schen Verlag. Bitte, denke gelegentlich daran.

Lublinski ist kürzlich am Gehirnschlage gestorben. Lessing veroeffentlicht in der »Schaubühne« einen Nekrolog von so milder Verlogenheit, daß man sich erbrechen könnte. Er kommt auch darauf zurück, daß ich damals meine »erstaunlich ärmliche Menschlichkeit enthüllt« hätte und bezeichnet die Angelegenheit zwischen ihm und mir als »noch immer nicht erledigt«.

Herzl. Grüße   T.

München, den 24. III. 1911.
Mauerkircherstr. 13.

Lieber Heinrich:

In dem Augenblick, wo ich mich frage, wie ich wohl recht schnell Deine Adresse erfahre, um Dir zu Deinem vierzigsten Geburtstag gratulieren zu können, kommt Dein Brief und überhebt mich allen

Nachforschungen. Also meine herzlichsten Glückwünsche, – denen Katja die ihren hinzufügt! Du wirst an diesem Lebensabschnitt mit Genugthuung auf Dein bisheriges stolzes und kühnes Lebenswerk zurückblicken und Dich recht auf der Höhe Deiner Kraft und Deiner Entwicklung fühlen; und viel und in hohen Ehren wird Deiner an diesem Tage gedacht werden. Dein Letztes, die »Rückkehr vom Hades« haben wir mit großem Genuß gelesen. Es ist etwas aus der Sphäre der »Kleinen Stadt« – in seiner vergeistigten Opernschönheit.

Ich habe in den letzten Monaten nichts Erhebliches vor mich gebracht. Mein Unwohlsein, das sich ungewöhnlich lange hinzog und mich sehr herunterbrachte, war angeblich eine Blinddarm-Reizung, letzten Endes aber doch wohl nur Ausdruck einer momentanen Erschöpfung des Centralnervensystems. Ich habe an den Nachwehen noch immer zu tragen und arbeite kümmerlich langsam am »Hochstapler«. Es kann sein, daß ich mich doch zu einigen Wochen Zürich (Bircher-Benner) verstehen muß.

Auf Deinen Dreiakter bin ich sehr neugierig. Wird er ordentlich bühnengerecht? Meine Fiorenza-Angelegenheit ist in Berlin bisher schmählich verbummelt worden. Ich habe einen beleidigten Brief geschrieben und erwarte nun Aufklärungen.

Wie gefiel Dir die Affaire Pan-Jagow? Mir nicht besonders; denn ich finde, daß das Ehepaar Cassierer keine sehr glückliche Rolle dabei spielt. Bekannte von uns haben beobachtet, wie die Durieux Jagow im Theater »eingewickelt« hat. Die Sympathien sollen in Berlin auf Jagows Seite sein, und es ist also wohl die oeffentliche Meinung, die ihn hält. Kerrs erste politische Aktion ist als gescheitert zu betrachten.

Für den Mai planen wir eine Dalmatinische Reise – bei Leben und Gesundheit. Wann kommst Du nach Deutschland?

Herzliche Grüße!   T.

Tölz, den 3. X. 1911.

Lieber Heinrich:

Vielen Dank für Dein Werk! Ich glaube, daß die Ruhende es schön finden und gut heißen würde.

Diese Regentage waren schwer zu bestehen, wir waren schon im

Begriffe, aufzupacken. Nun haben wir wieder Mut gefaßt, noch etwas hier zu bleiben.

Giebst Du Mama das Stück zu lesen? Ich möchte wissen, ob man zu ihr davon sprechen darf.

Herzlich   T.

München den 17. II. 1912.

Lieber Heinrich:

Katjas Befinden macht sehr langsame, kaum merkliche Fortschritte. Sie ist im Ebenhausener Sanatorium, um die Ruhe zu haben, die sie braucht, und wird gleichzeitig mit Serum-Injektionen behandelt, wozu sie von Zeit zu Zeit hereinkommt. Dauernd wird sie sich mutmaßlich in der Stadt vorderhand nicht aufhalten dürfen, sondern in der Anstalt bleiben müssen, bis wir im Frühjahr die jährliche Erholungsreise machen und dann nach Tölz übersiedeln können. Der Kuraufenthalt macht große außerordentliche Kosten, und Du weißt, wie sehr unser Haushalt ohnedies – infolge seines ganzen Zuschnitts – belastet ist. Ich muß mich daher entschließen, Dich einmal ernstlich und dringend zu bitten, auf die Rückerstattung des Geldes, das Du unserem viel in Anspruch genommenen Haushalt schuldest, etwas mehr, als bisher, Bedacht zu nehmen. Du bist doch jetzt ein Mann von – wenn ich nicht ganz falsch rechne – rund 10 000 Mark jährlich; Deine wirtschaftliche Lage ist also viel günstiger, als die meine, denn Du bist allein, Du hast keine vier Kinder, keine vier Dienstboten, kein Landhaus, keine 5000 Mark-Wohnung in der Stadt; und bei einigem guten Willen hätte es Dir ein Leichtes sein müssen, durch monatliche oder vierteljährliche Ratenzahlungen, wie ich es Dir vorschlug, Deine Schuld bis heute größten Teiles zu tilgen. Leicht ist Schulden zahlen freilich wohl nie. Aus zahlreichen Erfahrungen mit ganz verschieden gearteten Schuldnern weiß ich, daß es sehr schwer sein muß, auch, wenn man wohl könnte, und besonders, wenn man sich sagen zu dürfen glaubt: »Er hat es nicht nötig«. Ich habe es aber nötig. Unser Haushalt ist so zugeschnitten, daß Katjas Rente bei Weitem nicht ausreicht, ihn zu bestreiten, und daß ich für meine Person sehr stark verdienen muß, wenn wir auskommen wollen. Nun habe ich in der letzten Zeit sehr wenig verdient; was ich augenblicklich arbeite, ist interessant aber unlukrativ, und bis zum Erscheinen des »Hochstaplers« werde ich nichts Ausgiebiges einnehmen. Meine Reserven sind aufgezehrt bis auf das, was ich unvorsichtiger Weise nach mehreren Seiten ausgeliehen habe, und wenn meine Schuldner sich nicht ein bischen bemühen, so kann ich am 1. April ganz einfach meine Miete nicht bezahlen. Ich müßte mich dann um Vorschuß an Fischer wenden, was mir nicht angenehm wäre, denn er wird auf ein großes Manuskript noch lange zu warten haben. Meinen Schwiegervater anzugehen widerstrebt mir, aus Selbstgefühl sowohl wie auch, weil seine Geschäfte schlecht gehen, sein Hauptbesitz in der Sammlung steckt und ich ihn womöglich in Verlegenheit brächte. Daß ich diese Gefahr auch bei Dir laufe, halte ich für ausgeschlossen, sonst würde ich Dich nicht mahnen. Laß Dich also bitten und trage Sorge!

Herzlich   T.

München, den 2. IV. 1912.
Mauerkircherstr. 13.

Lieber Heinrich:

Die 500 Mark sind gestern richtig eingetroffen. Vielen Dank. Sie sind sehr willkommen. Katja habe ich Deine Grüße und Wünsche ausgerichtet. Sie schreibt muntere Briefe und fühlt sich schon besser. Die Aerzte droben erklären den Fall für unbedenklich aber langwierig. Sechs Monate wird sie oben bleiben müssen – und hätte gewiß schon längst hinaufgehen sollen. Die Injektionskur (nicht von Ebenhausen befürwortet) hat großen nervösen Schaden angerichtet. Ich konnte sie nicht hindern, weil die lange Trennung von den Kindern damit umgangen werden sollte.

Mein Leben ist jetzt etwas hart, aber ich habe, von einigen Krankheitstagen abgesehen, nie ganz aufgehört, zu arbeiten, und der »Tod in Venedig« wird hoffentlich bis ich nach Davos gehe (Anfang Mai) fertig werden. Es ist zum Mindesten etwas sehr Sonderbares, und wenn Du es im Ganzen nicht wirst billigen können, so wirst Du einzelne Schönheiten nicht leugnen können. Besonders ein antikisierendes Kapitel scheint mir gelungen. Die Novelle wird zunächst als »Hundertdruck« bei Hans v. Weber erscheinen, in üppiger Ausstattung.

Auf Dein Drama bin ich außerordentlich gespannt. Dr. von Jakobi, der mich neulich besuchte, erzählte etwas davon.

Herzliche Grüße!

T.

München den 13. IV. 1912.

Lieber Heinrich:

Cassirer schickt Dir »zu meinen Händen« M 399,91 Tantiemen Neues Theater Frankfurt a. / M. Soll ich sie behalten? Dann besten Dank!

T.

München, den 27. IV. 1912.
Mauerkircherstr. 13

Lieber Heinrich:

Verzeih, daß ich Deinen Brief erst heute beantworte. Ich kam nicht gleich dazu. Zu den laufenden Nachmittagsschrereien kommen jetzt die regelmäßigen Berichte an Katja.

Herzlichen Glückwunsch zur Vollendung des Dramas! Ich gäbe was drum, könnte ich ein Gleiches von meiner Novelle melden, aber ich kann den Schluß nicht finden. Vielleicht wird mir erst der Luftwechsel, Mitte Mai, dazu verhelfen. Meine Lebenskräfte sind jetzt sehr reduziert.

Das Militärische: Meine Erinnerungen daran sind recht traum- und nebelhaft, es sind eigentlich Unwägbarkeiten, Atmosphärisches, was sich als Material nicht recht überliefern läßt, was ich aber ohne Weiteres in die Zuchthaus-Episode des Hochstaplers werde transponieren können. Die Haupterinnerung ist das Gefühl rettungsloser Abgeschnittenheit von der civilisierten Welt, eines furchtbaren äußeren Machtdruckes und, im Zusammenhang damit, eines außerordentlich erhöhten Genusses der inneren Freiheit, so, wenn ich in der Kaserne, beim Gewehrputzen etwa (das ich nie gelernt habe) etwas aus Tristan pfiff. Aber so wird der Unterthan die Sache wohl nicht auffassen. Er muß, auch wenn er bürgerlich-abgeneigt ist, dem Geist dieser abgeschlossenen Welt, wie ich das bei meinen Miteinjährigen beobachtete, sofort auch innerlich vollkommen unterliegen. *Will* er frei kommen? Dann laß es ihn machen, wie ich, und von vornherein eine Verbindung mit der bürgerlichen Welt suchen, mit deren Hilfe er sich befreien kann. Ich steckte mich hinter Mamas damaligen Arzt, Hofrat May, den ich im Hochstapler als Sanitätsrat Düsing benutzt habe, einen streberischen Esel, der mit meinem Ober-Stabsarzt befreundet war. Mit dem Ober-Stabsarzt kommt man beim Regiment kaum in Berührung; abhängig ist man von seinem Untergebenen, dem Stabsarzt, der untersucht, ins »Revier« (Kasernen-Krankenzimmer für leichte Fälle) oder Lazarett schickt, »Dienst machen« läßt u. s. w. Dieser Stabsarzt war aeußerst grob gegen mich. »Wer sind Sie, was wollen Sie« war sein Ton. Bei Untersuchungen, zu denen ich ihn gehorsamst nötigte, führte er unverschämte Reden und erklärte z. B. daß er sich eine Cigarre anzünden müsse, da er sonst ohnmächtig würde (vor Ekel). Das Resultat war »Macht Dienst. Schluß. Abtreten.« Nun hatte aber May mit dem Ober-Stabsarzt gesprochen, und dieser ließ mich vom Exerzieren weg auf sein Zimmer zur Untersuchung rufen. Er schien zwar nichts Rechtes zu finden, erklärte aber, ich solle nur »vorläufig« weiter Dienst machen, das Weitere werde sich schon finden. »Bei *dem* Fuß...« Nach einigen Tagen wurde von einem Revier-Gehülfen ein Abdruck meines Fußes auf geschwärztem Papier gemacht. Ich war im Lazarett auf »entzündlichen Plattfuß« behandelt worden, aber der Abdruck zeigte, daß von Plattfuß gar nicht die Rede sein konnte. Aber nun kam der Oberstabsarzt, das Papier in der Hand, in das Revierzimmer, wo ich wartete, und wo auch der Stabsarzt anwesend war. Die Szene war ausgezeichnet und ist für Deinen Roman sehr geeignet. Der Oberstabsarzt kommt, die Mütze auf dem Kopf, mit einem gewissen Aplomb herein, stellt sich vor dem Stabsarzt auf und blickt mit finsterer, strenger Miene auf dessen Mütze. Der Stabsarzt, der sonst sehr kollegial mit ihm zu verkehren gewohnt ist, nimmt verblüfft die Mütze herunter und steht stramm. Darauf zeigt ihm der Ober-Stabsarzt das Papier, spricht leise zu ihm und befiehlt ihm, irgend etwas zu sehen, was nicht da ist. Der Stabsarzt blinzelt abwechselnd den Vorgesetzten, mich und das Papier [an] und stimmt zu, indem er die Hacken zusammenzieht. Von Stund an war er sehr höflich gegen mich und behandelte mich als Herrn. Er wußte nun, daß ich höhere Verbindungen hatte. Nur amtlicher Formalitäten halber vergingen noch einige Wochen, dann war ich »draußen«. Die amüsanteste Korruption. Gemeinhin gilt es für außerordentlich schwer, loszukommen, nachdem man einmal drin ist.

Als Gegenstück ein Fall blödsinniger Strenge, der mir gleich zu Anfang großen Eindruck machte. Bei den anderen Compagnien durften Revier- (also nicht Lazarett-)Kranke Einjährige nach den ersten 14 Tagen (die man ganz in der Kaserne verbringt) zu Hause liegen. Unser Hauptmann verpönte dies. Ein Einjähriger erkrankt abends, und hat am nächsten Morgen 40°, ist also ganz unfähig, sich in die Kaserne zu begeben. Er macht die Krankheit zu Hause durch und bringt, genesen, ein Attest seines Arztes. Zur »Strafe« mußte er sehr lange, ich glaube Monate lang, in der Kaserne wohnen, was sehr hart für Einjährige ist: im Mannschaftszimmer schlafen etc. Verrückt. Aber der Hauptmann machte ein sehr stolzes Gesicht bei solchen Gelegenheiten. »Meine Kompanie«, pflegte er zu sagen, »soll eine Kompanie von *Soldaten* sein.« Und thatsächlich hieß die Kompanie »Die stramme Elfte«. Auch etwas für Dich. – Bei »Mannschaftszimmer« fiel mir noch ein: Jemand ist thatsächlich als untauglich freigesprochen, weil er vor der Ober-Ersatz-Commission laut erklärt hat, er sei homosexuell. Könntest Du das nicht einflechten?

Nun kann ich aber beim besten Willen nicht mehr schreiben.
Ich gehe Mitte Mai nach Davos.
Herzlich   T.

Davos den 8. VI. 1912.

Lieber Heinrich:

Herzlichen Dank für Deinen Brief und die besten Glückwünsche meinerseits zu dem Erfolg Deines Stückes bei Cassirer!
Wegen Ewers geschehen Schritte, wenn ich mir auch nicht viel davon verspreche. Ist denn überhaupt eine Vakanz? Und dann:

nach München möchte so Mancher. Aber ich werde ihm schreiben, wohin er sich wenden soll. – Am 17ten denke ich zu reisen und nach zweitägigem Aufenthalt in München nach Tölz zu gehen. Hoffentlich leistest Du mir dort mal Gesellschaft?

Herzliche Grüße von uns Beiden.   T.

14. VI. 12
Arcisstr. 12.

Lieber Heinrich:

Seit gestern Abend zurück, habe ich heute gleich wegen Ewers ein Telephongespräch mit Frau Schäuffelen gehabt (die aktiver ist, als ihr etwas vertrottelter Gatte) und E. als Journalisten sehr gerühmt. Sie wird an die Augsburger [Abendzeitung] schreiben. Auch E. soll das thun, unter Beilage von Artikeln und unter Berufung auf mich. Ich habe ihn schon angewiesen. Wenn überhaupt ein Posten frei ist oder wird, kommt er nun jedenfalls stark in Betracht. Ich habe mich an Frau Sch. gewandt, weil sie eine Gschaftelhuberin ist, die gern überall ihre Hand im Spiel hat.

Morgen oder Sonntag fahre ich nach Tölz.

Herzlich   T.

Bad Tölz, den 17. Juli 1912.
Landhaus Thomas Mann.

Lieber Heinrich:

Ich danke für die heute erhaltene Anweisung. Dein Stück habe ich gleich nach Empfang in einem Zuge und mit großem Genuß gelesen. Ist es wahr, daß das Münchener Hoftheater es schon angenommen hat? Es könnte nichts besseres thun. Gerade dergleichen kann es jetzt gut herausbringen. Ich freue mich sehr auf diesen Abend, dem eine schöne Wirkung wohl sicher ist. Deine persönliche Bekanntschaft mit den Darstellern, ihre Verehrung für Dich wird bei den Proben förderlich sein.

Wann können wir denn dieses Jahr Deinen Besuch erwarten? Noch während Mama's Anwesenheit? Sie denkt bis zum 1. August zu bleiben, doch würde sie sich wohl überreden lassen, noch ein paar Wochen zuzugeben: wenigstens bis, am 15. August, der junge Dr. Frank aus Paris auf einige Tage kommt. Katja's Rückkehr erhoffe ich für Anfang September; Sicherheit habe ich noch nicht. Dann wäre zunächst kein Besuch erwünscht. Aber im Oktober wärst Du dann auch wieder willkommen. Auch mit Frank gleichzeitig könntest Du da sein oder in der Zeit zwischen seiner Abreise und Katjas Ankunft. Überlege Dir's.

Herzlichen Gruß! T.

München, den 3. XI. 1912.
Mauerkircherstr. 13

Lieber Heinrich:

Ich schicke Dir hier die beiden Hefte der Rundschau mit meiner Novelle, für den Fall, daß es Dich interessiert, zu sehen, worauf die Anfänge, die ich Dir damals vorlas, hinauswollten.

Mein Kopf ist jetzt besser (ich war schon recht verzweifelt) – und so würden wir uns freuen, wenn Du wieder einmal abends zu uns kämst. Am 10ten verreise ich auf einige Tage, und Katja geht um den 15ten auf zwei Wochen nach Berlin. Vielleicht rufst Du einmal an, damit wir einen Abend verabreden.

Herzlichen Gruß T.

München den 17. XI. 1912.

Lieber Heinrich:

Vielen Dank für die 300. Bitte, sage mir doch einmal, wieviel Du bisher zurückzahltest. Ich habe versäumt, die Posten zu notieren. Harden richtete ich Deine Grüße aus. Er sagte, er hätte Dich gern gesehen. Wir waren nach seiner 2½stündigen Rede bis gegen Morgen mit ihm zusammen. In all seiner Falschheit und Leidenschaft war er wieder faszinierend. Politik her, Politik hin, er bleibt einer der merkwürdigsten Zeitgenossen. Und wenn man »Charakter« nicht gerade moralisch, sondern mehr aesthetisch nimmt, im Sinne von Figur, Träger einer pittoresken Rolle, – so ist er auch ein Charakter. Er schwor, daß er seinen Einfluß bei Reinhardt geltend machen wollte, damit Fiorenza endlich gespielt werde. Nun bekam ich aber gestern gerade ein Telegramm von

Moissi, daß die Arrangierproben auf kommende Woche angesetzt seien. (Wieder einmal.)

Viele Grüße von uns beiden.
T.

München, den 16. Jan. 13.
Mauerkircherstr. 13

Lieber Heinrich:

Vielen Dank für die Anweisung. Das Berliner Abenteuer liegt nun hinter mir. (Am 3ten war die Première, und heute ist es zum 5ten und, glaube ich, letzten Mal.) Es war anstrengend und hat mir einen bitteren Geschmack auf der Zunge gelassen. Eine grundfalsche Aufführung: schleppend, realistisch-langwierig, mit kümmerlicher Besetzung bis auf Wegener und Strichen, die den Sinn so gut wie auslöschten. Trotzdem gespannte Aufmerksamkeit des Publikums (Prinz August Wilhelm an der Spitze) und Applaus genug, daß der gute Winterstein mich am Schlusse zweimal hinauslotsen konnte. Die Presse am nächsten Tage mit wenigen Ausnahmen sehr schlecht. Und am übernächsten Tage Kerr! Er hat doch wohl alle meine Erwartungen übertroffen. Anbei sein Aufsatz. Lies ihn genau, er verdient es, und schicke ihn mir dann, bitte, zurück. Es könnte sein, daß ich ihn noch brauche.

Von Herzog höre ich, daß Deine Première verschoben ist? Welches sind Deine Pläne für die nächste Zukunft?
T.

25. III. 13.

Lieber Heinrich:

Ich habe mich ja geirrt: Ich wollte fragen, ob Du am 27., Deinem Geburtstag, also nicht morgen, abends mit Vicco bei uns essen magst. Telephoniere bald, damit wir Vicco Bescheid geben können.
T.

Lieber Heinrich:

Fischer schreibt mir, er könne im Augenblick nicht feststellen, ob nach oesterreichischem Gesetz eine Übersetzung ins Tschechische schon jetzt zulässig ist. Nach der Berner Convention werde ein Werk dann frei, wenn 10 Jahre nach Erscheinen in der Ursprache eine Übersetzung nicht erfolgt ist. – Es scheint also, die Leute sind im Recht. Auch »Schlaraffenland« war wohl länger als 10 Jahre da, als es auf tschechisch erschien. Man kann höchstens an das Anstandsgefühl des Verlages appellieren, und das thue ich versuchsweise, weil ich einmal in Amerika gute Erfahrungen damit gemacht habe.

Wie geht es Dir und dem »Unterthanen«? Ich bin oft recht gemütskrank und zerquält. Der Sorgen sind zu viele: die bürgerlich-menschlichen und die geistigen, um mich und meine Arbeit. Katja hustet und müßte eigentlich schon wieder fort. Eißi scheint die Disposition von ihr geerbt zu haben, neigt bedenklich zu Bronchialkatarrhen und sieht schlecht aus. Überschuldet bin ich auch: 10000 M Vorschuß, 70000 M Hypothekenschulden und dann noch welche fürs Grundstück. Wenn nur die Arbeitskraft und -Lust entsprechend wäre. Aber das Innere: die immer drohende Erschöpfung, Skrupel, Müdigkeit, Zweifel, eine Wundheit und Schwäche, daß mich jeder Angriff bis auf den Grund erschüttert; dazu die Unfähigkeit, mich geistig und politisch eigentlich zu orientieren, wie Du es gekonnt hast; eine wachsende Sympathie mit dem Tode, mir tief eingeboren: mein ganzes Interesse galt immer dem Verfall, und das ist es wohl eigentlich, was mich hindert, mich für Fortschritt zu interessieren. Aber was ist das für ein Geschwätz. Es ist schlimm, wenn die ganze Misere der Zeit und des Vaterlandes auf einem liegt, ohne daß man die Kräfte hat, sie zu gestalten. Aber das gehört wohl eben zur Misere der Zeit und des Vaterlandes. Oder wird sie im »Unterthan« gestaltet sein? Ich freue mich mehr auf Deine Werke, als auf meine. Du bist seelisch besser dran, und das ist eben doch das Entscheidende. Ich bin ausgedient, glaube ich, und hätte wahrscheinlich nie Schriftsteller werden dürfen. »Buddenbrooks« waren ein Bürgerbuch und sind nichts mehr fürs 20. Jahrhundert. »Tonio Kröger« war bloß larmoyant, »Königliche Hoheit« eitel, der »Tod in Venedig« halb gebildet und falsch. Das sind so die letzten Erkenntnisse und der Trost fürs Sterbestündlein. Daß ich Dir so schreibe, ist natürlich eine krasse Taktlosigkeit, denn was sollst Du antworten. Aber es ist nun mal geschrieben. Herzlichen Gruß und entschuldige mich. T.

Bad Tölz, den 11. XI. 13.
Landhaus Thomas Mann.

Lieber Heinrich:

Für Deinen klugen, zarten Brief danke ich Dir von Herzen. Ich habe Dir Arbeit gemacht mit meinen wenig achtbaren Lamentationen, und Du hast gute, hochsinnige Arbeit gethan, wie immer.

In meinen besten Stunden träume ich seit Langem davon, noch einmal ein großes und getreues Lebensbuch zu schreiben, eine Fortsetzung von Buddenbrooks, die Geschichte von uns fünf Geschwistern. Wir sind es wert. Alle.

Von Onkel Friedls Ausschreitung wirst Du gehört haben. Sie hat mehr Staub aufgewirbelt, als er ahnen konnte. Eine Menge Zeitungen haben sich der Sache bemächtigt, die liberalen, indem sie sich über den Onkel lustig machten, was auch nicht nach meinem Sinne ist, die konservativ-antisemitischen – ich bin ja jetzt Jude –, indem sie den Fall höhnisch gegen mich ausbeuten und beantragen, das Buch als »Schlüsselroman« aus der Literatur zu streichen. Auch das Alles ist mir auf die Nerven gegangen.

Ich kann Dir im Augenblick nicht sagen, ob wir Dich noch um Deinen Besuch bitten können. Die Lage ist zu unsicher. Ich fahre morgen mit Katja nach München, um sie neuerdings untersuchen zu lassen und zu hören, ob man sie fortschickt. Sie würde nur auf ernsten Befehl des Arztes gehen. Abends lese ich in Stuttgart. Wenn ich zurück bin, sage ich Dir, was geschieht.

Herzlich T.

Lieber Heinrich:

Ein Sturm von »weltlichen Geschäften«, wie v. Aschenbach sagen
würde, hat mich so lange abgehalten, Dir für Deine Weihnachts-
gaben zu danken. Ich bin ja nun mit den Kindern ins Haus gezogen, – ohne Katja, wodurch natürlich das Vergnügen zur Hälfte
zum Teufel ist.

Dein Drama, das ich gleich nach den Festtagen las, ist ein überaus
schönes Werk, von wunderbarer Ökonomie in Composition und
Dialog. Ich persönlich habe ja eine Schwäche für die alte Marquise,
die übrigens wohl wirklich sehr gut im Bilde steht; aber das dichterisch Bedeutendste ist sicher der dritte Akt mit der knapp und er-
schöpfend gegebenen Heimkehr der Heldin und der schönen Aka-
demiker-Szene. Ich kann nicht anders denken, als daß das Stück
auf dem Theater große, ja begeisternde Wirkung üben muß.

Das Oppenheimer'sche Bild schätze ich weniger, als andere. Der
kleine Kopf, der bei Tannhauser ausgestellt war, schien mir besser
und interessanter. Hast Du meines gesehen? Es ist verzeichnet,
und die Strahlen sind schrullenhaft, aber ähnlich und charakteristisch ist es doch.

Ich werde jetzt oft gefragt: »*Ist* Ihr Bruder nun eigentlich verheiratet?« Ich antworte dann: »Ich glaube nicht, denn wenn er es
wäre, so wüßte ich es doch wohl.«

Am 18. muß ich wieder reisen: nach Zürich, Luzern, St. Gallen,
dann nach Frankfurt. Das bringt etwas Geld ein. Gebe Gott, daß
ich mich auch bald wieder in meine Novelle finde, deren Anfänge
ganz gut sind. Mein Arbeitszimmer ist ja so weit recht prächtig.

Herzlichen Gruß!   T.

Lieber Heinrich:

Vor allem herzlichen Glückwunsch zur Vollendung Deines großen Werkes. Die Thatsache verfehlt nicht ihren Eindruck auf
mich, trotz der Bedrohlichkeit der Weltlage.

Wir erhielten die Nachricht vom Mobilmachungsbefehl heute

Nachmittag. Ein Dementi ist ihr ja gefolgt, aber man hat doch den Eindruck, daß es nicht lange aufrecht erhalten werden wird. Wir hören eben, daß in einigen Stunden die telephonische und telegraphische Verbindung mit München inhibiert werden soll, da sie für militärischen Bedarf frei gehalten werden muß. So weit ist es noch nicht gekommen, so lange wir leben. Ich möchte wohl wissen, wie Du empfindest. Ich muß sagen, daß ich mich erschüttert und beschämt fühle durch den furchtbaren Druck der Realität. Ich war bis heute optimistisch und ungläubig – man ist zu civilen Gemütes um das Ungeheuerliche für möglich zu halten. Auch neige ich noch immer zu dem Glauben, daß man die Sache nur bis zu einem gewissen Punkte treiben wird. Aber wer weiß, welcher Wahnsinn Europa ergreifen kann, wenn es einmal hingerissen ist!

Natürlich stehe ich Dir am 12. August zur Verfügung und würde schon den Tag vorher nach München fahren, um 10 Uhr früh auf dem Amt sein zu können. Vielleicht aber werden ja die Ereignisse schon früher die Fahrt nötig machen. Sollte Vicco marschieren müssen, wird man ihm ja vorher die Hand drücken wollen, ihm und Mama.

Herzlichen Gruß Dir und Deiner Frau! T.

Bad Tölz, den 7. August 1914
Landhaus Thomas Mann.

Lieber Heinrich:

Wenn ihr daran festhaltet, euch am 12ten in München trauen zu lassen, so wirst Du mich nun doch dabei entschuldigen müssen. Da von der Aufbietung der älteren Jahrgänge des ungedienten Landsturms vorläufig nicht die Rede ist, so sind wir, nachdem ich in München dem guten Vicco als Trauzeuge gedient und von ihm Abschied genommen (auch Katja's Bruder haben wir in den Krieg entlassen), hierher zurückgekehrt und wollen den Lauf der Dinge vorderhand hier abwarten. Die Verbindung mit München ist aeußerst schlecht: man fährt fast vier Stunden, und so wird es voraussichtlich noch viele Wochen bleiben. Unter diesen Umständen, und da ja jeder beliebige Freund oder Bekannte, Brantl, Herzog oder irgend ein anderer mich ersetzen kann – auch Klaus Pringsheim stände Dir gewiß mit Vergnügen zur Verfügung –, wäre ich

Dir dankbar, wenn Du mich von der Zeugenschaft dispensieren wolltest. Aber vielleicht verschiebt Ihr die Trauung noch eine Weile?

Ich bin noch immer wie im Traum, – und doch muß man sich jetzt wohl schämen, es nicht für möglich gehalten und nicht gesehen zu haben, daß die Katastrophe kommen mußte. Welche Heimsuchung! Wie wird Europa aussehen, innerlich und aeußerlich, wenn sie vorüber ist? Ich persönlich habe mich auf eine vollständige Veränderung der materiellen Grundlagen meines Lebens vorzubereiten. Ich werde, wenn der Krieg lange dauert, mit ziemlicher Bestimmtheit das sein, was man »ruiniert« nennt. In Gottes Namen! Was will das besagen gegen die Umwälzungen, namentlich die seelischen, die solche Ereignisse im Großen zur Folge haben müssen! Muß man nicht dankbar sein für das vollkommen Unerwartete, so große Dinge erleben zu dürfen? Mein Hauptgefühl ist eine ungeheuere Neugier – und, ich gestehe es, die tiefste Sympathie für dieses verhaßte, schicksals- und rätselvolle Deutschland, das, wenn es »Civilisation« bisher nicht unbedingt für das höchste Gut hielt, sich jedenfalls anschickt, den verworfensten Polizeistaat der Welt zu zerschlagen.

Unterdessen versuche ich, zu arbeiten. Du kannst von Glück sagen, daß Du eben fertig bist. Ich muß zufrieden sein, daß auch meine Aufgabe den Geschehnissen wenigstens nicht ganz fremd ist. Herzliche Grüße, auch Deiner Frau.   T.

Bad Tölz, den 13. IX. 14.
Landhaus Thomas Mann.

Lieber Heinrich:

Es ist schlimm für mich, daß ich mich gerade vor Ausbruch des Krieges wirtschaftlich so sehr engagiert hatte; ohne den Krieg wäre alles ganz gut gegangen, aber nun steht es schief. Ich verdiene natürlich nichts, der Zuschuß meines Schwiegervaters mußte auf die Hälfte herabgemindert werden, Fischer kann den Vorschuß, den er mir zugesichert hatte, nur zu einem kleinen Teile zahlen, das Tölzer Landhaus ist vorderhand unverkäuflich, und dabei habe ich zum Oktober erhebliche Zahlungen zu leisten. Es ist so gut wie sicher – und ich habe nicht das Geringste dagegen –, daß ich nach dem Kriege mein materielles Leben auf eine viel schmalere Basis werde stellen müssen; für jetzt handelt es sich darum, wie ich mich bis zu einem Zeitpunkt, wo der nicht mehr angemessene Immobilienbesitz verkaufbar sein wird, leidlich halte. Ich muß dazu genau rechnen und an mich ziehen, was ich irgend haben kann.

Nun hast Du ja auch von Emma Gramman 2000 Mark geerbt, was gerade die Summe ist, die ich Dir vor einigen Jahren auf beliebig lange Zeit überließ. Könntest Du Dich jetzt entschließen, sie mir zurückzugeben? Ich weiß wohl, daß auch Du zu leiden hast, aber schließlich hast Du ja die Erbschaft nicht gerechnet, und überhaupt darf ich mir sagen, daß Du es immerhin leichter hast, als ich, der ich meinen Haushalt nicht eben von heute auf morgen den Verhältnissen anpassen kann. Dir alles ziffernmäßig auseinanderzusetzen, hat keinen Sinn. Genug, Du kannst sicher sein, daß ich die Bitte nicht an Dich richten würde, wenn ich nicht müßte.

Herzliche Grüße!   T.

[Handschriftlicher Entwurf einer Antwort auf der Rückseite des Briefes vom 13. 9. 1914]

[München, September 1914]

Lieber Tommy

Sobald das Geld aus Dresden kommt, schicke ich Dir 1000 Mk. Ganz entblössen darf ich mich nicht, diese 2000 Mk wurden, als wir neulich die Nachricht bekamen, von meiner Frau u. mir mit einem Aufatmen begrüsst. Denn ich sehe wohl Deine Lage, aber Du siehst, glaube ich, meine nicht.

Mit Zuschüssen, die gekürzt werden könnten, habe ich nicht zu rechnen, und was mir geschuldet wird, zahlt jetzt niemand. Cassirer, dessen Vermögen »beinahe zerrüttet« ist, zahlt seit dem Kriege nur mehr eine Kleinigkeit – solange er wenigstens diese zahlt, leben wir davon und von Mamas Quartalsgeld. Wenige tausend Mark auf der Bank sind der Rückhalt, der uns in jedem Fall noch einige Zeit vor Sorge bewahren soll. Meine Produktion wird nach dem Kriege so unverwendbar sein wie jetzt. So wirst Du hoffentlich nicht zweifeln, dass ich hiermit thue, was möglich ist.

München, 18. IX. 14.
Poschinger Str. 1

Lieber Heinrich:

Auch die Hälfte wird eine gewisse Erleichterung für mich bedeuten. Ich möchte nur noch einmal versichern, daß ich die Bitte nicht ohne Rücksicht auf Deine Lage gethan habe. Aber ganz zuletzt: was kann Dir passieren. Du hast keine Kinder, keine Verpflichtungen. Es läuft bei Dir schlimmsten Falls auf aeußerste Einschränkung hinaus. Die üben wir schon – innerhalb des leider bestehenden Rahmens. Aber sie hat bei uns mehr moralische als praktische Bedeutung, sie macht nicht viel aus, und wenn wir nicht zahlen können, so erleben wir die abenteuerlichsten Dinge. Auch das läge ja in der Zeit; aber schon aus ökonomischen Gründen, weil bei einem Krach Alles draufginge, muß man doch zusehen, daß man es vermeidet.

Jedenfalls besten Dank dafür, daß Du thust, was du kannst.

Deinen Pessimismus in Betreff Deiner Produktion und ihrer Zukunft in Deutschland teile ich nicht, sondern glaube, daß Du der deutschen Bildung Unrecht damit thust. Dein Ruhm war in steilem Aufstieg während der letzten 10 Jahre. Kannst Du wirklich glauben, daß durch diesen großen, grundanständigen, ja feierlichen Volkskrieg Deutschland in seiner Kultur oder Gesittung so sollte zurückgeworfen werden, daß es Deine Gaben dauernd abweisen könnte?

Herzliche Grüße!   T.

[Handschriftlicher Entwurf]

Versuch einer Versöhnung

30. Dez. 1917

Lieber Tommy,

Dein Artikel im B[erliner] T[ageblatt] wurde in meiner Gegenwart verlesen. Ich weiss nicht, ob es den andern Hörern auffiel, mir selbst schien es, als sei er in einzelnen Abschnitten an mich gerichtet, fast wie ein Brief. Daher glaube ich Dir antworten zu müssen, wenn auch ohne den Umweg über die Presse und nur zu dem einen

172

Zweck, um Dir zu sagen, wie unberechtigt der Vorwurf des Bruderhasses ist. – In meinen öffentlichen Kundgebungen kommt kein »Ich« vor, u. daher auch kein Bruder. Sie sind in das Weite gerichtet, sehen ab – wenigstens will ich es so – von mir, meinem Bürgerlichen, meinem Vortheil oder Nachtheil u. gelten allein einer Idee. Liebe zur Menschheit (politisch gesprochen: europäische Demokratie) ist allerdings die Liebe einer Idee; wer aber sein Herz so sehr in die Weite hat erheben können, wird es des öftern auch im Engen erwiesen haben. »Güte von Mensch zu Mensch« verlangt das Stück, für das ich dem Verfasser Dehmel sogleich nach dem Anhören der Generalprobe meine wärmste Sympathie dargeboten habe. Ich weiss, dass ich im Lauf des Lebens von dieser Güte einiges gewonnen [?] habe, und kenne Fälle, in denen ich sie öfter gewährte als empfing. Dein ganzes Werk ist von mir begleitet worden mit dem besten Willen, es zu verstehen u. mitzufühlen. Die Gegnerschaft Deines Geistes kannte ich von jeher, u. wenn Deine extreme Stellungnahme im Krieg Dich selbst verwundert hat, für mich war sie vorauszusehen. Dieses Wissen hat mich nicht gehindert, Dein Werk oftmals zu lieben, noch öfter in es einzudringen, wiederholt es öffentlich zu rühmen oder zu vertheidigen, u. Dich, wenn Du an Dir zweifeltest, zu trösten wie einen jüngeren Bruder. Bekam ich von dem allen fast nichts zurück, ich habe es mich nicht verdriessen lassen. Ich wusste, um sicher zu stehen, brauchtest Du die Selbstbeschränkung, sogar die Abwehr des Anderen, – und so habe ich auch Deine Angriffe – sie reichen von den Zeiten eines Blattes namens »Freistatt« bis in Dein jüngstes Buch – noch immer ohne grosse Mühe verwunden. Verwunden u. nicht vergolten – oder erst dann ein einziges Mal vergolten, als es nicht mehr um Persönliches ging, nicht mehr um literarische Vorliebe oder geistige Rechthaberei, sondern um die allgemeinste Noth u. Gefahr. In meinem, »Zola« betitelten Protest war es, dass ich gegen die auftrat, die sich, so musste ich es ansehen, vordrängten, um zu schaden. Nicht gegen Dich nur, gegen eine Legion. Anstatt der Legion sind es heute nur noch einige Verzweifelte; Du selbst schreibst wehmütig; – u. Dein letztes Argument wäre nur der Vorwurf des Bruderhasses? Ich kann Dir betheuern, wenn nicht beweisen, dass er mich nicht trifft. Nie aus solchem Gefühl habe ich gehandelt – u. habe ihm grade entgegengehandelt, als ich Annäherung suchte sogar in der Zeit, als es hoffnungslos schien. Unsere Mittheilung von der Geburt unseres Kindes wurde nicht gut aufgenommen. Vielleicht finden meine heutigen Erklärungen ein besseres Gehör. Das wäre möglich, wenn Deine neueste Klage gegen mich von Schmerz diktirt ist. Dann mögest Du erfahren, dass Du meiner nicht als eines Feindes zu denken brauchst.

Heinrich.

München den 3. Jan. 18

Lieber Heinrich:

Dein Brief trifft mich in einem Augenblick, wo es mir physisch unmöglich ist, ihn im eigentlichen Sinn zu beantworten. Ich muß eine vierzehntägige Reise antreten, die ich verwünsche und deren Charakter meiner Stimmung wenig angemessen ist, die ich aber nun einmal auf mich genommen habe. Ich frage mich aber auch, ob es einen Sinn hätte, die Gedankenqual zweier Jahre noch einmal in einen Brief zu pressen, der notwendig viel länger ausfallen müßte, als der Deine. Ich glaube Dir aufs Wort, daß Du keinen Haß gegen mich empfindest. Nach dem erlösenden Ausbruch des Zola-Aufsatzes und wie sonst Alles für Dich steht und liegt, zur Zeit, hast Du gar keinen Grund dazu. Das Wort vom Bruderhaß war auch mehr ein Symbol für allgemeinere Diskrepanzen in der Psychologie des Rousseauiten.

Hattest Du es schwer mit mir, so hatte ich es natürlich noch viel schwerer mit Dir, das lag in der Natur der Dinge; und auch ich habe redlich das Meine gethan. Wenigstens zwei Deiner Bücher preise ich bis zum heutigen Tage gegen jedermann als Meisterwerke. Wie oft Du, mit dem »Recht der Leidenschaft«, erbarmungslos meine einfachsten und stärksten Empfindungen mißhandelt hattest, bevor ich mit einem Satz dagegen reagierte, vergißest Du oder verschweigst Du. Natürlich war dieser Satz so wenig *ganz* persönlich gezielt, wie irgend einer von Dir. Das brüderliche Welterlebnis färbt Alles persönlich. Aber Dinge, wie Du sie in Deinem Zola-Essay Deinen Nerven gestattet und den meinen zugemutet hast, – nein, dergleichen habe ich mir niemals gestattet und nie einer Seele zugemutet. Daß Du nach den wahrhaft französischen Bösartigkeiten, Verleumdungen, Ehrabschneidereien dieses glanzvollen Machwerks, dessen zweiter Satz bereits ein unmenschlicher Exzeß war, glaubtest, »Annäherung suchen« zu können, obgleich es »hoffnungslos schien«, beweist die ganze Leichtlebigkeit Eines, der »sein Herz ins Weite erhob«. Übrigens hat damals meine Frau der Deinen zart, menschlich, ausführlich geschrieben und bekam Frechheiten zur Antwort.

Daß mein Verhalten im Kriege »extrem« gewesen sei, ist eine Unwahrheit. Das Deine war es und zwar bis zur vollständigen Abscheulichkeit. Ich habe aber nicht zwei Jahre lang gelitten und gerungen, meine liebsten Pläne vernachlässigt, mich zum künstlerischen Verstummen verurteilt, mich erforscht, mich verglichen und behauptet, um auf einen Brief hin, der – begreiflicher Weise – Triumph atmet, mich nach letzten Argumenten suchend an der Spitze »einiger Verzweifelter« sieht und schließlich findet, ich brauchte Deiner nicht als eines Feindes zu gedenken, – um Dir auf diesen in keiner Zeile von etwas anderem als sittlicher Geborgenheit und Selbstgerechtigkeit diktierten Brief hin schluchzend an die Brust zu sinken. Was hinter mir liegt, war eine Galeeren-Arbeit; immerhin danke ich ihr das Bewußtsein, daß ich Deiner zelotischen Suade heute weniger hülflos gegenüber stünde, als zu der Zeit, da Du mich bis aufs Blut damit peinigen konntest.

Mögest Du und mögen die Deinen mich einen Schmarotzer nennen. Die Wahrheit, *meine* Wahrheit ist, daß ich keiner bin. Ein großer bürgerlicher Künstler, Adalbert Stifter, sagte in einem Brief: »Meine Bücher sind nicht Dichtungen allein, sondern als sittliche Offenbarungen, als mit strengem Ernste bewahrte menschliche Würde haben sie einen Wert, der länger bleiben wird, als der poetische.« Ich habe ein Recht, ihm das nachzusprechen, und Tausende, denen ich leben half – auch ohne, eine Hand auf dem Herzen und die andere in der Luft, den contrat social zu rezitieren – *sehen* es, dieses Recht.

Du nicht. Du kannst das Recht und das Ethos meines Lebens nicht sehen, denn Du bist mein Bruder. Warum brauchte niemand, weder Hauptmann, noch Dehmel, der sogar die deutschen Pferde besang, noch der präventivkriegerische Harden (dem Du jetzt Huldigungsvisiten machst) die Invektiven des Zola-Artikels auf sich zu beziehen? Warum war er in seiner ganzen reißenden Polemik auf mich eingestellt? Das brüderliche Welterlebnis zwang Dich dazu.

Demselben Dehmel, der mir für meinen ersten Kriegsartikel in der Neuen Rundschau aus dem Schützengraben Dank und Glückwunsch sandte, kannst Du als Generalproben-Intimer wärmste Sympathie darbieten, und er kann sie annehmen; denn ihr seid zwar sehr verschiedene Geister, aber ihr seid nicht brüderliche Geister, und darum könnt ihr beide leben. – Laß die Tragödie unserer Brüderlichkeit sich vollenden.

Schmerz? Es geht. Man wird hart und stumpf. Seit Carla sich tötete und Du fürs Leben mit Lula brachst, ist Trennung für alle Zeitlichkeit ja nichts Neues mehr in unserer Gemeinschaft. Ich habe dies Leben nicht gemacht. Ich verabscheue es. Man muß zu Ende leben so gut es geht.

Lebe wohl. T.

[Handschriftliche Notizen und Entwurf einer Antwort]

Psych. d. Rousseauiten.
»Meisterwerke«
»Empfindungen misshandelt«
Brüderl. Welterlebniss.
Glanzvolles Machwerk. Gleichfalls.
Ethos – 10 Mill. Leichen,

           Hand, Herz, Luft
           Dein Brief mehr Pathos als Ethos

Bösart. Verleumdungen Ehrabschneidereien
Der 2. Satz
leichtlebiger Zelot
Zart, menschlich – Frechheiten
Extrem – abscheuliches Verhalten
Gelitten u. gerungen, sich erforscht, verglichen, *behauptet*,
           (Wozu die Umstände?)
Sittliche Geborgenheit u Selbstgerechtigkeit *triumph atmen*
Trauriges Geschick, 2 Jahre an den Folgen eines Meinungsaustausches zu laboriren.
Schmarotzer?
Tausende, denen ich leben half. Eitle u. feige
Jünglinge

Lieber Tommy,
vor solcher Erbitterung müsste ich verstummen und die »Trennung für alle Zeitlichkeit« so hinnehmen wie sie geboten wird.
Aber ich will nichts versäumen. Ich will Dir nach Kräften helfen,
die Dinge später, wenn alles vorbei ist, gerechter zu sehen. Auf
einen Brief, der nicht Zartsinn oder ähnliches, sondern allein
Überhebung verrieth, musste ich meiner Frau die entsprechende
Antwort diktiren. Aber ich trenne mich niemals vorsätzlich u. für
immer. Ich lasse es darauf ankommen, ob auch der andere Theil
einst das Seine thut, dass man sich wiederfindet. So ist die Art
meiner zelotischen Leichtlebigkeit.
Nicht Auseinandersetzungen wollte ich, nicht einmal auf 4 Brief-
seiten, – u. mit tiefem Bedauern erfahre ich, dass eine einzige, von
mir gehörte Meinungsäusserung Dich genöthigt hat, 2 Jahre lang
Deine Antwort auszuarbeiten. Ich denke Dein Buch, sollte nicht
die Rücksicht auf meinen Ruf mich anders bestimmen, ungelesen
zu lassen – nicht aus Missachtung, sondern weil ich eine polemi-
sche Verbindung mit Dir weniger wünsche als die andere, natürliche. Du hast, nach allem was ich sehe, Deine Bedeutung in meinem Leben unterschätzt, was das natürliche Gefühl betrifft, und
überschätzt hinsichtlich der geistigen Beeinflussung. Die letztere,
negativ von Gestalt, ist einseitig von Dir erlitten worden, Du
musst diese Wahrheit schon hinnehmen, es ist keine blosse
Schmähung, wie alle die mehr pathetischen als ethischen Wendungen Deines Briefes. Was mich betrifft, ich empfinde mich als
durchaus selbständige Erscheinung, u. mein Welterlebnis ist kein
brüderliches, sondern eben das meine. Du störst mich nicht. Bei-
spielsweise wäre ich, schriebest Du über französische Thaten u.
Eigenschaften einmal etwas anderes als Ungereimtheiten, aufrichtig erfreut. Du aber – wenn es mir einfiele, mich zum alten Preus-
sen zu bekennen, weisst Du, was Du thätest? Die Notizen zu Deinem »Friedrich« würfest Du ins Feuer.
»In inimicos« sagtest Du, 22jährig am Klavier sitzend in via Argentina trenta quattro, nach rückwärts gewandt gegen mich. So ist
es geblieben für Dich; aber Du bist noch jung, ich darf Dir noch
abrathen, bevor es zu spät wird, denn es war nicht gut so für Dich,
u. wird immer weniger gut. Bezieh nicht länger mein Leben u.

Handeln auf Dich, es gilt nicht Dir, u. wäre ohne Dich wörtlich dasselbe. Der 2te Satz des »Zola« hat nichts mit Dir zu thun, u. die wenigen Seiten weiterhin, die auch Dich angehen, ständen so oder ähnlich noch da, wenn es nur die Anderen gäbe. Von diesen anderen haben manche seither sich eines Besseren besonnen, u. ich bin wieder ihr Freund. Ich trenne mich niemals vorsätzlich u. für immer.

Selbstgerechtigkeit? O nein – sondern weit eher das Gemeinschaftsgefühl mit denen, die auch, gleich mir, es wissen, wie viel wir alle, die Kunst und Geistesart unserer Generation, es verschuldet haben, dass die Katastrophe kommen konnte. Selbstprüfung, Kampf erleben noch einige neben Dir, wenn schon bescheidener; aber dann auch Reue u. neue Thatkraft: nicht nur eine »Behauptung«, die so grosse Umstände nicht verlohnt, nicht nur das »Leiden« um seiner selbst willen, diese wüthende Leidenschaft für das eigene Ich. Dieser Leidenschaft verdankst Du einige enge, aber geschlossene Hervorbringungen. Du verdankst ihr zudem die völlige Respektlosigkeit vor allem Dir nicht Angemessenen, eine »Verachtung«, die locker sitzt wie bei keinem, kurz, die Unfähigkeit, den wirklichen Ernst eines fremden Lebens je zu erfassen. Um dich her sind belanglose Statisten, die »Volk« vorstellen, wie in Deinem Hohenlied von der »K[öni]gl[ichen] Hoheit«. Statisten hätten Schicksal, gar Ethos? – Dein eigenes Ethos, wer sagt Dir, dass ich es verkannt hätte? Ich habe immer um es gewusst, habe es geachtet als subjektives Erlebniss u. Dich, stand es im Kunstwerk gestaltet, nicht lange behelligt mit meinem Verdacht gegen seinen Werth für die Menschen. Vermesse aber auch ich mich eines sittl. Willens, wie erscheint er Dir? Unter dem Bild eines komödiantischen Prahlhansen u. glänzenden Machers. Du Armer!

Die Unfähigkeit, ein fremdes Leben ernst zu nehmen, bringt schliesslich Ungeheuerlichkeiten hervor, – u. so findest Du, mein Brief, der eine Geberde der einfachen Freundlichkeit war, athme Triumph! Triumph worüber? Dass alles gut für mich »steht u. liegt«, nämlich die Welt in Trümmern u. 10 Millionen Leichen unter der Erde. Das ist doch mal eine Rechtfertigung! Das verspricht doch Genugthuungen dem Ideologen! Aber ich bin nicht der Mann, Elend u. Tod der Völker auf die Liebhabereien meines Geistes zuzuschneiden, ich nicht. Ich glaube nicht, dass der Sieg irgend einer Sache noch der Rede wert ist, wo wir Menschen untergehen. Alles, was nach dem Letzten, Furchtbarsten, das noch bevorsteht, an besserer Menschlichkeit kann errungen werden, wird bitter u. traurig schmecken. Ich weiss nicht, ob irgend Jemand seinem Mitmenschen »leben helfen« kann; nur möge unsere Literatur ihm dann nie zum Sterben verhelfen!

Jetzt sterben sie weiter; – Du aber, der den Krieg gebilligt hat, ihn noch immer billigt und meine Haltung – ich liess ein Stück aufführen, das kein ohnmächtiger Reim auf die schlechte Gegenwart ward, und schenkte, als Erster von Allen, den Gequälten das Vertrauen in eine bessere Zukunft – Du aber, der dafür meine Haltung der vollständigen Abscheulichkeit zeiht, wirst, will Gott es, noch einmal 40 Jahre Zeit haben, Dich zu prüfen, wenn nicht zu »behaupten«. Die Stunde kommt, ich will es hoffen, in der Du Menschen erblickst, nicht Schatten, u. dann auch mich.

H.

Mchen.
5. Jan. 1918

München, den 31. 1. 22.
Poschingerstr. 1

Lieber Heinrich,
nimm mit diesen Blumen meine herzlichen Grüße und Wünsche, – ich durfte sie Dir nicht früher senden.
Es waren schwere Tage, die hinter uns liegen, aber nun sind wir über den Berg und werden besser gehen, – zusammen, wenn Dir's ums Herz ist, wie mir.

T.

19. Apr. 1922
z. Z. Überlingen / Bodensee
Badehotel

Hier sind wir, draussen lädt der Schnee zum Wintersport ein, wir lehnen ab. Sonst ist es ganz hübsch. Wir begrüssen Euch herzlich. Auf Wiedersehn!

Heinrich u. Mimi

Amsterdam 20. X. 22.

Herzlichen Gruß aus der Spinoza-Sphäre. Ich wohne bei freundlichsten Leuten und komme hier endlich etwas zur Ruhe, da ich dank der gemütlichen Kleinheit des Landes die zu besuchenden Städte meist vom Amsterdamer Standquartier aus erreichen kann. Habe eine Welt von Dingen erlebt in diesen 10 Tagen. Nach dem großen Berliner Abenteuer (ich werde als Wahlredner für Eberten verstanden, Politik umschäumt mich) kam eine Hannöver'sche Episode, dann Düsseldorf, Duisburg mit einer eindrucksvollen Besichtigung des Rheinhafens; dann Cleve, wo ich die große Irrenanstalt besuchte. In Nymwegen, an der Grenze, hatte ich ein eigentümliches literarisches Gespräch mit einem jungen Chinesen, der mit großer Zierlichkeit die soziale Ethik Konfutses gegen den europäischen Individualismus vertrat. Er studiert in Leipzig »Phonetik« und war im Begriff, über die Ferien nach London zu fahren. Von Amsterdam sah ich noch nicht viel, werde nachmittags das Reichsmuseum sehen und abends zum Vortrag nach Uetrecht fahren.

T.

Thomas Mann, Amsterdam
Harmoniehof 54

München, den 17. II. 23.

Lieber Heinrich,

ich brauche Dir nicht zu sagen, daß deutsche Vortragsreisen sich jetzt wenig lohnen. Ich war eben in Dresden, für 50 000 Mark, die die arme Gesellschaft ad hoc geschenkt bekommen hatte, und *hätte zugesetzt*, wenn ich nicht privat gewohnt hätte u. nicht ohnehin nach Berlin gemußt hätte, sodaß ich die Reise sparte. Wenn Du bei einer Kombination von näher gelegenen Städten 30000 M pro Abend nimmst, wirst Du kein Geschäft machen, das Dir die Strapazen aufwiegt. Andererseits glaube ich kaum, daß die Vereine mehr leisten können. Verlange erst einmal 40000 pro Abend. Nach Augsburg fahre ich nächstens für 25000, und das ist schon eine ältere Verabredung.

Unsere Franzosen betragen sich gut. Sie scheinen es sich in den Kopf gesetzt zu haben, jedem das Konzept zu verderben, der in Deutschland zum Guten redet. Es wird versichert, daß die Details von der Ruhr nicht übertrieben sind, sondern eher noch hinter der Wahrheit zurückbleiben. Der Ingrimm ist fürchterlich, – tiefer und einheitlicher, als der, der Napoléon zu Fall brachte. Man sieht nicht ab, wie das in Zukunft werden soll. Und das Schlimme ist, daß ein französisches Fiasko, so sehr es zu begrüßen wäre, innerpolitisch den Triumph des Nationalismus bedeuten würde. Mußte man das bessere Deutschland wirklich in diese Zwickmühle bringen? Deutschland war windelweich 1918, aber die Anderen, die sich doch besser dünkten, haben wenig erzieherische Talente an den Tag gelegt.

Herzliche Grüße und Wünsche!   T.

                                            Wien, Hotel Imperial
                                            den 1. IV. 23.

Lieber Heinrich,

es thut mir recht leid, daß ich neulich im Trubel der Abreise vergaß, Dir zu Deinem Geburtstag zu gratulieren. Ich hole es in Osterstimmung nach und wünsche Dir ein gutes ertragreiches Jahr. Herzliche Grüße habe ich Dir auszurichten von Schnitzler, mit dem ich vorgestern hier zu Mittag aß, in Gesellschaft Auernheimers, eines propperen Literatentyps. Ich lebe hier wie Wilhelm vor dem Fall, und in Budapest, wohin ich morgen früh reise, wird es wohl so weiter gehen. Nach Prag fahre ich in der Nacht vom 5. auf den 6. und hoffe Mimi zu sehen. Gestern hatte ich einen schönen Auto-Ausflug nach dem Semmering, den ich noch nicht kannte. Heute besuche ich Hofmannsthal in Rodaun.

Auf Wiedersehn!   T.

Schöne Grüße aus Neu-Italien! Wir haben unbändige Sonne und kneipen jeden Abend mit Hauptmann, der ein recht guter alter Mann ist. Dank, daß ihr halft, den schlimmen, instinktlosen Kindern den Kopf zu waschen. Gott wecke ihnen den Verstand mit der Zeit! Auf Wiedersehn.

T. K.

London den 6. v. 24.

Lieber Heinrich, einen schönen Gruß der Abenteurer. Es freute mich sehr, das merkwürdige Amsterdam mit seinen schwarzen Häusern wiederzusehen. Von Vlissingen hatten wir gute Überfahrt und sind hier sehr freundlich aufgenommen. Heute Abend wird also mit Galsworthy, Wells und Shaw gedinnert. Sonderbar. Auf Wiedersehn.

T.

Herzlichste Grüße auch von Katia.

Dresden 16. xi. 24

Lieber Heinrich, herzlichen Gruß von einer Reise, auf der die »Abrechnungen« mich begleiten und mich sehr unterhalten und erquicken!

T.

11. Dez. 1924
München Leopoldstr. 59

Lieber Tommy,
wir haben Dein Buch mit Freude bekommen, wir danken Dir bestens für das schöne Geschenk. Mimi ist jetzt freilich versorgt, sie kann wochenlang lesen. Dann hoffe ich mich daranzumachen. Wer dies grosse Werk gethan hat und es fertig sieht, muss wohl froh und erleichtert sein. Ich stehe immer noch tief in dem meinen, aber die nächsten Monate sollen es schaffen.

Alles Gute und auf Wiedersehn.   H.

Lieber Heinrich, Dir und Mimi einen Gruß aus Griechenland. Es
ist doch recht merkwürdig, von der Akropolis auf Salamis und die
heilige Straße zu blicken. Schließlich ist es unser aller Anfang, und
man wünscht, immer möchten die Perser wieder geschlagen werden.

                                                                 T.

München, den 22. IV. 25.
                                              Poschingerstr. 1

Lieber Heinrich,
es war ein großer Augenblick, als gestern Nachmittag Dein Roman
hereingetragen wurde. Vielen Dank für das Geschenk! Katja hat
sich zuerst darüber her gemacht, aber auch ich hoffe, daß ich schon
in den nächsten Tagen beginnen kann, es zu erwerben, um es zu
besitzen. Wir gehen nach Florenz erste Hälfte Mai; und Anfang
Juni nach Wien, wo man eine Fiorenza-Aufführung plant. Vorher
oder zwischendurch wird man doch wieder einmal zusammenkommen.
Herzlich   T.

St. Gilgen den 24. VIII. 25

Lieber Heinrich, wir waren zwei Tage in Aussee, wo Wassermann
eine landschaftlich wundervolle Besitzung hat, und grüßen Dich
von unsrer Mittagsstation auf dem Wege nach Salzburg, wo wir
Musik hören wollen. Der V. Hugo-Aufsatz war außerordentlich
schön!

                                                                 T.

Herzlichste Grüße Ihnen und Mimi
                                              von Ihrer Katia.

Lieber Heinrich, Dir und Mimi einen Gruß aus der wilden Ur-
natur. Wir hatten unendlichen Schnee, u. jetzt regnet es, womit
wohl ein Fortschritt angedeutet sein soll. Aber Katja erholt sich
langsam u. ich lasse meinen trocken-heißen Kopf Allerlei ausbrü-
ten.

T.

Hotel Europejski
Warszawa 15. III. 27.

Lieber Heinrich,
recht verspätet, erst gegen Ende dieses Aufenthalts, komme ich
dazu, Dir zu berichten, daß Dein Censur-Protest bei der Verlesung
durch mich in der Akademiesitzung (ich habe mir Mühe gegeben)
mit großer Begeisterung aufgenommen und einstimmig für die
Veröffentlichung akzeptiert wurde. Eine kleine redaktionelle Änderung bittet man vornehmen zu dürfen, nur den Satz betreffend,
der die Buchhandlungen erwähnt. Man sieht ein zu großes Entgegenkommen darin und möchte ihn streichen.

Danzig den 16.

Es hat lange gedauert, bis ich einen Brief an Katja und diese Zeilen
fertig bekommen habe. Der Aufenthalt in Warschau war an-
spruchsvoll, aber wahrhaft herzerwärmend. Ich hatte mir eine solche Aufnahme nicht im Entferntesten träumen lassen. Mündlich
muß ich noch davon erzählen.
Herzliche Grüße!

T.

Kampen a / Sylt 19. VIII. 27.
Haus Kliffende

Lieber Heinrich und liebe Mimi, viele Grüße von Meer zu Meer!
Die Reize dieser Insel sind keusch und karg und lenken den Sinn
auf Grog. Aber wir sind einverstanden und die Kinder mehr als
das.
Auf Wiedersehn!   T.
Herzlichst K.

23. Aug. 1927
z. Zt. Hôtel de l'Océan
Biarritz

Lieber Tommy,
Ponten schreibt mir, dass er und W. Schäfer Dich als Kandidaten
für die Präsidentschaft der Akademie aufgestellt haben. Schon
dazu beglückwünsche ich Dich, denn ausser einigen Berliner Stimmen würdest Du die der meisten Wähler wohl haben. So wäre,
persönlich gesehen, alles bestens geordnet – auch für mich, denn
Du weisst so gut wie ich selbst, dass Deine Ehren und Erfolge mich
nicht verstimmen. Noch dazu fällt manchmal etwas für mich dabei
ab. »Die deutsche Literatur wird unbeschränkt von der Familie
Mann beherrscht«, lese ich in »Comoedia«.
Hier muss ich aber sachliche Fragen stellen, denn in diese Sache
bin ich als Mitglied der Akademie selbst mit verwickelt. Es ist immer gefährlich, sich einer Körperschaft kollegial zu verpflichten.
Es kann, sogar ohne mein Dazuthun, zu Konflikten kommen. Die
Auffassungen über den Zweck des Zusammenseins sind bei den
Kollegen immer zu sehr verschieden. Dennoch wundert mich,
dass Ponten und ich, so gründlich wir doch über die Akademie uns
auszusprechen glaubten, einander ganz und gar missverstanden
haben. Jetzt ist mir klar, was er will. Er will erstens als Präsidenten
keinen Berliner, sondern er will zum Vorsitzenden einer Preussi-
schen Akademie einen in Süddeutschland Ansässigen. Ferner
wünscht er an der Spitze einen grösseren Namen als den des bisherigen Präsidenten. Das scheint alles zu sein.
Ich dachte, nachdrücklich erklärt zu haben, dass ich viel mehr will.

An W. von Scholz habe ich nicht auszusetzen, was er ist. Mir missfällt, dass er nichts thut. Für diese Akademie, die vorläufig den blossen Namen, aber noch gar kein Gewicht hat, ist unermesslich zu thun. Als wir aufgefordert wurden, ein Programm zu entwerfen, habe ich ein so ausführliches aufgestellt, wie ein Einzelner an einem gegebenen Zeitpunkt es konnte. Das Deine wird nicht weniger beachtenswerth gewesen sein. Meine Folgerung ist, dass alle diese Programme, oder was daraus mit Stimmenmehrheit beschlossen wird, auch ausgeführt werden sollten, und zwar von dem neuen Vorsitzenden selbst.

Deshalb muss er vor allem in Berlin wohnen. Ebenso geboten ist, dass er auf Jahre hinaus den grössten Theil seiner Arbeitskraft frei hat für die Aufgaben der Akademie. Für die Akademie Geld, immerfort Geld herbeischaffen, ihr gesellschaftliches Ansehen erkämpfen, sie womöglich zu einer Macht im Staat machen, das kann nur eine grosse, auf das Praktische gerichtete Kraft. Wenn ich sie bei Dir voraussetze, kann ich doch nicht glauben, dass Du bereit wärest, unter so vielen Aufgaben Deine eigene Arbeit leiden zu lassen.

Wo der Geeignete zu finden wäre, weiss ich nicht; aber auch wenn noch niemand es wüsste, wäre diese Kraft zu suchen, das ist im Augenblick das einzig Wichtige. Giebt es sie unter den Schriftstellern ausserhalb der Akademie, wäre sie hereinzuholen um der Sache willen. Der Gewählte muss nicht gleich den Titel Präsident haben, die Statuten können auch darin abgeändert werden. Eine im Entstehen begriffene Akademie, die ihr Daseinsrecht den Zweiflern erst beweisen muss, braucht statt aller Repräsentation viel mehr einen Direktor oder Generalsekretär, der arbeitet und Gehalt dafür bezieht. (Der Sekretär der Gesamtakademie, an den man sonst denken könnte, hat wohl auch Dich bisher nicht davon überzeugt, dass er auf unserer Seite wäre.)

Die Sache, um die es geht, ist ungeheuer. Die deutsche Literatur hat die vielleicht einzige Gelegenheit, auf den ihr gebührenden sozialen Rang zu gelangen. Das ist vor allem nur möglich, wenn die Akademie sich als das höchste ausführende Organ des literarischen Geistes überhaupt fühlt. Der Beruf und seine Denkart müssen alles Gewicht haben. Keine bevorzugte Persönlichkeit darf die Aufmerksamkeit ablenken. Innere Rangunterschiede sollten nicht betont werden. Ich erinnere daran, dass die Französische Akademie keinen Präsidenten kennt.

Man könnte darauf verfallen, zwar einen geschäftsführenden Direktor, über ihm aber noch den Präsidenten einzusetzen. Dann wäre die Autorität bei dem formalen Präsidenten, und der wirklich Ausführende hätte sie nicht. Wenn er aber z. B. mit dem Ministerium verhandelt, muss der direkte Auftrag der Akademie ihn stützen. Er persönlich muss ihr Vertrauen haben. Dadurch fällt ein ihm übergeordneter Präsident von selbst fort. Der Direktor seinerseits mag als literarisches Talent nur grade anständig sein. Es handelt sich nicht um seine Ehrung, sondern um den Nutzen der Literatur.

Ehrungen Einzelner nützen der Literatur nichts, das ist in schmerzlichster Weise erwiesen worden. Wir hatten sogar einen Olympier, was als Titel gewiss noch über dem Präsidenten steht. Die Lage der Literatur blieb traurig. Als die neue Republik sich kulturell empfehlen wollte, feierte sie eifrig G. Hauptmann. Ergebniss: im Vorläufigen Reichswirthschaftsrath stimmten gegen die 50jährige Schutzfrist die Vertreter der Unternehmer; denn sie sehen als den sozial Bevorrechteten nicht den Schriftsteller, sondern den Buchhändler an.

Dies wäre alles, hier ist es hoffentlich so gesagt, dass auch andere es verstehen müssten. Aber anderen sage ich es nicht. Ich sage es nur Dir. Du kannst es gebrauchen, wie Du willst, kannst mit anderen in diesem Sinne reden, falls es mir gelungen ist, Dich dafür zu gewinnen, und kannst selbst danach handeln, falls die Wirkung meiner Worte so weit geht. Wenn nicht, ist es auch gut – persönlich, meine ich, was meine Auffassung Deines Verhaltens betrifft. Ich werde es Dir nicht verdenken und bin schon froh, wenn nicht Du mir diesen Schritt verdenkst. Der Sache freilich könnte ich leicht entfremdet werden, denn von einer Akademie, die sich auf Ehrungen beschänkt und, anstatt selbst Bedeutung zu erstreben, sich auf die Bedeutung Einzelner verlässt, erwarte ich nichts mehr.

Dies heisst nicht, dass ich austrete, auch nicht einmal, dass ich opponire. Ich könnte es mir als Dein Bruder nicht erlauben, ohne in falschen Verdacht zu kommen.

Herrn Ponten antworte ich vorerst nicht. Du hast gewiss bald Gelegenheit, ihm selbst zu sagen, dass ich mit Deiner Wahl natürlich einverstanden wäre, falls der Vorsitzende (oder, was ich vorzöge, Direktor) nicht lieber auf ein umfassendes Arbeitsprogramm hin ausgesucht wird. So einfach und so dringend es mir scheint, möglichenfalls liegt es den meisten Betheiligten ganz fern. Die deutschen Schriftsteller werden vielleicht, sogar in einer Akademie versammelt, ihre soziale Aufgabe noch nicht begreifen. Auch liesse sich befürchten, dass der gute Geschäftsmann, den ich voraussetze, selbst bei gutem Willen unter den Schriftstellern nicht aufzufinden ist; oder dass die Akademiker, seine Auftraggeber, sich nicht einigen; oder dass er sich nicht bewährt, vielleicht sogar seine Stellung missbraucht.

Ich rechne mit allen Fehlschlägen, und tritt auch nur einer ein, war alles, was ich hier gewollt habe, umsonst, selbst, wenn auch Du es wolltest. Ich kann für nichts bürgen. Das Leichteste ist für Dich, die Wahl anzunehmen, für mich, ihr zuzustimmen. Solange ich aber Zweifel habe, ob grössere, allgemeine Vortheile nicht dennoch erreichbar wären, habe ich auch die Pflicht, das Erkannte vorzubringen. Nach Lage der Dinge konnte ich es nur grade bei Dir.

Wir verlassen Biarritz in wenigen Tagen. Auf Wiedersehn im September.

Mit herzlichen Grüssen von uns an Euch.

Heinrich.

Kampen a / Sylt den 29. VIII. 27.

Lieber Heinrich,

Dein mächtig gewinnender Brief hat mir recht klar gemacht, wie übel angebracht die Lässigkeit war, mit der ich auf Schäfers und Pontens Vorschlag eingegangen bin. Als Fehler erschien mir diese Lässigkeit oder Nachlässigkeit bald nach dem Jawort, das mehr ein In Gottes Namen war, schon darum, weil diese Aktion der von mir gezeichneten auf dem Fuße folgt, genau, als sei diese die planmäßige Vorbereitung zur gegenwärtigen gewesen. Aber ich lasse mich telephonisch leicht überrumpeln, wenn auch nur, um loszukommen, und Ponten ist ein Anhänger, der eine ständige Beunruhigung durch meine schriftstellerische Existenz durch blinden Freundschaftseifer überkompensiert. In einem Punkt freilich sind die Absichten der Herren den Deinen ja nicht so fern: Ein gültigerer Name an der Spitze der Akademie, selbst wenn er nur dekorativer Weise dorthin gesetzt würde, könnte der Sache nützen, sogar finanziell, weshalb es bedauerlich war, daß Hauptmann von vornherein durch die Ungeschicklichkeit des Ministeriums ausschied, obgleich er gewiß der Mann nicht gewesen wäre, den Du suchst. Ob aber dieser Mann unter deutschen Schriftstellern zu finden sein wird? Du wärst es, wenn Du Zeit hättest. Die hätte Fulda, der ohne Rang, aber tüchtig ist; nur daß die Art seiner Tüchtigkeit seinem Range entspricht: sein Gesichtspunkt ist unvergleichlich trivialer, als der Deine, er denkt an Berufsinteressenvertretung und an nichts weiter, – woraus hervorzugehen scheint, daß die Frage des Ranges bei Vergebung dieses Postens doch besser nicht ganz ausgeschaltet wird. Auf jeden Fall ist meine Kandidatur Unsinn, aus den von Dir unwiderstehlich entwickelten Gründen. Das werde ich Ponten und Schäfer schreiben und sie veranlassen, ihren Antrag zurückzuziehen. Ehrgeiz war es mitnichten, was mich bewog, ihm vorläufig und bedingungsweise zuzustimmen, sondern die Gewohnheit, mich zur Verfügung zu stellen, »wenn ihr denn meint, Kinder«, also eher Bescheidenheit. Unser beiderseitiger Ehrenstand, das Verhältnis des meinen zu Deinem, ist eine heikle Sache für sich – wobei »heikel« wohl wieder ein zu lässiger Ausdruck ist. Aber trotz Deines Scherzes, es falle bei meinen Erfolgen manchmal etwas für Dich ab, kennst Du mich, glaube ich, gut genug, um zu wissen, daß ich mir nichts vormachen lasse. Es läuft bei mir immer auf jenes »Wenn ihr denn meint, Kinder« hinaus, aber viele Kinder meinen es garnicht, und diesen recht zu geben, die anderen aber gering zu achten, bin ich nur zu geneigt, wobei ich dahinzustellen gezwungen bin, wie weit Hypochondrie der Zustand ist, in dem man die Dinge sieht, wie sie sind.

Hier ist es eigentümlich schön und aufregend. An etwas Großem schreiben kann ich nicht, aber man hat ja immer zu tun. Gegen Mitte September kehren auch wir nach München zurück. Dann können wir uns weiter beraten, und vor allem muß ich Dir 150 Mark übergeben, ein Honorar vom »Tagebuch«, das ich für Dich einkassiert habe, weil es Poschingerstraße adressiert war.

Herzliche Grüße und auf Wiedersehn.   T.

6. Aug. [wohl Sept.] 1927
München
Leopoldstr. 59

Lieber Tommy,

nach einer Reise vom Ozean über die Pyrenäen zum Mittelmeer und durch die Schweiz, finde ich heute Deinen Brief und danke Dir für die freundliche Aufnahme des meinen. Nun wird mir, bei Deinem bedingungslosen Rücktritt, merkwürdigerweise noch schwüler. Denn ich zweifle, wie Du weisst, von Anfang an äusserst daran, dass meine Forderungen verstanden, geschweige erfüllt werden können. Dazu wäre nöthig gewesen, dass der bisherige Präsident unsere Programm-Entwürfe mitgetheilt u. zur Berathung gestellt hätte. Jetzt aber ist niemand auch nur informirt.

Du wirst aus der Antwort Pontens schon sehen, ob er sich von der beabsichtigten Wendung eine Vorstellung macht. Ich selbst kann z. B. Schickele, dessen Interesse an der Akademie ich kenne, mit dem Vorschlag befassen. Aber der Zeitpunkt der Wahl ist zu nah, wie sollte man so schnell noch alles umstellen können. Kommt es zuletzt doch auf eine Entscheidung zwischen zwei Namen, Richtungen, Wohnorten hinaus, z. B. auf die Wahl zwischen Scholz und Dir, dann werde ich einfach Dich wählen.

Auf Wiedersehn!   Heinrich

[Durchschrift eines Briefes]

München, 18. IV. 31.

Lieber Heinrich:

Für Deinen Brief bin ich Dir sehr dankbar. Er hat mich angehalten, mich mit dem Statuten-Entwurf noch einmal gründlich zu beschäftigen. Bevor ich auf diesen im Zusammenhang mit Deinem Schreiben eingehe, möchte ich die Geschichte meiner Berührung mit Dr. Huebner und meiner ersten flüchtigen Bekanntschaft mit den neuen Satzungen kurz rekapitulieren.

Bei der Feier in der Akademie drückte mir Huebner den Wunsch aus, sich in akademischen Angelegenheiten mit mir zu besprechen. Da ich wenig Zeit hatte, schlug ich ein Zusammentreffen bei Pelzer zum Mittagessen am nächsten Tag vor, und dort bei Tisch ließ Huebner mich den Satzungsentwurf durchsehen. Das geschah natürlich nicht sehr genau. Der Entwurf war rein logisch noch

nicht ganz in Ordnung und Huebner strich ein Paar Stellen an, auf die ich aufmerksam machte. Sachlich konzentrierte ich mein Interesse auf den Absatz, der die Aufgaben des literarischen Sektionssenates aufzählt. Das sah nicht schlecht aus. Die Mitwirkung bei den Fragen der Gesetzgebung auf dem Gebiet des künstlerischen Schrifttums konnte sich sehen lassen und noch mehr die Mitwirkung in den Prüfungsausschüssen für deutsche und geschichtliche Schulbücher, ein Punkt, der seine Aufnahme offensichtlich Deiner Kundgebung nach Deiner Wahl zum Vorsitzenden verdankte. Ich nahm den Entwurf zur Kenntnis und wir kamen davon ab, da das Gespräch sich von Anfang an hauptsächlich um die Präsidentenfrage gedreht hatte und das es auch offenbar in erster Linie gewesen war, weswegen Huebner mit mir hatte sprechen wollen. Huebner sagte mir, daß Liebermann, vor allem wegen seines hohen Alters und seines schwindenden Gehörs, Amtsmüdigkeit kundgegeben habe, und daß gerade in Malerkreisen diese seine Absicht nicht eben mit Mißfallen aufgenommen werde, da sie dem Wunsch dieser Kreise nach einem Wechsel in der Präsidentschaft entgegenkomme. Zugleich entwickelte er mir die Idee, daß für die nächsten drei Jahre, zu denen das »Goethe-Jahr« 32 gehöre, ein Dichter Präsident der Gesamt-Akademie werden sollte, wie denn ja auch in den Statuten ein gerechter Wechsel zwischen den drei Sektionen als wünschenswert bezeichnet wird. Der Gedanke an sich war mir nicht neu, denn ich wußte, daß schon Minister Becker sich mit ihm getragen hatte. Als präsumptiven Präsidenten nannte Huebner mir Hauptmann und wir berieten, ob er den Posten annehmen würde, obgleich er dann seinen Wohnsitz nach Berlin verlegen müßte.
Am selben Abend noch oder am nächsten – ich weiß es nicht sicher mehr – sprach ich dann Dich und habe unter dem Eindruck dessen, was Du mir über Liebermann sagtest, noch in Berlin den Versuch gemacht, Huebner telephonisch zu erreichen.
Das gelang nicht und ich habe ihm dann von München aus geschrieben und ihn gebeten, mich womöglich über gewisse Skrupel zu beruhigen, die ich mir nachträglich Liebermanns wegen machte. Meine persönliche und künstlerische Verehrung für ihn, schrieb ich, würde mich unbedingt daran hindern, mich jemals an einer Bewegung zu beteiligen, die etwa seine Abdankung gegen seinen Willen betriebe. Als Mitglied der Sektion für Literatur

müsse ich den Plan, einen Dichter zum Präsidenten zu machen, selbstverständlich begrüßen, aber dieser mein Beifall sei bedingt durch die Voraussetzung, daß Liebermanns Amtsmüdigkeit wirklich fest stände, und ich bäte ihn sehr, mir in dieser Hinsicht doch klaren Wein einzuschenken. Ich habe darauf den Brief erhalten, den ich Dir schickte und in dem ich eine genügende Garantie in der Loyalitäts-Frage zu finden glaubte.

Es ist nun also nicht ganz richtig – laß mich das aussprechen –, wenn Du Liebermann auf seine Frage, woher Du von einer Intrige gegen ihn wüßtest, geantwortet hast: »Huebner hat mit meinem Bruder gesprochen.« Du warst es ja, der mir von einer Intrige berichtete, und erst darauf habe ich Dir von meinem Gespräch mit Huebner erzählt. Ich zweifle, ob Intrige hier der richtige Ausdruck ist. Ich sehe das Interesse noch nicht, das die Ministeriumsleute bestimmen sollte, an Liebermanns Sturz zu arbeiten. Wer ihn los sein möchte, sind offenbar eher die Maler und das mag seine persönlichen und kunstpolitischen Gründe haben. Ich kann nicht recht glauben, daß der Plan einer Dichter-Präsidentschaft von den Beamten vorgeschoben sein sollte, um Liebermann zu beseitigen. Ich bin gutgläubig genug, um anzunehmen, daß jener Plan das Primäre ist. Für einen dolus vermisse ich die Motive. Auf jeden Fall halte ich an meinem Standpunkt fest und glaube mich einig darin mit unserer ganzen Sektion, daß bei der Verwirklichung der schwebenden Absichten volle Rücksicht auf den ehrwürdigen Liebermann zu nehmen ist. Ich kann mir nicht anders denken, als daß diese Rücksicht auch bei den bevorstehenden Wahlen walten wird, wenn Liebermann aufs Neue kandidieren sollte. Wenn es aber anders kommt, so sehe ich nicht, wie das uns Schriftstellern zur Unehre gereichen könnte. Wir hätten ein reines Gewissen.

Ich habe diese Sache vorangestellt, weil sie mich menschlich besonders beschäftigt. Nun zu den Statuten, die ich nach gründlichem Studium so düster nicht ansehen kann, wie Du, obgleich ich froh bin, daß die Annahme verschoben ist, denn es gibt sicher darin zu bessern. Konnte es aber mit der Akademie so weiter gehen wie bisher? Sahen wir nicht alle, daß etwas zu ihrer Konsolidierung, zur Stärkung ihrer Arbeitsfähigkeit geschehen müsse? Das traf offenbar nicht nur auf die Schriftsteller zu, bei den anderen Sektionen schien es ähnlich zu stehen, denn Grimme schrieb mir schon vor Längerem von einer schweren Krise, in der sich die Gesamt-Akademie befände und an der allerdings hauptsächlich die Sektion für Literatur teil hätte. Das war nach dem Austritt der Kolbenheyer-Gruppe und Hesses. Haben wir nicht die verblasenen Pläne der Schäfer-Leute eine unpreußische Deutsche Akademie betreffend und ihr ständiges Wühlen gegen »Berlin« abgelehnt? Ist es nicht, so frage ich mich und möchte auch Dich fragen, eigentlich zu begrüßen, wenn die Tätigkeit der Einzelsektionen und so auch der literarischen Sektion auf die erweiterten Senate übertragen und so in einen festeren Rahmen gespannt wird? Wenn ich mich erinnere, wie bisher unsere Hauptversammlungen mit den durch Diäten herbeigeführten auswärtigen Mitgliedern, Ponten, Kolbenheyer, Halbe etc. verliefen, wenn ich weiter daran denke, daß Doeblin der auswärtigen Eifersucht erwiderte, auch die Berliner kämen nicht zu den Sektions-Sitzungen, sondern was geschähe, geschähe durch drei, vier Männeken, so kann ich nur mit Mühe umhin, in der neuen Arbeitsorganisation eine Art von Fortschritt zu sehen.

Du siehst eine einflußlose Beamten-Akademie im Entstehen. Ich aber kann noch nicht sehen, inwiefern die neue Ordnung unseren Einfluß lahmer legen soll als bisher und warum sie uns zu Beamten machen muß. Der literarische Senat setzt sich nach dem Satzungsentwurf zusammen aus sechs Schriftstellern, die die Sektion selbst aus ihrer Mitte wählt. Hinzukommt der dritte Sekretär der Akademie, das ist Loerke, ein weiterer Schriftsteller. Hinzukommt, vom Minister berufen, ein Literatur-Gelehrter, Petersen und neuntens der Theaterintendant. Das sind neun Stimmen, die in geistig-künstlerischen Dingen, menschlicher Voraussicht nach, leidlich zusammenhalten werden. Ihnen gegenüber stehen zwei Beamtenstimmen, nämlich die Amersdorfers und die des Juristen. Ist das Verhältnis so schlimm, wie Dein Brief es mich sehen lassen wollte und vorübergehend natürlich auch sehen ließ? Was wird uns abhängig machen, wie Mussolinis Leute? Wir werden ja nicht bezahlt. Die Wahl der Senatoren, das heißt der Arbeits-Mitglieder, bedarf der Bestätigung durch den Kurator: das ist, wenn es nach mir geht, zu beseitigen. Es hat keine Logik. Da die Wahlen zur Sektion frei sind, müssen auch die zum Senat frei sein und dürfen keiner Genehmigung unterliegen. Im Übrigen aber kann ich bei genauestem Hinsehen in der neuen Satzung kein Mittel zu unserer Verbeamtung entdecken. Daß man bei der Festsetzung unserer Obliegenheiten eher ein Entgegenkommen gezeigt hat als die Neigung uns einzuschränken, erwähnte ich schon anfangs. Daß Doeblin die Aufnahme des Schutzes der künstlerischen Freiheit und ihrer geistigen Grundlagen erreicht hat, ist hocherfreulich, obgleich man sie in dem unter 1) aufgeführten allgemeinen Schutz des künstlerischen Schrifttums einbegriffen hätte denken können. Aber die Mitwirkung in den Prüfungsausschüssen für Schulbücher ist ein größerer Erfolg, und zu beachten scheint mir auch, daß die Erstattung von Gutachten auf dem Gebiet der Literatur und des Theaters nicht nur auf amtliche Anregung, sondern auch auf Beschluß der Sektion erfolgen kann. Du selbst bist Vorsitzender des literarischen Senates. Warum solltest Du als solcher einflußloser sein denn als Vorsitzender der Sektion? Die auswärtigen aber ordentlichen Mitglieder, von denen die Mehrzahl, vor allem begreiflicher Weise die Nicht-Deutschen, sich bisher durchaus passiv verhalten haben, sollen einmal im Jahr zur Generalversammlung einberufen werden, außerdem aber nach Bedarf auf begründeten Antrag aus den Mitgliederkreisen. An diesen Sitzungen nehmen also alle teil, die sich überhaupt interessieren, und der Zusammenhang zwischen Sektion und Senat bleibt so gewahrt. Die mündliche Mitteilung, die man Dir gemacht hat von der Einstellung der Reise- und Aufenthalts-Diäten halte ich für hinfällig und man muß ihr unbedingt widersprechen. Es gibt keinen Grund dafür und auch die neuen Satzungen führen keinen an, weshalb man den Auswärtigen nicht auch weiterhin die Reisekosten ersetzen sollte.

Du siehst, lieber Heinrich, daß ich es selbst unter dem Eindruck Deines Briefes nicht fertig bringe, in dem Statuten-Entwurf einen Anschlag auf die Unabhängigkeit und Wirkungsmöglichkeit der Akademie zu erblicken. Wenn in Preußen reaktionäre Wahlen kommen, wenn über Deutschland im Ganzen der Himmel sich mehr und mehr verdüstert, so liegt die Zukunft der Akademie überhaupt und jedenfalls im Dunkeln, auch andere Statuten könnten daran nichts ändern. Ich kann eben nur nicht sehen, wodurch die neuen Satzungen uns zu Akademikern der Reaktion und zur Gefügigkeit ohne Gehalt bestimmen sollten. Das Gehalt, so könnte man fürchten, wäre geradezu eine Gefahr, und Ricarda

Huch hat ja erklärt, sie werde austreten, wenn ein solches eingeführt würde. Im Übrigen aber hast Du selbstverständlich mit dem Satz »Eine Million für die Akademie gegen die hundert Millionen, die andere bekommen« über und über Recht, und auch in der geplanten Denkschrift, in der die Sektion ihre Sonderansprüche vertreten will, muß er natürlich seinen Platz haben. Ich muß gestehen, daß ich für eine solche Denkschrift im Augenblick keine weiteren Vorschläge zu machen habe als die Beanstandungen, die ich hier gegen den Statutenentwurf vorbrachte. Gott helfe mir, wenn ich mit Blindheit geschlagen bin! Vielleicht sieht man in Berlin mehr und richtiger als ich zu sehen vermag, aber ich kann nur sagen, was ich sehe. Mit herzlichen Grüssen

15. Juni 1931
Bad Gastein
Salzburger Hof

Lieber Tommy,
ich wünschte, dass wir in diesem Sommer einige Tage zusammen sein könnten. In der Kiepenheuer'schen Broschüre las ich Deine Rede wieder, und die innere Erwärmung, die sie mir schenkte, veranlasst den Wunsch.

Gewiss ist es schwer einzurichten, jeder hat sein Programm. Ich will im Juli meine Tochter bei mir haben – nicht in Gastein, sondern der Ort soll weniger hoch und auch waldiger sein. Hatte der Attersee (bei Salzburg) eigentlich Wald? Wir waren dort zusammen, ich glaube 1896.

Eigens dorthin zu kommen aus der Arbeit heraus, ist natürlich eine Zumuthung. Ich erwähne es nur für den Fall, dass Dir grade in der ersten Hälfte des Juli der Sinn nach einer solchen Abwechslung stände. Ich hörte (von Golo, in Paris) dass Du wohl erst Mitte Juli an die See fährst. Ich selbst möchte den August an der Ostsee sein. Auch auf Deiner Rückreise könnten wir uns treffen. Wenn alles fehlschlägt, sind wir hoffentlich im Oktober in Berlin etwas ausführlicher. Ich nehme an, dass Du hinkommst. Es wird sich wohl auch darum handeln bei der Vollsitzung der Sektion, ob sie der Internationalen Föderation der Schriftsteller-Berufsorganisationen beitreten kann. Ich bin im Zweifel, so interessant die Gründung der Föderation in Paris auch war. Die Franzosen hatten die Sache mit einer klugen Begeisterung in die Hand genommen. Ihr genauer Gegensatz sind die heutigen Italiener. Sie konnten keinen Augenblick sachlich sein, und wenn sie länger als 2 Minuten sprachen, wurde es eine Propaganda-Rede für ihren grossen Despoten. Einer von ihnen versuchte jedesmal zu klatschen, musste es aber lassen, weil niemand mitging. – Ich hatte übrigens ein Gespräch mit Briand.

Herzlichst   H.

31. Mai 1932
Berlin-Wilmersdorf
Trautenaustr. 12

Lieber Tommy,
ich bin tief gerührt durch die Freude, die Du an meinem Buch hast. So lohnt es sich denn.

Auch Deiner Meinung bin ich, dass die offene Barbarei sich in diesem Lande nicht wird durchsetzen können. Ihre halben Erfolge und die nie abgestellte Drohung erschweren unsere Thätigkeit schon genug und nöthigen uns viel Kraft daranzusetzen, nur um das Schlimmste aufzuhalten. Dabei weiss man, was wirklich zu geschehen hätte!

Brüning, persönlich nur stark als Höchstprodukt religiöser Erziehung, repräsentirte doch etwas Grosses und Merkwürdiges bei seinem letzten Auftreten, vor der ausländischen Presse. Auf der anderen Seite des Vorsitzenden sprach der Nuntius vom »internationalen Wohlwollen«, auf dieser Seite Brüning einzig von seiner Sorge um die Erwerbslosen. Jetzt fällt er grade deshalb, und die Interessenten treten an mit festem Schritt.

Nicht anders wurde die Wahl des Präsidenten der Akademie von mittelmässigen Interessen bestimmt, wenn nicht vom Neid auf die Grösse. Ich lege Dir die wenigen Worte bei, die natürlich nicht verhindern konnten, was längst abgekartet war. Gieb sie mir, bitte, zurück.

Unsere Abtheilung wird im Senat niemals durchdringen können, bevor sie nicht beim Minister dieselbe Zahl von Vertretern erreicht wie die beiden anderen. Aber wie wird der nächste Minister aussehn?

Herzlich   H.

2. Juni 1932
Berlin-Wilmersdorf
Trautenaustr. 12

Lieber Tommy,

der anliegende Text ist von Alfons Paquet. Der sympathische Mensch beklagte neulich, am Tage nach der Saalschlacht im Landtag, die Verrohung so herzlich, dass alle sich bewegen liessen. Es sollte ein Aufruf verfasst werden, nicht einmal Frau Huch widersprach. Jetzt scheint aber der Text nicht grade treffend, und Wirkung verspreche ich mir von ihm kaum.

Daher frage ich Dich um Rath. Sollen wir die Sache verfolgen oder Paquet unsere Zweifel mittheilen? Willst Du Änderungen und Einfügungen machen? Interessirt der Gegenstand Dich genügend, dann vereinbarst Du die Fassung vielleicht mit Paquet, Frankfurt a. M. Wolfsgangstr. 122.

Sonst gieb den Entwurf, bitte, einfach weiter an Loerke, den ich unterrichte. Nach Dir müssen wohl auch die anderen Mitglieder befragt werden, ob sie unterschreiben.

Herzlich H.

1. Nov. 1932
Pension Stern
Kurfürstendamm 217
Berlin W 15

Lieber Tommy,

ich freue mich sehr, von Dir zu hören, und hoffe, dass Du wohlauf bist und gut arbeitest. Grade gestern bekam ich photographische Aufnahmen von Dir, durch Dr Fiedler, Altenburg, einen Religionslehrer, der vermittels des Versailler Vertrages zu Fall gebracht werden soll. Meinerseits sage ich jetzt mein letztes Wort über den Nationalismus – und weiter, über das nationale Vaterland. Es hat jedes Recht verwirkt, man darf nicht länger zurückhalten. Die Neue Rundschau, die diese Sache im Dezember riskiren will, hat von meinem Bekenntniss nichts fortgestrichen, leider aber das Meiste aus seiner konkreten Begründung, den Gesinnungslosigkeiten der vergangenen Republik.

Eine Zusammenkunft der Akademie mit dem Kommissarischen

Minister Lammers war angesetzt. Jetzt ist aber unser Grimme wieder aufgetaucht. Es steht dahin, mit wem wir es künftig zu thun haben. Alles steht dahin. Um eine Entscheidung herbeizuführen, müssen die einzelnen Intellektuellen ihr Bekenntniss gegen den Nationalstaat und für einen übernationalen ablegen. Anders geht es nicht, aber damit würde es gehn. Denn gegen die Entscheidung der geistig Wirkenden wird ein so schwacher und schlechter Staat seinen Weg nicht lange einhalten. Darüber hinaus wäre ich – dies vorläufig nur unter uns – für eine engere Verbindung republikanischer Intellektueller, mit dem Ziel, die kommende zweite Republik geistig zu überwachen. Ein Oberhaus, damit die Republik verhindert wird, sich nochmals durch geistige Schwäche zu Grunde zu richten: das müsste angestrebt und schon jetzt vorbereitet werden.

Sehr glücklich werde ich sein, wenn der Roman, den ich Dir bald schicke, Deinen Beifall hat. Wir dürfen natürlich nicht sagen: Was ist jetzt noch ein Roman. Sondern wir müssen glauben, dass auch das wirkliche Chaos zu ordnen ist, wie ein Roman.

Herzlich   H.

26. Nov. 1932
Berlin W 15
Kfdamm 217
ab 1. Dez: Fasanenstr. 61

Lieber Tommy,

Dein Brief wird das Schönste und Beste bleiben, das ich über mein Buch lesen darf. Ich danke Dir. Du warst mir in jedem Augenblick des Lebens der Nächste und bist es auch hier wieder.

Das, was Du an dem Roman nicht magst, hätte ich früher auch nicht so gemacht. Aber denke ich die Geschöpfe dieses Augenblicks zu Ende, die vollständigsten meine ich, dann stosse ich immer auf das Verbrechen. Es ist eine Macht geworden, menschlich und sozial, die wir erst jetzt erkennen lernen, und der Einfluss auf die Zurückgebliebenen, wie jenen Bäuerlein, beweist vielleicht das Meiste. Ich schrieb den Roman wohl schnell, aber nicht draufgängerisch, und als er in Berlin angelangt war, beunruhigten mich schwere Bedenken. Das geschlossene Idyll der ersten Kapitel blieb jetzt zurück, und das Leben wurde unübersehbar – die Auflösung, wie Du sagst. Nur, diese Marie behält ihre innere Festigkeit, und so kommt sie hindurch. Das ist der Sinn, wenn das Buch einen hat. Wenn Dein Wort »religiös« auf die Figuren zuträfe, wäre es das Schönste. Übrigens höre ich den Äusserungen mancher Leser an, dass sie diesen Roman mehr achten als meine vorigen. Aber ich finde es besser, mir über den wirklichen Werth nicht viele Gedanken zu machen. Vollkommen wird auch dies wieder nicht sein, aber es ist eben das, was ich konnte.

Von Hauptmann liess sich während seiner Festwoche merkwürdig viel lernen. Es sah aus, als verträte er nur, was er ist, und wüsste gar nicht mehr, was er gemacht hat, besonders nicht, wie es gross ist. Sein Stolz drückt sich nicht nur in Bescheidenheit aus, fast schon in Resignation. Dabei so gesund und heiter – der Mann, mit dem ich frühstückte und schon mittags Sekt gemischt mit Rotwein trank; und denselben Abend sass ich vor Michael Kramer, dem wirklich und wahrhaftig religiösen Gebilde!

Was wir gemacht haben, war richtig, weil es unserem Beruf entsprach. Niemand darf das mit mehr, auch nur mit so viel Recht denken, wie Du selbst während Deines weltgeschichtlichen Romans. So viel ich davon ahne oder voraussehe, trägt dies Werk Dich auf Deine Höhe, denn Dir war bestimmt, auf jeder Stufe umfassender zu werden – vom Elternhaus zur Menschheit; ich wüsste keinen Grund, nicht volles Vertrauen zu haben. Ich habe es, ohne das Werk zu kennen. Du selbst wirst Deine Bedenken zuletzt hinnehmen und verarbeiten, wie zum Werk gehörig.

Dies wollte ich hauptsächlich vorbringen. Übrigens kommt nachher der grosse Erfolg, den Du verdienst, und auf den ich jedesmal besonders stolz bin, nächst der Genugthuung über das von Dir Vollbrachte.

Etwas ganz Anderes. Den Aufsatz, den Du in der Neuen Rundschau hoffentlich bald lesen wirst, meine ich nicht als Literatur und kaum als geistige Leistung. Er ist ein praktischer Versuch. Wird eine, wenn auch kleine Anzahl Denkender den deutsch-französischen Bundesstaat fordern wollen und eine Aktion für verantwortbar und für lohnend halten? Für mich allein weiss ich wohl, dass alle Erfahrungen seit dem Vertrag von Verdun (856 glaube ich) dagegen sprechen, besonders die neuen, noch währenden. Ich weiss aber auch, dass diese Erfahrungskette einmal ihr Ende haben wird, wenn kein gutes, dann das schlimmste. Das Beste wäre, abzubrechen und neu anzufangen, 856. Da der neue Anfang allen Erfahrungen widerspricht, kann er nur von oben kommen, durch das Diktat der Denkenden. Unser Entschluss und Bekenntniss wäre das Erste.. Ungeheur schwierig, gewiss keine Utopie, aber so fernliegend, wie heute nur das Vernünftige liegt.

Die Akademie hat jetzt ihren Hauptmann-Preis, 4 bis 5000 Mark jährlich, immerhin die höchste deutsche Auszeichnung. Nach den grossartigen Ehrungen Hauptmanns und dem Eindruck, den sie gemacht haben, versuchen wir es nochmals dort, wo bisher nichts zu bekommen war. Natürlich haben nur jüdische Bankiers gegeben, keineswegs die Industriellen vom Rhein, obwohl sie unserer Einladung zum Thee gefolgt sind. Ihresgleichen ist der Sahm von Berlin, er lässt das Lessing-Museum seelenruhig exmittirt und versteigert werden. Für das Sportfest 1936 sind 2 ½ Millionen schon bewilligt. Eine Nation besteht, so viel ich davon verstehe, mehr aus Vergangenheit als aus Gegenwart, und es ist ein Irrthum, sich national zu nennen, während man auf die Vergangenheits-Pflege, die Kultur heisst, nur pfeift. Dann wird es möglich, dass die Nation gleich zwei unglaubwürdige Mythen auf einmal heranzüchtet, wie die von Dir gekennzeichneten.

Eine Festrede auf Gobineau, den Vater aller Irrungen, – ich habe dagegen alle Einwände vorgebracht. Wenn man es trotz allem wünscht, werde ich sehen, was zu thun ist.

Wann kommst Du wieder her?

Alles Herzliche, Dir und den Deinen.   H.

29. Jan. 1933
Berlin W 15
Fasanenstr. 61

Lieber Tommy,

hier folgt ein Bericht über die vorige Sitzung des Senats unserer Abtheilung. Es handelt sich um die Hauptmann-Stiftung. Der Entwurf der Statuten scheint im Ministerium hauptsächlich von dem jungen Zierold, Oberregierungsrath, verfasst zu sein. Er wird Dir durch die Akademie zugehen. In der Sitzung waren anwesend

Fulda, Döblin, Molo, Loerke, Benn und ich. Zwei wichtige Punkte erregten Widerspruch, der eine bei allen, der andere bei drei der Berathenden.

1) der Entwurf sieht vor, dass von den 5 Mitgliedern des Ausschusses der Hauptmann-Stiftung nur 2 der Akademie angehören. Wir alle haben eingewendet: dann ist es kein Preis der Akademie. In der Einleitung des Entwurfes wird aber gesagt, dass die Stiftung der Akademie übergeben werde – oder etwas Ähnliches; der Wortlaut liegt mir nicht vor.

Es ist vorauszusehen, dass der Preis in der Öffentlichkeit als Preis der Akademie bezeichnet werden wird. Für die getroffenen Entscheidungen werden wir die Verantwortung zu tragen haben, in Wirklichkeit aber können wir überstimmt werden. Daran wird nichts geändert, wenn wir von den übrigen 3 Preisrichtern zwei selbst auswählen dürfen. Diese beiden aussenstehenden Schriftsteller sind nicht mit uns eingearbeitet; sodann besteht die Gefahr, dass sie uns Vorurtheile entgegenbringen und grundsätzlich die Einigung erschweren werden – besonders der »Kritiker«, der unter den Zugewählten sein soll. Der fünfte Preisrichter, ein Vertreter des Ministeriums, muss in Kauf genommen werden, da auch das Geld grösstentheils von dort kommen wird. Für N° 3 und 4, die von uns Hinzugewählten, wurde in der erwähnten Sitzung keine Nothwendigkeit gefunden, es wäre denn, dass der Staat seiner eigenen Akademie misstraute. Warum traut er statt dessen 2 Akademikern plus 2 anderen Schriftstellern, *die wir aber selbst bestimmen?*

Zierold hat es mir nicht erklärt. Hingegen warnte er uns, eine Änderung des Verhältnisses 2 zu 3 zu beantragen. Wenn dies Verhältniss umgekehrt werden solle, dann werde der Minister voraussichtlich ein Bestätigungsrecht für sich beanspruchen; das werde uns noch unerwünschter sein.

Ich weiss nicht, was unerwünschter ist. Wenn wir aber keine der beiden Einschränkungen, weder das ministerielle Bestätigungsrecht noch unsere Majorisirung hinnehmen wollen, dann bliebe zuletzt nur übrig, dass die Abtheilung die Annahme der Stiftung ablehnt. Zwei von uns könnten Preisrichter sein, aber es wäre kein Preis der Akademie mehr. Natürlich denkt noch niemand daran, die Stiftung abzulehnen – wenigstens nicht, solange wir hoffen, uns mit dem Ministerium zu einigen. Ich sähe einen Ausweg, die Zahl der Preisrichter könnte auf drei beschränkt werden, zwei von uns, einer vom Ministerium. Das würde überdies die Arbeit vereinfachen; das Hineinreden Fremder, besonders der Nothgemeinschaft, die ein Vorschlagsrecht bekommen soll, wäre ohnehin nur hinderlich.

2) Jetzt komme ich zu dem anderen strittigen Punkt. Hier sind wir unter einander uneinig, denn es handelt sich um die Bewerthung Hauptmanns. Diese ist bei Doeblin auffallend niedrig, er sprach von einem »Millionär«, der übrigens nicht 5 Pfennig mehr werth sei als andere. Er behauptete, die Überschätzung eines Einzelnen nütze der Literatur garnichts, sie sei blosser Prominentenkult. Das Gegentheil liegt, wie mir scheint, auf der Hand. Du und ich denken über das Werk Hauptmanns anders als Doeblin, aber nicht das ist die Frage, sondern ob die Literatur und die Abtheilung ihn verkleinern oder nicht eher seine grosse Geltung für sich benutzen sollen. Es ist sehr lange nicht dagewesen, dass die Künste drei gleich angesehene alte Männer hatten, Liebermann, Strauss, Hauptmann. Wir dürfen nicht gegen den unseren sein.

Etwas Anderes spricht mit. Hauptmann ist von der Republik als ihr literarischer Exponent hingestellt worden; rechts wird er befeindet, natürlich auch von dem p. p. Fechter. Verweigern wir ihm die Auszeichnungen, die der Entwurf der Statuten vorsieht, wem dienen wir damit? Offenbar der Kulturreaktion, die wir in einem Manifest zu bekämpfen noch nicht aufgegeben haben. Ein mehr oder weniger reaktionärer Minister könnte unserem Wunsch sogar Folge geben, denn es wäre der seine. Zierold deutete mir dies an und äusserte seine Verwunderung, dass ein solcher, gegen Hauptmann gerichteter Antrag grade von uns komme. Er meinte damit, dass unsere Abtheilung im Ganzen für links gilt.

Ich gebe ihm völlig recht und sprach auch in der Sitzung gegen die Beiseiteschiebung Hauptmanns. Doeblin hat indessen für sich den Affekt und überzeugte damit alsbald auch Fulda und Molo. Mit diesen drei Stimmen (Benn ist nicht im Senat, hatte daher keine Stimme) wurde beschlossen, beim Ministerium zu beantragen, dass Hauptmann bei der nach ihm benannten Stiftung nur so viele Rechte haben solle, wie ein sechster Preisrichter. Aus den Statuten zu entfernen wäre: sein Vorsitz, sobald er anwesend ist, und sein

Einspruchsrecht gegen eine beabsichtigte Zuteilung des Preises.

Meine Rolle als Vorsitzender fasse ich dahin auf, dass ich mich Mehrheitsbeschlüssen nicht widersetze, sondern sie ausführe; sonst hätte ich die Wahl nicht annehmen dürfen. Allerdings scheint es mir geboten, dass ein so wichtiger Beschluss nach Befragung sämtlicher Mitglieder des Senats gefasst wird. Deine Meinung steht noch aus, ebenso die von Ricarda Huch. Ich bitte Dich daher, sie möglichst bald bekannt zu geben. Unsere nächste, wahrscheinlich endgiltige Berathung über die beiden hier ausgeführten Punkte soll am 6. Februar sein.

Herzlichst   H.

9. Febr. 1933
Berlin W 15
Fasanenstr. 61

Lieber Tommy,

Dein Brief hat in der vorigen Sitzung gut gewirkt. Wir sind jetzt für die besonderen Rechte Hauptmanns. Andererseits wird noch versucht werden, von den sechs Sitzen im Preisrichter-Collegium vier für uns zu erhalten. Auch falls es nicht gelänge, habe ich nach Kräften die Annahme der Stiftung befürwortet.

Die Kundgebung gegen die Kulturreaktion ist nach weiteren Entwürfen, die von Molo, Fulda, Benn, Döblin versucht worden waren, zurückgestellt bis zu einem Zeitpunkt, in dem sie mehr Erfolg verspricht. Plötzlich bekomme ich jetzt die Ankündigung eines Kongresses, Das freie Wort betitelt, und an die Spitze des Briefes ist neben Einstein auch mein Name gesetzt. Aber der alleinige Veranstalter ist in Wirklichkeit der Dritte, Herr R. Olden, und das Ganze ist ein dreister Missbrauch. Ich habe Olden aufgefordert, meinen Namen zu entfernen. Wenn dies nicht geschieht, werde ich, wenn auch ungern, öffentlich absagen. In der Akademie haben wir die Frage vier Wochen lang gewissenhaft erwogen, jetzt unternimmt irgend jemand die Aktion am falschesten Zeitpunkt und zieht mich selbst – aber auch Dich – mit hinein. In dem Programm hältst Du »voraussichtlich« die Eröffnungsansprache.

Ich vermuthe, dass Du davon so wenig Kenntniss hast wie ich sie hatte, oder dass auch mit Dir nur ein unverbindliches Gespräch, vielleicht vor drei Monaten, stattgefunden hat. Jedenfalls möchte ich Dich dringend bitten, dem ehrgeizigen Olden auf gar nichts einzugehn. Deine Theilnahme würde erstens die Akademie, dann auch mich dementiren, und Du selbst wärest unnöthiger Weise an einem Misserfolg betheiligt. Das Günstigste, was noch geschehen könnte, wäre ein Verbot des Kongresses. Aber vielleicht lässt man ihn vorübergehn, um zu zeigen, wie unwirksam heute unser Widerspruch ist.

Für eine Benachrichtigung wäre ich Dir dankbar.

Herzlichst   H.

15. April 1933
Nice (A. M.)
Hôtel de Nice

Lieber Tommy,

durch Madame Bertaux erfahre ich Deinen Aufenthalt und glaube doch, dass Du den meinen wirst kennen wollen. Bei der gleichen Gelegenheit höre ich, dass Deine Schwiegereltern nicht fort dürfen. Ein Professor zwischen 80 und 90; – und grade las ich in der katholischen Zeitung La Croix eine Scene mit Göring. Schwitzend und zitternd verwahrte sich dieser Schurke dagegen, dass er »die Intellektuellen« ausrotten wolle. Die Hoffnung besteht, dass jene Banditen doch ein böses Gewissen haben. Ihre Lügen und ihre Verbrechen wachsen ihnen über den Kopf.

Meine eigene Lage ist von dem Chef der politischen Polizei dahin gekennzeichnet worden, dass mir »kein Pardon gegeben wird«. Thatsächlich haben sie in Berlin mein Bankkonto beschlagnahmt und in München meine Wohnung sequestrirt. Wegen eines Versuches, sie zu retten, schrieb ich an Viko, aber der antwortet mir nicht einmal. Er wird bedroht sein und sich fürchten.

Das Schlimmste ist, dass die Welt im Grunde geneigt ist zu glauben, alles sei nur eine Aktion gegen den Kommunismus. Einzig die Judenverfolgungen stören das Bild, das sonst nicht unerfreulich wäre. Ich werde versuchen, aufzuklären. Was hat man noch zu verlieren. Garwin im ›Observer‹, äusserst aufgebracht wie alle Engländer, ist der Meinung, dass den Nazis schwere Prüfungen bevorstehen, und zwar bald. Ich habe darüber kein Urtheil, aber die glücklichen Unbetheiligten könnten es schliesslich haben. Nimm mit den Deinen meine herzlichen Grüsse.   H.

                                                        21. April 1933
                                                        Nice (A. M.)
                                                        Hôtel de Nice
Lieber Tommy,
für Deinen ausführlichen Brief danke ich Dir bestens. Selbstverständlich nenne ich keine Namen.
Deinen Aufsatz über Wagner hatte ich in ›Europe‹ mit der höchsten Bewunderung gelesen. Was Dir damit wieder zustösst, fällt unter das Hauptthema »Pöbel gegen Geist« (La canaille contre l'esprit, muss ich jetzt sagen, denn ich werde von französischen Artikeln leben müssen) – und das ist das Grundthema dieser sogenannten Revolution. Es ist so gekommen, dass wir die Aristokraten sind.
Wenn's vorüber ist, werden wir – uns nicht »läben«, wie Häusser, nein Possart sagte. Sondern wer noch da ist, wird überlegen müssen, wie er zum Bolschewismus steht. Denn der ist doch wohl der wahrscheinlichste Nachfolger.
Berliner, die hier ankommen, sehen plötzlich um 10 Jahre älter aus. Man selbst wohl auch.
An welcher der Küsten Frankreichs wollt Ihr im Sommer sein? Ich bin sehr vorsichtig mit dem Geld. Aber wenn irgend möglich, möchte ich Dich sehen!
                                                        Herzlich   H.

                                                        12. Mai 1933
                                                        Nice
                                                        Hôtel de Nice
Lieber Tommy,
Dein Brief kommt im richtigen Augenblick. Grade war ich dabei, mir hier eine Wohnung zu nehmen. Das will ich jetzt aufschieben und lieber zuerst nach Bandol kommen.
Möchtest Du so gut sein, Dich zu erkundigen, für welchen äusser-

sten Preis ich ein Zimmer nach der See hinaus, vor allem mit Sonne und womöglich auch mit Bad u. Toilette haben kann. Noch hat die Saison kaum angefangen, und wenn der Besuch so schlecht ist wie hier, dann müsste es mit 50 fs für Zimmer und Pension wohl zu machen sein, besonders wenn ich ungefähr so lange bliebe wie Ihr.

Aufrichtig freut es mich, dass Herr und Frau Pringsheim nun doch entronnen sind. Du hast das Glück, mit Frau und Kindern zu sein, das ist sehr viel. Ich bin sicher, Dich in der tapferen Haltung anzutreffen, die wir bewahren müssen. Mir wird es manchmal schwer, besonders wenn die Arbeitskraft leidet. Aber es muss gehn.

Bitte, telegraphire mir morgen. Ich komme dann Montag, falls eine erwartete Sendung bis dahin eingetroffen ist; sonst Dienstag.

Herzlich H.

8. Okt. 1933
Hôtel du Louvre
Nice (A. M.)

Lieber Tommy,

Deine günstigen Eindrücke beruhigen mich und machen mich wirklich glücklich. Dann hast Du dort hoffentlich den bestmöglichen Ersatz für Deine Münchner Umwelt; und später bekommst Du sie selbst zurück, wenn Du es willst. Es hat sich herumgesprochen, auch bis hierher, dass die deutsche Verkehrsstockung 2 Jahre dauern wird. Fragt man: warum? – weiss niemand die Antwort. Aber diese allgemein angenommene Befristung könnte am Ende suggestiv wirken. Schlimm ist nur, dass man nach Ablauf der 2 Jahre den Krieg erwartet.

Die schöne Friedensbeteuerung des alten graden Soldaten Goering! Deutschland und Frankreich haben gar keinen Grund etc. Wozu dann die ganze nationale Erhebung? Sie haben grosse Angst vor den Folgen. Ihre zweite Garnitur, z. B. Frank II, ist noch nicht im Bilde und kommentirt das germanische Recht (das es nie gegeben hat, so wenig wie die arische Rasse). Er sagt: was dem deutschen Volk (er meint: seiner Bande) nützt, ist Recht, was ihm schadet, Unrecht. Das begründet vorweg jeden künftigen Angriff, jede Annexion; aber auch der Leipziger Prozess ist derart gerechtfertigt. Zwischen dem würdigen Präsidenten und den Sadisten der Konzentrationslager besteht die Gemeinschaft, wie eine schlechte Sache sie herstellt. Leipzig ist die Vorderseite, Oranienburg, Dachau und ähnliche Örtchen sind die hintere Ansicht desselben Gebäudes. Ich bewundere weniger die halbe Anständigkeit, die im Gerichtssaal noch aufrecht erhalten wird, als die unausweichliche Verwandtschaft mit dem Lager.

Inzwischen wird Dein Anwalt Dir berichtet haben. Möge es günstig stehen! Das Haus wäre demnach zu retten? Sehr schön; aber auch ohne dies scheint seine spätere Rückgabe durch die Ereignisse gesichert.

Der arme S. Fischer hat jetzt doch seine Saison mit Hauser und einer Widmung an Goering eröffnet. Wenn der jüdische Gott das nur nicht übel nimmt! Aber sie sind ja aufgeklärt. Das scheint der letzte Grund alles Unglücks zu sein.

Ich büsse etwas meine rege Thätigkeit während des Sommers, der, mit unserem Verkehr und anderem, ein unerwartetes Geschenk war.

Es wird schon wieder besser werden, dann entscheide ich mich auch über meinen nächsten Aufenthalt. Vorerst ist mein Buch noch nicht heraus, und überdies kommt mir diese gewohnte Stadt so harmlos vor.

Sehr freue ich mich auf Deinen ersten Band, er muss jetzt wohl bald erscheinen. Gieb mir auch sonst, bitte, wieder Nachricht! Ich darf annehmen, dass Erika Erfolg hat, wie gewöhnlich.

Herzliche Wünsche und Grüsse, Dir und den Deinen,   H.

17. Okt. 1933
Hôtel du Louvre
Nice (A. M.)

Lieber Tommy,

soeben trifft Dein Buch bei mir ein. Es sieht sehr schön aus, und Einteilung, Überschriften, alles was sogleich ins Auge fällt, ist verlockend. Dennoch will ich mit dem Lesen bis nächsten Monat warten; dann hoffe ich den Kopf freier zu haben. Augenblicklich ist er etwas belastet, und zum Lesen komme ich nur abends im Bett eine Stunde. Das wäre nicht das Richtige für Dein Buch.

Ich freue mich, dass es so rechtzeitig erschienen ist, und danke Dir für Deine Widmung, die ganz nach meinem Empfinden ist.

Macht Dir der Austritt »Deutschlands« Sorgen? Oder beunruhigt Dich die bevorstehende einmütige Beifallskundgebung der Nation? Das Merkwürdige bleibt immer: alle durchschauen den Schwindel, und nur die Deutschen dürfen ihn nicht kennen, obwohl sie ihn eigentlich doch kennen. »Wen betrügt man hier?« Genug, die Welt will betrogen sein. Sie macht jede dramatische Wendung der beiden Diktatoren gehorsam mit, die anderen werden allein nichts mehr beschliessen im Völkerbund, werden die fälligen Sanktionen nicht vollziehn, dagegen die Aufrüstung dulden und sogar Verträge darüber eingehen. Diese auswärtigen Grossthaten werden von den armen Deutschen hoch bezahlt werden müssen, im Innern. Wenn alle einmütig sich als Nationalsozialisten bekannt haben werden, dann hebt erst ein lustig Zähneklappern an.

Schreibst Du mir einmal, was Du dort erfährst? Ich grüsse Dich und die Deinen.

Herzlich   H.

3. Nov. 1933
Hôtel du Louvre
Nice (A. M.)

Lieber Tommy,

meinen herzlichen, tief gefühlten Glückwunsch zu Deinem grossen Erfolg! Er bedeutet natürlich noch viel mehr als sonst, und das bessere Deutschland bereitet ihn Dir und sich selbst. Gleichzeitig hast Du Glück mit drei Deiner Kinder auf einmal, das ist viel bei diesen Zeiten. Ich bitte, Erika, Golo und Bibi zu sagen, wie sehr ich mich freue.

Du hast in jeder, sogar in materieller Hinsicht, recht gethan, das Buch in Deutschland erscheinen zu lassen. Der deutsche Erfolg wird weiterwirken und den amerikanischen Absatz steigern. Das ist zweifellos ergiebiger, als wenn man in Amsterdam erscheint und, schon darum, in Deutschland verboten ist. Wenn ich könnte, würde ich es genau so machen. Das heisst: im Innern den Kampf gegen die Machthaber führen. Ich darf es leider nur von aussen her, dafür zwar direkter.

Jetzt kann ich feststellen, dass Deutsche, die durch Zufall einem Artikel von mir begegnen, ausser sich geraten vor Leidenschaft. Sie schreiben mir »auf den Knieen des Herzens« wie Kleist – der heute leider auch dabei wäre – das ausdrückt. Aber alle meine Mahnungen seit Jahren blieben ohne anderen Widerhall als nur die bekannten nationalsozialistischen Drohungen und Insulten. Was soll man schliessen? Dass die Deutschen diese harte Schule wirklich »nottwendick« hatten?

Die französische Ausgabe ›La Haine‹ ist, glaube ich, erschienen, die deutsche ›Der Hass‹ steht bevor. Ich schicke Dir beides, sobald ich Exemplare habe. Der Eindruck sollte, um Deine beiden Worte zu wiederholen, »tief« in Deutschland und in der Welt »weittragend« sein. Dem steht entgegen, dass in Deutschland nur wenige, nach Mühen und Gefahren, es werden lesen können. Von den grossen Nationen aber hat nur die französische, hinsichtlich Deutschlands präcise und begründete Vorstellungen. Alle Angelsachsen tasten, bis sie mit den Händen auf eine ihnen naheliegende Einzelheit stossen. Weiter wollen sie nichts wissen, um nur »verständigungsfreundlich« bleiben zu können, wie Du sagst. Daher hat das erste Buch, das die peinlichen Wahrheiten im Zusammenhang ausspricht, in England noch nicht einmal seinen Verleger gefunden. Der gute Feuchtwanger wird in London persönlich eingreifen.

Was ich hauptsächlich sagen wollte: die Deutschen selbst, wenn es ihnen nur noch erlaubt wäre, wollen jetzt endlich sehen und lernen. Wir müssen immer denken, wie viele der »inneren« Deutschen, noch mehr als wir hier draussen, das direkteste Leiden ausstehen unter der Verkommenheit des Landes. Ihnen jedenfalls thäten wir Unrecht, wenn wir uns lossagten von dem Lande, das allerdings elend ist und sich allerdings von Schurken zum Abscheu der Welt machen lässt. Wenn diese Schurken auch noch Torgler hinmorden, wird ihre Rechnung umso eher abgeschlossen sein; schon ist sie unerträglich überlastet. Mitschuldige, die das Ende kommen sehen, schleichen jetzt bei Seite, so der edle Spengler. Auf einmal ward ihm klar, dass »dumme Jungen« nicht Politik machen können. Vorläufig sagt er nur »dumme Jungen«. Als Agent der Schwerindustrie, der er immer war, darf er noch nicht weiter gehn. Aber Seinesgleichen, alles was sich deutschnational nennt, ist inzwischen zu einer Erbitterung gelangt, nicht kleiner als die der Marxisten. Sie werden auch, wie diese, aus allen Stellungen, öffentlichen und privaten, wirtschaftlichen Stellungen entfernt. Das Regime bringt nicht nur das bessere Deutschland gegen sich auf, sondern dazu noch den schlechtweggekommenen Teil des anderen – nicht einmal die S. A. sind ausgenommen. Neulich wurden sie auf dem Alexanderplatz versammelt, fingen aber pünktlich an zu singen: »Giebt Hilter uns kein Brot, dann schlagen wir ihn tot!«

Ein volkstümliches Tischgebet heisst:

> Lieber Hitler, sei unser Gast!
> Hätten wir nur die Hälfte von dem, was du hast!
> Unter Brüning und Papen
> Da gab es noch Braten,
> Unter Hitler und Goering
> Giebt es nur noch Hering.

Ein Banquier, dessen Eindrücke mir, auf Umwegen, mitgeteilt wurden, ist überzeugt, dass die Machthaber allenfalls noch diesen Winter, aber bestimmt dann keinen mehr überdauern. Man setzt auf die Militärdiktatur. Anzunehmen ist, dass ein kommunistischer Aufstand vorausgeht. Schleicher soll keineswegs krank sein, sondern sich bereit halten. Mit ihm wird sich vielleicht reden lassen? Aber auch nur höchstens mit ihm persönlich. Das Daseinsrecht einer Generalsregierung muss schliesslich die Vorbereitung auf den Krieg bleiben. Nicht abzusehen, wo und wann einmal die wirkliche Erneuerung einsetzt. Vorangehen muss ohne Frage eine lange und schwere innere Zucht der Deutschen. Sie hatten sich immer nur am äusseren Befehl berauscht. Aber zwei Klassen von Nationen kennt die Geschichte doch nur: die einen haben sich Freiheit und Selbstbestimmung erkämpft, den anderen bleibt noch viel zu leiden und zu thun. Für Deutschland wird es nicht leichter, wenn es weiter geistig verarmt, jetzt auch noch durch den Auszug der »arischen« Professoren. Die übrigbleibenden reden sich selbst und ihrem Hitler ein, mit Bazillen-Kulturen könnten sie die ganze Menschheit ausrotten – ein medizinischer Unsinn. Glaubt man etwa selbst daran, dann lässt das umso tiefer blicken. Dazu haben sich 88 »Dichter« hinter den »Führer« gestellt, jetzt, wo es klüger wäre, das nicht mehr zu thun. Aber »sie merkt es gar nicht«, wie die eine der alten Schwestern Claudius von der anderen sagte.

4. Nov. – Ich habe gestern schon zu viel geschrieben – Nachrichten, die Du dort frischer bekommst, und Überlegungen, die ohnehin nahe liegen. Deine Angelegenheit mit der Büchergilde erinnert mich an meine eigene. Herzog, der mir eine Licenzausgabe meines Romans »Ein ernstes Leben« angeboten hatte, scheint die Sache seither mit Zsolnay eher verfahren als geordnet zu haben. *Der Verlag Zsolnay hat von fast allen meinen Romanen solche Licenzausgaben autorisirt und dafür einen Teil des Erträgnisses bekommen. Heute müsste dies noch leichter bei ihm zu erreichen sein, da er meine Bücher nur noch ausserhalb Deutschlands absetzt, und nicht einmal das. – Ich nehme an, dass Du in Deiner Sache gelegentlich mit Herzog sprichst. Würdest Du die Güte haben, ihn zu fragen, ob noch Interesse besteht, und wo, bei dem einfachen Sachverhalt, das Hinderniss liegt? Er schrieb mir unklar über »Verlagsrechte«, um die es sich aber gar nicht handelt. Wir wissen doch alle, was eine »Licenz« ist.*

Wenn Beermann sich an Dich klammert, hat er immer noch einige Berechtigung, und auch der Erfolg giebt ihm recht. Über Zsolnay kann ich nur sagen, dass er der feige Verräter ist, als den man seinen langjährigen Freund oder Geschäftspartner jetzt meistens kennen lernt. Alles Unheil, das über mich hereingebrochen ist, hat ihn noch zu keinem einzigen Wort veranlasst; dagegen weiss ich durch Dritte, die vergeblich meine Bücher bei ihm bestellten, dass er sie nach Deutschland nicht ausliefert. Wahrscheinlich könnte er es sehr wohl; denn von einem wirklichen Verbot ist mir nichts bekannt, und in den Buchhandlungen der Arbeiterviertel sollen sie im Fenster liegen. Aber Zsolnay will offenbar dadurch, dass er mich verleugnet, den Rest seines Verlages für Deutschland retten. Die Verlagsrechte aber hält er fest in Händen, wie aus seinen Verhandlungen mit Herzog hervorgeht. Ich würde sie ihm fortnehmen, wenn ich Verständnis fände bei dem *internationalen Gerichtshof, den es hierfür giebt. Ist er in Bern? Oder ist es das Haager Völkerbundsgericht? Ich möchte Dich nicht übermässig bemühen; aber vielleicht ergiebt es sich von selbst, dass jemand aus Deinem dortigen Verkehr Dich über meine Chancen unter-*

*richtet? Sprich, bitte, hierüber nicht mit Herzog, sonst erfährt
Zsolnay davon.* – Ich hoffe, ich höre bald wieder von Deinen Erlebnissen und Eindrücken.

Ich grüsse Euch Alle herzlich, Frau Kröger grüsst bestens.

H.

18. Nov. 1933
Hôtel du Louvre
Nice (A. M.)

Lieber Tommy,

an drei Abenden habe ich Dein »Vorspiel« gelesen und habe den
Wunsch, Dich wissen zu lassen, dass es meine grösste Lektüre war
– seit wann? Ich weiss nicht.

Bei Anatole France, als ich meine Bibliothek noch hatte, überzeugte
ich mich oft von einer merkwürdigen Vertrautheit mit den Engeln,
ihrer Geschichte, ihren Beziehungen zu Gott und den Menschen.
Du hast Deine eigene Exegese, sogar Deine eigene »Lehre«, wenn
ich recht verstehe, und sie reicht in grosse, tiefe Fernen und dann
wieder bis zu Dir und zu uns. Diese Universalität ist es, die ich
bewundere und ehre, mit eingerechnet natürlich das ungeheure
Studium, während dessen der Blick und die Verlebendigung möglich wurden. Besonderen Sinn habe ich für den eifrigen Ernst im
Ton Deiner Dialektik, dahinter Humor und sogar Travestie erscheint, und hinter diesen wieder Ernst. Das alles übrigens ist auffallend – katholisch. Katholische Skepsis, die abgründig ist. Wo der
Protestantismus aufhört, fängt einfach die Ungläubigkeit an.
Meine eigenen geistigen Erfahrungen gehen nicht so weit, daß ich
es behaupten dürfte, aber ich habe die Empfindung, dass die völlig
zusammengefasste Kultur wieder auf die gleiche Einheit hinausläuft, wie eben das alte, einige Christentum.

Betrachtungen über die »Höllenfahrt« könnten wer weiss wohin
führen. Mit Vergnügen hörte ich, dass jemand in Deutschland
Dein Buch einen Nachlass des ehemaligen Bürgerthums, oder so
ähnlich, genannt habe. Das »Heutige« heisst Nationalsozialismus,
und dieser bildet zum »ehemaligen Bürgertum« einen Gegensatz,
ähnlich wie abstrakt und konkav. Wahr ist, dass sie mit der Kultur
gebrochen haben, nicht weniger als mit der Civilisation, und ganz

für sich allein auf ihrer von Überlieferungen verlassenen Gegenwarts-Wüste umherhantiren.

Dein Buch wird jetzt weiter mächtig abgesetzt werden, und das bedeutet täglich mehr, so wie alles andere dort im Lande aussieht. Der leichte Triumph vermittels Volksbefragung wird sie zu neuen Thaten verpflichten, zuletzt wäre es der Krieg. Wenn aber niemand will? Und vor allem, wenn man es zu lange voraus weiss! Es ist schon zu bekannt nachgrade, wie Diktaturen funktionieren. Der passive Widerstand, den die Demokratieen leisten, ist vielleicht doch das Richtige? Ich frage vorerst nur. Es könnte auch derart kommen, dass Deutschland seinen dreissigjährigen Krieg allein mit sich selbst führen muss. Angefangen hat es ihn bereitwilligst.

Bis dies Regime zusammenbricht, müssen die Demokratieen aushalten. Ihre vorzeitige Unterhöhlung ist die Gefahr. In diesem Zusammenhang erinnere ich Dich an den Besuch, den Du während des Septembers von einem jungen Mann namens Robert Aron bekamst. Am Abend verheiratete er sich. Er ist auch bei Gallimard angestellt. Aber er giebt eine fascistische »junge« Zeitschrift heraus. So sind sie: nehmen das Geld des Verlages, dessen Hauptautor der Kommunist Gide ist, und sind Fascisten. Sind Juden und Fascisten. Müssen sogar noch an ihrem Hochzeitstage republikanische Flüchtlinge in Augenschein nehmen, lassen sie sich aussprechen, verraten aber selbst nicht, was sie sind, Fascisten. Wir müssen immer noch vorsichtiger sein! Ich höre von Deiner Schweizer Tournée. Du kannst sie Dir sicher erlauben, aber sei mit allen Begegnenden vorsichtig!

Meine beiden Bücher hast Du bekommen. Ich begrüsse Dich und Euch alle herzlichst. Frau Kröger bittet, sich anschliessen zu dürfen.

Herzlichst   H.

Lieber Heinrich,

für Dein Buch, in beiderlei Gestalt, kann ich Dir heute nur in kurzen und unzulänglichen Worten danken. Katja ist krank (eine Frauensache, unbedenklich, aber wohl das Signal für eine zukünftig eingeschränktere Aktivität), und so fällt auf mich einiges mehr.

Ich hatte in der französischen Ausgabe vieles mir noch Neue und schon Bekannte gelesen und nachgelesen; aber als nun die deutsche kam, hat sie mich doch wieder einen ganzen Nachmittag und Abend nicht mehr losgelassen, bis ich sie von A bis Z, den großen Einleitungsaufsatz eingeschlossen, durchjagd [sic] hatte, atemlos, sozusagen, und so und nicht anders wird sie überhaupt gelesen werden. Sie ist doch in diesem Falle nicht einmal die Originalfassung, und doch wird man erst bei ihr – wenigstens ich – der ganzen Hochspannung und Leidenschaftsgeladenheit inne, die das Buch erfüllt: Die »Berührung« damit gleicht wirklich der mit einem hochelektrischen Körper, sie geht in Nerven, Blut und Muskeln, und seine Art, einen zu »fesseln« ist die einer heftigen Kontraktion, die sich nicht lockert, bevor man zu Ende ist. Dies meine Erfahrung, und ich bin überzeugt, daß sie sich, in Wut und in Begeisterung, tausendfach bewähren wird. Die Wut wird es sich wohl zunutze zu machen versuchen, daß das Analytische manchmal zu Schein und Form wird und das hochmoralische Pamphlet ins Irreale steigt. Die Begeisterung wird das nur erhöhen – und was heißt denn auch irreal. *Wenn* das Dokument des Petit Parisien gefälscht ist, so ist es doch echt. Aehnlich hier. Und ein Dokument der ungeheuersten Art werden diese richtenden und zermalmenden Aufsätze immer bleiben, ein Dokument der deutschen Schande und der deutschen Ehre.

Auf Deine Fragen von neulich kann ich noch garnichts antworten, besonders nichts wegen des internationalen Gerichtshofs. Ich habe niemanden gesprochen bisjetzt, der mir Auskunft hätte geben können. Herzog interpellierte ich. Er zeigte sich betrübt über die Wahrscheinlichkeit, daß Du von einem Lizenzdruck bei der Büchergilde wohl nichts haben würdest, weil Zsolnay rechtlich zu keiner Zahlung angehalten werden könne. Ich habe dann nichts weiter gesagt. Vielleicht ziehe ich Rascher, mit dem ich wegen eines Essaybandes verhandle, ins Vertrauen.

Herzliche Wünsche! Auch Katja läßt vielmals für die Zueignung danken. Sie spricht seit Sanary oft mit großer Zuneigung und Anhänglichkeit von Dir.

T.

25. Dez. 1933
11, rue du Congrès
Nice (A. M.)

Lieber Tommy,

jeden Abend, im Bett aufgestützt, was die höchste Aufmerksamkeit ermöglicht, lese ich einige Seiten Deines Buches; denn ein Durchjagen und schnelles Bewältigen wäre hier zwecklos. Ich kann mich keines anderen erinnern, das so viel zu raten oder anzustaunen gegeben hätte. Ich kenne nicht die Herkunft des Berichts, mir scheinen es lauter geoffenbarte Geheimnisse, obwohl ich mir sagen muss, dass es die dichterische Fortführung oft nur geringer Quellen ist. Reiche Dichtung, wahrscheinlich Deine reichste; und das Reizvollste ist grade ihre Herleitung aus Hintergründen, die für bekannt galten, obwohl jeder durch Dich erfährt, dass er nichts wusste und dass die vergegenwärtigte Vergangenheit des Menschen noch märchenhafter ist als er selbst sich immer gewollt hat. – Genug, ich werde mit dem Buch noch lange zu thun haben und Dir jeden Abend dankbar sein.

Das heutige Deutschland könnte bei Dir lernen, dass die äusserste Intellektualität sich, man weiss nicht wie und wo, in Mystik verwandelt – oder auch, dass Mystik etwas zu Denkendes ist. Aber wenn das heutige Deutschland so viel lernen könnte, wäre es nicht das heutige.

Du hast dort, neben Deiner Arbeit, gewiss auch manche erleichternde Ablenkung. Ich habe davon hier nicht viel, und die Erinnerungen werden mit der Zeit eher schwerer. Im Sommer verarbeiteten wir noch neue Eindrücke, und sogar gemeinsam. Hoffentlich kommt das wieder.

Eins weiss ich, dass ich nicht zurückmöchte, auch nicht, wenn ich könnte, und nicht einmal, wenn dies alles vorbei wäre. Denn den Menschen würde ich nicht mehr glauben, dass es wirklich vorbei ist.

Ich las das Stück von Bruckner; Du hast es dort wohl gesehn. Es erschien mir wahr und vorzüglich.

Über Golo hörte ich, dass er sich in St Cloud sehr gut eingeführt hat. In meiner eigenen Sache soll ein Abgeordneter mit dem Minister sprechen, aber das wird nichts werden, man muss zuerst Franzose sein. Auch Golo wird sich entscheiden müssen.

In diesen Tagen seid Ihr wohl Alle festlich beisammen. Dir und ebenso Katja wünsche ich die beste Gesundheit und wünsche, dass 1934 Euch gute Überraschungen vorbehält und jedenfalls zu leben leicht, beinahe leicht wird. Etwas Besseres fällt mir, auch für mich selbst, nicht ein.

Herzlichst   H.

25. Jan. 1934
11, rue du Congrès
Nice (A. M.ᵉˢ)

Lieber Tommy,

vielen Dank für Deinen Brief, ich freue mich immer sehr. Persönliche Briefe: schreibst Du sonst noch viele? Ich wechsle sie eigentlich nur mit Paul Graetz, der in London Film-Erfolge hat; und er war der typische Berliner, hätte sich dort beim Theater auch halten können, solche Ausnahmen werden gemacht; aber er wollte sich lieber auf englisch durchkämpfen. – Eine deutsche Briefmarke sehe ich nur, wenn der Pressechef des Circus Busch mir schreibt, aber ohne Angabe seines Namens. – Ich weiss von einer besonders guten Erscheinung: Balder Olden heisst er, ist so »arisch« wie der Name, galt für national, hatte in Afrika mitgekämpft, könnte jetzt sicher in der Goebbels'schen »Reichskultur« mitten drin sein; aber er hat in London, auf englisch, einen Roman gegen das Dritte Reich geschrieben, einfach nur, um ehrlich zu bleiben. Vor so etwas würde ich mich verneigen.

Du weisst doch natürlich, dass in London der deutsche P. E. N.-Club gegründet ist. Adresse für Beitrittserklärungen Dr Rudolf Olden (Bruder von Balder) 13, Manson Place, Queen's Gate, London S. W. 7. Ich hoffe, dass diese Veranstaltung dazu dienen kann, uns Völkerbunds-Pässe zu verschaffen.

Besonders wollte ich zu der Arbeit Golo's in der ›Sammlung‹

meine Freude und meinen Glückwunsch aussprechen. Sehr merkwürdig, der wissenschaftliche Panzer – und die freie Begabung, die
hindurchbricht!

Dann die schmerzliche Nachricht, die ich erst durch Dich bekam:
Wassermann ist wirklich tot? Und was bedeutet »Zusammenbruch«? Hat er unter dem Verlust der früheren Stellung gelitten? Man muss fürchten, dass er nicht mehr gewusst hat, wofür,
für wen. Auch die Einnahmen können, wie jetzt üblich, nur noch
ein Drittel gewesen sein. Ist man bei all dem schon längere Zeit
krank –.

Dein Buch hat das 30. Tausend, mindestens dieses, hinter sich: das
ist die grosse Ausnahme. Sie werden auch nicht wagen, Dir den
deutschen Markt zu verschliessen, wenn Du fest bleibst. Ich sage
es ohne Garantie; zuletzt ist alles Zufall. Aber wie anders hätten
alle, auch Wassermann, und sogar ich, dagestanden, wenn die Intellektuellen sich ihrer Stärke, besonders aber ihrer geistlichen
Pflicht bewusst geworden wären, wie die Pastoren. Die lernt man
jetzt anders kennen als je zu hoffen war. Sie vermitteln die Anschauung des Christen und auch Luthers. Man erfährt heute von
den Menschen zwar Überraschungen, aber nicht nur peinliche.

Ich schreibe an meinem grossen König, den sie auch im Grunde
nicht mochten und endlich ganz und gar satt bekamen, wie noch
jeden Guten. Nur an den »Führern« zum Abscheulichen hängen
sie allerdings sehr. Leider bin ich in den dunklen Anfängen des
Romans, er muss noch lange dauern. Trotzdem wird mir schon
jetzt eine Bezahlung angetragen: sie hielte nicht länger vor als die
Arbeit selbst; aber auch noch die gesicherte Zukunft, das wäre
heute zu viel verlangt. ›Der Hass‹ hat bewirkt, dass gleichzeitig
eine amerikanische und eine Pariser Zeitschrift von mir erfahren
wollten, wie man die Geistesfreiheit zerstört. Das konnte ich ihnen sagen. Heute fragte ich auch den Direktor der ›Dépêche‹, eines
Regierungsblattes, ob ich, als Fremder, den Vorgang eines Systemwechsels erfahrungsgemäss berichten dürfe. Denn es wird
Zeit. Und nützlich will man sich immer noch machen.

Dir und den Deinen alles Herzliche. Schreibe mir, bitte, bald

H.

Lieber Tommy,

schön, dass Du in Arosa bist, das muss eine kräftige Luft sein. Auch ich denke jetzt oft an das Gebirge, weil ich schon seit 1932 nicht in Gastein war.

Du hast mir am 30. Januar geschrieben, alles interessirte mich tief; geantwortet habe ich trotzdem so lange nicht, aber Nachlässigkeit ist nicht der Grund. Ich hatte immer viel Arbeit, auch einige Geschäfte, sonst aber gar nichts. Kein Ausflug in die Welt, fast kein bekanntes Gesicht: nur die notwendigen Spaziergänge und die so sehr gebotene Ruhe. Es wird klösterlich. Mein Roman ist ein Inhalt mehrerer Jahre, ich muss daran genug haben. Nach seinem Wesen wäre er sogar »das Ganze« und die endgiltige Zusammenfassung. Ich weiss nur nicht, ob ich ihn und »es« so weit und so lange treiben werde. Man müsste der Dauer der Dinge sicher sein, zu schweigen von der eigenen. »Um etwas Bleibendes zu machen, darf man über den Ruhm nicht lachen,« sagten Flaubert und die gediegene Bürgerzeit. Er hatte dann auch 7 Jahre Zeit für ein Buch und zweifelte niemals an dem Bestand der Welt. Ich übrigens auch nicht. Sie kommt immer wieder zu sich. Inzwischen arbeite ich, mehr als sonst üblich war, ins Leere hinein, kann mich aber erinnern, dass ich mir einst als Anfänger von der äusseren Welt eher noch weniger versprach. Damals hatte man zwar alle die Zeit vor sich, um angenehm enttäuscht zu werden. Heute kommt es nur noch darauf an, endgiltig nur doch darauf, sich selbst nichts schuldig zu bleiben. Ich wäre glücklich, wenn es mir so gelänge, wie Dir im Joseph. Diese Geschichten Jaakobs haben die grosse Ruhe, die Zeit ist aufgehoben, für die handelnden Geschlechter wie für Den, der schreibt. Dies ist, was mich heute am meisten anzieht.

Übrigens habe ich mich entschlossen, aus der Jugend meines Königs einen ersten Roman zu machen, und darin bin ich einigermassen vorgeschritten. Von Dir nehme ich an und hoffe, dass Du Dir jetzt einige Freiheit und Erholung erlaubst. Der 3. Band soll doch erst 1936 erscheinen? Du erhältst so auch Zeit für Vortragsreisen. Das müssen ermutigende Eindrücke gewesen sein. Ich hoffe, dass bald der Essai-Band kommt mit dem Wagner, aber auch mit »Freiheit und Vornehmheit«; keine anderen Begriffe gehören so sehr zusammen, und das in der Gegenwart Aussichtsloseste ist grade, einem geknechteten Volk seinen Adel einzureden. Alles was vorgeht und versucht wird, ist aussichtslos; das bleibt zweifelsfrei übrig, auch wenn man sonst nicht weiss, was kommen kann. Da ich an den Krieg nicht glaube, erscheint mir als das Wahrscheinlichste der baldige wirtschaftliche Zusammenbruch der Diktaturen. Sie »asen« und sind korrupt, so etwas wurde niemals geahnt. Ich hoffe nur, dass dies Urteil der Dinge selbst in Kraft tritt, bevor auch noch die übrigen Demokratieen fascisirt sind. In Frankreich wird es dafür einer ganzen Weile bedürfen, wie ich meine. Das Land hält noch lange an der Republik fest, nur Paris zeigt sich einigermassen haltlos. Es war nie anders: einst die Ligue (1576), Boulanger. Paris steht in Opposition zum Lande. Es ist merkwürdig: viele Republikaner führen gegen die Auflösung der Kammer an, dass das Land eine zu starke Linke hineinschicken könnte: das ergäbe eine Erhebung von Paris.

Dieses Volk hier ist, nach dem Ausspruch unseres Freundes Bertaux, auch nicht klüger, aber am Ende massvoller als andere. Geworden, muss man hinzusetzen: infolge reicher Erfahrungen. Die grösste Wahrscheinlichkeit, in Ruhe gelassen zu werden, sehe ich beim Eintritt weiterer Ereignisse, immer noch hier. Die kleinen Länder würden mir persönlich keine Gewähr bieten. In der Schweiz war neulich mein Buch einige Tage lang verboten, offenbar auf Berliner Druck hin. In Amsterdam haben sie den aus dem Lager entkommenen Heinz Liepmann eingesperrt, und er kann von Glück sagen, wenn er nicht ausgeliefert wird. Vorläufig ist der universale Terror in der Zunahme begriffen, auf dem Continent bleibt nur dieses Land ihm unzugänglich; aber man darf beim Eintreten gewisser Verschärfungen nicht grade mit einem alten deutschen Pass betroffen werden. Kurz und gut, ich thue jetzt erste, unverbindliche Schritte mit dem Ziel der Naturalisirung. Wenn es dahin kommt, vergehen jedenfalls Jahre, und dann ist es vielleicht nicht mehr nötig oder wird von selbst hinfällig. Ich sage mir, was der Ohrenarzt älteren Leuten sagt: »Sie werden taub werden, aber Sie erleben es nicht mehr.«

Für Dich wird die Schweizer Staatsangehörigkeit gewiss das Richtige sein. Wer nach dem so erwünschten Umschwung noch da ist, wird in demselben Augenblick wieder Deutscher sein. Es scheint auch, dass Du, solange Deine Angelegenheit läuft, nicht dort wohnen musst; Du erwähntest Florenz, für nächsten Winter. Glaubst Du nach näherer Überlegung, dass Du Dich dort wohl fühlen würdest? Man wird dort sicher durch zu Vieles, besonders aber durch die Unaufrichtigkeit des gesamten Treibens an Das erinnert werden, was man grade nicht mitmachen wollte. Was aber Billigkeit betrifft: hat Schickele Dir über sein hier gemietetes Haus geschrieben? Eine Villa ausserhalb der Stadt, 10 Zimmer, Aussicht ins Gebirge, und ein nicht zu unterbietender Mietpreis. Ich weiss nicht, ob sie schon drin sind; nur der junge Hans besuchte mich. – Übrigens wird mein Urteil dadurch gefärbt, dass ich gern in derselben Stadt mit Dir leben würde. Können wir uns wenigstens im Sommer vorerst zusammenfinden? Gebirge, gern; nur nicht gern die teure Schweiz. Möchtest Du nicht die Pyrenäen kennen lernen? Sie sind grossartig und so friedevoll altertümlich. Man bekommt dort noch die Federhalter zum Durchkucken, die unsere Eltern uns aus Badeorten mitbrachten. Wenn ich von Dir hören könnte, dass Du nicht abgeneigt bist, würde ich weniger bedauern müssen, dass Zürich mir vor dem Sommer nicht erlaubt – und auch dann kaum zu erwarten ist. Alle, die von mir Vorträge wünschten, habe ich zwar auf den Anfang des Sommers vertröstet; aber es hängt von meiner Arbeit und von noch mehr Bedingungen ab, ob ich wirklich etwas unternehme. Auch meine Reiselust ist durch das letzte Jahr eher gedämpft worden. Wirklich Lust hätte ich nur, Dein Züricher Haus zu sehen: es soll so erfreulich sein. Ich hoffe, dass Ihr Alle, besonders Katja, die ich bestens grüsse, einen durchaus guten Frühling haben werdet nach dem Winter, der sicher Schönes gebracht hat.

Einer Deiner Besucher, Herr Klaus Pinkus, erzählte mir. Er wusste ausserdem, dass in Berlin die Vorsichtigeren jetzt anfangen, sich zu entschuldigen – für alle Fälle. Andererseits hörte ich von Kommunisten, die zuversichtlicher arbeiten als je. Und Oranienburg ist kein Lager für Marxisten mehr: nur noch für meuternde S. A. In Berlin haben S. S. und S. A. einander beschossen. Es rieselt im Gemäuer; aber Verlass ist doch nur auf Schacht, der wird es schaffen. – Sonst wollte ich noch fragen, ob Du Auskunft hast über »Dr Paul Aron«, Paris, den ich für einen Fascisten gehalten habe, obwohl er uns in Sanary besichtigte. Jetzt schreibt er mir begeistert, aber trau schau wem. Ausserdem möchte ich noch sehr bitten, dass Du mir ein Exemplar Tonio Kröger schicken lässt: meine Freundin Kröger wünscht sich, ihn zu lesen.

Herzlichst   H.

19. April 1934
11, rue du Congrès
Nice (A. M.^{es})

Lieber Tommy,

soeben war Tagger bei mir, und ich weiss jetzt endlich, was man in Zürich von mir wünscht. Hartung hatte telegraphirt und einen Anruf angemeldet, ohne indessen den Zweck anzugeben. Ich liess mich auf einen Anruf (wegen der vorigen verdächtigen Sache) lieber nicht ein, sondern schrieb express: alles gern, nur nicht hinkommen. Jetzt sagt Tagger mir, Du habest Dich grade für meine Berufung eingesetzt; umso mehr schmerzt mich meine erzwungene Unbeweglichkeit. Leider kann ich sie nicht ändern. Wenn ich den acht oder zehn Aufforderungen zu reisen, sogar nach Amerika, in diesem Winter nachgegeben hätte, dann wäre von meinem Roman kaum ein Satz geschrieben. So bin ich doch im zweiten Drittel und hoffe nach der Sommerpause das letzte zu machen. Diese Pause ist das nächste Ziel, ich arbeite unverbrüchlich auf das Nichtstun hin. Es wird Zeit dafür: das vorige liegt gleich zwei Jahre zurück. Verzeih mir daher meine scheinbare Bequemlichkeit und lass, bitte, auch Hartung wissen, dass es an gutem Willen nicht gefehlt hat! Ich hätte wahrhaftig den Wunsch, Dich wiederzusehn. Wann wird das sein können? Im Juli? Ich würde noch vorher eine Badekur machen. Für den gemeinsamen Aufenthalt schlage ich dann die Küste im Süd-Westen vor, von Biarritz bis höchstens Arcachon: dort ist gutes Wetter gesichert. Ziehst Du einen kleinen Ort mit Villen vor, oder einen grossen mit Hotels? Bekannte würden wir mehr in dieser Gegend haben; aber nochmals Sanary? Schreibe mir, was Ihr denkt, und nehmt herzliche Grüsse.

H.

Lieber Tommy,

dieses Jahr muss ich mich mit dem Glückwunsch beeilen: Du willst Deinen Neunundfünfzigsten ganz wo anders begehen. Ich wünsche Dir, dass Deine ausserordentliche Romandreiheit Dich weiter erfreut in Ruhe und Sicherheit. Nach meiner Meinung ist dies ein Ziel, wenigstens ein vorläufiges – und nicht immer nur der atemlose Um- und Auftrieb, wie üblich in »dynamischen« Gegenden. Dein ist der unermessliche Vorzug, Zeit zu haben. Da Du aber gewiss schon weisst, was weiter geschehen soll, brauche ich nur zu wünschen, dass zwischen hier und Amerika, auf dem sommerlichen Ozean, Dir eine neue Arbeit klarer und wohlgefälliger wird. An meinem Teil kann ich beobachten, dass ein verhältnismässiges Gefallen am Werk sich erst einstellt, wenn sein wirklicher Sinn klar hervortritt. Dort bin ich jetzt glücklich eingetroffen, aber in schrecklich überanstrengtem Zustand und mit grossem Verlangen nach einem Badeort im Gebirge. Nun liegt es aber in praktischer Hinsicht so, dass ich besser thue einen Hauptabschnitt noch vor meinem Sommerferien zu erreichen; und trotz der Ermüdung drängt es mich leider auch im Innern. Man sollte endlich Geduld und Ruhe erlernen.

Meine Absage nach Zürich habe ich erst recht bedauert, als ich in Deinem Brief las, wie sehr Du enttäuscht warest. Ich bin nicht gern ausgeblieben, das kannst Du glauben. Noch dazu muss ich jetzt fürchten für unseren gemeinsamen Aufenthalt zwischen Juli und September. Wird Deine Reise Dir gegen Ende des Sommers noch etwas Zeit lassen? Ich wäre sehr glücklich. Seit unserer Trennung waren mein bei weitem nächster Umgang die Romangestalten, – wie es wohl auch sein soll. Aber einmal jährlich könnte es anders sein. Im Hotel Bandol sass gelegentlich an unserem Tisch ein älterer, etwas schwerhöriger Mann, Dr Oscar Levy; der wohnte den Winter in Cannes und fuhr immer treu Autobus, damit wir den Abend verbrachten. Der war geduldig und anhänglich, zu schweigen von seinem eigenen Wert. Dagegen hat sich der Verkehr mit Schickele als schwierig und dornenvoll herausgestellt; er wird schwerlich fortgesetzt werden. – Ziemlich ergreifende Nachrichten bekam ich von Arnold Zweig aus Palestina. Ich konnte ihm nur antworten, dass unsere Mutter nicht vor 2000 Jahren, sondern um 1860 aus Brasilien gekommen ist; wollte ich aber dorthin »heimkehren«, wieviel würde ich noch wiedererkennen? Übrigens, so sagte ich, ist es eine unserer Hauptaufgaben, zu beweisen, dass wir auf uns selbst gestellt wie je, anständig unser Leben zu Ende führen können, wäre es hier oder dort. Ein böses, undankbares Land, das wir verlassen mussten, brauchen wir auch nicht.

Du selbst schreibst, dass Du dankbar die Luft der westlichen Welt atmest, und das ist sogar das Beste, Glücklichste, was ich bei Dir lese. Ich wünsche, Dein ganzes Jahr möge von diesem Gefühl überglänzt werden, und Deinen Sechzigsten möge auch ich mit Dir feiern dürfen!

Grüsse an Katja. Hochachtung für die grosse Erika. Frau Kröger dankt tief ergriffen für den Tonio und die Inschrift.

Herzlich   H.

27. Juni 1934
11, rue du Congrès
Nice (A. M.)

Lieber Tommy,

Du bist, wie ich höre, wieder eingetroffen: ich beeile mich, Dir zu danken für Deine Nachrichten von der Mitte des Ozeans. Seitdem sah ich auf der first page of the New York Herald that the most eminent living man of letters – Du bist; und dachte mit Vergnügen an das Gesicht des eitlen alten Shaw. Die Reise war hoffentlich durchaus erfreulich und ist Dir wie Katja gut bekommen.

Von Hartung bekam ich die Aufforderung, etwas für Paris zu schreiben, damit Ossietzky den Friedens-Nobelpreis bekommt. Hartung selbst hat ein Komitee gebildet und thut was er kann. Ich musste ihm nur leider antworten, dass nach meiner Kenntnis in Paris nichts zu machen ist. Wäre es nicht das Nächstliegende, dass Du Dein Recht als Nobelpreisträger gebrauchst, um den Preisrichtern in aller Form den Friedensmärtyrer Ossietzky vorzuschlagen? – Mein besonderer Wunsch wäre, dass Du die Gelegenheit wahrnimmst, um Kolbenheyer in Stockholm unmöglich zu machen. Denn hier droht (ich weiss nicht, ob sehr ernstlich) die Gefahr einer internationalen literarischen Anerkennung des Hitler-Regimes. Es soll sich eifrig darum bemühen. Vielleicht erkundigst Du Dich, ob Dein Eingreifen geboten ist.

Die Adresse von Gustav Hartung ist übrigens: Mottafarm, Brissago (Tessin).

Ich gebe am 30. Juni meine Wohnung auf und gehe zur Erholung ins Gebirge: wohin, schreibe ich Dir noch.

Sei inzwischen herzlichst gegrüsst.   H.

                                          2. Juli 1934
                                          Cauterets (H^{tes} Pyrénées)
                                          Pension Les Edelweiss
Lieber Tommy,

hier wohne ich, und ausser dem Namen der Pension erinnern auch Wasserfall und Waldspaziergänge an Gastein. – Pallenberg! Das geht mir näher als alle neuen Berliner Greuel. Wie ist die Adresse der Massary? Ich hoffe von Dir bald Gutes zu hören.

Seid herzlich gegrüsst.   H.

                                          Küsnacht-Zürich 5. VII. 34.
                                          Schiedhaldenstraße 33
Lieber Heinrich,

heute kam Deine Karte, und so kann ich Dir für Deinen Brief vom 27. Juni danken, der uns hier so freundlich wieder begrüßte. Die Idee mit Ossietzky ist vorzüglich; aber der Preis wird in Oslo, nicht in Stockholm vergeben, und ich habe weder ein Vorschlagsrecht noch irgendwelche Beziehungen zu dem Komitee. Daß man an dieses den Gedanken heranträgt, ist sicher richtig; aber wird es ihn aufgreifen? Das Ausland ist im Ganzen wenig geneigt, der deutschen Regierungsbande die moralischen Ohrfeigen zu geben, die am Platze wären. – Etwas anderes ist es mit dem Literaturpreis. Hier kann ich erstaunt und ungläubig an Prof. Böök, den entscheidenden Akademiker schreiben, – aufrichtig ungläubig; denn ich kann mir nicht denken, daß man den international völlig obskuren

                                          224

und totlangweiligen Kolbenheyer der Welt präsentieren will. Meines Wissens hat leider H. Stehr bessere Aussichten – auch das wäre natürlich ein Malheur und Aergernis. Ich weiß nicht recht, was nach dieser Richtung dort oben möglich ist. Es ist nur wahrscheinlich, daß sich unter dem Eindruck der jüngsten Geschehnisse die Neigung, den Preis nach Deutschland zu geben, verringert hat. Da ich leider weiß, was *nicht* möglich ist, habe ich auf Hermann Hesse gewiesen, von dem ich einiges sehr liebe, und der ein sympathisches Stück deutschen Außerdeutschtums darstellt.

Der Tod Pallenbergs hat auch mich entsetzt und mit Trauer erfüllt. Ich nehme an, daß die Massary unterdessen von Wien nach Bissone bei Lugano zurückgekehrt ist. Wir haben unser Mitgefühl an Franks in Sanary telegraphiert. Die Zeitungen jenes unseligen Territoriums schreiben anläßlich des Unglücks von dem »ekelhaften jüdischen Possenreißer, dem nichts heilig war«, – damit nur ja kein Punkt sei, in dem das »Deutsche« nicht zur Welt natürlichen Anstandes und der Menschlichkeit in schärfstem Gegensatz stände. Wie soll das werden? Man sieht es ungefähr an den neuesten Blut-Obszönitäten. Diese ungeheuere Schweinerei nimmt ihren Lauf nach dem Gesetz, wonach sie angetreten, und man darf überzeugt sein, daß sie nach diesem Gesetz auch enden wird. –

Amerika war ein großartiger Jux, – womit ich das Eindrucksvolle und das Überflüssige der Sache gekennzeichnet haben möchte. Sie hat mich vier Wochen gekostet, die ich mir eigentlich meines 3. Bandes wegen nicht leisten konnte. Und doch will ich den Ausflug nicht bereuen, denn es hat ja sein Schönes und Gutes, dies Einernten sovieler in Jahren gesäter und herangewachsener Sympathie. Ich habe mehr als einmal von Leuten gehört, jungen und älteren, es sei ihnen wie ein Traum, »like a dream«, mich in Wirklichkeit vor sich zu haben; und wie ein Traum war auch mir das Ganze: Als ich bei dem »Testimonial Dinner« am 6. Juni im Plaza-Hotel (300 Personen, das ganze literarische Manhattan mit dem Mayor an der Spitze) zu meiner Dankesrede aufstand, war mir wahrhaftig recht träumerisch zu Mut. Zehn gesellschaftlich über und über beanspruchte Tage in New York genügen natürlich nicht, um irgendwelchen genaueren Einblick zu gewinnen, aber rein atmosphärisch waren meine Eindrücke hoffnungsvoll. Es gilt

für die Zukunft zwar alles für möglich, auch ein Sowjet-Amerika, aber seelisch schienen mir die Leute gesünder und heiterer als bei uns, keineswegs so hysterisiert, und Roosevelt ist a good man in der angelsächsischen Bedeutung dieses Wortes, das ist sicher. Er macht zwar auch Diktatur, aber zweifellos aufrichtig im Interesse der Demokratie, und von den Besseren habe ich immer wieder gehört, daß ohne ihn bestimmt die Revolution gekommen wäre. Kennen gelernt habe ich ihn übrigens nicht, sondern nur den Bürgermeister von New York, der uns auch zur Flottenparade einlud, La Guardia, ein italienischer Halbjude aus dem Neger- und Judenviertel East-Harlem, die amüsanteste und humoristisch gerissenste Physiognomie, die mir vorgekommen. Auch noch einen schwedischen Adoptiv-Sohn hat er und repräsentiert ausgezeichnet die Riesenstadt mit ihrem Durcheinander von Rassen, Sprachen und Menschentypen. Es ist die einzige wirkliche Weltstadt, menschliches Freiland, und könnte, glaube ich, selbst uns resorbieren, wie sie z. B. George Groß sichtlich schon resorbiert hat. Amerikaner kann man werden, und vielleicht sollte man es.
Der Klügere warst Du, der unterdessen gearbeitet hat. Dein Aufsatz über die Demokratie, die Du meinst, war wundervoll in der Haltung, und ich kann nicht sagen, wie neugierig ich auf den Königsroman bin. Hat er gute Fortschritte gemacht?
Herzliche Wünsche für Deine Erholung!
T

6. Sept. 1934
121, Promenade des Anglais
Nice (A. M.)

Lieber Tommy,
wir hörten lange nichts von einander. Du bist wahrscheinlich in Deinen dritten Band vertieft, ich finde jetzt nach den Sommerferien in meinen ersten zurück.
Mein heutiger Anlass ist eine Bitte des Schauspielers Paul Graetz; er wünscht sich eine Rolle in Deinem Josephs-Film. Es steht auch fest, dass er sie verdient, in künstlerischer und menschlicher Hinsicht. Er hat aus Ehrlichkeit das Exil auf sich genommen; andere Juden benutzten ihre Beliebtheit, um dem auszuweichen. In Lon-

don hat er sich innerhalb des vergangenen Jahres beim Film durchgesetzt. Er spielte in ›Jud Süss‹, ›Blossom Time‹ und mehreren anderen Stücken. Ich weiss von einem unbeteiligten Regisseur, dass man nichts mehr damit riskirt, ihn für eine Rolle vorzuschlagen. Er wird gewiss auch von King Vidor berücksichtigt werden, wenn Du ein Wort sagst, – besonders bei der grossen Zahl von Rollen, Charakterrollen, wie sie ihm liegen. – So. Dies wollte ich übermittelt haben.

Für den Winter habe ich noch keine Wohnung. Wenn es möglich ist, kehre ich am 1. Oktober in die rue du Congrès zurück. Was wird Dir dort berichtet über die Aussichten des Erwählten Deutschlands? Die K. P. D. fühlt sich immerfort 100 Meter vor dem Ziel, das muss ein schönes Gefühl sein, aber dabei bleibt es.

Herzlichen Gruss Dir und den Deinen.   H.

Küsnacht-Zürich 11. IX. 34.
Schiedhaldenstraße 33

Lieber Heinrich,
auch ich wollte Dir gerade schreiben, aus Anlaß Deines bewundernswerten Aufsatzes in der »Sammlung« über die gottgeschlagene deutsche Kollegenschaft. Ich habe ihn mit tiefer Zustimmung gelesen, und auch Schweizer Gemüter hat er lebhaft bewegt, wie ich feststellen konnte. Die deutschen Intellektuellen, Professoren und Schriftsteller, werden die letzten sein, die zugeben werden, daß alles ein elender Wahnsinn war; sie müssen am längsten »durchhalten«, so jammervoll wie sie sich festgelegt und prostituiert haben. Das Volk ist offenkundig schon viel weiter als sie. Wir haben jetzt viel Besuch aus dem Reich; auch Figuren, die schon ganz versunken waren, tauchen wieder auf, gealtert, leise redend und erschüttert von dem, was sie draußen über die Lage ihres Landes erfahren. Daß das Regime von innen her weitgehend angefault, Aberglaube und Begeisterung in vollem Verfall begriffen sind, darin stimmen alle Nachrichten überein. Namentlich der völlige Stimmungsumschlag in der Studentenschaft wird allgemein bestätigt und ist ja, was wenigstens München betrifft, durch den Brief der Nazi-Studenten an den »Stürmer« bekannt geworden, der deshalb – und nicht wegen Beleidigung Masaryks – verboten

wurde. Der quasselnd in Jahrtausenden lebende Hanswurst an der Spitze ist bewacht wie nie ein Romanow es war, – Luftschutz, schwer bewaffnetes Absperrungsspalier, wohin er kommt, und doch sollen im Juli 4 Attentatssversuche vorgekommen sein. Vielleicht wäre es noch zu früh. Aber die Frage »Wie lange noch?« beherrscht nach allem, was ich höre, jedes vertrauliche Gespräch – nur eben auch, leider mit Recht, die andere: »Was dann?« Das längst Verachtete lebt vorläufig noch davon, daß nichts da ist oder nichts sichtbar ist, was an seine Stelle treten könnte – es weiß das selbst. Leider lebt es aber auch von der Misere der Außenwelt und der allgemeinen Ratlosigkeit, die ihm als günstige Folie dient. Da auch Rußland und Italien darben und durchhalten, Frankreich in keiner guten Haut steckt, Amerika vor dem Chaos steht, so ist es am Ende gut, irgend etwas wie eine Ordnung zu haben – das ist das Schlimme und Verzögernde. Die Haltung der deutschen Massen ist, wenn ich recht sehe, ein fatalistisches Zuwarten und Auf die Katastrophe hin leben, die ja auch wirlich jeden Augenblick von irgend einer Seite kommen kann. Ich wollte, dieser Alpdruck von Reich wäre erst aufgelöst, Bayern zu Oesterreich abgewandert und Deutschland von der Politik befreit. Goethe sagte einfach: »Verpflanzt und zerstreut in alle Welt, wie die Juden, müssen die Deutschen werden, um die Masse des Guten ganz und zum Heile aller Nationen zu entwickeln, die in ihnen liegt.« Es ist gut, jetzt Goethes Gespräche zu lesen (die »eine abweisende Gestalt« wirkt sehr schön in Deinem Aufsatz). Aber auch in den alten »Briefen eines Unbekannten« (Alexander Viller) lese ich augenblicklich viel. I. J. 1870 schreibt er: »Ich habe dieses singende, phrasendreschende Volk so satt, daß ich all die tausend Bande, die meine Seele an Deutschland knüpften, unwillig zerrissen habe.« Ja, ja. –
Ob ich für Deinen Freund Graetz etwas werde ausrichten können, ist mir zweifelhaft. Alles, was über den geplanten Film bekannt geworden, weiß ich selbst nur aus den Zeitungen; nie habe ich über die Einzelheiten der Regie und Besetzung von der Gesellschaft direkt etwas gehört, und obgleich sie mitteilen läßt, ich würde »die Regie überwachen«, habe ich nicht den Eindruck, daß ich irgendwelchen Einfluß haben werde. Ich habe einfach den Optionsvertrag unterschrieben, etwas Hals über Kopf, da Reinhart und Werfel eine große alttestamentliche Schau planen und ich

fürchten mußte, die Londoner würden mir daraufhin noch abspringen. Die geschäftlichen Verhandlungen wurden telegraphisch geführt. Ich habe jetzt, es ist schon eine Reihe von Tagen her, brieflich einige Fragen gestellt und muß sehen, ob ich darauf eine Antwort bekomme. Eventuell kann ich dann mit dem Hinweis auf Graetz weiter gehen. –

In meinen 3. Band bin ich leider durchaus nicht vertieft, sondern treibe »Nebendinge«. Sei es, daß ich dieser Welt überdrüssig war oder daß das Nicht reagieren auf die Reize, die die politischen Dinge beständig auf das kritische Gewissen üben, einem auf die Dauer doch gegen die schriftstellerische Ehre geht, – kurz, ich habe Wochen lang ausladende Vorbereitungen zu einer Kampf- und Bekenntnisschrift gegen das Dritte Reich getroffen, – um sie dann doch vorläufig wieder liegen zu lassen. Fange ich an damit, so wird es eine weitläufige Sache von Monaten, vielleicht vielen Monaten auf Kosten des ohnedies übertragenen Romans, den Viele selbst als Gegen-Werk und -Leistung empfinden, und um den es mir leid tut. Auch frage ich mich, ob so ein Frontalangriff eigentlich meine Sache ist, da sowieso alles erkannt und ausgesprochen wird, am glänzendsten von Dir, aber auch von den Zeitungen, und nicht zu fürchten ist, daß irgendjemand sich über dies miserable Unwesen täuscht. Auch scheint es fast schon zu spät, sich noch ausdrücklich und ausführlich gegen dies längst über und über widerlegte Unwesen zu bekennen. Kurz, ich schwanke, ein recht enervierender Zustand übrigens; und um Zeit zu gewinnen, beschäftige ich mich mit etwas Drittem, Neutralem und schreibe, um den Essayband zu kompletieren, eine Art von großem Feuilleton: »Meerfahrt mit Don Quijote«, worin tagebuchförmig die Schilderung einer Ozeanreise mit Notizen über das Buch verwoben wird. Das unterhält mich vorläufig, und bis es fertig ist, werde ich vielleicht besser wissen, was ich will.

Wohl Dir, daß Dein Roman wächst. Ich freue mich auf sein Erscheinen. Jetzt lese ich in den Korrekturbogen den Deines Neffen Klaus »Flucht in den Norden« und finde ihn anmutig.

Sei herzlich gegrüßt!

T.

20. Sept. 1934
121, Prom. des Anglais
Nice (A. M.)

Lieber Tommy

nur einen Dank für Deinen schönen ausführlichen Brief. Ich finde jetzt schwer aus dem Dunstkreis des Romans heraus. Ende des Monats muss ich mich mit Kopfsprung an einen Artikel machen; sonst keine Nebendinge. Es ist begreiflich, dass Du von Deiner grossen Arbeit gern zu einer persönlichen Aussprache abschweifen würdest. Zuletzt wirst Du es wohl doch verschieben. Man kann dem Dritten Reich auch einen Nachruf schreiben, wenn es vorbei ist. Auch dann würde ich allerdings fragen: wozu. Es ist durch und durch bekannt und bleibt der Welt erhalten wider ihr eigenes besseres Wissen. Ist es einmal tot, dann gründlich. Schon von Napoleon III sagte Rochefort, der 18 Jahre gegen ihn gekämpft hatte: Cet imbécile de qui personne ne parle plus. Wie wird das erst mit dem gestürzten Hitler sein. Ich will nächstens in der französischen Zeitung dem Ausland zu sagen versuchen, dass vielleicht nur seine moralische Unterstützung nötig wäre, damit Deutschland sich eines Bessern besinnt. Statt dessen möchten andere Länder das deutsche Erlebnis wiederholen, nach seinem völligen Misserfolg. Das ist der Skandal. Wenn Du erlaubst, bediene ich mich Deiner brieflichen Informationen. In der »Sammlung« habe ich sogar eine Einzelheit über Goethe nur im Vertrauen auf Dich erwähnt. Ich wusste nicht, dass er sich vor der Ermordung gefürchtet hat. Ich wusste nur, dass die Nationalisten auch damals zu Morden neigten. Deine gute Meinung über den Aufsatz erfreut mich sehr.

Viel Aufregung habe ich wegen einer Vortragsreise nach Prag. Sie soll Geld bringen, grade etwas zu viel, als dass ich einfach ablehnen dürfte. Aber 1) die Jagd nach den nötigen Papieren und 2) 40 Stunden Bahnfahrt, oder ein Flugzeug, das aber nur italienisch sein darf. Wohin gerät man sonst, – dies wörtlich und örtlich verstanden. Sprich lieber noch nicht hierüber; ich sage es auch nur aus Unruhe und weil ich zuletzt wohl doch nicht reise.

Sei herzlich gegrüsst!　H.

Lieber Heinrich,

darf ich Dir, zu gelegentlicher Unterhaltung, beifolgende Plauderei senden, die kürzlich im Feuilleton der »Neuen Zürcher Zeitung« erschien? Ich nehme sie als Schlußstück in eine Essaysammlung auf, die auch den beschrieenen Wagner-Aufsatz, die Goethe-
Reden und anderes Affronthafte enthalten soll, und die Bermann
tatsächlich im Februar herausbringen will. Wenn der Band nicht
verboten wird, ist es der beste Beweis, daß dort drüben die Zügel
schleifen. Auch einen Bericht aus der Baseler Nationalzeitung
über eine sehr erfreuliche Versammlung lege ich bei, die vor vier
Wochen dort stattfand, und bei der ich mitwirkte, – freilich mit
inneren Hemmungen; denn der Pazifismus ist ja in eine etwas
schiefe Lage geraten, seit die Wölfe ihn predigen. Ich habe darum
auch keineswegs gegen die militärische Bereitschaft der friedlie-
benden Völker gesprochen.

Über Deinen so ehrenvollen und erfolgreichen Aufenthalt in Prag
haben wir viel gehört und gelesen und sahen auch das hübsche Bild
mit Goschi, die wieder zu umarmen Dich gewiß beglückt hat. In
Basel hörte ich, Du habest der dortigen Studentenschaft einen
Vortrag zugesagt. Kämest Du nur einmal! Das Zürcher Schauspielhaus, das übrigens sehr daran denkt, Deine »Madame Legros«
wieder aufzuführen, würde sich auch nicht wenig freuen. Was
sollte Dich hindern? Die Vorgänge um die »Pfeffermühle«, von
denen Du vielleicht gehört hast, dürfen Dir kein zu schwarzes Bild
von den Schweizer Zuständen geben. Es war eine Lausbüberei mit
persönlichen Hintergründen. Die Behörden haben sich ausgezeichnet gehalten, und das Zürcher Gastspiel ist programmmäßig
und sehr triumphal zu Ende gegangen. Erika geht nun nächstens
mit ihrer Truppe nach Prag, wo wir uns wohl treffen werden; denn
ich werde im Januar dort Deinen Spuren folgen und auch Wien
und Budapest nach Jahren wieder besuchen.

Wann kommt Dein Königsroman? Das Erscheinen des Jugend-
Bandes muß unmittelbar bevorstehen, und meine Begier ist groß
danach. Mit Recht hoffentlich denke ich Dich mir in guter Gesundheit und überhaupt guten Mutes an späteren Teilen des Werkes arbeitend.

Und unsere Rückkehr nach Deutschland? Wie beurteilst Du die Aussichten? Nicht daß ich's nicht erwarten könnte, persönlich – im Gegenteil, es lockt mich wenig, je wieder unter diesen rauschsüchtigen Dummköpfen zu wohnen, die unsereinem das Leben schon längst so sauer gemacht hatten. Und doch, was »Erwartung« ist im Sinne älterer Inbrunst, erfährt man jetzt im nie aussetzenden Hoffen und Beten, daß dem Schurken-Régime zu Hause recht bald das verdiente Ende beschieden sein möge. Man müßte wohl felsenfest daran glauben, und an Merkmalen der Morschheit fehlt es ja nicht. Aber durchdrungen von der Unmöglichkeit dieser Menschen, bin ich so mißtrauisch gegen die Zeit, daß ich in trüben Stunden das Unmögliche darin für möglich halte.

Sei herzlich gegrüßt!
T.

17. Dez. 1934
11, rue du Congrès
Nice (A. M.)

Lieber Tommy,

grade heute würde ich Dir geschrieben haben, auch wenn Dein lieber Brief nicht gekommen wäre. Schon längst wünschte ich mir Nachrichten von Dir und wollte mit den meinen nicht zurückhalten. Die N[eue] Zür[cher] Z[eitung] mit Deinen Artikeln war mir gezeigt worden; auch von Deinem Basler Auftreten hatte ich gehört. Ich danke Dir für die Zusendung und werde alles mit Freuden lesen. Den Zwischenfall mit der nationalen Front hatte ich überschätzt, vielmehr: er wurde überschätzt. Deine Richtigstellung beruhigt mich darüber. Hoffentlich kannst Du auch dementiren, was ich in Prag sagen hörte: es wäre Dir gesundheitlich nicht immer gut gegangen? Jedenfalls darf ich annehmen, dass Du Dich wieder wohl fühlst, da Du für Januar die Reise planst. Mir erschweren das Leben die leichte Ermüdbarkeit und Überreizung, die ich immer gekannt habe; und mit der langen Zeit wird die Bekanntschaft nur inniger – auch in dem Sinn, dass ich Geduld und Verzicht gelernt habe. Grosse Erfahrung im Einteilen der Kraft hat es mir ermöglicht, in den zwei Jahren des sogenannten Exils mehr zu arbeiten als seit weit zurückliegenden Tagen. Der Roman hat sich ausgewachsen; die »Jugend« ergiebt möglicher Weise zu viel Papier für einen einzigen Band. Ich beende um Neujahr den vorletzten der grossen Abschnitte. Wenn alles glückt, erscheint das Buch im Frühling. Ich schreibe gern daran. Es ist die Gelegenheit, unterzubringen, was ich weiss, – später mehr, in dem anderen Teil, »Sieg und Auflösung«. Es ist auch die Gelegenheit für Bilder und Scenen, die ich am liebsten in mir getragen habe. Das ergiebt eine Verbindung mit meinen ersten Arbeiten, ein ganz interessanter Fall. Die Lektorin von Mondadori, Mailand – ich wusste garnicht, dass sie die Druckbogen bekommen hatte – schrieb etwas an Stefan Zweig über die Jugendlichkeit der Erzählung: ermutigend in meiner Lage. So viel ist gewiss, dass hiergegen die Romane der Republik, die ich vorher machen musste, ältlich aussehn. Es war eine Zumutung, dort das Leben zu verherrlichen, wo alles nur auf Untergang zuhielt. Aber wann wird es dort anders werden? Sie lassen jetzt den letzten Vorwand ihrer sogenannten nationalen Erhebung fallen und werden uneingeschränkt der Ausbeuter- und Sklavenstaat, den die Geldgeber immer gemeint hatten. Nur im Kulturellen darf der Nationalsozialismus noch verheeren was übrig ist, augenblicklich die Musik. Dorthin zurück? Wenn ich es dürfte, liesse ich meine Bücher dort erscheinen, warum denn nicht die Gegenwirkung üben, zu der man befähigt ist. Persönlich würde ich mich wohl auch dann in wohlbemessener Entfernung halten. Die Menschen dort haben es zu weit getrieben in der Verkennung der Natur. Ihre Erziehung zum Normalen muss sehr umständlich nachgeholt werden. Mit einer blossen Revolution wäre nichts getan; aber auch die kann nicht einmal versucht werden. Andererseits scheint es auf die Dauer unmöglich, dass ein – erfolgloser – Zwangsstaat sich erhält, wenn gleich nebenan eine Demokratie sich erneuert und aufsteigt. Diesen Eindruck habe ich, immer deutlicher, von Frankreich, zum mindesten von seinen Kräften. Daran ist wieder beteiligt die Gegenwehr gegen das böse Beispiel, das Deutschland giebt: es erweckt hier einige moralische Kraft. Fragt sich, wer den Andern überwindet, das böse Beispiel dort oder das Streben nach sittlicher Erneuerung hier.

Sage mir, wie es um Deinen dritten Band steht, – und vielmals bitte ich Dich um die Essaysammlung. Grüsse in Prag mein Kind und ihre Mutter. Vom Ertrag meiner Reise konnte ich ihnen eine Wohnung mieten. Wir hatten sehr schöne Tage; ich wünsche Dir die gleichen mit Erika. Alles Gute im neuen Jahr, Dir, Katja, und Deinen Kindern!

Herzlichst   H.

Küsnacht-Zürich 3. 1. 35.
Schiedhaldenstraße 33

Lieber Heinrich,

vielen Dank. Ich habe alles richtig bekommen und bitte um Entschuldigung, daß ich es unterließ, Dir den Empfang Deines vorletzten Briefes zu bestätigen. Es gab viel Trubel hier; die Kinder kamen zu Weihnachten alle herein (jetzt zerstreuen sie sich allmählich wieder), und es gab außerdem noch Logierbesuch, sodaß das Haus übervoll und das Leben amüsant und unruhig war. Jetzt war ich einige Tage unpäßlich: die übliche Magenverstimmung mit Nerventiefstand und erniedrigtem Blutdruck. Es liegt mir immer noch in den Gliedern, und meine Gedanken geraten nicht.

Jene Kundgebung nach Moskau ist unterdessen durch die Ereignisse, d. h. ausgiebige Hinrichtungen, wohl überholt. Es ist zum Verzweifeln traurig, daß das Einzige, worauf die Menschheit noch hoffen könnte und woran man wünschte glauben zu können, sich durch dieselben lügnerischen und blutigen Methoden kompromittiert wie das Verhaßteste.

Landshoff war nur zwei Tage hier. Es ist sehr ärgerlich, daß er gerade weg war, als Dein Brief kam. Wie ist es denn möglich, daß die Druckbogen Deines Buches sich noch als so fehlerhaft erwiesen! Sind sie etwa von Nicht-Deutschen gesetzt? Jedenfalls muß da noch Abhilfe geschaffen werden. Übrigens schrieb mir die Mazzucchetti, die die Bogen las, begeistert über die Jugendfrische Deines Werkes.

Frau Fischer will ich Dein Beileid übermitteln. Aber warum solltest Du nicht selbst schreiben können? Nur von Deutschland ausgehende Briefe werden doch wohl geöffnet, kaum auch hineingehende. Es hat sich noch niemand beklagt, dem ich Deutlichkeiten geschrieben habe.

Ob wir je noch Gutes von dort vernehmen werden? Meinem Anwalt scheint jetzt jede Hoffnung zu schwinden, daß er mir mein
Hab und Gut noch zurückgewinnen kann, und auch sonst – mein
Glaube ist klein, daß dem moralischen Gefühl Genugtuung werde,
eine wirkliche Bereinigung kommen wird. Nicht unmöglich, daß
Deutschland gezwungen sein wird, sich einem französischen Frie-
denssystem anzuschließen. Aber das Regime wird bleiben, ob-
gleich seine stupide Überflüssigkeit dann klar am Tage sein wird.
Wir erörtern öfters den Plan, im Februar oder März auf ein paar
Wochen an eure Küste zu kommen. Wenn ich nur nicht nach der
Ostreise, die nun bald fällig sein wird, zu müde bin.

Herzliche Grüße und ein gutes Jahr!

T.

Küsnacht den 10. III. 35.

Lieber Heinrich,
Deinen Artikel habe ich mit Genuß und bösem Lachen gelesen. Im
Ganzen, finde ich, versagt sich die Sprache der Kennzeichnung
und Erörterung dieser Grube von Miserabilität. Du findest immerhin einen Ton, eine kalte Manier von der nötigen Gespenstig-
keit, darüber zu sprechen, – ein starkes Kunststück.
Frankreich ist immer noch der günstigste Boden für solche Hin-
weise. In England sieht es schlimmer aus, wie der Effekt zeigt, den
der elende Bursche mit seinem Absage-Coup immerhin gemacht
hat. Der englische politische Idealismus, die Geistigen des Landes,
die den Vertrag von Versailles als moralische Niederlage für England empfinden, opponieren ihrer Regierung, wenn sie vollkommen der Wahrheit gemäß den deutschen Geisteszustand für das
europäische Rüsten verantwortlich macht. Diesen Idealismus, den
englischen Sozialismus, der an dem Schicksal seiner deutschen
Genossen offenbar nicht teilnimmt, sucht das Schwein zu seinen
Gunsten mobil zu machen und für sein »Spiel« zu gebrauchen. Es
ist ein jammervolles Schauspiel. Und man kann den Anstands-
und Friedensfreunden drüben nicht einmal böse sein, wenn ihnen
das Innere wichtiger ist als das Aeußere, das Hemd näher als der
Rock und die eigene Moral näher als die fremde.

Ich kann mich kurz fassen mit meinen Nachrichten, denn wir kommen demnächst. Die Sitzungen des Comité permanent des lettres et des arts finden in Nizza statt, Anfang April; das gibt freie Fahrt und Diäten und bietet also die beste Gelegenheit zu einem Besuch an Deiner Küste. Wir freuen uns herzlich auf das Wiedersehen, nur ist leider die Ausarbeitung einer dummen akademischen Rede über La formation de l'homme moderne damit verbunden, die mir jetzt Kopfzerbrechen macht. Eine nette formation. Ich werde einfach schimpfen.

Wir waren in Prag, Wien, Budapest, auch Brünn kürzlich, eine erfreuliche Reise mit wohltuenden Eindrücken. In Wien hatte ich zwei überfüllte Abende mit Kundgebungen wie sie nicht dagewesen sein sollen, seit Bruno Walter dort zum ersten Mal nach seinem Hinauswurf aus Deutschland dirigierte. Und zu denken, daß es, die Möglichkeit angenommen, heute in Deutschland nicht anders, ja noch toller wäre. Übrigens war mein alter Freund, der ehemalige Bürgermeister Seitz anwesend, und wir schüttelten uns coram publico die Hände.

In Prag hatten wir ein freundliches Mittagsmahl bei Mimi und Goschi, die sich ihrer schönen Wohnung freuen. Über ihre Gesundheit spricht Mimi, oder Maria Mánnowa, wie sie nun heißt, freilich recht wehmütig.

Ein Erholungsaufenthalt in St. Moritz-Chantarella wurde uns durch schlechtes Wetter verdorben. Dafür erfreuen wir uns gegenwärtig hier eines sonnigen Frostes von 14 Grad, was auch noch nicht da war.

Mein dritter Band hat Fortschritte gemacht, läßt aber immer noch Vieles zu tun.

Auf Wiedersehn also sehr bald.

T.

Lieber Heinrich,

wir kommen am 30. morgens von Marseille um 8 Uhr 45 und haben uns im Hotel d'Angleterre angemeldet. Mach Dir doch ja keine Unbequemlichkeiten zu so früher Stunde. Wir setzen uns gleich mit Dir in Verbindung, und da die Sitzungen nicht am 1. beginnen, bin ich schon vorher zwei Tage lang frei für jedes Zusammensein.

Auf Wiedersehn! Wir freuen uns sehr.

T.

Küsnacht den 28. III. 35

Lieber Heinrich,

ich muß Dir die betrübliche Mitteilung machen, daß aus unserem Wiedersehen in diesem Augenblick nichts werden kann. Meine Gesundheit ist recht schwankend, täglich mehr setzt der wahnsinnige Gang der oeffentlichen Dinge, der Gram über die schändliche Verfassung Deutschlands ihr zu, und das Memoire, das ich für das Comité des lettres et des arts geschrieben habe, ist so sehr ein direkter, schmerzensvoller Ausdruck davon geworden, daß es, persönlich mitgeteilt, wohl befremdlich aus dem Rahmen fallen, möglicherweise sogar dem Völkerbund Schwierigkeiten bereiten würde. Ich habe daher in Genf wissen lassen, daß ich es mir versagen muß, in diesem Augenblick an den Sitzungen teilzunehmen und auch den Wunsch ausgedrückt, daß mein Beitrag nicht über den engeren Personenkreis des Comité hinausdringen möge. Unser Reiseplan, so weitgehend schon eingeleitet, wird damit zunächst hinfällig. Wir nehmen uns aber aufs bestimmteste vor, ihn privat noch in diesem Frühjahr, etwa im Mai, zu verwirklichen – dies tröstet mich über das momentane Scheitern meiner Hoffnung, Dich wiederzusehen und mit Dir zu sprechen.

Sei also gegrüßt bis dahin und verzeih das gewiß kopflos anmutende Hin und Her! Die Anormalität der Zeiten ist schuld daran, die meiner Natur so ungemäß und so belastend für sie ist wie möglich.

Herzlich
T.

Mein lieber Tommy,

heute dachte ich Dich zu sehen und sprechen zu hören: wenigstens will ich Dir diese Worte sagen. Was mich tief betrübt, ist nicht der Aufschub Deiner Reise; er wird hoffentlich nur gering sein. Aber Du leidest, und das ergreift auch mich. Ich fürchte, dass Du körperliche Schmerzen hast und dass die seelischen sich darin äussern. Wie gut muss bei dieser Verfassung Deine Denkschrift geworden sein! Ich wollte, ich könnte sie lesen. Aber es wäre Dir lieber, gute Sachen, die so viel kosten, nicht machen zu müssen. Eher als Du, neige ich zu den literarischen Entladungen der Affekte; aber ich habe das nun auch schon satt und wäre sehr erleichtert, wenn die Katastrophe schon ausbräche. Der Krieg muss es nicht sein, sie sollen lieber wirtschaftlich zusammenbrechen und genötigt sein, sich mit ihrem Chaos selbst herumzuschlagen, anstatt die Welt mit hineinzuziehen. Das muss einmal aufhören, und der Fall Deutschland muss vom Schicksal durch Urteil beendet werden. Die Verhandlung schleppt sich ewig hin.

Dies sind Erwägungen, man kann sie vielleicht noch jahrelang anstellen. Was mich wirklich bewegt, ist die Frage nach Deinem Befinden. Ich will glauben, dass nichts wirklich verändert ist in Deiner Gesundheit, und dass auch die Trauer und der Ekel sie nicht ernstlich erschüttern können? Hierüber möchte ich von Dir beruhigt werden und wüsste ferner gern, wie Du Deinen Sechzigsten zu begehen denkst: vor allem, wo. Du hast wahrscheinlich in Zürich einen Kreis, der beanspruchen darf, Dich zu feiern, und auch die Grenze ist nahe genug, dass Gäste kommen können. Mir ist es nicht erlaubt. Wenn ich hier einen Tisch mit Besuchern aus dem Dritten Reich sehe, wird mir übel. Gegenden, wo sie häufiger vorkommen, wären mir nicht gesund. In sachlicher Hinsicht sind sie für mich sogar lebensgefährlich. Für Dich weniger, gewiss unvergleichlich weniger; aber bemerkst Du nicht doch das Eine mit Sicherheit, dass die nahe Grenze Dein Befinden beeinflusst? Wir sind geistig schon empfindlich genug gegen das Unheil: die körperliche Nähe fehlt uns noch! Hier kann ich – zu Zeiten, bei weitem nicht immer – die Nachrichten wie Märchen lesen, und zu meinem Roman zurückkehren als zu der Wahrheit und dem Leben. Deine Natur verlangt das ebenso sehr und noch mehr. Überlege doch mit Katja, die ich herzlich grüsse, ob nicht ein längerer Aufenthalt hier an der Küste wieder einmal angezeigt wäre. Dir täte er gut, ich wäre glücklich. Ich könnte Dir an Deinem Geburtstag erwidern, was Du mir vor vier Jahren alles geschenkt hast an brüderlicher Teilnahme. Es wären keine Feste; heute sind Gedenken und Wissen übrig. Etwas vorstellen? Wir sehen die an, die jetzt etwas vorstellen, dann haben wir genug.

Dies sind Wünsche, Tröstungen, leider sogar Entschuldigungen. Du machst es, wie Du es gut findest, und die Hoffnung auf eine baldige Zusammenkunft bleibt jedenfalls.

Herzlich   H.

Küsnacht-Zürich 3. IV. 35.
Schiedhaldenstraße 33

Lieber Heinrich,

recht herzlichen Dank für Deine Worte. Ich schicke Dir die »Denkschrift«, da Du Interesse dafür zeigst. Der Völkerbund beanstandete sanft zwei Stellen, das »Hakenkreuz« und noch etwas. Das machte mir erst klar, daß ich an Ort und Stelle Befremden, vielleicht peinliches, erregen würde. Die Vorstellung, diese Dinge in einer nivellierenden französischen Übersetzung zu Gehör bringen zu sollen, war mir gleichfalls nicht lieb. Hinzu kam, etwas spät, denn ich hatte mir »nichts dabei gedacht«, die Überlegung, daß ich Bermann (und auch meinen Münchener Anwalt) von einem solchen Schritt eigentlich vorher hätte in Kenntnis setzen müssen. Die Folge wäre wahrscheinlich meine Ausbürgerung, das Verbot meiner Bücher und das Auffliegen des S. Fischer Verlages gewesen. Auf diesem Wege, auf eine mich wenig befriedigende Weise, halb zufällig, gleichsam aus Ungeschicklichkeit, hatte ich das nicht herbeiführen wollen, und da ich mir außerdem kennzeichnender Weise mit der kleinen Analyse die Nerven verdorben hatte, ließ ich die Sache fallen.

Mit meiner Gesundheit ist es weiter nichts. Der Herzmuskel ist mit Recht nicht mehr ganz der alte, und der Kopf läßt zuweilen Ermüdungs- und Erregungszustände merken. Wie denn wohl auch nicht. Ich habe in Basel einen guten Arzt, Prof. Gigon, durch Annette Kolb, von dem ich mich gelegentlich kontrollieren lasse, und der mir ein leichtes Herzmittel mit Eisen verordnet hat. Im Übrigen ist das Psychisch-Moralische bei mir fast alles. Wenn der Hitler sein verdientes Ende fände, tät' alles wiederkommen, Durst, Appetit und Schlaf.

Es mag sein, daß die Aggression auf diese meine schwache Seite hier unmittelbarer ist, als sie in Nizza wäre. Auch finde ich ein gewisses ängstlich[es] Bedürfnis, in deutscher Kultur- und Sprachsphäre zu bleiben, jetzt nach zwei Jahren nicht mehr so lebendig in mir wie zu Anfang. Es ist richtig, daß die Ost-Schweiz den großen Vorteil für mich hat, ein Stück altes Deutschland zu sein, das dabei geistig zu West-Europa gehört. Aber als Provisorium haben wir auch diesen Aufenthalt immer nur betrachtet, und Nizza bleibt in Reserve. Du weißt, es handelte sich zunächst um die Ausbildungszeit der Kinder, die wir nicht schon wieder – und zwar in fremdes Sprachgebiet – verpflanzen wollten. Sind auch diese einmal flügge geworden, werden wir kaum hier bleiben, sondern in Deine Nähe rücken. Umstände, die uns bestimmen oder es uns nur ermöglichen könnten, nach Deutschland zurückzukehren, sind kaum denkbar.

Nach Ostern kommen die alten Eltern Katjas, wie jährlich zweimal, auf 10–14 Tage zu Besuch. Im Mai wollen wir bestimmt unsere private Ferienreise an eure Küste ausführen, um Dich und die näher und weiter benachbarten Freunde zu sehen. Meinen Geburtstag, der in angemessener Stille verlaufen wird, werden wir hier verleben. Die Kinder werden sich dazu zusammenfinden. Gleich danach müssen wir wieder auf einen Sprung nach Amerika. Die Harvard University, Cambridge, Mass. will mich anläßlich ihres commencement day zum Ehrendoktor of letters machen, und so phlegmatisch ich anfangs die Sache behandeln wollte, so begreiflich hat man mir dann zu machen gewußt, daß Harvard was ganz Nobles, das Allerfeinste und Ehrenvollste ist und daß ich unbedingt hinfahren müsse. Was für mich am meisten ins Gewicht fällt: es ist die Universität, die Hanfstängls dummdreiste Angebote so kühl abgelehnt hat, was ein großer Ärger für die deutschen Machthaber war. Hierüber wird der Ärger noch größer sein.

Der schweizerisch-deutsche Konflikt ist sehr spannend. Man kann ihn als Prüfstein ansehen dafür, wieviel die Idee des Rechtes in Europa überhaupt noch gilt. Deutschland ist überzeugt, daß sie nichts mehr gilt; es ist darin am »fortgeschrittensten«. Die anderen wissen es noch nicht so, aber etwas blaß und schwach und abgestanden kommt sie ihnen heimlich auch schon vor, und man darf neugierig sein, wieviel Elan sie noch dafür aufbringen werden. – Merkwürdig, daß man an das Letzte und Elendeste, was schlimmer ist als der Krieg, und was sich jetzt hergestellt zu haben scheint, noch garnicht gedacht hat: an den Frieden aus Demoralisation, den Frieden, in dem jeder, wenn er frech genug ist, tun kann, was er will.

Was mir vor allem leid tut, ist, daß Dir der Fall Jacob endgültig die Lust genommen haben wird, jemals Zürich zu besuchen. Ich hätte Dir so gern einmal unsere Landschaft, das Haus, mein schönes Arbeitszimmer gezeigt (es ist mir lieber als das Münchener), und abends hätten wir Dir auf unserem vortrefflichen Musik-Apparat Tschaikowski gespielt. Sicher bestände keine wirkliche Gefahr für Dich, und ich glaube nicht einmal, daß [Du] zu dem Typ gehörst, auf den die Henker es abgesehen haben. Aber ich kann verstehen, daß Dir graut.

Auf Wiedersehn also in einigen Wochen. Das Manuskript kannst Du mir dann wiedergeben.

Herzlich
T.

8. April 1935
11, rue du Congrès
Nice (A. M.)

Lieber Tommy,
Dein Brief beruhigt mich in der Hauptsache, und darf es wohl auch. Wem hätten nicht die Erlebnisse das Herz und den Kopf schon manchmal müde gemacht. Du brauchst Erholung und wirst sie genügend finden, so hoffe ich, wenn Du den Mai hier, den Juni auf der Reise über See verbringst. Ich hatte nicht gemeint, dass Du ganz übersiedeln solltest: nur einen ausgedehnten Ferienaufenthalt riet ich an, und erwartete davon etwas natürlich auch für mich. Wohin im Hochsommer? Darüber werden wir reden können.

Ich habe Dir zu danken für Dein Buch, das mir teuer ist. Es enthält in allem die Wahrheit, die mir nahe steht, und sie ist dargeboten auf gute und einzige Art. Um eins zu erwähnen: von Platen hätte ich dasselbe Gedicht gewählt, weiss es selbst von jeher auswendig, und auch bei Storm hätte ich mich an die Verse gehalten. In meinem Exemplar, das ich zuerst mit 20 Jahren las, liegt – wenn es irgendwo noch liegt – ein kleines Blatt von der Hand unserer Schwester Carla, ein rosa Blumentopf mit blauen Veilchen, darunter: »Solche zeichen ich immer und mal sie dann.« Sie war 10 Jahre alt. – Sehr oft und immer wieder werde ich Deine Erkenntniss Goethes nachschlagen, und seine eigenen Erkenntnisse, wie Du sie zusammenstellst.

Der Vortrag bringt tiefgehende Bemerkungen um die Seite 8 herum, und ist von grosser Kraft. Ich lasse ihn in meiner Schieblade, bald wollen wir über alles sprechen. Auf Wiedersehn.

Herzlich   H.

Küsnacht, den 12. v. 35

Lieber Heinrich,

wir fahren übermorgen, Dienstag, mit dem Wagen nach Genf, steigen dort abends in den Zug und hoffen also, am 15 früh in Nizza zu sein, wo wir vom Hotel d'Angleterre aus gleich Verbindung mit Dir suchen werden. Auf Wiedersehn! Die Reise hat sich durch einfallenden Besuch etc. verzögert, aber nun wird doch Wort gehalten.

Herzlich
T.

Küsnacht, den 22. v. 35

Lieber Heinrich, wir melden unsere glückliche Heimkehr und denken dankbar zurück. Nach einem wundervollen Abendbrot hatten wir durch das öftere Rangieren des Schlafwagens eine etwas unruhig herumgestoßene Nacht. Aber die gestrige Wagenfahrt durch das sommerliche Schweizerland über Lausanne–Bern–Baden war wieder eine Freude, und um ½ 7 waren wir schon zu Hause. Auch unsere Paß-Angelegenheit konnten wir in Bern zur Zufriedenheit ordnen. Nun gibt es viele liegengebliebene Geschäfte. Alles in allem, es war schön, wieder zusammen zu sein, und Nizza bildet, weil Du dort bist, für unser Gefühl eine Reserve-Heimat und einen Ausblick. Unsere Grüße an Frau Kroeger!

Herzlich
T.

24. Mai 1935
11, rue du Congrès
Nice (A. M.)

Lieber Tommy,
mit grosser Freude bekomme ich die Meldung Eurer glücklichen Ankunft. Wir hatten sie uns für dieselbe Stunde ausgerechnet. Es waren schöne Tage – Glück mit Unruhe genossen, wegen der drängenden Zeit. Erst nachher bin ich zu einer rechten Überlegung gekommen, wie und wann das Wiedersehen in Zürich zu veranstalten wäre. Ihr wollt über den Sommer dort bleiben. Wenn ich, sagen wir zweite Hälfte August, mit meiner Tochter bei Euch zusammentreffen könnte. Dies ist ein sehr vorläufiger Plan und Vorschlag; Du sagst mir wohl einmal, ob wir beide Euch nicht zu viel wären, ob die Zeit passt und Ihr dann ohne allen anderen Besuch seid. Dann müsste ich für alle Fälle daran gehn, mir hier die Visa zu besorgen für die Aus- und Wiedereinreise. Das war das vorige Mal langwierig. So viel scheint sicher: wir würden von dem Zusammensein mehr haben als während der unruhigen Festzeit, die jetzt bevorsteht; und mich sieht niemand. Schon jetzt bitte ich Euch, von der Möglichkeit meines Besuches gar nicht zu sprechen.
Prompt habe ich den Arzt, der seinen Professor denunzirt, nach Paris 1589 versetzt: dort ging es damals genau so zu.
Heute gingen wir nach Mont-Boron und dachten an den vorigen Sonnabend, als wir mit Euch den Weg machten. Frau Kröger hat Katja und ihre Freundlichkeit in wohltuender Erinnerung, sie erwidert mit mir Eure Grüsse.

Herzlich   H.

Darf ich nochmals bitten, dass Du wegen Frey mit Oprecht sprichst.

Küsnacht, den 27. v. 35

Lieber Heinrich,

Dein Plan ist wunderschön. Katja und ich sind entzückt davon und erörtern ihn eifrig. Du und Goschi, ihr sollt uns beide herzlich willkommen sein, und Du wirst gut tun, die amtlichen Formalitäten, da sie Zeit beanspruchen, einzuleiten, was gewiß geschehen kann, auch ohne, daß der Zeitpunkt Deiner Reise schon ganz genau feststeht. Vom August fallen die Tage vom 19. bis 27. August für Salzburg fort, weil ich eben für diese Daten dort Vorträge zugesagt habe. Das bereue ich jetzt. Aber Katja übersieht heute auch noch nicht ganz klar, ob und wann Kinder im Sommer sich einfinden werden. Wir beeilen uns nun, diese Frage zu klären und werden bald wissen, ob wir Dir und Goschi die erste Hälfte August oder etwa Anfang September für euren Besuch vorschlagen sollen (eine hier meist sehr angenehme Jahreszeit). Verwirklicht werden jedenfalls muß der Plan, und auch mir ist es viel lieber, daß Dein Besuch eine liebe Angelegenheit für sich bilden und nicht mit dem Geburtstagstrubel zusammenfallen soll.

Gestern hatten wir hier eine wirklich hübsch gelungene Feier im Theater, deren Programm ich Dir beilege.

Herzlich

Oprecht sehe ich in den nächsten Tagen.   T.

3. Juni 1935
11, rue du Congrès
Nice (A. M.)

Lieber Tommy,

anstatt meines Geburtstagswunsches bin ich versucht anzuführen, was Henri vor der ersten seiner Entscheidungsschlachten sagt:

»Unsere Ehre will, dass wir siegen, oder wenigstens müssen wir das ewige Leben retten. Vor uns liegt der Weg. Los im Namen Gottes, für den wir kämpfen.«

Zum Erstaunen des Feindes kniet sein Heer nieder und betet laut

Psalm 118: »Danket dem Herrn, denn er ist freundlich und seine Güte währet ewiglich.«

Diese Schlacht wurde »der fröhliche Tag« genannt, und so darfst auch Du Deine Schlachten nennen. Der sechzigste Geburtstag ist, soviel mir bekannt, zugleich Nachruf auf die vorigen und Vorfeier der folgenden. Ich bin bei Dir mit meinen tiefsten Wünschen.

Für Deinen Brief bin ich dankbar und will den Plan weiter bedenken. Nach Deiner Rückkehr aus Amerika sagst Du mir wohl, welcher Zeitpunkt der geeignetste wäre.

Frau Kröger beglückwünscht Dich.

Mit Landshoff besprach ich meinen Arbeits- und Haushalts-Voranschlag für die nächsten 2 Jahre. Das ist eigentlich Phantasie. Aber meinen ersten Henri IV hoffe ich diese Woche wirklich zu beenden.

Herzlichst   H.

Küsnacht, den 3. VI. 35

Lieber Heinrich, gerührten Herzens habe ich eben an Ort und Stelle Deinen schönen, brüderlichen Glückwunsch wieder gelesen, und es drängt mich Dir noch einmal von Herzen dafür zu danken. Deine Worte, ihr Tonfall, ihre Höhe und Güte werden viele ergreifen, und selten habe ich bei einem Stück Prosa so sehr das Gefühl gehabt, daß reinigende, veredelnde, beschämende Wirkungen davon ausgehen können – wer weiß wie weit. – Ich erfahre viel Freundliches. Die großen Schweizer Blätter haben alle eigene Beilagen mit zum Teil sehr guten Aufsätzen gebracht, und seit Tagen regnet es Glückwunschbriefe – auch aus Deutschland. – Du hörst bald Genaueres über den *Termin*.

Herzlich
T.

Dampfer »Lafayette« 17. VI. 35

Lieber Heinrich, einen herzlichen Reisegruß, zwei Tage vom Ziel, und Dank für Deinen lieben Glückwunsch. Es war ein arger Trubel u. K. und ich haben auf dem Schiff schwer zu arbeiten mit dem Ausfertigen von Danksagungen. Die Deutschen haben geschrieben, und wie, mit offener Adresse! Oft sprechen wir von eurem Besuch.

Auf Wiedersehn.

T.

On Board
Cunard White Star
»BERENGARIA«
7. VII. 35

Lieber Heinrich,
wie voriges Jahr sende ich einen Reisegruß, diesmal von der Rückfahrt, – Amerika mit seiner Hitze und seinen Abenteuern liegt schon seit zwei Tagen dahinten, und in weiteren 4 wird uns dies riesige Schiff (eigentlich deutscher Boden, es ist der ehemalige »Imperator«) nach Cherbourg getragen haben, von wo wir die Reise nach Zürich direkt fortsetzen werden, denn Katjas Eltern kommen dorthin zur Feier des 80. Geburtstags der Mutter.
Habe ich Dir von den Hunderten von Briefen geschrieben, die ich zu meinem 60. aus Deutschland bekommen habe? Und was für welche waren es teilweise – mit offener Adresse, sogar von jungen Leuten, aus Arbeitsdienstlagern. Gewiß, da sind noch schöne Reserven an Freiheitsliebe und Anständigkeit vorhanden.
Überhaupt habe ich viel Liebes erfahren. Bermann überbrachte eine schöne Kassette mit den Wünschen der internationalen Literatur, und die großen Schweizer Zeitungen hatten eigene Fest-Beilagen mit zum Teil sehr guten Artikeln. Die Kinder waren alle versammelt, abends am 6. hatten wir eine kleine Gesellschaft, und ich hätte nur gewünscht, das alles in Ruhe in mir ausklingen lassen zu können. Statt dessen mußten wir gleich zu dieser Reise packen, die ich als überflüssig empfand, die aber glücklich und reich an Eindrücken verlaufen ist.

In Harvard wurde ich zugleich mit Albert Einstein promoviert, und die Beifallsdemonstrationen des 6000 köpfigen Publikums bei Nennung unserer Namen dauerten jedesmal minutenlang. Das Ganze war von dem erst 40jährigen Präsidenten der Universität, einem angesehenen Chemiker, Prof. Conant, bei dem wir wohnten, wohl überlegt und mit dem Präsidenten Roosevelt, einem ehemaligen Harvard-Schüler, vereinbart worden. Der Präsident lud uns zu sich ein nach Washington, und nachdem wir einige Tage auf dem Lande, in Riverside am Sund, im Hause eines holländisch-amerikanischen Schriftstellers, Hendrik van Loon, verbracht hatten, flogen wir in einer Stunde und 20 Minuten von New York nach Washington, einer überraschend schönen und repräsentativen Stadt, wo wir denn also im Weißen Hause, ganz privat natürlich, der Botschafter trat nicht in Aktion, ein sehr hübsches und auch interessantes Familien-Dinner mit Roosevelts hatten. Ich muß Dir davon mündlich erzählen. Mein Eindruck war sehr sympathisch – bei günstigem Vorurteil. Denn ich wäre nicht hingegangen, wenn ich nicht eine aufrichtige Bewunderung für den physisch gelähmten Mann empfände, den viele hassen, namentlich die reichen Leute, aber auch die Abstrakt-Enthusiasten der Freiheit und der »Constitution«, wovon wir im Kongreß Proben hatten. Bei ihm hatte ich solche einer gewissen Geringschätzung des Parlamentarismus und Neigung zum Selbstherrschertum, aber ich bin überzeugt, daß er es gut meint mit der Demokratie und daß sein ganzes Experiment darauf ausgeht, sie zu retten.

Die Hitze in Washington ist im Sommer einfach tropisch, eine wahre Strapaze. New York, obgleich auch schon auf dem Breitengrad von Neapel, kam uns danach fast frisch vor. Wir hatten dort zum Schluß noch einige gut besetzte Tage und führen nun wieder dies schon gewohnte, aber immer sonderbare Hotel-Leben im Rundhorizont bei unausgesetzter eiliger Fortbewegung, die man nicht merkt, oder nur an einem schwachen Pulsieren des Fußbodens, denn das Riesen-Boot geht vollkommen ruhig. Es ist merkwürdig zu denken, daß unsere hotelzimmerartige Kabine, 3 Meter hoch, derselbe Raum ist, in dem wir am Abend der Abfahrt mit Knopfs in der feuchten Schwüle von New York saßen und Whisky mit Soda tranken. Es ist derselbe Raum, aber an ganz anderem Ort und in ganz anderem Klima, denn aus dem Golfstrom sind wir heraus, und es ist sehr kühl geworden, wie denn auch wohl in Europa die Hitze-Periode vorüber ist.

Wir sprechen oft von Deinem und Goschi's Besuch, auf den wir uns herzlich freuen. Da in den August noch unsere Reise nach Salzburg fällt, wird es am besten sein, ihn auf Anfang September anzusetzen. Von den Kindern wird dann nur allenfalls Golo anwesend sein, und das Wetter ist auch das günstigste um diese Zeit. Es wird schön sein, Dir unseren Schweizer Lebensrahmen zu zeigen, ein paar Ausflüge mit dem Wagen zu machen und abends Musik zu hören.

Auf Wiedersehn also, schreibe mir bald nach Küsnacht, ob Dir der Termin recht ist!

Dein
T.

16. Juli 1935
Briançon

Lieber Tommy,

Du bist gewiss schon einige Tage zu Hause und hast erfreuliche Eindrücke mitgebracht. In Paris sah ich Klaus und Golo, besonders diesen als eifrigen Kongressbesucher. Der Kongress ist, vor tausenden von Zuschauern, so eindrucksvoll verlaufen, wie die Veranstaltung einer Opposition es überhaupt kann. Die Schriftsteller haben es genau so gemacht, wie die französischen Linksparteien; grade dies unbedingte Zusammengehen aller Nichtfascisten fehlte früher. Wenn ein Deutscher auftrat, erhob sich das Haus, und oben fing man an, die Internationale zu singen. Den Singenden wurde aber zugerufen: Discipline, camarades! – und dann hörten sie wieder auf. Die Reden der Russen – Ehrenburg, Alexis Tolstoi, Kolzow, waren ganz auf Verteidigung der Kultur gestimmt. Man kann nicht mehr verlangen. Übrigens lege ich Dir das Telegramm bei, woraus Du Deine Wahl in den Vorstand des gegründeten Verbandes ersiehst. Er sieht nicht rein kommunistisch aus. Auch ich bin in meiner Abwesenheit gewählt worden, ich war am letzten Tage schon abgereist. Ich sage mir indessen, dass ohne den russischen Rückhalt das westliche Europa verloren wäre. Wir haben nur die Wahl. Nach einem amerikanischen Bericht sollst Du etwas Ähnliches gesagt haben, und die ›Weltbühne‹ fragt Dich am 11. Juli, ob es wahr ist.

Jetzt möchte ich fragen, wann mein Besuch Euch gelegen käme. Für mich steht es so: ich bin in den französischen Alpen, nahe Grenoble, von wo die Schweiz nicht mehr weit wäre. Viel Umherreisen und auch Geld bliebe mir erspart, wenn ich schon Ende Juli von hier aus nach Zürich führe. Andernfalls würde ich nach Nice zurückkehren und müsste dann hoffen, dass im September die Gelegenheit nochmals eintritt. Du willst vielleicht grade jetzt, nach der Reise, allein sein und viel arbeiten: dann bin ich ganz einverstanden, den Besuch zu verschieben. Ich will mit dieser Anfrage Eure Dispositionen nicht stören, sondern einfach melden, dass ich bereit wäre. Vielleicht telegraphirst Du mir hierher ein Wort, ob ich Ende Juli für 8 Tage willkommen bin; dann richte ich mich danach ein. Sonst genügt ein Brief, und ich werde mich sehr freuen, Deine Nachrichten zu lesen. Den Gruss des amerikanischen Freundeskreises empfing ich mit bestem Dank.

Ich begrüsse Euch herzlich. Frau Kröger dankt für den Gruss und erwidert ihn.   H.

Briançon (Hautes Alpes)
Hôtel du Cours

27. Juli 1935
Bandol (Var)
B^d V.-Hugo, chez Gagna

Lieber Tommy,

Dein Telegramm ist bisher ohne Antwort geblieben, weil ich mir die Umstände genau überlegen wollte. Ich hatte für die Reise nach der Schweiz noch kein Visum, jemand hätte nach Nice zurückfahren müssen, um es zu besorgen. Ich wäre einige Tage ohne Papiere gewesen. Aber ausschlaggebend war mein Eindruck, dass mein Besuch Euch doch im September lieber wäre. Ich hoffe, dass ich es dann werde einrichten können. Inzwischen sind wir in das gewohnte Bandol gefahren, haben eine schöne ruhige Wohnung gefunden oberhalb des Meeres und Badestrandes, vom Hafen die

Strasse rechts hinauf. Der Buchhändler Aboab war uns behilflich, ich bin immer mit ihm in Verbindung wegen der Abschriften meiner französischen Artikel. Augenblicklich bieten diese die interessante Gelegenheit, vom »Wackeln« zu sprechen. Ich las auch einen Brief aus Berlin, nicht an mich gerichtet: Wenn »Tante Minna« so weiter macht, kommt sie doch noch in eine Anstalt! Dies als Stimme aus dem weiteren Publikum.

Die letzten drei Wochen umfassen eine der schönsten Sommerreisen. Bevor ich im Autocar über diese Alpen fuhr, hatte ich nicht gewusst, dass sie existieren. Vorgestern von Briançon nach Grenoble war gewiss ein Höhepunkt des Irdischen, mit Schneebergen, phantastischen Formen aus nacktem Stein, und den windigen Höhen, wo der Reisewagen anhält im Leeren. Sehr merkwürdig; aber die grossen Autofahrten sind, so viel mich betrifft, jetzt entdeckt. Nach Genf giebt es gleichfalls eine direkte Verbindung, vielleicht mit einmaligem Übernachten.

Erstens die Autocars, und dann noch eine freudige Überraschung mit Russland. Ich fürchtete, sie würden für den Roman eines Königs nicht viel Sinn haben. Statt dessen ein Brief des Herausgebers der ›Internationalen Literatur‹ (im Staatsverlag) – so etwas hatte ich überhaupt noch nicht bekommen. Für einen Autor ohne eigenes Land sind dies die erreichbaren Erfolge. Mehr ist nicht zu machen, oder höchstens, nachdem »Tante Minna« eingeliefert ist.

Ferien sind schön, wenn man jahrelang Vieles getan hat. Ich nehme auch die Beschwerden hin und sage mir: Warum nicht. Es wird nichts von mir verlangt. Ich hoffe, dass es Dir vollkommen befriedigend ergeht und dass dein Sommer glücklich ist.

Sei mit Katja vielmals gegrüsst. Ich danke nochmals für Euer so herzliches Telegramm.   H.

                                                    Küsnacht den 29. VII. 35

Lieber Heinrich,

Dank für Deine Nachrichten. Das Einzige, das bei uns gegen Dein Kommen jetzt gleich gesprochen hätte, wäre die Abwesenheit unserer Jüngsten gewesen, an denen Du doch Anteil nimmst, und die Dir nicht hätten vorspielen können. Sie sind auf einer Ferien-Radtour nach Salzburg. – Wir sind nun eigentlich etwas enttäuscht.

Aber hoffentlich ist Dir die Schönheit der Autocar-Fahrten (sie wurden uns auch schon empfohlen, und hätten wir nicht unsere Schlafwagenkarten schon gehabt, wären wir von Nizza gewiß so nach Genf gereist) ein neuer Anreiz, die Fahrt im September zu machen.

Ich bin froh, daß Du Deine Ferien so genießest und besonders froh über Deine russischen Erfolge. Es ist da eben doch eine bessere Welt, Klassenherrschaft her und hin. Sie wollen jetzt ja auch mit den bürgerlichen Demokratien zusammenstehen gegen den Fascismus. Im Vorgefühl davon habe ich in Amerika auch so über den Kommunismus gesprochen, daß die Humanité ihre Freude hatte. Die russische Bewunderung für Dein Werk gibt mir recht. Ich habe nie umhingekonnt, in dem tierischen Haß der Deutschen auf Dich, aber auch z. B. auf Erika und Klaus, ein besonders entscheidendes Zeichen ihrer Dummheit und Miserabilität zu sehen.

Alle Besucher aus Deutschland berichten von unerträglich dicker Luft. Daß die neue Welle von Wut und Verrücktheit ein Zeichen der Stärke und Sicherheit wäre, ist unglaubhaft. Natürlich ist die Emigration verstärkt, aber nicht nur die jüdische, sondern auch aus Furcht vor der Sterilisierung gehen viele Leute mit leichten nervösen Tics und solche, die einen epileptischen Großonkel haben, über die Grenze. Man muß lachen, aber es ist schauerlich, und das Schauerlichste ist, daß noch immer niemand sich einmischt, sondern immer noch alles tut, als sei das ein Staat wie ein anderer.

Herzlich
T.

Küsnacht den 1. IX. 35

Lieber Heinrich,

wir sind von Salzburg zurück, dessen Festspiele gerade dieses Jahr ein außerordentlicher Erfolg waren – erfreulich in mancher Hinsicht. Wir haben viel Schönes gehört und gesehen. Der Höhepunkt war wohl der Fidelio unter Toscanini – ein Werk von ergreifender Aktualität. Wir alle kamen überein, es sei wie geschaffen zur Festaufführung bei einer bestimmten Gelegenheit. – Bei der

Heimkehr fand ich ein Lese-Exemplar Deines Henri hier vor. Ich beginne... Und nun, wie ist es mit Deinem Besuch? Ich weiß, es ist kein kleiner Entschluß, unter mehr als einem Gesichtspunkt. Aber der Plan war doch ins Auge gefaßt, und er ist schön. Sage doch, wie Du jetzt darüber denkst! Hier wäre alles bereit.

Herzlich
T.

2. Sept. 1935
11, rue du Congrès
Nice (France)

Lieber Tommy,

Wie geht es Dir, und wie habt Ihr den Sommer verbracht? Mir scheint, ganz in Küsnacht, und wahrscheinlich hast Du die Arbeit fortgesetzt. Die meine war Anfang Juni beendet. Das Buch ist im Erscheinen; ich habe dringend verlangt, dass Du das erste Exemplar bekommst. Das war vielleicht nur ein zusammengeheftetes Leseexemplar. Mir selbst ist es lieber als die schweren Bände; und offen gesagt, lese ich ganz gern in dem grossen Bilderbuch, das wohl auch anderes ist. Aber äusserlich sind es 103 Scenen. Ich nehme an, dass Du einzelne besser findest als andere, könnte auch erraten, welche. Dein Urteil im Ganzen würde ich am liebsten aus Deinem Munde hören und mit Dir besprechen.

Ich bin noch sehr müde, ich schlafe fast gar nicht, was so viel heisst, daß der Urlaub nicht viel wert war und die Folgen der Anstrengungen mit dem Henri IV keineswegs überwunden sind. Aber mein Herbst, besonders nach grossen Arbeiten, sieht gewöhnlich so aus; ich bin nicht verwöhnt und erwarte geduldig, dass die Fähigkeiten wieder zunehmen. Augenblicklich schrecke ich sogar vor der Reise zurück, so gern ich Dich wiedersähe und so fest es beschlossen war. Ich will aber gestehen, dass nicht nur die Müdigkeit mich zurückhält. Die öffentliche Lage ist inzwischen viel gespannter geworden; man bereitet sich auf den Sturz des Dritten Reiches vor – ein gefühlsmässiger, ziemlich geheimnissvoller Vorgang, wie man sich vorbereitet. Beim Innerlichen bleibt es indess nicht ganz, auch sonst geschehen einige Schritte; und gesetzt, dass die Beteiligten vorläufig schweigen, wie verabredet, –

Berlin hat nicht nur geheimnissvolle Ahnungen, sondern Spione. Wenn sonst nicht vieles, die Spione funktionieren, und leider fast am besten in dem Lande, das ich mir zu besuchen vorgenommen hatte.

Genug, ich darf hier nicht ausführlicher werden. Aber wie ist das: F's in Sanary behaupteten, Du hättest die Absicht geäussert, im Herbst herzukommen? Wenn das wahr wäre! Ich würde mich unendlich freuen; es wäre im Ernst die schönste Überraschung, die ich von dem Jahr noch erbitten darf. Kommt doch, solange die Tage noch nicht zu kurz sind. Wir würden Ausflüge machen, ich wäre immer zu Eurer Verfügung, und der Aufenthalt sollte etwas reichlicher sein als das vorige Mal. Sage mir, ob wir schon im September daran denken und uns darauf freuen dürfen. Ich hoffe, dass das Befinden Katjas das beste ist. Dir wird, besonders nach einem arbeitsreichen Sommer, der Luftwechsel gut tun. Ihr hättet zuerst die hübsche Autofahrt, dann die bequeme Reise hier. Übrigens gibt es Autocars Genf–Nice, falls das Wetter noch warm wäre. Man warnt vor einem Wagen mit der Inschrift »Sachsen Reise Dienst Grimma«. Schwach scherzend, aber voll Hoffnung schliesse ich und grüsse Euch. Auch Frau K. grüsst.

Herzlich H.

Küsnacht den 5. IX 35

Lieber Heinrich,

es ist schade und schmerzlich, aber ich sehe alles ein. Wir haben ja ein Recht, manches ins Auge zu fassen, dessen Eintreten ein Wiedersehen sehr erleichtern würde. Aber auch sonst werden wir schon dafür sorgen, daß es stattfindet, wenn auch nicht gleich jetzt, da ich durch Amerika und nun schon wieder durch das Salzburger Festival mit meiner Arbeit arg in Rückstand gekommen bin. – Seit Tagen lese ich nichts anderes als Deinen Roman und vernachlässige selbst die Zeitungen. Die Emigration kann stolz sein auf dies Werk, übrigens auch Deutschland, übrigens auch Frankreich. Ich schreibe ausführlicher, wenn ich fertig bin.

Herzlich T.

Lieber Tommy,

Deinen Brief hätte ich am liebsten gleich den ersten Tag beantwortet, so schön ist er. Ich kam aber grade aus Paris, und jeden Tag war ein Artikel zu schreiben, neben den Vorarbeiten für das weitere Leben des Königs Henri IV. Wirklich, ich hatte gehofft, dass Du diese Eindrücke empfangen würdest, sogar Deine besondere Erwähnung des Abschnittes »Der Tod und die Amme« war für mich vorauszusehen. Aber was mich mehr beglückt, ist Deine rückhaltlose Wärme für dies Buch, die Freundschaft für den Gegenstand und die Hand, die ihn macht. Das ist, was wir jetzt brauchen – zusammen mit der Bestätigung, dass wir in diesen letzten Jahren nicht nachgelassen haben, sondern mehr geworden sind. Sich zusammennehmen und behaupten, ist allerdings geboten wie noch nie.

Du hast natürlich die Citate bemerkt. Ich glaube, dass bestimmend ein blosses Gefühl war: in diesem äussersten Fall müsste alles mit hinein, was im Leben eine sehr grosse Rolle gespielt hat, die ganzen humaniora, darunter doch gewiss der Faust. Von Montaigne bis Goethe reicht dasselbe Zeitalter: darüber ist jetzt entschieden, da es kaum noch nachglänzt. Auch nur durch Eingebung des Gefühls habe ich die »Moralités« hinzugefügt, im Stil der klassischen Moralisten, was unser Freund Bertaux mir ungefragt, aber ergriffen bezeugte. Ich wollte, dass Deutsch und Französisch sich dies eine Mal durchdrängen. Davon erhoffte ich immer das Beste für die Welt. Wenigstens ein Buch habe ich selbst davon gehabt.

Du meinst, ich sollte sonst noch etwas davon haben, etwa die Rosette. So sind aber weder die Zeiten noch die Zeitgenossen, und wer in seinem eigenen Lande der Macht verdächtig ist, wird es jeder Macht. Der Einzelne ohne Hinterland bedeutet nach Massgabe der Dinge so wenig, dass ich mich sogar wundere, welche Ausnahme mit Dir und schließlich auch mit mir gemacht wird. Man weiss wohl, dass bei Dir ein Unterschied besteht, nimmt Dich aber doch als Emigranten. Seit neulich bin ich im Vorstand des Weltkomitees gegen Krieg und Fascismus; Barbusse hatte mich noch bestimmt – Rolland, Langevin, mehrere andere Franzosen, vielleicht ein Engländer, sonst ich der Einzige von draussen. Das Komitee ist mächtig genug, dass ich auf diesem Wege wohl auch Franzose werden könnte, besonders wenn nächstes Jahr der Front populaire zur Macht käme. Es gibt Gründe, abzuwarten. Es gibt auch den Grund, dass meine Tochter in Prag die Erlaubniss zu arbeiten nur bekommen kann, wenn mein Pass tschechisch ist.

Wie geht es Dir? Das will ich eigentlich alle die Zeit über schon fragen, anstatt dessen was ich sage. Lass mich, bitte, wissen, dass Du Dich erholt hast und für die Arbeit gut gestimmt bist. Sie ist so wichtig und ist so schön. Wie merkwürdig, wenn der dritte Band des grossen Werkes nun doch in Zürich und London erschiene. Die Unaufhaltsamkeit der Dinge. Rechnet Ihr damit, dass Bermann auf den Absatz in Deutschland verzichten muss? Selbst wenn es ihm erlaubt bliebe, wäre die Rückversicherung draussen nur gut. Drinnen, ob das Dritte Reich steht oder fällt, kann es nur noch schlimmer kommen – für Bücher und Menschen. Diese Gesellschaft nimmt unter anderer gestohlenen Ware manchmal auch das Wort »Arbeitsplan« hervor. Dabei ist ihre einzige Arbeit die Vorbereitung des grossen Raubzuges, und erst als Sterbende werden sie ihn antreten. Was für eine Auflösung!

Du hast in letzter Zeit viel gereist und magst nicht daran denken, in den Zug zu steigen. Ich übrigens auch nicht; aber wenn wir uns wiedersehen könnten, würden wir vielleicht doch überlegen, ob wir die grosse, scheinbar notwendige Forschungsreise nach der Soviet-Union gemeinsam machen sollten. Sicher erhältst auch Du häufige Aufforderungen. Eher sind es Mahnungen, und man sieht sich schon in der Schuld der Bolschewiki. Ohne sie – wo wäre überhaupt noch etwas Tatsächliches, worauf die Linke pochen kann. Ich möchte Dir von einer Besprechung der deutschen Linken erzählen. Es gibt niemand mehr, der die radikalen sozialistischen Massnahmen nicht als selbstverständlich ansähe, im Fall der Fälle. Unter den bemerkenswertesten war ein junger Katholik, der mir sagte, dass er Dich zuweilen sehen darf.

Die russische Reise angehend, müsste man wohl bis Konstantinopel selbständig reisen. Von dort an übernehmen die Veranstalter alles. Feuchtwanger drängt mich, im nächsten Mai mitzumachen. Bis jetzt suche ich nach Wegen, mich gegen Überanstrengung zu schützen. – Schreibe mir, sei gesund, grüsse Katja, nimm meinen Dank und herzlichen Gruss.

H.

Lieber Heinrich,

wirklich sind die Bolschewiki auch gegen mich sehr freundlich geworden, während sie mich früher als bürgerlich ablehnten. Neulich las ich ganz unverhofft in einem Prager Blatt, der »Zauberberg« erscheine soeben als 5. Band der Sowjet-Ausgabe meiner Schriften. Klaus hatte mir aus Moskau schon allerlei hübsche Gegenstände mitgebracht von meinen dort liegenden Honoraren. Aber auf meine Anfrage hat man mir jetzt sogar Geld herausgeschickt, eine ganze Menge. Das ist zweifellos eine besondere Aufmerksamkeit; und in Salzburg war ein junger in Moskau tätiger Kapellmeister, dessen dringende und lockende Aufforderungen, dort bald einen Besuch zu machen, ziemlich autorisiert wirkten. Mein Wunsch, dem Ruf zu folgen, ist denn auch sehr lebhaft. Gerade daß wir beide, sogar auch ich, sicher sein könnten, dort auf Händen getragen zu werden (und das können wir), zeigt, wie sehr die Dinge sich in letzter Zeit verschoben haben und wie sehr Rußland sich, geistig und politisch, dem Westen und der Demokratie genähert, um mit ihr zusammen dem Schändlichsten auf Erden, dem Nazitum, die Spitze zu bieten. Der Besuch der Sowjet-Schriftsteller in Prag, so harmonisch verlaufend, zeigt dasselbe Bild. – Es ist im Grunde ein prächtiger Gedanke, daß wir mit einander dorthin gingen, und würde zweifellos ein rechtes Fest. Nun habe ich aber zum Frühjahr eine spanische Reise mit französischer Conférence zugesagt, nach Barcelona, Madrid, Valencia und Bilbao, die gut bezahlt wird, – und dann wird bis zum nächsten Frühjahr an etwas ähnlich Ausgreifendes nicht mehr zu denken sein. Wenn mich sonst noch etwas zögern läßt, so ist es die Angst, die auch in der bürgerlichen Schweiz vor dem russischen Kommunismus herrscht und die mir, dem Gaste, amtliche Nachteile eintragen könnte. Ein russischer Stempel im Paß ist etwas sehr Erschreckendes und Gravierendes, immer noch. Ich müßte jedenfalls erst bei Motta anfragen und mir Dispens holen, der wohl gewährt werden würde. Aber wie gesagt, da als Jahreszeit wohl nur das Frühjahr für solche Reise in Betracht kommt, werde ich das übernächste herankommen lassen müssen. Wollen wir uns aufs Frühjahr 37 einigen? Mir scheint, Du nimmst Dir auch ganz gern noch eine Frist. Freilich, es ist recht kühn, so weitläufig zu disponieren, und wenn Du mit Feuchtwanger vorangehen willst, – man ist in Deinem Fall zweifellos ungeduldiger.

Mein Professor hat, wie gewöhnlich, organisch alles in recht guter Ordnung gefunden. Ein bißchen Arsen hat er aber doch verschrieben, zusammen mit Beruhigendem. Gegen die Müdigkeit wäre es gut, früher schlafen zu gehen. Aber wenn ich abends Musik gehört habe, möchte ich auch noch lesen, und so geht Mitternacht oft vorüber. Im Ganzen, weil man doch noch derselbe ist, hat man die Neigung, zu leben wie mit 40. Man ist aber nicht mehr derselbe.

Deine Anrede an den Burschen in Berlin ist höchst amüsant, schlagend und erquicklich. Schicke doch öfter von diesen Erfrischungen! Sie tun allen im Hause wohl.

Herzlich

T.

Küsnacht den 24. x. 35

Lieber Heinrich,

beiliegenden Brief habe ich neulich nach Oslo geschickt. Vielleicht freut es Dich, ihn zu lesen. Ob er Eindruck machen wird? Aber leider ist auch vom Eindruck bis zur Wirkung noch ein weiter Schritt.

Schicke mir, bitte, den Durchschlag zurück zu etwaiger weiterer Verwendung.

Vorzeitig ist hier Novemberdunkelheit und Winterkälte eingefallen. Auch im Tessin regnet es seit Wochen unaufhörlich. Es ist recht trist.

Was ist, werden London und Rom Frieden machen? Eben sah es doch noch aus, als seien die Engländer entschlossen, mit dem Fascismus aufzuräumen, was ein guter Anfang gewesen wäre. Unterdessen fühlen Hitler und Göbbels sich unbeaufsichtigt und »maken dat«, wie jenes Putt-Höneken, »gar tau groff«. Göbbels hat nunmehr verboten, daß die Gedenktafeln für Kriegsgefallene jüdische Namen tragen. Sie sind auszulöschen. Ein Reichswehr-offizier, der hier war, hat erklärt, das schlage dem Faß den Boden aus. Er soll überhaupt merkwürdige Reden geführt haben.

Herzliche Grüße!

T.

26. Okt. 1935
11, rue du Congrès
Nice (A. M.)

Lieber Tommy,

der Brief nach Oslo ist wohl Deine schönste und machtvollste Kundgebung. Mit Rührung und Freude gebe ich Dir den Durchschlag zurück.

Wer weiss, ob Dein Wort nicht ein Wunder wirkt. Weil es unglaublich scheint, wollen wir glauben.

England wird sich mit dem Herrn in Rom vergleichen, da es nicht einmal gegen den Herrn in Berlin etwas Grundsätzliches einwendet. So leicht wäre das nicht gegangen ohne den Eifer des Praefascisten Laval. Zur rechten Zeit erscheint doch jedesmal der rechte Mann, wenn es gilt, das Gute, das durch grossen Zufall eine Chance hätte, dennoch zu verhindern.

Die Wahnsinnigen dort hinten mit ihren Juden. Was werden sie machen, wenn sie endlich keine mehr haben. Dabei bereiten sie sich selbst keine andere Zukunft als ihren Juden. Der Gedanke ist heute nicht mehr märchenhaft, dass ein bettelarmes, der Auflösung verfallenes Deutschland in fremde Regie genommen und dass es Kolonie wird – statt der Ukraine. Denn alles lässt sich auch umkehren; und aus einem Sieg die letzten Folgerungen zu ziehen, das lernt die Welt jetzt von der deutschen Wehrwissenschaft. – Sonst alles wohlauf.

Herzliche Grüsse.   H.

Lieber Heinrich,

vielen Dank für den Ausschnitt. Es ist überaus nützlich und verdienstvoll, diese Dinge zu sagen und der bürgerlichen Welt beizubringen, daß der Fascismus eben die westliche Form des Bolschewismus ist und daß die »Alte Welt« nichts von ihm zu hoffen hat. Mit der Verbreitung dieser Einsicht wäre viel gewonnen, noch mehr aber mit der Erkenntnis der Engländer, daß sie den Diktaturen nicht zu Prestige-Erfolgen verhelfen dürfen, sondern sie stürzen müssen, wenn sie Frieden haben wollen. Ein Anfang ist gemacht dank Mussolinis Plumpheit. Churchill und der Artikel der Times über die deutschen Judenverfolgungen waren sehr gut, und von der deutsch-englischen Freundschaft ist schon wieder nicht viel übrig. Auch von der deutsch-polnischen nicht; und wenn nicht Frankreich aus seiner freilich prekären Lage einen Ausweg nach Berlin suchte, wie es scheint, so könnte man wegen der auswärtigen Angelegenheiten des III. Reiches ziemlich beruhigt sein.

Mit den inneren steht es sowieso desaströs, allen meinen Nachrichten zufolge. Was ich aber mit unangenehmeren Empfindungen erwarte, als früher je etwas, die Saar-Abstimmung eingeschlossen, ist die Olympiade, die zu einer Riesen-Reklame für Nazi-Deutschland auszuschlagen droht. Wenn doch ein paar bessere Völkerschaften die Entschlußkraft aufgebracht hätten, abzusagen! Es hätte sich doch durchaus unaggressiv und natürlich begründen lassen – und es hätte das Ende des Regimes sein können. *Will* man es denn erhalten? Das Welt-Sportfest wird im humanitärsten Stil, unter Verleugnung auch des Anti-Semitismus, weltfreundlich-weltfriedlich, mit Schillers Lied an die Freude und allem Zubehör aufgezogen werden, ungeheuer gewinnend. Dazu die Ordnung, die vollkommene Organisation, die modernen Riesenbauten – es gibt eine katastrophale Propaganda. Wäre den schamlosen Burschen ein Strich durch die Rechnung zu machen! –

Dr. Hans Bauer, Redaktor der Baseler Nationalzeitung, bat mich um Deine Adresse und darum, ich möchte ein gutes Wort bei Dir einlegen für ihn und den großen Wunsch, den er an Dich hat. Er ist der Haupt-Organisator der Schweizer Europa-Union gegen den

Krieg und wünscht brennend, daß Du kommst und in solcher Versammlung oder mehreren sprichst. Willst Du es nicht tun? Ich frage mit geringer Zuversicht. Aber schön wäre es.

Herzlich

T.

20. Nov. 1935
11, rue du Congrès
Nice (A. M.)

Lieber Tommy,

Deine Mitteilungen über die Vorkehrungen zur Olympiade waren mir neu, und ich werde mir erlauben, sie für meinen nächsten französischen Artikel zu benutzen. Morgen fahre ich nach Paris und frage Koenen, den früheren Abgeordneten der K. P. D., was seine Gegenpropaganda der Olympiade bisher hat schaden können.

Ich werde in mehreren Comités Vieles zu besprechen haben, soll auch reden – hoffentlich nicht zu einer grossen Öffentlichkeit: dann pflegt am nächsten Tage die Vorladung auf das Kommissariat zu kommen und man wird mit der Ausweisung bedroht. Aber in meinem Fall ist die Veranstaltung französisch, und der Einfluss der Herren wird wohl gross genug sein.

Den 26. November soll ich mit anderen Delegirten nach Genf fahren, wir werden am 28. vom Völkerbund empfangen. Nach dem Tode des Hohen Kommissars werden die Emigranten zur eigenen Vertretung zugelassen. Jetzt kommt es. Wahrscheinlich bin ich den 27. und 28. in Genf, könnte aber noch den 29. dort bleiben, – wenn Du Dir die Zeit und Mühe nähmest, hinzukommen. Ich weiß, dass man gewöhnlich nicht einfach disponieren kann. Ich würde mich ausserordentlich freuen.

Du erreichst mich brieflich oder telegraphisch bis 25. in Paris (7ᵉ) Hôtel Lutetia, Bᵈ Raspail. Meine Genfer Adresse erfährst Du dann. – Versammlungen in der Schweiz – noch nicht, bitte.

Herzlichst   H.

Lieber Heinrich, am Vorabend des Festes noch schnell einen Gruß und Dank für Deine Zeilen. Die 10bändige Ausgabe ist recht unvollständig geworden, vieles fehlt darin. Unvollständig ist auch der Fontane, der Dir unterdessen zugekommen sein wird. Ich war enttäuscht: Die große Ausgabe mit Briefen und allem führt Fischer nicht mehr. Stupiderweise wurde sie nie gekauft. – Klaus ist sehr glücklich über Deinen Brief. Ich verlas ihn heute nach Tisch. Alles ist versammelt, das Haus überfüllt und Katja erschöpft von Besorgungen. Wir haben Frost und tiefen Schnee, und so ist denn alles, wie es im Buche steht. Euch beiden fröhliche Langusten!

T.

Lieber Heinrich, Klaus fährt bald nach London, über Paris, und wird also an der Sitzung wohl teilnehmen können. Ich kann es nicht, schon weil wir bis Ende des Monats nach Arosa gehen, und kann auch nicht unterschreiben. Dagegen habe ich der Aufnahme meines Briefes nach Oslo in das Werbe-Cirkular schon zugestimmt. Das geht allenfalls, wenn ich auch damit rechnen muß, daß das Cirkular sofort im Propaganda-Ministerium liegt. Ich leiste mir manches, z. B. auch das Wassermann-Vorwort, wovon ich glaube, daß die in Berlin es schlucken werden, ebenso den Artikel im St. Galler Tagblatt, muß aber gewisse Grenzen vorläufig einhalten. Am 10. habe ich noch eine Vorlesung in Basel zugunsten der Genfer Emigrantenhilfe. Am 13. fahren wir nach Arosa, Neues Waldhotel.

Herzlich
T.

6. Febr. 1936
11, rue du Congrès
Nice (A. M.)

Lieber Tommy,

Du kannst Dir denken, dass ich durch die Ereignisse, soweit sie Dich angehen, überaus bewegt bin. Deiner Sendung, für die ich Dir danke, hätte es nicht mehr bedurft. Ich war eine Woche abwesend und in Paris durch unsere neueren Bemühungen bis zur Erschöpfung beansprucht: sonst hätte ich mich früher bei Dir gemeldet. Du hast der Schweizer »Nation« Gutes über meinen Roman gesagt, und damit nicht genug, hast Du Herrn Korrodi persönlich über seinen, mir gegenüber begangenen Fehler belehrt. Er hinkt nach; mit dem Dritten Reich – und gegen uns – kompromittieren geschickte Leute sich nicht mehr.

Aber das ist das Wenigste. Mir wurde gesagt, dass die Auslands-Etablierung Bermanns in Frage gestellt sei, während er andererseits aus der deutschen Verlegerliste gestrichen sein soll. Du selbst scheinst durch Deinen ›Brief‹ die Brücken abzubrechen oder ihren Abbruch herauszufordern. Du weisst, dass ich immer der Meinung war, Deine Bücher müssten, solange es überhaupt geht, »im Lande« abgesetzt werden. Sollte es nach Deinem Schritte und zufolge der Lage jetzt damit aufhören, dann glaube ich: die Pause wird nicht lang sein. Soweit meine Äusserung; jetzt hätte ich sehr gern die Deine.

Soeben kommen die Korrekturen ›Es kommt der Tag. Deutsches Lesebuch‹. Sage es Katja, die ich freundlich grüsse.

Herzlichst   H.

Küsnacht-Zürich 11. II. 36.
Schiedhaldenstraße 33

Lieber Heinrich,

Korrodi's Mesquinerien und Schnödigkeiten gegen die Emigration hatten im Zusammenhang gestanden mit unserer Erklärung gegen Schwarzschild zugunsten des auswandernden Bermann, und so hatte ich das Gefühl, meine innere Zugehörigkeit zu denen, die das Dritte Reich ausstieß oder die es flohen, einmal unzweideutig bekunden zu müssen. Auch vor der Welt war dies notwendig geworden, die zum Teil von meinem Verhältnis zum Hitler-Reich unangenehm halb- und halbe Vorstellungen hat. Vor allem aber war es für mich selbst eine seelische Notwendigkeit, dem machthabenden Gesindel einmal, wenn auch in den gemessensten Worten, meine Meinung zu sagen und es wissen zu lassen, daß ich seine Rache nicht fürchte. Ich glaube, ich habe meinen Augenblick nicht schlecht gewählt und befinde mich besser seitdem. Wenn sie mich ausbürgern und meine Bücher verbieten, so darf ich mir sagen, daß entweder in 1 ½ bis 2 Jahren der Krieg da ist – oder in derselben Frist sich in Deutschland Zustände hergestellt haben müssen, die auch die Verbreitung meiner Bücher wieder erlauben. Übrigens bin ich noch garnicht so sicher, daß sie zurückschlagen. Es ist durchaus möglich, daß sie es wie Früheres schlucken und sich damit begnügen, mir weiter Habe und Paß vorzuenthalten. Olympiade und Außenpolitik sprechen dafür.

Bermann hat in Zürich Schwierigkeiten. Die Gilde ist aus Eifersucht gegen ihn. Der Mißerfolg ist noch nicht entschieden; tritt er ein, so bleiben Wien und Prag. Bermann hat sich mit Heinemann, London, liiert; es wird eine internationale Firma Fischer-Heinemann mit amerikanisch-englischem Kapital, politisch sehr unabhängig dadurch, deren deutsche Abteilung B. selbständig leiten wird, eine gute, durchaus aussichtsreiche Sache. Schwarzschilds Angriff ging vollständig fehl. Landshoff selbst schreibt mir, er habe in der Gründung weiterer Verlage im Ausland nie eine Gefahr gesehen, sondern im Gegenteil eine Entlastung. Die Monopolstellung einer zu kleinen Anzahl von Verlagen sei auf die Dauer unzuträglich. – Die Hauptfrage bleibt, unter welchen Bedingungen, mit einem wie blauen Auge, Bermann in Berlin loskommt. –

Nach gesprochenem Wort denke ich mich zu halten wie bisher. Die Beteiligung an der Moskauer Zeitschrift liegt nicht auf meiner Linie. Ich bin meinem Schweizer Gastland, in dem ich mich sehr gern vor Ablauf der gesetzlichen Frist einbürgern lassen möchte, gewisse Rücksichten schuldig und mag mich überhaupt, bei aller Sympathie, nicht zu ausdrücklich aufs Kommunistische festlegen lassen.

Herzlich

T.

Lieber Heinrich,

der Aufruf ist so gut, daß ich mir ein paar Tage Zeit zur Überlegung nehmen mußte. Aber es widerspräche doch meinen Vorsätzen, hier mitzutun, und mein »Gastland« sieht eine allzu lebhafte politische Betätigung seiner Gäste garnicht gern. Zudem: Hast Du denn einen Schimmer von Hoffnung, daß das deutsche Staatsgesindel sich durch dieses Manifest die Freigabe seiner politischen Gefangenen abzwingen lassen wird? Und dann: »Amnestie.« Können Gewalthaber, die Menschen ohne Gericht und Urteil gefangen halten, überhaupt »amnestieren«? Erweist nicht schon diese Forderung ihnen zuviel Ehre? Es ist eine politische Einzeldemonstration, die nicht aufs Ganze geht. Im richtigen Augenblick, so denke ich oft, müßte ein mit Tausenden von Namen aus aller Welt bedeckter, in herzlichen, guten und großen Tönen abgefaßter Aufruf direkt an das deutsche Volk gerichtet werden, des Sinnes, daß es die infame Zwingherrschaft abschütteln und zu Recht, Vernunft und Menschenanstand zurückkehren möge, worauf es ihm und allen gut gehen werde. Die organisierte und nicht organisierte Kulturwelt Europas und Amerikas müßte das unterschreiben, nicht ein Dutzend Linkspolitiker, und [es] müßte in der Weltpresse erscheinen, dann würde es den Adressaten schon vor Augen kommen. Sogar mein Offener Brief kommt ihm vielfach vor Augen. Hinausgelangende Deutsche nehmen ihn mit hinein und lesen ihn vor.

Heute sprach ich wieder einen, einen adeligen Rechtsanwalt aus Berlin. Wie lange es wohl noch dauern könne, fragte ich ihn. Er fürchte, sehr lange, sagte er. Und wie lange also? In *zwei* Jahren spätestens, antwortete er, müsse notwendig und zwangsläufig der wirtschaftliche Zusammenbruch erfolgen, und dann würde zweifellos die Auseinandersetzung auf »die Straße« getragen werden und diese die Sache in die Hand nehmen. Das nannte er lange! – Die Frage wird dann nur sein, ob die Reichswehr auf »die Straße« schießt oder nicht lieber auf die S. S., wenn diese es tut.

Herzliche Grüße!

T.

1. März 1936
11, rue du Congrès
Nice (A. M.)

Liebe Katja,

nehmen Sie meinen tiefgefühlten Dank und sagen Sie, bitte, dem ernsten jungen Gelehrten, dass ich und mein »Lesebuch« ihm sehr verpflichtet sind. So viel ist gewiss, dass die Citate noch aufgenommen werden könnten; die Frage ist, ob Landshoff den Zeitverlust und die Mehrkosten genehmigt. Ich wäre enttäuscht, wenn diese vorzüglichen Sachen fortblieben.

Der Irrsinn der Läufte wird in der Tat so auffallend, dass er demnach logisch und gewollt sein müsste. Warum auch nicht. Man hat noch nie gesehen, dass eines der menschlichen Unternehmen infolge rechtzeitiger Besinnung abgestoppt worden wäre. Sondern jedes musste bis an sein mehr oder weniger blutiges Ende forttreiben. So jetzt die nationalistische Anarchie, ein offenbarer Auflösungsprozess.

Mit der Antwort Tommys und seiner Entscheidung, nicht zu unterschreiben, bin ich einverstanden. Wenn ich ihm künftig solche Versuchungen vorlegen soll, werde ich sie in den meisten Fällen zurückbehalten.

Vielleicht interessiert es Sie und Tommy, den beigelegten Artikel zu lesen. Herzliche Grüsse, auch an Golo, dessen Adresse ich kennen möchte. Ich muss ihm, mit oder ohne die Citate, das Buch schicken.

Ihr Schwager   Heinrich

29. März 1936
11, rue du Congrès
Nice (A. M.)

Lieber Tommy,

Eure Glückwünsche haben mich erfreut, ich danke Euch Allen. In dem Geburtstags-Artikel hast Du liebevoll und tief meine Existenz bedacht; ich freue mich Deiner brüderlichen Sorgfalt und des glücklichen Ergebnisses, zu dem Du kommst. Ja, zuletzt wird alles in Ordnung sein, und ordentlich heisst beinahe schon gewöhnlich und normal. Als schwierige Ausnahme empfand ich mich noch bis über die erste Lebenshälfte hinaus, bemerkte aber seither mit Staunen, wenn nicht sogar Beschämung, dass ganz im Grunde alles verlief wie vermutlich bei Anderen auch. Daher bin ich jetzt vor allem auf Einfachheit bedacht und lerne für das Publikum der AIZ oder der Prawda zu schreiben.

Euer Golo hat mir einen guten und schönen Brief geschrieben. Wenn Ihr gerade Gelegenheit habt, sagt ihm, bitte, meinen vorläufigen Dank. Ich antworte bald.

Katja danke ich vielmals für ihre Bemühungen bei Herrn Oprecht. Mögen sie Erfolg haben!

Gestern hatten wir abends Gäste, Frau Dr Landshoff, Herr Dr Oscar Levy, dessen Geburtstag auch in diese Tage fällt, und seine Tochter. Wir feierten bei Hummer, Huhn und Veuve Cliquot, es geht noch. Zu Ostern und im Mai werden Besucher von ausserhalb erwartet. Und Ihr – auf Eurer Fahrt nach Spanien? Es wäre schön, wenn wir uns bald wiedersähen. Ich begrüsse Euch Alle herzlich, Frau Kroeger begrüsst besonders Katja.

Dein   H.

Küsnacht-Zürich 1. IV. 36.
Schiedhaldenstraße 33

Lieber Heinrich,

Du hast gewiß jetzt viel zu schreiben, und so danke ich Dir besonders für Deine Zeilen. In meinem gedruckten Geburtstagsgruß sind ein paar mich störende Druckfehler. Verbessere sie doch zu meiner Beruhigung in Deinem Exemplar! Es muß natürlich heißen: »des Königs Henri« und einige Zeilen weiter: »keinen Abbruch tun« statt »tut«. – Klaus schrieb: »Was für ein schöner Übermut vom Vater, in der Weltbühne zu schreiben!«

Unser Reiseprogramm hat sich geändert. Spanien fällt vorläufig aus. Am 6. Mai soll ich in Wien, eingeladen von der Akademischen Gesellschaft für medizinische Psychologie den Festvortrag zu Freuds 80. Geburtstag halten. Anfang Juni muß ich dann an den Sitzungen des Völkerbund-Comités für Kunst und Wissenschaft teilnehmen, die diesmal in Budapest stattfinden, und werde von da noch einmal nach Wien gehen zu einer Joseph-Vorlesung im Rahmen der dortigen Festwochen. Ob ich dann im späteren Sommer mein gegebenes Wort halte und mit Katja zum Pen-Club-Congreß nach Buenos Aires fahre, lasse ich vor mir selbst noch im Dunkeln. Es kommt auf die Umstände an oder auf meinen Zustand. Ich kann eigentlich nicht über den Abschluß meines III. Bandes hinausdenken, in dem ich mich kurz vor Torschluß um des Freud-Vortrages willen noch einmal werde unterbrechen müssen. Er führt, obgleich er seine 700 Seiten und mehr bekommt, noch nicht bis zum Ende, sondern nur bis zur Katastrophe mit der Frau des Potiphar, und das Weitere muß einem vierten vorbehalten bleiben. Kenner halten diesen dritten für den besten. Die Liebesgeschichte ist etwas sehr Sonderbares geworden, und die Figur der Mut-em-enet (Potiphars Weib) bedeutet eine wahre Ehrenrettung. Das Buch, an dem schon gedruckt (und übersetzt) wird, soll im Hochsommer erscheinen – es fragt sich nur, wo. Bermann, der sich ja mit W. Heinemann (London) zu einer englisch-deutschen Firma Heinemann-Fischer zusammen getan hat, hat hier die Niederlassungsbewilligung nicht bekommen und versucht sein Heil nun in Wien, wo aber wohl Zsolnay alles gegen ihn aufbieten wird. Scheitert er auch dort, so wird er nach London gehen, das in diesem Fall der Erscheinungsort meiner Bücher würde. Wunderlich.

Soviel von mir. Die politischen Erlebnisse der letzten Wochen waren entnervend, das Verhalten der Engländer zum Verzweifeln. Aber es ist die Revanche für Laval. Von dem hierzulande herrschenden Haß auf Hitler-Deutschland hat man keine Vorstellung. Es ist wesentlich Angst und Schrecken. 235 Millionen Franken für Landesverteidigung! – Wenn Du etwas über die letzten Ereignisse geschrieben hast, willst Du es mir schicken? – Eben ruft mich Emil Ludwig ganz verzweifelt aus Ascona an: Er hat das im deutschen Sender verlesene Memorandum abgehört und findet es so bestechend, daß er das Gefühl hat, wir hätten eine große Schlacht verloren. Ich meine, die armen Deutschen im Reich hätten sie mehr verloren.

Herzlich

T.

Lieber Tommy,

ja, ich habe es wohl bemerkt, Du hast das erste Mal ein Emigrantenblatt benutzt. Indessen, nach Deinen Äusserungen in der Schweizerpresse schien es mir kein neues Wagniss mehr: sie sind einfach genötigt, es hinzunehmen. Denn Jedem geschieht nach Verdienst, und Hauptmann muss dauernd Huldigungstelegramme absenden, damit er mal in Bomst gespielt wird. (Ist Bomst noch deutscher Besitz?)

Denke Dir, gerade heute habe auch ich die ernstesten Überlegungen wegen Buenos Aires angestellt. Ich sage mir: an der See bin ich das ganze Jahr. 2 Sommermonate hier in den Alpen wären vorzuziehen, klimatisch und hinsichtlich des Ausruhens. Ein Kongress ist keine rechte Erholung, noch weniger, wenn mit Vorträgen verbunden. Crémieux, im Ministerium des Auswärtigen, wollte mir Vortrags-Abende verschaffen – wo? In Rio. Das ganze Leben lang habe ich mir vorgenommen, diese vor dem Leben liegende Heimat zu sehen. Jetzt bin ich dafür vielleicht zu müde – obwohl nicht immer. Auch ich werde es auf die Umstände und meinen Zustand ankommen lassen. Wenn wir fahren, dann ist anzunehmen, dass wir mit den Franzosen, die zahlreich sein sollen, dasselbe Schiff benutzen?

Der Dritte Band ist die gegebene schöne Lektüre für den Sommer, ich freue mich sehr darauf, und besonders auf die Liebesgeschichte. Diese Dinge können ja erst richtig merkwürdig werden, wenn man sie nachträglich und aus dem Hintergrund betrachtet. (Ich werde es nächstens mit den Beziehungen Henri – Gabrielle d'Estrées zu tun bekommen; sind auch immer viel zu leicht genommen worden.)

Möge Bermann in Wien unterkommen und dem Lumpen Zsolnay nach Möglichkeit schaden, bevor die Regierung der deutschen Volksfront ihm – und den anderen Verrätern seiner Art – ein Ende bereitet. Wenn ich da bin, wird ein Gesetz gemacht, das jeden ausländischen Verlag, wenn er dem Dritten Reich zu Diensten war, aus Deutschland ausschliesst und ihm die deutschen Rechte enteignet. Aber es ist allerdings Grösseres zu tun.

Mir gefällt es nicht, dass man, noch vor jedem begründeten Urteil, von »verlorenen Schlachten«, sogar von grossen, spricht. Der Hitler'sche »Friedensplan« bringt nichts Neues, und überhaupt gibt es nichts, was diesen Menschen noch wieder glaubwürdig machen könnte. Er ist virtuell erledigt, und nur tatsächlich nicht. Aber das ist das Wenigste, nur warten muss man können. Hier in Frankreich ist auch das letzte Manöver sofort aufs Wort und auf die Silbe begriffen worden. Was England betrifft – hätte das Memorandum in seiner Listigkeit noch ungeschickter sein dürfen. Lassen wir's, England ist dabei, sich aus Europa herauszumanövrieren. Der Kontinent wird sich nach dem Abgang Hitlers zusammenschliessen wie ein Mann, Pan-Europa – mit drei Hauptstücken, URSS, Republiken Deutschland und Frankreich – wird da sein, bevor man sich umwendet. Vor Hitler – kein Gedanke daran. Heute eine Selbstverständlichkeit. Nur warten muss man können; und der Krieg darf allerdings nicht kommen.

Ich hatte einen »vorbereitenden« Artikel in der Dépêche und schickte sie Dir. Weltbühne N° 12: »Der Vertragsbruch«; am nächsten Donnerstag: »Ein schwerer Anfall« (Die Wahlen). Du bekommst sie sicher dort, sonst veranlasse ich die Zusendung. Wenn doch Oprecht zusagte! Viele Grüsse an Katja.

Herzlich H.

26. April 1936
11, rue du Congrès
Nice (A. M.)

Lieber Tommy,
anbei wieder mal eine Sache. Ich bin es nicht gewesen. Du hast den Pragern zugesagt, für den Hilfsfonds Deinen Namen zu geben. Du hast ihnen geraten, vor allem einen Aufruf zu verfassen, Du wollest ihn zeichnen. So berichtet Burschell mir. Aber an wen wendet er sich, wegen Abfassung des Aufrufs? An mich. Wenn sie ihn in Prag nicht machen wollten, wäre es das Einfachste gewesen, Dich zu bitten. Ich bilde mir nicht ein, dass ich Deinen eigenen Aufruf besser schreiben kann als Du. Bitte, mach' damit, was Du willst. Ich melde nach Prag, dass ich meine Aufgabe erfüllt habe.

Ich hoffe, dass Ihr einen schönen Frühling habt und hoffe, bald
Gutes von Dir zu hören.
Herzlich   H.

[Anlage zum Brief vom 26. April 1936]

Thomas Mann-Hilfsfonds

Die deutschen Schriftsteller im Exil haben eine Notgemeinschaft
gebildet. Die Notgemeinschaft der vertriebenen Schriftsteller bittet um Beiträge für ihren Hilfsfonds, der den Namen trägt: Thomas Mann-Hilfsfonds.

Damit will ich sagen, dass meine Kameraden im Exil mir der Hilfe
würdig erscheinen. Ich will damit versichern, dass ich dem Werk,
das ihnen helfen soll, nicht aus blossem Mitleid meinen Namen
leihe: weit eher tue ich es aus Bewunderung. Sie sind aus dem
Lande gegangen, um frei zu sein. Sie haben die Last der Verban-
nung auf sich genommen, damit sie ehrlich blieben.

Sie sind keine Bettler, gerade das sind sie am wenigsten. Jeder von
ihnen würde sich auf deutschem Boden mit seiner Arbeit erhalten
können und hat es gekonnt, bis eine hasserfüllte Gewalt ihm den
Boden entzog. Im Dritten Reich wird der Schatten einer Literatur
kläglich ernährt. Die Schriftsteller im Exil sind von der deutschen
Literatur der lebendige Teil.

Ich bitte alle, die sich der Kultur unseres Landes verpflichtet füh-
len oder sie auch nur schätzen, einigen der guten Arbeiter dieser
Kultur das materielle Dasein zu erleichtern. Ich bitte Sie um Ihren
Beitrag für den Hilfsfonds.

Küsnacht-Zürich 4. v. 36.
Schiedhaldenstraße 33

Lieber Heinrich, Dank noch für Deine Zeilen vom 19. April. Ich
gratuliere zu Oprechts Entschluß! Wir haben uns sehr darüber
gefreut. Deine Weltbühnen-Aufsätze habe ich mir unterdessen
alle kommen lassen und noch Unbekanntes nachgeholt. Vielleicht
am meisten Eindruck hat mir die Vernichtung des Reiches gemacht. Viele Deutsche leben in ähnlichen Vorstellungen. Jetzt

will ich mich »auf Reisen« melden. Wir fahren übermorgen nach Wien, wo ich einen schönen mytho-psychologischen Vortrag zu Freuds 80. Geburtstag halten und übrigens auch Schuschnigg besuchen werde. Auch nach Prag gehen wir dann (10. und 11.) und werden also Mimi und Goschi sehen.

Herzlich   T.

Küsnacht-Zürich 19. v. 36.
Schiedhaldenstraße 33

Lieber Heinrich,

vor allem: wir haben Goschi und ihre Mutter in ihrer hübschen, von gediegenem Hausrat vollen Wohnung, die mich mit dem Neide des »Kahlgeschossenen« erfüllte, in sehr behaglichem Zustand gefunden: Mimi besser als das vorige Mal, relativ gesund, wohl über ihr Fett klagend, aber von Todesahnungen diesmal scheinbar ganz frei, und Goschi heiter und sanft – sie tanzte uns in schönen Gewändern sehr Weiches und Erfreuliches vor und zeigte sich voller Vertrauen, durch eine Diätkur ein Embonpoint loszuwerden, das außerhalb der Tschechoslowakei allenfalls ihrer Laufbahn als Tänzerin im Wege sein könnte: nur außerhalb, denn der Landesgeschmack sympathisiert durchaus mit ihrer gegenwärtigen Verfassung, dem geradezu jubelnden Erfolg nach zu urteilen, den sie nach Mimis Worten kürzlich bei einem Auftreten in Prag gehabt hat. Es war ein sehr gutes und gemütliches Mittagessen, das wir dort hatten. Ein andermal aßen wir auf der Burg zu Vieren mit dem Ehepaar Benesch, – es war ein unerlaubt langer Aufenthalt, von 1 ¼ bis ¾ 4 Uhr, und der sympathische, klugäugige und lebhafte Präsident sprach mit wohltuendem Vertrauen über die politische Lage, auch über die englische Politik, deren Civilismus und Phlegma er im Grunde für überlegen und weise hält. Wir wußten, er hatte gerade mit Chamberlain gesprochen.

Auch bei Schuschnigg war ich, aber nur in einer etwas unergiebigen Audienz, die ich hatte nachsuchen müssen, weil er sich zu unserer sofortigen Einbürgerung bereit erklärt hatte, wenn wir nach Wien zögen. Aber kann man das?

Die Stadt war freilich wieder entzückend, und mein Vortrag über »Freud und die Zukunft« hatte einen unerwartet schönen und starken Erfolg, trotz einer etwas zu mythologischen Stelle über das Leben Jesu, die vorher Bedenken erregt hatte...

Argentinien – es ist komisch, wie ich auch hier beim Schreiben wieder dem Thema auszuweichen suche und die Rede darüber verschiebe. Offen gestanden, ich habe keine Lust und möchte die zwei bis 2 ½ Monate, die es kosten würde, lieber auf friedlichere Art verbringen. Ich habe zugesagt, habe mehrfach mit dem eifrigen Herrn Aita korrespondiert und bin im Besitz der schönsten Zusicherungen, namentlich derjenigen völliger Kostenlosigkeit. Aber je näher der Termin rückt, desto zweifelhafter wird mir die Sache. Die Vorstellung, im August in das glühende Marseille zu reisen und drei Wochen auf dem Schiff mit dem ganzen Kongreß schon im Voraus zusammen zu sein, um dann 14 Tage in dem notorisch uninteressanten Buenos Aires zu verbringen, wird mir immer bedrückender. Ich bin nicht einmal sicher, ob ich es mit der Beendigung meines III. Bandes und seiner Drucklegung zeitlich würde vereinbaren können, denn schon in knappen drei Wochen kommt ja eine neue Reise nach Wien und Budapest (Völkerbund-Comité) an die Reihe. Kurzum, wenn Du mich fragst, daß *wir* reisen, ist nahezu unwahrscheinlich geworden, und ich meine, wir täten besser, uns im Sommer irgendwo an der französischen See zu treffen – wie wäre es mit der Bretagne?

Herzlich   T.

Küsnacht den 2. VII. 36

Lieber Heinrich,

Dank für Deine Karte. Es muß schön sein dort oben, und von Herzen gönne ich Dir die streng verdiente Erholung. Ich habe nur zu viel Pause gemacht, wenn nicht zur Erholung, so zur Zerstreuung: Unsere letzte Reise nach Budapest und Wien war recht amüsant, namentlich der Aufenthalt in Budapest mit den Sitzungen der »Coopération«, dem Freud-Vortrag und einer zweiten Vorlesung im Innerstädt[ischen] Theater und viel Gala-Oper und Festesserei. Die ungarische Regierung gab sich große Mühe, sich civilisiert zu zeigen, aber die Minister-Einladungen, die kamen, obgleich wir bei Hatvanyi wohnten, lehnten wir ab. Das Hübscheste war, daß der deutsche Gesandte im Innenministerium anrief, man möge doch dafür sorgen, daß sich die Presse nicht so viel mit mir beschäftige. Ich hatte nämlich in der Cooperation eine Rede über »militanten Humanismus« gehalten, von der viel die Rede war. Es hat sich auch niemand um die Ermahnung gekümmert. Aber ist es nicht reizvoll: der deutsche Gesandte protestiert dagegen, daß die Presse sich für den einzigen Deutschen interessiert, der an einer Versammlung europäischer Intellektueller teilnimmt. – In Wien ging es dann noch eine Weile so weiter. Nach meiner dortigen Vorlesung gingen wir noch in den III. Akt »Tristan« unter Walter und gerieten in ein fürchterlich übelriechendes Haus. Die Nazis hatten Stinkbomben geworfen, aber die Aufführung wurde durchgehalten – schließlich nur noch mit dem Orchester, denn die Isolde, die sich während der ganzen Pause übergeben hatte, machte nur noch eine schöne Geste des Unvermögens und erhob sich nicht mehr von Tristans Leiche. Übrigens war dasselbe schlagartig auf die Minute auch im Burgtheater und in drei Cinémas geschehen – ein Streich gegen die Sommer-Festspiele. Man muß auch das einmal mitgemacht haben und weiß nun wenigstens genau, wie der Nationalsozialismus riecht: Schweißfüße in mehrfacher Potenz.

Jetzt muß ich büßen für die Festivitäten beim Abtragen liegengebliebener Geschäfte, und außerdem ist »Joseph in Aegypten«, der im Oktober in Wien erscheinen soll und schon gedruckt wird, noch garnicht fertig, und ich habe große Furcht, damit ins Gedränge zu kommen. Noch ein paar Schlußkapitel, auf die es ankommt, sind zu machen, und müde wie ich noch bin, zweifle ich, ob ich noch diesen Monat damit zu Rande kommen werde. Es wäre eigentlich nötig. Danach werde ich eine Erholung wirklich nötig haben und denke neuerdings an Majorca, wo unsere Aeltesten kürzlich waren, und das sie sehr empfehlen. Wie denkst Du darüber? Gerade gegen den Herbst hin wäre es vielleicht das Schönste.

Für Frankreich kann man nur Liebe und Bewunderung empfinden. Das Verhalten der bürgerlichen Weltpresse, z. B. der N[euen] Z[ürcher] Z[eitung], zu solchen Ereignissen ist von unaussprechlicher Niedrigkeit. Am meisten schwelgt natürlich die deutsche in Zersetzungshoffnungen.

Herzlich   T.

18. Juli 1936
Briançon (H. Alpes)
Hôtel du Cours

Lieber Tommy,

Die Rede über militanten Humanismus würde ich gern kennen lernen, sobald es geht. Du musst schöne Reisen gemacht haben. Indessen geht es mit Österreich nunmehr zu Ende. Lässt Du Dich dort einbürgern? Der Umweg würde zu Hitler führen. Da lob' ich mir meine Tschechoslowakei, den russischen Mutterflughafen. Der gute Fleischmann bewirbt sich um Dich, es wäre die Krone seines Lebens. Du hättest den Konsul in Marseille sehen sollen. Es sind sehr rührende Leute, aber nicht nur das, sondern tüchtig. Man »fängt sich mit ihnen nichts an«.

Die Sommer- oder Herbstreise: es kommt darauf an, was es sein soll? Im Hochsommer müsste man an den Ozean gehen, später sehe ich keine Notwendigkeit mehr für die weite Reise; ein schöner Badeort am Mittelmeer – Sainte Maxime ist die schönste Bucht – wäre klimatisch gewiss dasselbe wie die Balearen, erfordert die halbe Reise und ist frei von gewissen Insekten: s. Anlage.

Ich glaube nicht, dass ich Frankreich verlassen werde, solange man mich hier duldet. Sonst muss ich im Herbst nach Prag fahren, meine Tochter und ich haben uns zu lange nicht gesehen. Viele Arbeiten und Vorsätze erschweren mir die Reise. Aber ich möchte Goschi hierher an die See kommen lassen und wäre sehr glücklich, wenn wir alle zusammen sein könnten. Ihr mit den beiden Kleinen und hoffentlich auch Golo. Das wäre ein Fest. Was Goschi betrifft, habe ich vorerst bei ihr angefragt, ob sie im September noch kann und will; denn sie ist eifrig im Beruf. Wenn ja, würde sie mit Euch von Zürich weiterfahren, sofern es Euch recht ist. Ich hoffe, dass dieser Plan diesmal nicht, wie schon einmal, vergebens besprochen wird. Sage mir, bitte, was Ihr ernstlich vorhabt.

Oprecht wird Euch mein Buch geschickt haben. Auch dem hilfreichen jungen Gelehrten schickte ich sein Exemplar zu Euch. Meine Artikel gehen sogar in den Ferien weiter, nur der Roman nicht. Ich wünsche Dir die beste Arbeit an Deinem und erwarte Deine Nachrichten.

Herzliche Grüße Dir und Katja, sowie den anwesenden der Kinder.   H.

Lieber Heinrich,

vor allem: Dein Lesebuch ist gekommen, eine fulminante Lektüre. Ich habe zwei Tage unausgesetzt darin gelesen und nach Aufnahme des mir noch Neuen auch alles schon Bekannte repetiert. Es ist ein großer Genuß und eine große Genugtuung. Ich bin überzeugt, daß diese Manifeste in Zukunft einmal eine höchst ehrenvolle historische Rolle spielen werden – eine ehrenrettende für Deutschland, zusammen mit wenigen anderen, z. B. der Kundgebung Niemöllers und der Seinen an Hitler, die das elende Subjekt an seinen »Kirchenminister« weitergegeben hat. Besonders ist man dankbar, für die Komik, die Du entfesselst. Ich habe öfters laut lachen müssen, und später wird man das noch freier, ungequälter und herzlicher tun.

Deine Reisevorschläge haben uns eingeleuchtet. Es muß garnicht Mallorca sein. Da es gewiß Ende August werden wird, bis ich wirklich fertig bin, wird Sainte Maxime schon das Richtige sein. Halten wir doch daran fest. Wir haben vor, wenigstens bis Genf mit dem Wagen zu fahren, vielleicht aber auch gleich bis zum Ziel, in zwei, drei Tagen, damit wir ihn dort haben. Wie Goschi sich entschließt, hören wir wohl bald. Wenn wir ohne Kinder sind, könnte sie ja auch bei der Wagenfahrt mithalten.

Ich schicke Dir meine letzte »Abschweifung«, mit der ich übrigens ziemlich bei der Sache blieb. Bermann hat die Broschüre hübsch ausgestattet. Sie ist sein Debut. Sie erscheint erst in 4 Wochen.

Herzlich   T.

Ich denke natürlich jetzt nicht an Wien, kann mich aber auch anders nicht recht entschließen. Bleiben wir hier – und es sieht ja so aus – so werde ich in ca 3 Jahren Schweizer werden können. Ich würde es als das Richtigste empfinden. Aber Fleischmann wird uns nächstens besuchen.

2. August 1936
Briançon (H. Alpes)
Hôtel du Cours

Lieber Tommy,

's ist Krieg, 's ist Krieg. O, Gottes Engel wehre –. Was er auch
schon getan hat, als er uns davor behütete, nach Mallorca zu gehen, auf welche Insel jetzt die Bomben niederprasseln. Den beiden
Mächten, die gegen das spanische Volk ganz offen Krieg führen,
gehören sowohl der Lido als auch Heringsdorf. Ich würde diese
Stätten wahrhaftig gern wiedersehen und bin, wie Du, durch Erinnerung und Produktion mit Venedig verbunden. Indessen müssen
wir wohl oder übel »realisieren«, dass die Erde enger wird. Das
Land des anderen Bundesgenossen, vor zwei Jahren bin ich noch
quer hindurch gefahren, heute sehe ich es als verschlossen an –
und man kann nicht wissen, wie es kommt, geh auch Du lieber
nicht hin. Hier können wir uns in diesem Jahr noch treffen. Frankreich »lässt sich nicht provozieren«, wie auch die deutschen Sozialdemokraten sich von den Nazis niemals provozieren liessen. Dadurch entsteht eine Gnadenfrist, auch für uns: dieses Jahr noch,
wie gesagt.

Meiner Goschi habe ich gesagt, dass sie jedenfalls kommen soll.
Ihrer Mutter im Vertrauen aber habe ich für die Fahrt durch
Oesterreich vielfache Vorsicht empfohlen. Oesterreich hat nach
seiner Gleichschaltung mein Buch als erstes sofort verboten; das
ist eine unverkennbare Warnung – nur für mich und meine Tochter natürlich. Du selbst hast keinen Grund für oesterreichische
Befürchtungen, vielleicht nicht einmal für italienische. Ich will
nicht aus Eigennutz übertreiben und Dich von einer genussreichen
Reise abhalten. Soll es diesmal Venedig sein, dann bedaure ich es
schmerzlich, dass wir nicht zusammenkommen; aber es wird mir
immer noch lieber sein, als wenn Du hier enttäuscht wärest, oder
die schöne Stadt zu sehr vermisstest.

Sehr dankbar wäre ich für Deinen baldigen Bescheid. Kommst Du?
Und wann? Und könnt Ihr Goschi in Eurem Wagen mitbringen?
Wenn Eure Kleinen etwas zusammenrücken, haben sie die Gesellschaft einer dritten jungen Person. Sonst lasse ich sie schon etwas
früher kommen und fahre ihr in dieser Gegend ein Stück entgegen. Auf alle Fälle würde ich vor Eurer Ankunft das von Dir ge-

wünschte Strandhotel suchen. Im Vorbeifahren, als ich Besuch in einer Villa machte, habe ich sehr anziehende Hotels gesehen; sie lagen ähnlich wie das Grand Hôtel Bandol, aber sie und die Bucht sahen festlicher aus.

Hoffentlich setzt Ihr mich nächstens instand, mich nach Euren Beschlüssen einzurichten. Inzwischen herzliche Grüsse Dir und Katia.

Dein H.

Küsnacht-Zürich 4. VIII. 36
Schiedhaldenstraße 33

Lieber Heinrich,

Du hast recht, lassen wir den Gedanken fallen. Daß irgend einem von uns in Venedig etwas geschehen würde, glaube ich zwar nicht, und seit ich neulich in Triebschen war, wo Wagner, übrigens in prachtvoller Natur-Umgebung, sechs Exil-Jahre verbrachte (es war die Zeit seiner besten Freundschaft mit Nietzsche, dessen Spuren wir dann in Sils Maria folgten) zog es mich auch wieder nach Venedig. Ich dachte: was dem einen recht ist, ist dem anderen billig. Es war ein Anachronismus, und übrigens wurde es das in den Tagen nach Abgang meines Briefes mehr und mehr. Auch ich habe gar keine Lust, bei den Helfershelfern von Patrioten zu Gaste zu sein, die erklären, der »Marxismus« in Spanien müsse ausgerottet werden, und wenn das halbe Volk dabei umkäme. – Wenn die spanische Republik siegt, so wird das unter den heutigen Umständen eine Heldentat ohnegleichen sein. Die Eifersucht, mit der die Kapitalspresse, z. B. auch unsere N[eue] Z[ürcher] Z[eitung] die französische Neutralität überwacht, während ihr die italienische und deutsche nicht die geringste Sorge macht, ist von ergründlicher Infamie. Wer am *Naiven*, ich meine: an der schamlosen Vorherrschaft des Interesses vor jedem geistigen Anstand seine Freude hat, der hat heute gute Tage.

Dein bitteres Wort, daß Frankreich »sich nicht provozieren lasse«, faßt das ganze Verhängnis zusammen. Der Gedanke, daß Deutschland auf diese Weise *sehr* groß werden und Hitler einmal in höchsten Ehren das Zeitliche segnen könnte, raubt mir oft den Schlaf. –

Es bleibe also bei Deiner Küste. Daß wir kommen, Ende dieses oder Anfang nächsten Monats, ist sicher und abgemacht. Ich kann aber den genauen Termin nicht sagen, weil er von der Beendigung meines Schlußkapitels abhängt, das ich nicht übers Knie brechen darf und dessen Bedarf an Tagewerkchen ich bis ans letzte Wort heran nicht werde voraussagen können. Goschi's Reise also sollte nicht an unsere unsichere Aufbruchsstunde gebunden sein. Ich meine, Du läßt sie schon früher kommen, und wir stoßen zu euch, wann wir können. Vielleicht können wir sie dann im Wagen mit zurücknehmen.

Eine Drucksache, Broschüre habe ich Dir geschickt. Fast habe ich den Eindruck, daß sie *und* ein Brief, der letzte vor dem mit dem venezianischen Vorschlag, verloren gegangen sind. Sollte sie Dich doch erreicht haben, so wollte ich Dich ihretwegen vorläufig um Diskretion bitten. Sie erscheint erst gegen Ende des Monats, und Bermann hat mir ihre verfrühte Versendung eigentlich untersagt.

Herzlich   T.

7. Aug. 1936
Briançon (H. Alpes)
Hôtel du Cours

Lieber Tommy,

mit grosser Aufmerksamkeit las ich Deine Rede. Ich begreife, dass sie durchaus keine Abschweifung ist; sie liegt auf Deinem Wege. Besonders bewundere ich, wie Du die Verehrung für Freud festhältst, während Du dennoch den verehrten Alten wissen lässt, dass das philosophische Denken dem seinen übergeordnet ist oder ihm wenigstens vorangeht. Dasselbe ist den nur wirtschaftlich Bestimmten immer aufs Neue zu sagen, wenn auch mit Vorsicht, wegen der notwendigen Einigkeit, und übrigens verstehen sie es nicht.

Hitler oder »das Subjekt«, wie Du ihn passend benanntest, wird wohl doch nicht in höchsten Ehren das Zeitliche segnen. Er dürfte dann kein blosses Instrument einer verurteilten Kaste sein. Napoleon III, von dem Ersten zu schweigen, ging persönlich in wirkliche Schlachten, die er für eine, noch im Aufstieg begriffene Idee schlug. Wir sehen das Subjekt nicht kämpfen. Er möchte vermittels der Kämpfe Anderer hochkommen; und wir dürfen hoffen, dass es ihm schon im Fall Spanien zum Nachteil ausschlägt. Das wäre seine erste greifbare Niederlage. Auch unser Schicksal wird dort entschieden.

Ich bin glücklich, dass Du entschlossen bist herzukommen. Meinerseits lasse ich Goschi früher reisen; hoffentlich sind dort keine Bedenken entstanden, sie schreibt nicht. Darf sie bei Euch übernachten, wenn der nächste Weg über Zürich führt?

Herzlich   H.

Küsnacht-Zürich 24. VIII. 36
Schiedhaldenstraße 33

Lieber Heinrich,
der Brüsseler Kongreß ist eine große Sache, wir verstehen Deinen Entschluß, dorthin zu fahren, wenn auch die Dauer unseres Zusammenseins dadurch notwendig eine Beeinträchtigung erfährt. Das ist schade, denn wir kommen ja in allererster Linie Deinetwegen an die französische Riviera, – sonst wären wir mindestens ebenso gern wieder einfach über den Julier nach Sils Baselgia gefahren, das wir als Ort der Kräftigung schätzen gelernt haben. Meinen Band habe ich gestern abgeschlossen; die Schlußpartie muß noch abgeschrieben werden, was bis morgen geschehen sein wird. Dann aber wird es schade sein um jeden Tag, den ich noch hier verbringe. Wir haben, wie Dir Katja wohl schon schrieb, Donnerstag den 27. für unsere Abfahrt angesetzt. Wir fahren mit dem Wagen, gemächlich, übernachten in Genf, dann irgendwo in Frankreich und denken den dritten Tag in St. Cyr s/mer einzutreffen, wo Schickeles (die noch dort sind) uns wohl im Hotel Unterkunft besorgt haben werden. Die Küste entleert sich jetzt allmählich, die französischen Ferien sind oder gehen zu Ende, im September wird Platz sein. Sanary annonciert schon in der N[euen] Z[ürcher] Z[eitung]. – Angesichts der neuen Lage haben wir beschlossen, vorläufig in St. Cyr zu bleiben, bis Du nach Ste-Maxime kommst, um dann zu Dir zu stoßen. Drei Wochen Ferienzeit dürfen wir uns ja nehmen, und so werden immer noch einige Tage für unser Zusammensein bleiben. Zu verschieben ist die

Reise, auch abgesehen von meinem Bedürfnis nach Ausspannung, mit Rücksicht auf den Hausstand, den Urlaub der Mädchen u. dergl. nicht mehr. Um den 20. ix. müssen wir zurück sein, weil dann Hausbesuch erwartet wird.

Es wäre natürlich ausgezeichnet, wenn Dr. Levy, zu dem Termin, für den er Dir in Ste-Maxime Quartier macht, auch uns eins verschaffte. Wir brauchen zwei einbettige Zimmer, womöglich nach dem Meer gelegen, womöglich mit Bad und hoffentlich zu Nach-Saison-Preisen. Nachrichten erreichen uns St. Cyr, poste restante.

Nun wünsche ich glückliche Reise am Sonntag und gute, nicht zu strapaziöse Tage in Brüssel.

Gibt Goschi Dir nun in Paris ein Rendez-vous? Oder fährt sie mit Dir nach dem Süden? Im letzteren Fall könnte sie doch auf Rückreise in Zürich Station machen.

Herzlich   T.

21. ix. 36

Lieber Heinrich, bis Valence sind wir heute gekommen, das ist schon weit in der Welt, und zeitig werden wir morgen in Genf sein. Wir danken für das trotz allem gute Zusammensein, dessen Höhepunkt die Henri-Vorlesung war, – welcher man lieber keine weitere hätte folgen lassen sollen. Herzliche Wünsche für euren Aufenthalt!

                                              T.

Herzlichste Grüße Ihnen und Goschi

                              von Ihrer Katia.

Küsnacht 27. ix. 36

Lieber Heinrich, wir hatten, namentlich von Genf an, eine so schöne Fahrt, aber kaum daß ich hier ausgepackt hatte, mußte ich mich zähneklappernd mit einer Gesichtsrose ins Bett legen und bin noch weit vom Aufstehen. Es ist darum merkwürdig, weil wir von dieser Krankheit gerade sprachen und auch wegen des Problems, ob der Anfall noch mit der Angina zusammenhängt oder sich nur zufällig anschließt. Es ist ein ganz anderer Erreger, aber die Linksseitigkeit ist auffallend. Die Sache verläuft glimpflich, ohne hohes Fieber, der Arzt ist zufrieden, aber das Geschwulst wandert noch. Ich bekomme Injektionen und Umschläge. – Dr. Fiedler trat uns bei unsrer Ankunft hier aus dem Hause entgegen wie ein Gespenst. Er ist aus dem Würzburger Polizeigefängnis entsprungen, über zwei Mauern – weiß selbst nicht, wie er es fertig gebracht hat – und ist von einem wackeren Tell über den Untersee gerudert worden. »Um Gottes willen, Fährmann, eueren Kahn!« Nun wird er gehegt und gepflegt.

Herzlichen Gruß!   T.

23. Okt. 1936
18, rue Rossini
Nice

Lieber Tommy,
mit Freude und grosser Bewunderung empfing ich diesen starken Band. So viel Vertiefung und Beständigkeit sind unzweifelhaft die allerrühmlichste Art, den Zeiten zu begegnen. Was ich selbst tue, verlang' ich sonst von niemand, besonders von Dir nicht, und oft wird es mir zur Last, daß ich es von mir verlangen muss.

Diesen Winter will ich alles, was nicht mein Roman ist, nach Möglichkeit einschränken. Ausser der Arbeit bleibt mir als lang währender Genuss Dein Werk. Nimm meinen Dank für das Buch und die Widmung.

Von Katja erhoffe ich die Auskunft, um die ich sie bat.

Seid herzlich gegrüsst.
H.

DR. THOMAS MANN Küsnacht-Zürich 15. XI. 36
Schiedhaldenstraße 33

Lieber Heinrich,

der Appell ist gut, aber seine Unterzeichnung wäre für mich eine
zu direkte Aktion. Dagegen lasse ich jetzt durch die Presse-Coope-
ration in Paris die damals für Nizza verfaßte Anrede, zum Artikel
abgerundet, vertreiben, die auch nicht bitter ist.

Ich denke Dich mir gern im Joseph III lesend. In der zweiten Hälfte
sind einige geglückte Dinge. Vom »Mephisto« kenne ich bisher
nur weniges, was Klaus uns vorlas. Aber ich weiß, daß Deine Charakteristik richtig ist.

Von meinen verschiedenen körperlichen Mißhelligkeiten ziemlich
erholt (nur Rheumatismus ist zurückgeblieben, sodaß ich an eine
Schwefelbäder-Kur in Baden denke) schalte ich nun erst einmal
eine seit längerem geplante Erzählung ein, in der ich schließlich
doch einmal Goethen, 67 Jahre alt, leibhaftig auf die Beine zu stellen gedenke. Nachdem ich es mit 40 vermieden (woraus der »Tod
in Venedig« wurde), will ich's mir mit 60 gönnen, wenn auch nur
lustspielmäßig. Es ist eine recht freudige Aufregung.

Herzlich
T.

Küsnacht-Zürich 12. XII. 36.
Schiedhaldenstraße 33

Lieber Heinrich,

habe vielen Dank für Deine schöne Aeußerung zu jener deutschen
Maßnahme. Du hast da wieder eines von diesen kleinen moralischen Gedichten gegeben, die mit »Politik« nur mittelbar zu tun
haben und, wie ich glaube, von einer zukünftigen Welt, Deutschland nicht ausgeschlossen, einmal werden sehr hoch gehalten werden. Die Umgebung, in der sie jetzt erscheinen, ist – aber was soll
man machen – nicht die liebenswerteste, wie es wenigstens mir
scheinen muß. War schon Hillers verzeihende Gönnerschaft wenig angenehm, so empfinde ich die freche Herablassung Ernst
Blochs vollends als unerträglich. Dieser scharfe Typ hat mich
schon in Deutschland unwürdig behandelt; heute scheint mir
seine Sprache den Tatsachen noch weniger angepaßt. Einge-

sprengt unter 65 Millionen war er nützlich und notwendig. Jetzt, draußen, in Reinkultur nimmt er sich denn doch übler aus als man öffentlich eingestehen möchte.

Die tschechische Regierung versucht eine Intervention wegen meiner Münchener Habe. Ich zweifle am Erfolg. Die Gauner können ja den Akt meiner »Ausbürgerung« beliebig vordatieren. Übrigens habe ich mich dieser Dinge entwöhnt, und großen Teils sind sie auch längst geschändet und zerstreut.

Etwas anstrengend waren diese Tage doch. Es ging ein wenig zu wie nach dem Nobel-Preis oder an Dezimal-Geburtstagen, und andererseits übte die Nachricht doch immer noch eine gewisse unvernünftige Choc-Wirkung. Unvernünftig, denn wie lange wird all der Unsinn Gültigkeit haben? Man kann heute weniger als jemals glauben, daß dies Regime es auch nur auf die Tage der armen Weimarer Republik bringen wird. Es ist anzunehmen, daß man, sollte man auch sein Ende nicht erleben, in diesem Unglauben doch immer tröstlicher bestärkt werden wird.

Frohe Weihnacht in diesem Sinn!   T.

                                                            16. Dez. 1936
                                                            18, rue Rossini
                                                            Nice

Lieber Tommy,

die aufregenden Tage haben Dir auch wieder Anzeichen dafür gebracht, dass man im Lande an das Regime nicht glaubt: sonst wäre man entmutigt und würde Deine Ausbürgerung nicht als Geburtstagsfeier behandeln. Auch ich erfahre immer aufs neue, dass man dort drinnen die Veränderungen eher erwartet als wir. Man ist nur planlos, und die ganz Zurückgebliebenen verlassen sich auf den Generalstab. Soeben schreibt man mir, dass in Spanien schon einige Reichswehrsoldaten übergelaufen sind. Eine Neuheit, im vorigen Krieg wohl kaum denkbar, aber vielleicht gibt sie diesem erbärmlichen Generalstab jetzt zu denken. Einem gewöhnlichen Abenteurer hat diese einst aristokratische Institution sich untergeordnet. So sollen jetzt die Kriege weitergehen: jedem fascistischen Aufstand in jedem Lande tritt die Internationale Brigade entgegen, und diese vermehrt sich durch übergehende Formationen.

Sollten wir Deutschland wiedersehen, wird auch die bloss intellektuelle Publizistik zu liquidieren sein. Sie ist eigentlich ein Rest der Vorkriegszeit, als Schriftsteller nichts zu verantworten hatten, und während der Republik haben sie es nicht gelernt. Ich habe nicht gelesen, was Hiller über Dich zu sagen wusste; aber der gutwillige, tüchtige Budzislawski ist sehr erschrocken über die Sache. Er hatte sich vor längerer Zeit verpflichtet, sie zu bringen, und dann kam sie im falschesten Augenblick. Es tut ihm leid. Hiller ist nicht mehr sein Mitarbeiter.

Möge die Regierung unserer Republik gegen das Diebsgesindel ihre Forderungen durchsetzen. Wenn nicht, bleibt immer noch das Haus und Grundstück: das fällt eines Tages ohne Umstände an Dich zurück.

Frohe Weihnacht Euch Allen. Ich habe vorher noch drei Tage in Paris zu tun. Der dritte Teil von den fünf, die mein Roman hat, ist bald abgeschlossen. Jeden Abend lese ich in dem Deinen, will es auch über Weihnacht tun, und bin immer voll Staunen. Das Letzte war das durchgeführte, wahrhaft intime Gespräch der Gatten über Joseph, etwas zum Ansehen. »Wie det arbeet!« sagte Liebermann angesichts einer Bühnenhandlung. Sehr innig ist das bescheidene Sterben des Meiers, und ganz ausserordentlich der Aufbau des Erfolges Josephs – eigentlich wenige Stufen oder Glieder, aber deutlich und überzeugend, wie die Rolle der Zwerge. Darüber hinaus ist alles Seelenmusik, und so gehört es sich wohl in gewissen Lebensabschnitten. Ich habe derartiges für Henri versucht, in einem Kapitel, das »Meditation« heisst.

Hiermit: frohe Weihnacht.   H.

19. Jan. 1937
18, rue Rossini
Nice

Lieber Tommy,

Deinen »Briefwechsel« habe ich mit grosser Genugtuung gelesen. Du sagst mit grösster Wirksamkeit alles auf einmal. Ich muss, in meinen vielen Artikeln, jedesmal an einem anderen Punkt wieder ansetzen und komme nie zu Ende. Du hast vorher wahrhaftig nichts versäumt; was Du jetzt sagst, ist das Endgültige.

Jetzt lese ich auch die letzten Seiten des Joseph. Du hattest vollkommen recht zu sagen, dass in der zweiten Hälfte »einiges Gelungene« steht. Es steht ebenso wohl in der ersten. Aber gegen den Abschluss zu wird die Darstellung leicht, sie bekommt eine innere Heiterkeit, fühlbarer als in dem ganzen Werk vorher. Nicht nur die schon bekannte »Damengesellschaft«, noch andere Dinge kommen hier, lustig – und unheimlich – wie Märchen. Die Scene des Zwergen mit dem Eunuchen, man vergisst die tiefere Bedeutung und liest und liest. Andererseits ist die tiefere Bedeutung, in dem Kapitel von der Keuschheit Josephs, behandelt wie ein Spiel, so exakt und gewichtlos. Es ist ein sehr schönes, auch in Deinem Werk einziges Buch, – ich vergesse nicht: aufgebaut auf der Keuschheit des Helden. Sie macht ihn zu der Gestalt, die er ist, und das Buch zu der Ausnahme.

Aus Prag kam eine Zeitung mit der Abbildung meiner Bibliothek, und Du mit Katia davor. Das hat mich gerührt und erfreut. Ich hoffe, Ihr besucht Goschi wieder. Ich kann sie nur selten – und meine Bücher gar nicht sehen.

Herzlichen Gruss Dir und Katia.   H.

Küsnacht-Zürich 24. ii. 37
Schiedhaldenstraße 33

Lieber Heinrich,

mit der neuen Zeitschrift, Zweimonatsschrift, »*Maß und Wert*« wird sie heißen, soll es nun Ernst werden. Die Geldgeberin, eine reiche Frau Mayrisch (der Name soll *verschwiegen* werden) war neulich mit ihrem Pariser Vertrauensmann Jean Schlumberger hier, und es gab Konferenzen mit dem Verleger Oprecht, mir, der als Herausgeber fungieren soll, und Ferdinand Lion, der die Redaktion führen wird. Man ist zum Entschluß gekommen, Lion hat im Kontakt mit mir zu planen und zu sammeln begonnen, und die erste Nummer soll Anfang Juni erscheinen.

Ich muß sagen: ich freue mich über den Beschluß und auf das, was da werden kann. Die Zeitschrift soll möglichst positiv wirken, produktiv, zugleich bewahrend und zukunftswillig und trachten, sich Vertrauen, ja Autorität zu gewinnen als anerkannter Sammelplatz freien deutschen Geisteslebens. So ungefähr.

Natürlich rechnet man sehr auf Dich. Lion wird Dir selbst [schreiben] und Dir wohl genauere Wünsche vortragen. Ich will ihm mit diesen Zeilen nur den Weg bereiten. Vor allem und auf jeden Fall hatte ich an ein Stück aus dem zweiten Bande des »Henri« gedacht. Vielleicht aber lassen sich noch andere Verabredungen treffen.

Wir waren drei Wochen in Arosa, es hat uns gut getan. Ich arbeite recht angeregt an meiner Goethe-Novelle. Auch habe ich Freude an der starken Wirkung des »Briefwechsels«; von der deutschen Ausgabe ist schon das 15. Tausend im Handel, und viele Übersetzungen liegen vor. Die französische erscheint in »Marianne«.

Dein Aufsatz über Hitlers »Rede« war hochkomisch und ein Hochgenuß.

Herzlich
T.

4. Juni 1937
18, rue Rossini
Nice (France)

Lieber Tommy,

Dein Geburtstag ist wieder da, ich melde mich mit meinem Glückwunsch.

Möge Dein Vierter Band fertig werden und so grossartig wie der dritte sein. Mögest Du an den anderen Seiten Deiner Tätigkeit dieselbe Freude haben wie bisher. Ich höre, dass Deine vorige Amerika-Reise erfolgreich war und lange nachwirkt.

Landshoff war hier und sagte mir, Du habest Neuralgien oder eine Ischias nach Hause mitgebracht. Das sind die weniger guten Ergebnisse – kaum vermeidbar, bei so viel persönlicher Beanspruchung. Ich hoffe, Du lässt Dich von dem Übel nicht niederdrücken und überwindest es schnell.

Dein Brief an den Dekan von Bonn geht als höchst reizvolles Gerücht auch dort um, wo man ihn nicht auffinden und lesen konnte. So sprach ein hiesiger Professor zu mir darüber.

Den Leuten in Berlin werden noch mehr Niederlagen beigebracht, die Schläge fallen häufiger, kaum zu verstehen, wie sie sich noch lange halten wollen. Ihre einzige Chance ist das zweifelhafte England. Denn der Krieg, wenn sie diesen Ausweg suchen, ist wahrhaftig keine Chance zu nennen. Aber ich gestehe, dass ich tagelang die Zeitungen nur mit Zittern aufgeschlagen habe; und die Gefahr endet erst mit dem Regime. Wer das nicht wissen will, wird es erfahren müssen.

Mögest Du in Deinem nächsten Jahr das Ende des Regimes sehen.

Herzlichst   H.

23. Juli 1937
Briançon (Hautes Alpes)
Grand Hôtel

Lieber Tommy,

in Paris hatte ich die Freude, Erika und Klaus zu sehen. Erika ist jetzt ganz »erfolgreiche Künstlerin« und sehr tapfer. Sie wird drüben ihren sicheren Weg gehen.

Mit ihr und mit Klaus besprach ich die Angelegenheit des Klubs der Sauberen, dieser peinlichen Gründung weniger Schwarzschilds als eines Konrad Heiden. Ich möchte Dich dringend bitten: lehne die Beteiligung ab. Klaus tritt aus, wie er sagte, und Schwarzschild selbst hat genug davon, wie er glaubt. Ein persönlicher Hass, dem jemand nachhängt, führt weit und weiter; dahin darf er nicht führen, dass die Mitarbeiter einer Zeitschrift sich als die allein Sauberen zusammenschliessen.

Du arbeitest wieder, ich weiss es von Deinen Kindern. So viel hat die Kur genützt, und es ist viel. Eine Frage nach Deinem Befinden schickte ich ab, als ich Dich noch in Ragaz glaubte. Meinerseits muss ich zusehen, wie ich nach einer besonders schweren Pariser Reise zu einer Erholung komme und dennoch meinen Roman beende.

Die herzlichsten Wünsche. Ich begrüsse Katja.

Dein   H.

Lieber Tommy,

Deine Mitteilungen haben mich erfreut in mehreren Hinsichten, Club der Sauberen, Jules Romains – vor allem Golo. Er ist reizend in seiner Gediegenheit und Zuverlässigkeit. Auf ein Wort von mir bemüht er sich und seine Gelehrsamkeit, damit ich meine Meinungen begründen kann. Lass ihn Deine Zeitschrift doch redigieren. Wozu ein Anderer, wenn der Beste gleich im Haus ist. Golo bringt alles mit, das Wissen, das unentbehrlich ist um eine Zeitschrift hoch zu bringen, und die seelische Empfänglichkeit. Ich vergesse nicht, wie er mir schrieb, dass die Verse in meinem ersten »Henri« geeignet wären, auf Spaziergängen laut hergesagt zu werden.

Andererseits weisst Du, wie hoch ich Klaus in seiner besten Äusserung, dem Tschaikowsky, veranschlagt habe. Umso mehr tut es mir weh, dass er persönlich unzugänglich ist – dies nicht gerade aus Strenge, eher aus Vergesslichkeit. In Paris war eine zweite Zusammenkunft verabredet worden, ich dachte sie mir inhaltsreicher als das kurze Treffen spät abends. Sie ist nicht zustande gekommen infolge eines Missverständnisses, das schliesslich auch ein Ausweichen sein könnte. Aber den gewissen Heiden hat Klaus sofort gefunden, hat ihn willig angehört und ist in dem Club der Sauberen verblieben, obwohl ihm dabei nicht wohl ist, wie er mir mitteilte. Er vergisst zu sagen, woher das Missgefühl rührt: es hängt doch wohl damit zusammen, dass wir Nichtmitglieder diffamiert sein sollen. Einen anderen Zweck hat der Club nicht. Zuerst war Bernhard zu vernichten, dann die Volksfront, in der er Sitz und Stimme hat. Ihm zu Ehren, der ein bürgerlicher Demokrat ist, hat das »Tagebuch« sich zum Antibolschewismus entwickelt und druckt Gide ab. Dieser ist gegen Stalin, weil Stalin kein echter Bolschewik mehr sein soll. Es scheint besonders sauber, Gide für antibolschewistische Zwecke zu benutzen.

In einem Brief, den ich im Grunde bedaure, habe ich Klaus darauf hingewiesen, dass nach der gelungenen Zerstörung der Volksfront nichts zurückbliebe als die Richtung Strasser, der ein verhinderter Hitler ist, und der Prager Parteivorstand. Dieser würde die Weimarer Republik mit ihren Folgen nochmals durchüben. Der Bund der Sauberen wäre das unbedeutende Anhängsel. Schwarzschild sagt: man dürfe wohl ein Liberaler sein, was man aber in Anbetracht der deutschen Lage durchaus nicht darf. Er wenigstens hat seine persönlichen Gründe. Aber Klaus? Ich bedaure, dass ich ihm einen ernsten Brief schreiben musste. Später wird er ihn vielleicht verstehen. Mein Antrieb war weniger Ungeduld als Sorge. Der junge Empfänger wird geneigt sein, einen Übergriff zu vermuten und ihn abzuweisen. Wenn Du die Gelegenheit nimmst, die Angelegenheit mit ihm durchzusprechen, versichere ihn jedenfalls meiner guten Meinung und Absicht.

Herzlich   H.

15. Aug. 1937
18, rue Rossini
Nice (France)

Lieber Tommy,
gestern kam die Zeitschrift, nur deinen Roman habe ich sogleich gelesen – mit einer Rührung, die ich mir selbst kaum erkläre. Vielleicht die unbegreifliche Veränderung, die mit den Deutschen vorgegangen ist? »Lotte in Weimar« wird gerade durch den Vergleich sehr zeitgemäss. Ich freue mich auf die Fortsetzung und danke Dir.
Anliegendes über den Urheber des Clubs der Sauberen ist aus der Deutschen Volkszeitung Prag, die kommunistisch ist und ihre Gründe hat, ihn abzulehnen. Ich kann aber als Augen- und Ohrenzeuge bestätigen, dass Sch. bei der Volksfront (mitsamt Kommunisten) solange blieb, als er hoffte, Kapitalisten und Kapital für sie zu gewinnen. Als ihm dies misslang, veranlasste ihn zweitens sein Hass gegen Bernhard, auszuscheiden. Diese Affäre (S.-B.) hat wohl nur den Vorwand geliefert. Wenn ich aber dem Antrag Sch's stattgegeben und B. aus dem Vorstand der V. F. entfernt hätte, wo wäre S. geblieben? Er sässe als Sieger über B. noch jetzt mit den Kommunisten zusammen. – Er und seine Sache sind fragwürdig und sind kaum noch das. Klaus, der in Amerika war, kennt die Zusammenhänge nicht. Er hätte sich belehren lassen können – nicht von Heiden, der ein berühmter Niemand ist, eher schon von mir. Aber er hat mir nicht einmal geantwortet.

Dem Club der Sauberen wird natürlich nicht ruhig zugesehen werden. Es ist vorauszusehen, dass der oder jener einwandfreie Name bald daraus verschwindet. Klaus liefe Gefahr, mit vorwiegend unerwünschten Mitgliedern im Verein zu sitzen. Er hat aber seinen und unseren Namen zu schonen. Wollen wir annehmen, dass ohnedies alles vergebens geschieht, dann meinetwegen. Nehmen wir die Demokratie aber ernst, warum sitzt dann unser Klaus bei den übelsten Reaktionären (die, wohlverstanden, anzufangen pflegen wie Radek und Genossen: in voller Unwissenheit, was aus ihnen noch werden soll.)

Die Volksfront bestand bisher aus einer grösseren Zahl von Organisationen und verhältnismässig wenigen Persönlichkeiten. Das soll sich ändern. Ich hoffe Dir darüber bald zu berichten, möglichen Falls sogar mündlich. Du wirst es gewiss nicht als lästige Zumutung empfinden. Übrigens ist mir selbst die Beschäftigung mit dem Edikt von Nantes die liebste.

Herzlich   H.

2. Okt. 1937
18, rue Rossini
Nice (France)

Lieber Tommy,

das beigefügte Rundschreiben brauche ich Dir kaum zu erklären. Du ersiehst daraus, welche Bitte an Dich gerichtet wird. Ich weiss nicht, ob die Anonymen der »Freiheitspartei«, bevor sie Deinen »Briefwechsel« verbreiteten, Dich um die Ermächtigung ersucht haben. Ich jedenfalls muss es tun.

Das Bekanntwerden des »Briefwechsels« hat in Deutschland viel genützt. Der Aufsatz, mit dem Du »Mass und Wert« eingeleitet hast, soll noch umfassender und zweckvoller verwendet werden.

Die Mitglieder der Vereinigung, die jetzt handeln will, sind Intellektuelle, ich nenne Dir: Professoren Marck – Dijon (Philosoph) Gumbel – Lyon (Statistiker) Lips – Washington (Anthropologe) Fritz Lieb – Basel (prot. Theologe) Paul L. Landsberg – Paris (Katholischer Philosoph) Georg Bernhard – Paris (Volkswirtschaftler) Aron Gurwitsch – Paris, Rudolf Olden – Oxford (Lektor). Ferner

Dr Maximilian Beck – Prag (Philosoph) Dr Feblowicz – Paris (Mediziner) Lion Feuchtwanger.
Bei Golo möchte ich mich hiermit entschuldigen, dass ich am 20. Sept. nicht in Paris sein konnte. Ich war später dort und bin soeben zurückgekehrt.

Herzlich H.

Küsnacht-Zürich 4. XI. 37
Schiedhaldenstraße 33

Lieber Heinrich, Querido hat seine Pflicht getan. Hoffentlich hat Oprecht die seine nicht versäumt und Dir das zweite Heft von »Maß und Wert« geschickt. Das dritte soll eine größere Besprechung des ersten Henri-Romans bringen. Von dem zweiten kommt mir zuweilen eine Fortsetzung in der »Intern. Literatur« vor Augen. Es wird ein ganz außerordentliches, aus allem Deutschen sich kühn heraushebendes Werk.
Kaum, daß ich meine Ischias los bin, gerate ich in die deprimierendste Zahn-Krise (Endstadium) und bin auch sonst nicht wohl, muß aber Vorträge ausarbeiten für Amerika: Anfang nächsten Jahres will eine große Reise absolviert sein, bis tief in den Westen.
Herzlich   T.

Thomas Manns Brief vom 2.1.1938 ist längsseitig zum Teil abgerissen. Er bietet somit keinen fortlaufenden Text:

Küsnacht, 2.1.1938
[Datum des Poststempels]

Lieber Heinrich,
Dir und Frau Kroeger [...]
und Beste zum neuen Jahr.

Es ist läßt sich vortrefflich an, [...]
Freuden höre ich von den außerorden[...]
Henri in Amerika. Das ist ein bra[...]

Land. Kein Buch ist dort im Geringst[...]
einen Deutschen Druck- oder Verlags [...]
und Leipzig« oder »Wien *und* Zürich« [...]
Übrigens legt Dein dortiger Sieg, [...]
Bank zweifellos fortsetzen wird, den [...]
Nobel-Preis entschieden freier. Dem [...]
nischen oeffentlichen Meinung ist man [...]
gänglich.
Alles in allem, wir könn[...]
ten Reiches abwarten. Am pessimi[...]
aus dem Reich, sie sind es in Hinsicht [...]
»Das dauert ewig«, sagen sie. »Die [...]
die ihnen gemäße Staatsform gefun[...]
»Arier«, die herauskommen, sagen [...]
Kein Jahr dauert das mehr.« Sie si[...]

[S. 2]
[...] war in großer Gefahr. Er kam hoch fie-
[...], und nach einigen ungewissen Tagen wurde
[...] als eine gottlob leichte Form von Kinderläh-
[...], die sich nach der Hirnhautreizung auf
[...] ogenhaut des rechten Auges warf und anfangs
[...] Symptome machte, daß die Aerzte Unruhe zeigten.
[...] Besserung ging mit Rekordschnelligkeit vor sich, und
[...], der noch am Weihnachtsabend sein Zimmer hüten
[...] privatem Bäumchen), geht schon wieder im
[...] um. Er ist etwas gewachsen und blickt bleich
[...] drein.
[...] freue mich, daß der Wagner-Vortrag Dich in-
[...]. Ich will jetzt in Arosa über Schopenhauer
[...] dieselbe amerikanische Sammlung, der Du auch
[...] hast.

Herzlich   T.

Lieber Heinrich,

einen Gruß von unserer vierten Amerika-Fahrt und gute Wünsche
für Dein Wohlergehen unterdessen. Auch Du wirst niedergeschla-
gen sein von den neuen politischen Greueln. Wer hätte gedacht, daß
Oesterreichs Fall so plötzlich und widerstandslos kommen würde!
Die Oeffentlichkeit, auch die Schweizer Presse, war zunächst völlig
desorientiert; man stellte die Sache als eine Schlappe des Ribbentrop dar. Erst aus den Pariser Zeitungen erfuhren wir, wie es steht.
Der arme verratene und verlassene Schuschnigg! Er ersucht seine
Nazi, »ihre neuen Rechte nicht zu mißbrauchen«. In Graz hatten sie
bereits den »Ordnungsdienst«. – Wir sind in diesen Tagen (bis
morgen noch) sehr spärlich unterrichtet und übersehen die Lage
schlecht. Ich verliere viel an Wien, wo ich mich noch vorigen Winter ergreifend aufgenommen fand. Ob auch nur der Weg nach Prag
frei bleibt? Der Boden schwindet mehr und mehr. Auch für die
Zeitschrift hatten wir nicht mit einem so baldigen Ausfall Oesterreichs gerechnet. Es trifft sich schlecht, daß ich mich im Augenblick
mit niemanden besprechen kann.

Die winterliche Ozeanreise hatte ich mir schlimmer vorgestellt.
Wir haben sehr ruhige Fahrt, das Riesenschiff, fast unangreif-
bar, wie es scheint, rollte nur einen Tag *seitlich*, wovon man nicht
seekrank wird. In Amerika wird es ernst diesmal: eine lecture
Tour durch 14 Städte bis nach Los Angeles, mit dem Thema »The
coming victory of Democracy« – nur Mut. Beginn am 1. März in
Chicago vor 4000 Menschen, es ist ausverkauft. Das Vorspiel ist in
der Yale-University, New Haven, wo ich bei der Eröffnung einer
»Th. M. Collection«, einer Art von Archiv mit Manuskripten,
Übersetzungen etc., ebenfalls reden muß.

Es wird anstrengend, und bei all dem bin ich durch die Unsicherheit
der Lage bedrückt. Sehr ungern wanderte ich aus. Und doch wäre es
wohl das Klügste, gleich in Amerika Quartier zu machen.

Wenn Du mir schreiben willst, thu es unter der Adresse meines
Managers Harold R. Peat, 2 West 45. Str. N. Y.

Herzlich

T.

Beverly Hills, 21. IV. 38
California

Lieber Heinrich,

Dank für Deinen Brief, den ich auf der lecture-Tour erhielt. Hier ruhen wir uns etwas aus, müssen aber bald zu neuen Taten in den Mittel-Westen und nach New York aufbrechen. Den Sommer werden wir wohl auf Long Island in einem Häuschen verbringen, das man uns dort zur Verfügung gestellt hat. Amerika stellt sich überhaupt wunderbar zur Verfügung, man kennt das nicht in Europa. Wir sind entschlossen, vorläufig nicht dorthin zurückzukehren. Erika fährt Anfang Mai nach Zürich, um den Hausstand aufzulösen und den Transport unserer Habe zu besorgen. Alle Kinder, bis auf Moni, die wohl wieder nach Florenz gehen wird, sollen herüber kommen. Für sie alle gibt es hier die besten Aussichten, nur hier überhaupt welche. Ich werde, wie es scheint, an einer amerik. Universität eine Ehren-Professur erhalten, die mir eine Lebensgrundlage sichert. Es steht bei mir, mich für den europanahen Osten oder für das zukunftsvolle, billige und klimatisch herrliche Californien zu entscheiden. Bis zum Herbst wird sich das ordnen.

Es ist ein widrig beruhigender Gedanke, daß es zum Kriege ja wohl nicht kommen wird. Das bedeutet Ruhe für Dich, Dein großes Werk zu vollenden. Herzlichste Wünsche! Zu *Besuch* kommen wir gewiß bald einmal.

Dein T.

10. Juni 1938
18, rue Rossini
Nice (France)

Lieber Tommy,

Du bekamest meinen Brief zum 6. Juni, er war an Peat New York adressiert, und der Deine vom 29. Mai hat mich sehr erfreut. Der schriftliche Verkehr ist langwierig, ich denke dabei immer an Postkutsche. Kommt einer aus Weimar in Rom an, dann gibt es Weimar gar nicht mehr.

Du hast wohl weise getan, Dich drüben einzurichten. Aber im Sommer hast Du Gründe genug, hier einmal vorzusprechen; meinerseits will ich unsere Begegnung erleichtern, wie ich nur kann.

Lass mich, bitte, Deine Ankunft in der Schweiz wissen. Ich komme dorthin, besonders gern in ein Bad. Hoffentlich liegt das Deine nicht über 800 Meter; ich darf mir keine grossen klimatischen Anstrengungen auferlegen – bin angestrengt genug und die Arbeit ist nicht fertig. Bis August muss ich das letzte Stück abliefern. Ein gemässigtes Gebirge würde mir vielleicht helfen.

Sehr schön, dass Du an die Zusammenkunft gedacht hast, ich hatte sie mir gewünscht. Ich erwarte Deine Nachrichten und bin sicher, dass Du inzwischen eine angenehme Zeit hast.

Herzliche Grüsse Dir und Katja.

Auf Wiedersehen.

Dein H.

Küsnacht-Zürich 6. VIII. 38
Schiedhaldenstraße 33

Lieber Heinrich,

ich höre, daß Dein großes Werk fertig ist. Das wäre herrlich – und träfe sich besonders gut in Hinsicht auf Dein Kommen. Die Sache ist die, daß wir, in deutlichem Gefühl sonst hier nicht fertig zu werden und mit den Abschlußgeschäften ins Gedränge zu kommen, auf eine längere Badereise verzichtet haben, – eher gern als ungern, denn wir kosten die hiesige Lebensform mit Vergnügen aus und brauchen nichts Besseres. Allenfalls wollen wir noch auf 8 Tage ins Engadin, Sils Maria oder Sils Baselgia, gehen, wo Erika schon ist. Das wird Dir zu hoch sein, (1800 m); aber auch Leuk im Wallis wäre im Grunde nicht recht nach Deinen Wünschen gewesen. Wir treten die »Heim«-Reise nach Princeton am 15. September an. Wenn Du vorher noch, gegen Ende des Monats und bis in den September hier in Küsnacht unser Hausgast sein möchtest? Die Wälder und Seeufer, mit dem Auto zu befahren, sind so schön, und Du kämest in ein Land, dessen Haltung gegen l'infâme seit Oesterreich von der wohltuendsten Entschlossenheit ist. Ich habe mich nie auch nur einen Augenblick gefährdet gefühlt, und von Deiner Anwesenheit würde man überhaupt nichts erfahren. Wie denkst Du? Der 26. August etwa, das wäre, wenn es denn nach unseren Umständen und Dispositionen gehen soll, der richtige Termin. Ich rechne mit Deiner Freiheit, wenn ich annehme, daß es nach ihnen gehen könnte. Im Hause sind Moni, Medi und Golo, der sich sehr erfreulich entwickelt hat und vorzügliche Dinge für »Maß und Wert« schreibt. Hast Du deine Nietzsche-Einleitung abgeschickt? Über Schopenhauer habe ich nicht 20, sondern 60 Seiten geschrieben. Warum setzt man mich auf die Fährte! Nun muß das Vorwort erst wieder aus dem Überfluß herauspräpariert werden – Golo hat auch das schon gemacht.

Du hast Zeit, wegen der Reise mit Dir zu Rate zu gehen, für die ich Dir allerdings kühleres Wetter wünschte. Man freute sich erst, als es endlich warm wurde, und schon erweist sich das Vergnügen als Kalamität.

Herzlich   T.

9. Sept. 1938
18, rue Rossini
Nice (France)

Liebe Katja,
es waren sehr schöne Tage in Küsnacht, ich möchte Ihnen gleich nach meiner Rückkehr nochmals herzlich danken. Der Höhepunkt waren keineswegs, wie Tommy beim Abschied meinte, meine verlesenen Bruchstücke; das Beste war vielmehr, dass ich mit meinem Bruder und seiner Familie diese Zeit noch zusammen sein konnte, bevor Ihr alle weit fort geht. Übrigens ist es nur in Gedanken weit, und ich darf hoffen, dass schon im nächsten Mai oder Juni Ihr Besuch sich wiederholt. Viel Glück inzwischen.

Gestern sah es nach Krieg nicht aus. Für heut und morgen wissen wir nichts. Versäumt der Angreifer seinen Zeitpunkt, dann ist es im Gegenteil die Stunde der deutschen Opposition. In Paris wäre der rückhaltlose Verzicht auf alle inneren Streitigkeiten zu verlangen. Darf ich Erika bitten, mir das Ergebniss mitzuteilen? – Soeben lese ich, dass in Nürnberg am 12. die Entscheidung fallen soll. Die Welt erwartet sie mit allen Gefühlen, nur das berechtigte fehlt: die Scham.

Euer Aller gedenke ich bestens. Ihr freundlicher Gruss, liebe Katja, wird von Frau Kröger erwidert.

Ihr H. M.

22. Nov. 1938
2 rue Alphonse Karr
Nice (France)

Lieber Tommy,

vielen Dank, ich bin froh, dass Du mit dem »Nietzsche« einverstanden bist. Bei allem Widerspruch war ich doch nie versucht, respektlos zu werden, und hoffe, dass mein Verständniss, so weit es reicht, nicht nur »gütig« ist, sondern ehrenvoll. Etwas wie »Güte« hat Golo empfunden, als er die Sache zu lesen bekam. Er schrieb mir darüber sehr herzlich; einen Einwand machte er hinsichtlich der Worte über die Zukunft der Arbeiter. Sie könnten nicht unbedingt hingenommen werden, ihnen gegenüber stände die ganze Feindseligkeit Nietzsches gegen den Sozialismus. Das ist richtig, soweit der Sozialismus in Betracht kommt. Die Worte über die Zukunft der Arbeiter als Herrenklasse sind nicht sozialistisch. Ich mache mir auch nichts daraus, dass Ley und seine Spiessgesellen in betrügerischer Absicht etwas Ähnliches sagen. Aber ich sehe, dass hier die Stelle ist, die für ein Buch ergänzt werden müsste. Vorerst mag sie stehen bleiben. Es handelt sich vielmehr um Kürzungen, und die von Dir angeregten scheinen mir für das Verständniss ungefährlich. Ich bin für Deine gehabte Mühe erkenntlich. Deine Zeit und Kraft werden begreiflicher Weise viel beansprucht.

Meine im Augenblick auch. Erstens muss ich ein Buch mit Artikeln der letzten zwei Jahre in Eile fertig machen. Zweitens sitze ich in einer unvollständigen Wohnung an einem »frühen« Empire-Tisch, aus der Zeit des ägyptischen Abenteuers; der zugehörige Schrank weist gleichfalls Sphynx-Köpfe und Ruhmes-Genien aus Bronze auf, und das Ganze war billiger als ein modernes »bureau«. Meine dritte Sorge ist die von Bertaux empfangene Nachricht, dass meine Tochter Goschi mit einem Amerikaner verlobt sein soll. Mehr weiss ich nicht, und frage nur, was das für Amerikaner sein können, die sich heute in Prag verloben, und mit meiner Tochter. Sie will durchaus nicht nach dem einzigen Lande, das sie freundlich aufnehmen würde; und dort wo sie wohnt, ist sie zweifellos gefährdet. Eine Verlobung, die unter solchen Umständen eintritt, »erwünscht, da kömmt er«, kann mich bisher nicht beruhigen. Ich habe telegraphiert, aber die bezahlte Antwort bleibt aus, wie alle Antworten, seitdem der Staat unter Schutz und Aufsicht steht. Goschi wollte, dass ich sie in Zürich treffe; ich habe sie gebeten, mit dem avion nach Cannes zu kommen. Bertaux wird im eigenen Namen die Bitte wiederholen müssen. So leben wir.

Bis dieser Brief zu Dir gelangt, hat sich womöglich ein Glück herausgestellt, wer weiss, eine Rettung. Ich wäre unendlich dankbar für ein wenig Frieden. Jetzt steht es derart, dass ich kaum voraussehe, was ich künftig zu sagen oder zu machen habe. So viel ist sicher, dass wir Mut haben sollen; die grossen Erschütterungen werden uns nicht umsonst zugemutet.

Mit Grüssen an die Deinen   herzlich H.

Dein Manifest – ich denke, dass es eines ist – erwarte ich täglich mit Spannung. Vielleicht erinnerst Du den Verlag daran, falls Du es nicht selbst abgeschickt hast.

                                                    29. Dez. 1938
                                                    2, rue Alphonse Karr
                                                    Nice (France)

Lieber Tommy,

Deine beiden Schriften mit den brüderlichen Widmungen haben mir wohl getan. In »Dieser Friede« steht, meisterhaft vorgetragen, alles was zu dem vorläufig letzten Kapitel des pessimistischen Romans »Europa« zu sagen war. Du wirst ihn weiter kommentieren. Mir vergeht beinahe die Lust, und auch die Erlaubniss kann entzogen werden. Sollte das Ergebniss, das Du voraussiehst, wirklich eintreten, die allgemeine Fascisierung mit Vorbehalten und Abänderungen je nach der Vorgeschichte der Völker, dann – »macht ihr euern Dreck alleene,« sprach ein weiser, wenn auch betrunkener König. Noch so vornehm ausgedrückt, bliebe doch nichts anderes übrig. Und muss auch nicht, sagen die Leute bei Fontane. Es geht immer auch so, sagst Du.

Ob Du inzwischen meinen Roman bekommen hast? Er ist seit vorigem Monat erschienen, aber meine Exemplare trafen erst gestern ein, und ich hatte keine Gelegenheit, in das Deine die Widmung zu schreiben. Sie würde ungefähr heissen: Dem Einzigen, der mir nahe ist.

Meine Tochter hat wirklich ihren Dr Aschermann geheiratet und ist vertieft in ihr Eheglück, bevor sie mir nach Amerika entschwindet. Die Industrie-Gesellschaft, die von dem Vater des jungen Mannes geleitet wird, übersiedelt, wie jetzt üblich. Obwohl man einen Generaldirektor für bemittelt halten sollte, habe ich mich als richtiger zahlender Vater betätigen müssen – schmeichelhaft für einen, sagen wir unabhängigen Mann. Mein Kind sah ich kürzlich in Genf, ich weiss nicht, ob zum letzten Mal; denn einmal drüben, ist sie allerdings entschwunden.

Viel eher hoffe ich, dass Du selbst den Weg wiederfindest – in welches Europa? Das wird sich zeigen. Uns noch einmal den Krieg vorzumachen, worauf man uns dann vor ihm rettet, – wird nicht leicht sein. Das Phänomen von Berchtesgaden wird natürlich etwas unternehmen müssen, wozu wäre es das Kalb mit den zwei Köpfen. Therese von Konnersreuth war auch eine grosse Attraktion und wollte nicht vergessen werden. Ernst gesprochen, scheint es, dass im Falle Tunis der Fascismus dem ersten Widerstand begegnet. Fehlt nur eine neue verlorene Schlacht in Spanien, damit –. Aber unsere Hoffnungen werden nunmehr sechs Jahre alt. Nur noch die hiesigen Astrologen datieren den Sturz des Einen mit 1940, des Anderen mit 1941.

Für 1939 wünsche ich Dir alles persönliche Glück, das ist das Sicherste. Möge es den Deinen allen gut ergehen. Mögen wir uns wiedersehen.

Herzlich   H.

25. Jan. 1939
2, rue Alphonse Karr
Nice (France)

Lieber Tommy,
hast Du meinen Roman »Die Vollendung« bekommen? Querido ist beauftragt, nochmals dafür zu sorgen. Aber Deine Bestätigung trifft vielleicht ein, bevor das Buch nochmals die lange Reise gemacht hat.

»Achtung Europa!« ist ein Dokument für die weite Zukunft und inzwischen unsere grosse Genugtuung. Ich danke Dir sehr.

Meine Tochter hat in Zürich geheiratet, den Dr. Aschermann,

der in einem chemischen Unternehmen arbeitet, unter seinem Vater als Generaldirektor. Das Geschäft wird von Wien nach New York verlegt. Der junge Mann muss bald hinüber fahren. Von Goschi wird aber in Amerika ein eigenes, sehr beträchtliches Bank-Dépôt verlangt, und nur den kleinsten Teil konnte ich ihr geben. Früher würde ein Geschäftsmann leicht einige tausend Dollars aufgebracht haben. Das scheint jetzt anders zu sein. Bei genügend einflussreichen Verbindungen würde man sich vielleicht damit begnügen, dass die junge Frau nur 3000 $ hinterlegt? Dies ist eine ganz unverbindliche Anfrage, aus der Sorge um das Kind, das hier recht unglücklich zurückbleiben würde.

Ich hoffe, dass Du arbeitest und zufrieden bist. Meine nächste Sache wird allmählich erfunden. Mit den besten Grüssen an die Deinen,

herzlich   H.

Princeton, N. J. 2. III. 39
65 Stockton Street

Lieber Heinrich, Dein Roman ist vor ein paar Tagen endlich gekommen, – ich kann wohl sagen: ich lese Tag und Nacht darin, tags in jeder freien halben Stunde und abends in der Stille, bevor ich das Licht lösche, was unter diesen Umständen spät geschieht. Das Gefühl festlich erregender Außerordentlichkeit verläßt einen nie bei dieser Lektüre, das Gefühl, es mit dem Besten, Stolzesten, Geistigsten zu thun zu haben, das die Epoche zu bieten hat. Man wird sich gewiß einmal wundern, wie sie in all ihrer Erniedrigung doch dergleichen hervorbringen konnte – zum Zeichen, daß es mit all ihrem zur Schau gestellten Schwachsinn und ihren Verbrechen nicht soviel auf sich hat und der Menschengeist unterdessen seinen Weg weiter geht und seine Werke schafft, im Grunde ungestört. Das Buch ist groß durch Liebe, durch Kunst, Kühnheit, Freiheit, Weisheit, Güte, überreich an Klugheit, Witz, Einbildungskraft und Gefühl, wunderschön, Synthese und Résumé Deines Lebens und Deiner Persönlichkeit. Man sage, was man wolle: solches Wachstum und solches Werden aus dem Sein, solche

Dauer und solches Ernten ist nur europäisch; hier in Amerika sind die Schriftsteller kurzlebig, schreiben ein gutes Buch, danach zwei schlechte und sind dann fertig. Das »Leben« im Goethe'schen Sinn ist nur unsere Tradition, es ist weniger Vitalität als ein Sinn und ein Wille. Kesten hat in dem Aufsatz, den wir glücklich genug waren, im letzten Heft von »Maß und Wert« bringen zu können, mir vieles von den Lippen genommen, was ich sagen könnte; man muß gestehen, die Begeisterung hat seinem Talent Flügel verliehen, Du wirst nicht ungerührt gewesen sein, es ist beinahe das Musterbeispiel einer positiven Kritik, und da er das Ganze sieht, ist es eine Art von Lebensfeier. Das will ich glauben, daß die deutsche Emigration sich etwas zugute thut auf dies Monument! Und schließlich, wir kennen ja den Gang der Dinge, wird auch Deutschland sich was darauf zugute thun. »Denn er war unser«. Nun ja, wie man es nimmt.

Ferner ist da nun die Sache mit Deinem Schwiegersohn, meinem Neffen, Dr. Aschermann, nicht besonders angenehm. Er war hier, machte einen kurzen Besuch bei seinem Onkel, wie er gerne sagt, um dann für längere Zeit nach dem Westen (er sagte »Süden«, aber gemeint war Californien) zu gehen. Was er über die Transferierung des Geschäftes (eine chemische Fabrik ist ja nicht transportabel, und ich zweifle, ob es da überhaupt etwas zu transferieren gibt), über die Garantiesumme für Goschi (ein hier Eingewanderter und Niedergelassener kann, wie ich schon sagte, seine Frau ohne Weiteres zu sich nehmen) vorbrachte, war alles etwas unbestimmt und undeutlich. Auch was er in Californien zu thun hat, wurde nicht klar. Einige Tage später suchte uns dann ein Amerikaner, Morton W. Lieberman, South Orange, New Jersey, auf, um uns zu warnen. Gegen meinen Neffen sei hier eine Klage anhängig wegen Veruntreuung von Wertgegenständen, Juwelen u. dergl., die eine jüdische Dame ihm zum Hinausschaffen aus Deutschland eingehändigt habe. Der jüdischen Dame sei es nun selber gelungen, hinauszukommen, und so könne sie gegen ihn vorgehen, während zahlreiche andere jüdische Herrschaften, für die er auch Wertgegenstände hinausgeschafft, deren Wert er dann für sich behalten, nichts machen könnten, weil sie noch in Deutschland oder Oesterreich wären. Der Mann machte einen verständigen, wohlmeinenden Eindruck, und da schon vorher Prager Aeußerungen zu uns gedrungen waren, man gönne Mimi und Goschi ja jedes Glück, aber hier sei doch wohl etwas übereilt gehandelt worden, so wurde uns bange um das, was Du etwa für Aschermann gethan, um Deine Möbel, die er ja wohl auch hinausgeschafft, und von denen er gleich sagte, Du würdest wohl leider Monate lang darauf zu warten haben, und um diese ganze Verbindung. Weiß Gott, ob man dem jungen Mann nicht Unrecht thut und ihn in ein ganz falsches Licht bei uns gesetzt hat; aber ich frage mich vergebens, warum das geschehen sollte, und so leid es mir thut, Dich zu beunruhigen, hielt ich es doch für notwendig, Dich aufmerksam zu machen, wie auch Golo, nicht so unumwunden wie ich hier, an Mimi geschrieben hat. Diese Gerüchte und Aussagen sind nun doch einmal in der Welt, der Verdacht, A.'s Heirat mit Goschi könnte die Spekulation eines Unredlichen auf Deinen und meinen Namen sein, ist nicht von der Hand zu weisen, und wohl oder übel müßt ihr euer Verhalten danach einrichten, Goschi nicht voreilig herüberschicken und überhaupt euer Vertrauen im Zügel halten. Möge alles sich als Irrtum und Unsinn herausstellen.

Acht Tage noch, und in Boston geht meine Vortragsreise an, führt dann in den Mittelwesten und Westen, fünf Wochen lang. Wir reisen zu dritt, mit Erika als gewandter Sekretärin und Assistentin. Es wird anstrengend, aber ich kenne es schon, und die amerikanischen Schlafwagen-Betten im eigenen Abteil sind vorzüglich.

Herzlich glückwünschend   T.

Princeton, N. J. 14. v. 39.
65 Stockton Street

Lieber Heinrich,
gestern besuchte uns Landshoff, der Dich in Nizza gesehen, und durch ihn hörten wir von dem leidenden Zustand Deiner Frau und von den Sorgen und Nachteilen, die Dir natürlich, zu allem Übrigen, daraus erwachsen. Die Nachricht ging uns sehr nahe, und ich beschloß sogleich, Dir zu schreiben, was ich übrigens längst getan hätte ohne die fast 6wöchige lecture-Reise, die hinter mir liegt und die Kette von politisch-literarisch-gesellschaft-

lichen Verpflichtungen, die sich hier gleich wieder daran schloß. Dies Land, in seinem gewaltig naiven Eifer, frißt einen auf. Hätte ich aber gewußt, wie schwer Du es jetzt hast, so hätte ich dennoch geschrieben, um Dir das Gefühl unseres teilnehmenden und verständnisvollen Gedenkens zu geben. Eine gewisse psychische und physische Reaktion nach der Vollendung des ungeheueren Werkes, unter dessen Druck Du solange gestanden, war wohl ohnedies unvermeidlich, und so kommen diese erschwerenden Umstände, der Kummer um das Leiden Deiner Frau und alle damit verbundenen Unzuträglichkeiten im falschesten Augenblick.

Ich habe mich gewundert oder vielmehr es bewundert, wie Du gleich nach der größten Anstrengung Deines Lebens einige Deiner besten politischen Aufsätze schreiben konntest. Der über das Nazi-Reich als Entformung und Auflösung Deutschlands (das ist aber die List der Geschichte: als Kriegs-Akkumulierung ist es gemeint, und als Auflösung wird es sich auswirken) war ebenso glänzend wie die Anrede an die deutschen Soldaten. Den ersten hat Erika an die »Nation« gesandt; es wäre höchst erfreulich, wenn er in diesem Lande erschiene. Für die Verbreitung des zweiten in den deutschen Kasernen wird hoffentlich die illegale Findigkeit Sorge tragen.

Das bringt mich auf den Gegenstand des Briefes, den ich diesen Zeilen gleich beilege. Die Kontaktnahme mit dem Volk in Deutschland, sei sie auch nur durch List und Schmuggel möglich, ist eine Sache von größter Wichtigkeit, und ihre Organisierung sollte nicht auf die Zeit nach ausgebrochenem Kriege verschoben werden. Die Empfänglichkeit ist zweifellos mächtig, und noch größer, glaube ich, als das Verlangen nach politischer Aufklärung, ist der Durst einfach nach in der Freiheit entstandener, die Luft der Freiheit bringender Literatur, deren indirekte Wirkung gerade auf Deutsche vielleicht stärker ist, als die direkt propagandistische. Das Genauere sagt der Brief. Auf Anregung Erika's versuche ich jetzt ein ausgesuchtes Comité großer deutscher Namen zusammenzubringen, die auf den Briefbogen stehen sollen, und mit deren Hilfe hier bestimmt ohne große Schwierigkeiten eine beträchtliche Summe Geldes zusammengebracht werden wird, die nur dazu dienen soll, eigens hierzu hergestellte Schriften in geeigneter Form nach Deutschland hineinzubringen. Wir bitten um Deinen Namen und Deinen Beistand.

Ich kann nicht sagen, wie sehr ich wünsche, daß die Gesundheit Deiner Frau sich rasch bessern und dadurch auch Dein Zustand leichter und heiterer werden möge!

Herzlich   T.

65 Stockton Street
Princeton. N. J.
am 14. Mai, 1939

Lieber Heinrich, –

inmitten von Tumult und Ungewißheit, inmitten von Kriegsdrohung und neuer »Appeasement«-Gefahr wird eines immer klarer, nimmt immer genauere Umrisse an: die Entscheidung muß und wird in Deutschland fallen. Solange das deutsche Volk sich von dieser »Führung« nicht befreit hat, wird es einen dauerhaften Weltfrieden nicht geben. Wir wissen das seit langem und die Welt fängt an, es zu begreifen. Wir wissen auch, daß die Deutschen ihr Regime im Grunde hassen und daß sie nur den Krieg mehr fürchten, als den Hitler. Die tiefe, mißtrauische und angsterfüllte Abneigung des deutschen Volkes gegen seine Nazi-Regierung ist nicht primär »politischer« Natur. Wovor die Besseren unter den Deutschen zurückschaudern, das ist der moralische Abgrund, in dem sie zu versinken drohen, – die abscheuliche Verkommenheit im Sittlichen und Kulturellen. Es steht fest, daß innerhalb des letzten halben Jahres eine erhebliche Anzahl von Deutschen ihr Land verlassen haben, die weder »politisch«, noch »rassisch« als »anrüchig« gelten konnten, – ganz einfach, weil die November-Pogrome, oder die Propaganda-Hetze gegen die Tschechoslowakei zu viel für sie gewesen waren. Sie berichten von der vor keiner Gefahr zurückscheuenden Gier, mit der sie Schriften und Aeußerungen, die von draußen, die aus der Freiheit kamen, an sich rissen, – von dem qualvollen Durst nach Wahrheit nicht bloß, sondern nach Anstand vor allem, – nach Würde, nach ruhiger Besinnung, – von ihrer Sehnsucht nach den Stimmen des Geistes und der Gesittung. Und, während die Bücher der prämierten Staats-Schriftsteller bei allem Propaganda-Lärm keine Leserschaft mehr in Deutschland finden, sind es die paar »erlaubten« ausländischen Autoren, deren Arbeiten von den Deutschen verschlungen werden. Wie sehr, wie dringend verlangt es aber unsere Freunde in Deutschland darnach, von uns zu hören! Im Laufe der Campagne gegen die Intelligenz ist das »Schwarze Corps«, – ein paar Wochen ist es her, – gegen die Buchhändler zu Felde gezogen: wenn es nach denen ginge, würde überhaupt von früh bis spät nichts anderes verkauft, als Emigranten-Literatur. Wir haben allen Grund, dem »Schwarzen Corps« in diesem Punkte Glauben zu schenken.

Es ist notwendig, für die Deutschen drinnen, und für uns Vertreter des geistigen Deutschland draußen, daß wir die Verbindung miteinander aufnehmen. Der unnatürliche Zustand, daß wir, die wir die Deutschen lehren müßten, sich auf ihr besseres Selbst zu besinnen, des Kontaktes mit ihnen beraubt sind, muß ein Ende nehmen. Unsere Stimmen werden gehört werden, daheim, wenn wir sie nur eindringlich genug vernehmen lassen.

Nach reiflicher Ueberlegung habe ich den folgenden Entschluß gefaßt:

Im Laufe von etwa 12 Monaten möchte ich etwa 24 Broschüren ins Land gehen lassen, die von Repräsentanten des deutschen Geistes *für die Deutschen* geschrieben werden sollen. Die Schriften-Reihe soll keineswegs durchwegs politischen Charakter haben, sie soll an die besseren Instinkte unserer Landsleute appellieren, während Hitler nur ihre gefährlichsten wachzurufen weiß. Ein Committee von amerikanischen Freunden (Chairman Dr. Frank Kingdon, Präsident der Universität Newark) wird die Finanzierung des Projektes übernehmen, – ich werde im Laufe dieses Jahres an etwa 24 deutsche Schriftsteller, Gelehrte, Theologen und Künstler mit Vorschlägen herantreten. Für den Augenblick bitte ich Dich um nichts weiter, als um Deine prinzipielle Zustimmung. Ich möchte Deinen Namen, der in Deutschland und in der Welt einen guten, einen werbenden Klang hat, der Namensliste meines deutschen Committee's beifügen dürfen. Wenn Du ja gesagt haben wirst, sollst Du sehr bald Genaueres hören.

Mit gleicher Post gehen ähnliche Briefe an die folgenden Freunde und Kollegen:

Wilhelm Dieterle, Bruno Frank, Professor James Frank, Leonhardt Frank, Lotte Lehmann, Dr. Hermann Rauschning, Ludwig Renn,

Professor Max Reinhardt, Rene Schickele, Professor Erwin Schrödinger, Professor Paul Tillich, Fritz von Unruh, Franz Werfel, Stefan Zweig.

Ich selber werde in diesen Wochen mit einer Arbeit beginnen, die für die Deutschen getan werden soll.

Was die Wege der Verbreitung angeht, so gibt es ihrer zahlreiche, sogar die Post ist ein Weg; – wir rechnen mit einer Verbreitung von mindestens 5000 Exemplaren pro Broschüre, – wobei jedes Exemplar vielfach gelesen werden wird. Die Arbeiten sollen honoriert werden, – bescheiden und im Rahmen dessen, was Beiträge dieses Umfangs in den hiesigen Wochenschriften (»Nation«, »New Republic«) abwerfen.

Darf ich zusammenfassen, lieber Heinrich?: Neben unsern eigensten Aufgaben, neben der »Forderung des Tages« und über sie hinaus, gibt es unsere Pflicht und Schuldigkeit, unsern Einfluß auf die Deutschen zu nutzen. Nur wenn die Deutschen mit Hitler ein Ende machen, kann der Krieg vermieden werden. Nur wenn, – sollte er nicht vermieden werden, – die Deutschen *vor der Niederlage* dem Regime die Gefolgschaft verweigern, dürfen wir auf einen Frieden hoffen, der nicht die Keime des neuen Krieges schon wieder in sich trägt. Die Deutschen müssen zur Raison gebracht werden und wer soll es tun, wenn wir schweigsam bleiben?

Laß schnell von Dir hören und nimm alles Herzliche von

Deinem T.

P. S. Dieser Brief diene zur Information über meinen Plan und als Bitte um Deine formelle Zustimmung. Da Deine Arbeiten seit Jahren verbotene Best-Seller in Deutschland sind, weiß ich mich natürlich im Prinzipiellen mit Dir einig.

25. Mai 1939
2, rue Alphonse Karr
Nice (France)

Lieber Tommy,

Dein Geburtstag naht, möge mein Glückwunsch pünktlich eintreffen, ich gedenke des Ereignisses schon längst. Ich bekam die Zeitschrift »Life« mit den alten Erinnerungen und neuen Bildern.

Dass Deine Umstände immer freundlich und mit ergiebiger Arbeit gesegnet blieben.

Dein Plan hinsichtlich der Propaganda ins Land hinein hat meine Zustimmung und Mitwirkung. Zum Beispiel stehen die Artikel aus der Weltbühne zur Verfügung. Der Aufruf an die deutschen Soldaten ist schon mehrfach verbreitet, einige Male ist auch ein Aufruf an die Arbeiter gesendet worden. Es kann bei diesen Sachen niemals genug werden. Eine Antwort auf die Geburtstagsrede des Minderwertigen habe ich auf Platten gesprochen. Meine Dünndruck-Manifeste zähle ich nicht mehr. Mein Ziel ist bei allem das Deine: die deutsche Erhebung muss dem Krieg zuvorkommen.

Die Deutschen bereiten sich innerlich vor; sie werden uns früher begreifen als andere. Das Beschämende ist, dass mit einem deutschen Aufstand noch immer nirgends gerechnet wird. Am 9. Juni soll ich in Paris bei einem Mitglied der 200 Familien zu den einflussreichsten Journalisten sprechen. Ich bereite eine Rede vor, des Sinnes, sie nachdenklich zu machen über den neueren sittlichen Zustand des Landes. Sie sollen vor der Frage stehen, ob die deutsche Opposition am Ende ernst zu nehmen wäre, und nicht mehr das Regime.

Mit derselben Sache werde ich dann vielleicht nach London gehen. Die Aufforderung liegt vor, und der Wunsch wird geäussert, unsere Propaganda zu unterstützen. Leider kennen wir den Verlauf. Bessere Aussichten bekommt er allenfalls, weil eine zweifelhafte Einigkeit der Gesamtopposition einfach wegfällt. Der Aktionsausschuss sind Wenige, sie handeln um Widerspruch unbekümmert. Die englische Hilfe mag uns unter der einzigen Bedingung gewährt werden, dass wir Erfolg haben. Das ist übrigens auch meine Bedingung, wenn ich 1939 ganz an diese Tätigkeit wende. Zum Jahreswechsel muss Hitler am Boden liegen; oder, was folgt, wäre unabsehbar, wenigstens für mich.

Es war ein schwieriger Winter: Arbeit, deren Erfolg dahinsteht, die kranke Frau und das unglückliche Kind. Meine persönlichen Unbequemlichkeiten werden durch die Jahre entschuldigt. Meiner Frau kann ich helfen gesund zu werden, wenn ich mich mit ihr trauen lasse. In zehn Jahren, die nicht alle leicht waren, hat sie es sich reichlich verdient. Ich hatte hauptsächlich gezögert, bis meine

Tochter verheiratet wäre. Ihre Ehe sieht jetzt traurig aus; das darf aber meine Frau nicht treffen. Nimm für Deine Teilnahme an ihrem Ergehen meinen besonderen Dank, es war eine rechte Tröstung.

Katia bitte ich zu erlauben, dass ich die Bestätigung ihrer Zeilen hier anfüge. Neu war mir, dass sogar die Adresse der verbrecherischen Schwiegermutter erlogen ist. Das Unverzeihlichste: mit Goschi ist sie über Deutschland gereist. Die Verhaftung des Kindes hätte ihr wohl gepasst. Von der törichten Mimi hat sie ein teures Schmuckstück mitgenommen, genau der Betrug, wegen dessen der Sohn in Amerika verfolgt wird. Ich hatte mich geweigert, ihm vor der Eheschliessung die Mitgift zu zahlen. Nachher habe ich drei Viertel des Betrages an Goschi selbst überwiesen. Vergebens, sie hat ihm alles ausgeliefert. Seither ist er verschollen. Könnt Ihr nachfragen, ob es möglich ist, dass ich mich der dort schwebenden Klage anschliesse? Mehrfach versuchte ich, nach Prag etwas Geld gelangen zu lassen, bisher ohne Erfolg. Die Briefe der Beiden erreichten mich über Schweden. Dorthin sollten sie zu entkommen suchen, und weiter nach Moskau, wo ich Mittel für sie habe. Möchte Katia sie an diesen einzigen Ausweg erinnern?
Herzlich   H.

Grand Hotel & Kurhaus
»Huis ter Duin«
Noordwijk aan Zee
(Holland) 19. VI. 39

Lieber Heinrich,

Du wirst wieder zu Hause sein, und wir haben uns hier, zusammen mit Erika, für die erste Etappe unseres europäischen Sommers installiert. Es sei noch einmal ausgesprochen, wie bewundernswert nett es sich fügte in Paris und welche Freude uns allen Dreien dies prompte Zusammentreffen gemacht hat. Man hat das Gefühl, einem so freundlichen Schicksal in Zukunft einiges Dazuthun schuldig zu sein, und so sprechen wir öfters davon, wenn es irgend möglich ist, bevor unsere Ferien zu Ende gehen, noch einen Besuch in Nizza zu machen, um Dein neues Heim kennen zu lernen und den Pariser Austausch häuslich fortzusetzen. Es ist garzu unsicher, ob man sich so bald wiedersieht. Viel hängt allerdings davon ab, wie lange es noch dauert, bis die alten Leute in München ihre Pässe bekommen und wir die Schweiz nicht länger zu meiden brauchen.

Mit der Wahl dieses Ortes haben wir doch wohl das Richtige getroffen. Das Hotel ist vortrefflich, der Strand prächtig, und die Luft hat etwa den Effekt des Engadin. So erhoffen wir uns Stärkung nach einem Winter, in dem wenigstens ich mir etwas zuviel abzuverlangen hatte. Übrigens war es trotz unseres amerikanischen Hintergrundes garnicht leicht, auf unsere tschechischen Pässe hierher zu gelangen. Aber ein Besuch beim niederländischen Gesandten und ein Empfehlungsbrief von ihm haben Wunder gewirkt und uns nicht nur das belgische Transit-Visum verschafft, sondern uns auch an der Grenze die größten Erleichterungen und Ehren eingetragen. Trotzdem kommt Europa mit seinen Zollsoldaten und Paß-Quaerulanten uns eng, überfüllt und mißlaunig vor. Wenigstens war das so auf der Reise. Hier ist es noch leer und geräumig, mit Ausnahme der Sonntage, wo die Leute kommen, die Idachen Springer in Travemünde »Eintagsfliegen« nannte. Auch Deutsche sind darunter, man sieht sie an, wie man in die Berliner Illustrierte blickt. Rheinische Industrielle saßen hinter uns auf der großen Hotel-Terrasse, und ihrem Gespräch war zu entnehmen, daß sie leider oft Wochen lang nicht liefern können, weil es an Roh-Materialien fehlt. Von Zeit zu Zeit verfielen sie in Flüstern. Kurz, es war fascinierend.

Dies soll auch der Dank sein für Deinen Geburtstagsbrief, den ich noch nicht habe. Mit der ersten Post aus Princeton, die Dr. Meisel, mein Sekretär, nachsendet, wird er kommen.

Lebe recht wohl! Möge uns also noch ein Wiedersehen beschert sein diesen Sommer.

Herzlich   T.

Noordwijk aan Zee
(Holland)
28. VI. 39

Lieber Heinrich, »Mut« ist heute, noch ein paar Tage nach Deinem Brief, aus Princeton gekommen, Dein schönes Geburtstagsgeschenk. Die Umschlag-Notiz sagt ganz gewiß nicht zuviel, wenn sie von einem historischen Dokument spricht. Das alles wird bleiben und zeugen und bewundert werden, wenn die Pest lange vorüber ist. Übrigens soll man wirklich den Mut nicht verlieren. Gerade wenn Alles sich ganz niederträchtig gestaltet, wird eine internationale Sphäre der Freiheit und des Geistes, eine geschlossene Gesellschaft der Besseren sich herausbilden, die unseren Gedanken und Werken immer noch einen gewissen Lebensraum gewähren wird.
Herzlich   T.

Grand Hotel »Huis ter Duin«
Noordwijk aan Zee – Holland
5. VII. 39

Lieber Heinrich, laß, bitte, Herrn Grund wissen, daß ich mich gleich in Sache nach New York gewandt habe und dafür sorgen werde, daß ihm die ehrenvolle Erwähnung nicht genommen wird.
Katja wartet noch auf Antwort von Melantrich.
Herzlich   T.

Grand Hotel & Kurhaus
»Huis ter Duin«
Noordwijk aan Zee
(Holland) 17. VII. 39

Lieber Heinrich, ich sehe es natürlich ein, daß Du nicht nach Schweden fahren kannst, und Olden muß es auch einsehen. Für mich stand Stockholm von vornherein auf meinem Sommer-Programm, für den Fall nämlich, daß alles »gut« geht; d. h., daß wir ein schönes, faules appeasement haben. Sieht es garzu anders aus, so müssen wir freilich Hals über Kopf nach Princeton zurück. Auch ein Vortrag ist für Stockholm verabredet und Alles.

Melantrich, der Arme, zeigte an, daß er überhaupt nichts mehr mit mir zu thun haben und weder nach außen noch innen Zahlungen leisten dürfe. Da ist also leider nichts zu machen.

Herzlich   T.

                                                    Grand Hotel & Kurhaus
                                                    »Huis ter Duin«
                                                    Noordwijk aan Zee
                                                    (Holland) 20. VII. 39

Lieber Heinrich,

Anliegendes habe ich von Bruno Frank bekommen. Es spricht wohl nichts dagegen, es zu zeichnen. Ich denke mir, Du thust es auch und bist so freundlich, das Papier an Feuchtwanger weiterzugeben.

Mögen die Bäder von Digne Dir gut getan haben und weiter gut thun. Ich bin hier in voller Arbeit, denn es wäre ein großer Gewinn, wenn ich den Roman noch diesen Herbst herausbringen könnte.

Lies doch den von Klaus, den »Vulkan«! Es thäte ihm wohl, ein gutes Wort vom großen Onkel darüber zu hören. Er ist recht vereinsamt damit; ich glaube, 300 Exemplare sind verkauft. Und dabei ist es ein sehr talentiertes, bei aller Leichtigkeit ernstes Buch, das mich beim Lesen mehr und mehr bewegt hat.

Herzlich   T.

                                                    Princeton den 26. Nov. 39

Lieber Heinrich,

Du weißt, wie unser Kontakt verloren ging. Nach unserem glücklichen Zusammensein in Paris, dem wohltätigen Aufenthalt von sieben Wochen, den wir in Holland hatten, einem Besuch in der Schweiz und einem in London, reisten wir nach Schweden zum P. E. N. Club Congress, der dann schon garnicht mehr stattfand.

Der Krieg kam, und unsere Absicht, von Stockholm noch einmal in die Schweiz zurückzukehren und von dort aus ein weiteres Wiedersehen mit Dir zu bewerkstelligen, wurde zunichte. Um unserer Sicherheit willen wollte man uns überreden, »die Kriegszeit in Schweden zu verbringen«. Gottlob, daß wir es nicht getan haben! Die Rückfahrt hatte freilich ihre Bedenken. Ein schwedisches Schiff konnten wir, eben aus Sicherheitsgründen, nicht benutzen. Wir mußten nach England zurückfliegen, um ein amerikanisches Schiff zu gewinnen, das citizens heimbrachte, und der Flug von Malmö nach Amsterdam, nicht weit an Helgoland vorbei, war eher mißlich. Nun, es ist alles gut gegangen, und von Southampton hat der U. S. A.-Liner »Washington« uns herüberbefördert – in einem Gedränge von 2000 Personen, die die Nächte auf improvisierten Pritschen in den zu Concentration camps umgewandelten Gesellschaftsräumen verbrachten.

Wir waren recht froh – so froh man heute sein kann – unsere Basis zurückgewonnen zu haben. Aber die Korrespondenz mit Europa ist bis zur Entmutigung erschwert und verumständlicht. Lassen wir die Politik bei Seite. Ich schreibe Dir hauptsächlich endlich dennoch, um euch, in Katja's Namen nicht weniger als in meinem, zu euerer Vermählung zu gratulieren, herzlich erfreut. Das ist eine gute und schöne, beruhigende Handlung. Sie besiegelt ein wohlerprobtes Verhältnis, das der dringlichen Segenswünsche nicht mehr so sehr bedarf wie das unserer kleinen Medi zu ihrem nunmehrigen Gatten G. A. Borgese. Ja, auch wir haben Hochzeit gehabt, Medi hat ihren antifascistischen Professor geheiratet, der mit seinen 57 Jahren nicht mehr daran gedacht hätte, soviel Jugend zu gewinnen. Aber das Kind wollte es und hat es durchgesetzt. Er ist ein geistreicher, liebenswürdiger und sehr wohlerhaltener Mann, das ist zuzugeben, und der erbittertste Hasser seines Duce, den er aus purem Nationalismus für den Allerschlimmsten hält. Diesen Nationalismus kasteit er mit Worten wie: »Deutschland ist eine Orgel und Italien bloß eine Geige«. Das »bloß« will aber nichts besagen. Einmal ging er bis zu der Formulierung: »Europe, that is Germany with fringes.« (Mit Fransen.) Nun, das könnte ja Hitlern gefallen. Er ist aber dabei ein überzeugter Amerikaner, und obgleich Medi italienisch kann und er deutsch, sprechen sie ausschließlich englisch mit einander.

Sie werden in Chicago leben, wo Borgese lehrt. So sind wir denn ganz allein in dem großen Hause zurückgeblieben, in Gesellschaft eines reizenden schwarzen Pudels französischer Zucht, den eine Gönnerin mir zum Geschenk gemacht hat. Katja ist beruhigt in dem Bewußtsein, daß ihre uralten Eltern nun wirklich doch noch in die Schweiz gelangt sind. Mit Hilfe namentlich des Hauses Wahnfried ist es schließlich gelungen, und für die Frist, die ihnen allenfalls noch gegeben ist, haben die alten ehemaligen Millionäre zu leben. Ob sie freilich ihre Tochter noch wiedersehen werden? Das hängt davon ab, wovon alles abhängt.

Ich bin gesund, das heißt: ich bin nicht krank, und damit muß man in unseren Jahren wohl zufrieden sein. Dem Goethe-Roman hatte der Aufenthalt in Noordwijk einen so glücklichen Stoß gegen das Ende hin gegeben, daß ich ihn hier in den ersten Wochen nach unserer Rückkehr abschließen konnte. Das Schlußmanuskript ist (über Portugal, mit Schweizer Diplomatenpost) glücklich in Stockholm eingetroffen, und so kann die deutsche Ausgabe noch vor Weihnacht »erscheinen«. Ich bin neugierig, wie sie der kleinen neugierigen Schar von Schweizern, Holländern und Skandinaviern, die ihr Publikum bilden werden, gefallen wird. Und Dir.

Es wird gute Weile haben, bis Du diesen Brief bekommst. Ich tue wohl besser, gleich zum Neuen Jahr zu gratulieren. Laß uns auch von Dir hören, wenn es Dir möglich ist. Für die konzentrierten deutschen und oesterreichischen Schriftsteller habe ich mich nach Kräften eingesetzt. Giraudoux hat mir sehr ausführlich und liebenswürdig berichtet, und auch J. Romains tat sein Bestes. Auch ist eine Menge Geld von hier an die Betroffenen abgegangen.

Herzliche Grüße und Wünsche!   T.

Lieber Tommy,

die herzlichsten Neujahrswünsche zuvor. Möge es Dir und allen Deinen weiter gut ergehen. Ausser unseren privaten Anliegen dürfen wir keine haben, ich nehme mir das Recht nicht mehr, die Dinge sind verwickelt und sehr weitreichend, sie überschreiten das bemessene Leben. Dem ersten dieser Ereignisse wohnte ich in der Wiege bei, dem zweiten in der kräftigen Mitte des Lebens, wenn man noch alles weiss und will. Jetzt bin ich ein recht stiller Zuschauer ohne Fünfjahreplan, sozusagen. Die Handelnden haben übrigens auch keinen, abgesehen von England, wo Mut und Weisheit herrschen. Das hätte ich nur drei Monate früher auch nicht gesagt, und hiermit genug.

Dies ist seit längerer Zeit mein erster deutscher Brief. Wo es irgend genügt, schicke ich eine französische Karte. Die Fülle der erfreulichen Vorfälle in der Familie rechtfertigen diese Abweichung. Ich weiss nicht warum, aber die Heirat Deiner Medi hat etwas Wohltuendes. Darf ich Dich bitten, ihr meinen besonderen Glückwunsch auszusprechen, und ihrem Gatten meinen achtungsvollen Gruss. Ferner habe ich um Katjas willen mit grosser Genugtuung erfahren, dass ihre Eltern in Sicherheit sind. Eure gelungene Rückreise, welch eine gute Fügung! Und die Vollendung Deines Romans, wie schön! Gerade las ich mit Sorgfalt und Andacht das siebente Kapitel. Das ist ein ausserordentlicher Aufbau und ein inneres Bild des Greisenalters, wahr und den Kennern ein Wohlgefallen.

Meine Frau ist glücklich, sie fühlt sich eingeordnet und zuständig mit ihren tschechischen Papieren. Der Konsul in Marseille besucht uns von Zeit zu Zeit, und sie strickt für seine Soldaten. Mobilisierte französische Freunde haben wir auch und sehen sie während eines Urlaubs. Merkwürdige Wendungen. Beim »vorigen Mal« hatte ich einen Angsttraum. Ein Gedränge schob mich langsam vorwärts zwischen Lattenzäunen, an ihrem Ende war die Passkontrolle, und ich hatte keinen, oder hatte den falschen. Damals war wohl Italien gemeint. Meine grösste Lust wäre heute, noch einmal dorthin zu reisen. Ich bereue die versäumten Städte, am Radio stelle ich Bari ein, wo ich nie war, aber auch Florenz, und höre die Oper. »Abbiamo trasmesso dal Teatro Communale di Bologna –«

Mein dunkelster Punkt ist das Schicksal meiner Tochter. Wenn ich die unglückliche Heirat verhindert hätte! Aber sie wurde so eilig gemacht. Nachdem ich alle meine Mittel verausgabt hatte, ist das Kind in Prag sitzen geblieben. Sie wohnen bei der Grossmutter, wie ich auf Umwegen gehört habe. Das Rote Kreuz lässt mich bisher ohne Beistand. Ich kann nur hoffen, dass die schlimmsten Erfahrungen sich nicht wiederholen. So oder so wird der Staat wieder hergestellt werden, wahrscheinlich innerhalb einer Donau-Föderation, für sie ist nunmehr auch Beneš. – Einige »concentrierte Schriftsteller« sind der, wahrscheinlich unbegründeten, Meinung, dass ich ihnen herausgeholfen hätte. Für den Herausgeber der Weltbühne konnte ich nichts erreichen. Ein Mitglied des Conseil national der Tschechen, Ripka, verbürgt sich für ihn. Willst Du Giraudoux und J. Romains zu interessieren versuchen?
Zum Schluss nochmals Neujahrswünsche.

Herzlich
H.

17. Jan. 1940
2, rue Alphonse Karr
Nice (A. M.) France

Lieber Tommy,
gestern früh 20 Minuten vor 1 Uhr las ich den Schluss von »Lotte in Weimar«. Der Schluss ist das Ergreifendste, wie Du wissen wirst. Als das Buch mir vor wenigen Tagen zuging, habe ich dort angefangen, wo »Mass und Wert« aufgehört hatte; bald kam ich zu Goethe. Sein erstes Auftreten, eigentlich Daliegen, vollzieht sich still und geheim. Man weiss nicht sogleich, dass man mit ihm beisammen ist. Auch Hofrätin Kestner geb. Buff bemerkt, zuletzt im Wagen, ein Weilchen später, wer neben ihr sitzt. Beide Male ist es von zarter und starker Wirkung – etwas gespenstisch beim zweiten, und das erste traumhaft.
Das 7. Kapitel hat eine Folge und ein Ineinander von innerem Leben und äusseren Anlässen, es ergibt auf bemessenem Raum die Figur und ihren Gesamteindruck, aus Grösse, Fragwürdigkeit, den machtlosen Versuchen der Anderen, heranzugelangen, und den

eher gelungenen, sich seiner zu bedienen. »Herr Schreiber John« durfte nicht fehlen. Auch nicht der Zug von August, der seinen Vater den Tag der Einladung bestimmen lässt und hatte ihn doch selbst ganz richtig bestimmt. Es ist nicht genug, dass der Übergrosse im Grunde verhasst ist, man macht sich auch lustig, die einzige Art, um ihn dennoch zu lieben. Aber wie er selber hasst und liebt – immer auf Schiller zurückkommen, das geht mir am Nächsten.

Den wahren Goethe hat man gehabt, als in Kapitel 8 die Schau beginnt. 7 ist die genaue Vorbereitung; 8 hätte anders nicht dieselbe Bedeutung. In 8 spielen Haus und Statisterie mit, ich sehe ein Opern-Décor, die Bewegungen sind »geregelt«, – und das fällt zusammen mit der besonderen »Reglung« für Charlotte, damit sie im Abstand bleibt. Dieser Akt, wie ich unwillkürlich sage, hat eine ausserordentliche Regie. Ich wäre aber sehr betrübt von der ersten Lektüre geschieden, wenn nicht der dunkle Abschied in Kapitel 9 noch käme. Den hatte ich vorher empfunden, obwohl ich dann über den Mann im Mantel etwas mehr erschrocken bin als die vernünftige Frau, die ihn entdeckte.

Dies sind Eindrücke. Sie drücken hoffentlich mit aus, was ich für Dein Buch empfinde, eine sehr eigene Zuneigung. Ich glaube, dass es aus Deinem jetzigen Lebensalter das Schönste ist. Ich sage nicht das Beste; besser als der Joseph kann es nicht wohl sein. Auch »das Schönste« erscheint es mir nur, weil es mich sehr getroffen hat. Die lange Beschäftigung mit dem Schönen macht den Menschen weinerlich, wie ich in »Lotte in Weimar« gelesen zu haben meine. Besonders in dieser Zeit. Schliesslich vergleicht man sich mit dem Kellner Mager, den Du auf der letzten Seite in gleichnisshafte Beziehung zu dem Verfasser bringst.

Ich danke Dir von Herzen.   H.

Hiernach will ich den Werther wieder lesen, französisch wie ich ihn hier habe, mit dem Artikel von Sainte-Beuve, der durchaus gefühlt ist.

Princeton den 3. März 1940

Lieber Heinrich,

Deinen schönen Brief vom 17. Januar erhielt ich irgendwo tief im Lande Texas, auf der Vortragsreise, von deren Bevorstehen ich Dir, glaube ich, schrieb. Wir hatten vor der Rückfahrt nach New York, die in 40 Stunden geschah, einige Tage Rast in St. Antonio, nahe dem Golf von Mexiko, wo es schon sehr sommerlich war. Die Bevölkerung dort ist stark mexikanisch durchsetzt, ein oft sehr anziehender Typ und eine Erholung nach dem ewigen Yankeetum. Auch giebt es dort wunderschöne spanische Missionsgebäude aus dem 17. Jahrhundert, das Malerischste, was ich in Amerika zu sehen bekommen habe.

Es hat mich sehr gerührt, daß Du noch einmal so liebevoll auf meinen Roman eingegangen bist, und es beglückt mich, daß er Dich fesseln und Dir nahe gehen konnte. Ich weiß nicht, ob er mein Schönstes ist, aber das Liebste ist er mir, weil am meisten Liebe und Liebesvereinigung darin ist, trotz aller Bosheiten und ironischen Verismen, in die diese Liebe sich kleidet. Seine Schwächen und Pedantereen sehe ich darum besonders deutlich. Es wäre gar kein Roman, sondern etwas wie eine dialogisierte Monographie, ohne ein Element des Aufregenden, das der Conception angehört und sich bei der Ausführung erhalten zu haben scheint. Natürlich hängt es zusammen mit der Verwirklichung des Mythos, in der ich durch den Joseph Übung bekommen hatte. Der Leser hat die Illusion, ganz genau zu erfahren, wie *es* wirklich war und glaubt dabei zu sein. Das ist ein Abenteuer, und so kann es geschehen, daß in einem Schweizer Blatt Einer schreibt, er habe das Buch verschlungen wie die Indianergeschichten seiner Knabenzeit. – Was Du über das Schlußkapitel sagst, zeigt mir noch deutlicher, als ich es schon wußte, daß ich gut tat, es zu erdichten. In Wirklichkeit hat kein zweites Wiedersehn stattgefunden, so half ich mir, indem ich die gute Lotte, angeregt vom Jamben-Theater wie sie ist, es selbst hervorbringen ließ. Es ist die einzige wirklich irreale Szene, obgleich die anderen Gespräche auch platonisch genug sind.

Hier sitzen wir nach den Sommertagen von San Antonio nun wieder im Schnee. Ich habe viel zu tun, muß lectures für die boys vorbereiten, über die art of the novel, wobei die Hauptbemühung darin bestehen muß, es nicht zu gut zu machen. Oft frage ich mich, was Du jetzt treiben und schreiben magst. Ich kann an das Zuschauertum, das Du andeutetest, noch nicht recht glauben, weil ich selbst gestehen muß, weit davon entfernt und oft von Haß und Sühne-Begierde zerrissen zu sein. Ich habe auf dieser Reise wieder bis an die Grenze des von »Neutralität« wegen Erlaubten agitiert und auch ein Gegenstück zu »This peace«: »This war« geschrieben, das nächstens in London erscheint und nur nach Deutschland gebroadcastet werden soll!

Lebe wohl! Golo macht in Zürich seine Sache sehr brav. Kannst Du ihm einmal einen Beitrag geben?

T.

5. Mai 1940
2, rue Alphonse Karr
Nice / H. M. /

Lieber Tommy,

Dein Brief vom 3. März erreichte mich am 26., einen Tag vor meinem 69ten Jahrestag. Wenn von Dir nicht beabsichtigt, ist das Zusammentreffen noch merkwürdiger, es hat mich erfreut. Jetzt ist an Dir die Reihe, 65 zu werden, was Du, als es mir geschah, einen Abschnitt nanntest. Möge es für Dich kein sehr auffallender sein. Möge alles gelingen und fortgehn wie sonst, die Tätigkeit und die Genugtuungen. Von Weitem sieht man die Schatten nicht. Zum Beispiel könnte es sogar aufregender sein, von dort aus den Ereignissen beizuwohnen. Wir sind hartgesottene Mitlebende geworden. Im September 38 verliessen 60000 Personen plötzlich diesen Ort; warfen Schuhe und Kleiderbügel lose in ihren Wagen und enteilten nach dem inneren Land, wenn nicht gleich über den Kanal. Etwas später waren sie ohne viel Aufsehen wieder zurück. Dergleichen scheint jetzt wenig vorzukommen, obwohl es eher begründet wäre als damals.

Für meinen Teil bin ich in das Weltgeschehen, auch wo es mir nahe rückt, ziemlich ergeben, ohne dass ich mich besonders standhafter Nerven rühmen dürfte. Ich setze mein Vertrauen in Grossbritannien. Lebenslang war mein Interesse für England schwach; nicht einmal die Sprache habe ich erlernt. Umso tiefer bewegt mich die

neue Erfahrung. Dort ist die Vernunft, Voraussicht und Entschlossenheit. Sie kämpfen wirklich; sie handeln und verhandeln
ohne Vorurteil, frei von dem üblichen Aberglauben. Sie machen
sich von einem lebensfähigen Europa ihr Bild, und wollen es verwirklichen. Es wird schwer sein; gleichviel, sie haben gelernt. Von
ihrer religiösen Erziehung scheint das Beste auszugehen, die Fähigkeit des Bekennens, eine Aufrichtigkeit, die grossartig wird gegenüber der widerwärtigen Unglaubwürdigkeit des Gegners. Dir
haben sie »Dieser Friede« verziehen und wollen »Dieser Krieg«
nach Deutschland senden. Ich höre Radio London jeden Abend
und hoffe, der Sendung zu begegnen.
Du fragst, was ich treibe. Dies; aber den Umständen gemäss, still
für mich. Es wäre mir willkommen, in der schweigenden Menge
zu verschwinden. In Unruhe bin ich wegen der Langwierigkeit des
Prozesses, wie sie meistens vorausgesetzt wird, auch von unseren
Tschechen, die übrigens mein Trost sind, sooft ich sie sehe. Den
Beschluss soll ein schrecklicher chirurgischer Eingriff machen, –
ich weiss nicht, ob ich mir wünsche noch dabei zu sein. Was ich
nicht mehr sehe, glaube ich doch zu wissen. Es kommt allein auf
den britischen Plan an, vertieft durch einiges Östliche; das ergäbe
sich von selbst. Ich kenne wohl die entgegengesetzten Tendenzen,
denen zufolge der Schreckensmann in mässig gezähmtem Zustand
aufbewahrt würde. Indessen lohnt es nicht, die alleräusserste In-
stinktlosigkeit, oder ihr Durchdringen, in Betracht zu ziehen;
dann lieber gar nicht mehr denken. Mein Fehler ist, vorzugreifen.
Mit dem da beschäftige ich mich schon nicht mehr, der Bemühung
würdig finde ich: Europa, wie England es meint.
Nebenbei habe ich überlegt, welchen Beitrag ich unserem vorzüglichen Golo anbieten könnte. Etwas Heutiges, geht nicht. Es gibt
Novellen, die in keinem meiner Bücher stehen. Zu der Zeit eines
längst auseinandergelaufenen Deutschland müssen sie mal erschienen sein, ich habe vergessen wo und wann. Ich habe ihm vorgeschlagen, eines dieser Produkte wieder hervorsuchen zu lassen.
Er antwortet bisher nicht, wahrscheinlich hat er von Gedruckt und
Ungedruckt die früheren Begriffe. Die gelten auch nur noch mit
Vorbehalt.
Hier gab ich Dir, als Geburtstagsgruss, meine Eindrücke, hoffent-
lich nur die zulässigen, und würde mir wünschen die Deinen

zu kennen. Natürlich sind es nicht mehr dieselben, wenn vier Wochen vergehen müssen, bevor wir einander lesen. Aus einer amerikanischen Zeitschrift habe ich Dein koloriertes Bildniss, gerahmt, an die Wand gehängt; es blickt mit zuversichtlichem Lächeln in mein Esszimmer. Welche Mienen haben wir aber heute und werden wir morgen haben? Ars lunga, vita breve [sic], das passt wie je.

Mein herzliches Gedenken.

H.

23. Juli 1940
2, rue Alphonse Karr
Nice

Lieber Tommy,

eine Anfrage von Oprecht lässt mich vermuten, dass Du Dich erkundigt hast. Vielleicht hast Du mir auch direkt geschrieben, seit dem 26. März, als Deine Nachrichten zuletzt eintrafen. Spätere bekam ich ebenso wenig, wie Du wohl meinen Brief zum 6. Juni und nachher meine beiden Kablogramme. Das erste schickte ich noch bevor eine deutsche Kontrolle hier wirkte. Das zweite war eine Wiederholung. Ich bat Dich, womöglich zu vermitteln, damit meine Frau und ich das Einreisevisum erhielten. Das hiesige Konsulat hätte telegraphisch angewiesen werden sollen. In diesem Fall befänden wir uns jetzt drüben oder auf dem Wege. Indessen, ich hatte die Anstalten zu spät getroffen.

Nunmehr muss ich etwas Anderes unternehmen, ohne dass ich den Gedanken an Amerika ganz aufgebe. Hier bleiben, wäre nicht gerade gesund. Es drohen von zwei Seiten a) die Forderung uns auszuliefern, b) die begreifliche Neigung, uns manches entgelten zu lassen. Dagegen meinen Personen, die es wissen müssen, dass die Auslieferung vielleicht nicht abgelehnt, aber hintertrieben werden würde. Der gute Wille uns in Sicherheit zu bringen, scheint hier und da zu bestehen. Nächstens soll sich erweisen, ob wir nach Nordafrika verschwinden können – und dort »sicher« sind. Das heisst vor allem: frei; und heisst: imstande, nach Portugal und auf ein Schiff zu gelangen.

Marokko ist keine Provinz, nur ein Protektorat, und das Touristen-Visum gilt 6 Monate. Das wäre genug, um abzuwarten, ob England fest bleibt und der Führer Europas »aus den Pantinen kippt«, was ihm früher oder später doch zugedacht ist. Wenn ja, habe ich keinen Grund, die alte Welt früher zu verlassen als die Welt überhaupt. Für den ungünstigeren Fall ist das amerikanische Einreise-Visum immer erwünscht. Es würde, auf Anordnung der Regierung, von dem Consulat in Marseille erteilt werden. Übrigens wende ich mich dessenwegen auch an meinen guten Bekannten den tschechoslowakischen Konsul Vochoč, 57 rue de la République in Marseille. Er wird gewiss versuchen, das amerikanische Konsulat zu bewegen, dass es diesen Brief auf diplomatischem Wege befördert; sonst bekämest Du ihn wieder nicht. Vielleicht erreicht Vochoč sogar, dass der andere Konsul mich seiner vorgesetzten Behörde empfiehlt. Deine eigene Intervention wird aber gewiss die wichtigste sein.

Einmal ausserhalb dieses Kontinentes, wird meine Verbindung mit Marseille höchst ungewiss sein. (Nicht zu reden von Nice. Das hiesige Konsulat ist ausser Betracht.) Noch eine Schwierigkeit ist, dass ich wohl Geld genug habe, um eine geraume Zeit die Ereignisse abzuwarten; nicht aber für die Überfahrt. Mein Guthaben bei Knopf könnte dienen; aber die Überweisung von Geld scheint nicht erlaubt; und würde es Dir gestattet, mir dort die beiden Schiffskarten zu kaufen, weiss ich doch nicht, ob sie zu mir den Weg fänden. Du würdest sie dem amerikanischen Consulat in Marseille schicken, gesetzt, dass es sich willig zeigt. Aber der Brief, worin ich ihm meine Adresse gebe, kann abgefangen werden. Sehen wir erst einmal, ob Du diesen Brief bekommst und ich Deine Antwort, die dann gleichfalls über das Konsulat gehen könnte – durch Kurier.

Dies sind etwas verwickelte Einzelheiten. Du wirst sie wohl zweimal lesen müssen. Man hat sich aufgespart, um derlei mitzumachen. Goethe nahm es den Leuten übel, wenn sie sich davonmachten vor dem letzten Rest. Und warum auch, ich kann gerade so gut nächstes Jahr in Berlin sein, nicht ausgeliefert, sondern hinberufen. Nichts zu wissen, ist unser Bestes. Davon abgesehen, leide ich bisjetzt weniger, als ich bei vorzeitiger Kenntniss dieser Umstände jemals gedacht hätte. »Es geht immer auch anders,« schriebst Du. Wer mehr und bis zur Unerträglichkeit leidet, das ist mit vielen

Anderen meine arme Frau. Besonders ihretwegen muss ich trachten fortzukommen in ein milderes Klima. Nach dem Abreissen aller Verbindungen betreibe ich die gemeinsamen Interessen mit Marcu, den Du kennst, und einem Tschechen, der die Freiwilligen geworben hatte. Die Beiden sind auch »nicht ganz extra« daran.

Da der Brief aus Zürich nicht von ihm ausging, vermute ich Golo bei Dir und bin dessen froh. Im Sender London hörte ich Dich neulich nennen. Ich hoffe, dass Du arbeitest. Auch ich beschäftige mich nützlich; ohne viel Aussicht, dass die Sache einmal an das Licht, höchstens dass sie in unrechte Hände kommt. Aber mir selbst ist die Bemühung zuträglich.

Möge es Dir und den Deinen immer wohlergehen.

Herzlich   H.

Soeben wird mir ein Gruss von Golo aus Nîmes überbracht. Ich hoffe, dass Du es schon weisst und die peinliche Neuigkeit nicht erst von mir erfährst. Nîmes (Provence) hat ein grosses Sammellager für Fremde – heute wohl nur noch Fremde, die kein anderes Land aufnimmt. Er ist keinesfalls in deutscher Gefangenschaft, wird auch nicht leichter ausgeliefert als ich. Aber warum konnte er nicht in Zürich bleiben, und warum fordert Oprecht mit Hilfe seines Bruders ihn nicht zurück? Mich hat die Nachricht mehr erschüttert als die meisten anderen. Meine Frau hat sofort den Kopf verloren; sie ist fortgegangen mit der Überbringerin, die mich im Gegenteil hätte erwarten sollen, dann wüsste ich vielleicht mehr. In anderen Zeiten, die nicht lange her sind, konnte ich Dem und Jenem aus dem Lager helfen. Heute muss ich selbst dem Schlimmsten ausweichen. Wenn ich Näheres über Golo ermittele, bevor dieser Brief nach Marseille gebracht werden soll, füge ich es bei. Interessiere doch die amerikanische Regierung für das Schicksal Deines Sohnes. Vielleicht kam er, um für Frankreich zu kämpfen, und das ist der Dank. Er wird mir wohl geschrieben haben, aber ich bekomme nichts. Dieser Erdteil ist in voller Auflösung, nur die Kreidefelsen von England stehen noch.

– Nach meinen letzten Erkundigungen war Golo unterwegs nach einem französischen Hafen. Sogar ein italienischer wäre vorzuziehen gewesen, aber was weiss man. Er wurde in Nîmes auf der

Strasse angetroffen, als er »Urlaub« hatte. Nach und nach sollen alle entlassen werden.

Testament
En cas de décès, naturel ou non, je laisse à mon épouse, Madame Emmy (Nelly) Mann, toutes les valeurs en ma possession au moment de ma mort: agent comptant, livres, manuscrits, meubles, et le reste.
Pour les revenus ultérieurs qui se produiraient par la vente de mes romans, pièces de théâtre, films et autres travaux, je désire que ces revenus soient partagés à parts égaux entre mon épouse et ma fille Léonie, domicilée à Prague, Tchécoslovaquie.

Nice   Henri Mann
28 août
1940

Los Angeles-Brentwood
den 22. IX. 1940
Lieber Heinrich, endlich ist unser aller brennender Herzenswunsch erfüllt, und ihr habt das unselige Frankreich hinter euch! Bis zu uns, das ist nun der kleinere Schritt. Wenn ihr ihn schon unternommen habt und dieser Brief zu spät kommt – desto besser. Jedenfalls muß ich Dir gleich sagen, welche Sorge seit euerem Telegramm (es kamen dann von allen Seiten Telegramme: von dem Rescue Committee, von den Unitariern, aus Washington etc.) von uns genommen ist, und wie wir uns auf das plötzlich nahe bevorstehende Wiedersehen freuen. Zusammen werden wir nun in verhältnismäßiger Ruhe der Entwicklung der Dinge zusehen können, die gewiß noch viel Schreckliches mit sich bringen wird, aber schließlich doch in eine menschliche, also nicht von dem Geschichtsgauner da bestimmte Neuordnung ausgehen muß.
Du hast verstanden, warum ich Dir nicht schrieb, und warst immer sicher, wie der gute Golo auch, daß wir an euerer Rettung arbeiteten, und nicht nur an euerer, unterstützt von den guten Kräften dieses Landes. Die Tätigste war Erika, aber es war ihr nicht

genug, sie hielt es nicht aus hier und ist nach London geflogen – mit schlechtem Gewissen gegen uns und mit der Versicherung, daß sie »außer sich sein werde, wenn ihr etwas zustieße«; aber sie mußte an Ort und Stelle sein, auf ihre Weise helfen, und wir hätten nicht recht getan, sie zu hindern. So aber wird sie leider nicht zu euerem Empfang zugegen sein. Erst im November will sie zurückkommen.

Golo's Berufung an die New School in New York freut mich; sie mag der Start zu einer akademischen Laufbahn werden. Für Dich liegt hier ein Film-Vertrag vor, der keine Fiktion ist, und Dir für den Anfang eine Existenzgrundlage bietet. Das ist jedenfalls angenehm.

Ob ihr uns etwa zuvorkommt mit euerer Ankunft in N. Y.? Es könnte so kommen, wenn ihr den Clipper benützet oder schnell ein Schiff gefunden hättet. Wir brechen am 6ten Oktober hier auf, bleiben einen Tag in Chicago bei Medi und müssen dann, um unseren Schwarzen Zeit zu geben, die den Wagen zurückfahren, noch ein paar Tage bei Freunden auf dem Lande verbringen, sodaß wir wohl erst gegen den 15ten wieder in Princeton sein werden. Notfalls ist Klaus zu euerem Empfange da. In der Stockton Street ist dann Platz für euch alle drei. Bis zum März werden wir das Haus noch behalten. Dann wollen wir hierher zurückkehren, wo es am schönsten ist, und wo wir vor wenigen Tagen ein Grundstück mit sieben Palmen und vielen Citronen-Bäumen erworben haben. Ich denke, wir werden bauen und bleiben, und auch euch wird es hier am besten gefallen.

Habt gute Fahrt und seid im Voraus umarmt!

T.

Hotels Windermere den 14. XI. 40
Chicago

Lieber Heinrich,

euer Telegramm hat uns sehr gefreut und beruhigt. Die Reise ist also glücklich vonstatten gegangen, und die ersten Eindrücke in Beverly und Hollywood waren ermutigend. So hatten wir es gehofft und gewünscht, ja erwartet. Auch die Sekretärin, die man Dir beigegeben, schrieb, Deine Aussichten ständen gut, und es sei sehr möglich, daß eines Deiner eigenen Bücher bald verfilmt würde. Das wäre ja großartig, und Du hättest ausgesorgt so weit.

Hier sind wir heute Mittag angekommen und fanden Medi noch nicht von ihrer Last befreit. Da wir eine kleine Woche hier zu bleiben haben, werden wir dem Ereignis also wohl anwohnen.

Das Ergebnis der election werdet ihr auf der Reise erfahren haben. Die Nacht war allerdings spannungsvoll. Um Mitternacht war der Erfolg so gut wie sicher, und ich ging um 1 Uhr schlafen, stand aber um 5 wieder auf, um mich zu vergewissern. Die erste Freude und Genugtuung seit sieben Jahren und länger. Nichts als Nakkenschläge bis dahin. Mein Glaube war denn auch gering, und ich fühlte, daß das Ereignis gewissermaßen aus dem Rahmen der Epoche fallen würde. Nun, dieser Rahmen ist eben doch weiter, als man gedacht hatte. Ein gesunder Instinkt hat das amerikanische Volk geleitet, wenn man will: eine glückliche Rückständigkeit. Der Sieg ist hiernach wohl nur noch eine Frage der Zeit, wenn auch einer sehr langen. Wahrscheinlich wird ein 4th term nötig sein.

Möchtet ihr euch gut einleben und euch wohl fühlen. Freut euch der Sonne – hier ist es hundekalt und schneit. Sobald wir in Princeton zurück sind, wollen wir nun wirklich die Haus-Frage in Angriff nehmen, ehe die Preise steigen.

Herzlich
T.

16. Nov. 1940
Hollywood
Canterbury House
North Cherokee

Lieber Tommy,

vielen Dank für deinen Gruss, er ist früher angekommen als meiner. Da meine liebe Frau zuerst unserem Reisegefährten Golo geschrieben hatte, fügte ich gleich an, was auch Du lesen solltest. Hiermit nun hoffe ich dich in Chicago zu erreichen.

Medi und ihren Eltern wünsche ich, dass inzwischen das Ereigniss glücklich vonstatten gegangen sein möge. Versichere das Kind, das selbst schon eins haben soll, meines aufrichtigen Gedenkens.

Ein etwas fremder Onkel, und ihren Gatten habe ich noch nicht sehen dürfen; aber die Teilnahme kommt manchmal weither; uns überraschen unsere Leser mit unerwarteten Beziehungen. (Hier schwärmte mir der Theatermann Charell vom Henri, und gerade von der »Vollendung«, die der wichtigere, weniger bekannte Teil ist.)

Mein Zustand hier ergibt sich dem menschlichen Ermessen gemäss. Man schwankt zwischen Ehrerbietung oder Schonung, und dem Bedürfniss, mich regelrecht einzuspannen. Bisjetzt mache ich die »Novelle«, wie der abgekürzte Roman genannt wird, zu Hause. Vielleicht schon morgen werde ich ein Bureau im »Studio« beziehen müssen, um die Zeit von 10 bis 1 mit Beratungen und Plaudereien zu verlieren. Natürlich will jeder, der einen Film laufen hat, dass ich ihn ansehe. Ich sehe an und spreche. Allenfalls könnte ich sprechen, ohne gesehen zu haben.

Die gesellschaftliche Inanspruchnahme ist mässig, und unter Berufung auf die geschäftliche kann ich sie noch weiter mässigen. Nur gegen die rührende Frau Lisl Frank komme ich wirklichen Pflichten nach. Die Sorge um das Haus und den Wagen liegt auf meiner Frau, alles ist bedenklich, wenn es für eine unbestimmte Zeitdauer gedacht ist.

In der Nacht des Wahltages war das Zugspersonal mächtig erregt; man schien uns zum Radio rufen zu wollen, gab uns aber, als idiotisch, bald auf. Ich war vor Müdigkeit stumpf und liess dem Schicksal seinen Weg. »Es hat noch mal gut gegangen.« Wenn ich aber den 4th term betrachte –! Solange darf Falschsieger Hitler nicht mehr die Einsätze raffen. Es wird zu viel – und wird legal. Man sagt, dass die Herzogin von Windsor hier abscheulich aktiv ist, zu schweigen von allen anderen Gefahren.

In Princeton beschliesst Ihr hoffentlich schnell und günstig. Möchten wir in naher Zeit hier zusammenkommen! An Katja meine dankbaren Grüsse, und Nelly's nicht weniger freundschaftliche.

Herzlich Dein   H.

In meinen Briefen an Golo und Klaus war eine Bitte um Deine Empfehlung beim Rescue Committee, für die beiden Rottenberg, die in Lissabon angstvoll warten und die Rettung wohl verdienen.

Sie sind geschlagen genug, es wird Zeit ihnen das Visum zu geben. Wenn man Menschen persönlich kennt wie ich diese, ist es peinlich, an ihre verlorenen Söhne, ihre ungerechte Verarmung und ihre Todesgefahr zu denken. Meine Bürgschaft mitsamt Auskünften liegt beim Committee.

6. Dez. 1940
264 Doheny Drive
Beverly Hills, Calif.

Lieber Tommy,
gestern erfuhr ich durch Golo das glückliche Ereigniss. Es war eine wirkliche Erleichterung; ich hatte viel an Dich und Deine Sorge gedacht. Jetzt bitte ich Dich, Deiner Medi und ihrem Gatten meine Glückwünsche zu übermitteln. Ich freue mich mit Katia und Dir.
Umso besser, wenn die andere Nachricht sich bewahrheitet und Ihr ernstlich an das Hierherkommen denkt.
Herzlich   H.

Liebe u. sehr verehrte Katja,
auch ich freue mich mit Ihnen über den neuen Familien-Zuwachs u. wünsche Mädi alles Gute. Dass Sie wirklich u. bald kommen ist fein. Wir sind noch ein bischen uneingewöhnt u. fremd hier, haben aber ein ganz nettes Haus. Alles Andere wird die Zukunft bringen. Wir denken oft u. gerne an die schöne Zeit in Princeton
Herzliche Grüsse   Ihre Nelly

Thomas Mann
65 Stockton Street 8. XII. 40
Princeton, N. J.

Lieber Heinrich,

Golo sagte mir, daß ihr durch ihn von dem Erscheinen des Medi-Baby's, der kleinen Angelica Borgese unterrichtet seid. Es tut mir leid, Dir nicht gleich Nachricht gegeben zu haben, aber es ging so sonderbar mit der Sache: Wir haben, da wir einmal an Ort und Stelle waren, volle zwei Wochen auf das Ereignis gewartet, das jeden Tag eintreten konnte, aber nicht eintrat. Schließlich, da wir wirklich keine Zeit mehr hatten und ich es auch müde war, Borgese auf den Heiligen Stuhl schimpfen zu hören, den er für das eigentliche Übel der Welt hält, während ich bestimmt mit ihm auskäme, so reisten wir ab, und taten vielleicht ganz gut daran, denn kaum 1½ Tage nach unserer Rückkehr hierher setzte die Arbeit ein und ist unter der Leitung und Milderung eines guten Arztes in wenigen Stunden so glücklich vonstatten gegangen, daß Elizabeth sich gewiß rasch erholen wird. Schon heute schreibt sie vom Wochenbett sehr vergnügte Briefe, wie sie auch vorher mit ihrer Last geduldig und heiter war. Ich hatte aber das deutliche Gefühl, daß gerade unsere Anwesenheit die Befreiung verzögerte, sei es durch Zerstreuung oder irgend ein Embarassement, so daß es wahrscheinlich nur richtig war, daß wir diskret den Rücken wandten.

Ich wollte Dir das doch noch erzählen.

Die Engländer erleiden gewiß schwere Einbußen, aber so schlecht wie sie jetzt hier tun geht es ihnen nicht; das ist Absicht. Auch hörte ich direkt aus Washington, daß F.D.R. tatsächlich keinen anderen Gedanken haben soll als den Downfall Hitlers. Selbst das Soziale kommt ihm erst in zweiter Linie und mit Recht; denn wo bliebe es ohne den Downfall.

Herzlich
T.

23 Dez. 1940
264 Doheny Drive
Beverly Hills, Calif.

Lieber Tommy

meine besten Wünsche. Möge 1941 uns Freude bringen. Einige Bitterniss wird hineingemischt werden, das liegt in der Natur der Wünsche, die erfüllt werden sollen. Möge 1941 Dich, Katja und Eure Kinder alle zufrieden stellen. Meines Teils bin ich froh, wenn es mir gelingt auszusehen wie auf dem beigelegten Bild, einer Aufnahme des begabten Mr. Knopf.

Wann kommt Ihr hierher?

Herzlich   H.

Alle guten Wünsche für das neue Jahr, – hoffentlich kommen Sie bald nach hier!?

herzliche Grüsse   Nelly

3. Febr. 1941
264 So[uth] Doheny Drive
Beverly Hills, Calif.

Lieber Tommy,

das war eine Überraschung, dieses neue Buch und schnelle Zwischenspiel! Eine »kleine« Unterhaltung war es nicht, obwohl unterhaltsam und sogar leicht, – wenn man anstatt leicht nicht sinnvoll, daher schwer sagen will. Das Buch vertauscht die Bedeutungen, wie Köpfe. Das Schmerzliche wird des Öfteren zum Lachen, der Genuss und Wert zu leben, schliesst die Hinneigung zum Tode mit ein, und die Vernichtung bekommt viel von einem galanten Spiel. Die Sinne werden verachtet und gefeiert in einem hin. Man stirbt nach sehr kurzer Überlegung, aber vor dem kleinen Nachkömmling liegt das klarste Dasein. Es erfreut – 1. die Begabung der Mitwirkenden, aus Allem das Beste zu machen; 2. die Allseitigkeit der Lebensvorgänge, und keiner wird dem anderen vorgezogen; 3. die Heiterkeit, die galante Nichtachtung alles Gefährlichen oder Anstössigen. Liebe oder Abschlachtung schweben leichthin, in einer hohen Gleichgültigkeit des Erlebens, vorüber, wie neulich bei Voltaire, als ich seine, gleichfalls orientalischen und sinnvollen Romane wiederlas. – Das kommt nicht oft. Es könnte sein, dass dieses kleine Buch den unbedingten Werken gleicht; ihrer sind wenige.

Ich freue mich sehr und bin dankbar. – Von mir ist nur zu sagen, dass ich nächsten Monat nun wirklich siebzig sein soll. Ich wundere mich beiläufig wie über den selbst abgehauenen Kopf, der aber auch nur eine vollzogene, daher glaubwürdige Tatsache darstellt.

Nimm mit Katja die besten Grüsse von mir und von Nelly, die stolz auf die Widmung ist.

Herzlich Dein   H.

Bermann-Fischer zeigt an: Adel des Geistes, Das Problem der Freiheit, Die schönsten Erzählungen. Meine in Nice verlassene Bibliothek wies diese Bücher nicht auf. Übrigens scheint sie in Spanien hängen geblieben; es wäre meine dritte verlorene Bibliothek. Mit den drei genannten Büchern würde ich gern die vierte beginnen, ein souvenir am Gedenktag.

Princeton den 4. ii. 41

Lieber Heinrich,

für Deinen letzten Brief habe ich noch nicht gedankt und die ausgezeichnete Knopf'sche Photographie, die ihm beilag, die beste, glaube ich, die ich kenne. Knopf hat mir seitdem noch ein paar andere gleichzeitige Aufnahmen geschenkt, die alle recht lebendig sind; aber Du hast die beste ausgewählt.

Es ist merkwürdig: Vor einer Reihe von Wochen noch vor unserer letzten Reise nach Washington und nach dem Süden, habe ich nach Beverly Hills zwei Exemplare eines Büchleins namens »Die vertauschten Köpfe« geschickt, eines an Dich und eines an Frank, und weder von ihm noch von Dir ist eine Empfangsbestätigung eingegangen. Das ist doch auffallend. Die amerikanische Post ist ja nicht besonders reliable, aber daß beide Drucksachen verloren gegangen sein sollten, ist doch unwahrscheinlich, obgleich kaum eine andere Erklärung bleibt. Die Geschichte wäre nur eine kleine Zerstreuung gewesen, aber um die Exemplare wäre es mir leid, denn es sind vorderhand nur wenige davon herübergekommen.

Wir sind begierig zu hören, wie es euch auf die Dauer dort behagt. Der Termin des Wiedersehens rückt näher; wir korrespondieren eifrig mit dem Architekten Davidson und sind uns jetzt über die Hauspläne so ziemlich einig, sodaß mit den Arbeiten bald begonnen werden kann. Zu Deinem Geburtstag hoffen wir schon in euerer Nähe zu sein. Es gilt nur, bis zum Fertigwerden des eigenen ein passendes Mietshäuschen in Brentwood, Beverly oder Santa Monica zu finden, wobei uns gewiß Franks wieder helfen werden.

Die interessanteste Episode der erwähnten Reise war ein zweitägiger Aufenthalt im White House, zu dritt, mit Erika. Der Präsident ist entschieden ein faszinierender Mann, sonnig in seiner Behinderung, verwöhnt, vergnügt und schlau, auch etwas Schauspieler, dabei aber von tiefen, unerschütterlichen Überzeugungen und der geborene Gegenspieler der europäischen Hallunken, die er haßt, genau wie wir. Er hat nicht wenig darunter gelitten, daß er nicht früher mit der Sprache herausgehen konnte. Er hätte seine Wiederwahl dadurch in Gefahr gebracht, und die war ihm mit vollem Recht die Hauptsache.

Vor der Auflösung hier, der Packerei, den Anstrengungen, die Katja dabei zu bestehen haben wird, und dem Übergangszustand bis zu neuer Ordnung graut mir nicht wenig. Aber auch das wird vorübergehen.

Herzlich

T.

23 Febr. 1941

Lieber Tommy,

nächstens werde ich nach Mexico fahren müssen, um von dort zu immigrieren. Keine Kleinigkeit, in Anbetracht der Kosten und der nicht vorhandenen Papiere. Aber ein hilfreicher Anwalt will uns begleiten. Unerlässlich ist nur das affidavit, das ich von Dir und sonst niemand erbitten soll. Ich tue es ungern, da ich nicht weiss, ob es nur eine Formsache, oder eine ernste Verpflichtung für Dich bedeutet. Jedenfalls werde ich mir Mühe geben, alle Folgen zu vermeiden. Ich schreibe auch an Knopf, damit er mir bestätigt, dass ich bei ihm verdient habe und wieder verdienen kann. Du wirst vielleicht wissen, wie ein solches Zeugnis – of the port, heisst es wohl – abzufassen ist. Wenn es Dir als harmlos erscheint, schicke es mir, bitte, sogleich. Sonst bist Du entschuldigt. Nimm für die Bemühung meinen besten Dank.

Meinen Brief über Dein Buch hast Du erhalten, als ich Deinen lieben Brief bekam. Über meinen Jahrestag sprich lieber nicht. Die Zahl ist mittlerweile zu hoch, um genannt zu werden, besonders für einen »writer«, auf dessen »job« die jungen Eingeborenen warten.

Grüsse, auch an Golo, dem ich für seine Nachrichten danke. Bald schicke ich ihm einige Notizen, die Voltaire und seinen Kritiker de Maistre beleuchten.

Herzlich   H.

Das affidavit müßte natürlich auch für Mrs. Nelly Mann gelten.

Princeton 25. Febr. 41

Lieber Heinrich,

so postwendend geht es mit dem Affidavit nicht, es ist eine ziemlich umständliche Sache und wird einige Tage in Anspruch nehmen. Daß ich es Dir gebe, ist selbstverständlich, wenn ich auch fürchten muß, meinen Credit damit schon etwas zu überziehen, denn außer für 3 Kinder haben wir schon für mehrere andere Einwanderer gebürgt. Dein Fall liegt besonders und natürlich. Aber auf ihn muß ich mich auch beschränken; das Affidavit kann nicht auch für Nelly gelten. Das muß getrennt werden. Nelly hat Verwandte in Amerika, die die Nächsten dazu sind und sich nicht weigern werden.

Wir nehmen die Sache sogleich in Angriff.

Habt ihr den jüngsten speech unseres Schandkerls genossen? Es war eine eher bescheidene Rodomontade. Von Sieg dieses Jahr und Invasion nicht mehr die Rede, nur noch vom U-Boot-Krieg; aber die Versenkungsziffern sind offenkundiger Unsinn. Immerhin, England kann in sechs Monaten fertig sein. Wenn nicht, mag es siegen in sechs Jahren. Wie es dann aber aussehen wird *überall* in der Welt – ob wir uns das noch ansehen sollten?

Herzlich

T.

Lieber Tommy,

meinen besten Dank für die Sorge, die Du meinetwegen übernimmst. Meine Nelly hatte inzwischen überlegt, dass ihre Verwandten allerdings die Nächsten für sie wären. Sie sind längst eingesessene Geschäftsleute und sozusagen gesichert, abgesehen von dem unbekannten Bankguthaben. Aber was ist nicht alles unbekannt. Wenn ich nicht gedrängt würde, ich bliebe wohl einfach visitor, in der Annahme, dass nach dem Ausbruch des integralen Nationalismus doch alle ins Lager wandern; Ausnahmen nur durch stärkste Protektion. Schon bin ich anonym angerufen worden: ich hätte sofort das Land zu verlassen. Telefon und Haus stehen jetzt unter Polizeiaufsicht. In 7½ Jahren Frankreich ist dieser Fall nie eingetreten, trotz Krieg und Niederlage. Dafür ist Los Angeles mit seinen Waffenfabriken überfüllt mit Nazi-Spionen. Einer war aus der Filmindustrie entlassen worden: die Kriegsindustrie hat ihn angestellt. Die Welt will sein was sie ist; zu ihren kleinen Schwächen sagt sie ein nachlässiges Ja. Die Folgen in sechs Jahren können auch nicht die Ewigkeit unterbrechen.

Im richtigen Augenblick hat der Musiker Friedrich Holländer einen Roman geschrieben, englisch sogar, und bittet mich, ihn Dir zu empfehlen. Ein Vorwort von Dir ist sein Traum. Ich antwortete ihm: »Schicken Sie nur. Grosse Mengen von Korrekturbogen werden derzeit nicht eingehen, wer kann sich Romane leisten.« Übrigens wer weiss, vielleicht ist ihm etwas eingefallen. Ich brachte es nicht gleich fertig, ihn vor der Sendung zu warnen, und hätte er sich denn dabei beruhigt?

Soviel für heute früh. Jetzt mache ich mich wieder an meinen Filmroman; das ist vorläufig eine erlaubte, ja, gebotene Gattung.

Herzlich   H.

Thomas Mann
65 Stockton Street 29. II. 41
Princeton N. J.

Lieber Heinrich,

es war sehr rührend von Dir, mir so genau und erfreulich Deine Eindrücke von der indischen Geschichte aufzuzeichnen. Ich war beschämt wegen meiner Nachfrage. Frank war leidend und ließ nichts hören. So konnte ich mich des Eindrucks nicht erwehren, daß die Sendungen verloren gegangen seien.

Ich wollte Dir heute nur wegen der Bücher Bescheid geben, nach denen Du fragst. »Adel des Geistes« war eine geplante Sammlung ausgewählter Essays, die bei Bermann in Stockholm im Rahmen der neuen Gesamtausgabe erscheinen sollte. Es ist nichts daraus geworden; und die Stockholmer Gesamtausgabe ist nach dem »Zauberberg« stecken geblieben. »Das Problem der Freiheit« ist ein Vortrag, der in Bermanns Schriftenreihe tatsächlich erschienen ist. Es sind aber keine Exemplare in diesem Lande, und ich kann Dir das Heft nicht geben. Greifbar sind nur die in der Forum-Bücherei erschienenen »Schönsten Erzählungen«. Die schicke ich Dir – hoffentlich doch nicht zum Neubeginn, sondern zur Ergänzung Deiner Bibliothek, die leicht noch kommen kann.

Auf Wiedersehn, wir werden genau zu Deinem Geburtstag im Westen eintreffen. Ich höre, daß ein kleines Fest in Vorbereitung ist. Der Winter hier ist lang und hart. Ich bin viel erkältet und sehne mich nach euerer Sonne.

Herzlich
T.

[Telegramm]   Chicago Ill 20
                                               21. März 1941
Lieber Heinrich

Ein arges Dilemma Berkeley bot mir zur Begrueßung den Dr. juris an anlaeßlich ihres Akademischen Tages genau am 27. Stop Ich lehnte ab aber sie insistieren derart daß es schwer und aus verschiedenen Gruenden selbst bedenklich waere sie durch hartnaekkige Weigerung vor den Kopf zu stoßen Stop Wie macht man es unter diesen Umstaenden mit dem Geburtstags-Dinner Stop Ich hoere es soll in einem Privathaus und eher intimen Kreise stattfinden hoere auch daß du nicht gerade großes Gewicht darauf legst Stop Schieben wir es auf mueßte es gleich um 10 bis 14 Tage sein weil ich im noerdlichen Californien weitere Verpflichtungen habe Stop Wuerde schmerzlich bedauern fehlen zu muessen wuerde aber auch voellig verstehen wenn am Geburtstag selbst festgehalten wird jedenfalls sehen wir uns am 26 Adresse Coloradosprings Colorado Broad Moore Hotel

Herzlichst Tommy.

[New Orleans, Oct. 19, 1941]

Lieber Heinrich, Dir und Nelly einen schönen Gruß von einer Station unseres Kalvarienberges, leider erst der zweiten. Sie zeichnet sich durch feuchte Hitze aus. Aber es geht schon weiter, weiter. Auf Wiedersehn!

T.

Pacific Palisades, California
740 Amalfi Drive
30. XII. 41

Lieber Heinrich,
wir haben uns lange nicht gesehen. Es scheint, Du bist nicht wohl gewesen oder hast Schaden vermeiden wollen, indem Du Dich bei diesem unfreundlichen Wetter zu Hause hieltest. Sobald Dir nach einem Zusammensein zu Sinne ist, laß es uns wissen!
Zum Neuen Jahr wünschen wir Gesundheit und Alles, was sonst etwa vernünftiger Weise für diesmal erwünscht und erhofft werden kann. Das heißt: möge es schlecht und recht gehen. Bis man hoffen darf, daß es nur noch recht gehe, werden wir wohl noch ein, zweimal Neujahr begehen müssen.
Ueber Rußland ist ein außerordentlich interessantes Buch erschienen: »Mission to Moscow« von dem U. S. Ambassador I. E. Davies. Es sind vertrauliche Berichte an den Staatssekretär und den Präsidenten, auch Tagebuchstellen, aus der Zeit der Prozesse, der Exekutionen in der Roten Armee etc. Ich empfehle es Dir sehr.

Ueber das Fest ist unser Häuschen gerappelt voll: Außer Golo und
der belebenden Erika ist auch mein Schwager von Berkeley, dazu
unser Enkelsöhnchen da, das wir für einige Wochen aus San Fran-
cisco mitgebracht haben, ein reizendes Kind. Seine Gegenwart
versetzt uns in junge Tage zurück.

Heute habe ich wieder einmal nach Deutschland gebroadcastet und
bin ungewöhn[lich] ausfallend gegen Schicklgruber geworden. Es
tut doch wohl.

Nimm mit Nelly unser Aller Grüße!

Herzlich   T.

2. Jan. 1942
481 S. Holt Ave.
West Hollywood

Lieber Tommy,

Deine Wünsche erwidern wir von Herzen; wir hatten Euch telegraphiert, aber das Gute wünschen kann man nicht oft genug: es
kommt so selten.

Arbeiten unternehme ich nach- und sogar durcheinander, je nachdem sie Lohn versprechen. Gehalten hat es noch keine. Äussersten
Falles muss ich den Krieg und die nächsten Folgen des Krieges
abwarten. Meine frühesten Bücher wurden mir 15 Jahre nach ihrem Erscheinen bezahlt. Dich versetzt Euer kleiner Enkel zurück,
mich die Einsamkeit und Unbedanktheit: das war alles schon einmal, als ich noch gar nichts hinter mir hatte. Diese Feststellungen
gewähren einige Seelenruhe: bis zu der Einbildung wieder jung zu
sein, reichen sie nicht. Was ich Dir schulde und wofür ich Dir
danke, müssen meine Erben begleichen, gesetzt, ich selbst hätte
die Gelegenheit nicht mehr. Sie kann in wenigen Monaten eintreten, gleich oder gar nicht; da ich es nicht in der Hand habe, handelt
der Zufall.

Meine Erkältung war bald vorbei, aber ich weiss, dass Ihr das Haus
voll genug habt. Sowie es Euch passt, kommen wir gern. Grüsse
und Dank an Katja.

Herzlich   H.

4. April 1942
301 S. Swall Drive
Los Angeles

Liebe Katja,
ich bin voll Dankbarkeit für die erhaltenen Checks und in Sorge um den zuletzt abgegangenen, der nicht angekommen ist. Von Montag bis heute wäre er fünf Tage unterwegs: da bleibt nicht viel zu hoffen. Im besten Fall ginge er an Sie zurück. Das ist unwahrscheinlich, denn bei den Postämtern Beverly Hills und Los Angeles haben wir nur zu oft um die Aushändigung ersucht.
Andere Briefe, leider nicht den gesuchten, haben wir von der Strasse aufgehoben, entweder vor unserer früheren Wohnung, oder in einem fremden Garten, 301 Swall Drive in Beverly Hills. Die Strasse namens Swall soll es viermal geben; die beiden fehlenden haben wir noch nicht gefunden.
Die Vermutung ist nicht mehr abzuweisen, dass Andere den Brief geöffnet und den Check benutzt haben. Vielleicht finden Sie es richtig, ihn bei Ihrer Bank zu sperren. Allerdings zahlt jede andere ihn ebenso gut aus. Inzwischen schulden wir die Miete und öffnen die Tür nur, wenn kein Gläubiger dahintersteht. So war es bestimmt, und wäre ohne Eure Güte noch schlimmer. – An Tommy meinen herzlichen Gruss.

Ihr Heinrich.

15. April 1942
301 S. Swall Drive
Los Angeles

Lieber Tommy,
Du hast mich sehr gerührt. Wohltuend ist das Bewusstsein, dass meine Lage einen Anderen, der einzig Du sein kannst, so ernst beschäftigt. Beschämt zu sein, verbietet mir unsere natürliche Verbundenheit, und auch meine – lieber sage ich Gottergebenheit als Resignation. Da die Umstände beständig wechseln, würde man vielleicht im falschen Augenblick verzichten. Russland, dieses Land des Schicksals, zeigt mir, dass auch ich nicht auf einmal überflüssig bin: sie lassen auch was ich getan habe, zu ihrer grossen Sache zu. Wenn sie mir überdies Geld geben, ist es wahrhaftig

mehr Auszeichnung als Entgelt, und zählt für das Vielfache, bedenkt man ihre eigene, furchtbar gespannte Existenz.

Jetzt die platte Frage, wie weit die Summe reichen könnte. Bis New York und etwas darüber, ich hoffe es, habe übrigens für die Übersiedlung dieselben Gründe, die Du nennst. Allerdings sind von den 750 Dollars, sobald sie eintreffen, mehrere notwendige Zahlungen abzurechnen, besonders der Zahnarzt, plötzlich eine lebenswichtige Gestalt. Zu ihm kam ich mit einer ungewöhnlich vorgeschrittenen Cyste; ihre Beseitigung soll nicht genügt haben, er entfernte sämtliche Spuren meines eigenen Gebisses, die kahlen Kiefern erwarten nunmehr das neue; das ganze Verfahren wird billigst mit 225 $ berechnet, ein harter Schlag. Auf Raten verteilt, würde die Forderung auf eine Bank übertragen werden, was die Kosten vermehrt und mich langfristig belastet: eine Angstpartie, wie ich seit dem Ankauf des Autos weiss. Von dem Auto selbst sind noch 300 $ zu bezahlen, vorher darf ich es nicht fortgeben. Die beiden Beträge sogleich abgezogen, blieben von den erwarteten 750 nur 225, aber nach der Reise, die im Wagen noch am Wenigsten kostet, würde man ihn dort verkaufen und hätte für einige Monate genug.

Mehr als einige gesicherte Monate darf ich nicht verlangen; dennoch wird mir etwas bange von den Fehlschlägen, die in diesem Lande hinter mir, daher möglicherweise auch vor mir liegen. Gern will ich Deine Annahme teilen; an Ort und Stelle sein, ist immer schon etwas; nur bin ich gerade jetzt nicht in der geeignetsten Verfassung, körperlich und in Betreff des unbefangenen Sinnes, womit man auftritt und sich zur Geltung bringt. Indessen ist daran nichts Ungewöhnliches; sogar die Jugend kennt jetzt dergleichen. Greifbarer hält es mich auf, dass drei unfertige Arbeiten daliegen und dass ich, hoffentlich nicht mehr lange, ihre Fortführung hinausschieben muss. Wenn der Fall einträte, dass jemand sie erwartet und honoriert, könnte mir davon früher wohl werden. Ich will denn hinreisen und es darauf ankommen lassen, ob der Glücksfall eintritt.

Lässt er aber warten, erhebt sich alsbald die Frage, ob ich Dich nochmals in Anspruch nehmen darf. Es ist schon hier eine Zumutung, in New York wäre es eine noch grössere. Ich weiss durchaus, was Du Dir und den Deinen schuldest; auch das Haus ist berechtigt, auf die Dauer wird nichts daran verloren sein. Aber selbst ein, wenn auch staatlicher Lektor sein müssen, und dann den Bruder erhalten sollen, das überschreitet eigentlich den erlaubten Zustand. Ich werde zusehen müssen, dass ich mich durchbringe und dass Dein monatlicher Beistand nicht wieder nötig wird, nachdem Litvinoff das Geld überwiesen hat. Herrn Litvinoff werde ich danken, sobald ich es bekomme.

In New York, wenn ich hingelange, werde ich Dich noch seltener sehen können; schon hier war es zu selten, obwohl ich immer Zeit hätte. Du bist beschäftigt, gewiss mit Leuten obendrein: mich lassen sie in Ruhe, was nichts ausmacht. Nur mit Dir ist etwas versäumt und nicht mehr nachzuholen, oder dies wäre eine unzeitgemässe Vorstellung. Mag sein, dass zuletzt die persönliche Gegenwart zurücktritt hinter die Erinnerungen. Ohne Vorsatz und kaum dass ich weiss warum, habe ich plötzlich angefangen, »Buddenbrooks« zu lesen.

Herzlich   H.

Pacific Palisades, California
19 Mai 1942

Lieber Heinrich,
gut immerhin, daß das Geld da ist. Der Rubel war unberechenbar. Aber ich gebe Dir recht: moralisch ist es doch eine schöne Erfahrung, und eine Erleichterung ist es auch. Wenn Du glaubst, daß ich zunächst einmal, für den Juni, zurücktreten kann, nehme ich's dankend an. Du gibst mir einen Wink, sobald mein Einspringen wieder wünschenswert ist.

Auch darin hast Du recht, daß Euere Uebersiedlung nach New York verschoben werden sollte, bis sich dort dank der Tätigkeit Deiner Freunde entschiedene Möglichkeiten zeigen. Ueberhaupt ist mir der Gedanke, je näher der Sommer kommt, immer fremder und unangenehmer geworden. Dich dort in einer kleinen Wohnung in der feuchten Hitze zu denken, gar auf meinen Rat, ist unmöglich. Golo hatte neulich einen gescheiten Gedanken. Wenn schon verzogen werden solle, meinte er, warum dann nicht nach Mexiko? Das biete hohe Luft, die spanische Sprache statt des Yankeedoodles und eine sympathische politische Atmosphäre. Nicht dumm. Aber ich verstände es nur zu gut, wenn Du am liebsten bliebest, wo Du bist. Vielleicht ist im Herbst der Krieg zu Ende. Ich fürchte aber, er wird sich hinziehen. Die Russen allein können es nicht schaffen, und ich glaube an keinen Sieg, ohne daß in unseren Ländern Revolutionen kommen, die die reaktionären, vor dem Siege mehr bangenden als ihn wollenden Führer hinwegfegen und den Krieg in Aufrichtigkeit zu einem Freiheitskrieg der Völker machen.

Herzlich   T.

                                                        1550 San Remo Drive
                                                        Pacific Palisades, California
                                                        31. VII. 42.

Lieber Heinrich:

Du wirst bemerken, daß der monatliche Check diesmal vom European Film Fund ausgestellt ist. Das wird Dich nicht verwirren. Die Sache verhält sich einfach so, daß wir mit vereinten Kräften einen Fond aufgebracht haben, der den hervorragenden, durch die augenblicklichen Umstände in ihrem Erwerb behinderten deutschen und oesterreichischen Schriftstellern zugute kommen soll. Er wird von dem European Film Fund verwaltet. Wir gehören zu den Beitragenden, die über die Verwendung zu bestimmen haben. Es ist nicht mehr als selbstverständlich, daß Du einer der Ersten bist, die berücksichtigt werden. Da mein Beitrag zu dem Fonds nicht dem bisherigen zu Deinem Haushalt gleichkommt und außerdem steuerlich angerechnet wird, ist dieser modus für mich eine Erleichterung, die ins Gewicht fällt und Dir keinerlei Nachteil bringt.

Wir haben große Personalnot, unsere Dunklen verlassen uns und neue sind teils unerschwinglich, teils unerträglich. Aber einmal werden wir ja wieder in Ordnung kommen und hoffen, dann Nelly und Dich recht bald einen Abend bei uns zu haben. Mit herzlichen Grüßen von uns beiden und den Kindern

                                                                        Dein T.

25. Okt. 1942
301 So. Swall Drive
Los Angeles, Calif.

Lieber Tommy,

Dein Buch Order of the Day ist ein wundervolles Geschenk, es trifft sich, dass ich die Musse habe es zu geniessen. So las ich zuerst die vier von Dir bezeichneten Aufsätze und fand alles nicht nur bestätigt – was wir selbst vermögen – sondern tatsächlich erfüllt. Die Vorrede ist die berechtigte Zusammenfassung Deiner geistigen Erfolge, wie das höhere Alter sie klarzulegen sogar verpflichtet ist: nur die Lumpe sind bescheiden.

Europe beware ist eine endgültige Formgebung aller Warnungen, die in langen Zeiten versucht worden sind. Ich tat was ich konnte um nur Frankreich zu bearbeiten, 6 Jahre lang in beständiger Wiederkehr und natürlich vergebens. – Mir ist, als hätte ich auch Deine Worte über Niemöller schon gekannt; indessen sind sie je länger je eindrucksvoller geworden: so ergriffen, vergisst man sie nicht. – An die Kennzeichnung des fellow als A Brother ging ich etwas zage heran, in meiner Erinnerung an die Züricher Vorlesung war dem Burschen zu viel Ehre geschehen. Ich habe die freudige Überraschung, dass alles in Ordnung ist; einem Genie wie diesem ist nur zu wünschen, es wäre als Halbtalent hocken geblieben, noch besser, es wäre nie geboren. Einen Beleg für seinen dunklen Drang teilte neulich ein früherer Gast des Café Stephanie mit. Alltäglich um 12 Uhr erschien Hitler und ging in die Telephonzelle, die durchaus nicht abgedichtet war, seine hochverräterischen Geheimnisse konnte er weniger beachtet anderswo durchblasen. Aber es zog ihn an eine Stätte der Wortkünstler, soweit sie in künftigem Ruhm schwelgten und Eier im Glas assen.

Seine vorige Offenbarung, vielmehr die letzte von der wir hörten, sie soll 9 Tage vor Beginn dieses Krieges stattgefunden haben, war der Vergleich seines Genius mit Genghis Khan. Wie lehrreich, dass sogar hier die Selbsterkenntnis anklopft. Natürlich wird sie ins Lobenswerte gewendet. »Auch ich bin der Reue zugänglich« – war nur ein Wort des armen Wilhelm, der daher dem Anderen seinen Adjutanten v. Möller geschickt hat, um ihm vom Krieg abzuraten.

Ich danke Dir und begrüsse Dich herzlich.   H.

Pacif. Palis. 6. IV. 43

Lieber Heinrich,

diesen Brief aus Brasilien bekam ich zur Weitergabe an Dich.
Ich habe einen Glückwunsch geschickt und in Aussicht gestellt, ich
würde mit der Zeit auch mal vorsprechen. Vielleicht reisen wir
»nach dem Kriege« zusammen dorthin.
Ich bin noch müde von einer heftigen Erkältung, Husten und Ra-
chen-Katarrh. Ihr kommt bald, sagt Katja. Es wäre besonders
schön, wenn Du etwas zum Vorlesen mitbrächtest.
Herzlich   T.

[Telegramm]   11. Sep. 1943
Heinrich Mann
301 Swall Dr Hollywood Calif.

On behalf of U. S. Treasury Department may we enlist your aid in
promoting third war loan drive by contributing an original pub-
lished manuscript of your work to be auctioned at war bond rally.
Treasury Department intends to give nationwide intensive publi-
city to gifts by you and other distinguished immigrant authors.
Artists, scientists, others, as your special contribution to success of
third war bond drive. Your promptest response appreciated. Please
advise what you will contribute by collect wire to Julian Street, Jr.,
third war loan drive. Room 3005. RKO Building. 1270 sixth avenue New York City. Ship your contribution by registered airmail
or collect air express to Mr Street –
        Elizabeth Bergner   Albert Einstein
        Lotte Lehmann   Emil Ludwig   Thomas Mann
        Franz Werfel.

1550 San Remo Drive
Pacific Palisades, California
21. XII. 43

Lieber Heinrich,

neulich haben wir euch nachmittags erwartet. Es war eine Verabredung zwischen Nelly und Katja. Aber nun höre ich, daß Nelly
inzwischen krank und sogar im Hospital war. Hoffentlich war es
trotzdem nichts Ernstes und ist völlig überstanden.

Unter anderm hätte ich gern mit Dir über diesen Brief Bruckners
gesprochen und Dich um Deine Meinung gefragt. Ich bringe gar-
keine zustande, aus aufrichtiger Interesselosigkeit. Bruckner hat
auch Dir geschrieben. Hast Du geantwortet? Und wie? Ich erhielt
den Brief schon vor Wochen in New York, mochte mich aber nicht
äußern, ohne Dein Verhalten zu kennen.

Ich höre, daß der Agent Fles, den ich nicht sonderlich schätzen zu
sollen glaubte, sich in Deinem Fall wohl bewährt hat. Desto besser,
und herzlichen Glückwunsch!

T.

Hotels Windermere, Chicago
24. März 44

Lieber Heinrich,

der 27. kommt heran, und es ist, wenn nicht hohe Zeit, so doch an
der Zeit, daß wir beide, Katja und ich, Dir unsere herzlichen Wünsche zu dem festlichen, für viele Menschen hüben und drüben so
bedeutsamen Tage senden. Die allgemeine Genugtuung war groß
über die offenbar glänzend gelungene Vorfeier der New Yorker
»Tribüne«. In Deiner Botschaft, die ich in einem Emigrantenblatt
las, sprachst Du von dem phönixartigen Auferstehen Deines Werkes nach dem vorigen Kriege. Das betraf damals hauptsächlich
Deutschland. Diesmal wird es sich, wenn nicht alles trügt, im
Weltmaßstabe wiederholen. Noch gestern drückte ein amerikanischer Schriftsteller, Louis Bromfield, mir die Ueberzeugung aus,
daß wir nach dem Kriege unfehlbar die vereinigten Sowjet-Repu-
bliken Europa's haben würden. Nun, da wäre denn doch noch ein
ganz anderer Raum zum Phönix-Schwingen-Breiten als in der armen deutschen Republik.

Unsere Medi hat sehr rasch und glücklich ein zweites Töchterchen zur Welt gebracht, sieht aber noch blaß und spitz aus und ist entschieden zu früh wieder aktiv geworden. Wir hoffen, daß sie sich bei uns in Pacific Palisades erholen wird, denn Anfang September werden wir die kleine Familie wieder für drei Monate dort aufnehmen. Erika wird sich schon im April dort sehen lassen, bevor sie, wahrscheinlich, wieder nach Europa geht. Golo, nach England bestimmt, wird noch hier für einige Tage vorsprechen. Von Klaus haben wir spärliche Nachrichten aus Italien, die aber nach Wohlergehen und befriedigender Tätigkeit klingen, – persönlich; denn im Großen sieht es auf diesem Kriegstheater ja wenig befriedigend aus. News aus dem Jahre 1925: »The Russians enter Toulon. Fierce fighting continues near Cassino.« (Amerikanischer Volkswitz.)

Nun wünschen wir einen schönen, heiteren Tag, gute Gesundheit für euch Beide und die glücklichsten Fortschritte für alles Unternommene.

T.

1550 San Remo Drive
Pacific Palisades, California
29. Juli 44

Lieber Heinrich,
ich schicke Dir, da ich Deinen Brief an Katja las, gleich mein Handexemplar von »Joseph, der Ernährer«, um nicht das Eintreffen der bei Bermann bestellten Copien abwarten zu müssen.

Du wirst sehen, es ist ein durchaus humoristisches und populäres Buch, und nichts ist falscher, als die Beschreibung, die die meisten amerikanischen Kritiken davon geben, nämlich, daß es ein mit anspruchsvoller Weisheit überstopftes Werk sei.

Diese deutsche Ausgabe hat, wie so vieles heute, emergency-Charakter und wimmelt von dämlichen kleinen Druckfehlern, – immer »hatte« statt »hätte« und »dann« statt »denn«. Che vuole di questa gente!

Wie schade, daß ich die Seiten über die alten und neuen Tage nicht habe hören können! Ich freue mich herzlich darauf. Alte Tage werden mir jetzt auch wieder nahe gebracht, da ich meinen Musiker-Helden, der wie Nietzsche an langsam fortschreitender und hoch-erregender Paralyse leidet, für einige Zeit nach Palestrina zu unseren Bernadini's versetze. Ein starkes Stück, da dieses Plätzchen ja in der »Kleinen Stadt« endgültig geschildert ist! Aber es ist bei mir nur eine vorübergehende Unterkunft.

Möge doch Deine Gesundheit sich rasch vollkommen bessern! Bibi und Gret gehen sehr mit dem Gedanken um, Dich dort oben zu besuchen.

Dein T.

2. Sept. 1944
c/o Ananda Ashrama
Box 577
La Crescenta, Calif.

Lieber Tommy,

Dein Buch beschäftigte mich wochenlang und ich brauche nur daran zu denken, um starke Eindrucke zurückzurufen. Der Gesamteindruck befriedigt dauernd, wie jede erreichte, relativ erreichte Vollendung. Das Erste sind die Gestalten: die rührendste, der Pharao, die festeste, Joseph selbst. Das Gegenüber der Beiden führt bis zu Höhen, wo viel auf einmal erlebt wird, die ganze Begegnung zweier Personen von seltenem Rang, wie sie einander entdecken, wie daraus Geschichte, diese Geschichte wird.

Die Nebenfiguren! »Aber die Witwe Pittelkow!« sagt Fontane, nachdem er andere »man so so« genannt hat. Da ist, bei Dir, auf vier Seiten Mut-em-enet, der fraglose Abschluss eines Lebens, das einmal interessant war, bis es sich jetzt aufklärt, nüchtern, obwohl gehoben. Die Skepsis der Betrachtung, von Deinen bürgerlichen Stoffen übertragen auf einen verführerisch unkontrollierbaren, ergibt alle menschliche Glaubwürdigkeit. Als der bescheidene Vertreter des angewendeten Stils erscheint mir »der ruhige Mann«: er ist auf alles gefasst, da kann Unnatürliches nicht vorkommen.

Gerade lese ich eine alte Zeitschrift mit dem Abdruck des »Juif errant« (von Eugène Sue). Kunst beiseite, schwer erträglich ist die grundsätzliche Übertriebenheit, als romantisch empfunden, wie mehrere europäische Geschlechter sie wirklich empfunden haben.

Dergleichen Versuchungen hattest Du nicht. Deine lange und innig erworbene Sache war es, das Alt-Ungeheure auf die menschliche Masse zurückzuführen, das Fabelhafte in die Nähe zu rücken.

Die realistische Enthüllung einer Welt, die man unberührbar fern glaubte, lässt dennoch zu, dass sie ehrwürdig bleibt: sie wird es erst recht. Der ganze Grund ist, dass sie selbst, Eingeweihte und Masse, jeder auf seine Art, das Geistige achten, vor dem Unfassbaren mehr Respekt haben als vor den »wässerigen Dingen«, wie eine Kapitel-Überschrift sagt. Das »drollige« Ägypten erweist sich, mit dem Vater »im Himmel«, nicht weniger heilig – unter Schwierigkeiten heilig – als Israel. Dies war mein entscheidender Eindruck.

Die Intellektualität (für Heiligkeit) drückt sich weltlich in der sozialen Gesetzgebung eines Judäo-Ägypters aus. Das ist aber ein Vorgang wie wir ihm beiwohnen, angesichts von Roosevelt, Churchill (der Gesetzentwurf seines Beveridge, der die Not einen Skandal nennt), und als erste Zeitgenossen der Soviet-Union. Mein eigenes Buch will die Ehre dieses Zeitalters retten: es ist nicht nur greulich, es hat das seltene Phänomen des Intellektuellen an der Macht.

Das finde ich bei Dir wieder, und mein verwandtes Interesse macht mir den letzten Band Deines grossen Werkes so wert der Liebe und des Dankes.

Herzlich   H.

THOMAS MANN   1550 San Remo Drive
            Pacific Palisades, California
            7. Sept. 1944

Lieber Heinrich,

Dein Brief, ein kleines Meisterwerk, hat mich in mehr als einer Hinsicht beschämt. Ich habe Dir nicht so geschrieben über »Lidiçe«, diesen wilden Spaß – zu wild und zu großartig für die guten Tschechen –, der doch wahrhaftig Stoff genug für einen Brief besserer Art geboten hätte. Ich muß es jetzt manchmal *fehlen* lassen. Der Hauptgrund dafür ist, daß ich es, vielleicht verspätet, noch einmal mit einem großen, an Implikationen reichen Roman aufgenommen habe, der mich zwar dauernd sehr bewegt und spannt, aber für meine Kräfte eine nicht mehr ganz passende Belastung ist und mich menschlich einschränkt.

Ich brauche nicht zu sagen, daß Deine brüderlich-positive Kritik des Joseph mir herzlich wohlgetan hat. Von dem Roosevelt-Beveridge-Element hat außer Dir nur noch der Kritiker des »New Leader«, eines sozialdemokratischen Blattes, etwas gemerkt. Sehr vielfach wird das Buch von der amerikanischen Presse als ein schwer lesbares, mit anspruchsvoller Weisheit überstopftes Monstrum abschreckend hingestellt. Ich selber halte es für ein wesentlich humoristisches und durchaus populäres Werk – womit übereinstimmt, daß es, namentlich durch den Buch-Club natürlich, schon in mehr als 200 000 Exemplaren verbreitet ist. Unter sovielen Lesern müssen freilich etliche sein, die sich langweilen.

Es sind der Worte wenige, die Du über Dein der Epoche gewidmetes Buch fallen läßt, aber sie haben genügt, mich aufs neue ungeheuer neugierig darauf zu machen. Gerade im rechten Augenblick wird es fertig werden, daß es auf deutsch und französisch erscheinen kann, auf russisch dazu und nicht nur auf englisch für die dummen Amerikaner. Eine Sensation kann es werden selbst bei diesen. Welche Generosität – die Apologie eines Zeitalters, das doch schließlich auch mit Dir höchst unschicklich umgegangen ist! Intellektuelle im engeren Sinn sind sie alle drei nicht, die Machthaber der Zeit. Joe Stalin versteht gewiß nicht viel von Büchern und Bildern, Churchill schreibt zwar eine gute Prosa, hat aber doch eingestandenermaßen nur eine aristokratische Leutnantsbildung und ist ein naiver Autodidakt. Roosevelt liest *nie* etwas, außer Mystery-stories zum Einschlafen. Und doch hast Du recht, ihnen den Ehrentitel zu geben, wenn man unter Intellektualität einfach den politischen Dienst am Rechten und Geistgewollten versteht. Roosevelt, der einzige von ihnen, den ich aus der Nähe sah, hat sich von jeher als der geborene Gegenspieler Hitlers gefühlt; er ist der gerissene, mit allen Wassern gewaschene Politiker des Guten. Den Triumph dieses Typs über die Verbrecherdummheit zu erleben, die leider wir Deutschen erstellen mußten, ist in der Tat etwas wert, man steckt gern dafür manche Unbequemlichkeit ein, die die Epoche uns zumutete.

Du hattest eine Grippe noch zwischendurch, mit Kummer haben

wir es gehört. Aber Dein Brief hat mich schon darum gefreut, weil er Deinem Befinden ein gutes Zeugnis ausstellt.

Auf Wiedersehen!

T.

[Pacific Palisades,
24. IX. 44]

Lieber Heinrich:

Die Adresse von Martin Gumpert ist New York, 728 Park Avenue.

Wir haben die schönen Stunden bei Ihnen draussen neulich sehr genossen und uns gefreut, Ihre Gesundheit so offenbar gebessert zu finden. Hoffentlich können wir bald einmal mit Medi wieder kommen.

Die Bücher gehen mit gleicher Post ab.

Mit herzlichen Grüssen, auch an Nelly

Ihre Katia.

Hat F. D. R.'s Wahlrede Sie nicht auch recht erfrischt?

19. Mai 1945
301 So. Swall Drive
Los Angeles 36, Calif.

Lieber Tommy,

die Lektüre deines Vortrages hat mich überrascht. Obwohl ich viel erwartete, dies ist noch mehr. Ich will mich so stark ausdrücken wie ich es meine. Der Satz »Das böse Deutschland, das ist das fehlgegangene gute, das gute im Unglück, in Schuld und Untergang« – dieser Grundgedanke, ihn gefunden zu haben in seiner unvergesslichen Prägnanz, würde jeden Autor rechtfertigen sein Leben lang. Der Autor aber bist du allein. Das hatte niemand gewusst.

Vor deinen Hörern wirst du in der Haltung des Bekenners stehen. »Ich habe es auch in mir«. Das ist eine Haltung, die an das Gefühl rührt, wenn der Verstand der Leute nicht willig wäre. Die gute Aufnahme scheint gesichert, Glück muss nicht erst gewünscht werden.

Für den 6. Juni hält Beermann-Fischer die gesammelten Glück-

wünsche bereit, meiner ist auch dabei. Hiermit gute Reise und auf
Wiedersehen!

H.

3. Juni 1945
301 So. Swall Drive
Los Angeles 36, Calif.

Lieber Tommy,
an dem festlichen Tage wünsche ich Dir Glück, in der Bedeutung,
dass Du das Glück, das da ist, glücklich empfangen mögest. Woran
ich nicht zweifle. Wir sind im Grunde heiter begabt.
Von dem Columnisten Marquis Childs las ich den Artikel über
Dich. Wie viele Amerikaner dessen gleichen wohl gesagt bekommen? Keiner, wahrscheinlich. Meine Feststellungen in der Neuen
Rundschau müssen mehr als Ahnungen gewesen sein; sie erweisen sich als wirklich.

> »Geniesse froh was dir beschieden,
> Entbehre gern was du nicht hast!«
> (Stammbuch-Vers)

In herzlicher Gesinnung   H.

The St. Regis
New York
9. Juni 45

Lieber Heinrich,
Deine Briefzeilen, die Du dem großartigen Aufsatz in der »Rundschau« noch hinzufügtest, habe ich so wenig wie diesen ohne Tränen lesen können. Laß mich Dir danken, so gut es in dem nicht
gesuchten, aber doch eben auch nicht vermiedenen – aus »Freundlichkeit« nicht vermiedenen – Trubel dieser Tage gehen will, für
all Deine Liebe und Treue, die mich nicht so ergreifen würde,
wenn nicht ihresgleichen aus meinem Herzen ihr innig antwortete.
Im Uebrigen ist es nicht so einfach, bei alldem, was die guten Leute
mir jetzt erweisen, äußerlich und innerlich die rechte Haltung ein-

zunehmen. Rührung ist auch schon komisch. Man muß es mehr als eine Nervenleistung auffassen und seinen Mann dabei stehen trotz gründlicher Skepsis, ja melancholischen Besserwissens. Joseph weiß sehr gut, daß sein Leben »Spiel und Anspiel aufs Heil« war, »aber nicht ganz im Ernste berufen und zugelassen«. Andererseits ist da Juda, der bei sich sagt: »Wer hätt' es gedacht. Auf mein Haupt träufelt's. Gott helfe mir, aber ich bin's!« Aus beidem spricht ein Teil Erfahrung.

Dein Beitrag ist selbstverständlich das größte Stück in Bermanns Heft, reizend im Persönlichen, ergreifend besonders durch die Erinnerungen an Papa, an den auch ich so oft im Leben habe denken müssen, und ein wundervolles Dokument, wo es unser brüderlich-variierendes Verhältnis zum Deutschtum darstellt. Die Prosa ist einzigartig. Ich habe nicht zum ersten Mal das Gefühl, daß diese kondensierte und intellektuell federnde Schlichtheit die Sprache der Zukunft, der neuen Welt ist.

Auf Wiedersehn, sobald wir zurück sind!

T.

[Handschriftliches Konzept eines Telegramms]

[Frühjahr 1946]

Mrs Katia Mann
c/o Professor Antonio Borgese
Chicago

Doctor Rosenthal gave me exakt report stop I fight to have confidence and I ask Tommy to retain his admirable courage stop my beloved brother you must have the strength to live and you will stop you are indispensable to your great purposes and to all persons who love you stop there is one who would feel vain to continue without you stop this is the moment for confessing you my absolute attachment stop may my ardent wishes help you to support the danger and to recover health stop

Faithfully yours Heinrich

Sender: H. M.

Lieber Heinrich,

einen Gruß aus dieser ehrwürdigen Hauptstadt noch bevor wir sie
wieder verlassen, – als Zeichen des Gedenkens im Trubel der Welt.
Warum man sich in diesen stürzt, statt weislich »zu Hause« zu
bleiben, – Gott weiß es. Es war wohl das Gefühl, daß ich mich
einmal auf andere Weise anstrengen müsse nach langer Anstrengung auf der Schreib-Unterlage. Bunt genug geht es zu. Schon die
10 Tage New York waren übertrieben lebhaft nach dem gewohnten Gleichmaß. Die Ueberfahrt auf dem Riesenschiff gestört durch
seinen zu hohen Bau, der ein Rollen verursacht, das einen nicht
zur Ruhe kommen läßt. Die Ankunft in Southampton mit 2000
Menschen und ihren Massen von Gepäck konfus bis zum Kata-
strophalen. Ich hatte hier die ersten Tage mit einer Magen- und
Darmaffektion zu kämpfen, der zum Trotz ich alles durchführte:
Interviews, Press Conferences, Receptions, Broadcasts und, unter
großem Zudrang, die lecture in der London University. Der Nietzsche-Vortrag, simpel wie er ist, hat sich hier wie in Washington
und New York gut bewährt. In Zürich wird man kritischer sein
und merken, daß er für unwissende Anglosaxons gemacht ist.
Nach Zürich fliegen wir am Samstag Morgen. Hoffentlich erwartet uns dort ein wärmerer Frühling. Hier war es dunkel und kalt
die ganze Zeit. London wirkt recht mitgenommen, und trotz fleißiger Reparaturen sind überall die Spuren der schweren Prüfungen sichtbar, durch die die Stadt hindurchgegangen, Lücken in den
Straßen, geschwärzte Mauerreste. Die Nervenbelastung durch die
Bomben und V-Geschosse muß zeitweise kaum zu ertragen gewesen sein, und es ist fraglich, ob irgend ein anderes Volk sie ertragen
hätte, ohne nach Frieden um jeden Preis zu schreien. An die unbedingte Notwendigkeit der Erhaltung der Labor-Regierung glaubt
jedermann, außer faschistischen Straßenrednern, von denen ich
einem zuhörte. Ich sah nur gleichgültige oder angewiderte Gesichter. Selbst Konservative, wie Harold Nicolson, treten der Partei
bei.
Möge es Dir wohl ergehen! Herzliche Grüße von Katja und Erika.

T.

Lieber Tommy

eine alte Erinnerung.
Du: »Wie geht Dein neues Buch?«
Ich: »Professor Unrat? Meine üblichen zweitausend.«
Du: »Es ist ja noch Novität.«
Dies war 1904. Jetzt ist es wieder einmal Novität, hat viel erlebt
seither, auch einen anderen Titel.

1948   H.

Stockholm
24. V. 49.

Lieber Heinrich:
Wir haben Ihnen nicht gekabelt, da wir der Nachricht, die Sie aus
der Zeitung oder durch Feuchtwanger ja doch schon erfahren hatten
ja garnichts hätten hinzufügen können. Sie kam uns selbst völlig
unerwartet, als wir vergnügt abends von einem Ausflug nachhause
kehrten, das heisst unerwartet gerade in diesem Augenblick, denn
darauf gefasst sein musste man ja bei ihm ständig und das war ich
auch. Aber es lag im Augenblick durchaus kein akuter Grund vor,
und wir hatten noch einen Brief von ihm, am Abend, an dem er dann
die Überdose zu sich nahm, geschrieben, der von diesem Schritt
ganz offenkundig nichts wusste. Was dann in ihm vorgegangen ist,
wird man nie erfahren, er hat auch keine erklärende Zeile hinterlas-
sen, aber die Todessucht in ihm war offenbar unüberwindlich und
musste wohl einmal zum Ziel führen. Es ist sehr hart für uns beide,
am schlimmsten aber für die arme Erika.
Wir wollten eigentlich nach Empfang der Nachricht die Reise gleich
abbrechen und nachhause zurückkehren, aber dann schien es für
Tommy doch richtiger zu sein, die Vortragstour durchzuführen;
wir bleiben dann vielleicht noch etwas in der Schweiz zur Erholung,
und würden dann wohl im Lauf des Juli zuhause sein. Auf Frankfurt
wollen wir jedenfalls verzichten unter diesen Umständen, danke für
Ihre Warnung, die nicht die einzige war, die wir erhielten.

Dass Sie wieder einen schweren Asthma-Anfall hatten hörten wir mit grossem Bedauern. Dergleichen kann sich gewiss immer einmal wiederholen, und trotzdem der Gesamtzustand sich weiter bessern. Aber zu dem Übersiedlungsabenteuer aus vollem Herzen raten konnte ich Ihnen nie. Wir sind selbstverständlich der Meinung, dass Sie die nurse behalten sollten. Ich lege heute einmal einen Check auf 200 Dollars für weitere vier Wochen bei, und wenn nicht etwa die erfreulichen Options-Aussichten sich inzwischen schon realisieren, schicke ich dann einen weiteren.

Nur so viel für heute.

Herzliche Grüsse von uns Dreien.

Ihre
Katia.

GRAND HÔTEL
STOCKHOLM   26. Mai 49

Lieber Heinrich, das sind nun traurige Tage, Katja seufzt schwer, und es tut mir so sehr weh, Erika immer wieder in Tränen zu sehen. Sie ist eine Verlassene, hat den Weggenossen verloren, den sie immer klammernd an ihrer Seite festzuhalten suchte. Schwer zu verstehen, daß er es ihr antun konnte. Wie umnachtet muß er im Augenblick gewesen sein! Aber es war wohl seit langem sein tiefstes Verlangen, und sein Gesicht soll im Tode den Ausdruck kindlicher Wunscherfüllung gehabt haben.

Wir wollten erst alles hinwerfen und nach Hause fahren. Aber es wäre nicht gut gewesen. Alles Gesellschaftliche ist abgesagt, aber ich will meine Verpflichtungen durchführen, hier und in der Schweiz. Nur Deutschland freilich auch noch, das ginge nun doch wohl über meine Kräfte.

Zu Anfang war alles so heiter-anstrengend, wie ich es liebe von Zeit zu Zeit. Nun geht es ernst und gedämpft zu. Das Publikum in der Akademie erhob sich schweigend von den Plätzen bei unserem Eintritt. Die Zeitungen hier haben sympathische Artikel über Klaus und sein Werk gebracht. Er war außerordentlich beliebt in Stockholm durch seine freien englischen Vorträge, die großen Erfolg hatten. Der Fall ist so sehr merkwürdig und schmerzlich, diese

Gewandtheit, Liebenswürdigkeit, Weltläufigkeit und dabei der Todesdrang im Herzen.

Ich schicke Dir ein kleines Szenenbild aus Oxford. Die Halle aus dem 14. Jahrhundert war so sehr schön.

Herzlich
Dein
T.

Basel
24. VI. 49.

Lieber Heinrich:

Ein Brief ist längst wieder fällig, und so benütze ich eine ruhige Stunde in Basel, wo wir gerade eingetroffen sind, zur *letzten* Vorlesung in der Schweiz für diesmal glücklicher Weise, um doch etwas von uns hören zu lassen. Besonderes zu berichten gibt es kaum. Die Reise ist ja nun einmal verdüstert, und obgleich Tommy von der Schweiz wieder ebenso entzückt ist wie immer, fehlt es doch an der rechten Stimmung. Unter diesen Umständen strengt es ihn auch mehr an als sonst, und ich bin ganz froh, dass heute das letzte Mal ist. Wir wollen dann auf drei Wochen nach *Schuls-Tarasp, Hotel Schweizerhof, Unter-Engadin,** fahren, wo es hübsch und waldreich sein und auch heilkräftige Bäder geben soll. Ich hätte Gastein ja vorgezogen, aber Tommy mochte sich von der Schweiz nicht trennen. Am *25. Juli** sollen wir ja dann doch noch in *Frankfurt** sein. Auf keinen Fall wollten wir bis zu Goethes Geburtstag am 28. August warten, aber da man sich mit diesem früheren Termin einverstanden erklärt, wollte Tommy nicht absagen. Eine reine Freude wird es ja bestimmt nicht sein. Für den *5. August** haben wir Plätze auf dem *holländischen Dampfer New Amsterdam** belegt – die Schiffahrt ist doch geruhsamer als der Flug – und kurz nach *Mitte** des Monats sollten wir wohl in Californien sein.

Golo stiess vor wenigen Tagen zu uns und wusste zu melden, dass es Ihnen befriedigend gehe. Möchte es so bleiben! – Einen Check für Frau Weyl lege ich wieder bei.

Ein paar Tage lang hatten wir Viko's Nelly bei uns zu Besuch, die recht sympathisch und würdig wirkte, tief traurig, aber sehr gefasst. Es soll Viko gerade im letzten Jahr so viel besser gegangen sein als wie wir in der Schweiz waren, und auch als sie ihn abends im Krankenhaus verliess, machte er sich offenbar keinerlei Gedanken über seinen Zustand. Er scheint dann eingeschlafen und nicht mehr erwacht zu sein. – Materiell scheint Nelly durch eine bescheidene Pension einigermassen gesichert zu sein.

Unsere Adresse für die nächsten drei Wochen wissen Sie nun. Mit Sicherheit sind wir ausserdem immer durch Oprecht, Rämistrasse 5 in Zürich zu erreichen.

»*Der Atem*« * ist ja nun erschienen, wir haben ihn aber leider noch nicht. Landshoff scheint überarbeiteter und unerreichbarer denn je, und von Bermann hört man in allen Ländern, die man berührt, nur das Ungünstigste.

Auf gutes und nun ja schon recht nahes Wiedersehen.

Ihre
Katia.

Recht herzlichen Gruss, Dank für Dein Gedenken zum Geburtstag und auf gutes Wiedersehen Mitte August.

T.

Vulpera, Engadin
14. Juli 1949

Lieber Heinrich,

die unterschiedlichen Anstrengungen und Aufregungen (kindisch, über deutsche Gemeinheiten, beabsichtigten Besuch in Weimar etc.) während all dieser Wochen haben zusammen mit dem niedrigen Druck hier wieder ein paar tüchtige Nasenblutungen (gesprungene Vene) produziert, deren letzter der Badedoktor hier in 1½ Stunden kaum Herr werden konnte. Uebrigens habe ich von Blut eher zuviel, sodaß das Ganze als ein nicht unerwünschter, nur sehr störender und alles verschmierender Aderlaß aufzufassen ist. Recht gut fühle ich mich aber schon lange nicht (seit »dem Außenbleiben meines Sohnes«) und habe hier eine Rede für Frankfurt unter großen Mühen zustande bringen müssen. Daher schrieb ich, gegen meine Wünsche, so lange nicht, behalte übrigens auch jetzt Erzählungen vom Reiseverlauf dem Mündlichen vor.

Ein Mann namens Großhut in Schweden schickte mir eine hoch gestimmte Besprechung des »Atems«, die in »Expressen« erschienen ist. Er bittet um Uebermittelung. Das Buch ist seit einigen Tagen bei uns, und Katja und ich lesen es abwechselnd. Unnütz zu sagen, daß es etwas Einziges und Unvergleichliches darstellt in moderner Literatur oder besser: den modernen Literaturen, über die es sich, nicht mehr national, erhebt, sodaß man erfährt: Ueber den Sprachen ist die Sprache. Man hat da, in äußerster Weitergetriebenheit einer persönlichen Linie, einen Greisen-Avantgardismus, den man von bestimmten großen Fällen her (Parsifal, Goethe, auch Falstaff) kennt, der aber doch hier und so als ganz neues Vorkommnis wirkt. Dazu pflegen Avantgardisten heute reaktionär zu sein, und Du machst die Ausnahme (Lukács würde vielleicht sagen: ähnlich wie ich als Traditionalist eine Ausnahme mache). Uebrigens fehlt es ja auch bei Dir nicht an Tradition: von Balzac her die grandiose Uebertriebenheit und geniale Aufschneiderei in der politischen Intrige, deren Abenteuerlichkeit doch durchaus *realistisch* und der Zeit angemessen ist. Sehr bösartig und aufregend. Ich denke seither an nichts als »Synarchismus« und an alles, was in diesem Stil noch kommen mag. Wir wollten fragen, ob Du das Wort erfunden hast oder ob die Verschwörung wirklich so hieß und heißt. Ich machte dagegen geltend, daß managerial revolutionaries und Volksverräter des Kapitalismus die Anonymität lieben. – Es ist phantastisch, wie der harte, ja schneidende, klare und doch hintergründige, kühle und überkonzentrierte Essayismus des Vortrags sich lyrisch verklären kann und das Aufregende bewegend wirkt.

Dies sind ein paar halb steckengebliebene, auch wohl vorbeigehende Notizen. Nimm vorlieb! – Wir werden vom 19. bis 22. noch in Zürich sein und fahren mit Schweizer Freunden am 23. im Auto über Basel nach Frankfurt. Große Liebenswürdigkeit des Military Permit Office zu meiner Ueberraschung. Military facilities! Andererseits holen die Russen mich im Auto *von Frankfurt* nach Weimar ab. Nicht zu glauben. Für den 5. August haben wir auf der »New Amsterdam« belegt, hoffen also Mitte des Monats zu Hause zu sein.

Noch einmal, nimm vorlieb!

Herzlich

T.

DOKUMENTATION

Heinrich Mann, Mache
[Die Zukunft, Berlin, 31. 3. 1906, S. 500–502]

Sehr geehrter Herr Harden! Im Berliner Tageblatt, genauer: im
»Zeitgeist« hat Herr Richard Schaukal die »Fiorenza« von Thomas
Mann für »Literatur« und Mache erklärt. Das gab mir zu denken;
nicht über Echtheit oder Fälschung im Drama meines Bruders,
denn ich sehe doch von Hause aus noch etwas tiefer in sein Werk
hinein als sein Kritiker; aber über »Mache« überhaupt und über
die heutige Beliebtheit des Vorwurfes »Mache«.

Es soll vorkommen (ich begreife es nicht), daß ein Autor nichts zu
schreiben hat; daß er in sich selbst nichts entdeckt, was ihn
zwänge, kein Schicksal, das ihm heiß machte. Wozu er dann Dichter geworden ist? Er muß es wissen. Genug: in einiger Sorge geht
er aus, um Anregungen zu suchen. Er braucht nicht lange zu warten; wenn die Leute hören, daß man schreibt, erzählen sie Einem
gern ihr Leben. Ein hinreichend amusantes Problem begegnet ihm
und er nimmt es und macht es. Manchmal hat es schon ein Anderer. Aber man verständigt sich: wenn es sein muß, in barer
Münze.

Oder aber: man hätte wohl aus sich selbst genug zu dichten, muß
aber die Welt gerade mit Dingen beschäftigt sehen, die Einem
nicht widerfahren sind, und trachtet nun rasch, sich anzupassen:
verräth sich selbst und nöthigt sich ins Joch eines unpersönlichen
Zeitgeschmackes. Warum? Auch hier begreife ich nicht. Handelte
es sich noch um Theaterstücke, also um gute Geschäfte! Aber der
Roman hat in fast allen Fällen seinem Pfleger nichts zu bieten,
nicht Geld noch Ruhm: nur die Genugthuung, breit und voll, in
Fluthen, die noch großen Rhythmus haben dürfen, das eigene Leben zu entsenden. Verzichtet er hierauf: was bleibt ihm? Wie? Die
Aeußerlichkeiten der Handlung, Schilderung, Charakteristik, die
nur als Symbol meines Erlebten Reiz für mich haben, sollte ich
zum Selbstzweck machen, in Jahre langer Verbissenheit aus ihnen

eine Pappendeckelwelt erbauen, die mich gar nicht angeht und mir nicht einmal bezahlt werden wird? Glaubt Jemand an so viel Selbstaufopferung? Herr Schaukal, der tüchtige Seelenkenner, traut sie jedem Zweiten zu, mir selbst so gut wie meinem Bruder, Jakob Wassermann so gut wie mir. Mit Strenge verbot er mir das Milieu meiner »Herzogin von Assy«. Denn nur auf den Kreis seiner Herkunft und seines täglichen Umganges hat ein Dichter Rechte. »Wassermann bleibe bei seinen Juden, wie Keller bei seinen Schweizern.«

Diese kindliche Aesthetif ist, wie Jeder sieht, unter der Herrschaft der »Heimathkunst« entstanden, wäre ohne sie mit solcher Unverblümtheit und Naivetät sicher in Niemand zu Stande gekommen. In Herrn Schaukal wäre sies überhaupt nicht; denn das Gute, das er (vor Zeiten) vollbracht hat, sind Umschreibungen von Velazquez-Portraits, Seicentofiguren, Rokokolaunen; feurige Kostbarkeiten, die in österreichischen Landstädtchen nicht heimisch scheinen. Inzwischen hat er sich angepaßt; ihm selbst unmerklich, aus der Sehnsucht seines einfachen Herzens, das unmöglich abseits vom großen Wege schlagen kann. So entsteht ein um Liebe werbendes Buch wie seine »Großmutter«. Es wirbt aus allen Kräften, mit Allem, was Ihr wollt: mit der Wehmuth der »Briefe, die ihn nicht erreichten«, mit der Verträumtheit des »Jörn Uhl«, mit den ewigen Räthseln, die jetzt wieder nirgends fehlen dürfen. Alles ist schwach, aber Alles ist da. Und da es ihm noch neu ist, hat Herr Schaukal nöthig, es sich immer wieder vorzuhalten, sich immer neu zu betheuern, daß nur die Lebensdinge von der Straße, nur das naheliegende Gemüth echt sein können. Jemand bildet Gestalten, die seine leiblichen Augen nie sahen? Mache. Er behauptet, die Melodie jener Fremden sei seine eigene? In ihrem abenteuerlichen Getriebe wirke er selbst? Er habe sie, traumweise, in sich? Literatur, Mache.

Herr Richard Schaukal steht für Viele; drum darf er das Wort führen und sich für einen Kritiker halten. In Wirklichkeit ist ein so unfreier, gegen die Verführungen der Zeit so wehrloser Geist natürlich der Letzte, der zur Kritik taugt. Was man auch manchmal geglaubt haben mag, ist doch der große Kritiker vor Allem eine starke Persönlichkeit. Er gestaltet und behauptet in Denen, die er darstellt, sich selbst: nicht anders als ein Dichter. Bei einer gewissen Verschiebung seines äußeren oder inneren Schicksals wäre er Dichter geworden. Und ausgeschlossen ist, daß er, aus dilettantischem Schöpfertrieb, einen schwachen Roman von sich giebt. »Volupté« ist auf der Könnerhöhe der »Lundis«; und Taine hat Länder und Geschlechter fühlbar gemacht, so gut wie Geistessysteme. Was Herr Richard Schaukal über Andere zu sagen hat, wird immer nur den Persönlichkeitwerth haben, der in seiner »Großmutter« steckt: einen zu dürftigen, kurz bemerkt, um ihn an Thomas Mann zu messen.

Aber nichts macht irr wie eine schlechte Kritik. Wie? Dies Ding, woran nun kein guter Faden bleibt, hat man bewundert? Niemand ist gern die dupe eines Machers. Im Uebrigen lohnt die Frage nicht die Mühe, sich gegen das Urtheil eines doch wohl Sachverständigen zu wehren. Auch erleichtert es, nicht mehr verehren, keine Ueberlegenheit mehr anerkennen zu müssen. Und ganz leicht, ganz anstandslos wird man mit einem Dichter fertig, vor dem doch, zur Zeit der »Buddenbrooks«, Hunderttausend sich verneigt haben. Keinen seiner »Freunde«, seiner »Verehrer« stört es, daß er nun seine Ehrlichkeit verloren haben und zum Macher und »Literaten« geworden sein soll. Keiner antwortet öffentlich den sinnlosen Schmähreden oder verleugnet sie privatim. Glaubt man also wirklich, der Verfasser der »Fiorenza« habe sich mit einem frivolen Willensakt, als gelte es eine Wette, über seinen Stoff hergemacht? Keine Beziehungen beständen? Die gröbsten wenigstens sollte man sehen. In »Buddenbrooks« verfällt eine Bürgerfamilie; und ein Bürger im Niedergang ist Lorenzo Medici. Sie waren Bürger, diese Herzoge, und entarteten als Bürger: nicht wie Rittergeschlechter zu entarten pflegen, mit atavistischen Rückfällen in Mordlust, mit der Jagd als letzter Leidenschaft, bis in die Verblödung. Sie verliefen in sinnliche und sittliche Ueberfeinerung, in Aesthetenthum, in Schwächung des Selbstgefühls, als Folge zu vielfältiger Einsicht. Wirklich: der zum Dichter gewordene Bürgersohn ist daheim im Gemach, wo Lorenzo stirbt. Er weiß um den Kampf, der sich da vollendet, zwischen dem Schönheitanbeter und dem Heiligen. Denn er selbst hat ihn gekämpft: schon in seiner Novelle »Tristan«. Lorenzo ist sein Verfall, Das, was ihn niederzieht; der Prior sein Wille, stark zu werden, Muth zu Ueberzeugungen zu erlangen, kein spielerischer, ein heiliger Künstler zu sein. »Ich rede die Wahrheit, die ich erlitt.« »Ich hasse diese lasterhafte Duldung des Gegentheiles.« Ein Pochen auf sich und eine Forderung an sich. Einen Augenblick, da die Feinde einander verstehen, Einer in den Worten des Anderen, wunderbar mühelos, die Melodie des eigenen Lebens vernimmt, kommt ihr Zwiegespräch auf Leben und Tod zum Einklang und stellt sich als Selbstgespräch heraus. Hier erklärt sich, daß die Beiden ein einziger Mensch sind und daß nichts lyrischer sein kann, nichts der schroffere Gegensatz zum Gemachten als dies Werk. Seine Fehler liegen in seiner Lyrik. Die Künstler, die Vertreter der »Augen- und Schaukunst«, sind mit der Gehässigkeit des Geistes gesehen. Beim Auftreten dieser Hanswurste wird die Zeit, deren bleibender Ausdruck sie doch sind, zu klein. Einer von ihnen bringt Cellinis Lügen noch einmal vor, ein Anderer eine Novelle des Boccaccio; und leicht hätte sich doch etwas im selben Sinn Erfundenes ihnen in den Mund legen lassen. Aber der Lyriker, der am Werk ist, verschmäht es, sich in Sachen zu vertiefen, die nicht sein sind. Den Theil des Blockes, in den er nicht seine ganze Seele hämmern könnte, läßt er lieber unbehauen. Die Renaissance reißt ihn so wenig hin wie ein anderes Zeitalter. Ein Automobilfabrikant mag für die Neuzeit schwärmen, für die Historie ein Trödler. Ein Dichter (so empfindet Dieser) benutzt Menschen, die von Zeitenferne und verehrungwürdigen Namen geweiht werden, um feierlicher das eigene, immer nur das eigene Schicksal zu künden.

Florenz.

Sehr geehrter Herr Mann, ich kenne die Leistung des Herrn kaum, der Ihnen »für Viele steht«; aber ich kenne ein Bischen das Gefühl Eines, der erwartet, von irgendwo her werde doch, müsse der sinnlosesten Schmährede die Antwort folgen; und der vergebens wartet. Denn noch immer ist die Macht des gedruckten Wortes so groß, daß Wenige sich dawider aufzulehnen wagen. Wäre der Mann auf der Straße überfallen worden! Aber so. Und am Ende macht er sich gar nichts draus; hält es vielleicht für gute Reklame. Jedenfalls gebietet die Vorsicht, zunächst mal abzuwarten, wie der Handel ausgehen wird; möglich, daß der gestern Gefeierte morgen am Boden liegt: und dann will man doch bei der *victrix causa* stehen. Zur Menschenbewunderung erzieht solches Erleben nicht. Doch Ihr Bruder kanns ertragen. Er hat den »Tristan« und die »Buddenbrooks« geschrieben.

Heinrich Mann, Der Tod in Venedig.
Novelle von Thomas Mann
[März, Jg. 7, H. 13, München 1913, S. 478-479]

Was ist früher, Wirklichkeit oder Gedicht? Wenden nicht die Dinge sich so, wie der Sinn der literarischen Kunst es verlangt? Als Zola seine große Gesellschaftsgeschichte des zweiten Kaiserreiches nur erst entworfen hatte, das Land die Jagdbeute von Abenteurern, die Orgien der Gier, die Feerieen der Spekulation, ein nie wieder erhörter, hemmungsloser Höhenrausch der bourgeoisen Kultur samt ihrem Hinabrasen durch jenen Schlamm von Gold, Geschlecht, Schande und Blut bis zum Zusammenbruch, bis zum geistgewollten, von der Logik eines Buches gewollten Zusammenbruch des Regimes: – da brach es wirklich zusammen. Wer hätte es geahnt. Noch gestern herrschte es über Paris und die Welt.

So würde das Schicksal dessen, der Gustav Aschenbach heißt, sich nicht haben vollenden können, wäre nicht eine ganze Stadt ihm gefügig gewesen. Es handelt sich nicht um Einwirkung des Milieus. Es liegt vielmehr so, daß Abenteuer einer Seele auf dem Wege sind, und daß irgendwo das Abenteuer einer Außenwelt ausbricht, wie gerufen von jenem Einzelschicksal, und sich ihm verschränkt. Die Stadt Venedig, von der unheimlichen Krankheit befallen, und ein seltener Mensch an der letzten, gefährlichsten Wendung seines Erlebens, sie rufen einander. Solange er sicher ging, ein großer Arbeiter war, strenggeistig und Bildner der Erkenntnis, was konnte die Courtisane unter den Städten ihm mehr sein, als das gleichgültige Vergnügen seiner Ruhepausen. Auf seinem rauhen Bergsitz schrieb ein Mann zwischen vierzig und fünfzig, vereinsamt in der Zucht des Geistes und den Verbindlichkeiten des Ruhmes, an den Werken seiner Reife, dem »Friedrich von Preußen«, der Gustav Aschenbach zum Dichter der Nation machte, dem »Elenden«, durch den er dem neuen Geschlecht einen Weg wies, jenseits von schwächender Erkenntnis zur neuen Unbefangenheit und sittlichen Tatkraft. Die Bücher gingen hinaus, eroberten, wirkten; und was zurückkam in das Zimmer des auf sich selbst Gestellten, waren die täglichen Beweise menschlichen Vertrauens, die Werbungen um ein Wort der Führung, alle Zeugnisse ernster öffentlicher Geltung und endlich auch die Auszeichnungen der Staatsgewalt, da ja sie das letzte sind, worauf die Geister dieses Landes rechnen dürfen. Gustav von Aschenbach ist amtlich geadelt worden, nachdem er, dem Zigeunertum und der amoralistischen Neugier der Erkenntnis entwachsen, adelig geworden war durch die Würde des Geistes... Welcher dunkle Irrweg ist denkbar von hier zum Abgrund, zur inneren Schande, der man nicht mehr widerstrebt, zum Untergang in Selbstvergessenheit? Nur der, auf dem die Schönheit vorangeht! Aber sie geht immer, auf guten und schlimmen Wegen, dem Künstler voran. Einzig durch sie gelangt der Sinnliche zum Geist und seinem Adel. Und in einer Stunde der Ermattung, des versagenden Selbstschutzes und vielleicht der Lebensangst des Alternden, kann sie ihn ins Schrankenlose reißen, kann den Kultus der Form zum Rausch und zur Begierde entfachen und die gedankenschwere Empfindung zum wilden Gefühlsfrevel. Schönheit verwöhnt ihren Anbeter durch überhohes Lebensgefühl; eben darum ist er »dem Tode schon anheimgegeben«. Dem Tod in Venedig. Der Tag wird kommen, da ein Meister, ein Hort edler Form, Vorbild der Jugend und Sprecher der Nation, vernichtet dasitzt am Rande eines begrasten Brunnens, inmitten jenes verfallenen Platzes zu Venedig, und von dem lauen Karbolhauch der erkrankten Stadt umspült, mit geschminkten Lippen verkommene, schöne Worte richtet an den Knaben, den er begehrt.

Dieser hier hat verspielt, was ihm das wünschenswerteste schien: ein fruchtbares Alter, das Künstlertum der letzten Lebensstufe, der Weisheit, der Vollendung. Er wird nicht mehr schreiben; er wird nicht die Warte des Greisentums ersteigen, auf der ein Werk und ein Leben erst wahrhaft umfassend – und auf der es kalt wird. Seine Jahre werden verkürzt, die Stunden seines Ausgangs zerrüttet und bezaubert sein von regellosem Gefühlsdrang. Und so werden sie menschlich sein, werden ihn durch Liebe, eine wortlose, unerfüllbare Liebe aus seiner hohen Einsamkeit noch einmal unverhofft erlösen, und seine letzten Herzensschläge werden ihm die Brust schwellen, als seien es seine jüngsten. Sollte er bereuen? Er fragt es sich nicht einmal. Um ihn her die Stadt ist krank, und wie die Courtisane, die sie ist, verheimlicht sie es aus Geldgier. Sie ist die Schönheit, die verlockt und mordet. Aus weiter Ferne, durch Traumgesichte und rätselhafte Sendboten in unbestimmten Masken des Todes hat sie einen Menschen hergezogen, der reif war, an ihrer Brust zu sterben. Die süße und verdächtige Schwüle ihrer Luft, die seligen Farben ihrer Fäule, ihre wollüstige Verderbnis: dies ist Gleichnis und brüderliches Schicksal. Eine Seele mischt ihr Erlebnis, ihr buntes letztes, in das einer Außenwelt, und durch das Zusammenspiel von beider Lust und Ängsten entstehen Vorgänge von großer Tiefe und Bedeutsamkeit, verhaltenen Atems, doch erfüllt mit Stimmen, den Stimmen der Sturmvögel, der Pest, der süßen Menschengestalt, und den Stimmen der Hoheit und des Falles. Sie hallen durch eine Stadt und eine Seele: hallen und verhallen in den Tod, den Tod in Venedig.

Thomas Mann zu Heinrich Manns Roman ›Der Kopf‹ (1925)
German Letter VI
[The Dial, Jg. 79, Nr. 4, Camden N. J.,
Oktober 1925, S. 333–338]

Ich bedaure, dem ›Dial‹ Grund gegeben zu haben, sich über die Saumseligkeit seines deutschen Mitarbeiters zu beklagen. Seit ich zuletzt die Ehre hatte, von unseren höheren Angelegenheiten zu berichten, sind mehr Monate verflossen, als im Interesse der Diskretion und einer würdevollen Zurückhaltung unbedingt erforderlich gewesen wäre. Ich bitte um Entschuldigung: Es gab zuviel Arbeit zu Hause, und auch auf Reisen befand Ihr Korrespondent sich mehr, als der Entstehung wohlgesetzter Artikel dienlich ist, – teils zu seinem Vergnügen und zu seiner Belehrung, teils aber im Dienste der Repräsentation und der guten, wichtigen Sache allgemein europäischen Kontaktes und Austausches, zum Beispiel in Florenz, in Wien...
Von Florenz nur soviel, daß es dort eine »Internationale Kulturwoche« gab, die wesentlich als eine von Italien, England, Frankreich und Deutschland beschickte, in verschiedenen nationalen Pavillons angeordnete Ausstellung schöner Bücher in Erscheinung trat. Ein edler Wettstreit, der der kunstgewerblichen Verherrlichung des hohen geistigen Werkes fiktiven oder betrachtenden Charakters gilt! Ich darf melden, daß mein Land auf ehrenvolle Weise dabei seinen Mann gestanden hat. Alle bedeutenden Ver-

lagsanstalten des Reiches hatten sich beeifert, ihr Bestes und Kostbarstes vorzuweisen, mit Luxusdrucken und gepflegten Gesamtausgaben zu glänzen, und wirklich boten sich in unserer Abteilung so viele Beispiele gediegenen Geschmacks, der, weniger konservativ als der französische und englische, doch weit entfernt bleibt, das Exzentrische zu streifen, daß sich bei den anderen Nationen die Neigung zeigte, dem deutschen Buchgewerbe die Palme zu reichen. Auch mit Vorträgen war die Ausstellung verbunden, und sie fanden nicht nur die Aufmerksamkeit der verschiedenen nationalen Kolonien, sondern erfreulicher Weise auch diejenige des italienischen Publikums. Ihr Korrespondent hatte dabei mit einer wissenschaftlichen Koryphäe ersten Ranges und einem Redner hoher Gnade, dem berühmten Altphilologen und Übersetzer antiker Tragiker, Exzellenz von Wilamowitz-Moellendorff, in ehrenvolle Konkurrenz zu treten.

Um auf Wien zu kommen, so war ich dort Gast des PEN-Clubs, wie vor einem Jahr in London. Sie haben von diesem Club gehört? Er ist eine englische Gründung und den vernünftigsten Absichten entsprungen, denn er vereinigt Männer und Frauen, die es mit unserem armen, alten, romantisch-unvernünftigen Erdteil redlich meinen und darauf bedacht sind, wenigstens in geistiger Sphäre gute internationale Kameradschaft zu halten. Seine Mitglieder sind »Publishers, Editors and Novellists«, drei Wörter, deren Anfangsbuchstaben amüsanter Weise das Wort »pen« ergeben. Der Club hat heute außer in London Organisationen in Paris, Brüssel, Wien und Berlin, und ich meine, er sollte nach Amerika übergreifen. Er könnte ein Mittel werden, wohl gar auf persönlichem Wege mehr von einander zu erfahren, einander besser kennenzulernen, denn in der Tat wissen wir in Deutschland nicht allzuviel vom zeitgenössischen amerikanischen Geistesleben, und wenn nicht der ›Dial‹ wäre, so wüßten wir noch weniger. In London steht an der Spitze der Vereinigung John Galsworthy; in Wien präsidiert Arthur Schnitzler, ein Name, so wohl bekannt jenseits des Ozeans. Ich hatte die Freude, an der Seite dieses liebenswürdigen Mannes und außerordentlichen Künstlers zu Tische zu sitzen, während gleichzeitig mein Bruder Heinrich das deutsche Element auf dem internationalen Kongreß des Clubs in Paris vertrat . . .

Hiervon ist mehr zu erzählen. Tatsächlich hatten im Schoße der

Berliner Organisation Zweifel bestanden, ob die nationale Rücksicht es erlaube, Delegierte nach Paris zu entsenden. Eine Opposition war am Werk gewesen, zu deren Überwindung nach Kräften beigetragen zu haben, Ihr Korrespondent sich rühmen darf. Die Wirkung war die glücklichste. Nicht nur, daß die Ansprache Heinrich Manns, die der Schüler Stendhals und Zola's auf Französisch zu halten Courtoisie genug besaß, mit demonstrativem Beifall aufgenommen wurde, sondern es wurde auch als nächste Kongreßstadt *Berlin* mit großer Stimmenmehrheit erwählt, obgleich die Belgier für Brüssel plädiert hatten. Das ist eine freundliche Quittung, und es ist zu erwarten, daß der französische Redner in unserer Hauptstadt deutsch zu reden sich bemühen wird.

Arthur Schnitzler und Heinrich Mann stehen augenblicklich kraft bedeutender neuer Werke wieder im Vordergrund des literarischen Interesses. Ich möchte annehmen, daß die englisch-amerikanische Übersetzung von ›Fräulein Else‹ schon in Arbeit ist. Wenn nicht, so sollte schleunig damit begonnen werden; es ist kein Zweifel, daß die Geschichte drüben so stark unterhalten und ergreifen wird, wie sie es hier getan. Dieser Sechziger beschämt durch packende Konzentriertheit eine ganze Generation, deren affichierter Ehrgeiz sich in dieser Richtung bewegt. Sein neues Werk umfaßt wenig mehr als hundert Seiten und ist eine Art Monodram, das unter virtuoser Verzichtleistung auf alle eigentlich erzählerischen Mittel nichts als die inneren Erlebnisse eines jungen Mädchens gibt, welches, durch den Konflikt ihrer Reinheit mit einer sittenlos begehrlichen Umwelt in höchste Seelennot gerissen, einen schweren psychischen Schock erleidet und sich mit Veronal tötet. Der äußere Schauplatz ist ein mondäner Höhenkurort, und alles Objektive, ein ganzes Gesellschaftsgemälde, spiegelt sich nur in dem fortlaufenden inneren Monolog der Heldin, bei dessen Führung Schnitzler beweist, daß er dramatischer ist, wenn er Novellen schreibt, als andere, wenn sie es mit dem Drama aufnehmen. ›Fräulein Else‹ ist einer der größten Bucherfolge der letzten Jahre.

Der neue Roman von Heinrich Mann, betitelt ›Der Kopf‹, eröffnet im Gegensatz zu der moralischen Intimität der Schnitzler'schen Gabe, einen weiten historisch-politischen Horizont. Er ist die Arbeit vieler Jahre, ein figuren- und schicksalreiches Werk, dabei der

dritte Teil nur, wenn auch ein durchaus geschlossener und selb-
ständiger Teil, einer epischen Trilogie, die den Generaltitel ›Das
Kaiserreich. Die Romane der deutschen Gesellschaft im Zeitalter
Wilhelms II.‹ führt, und deren andere beiden Stücke der weltbe-
rühmte ›Untertan‹ (Roman des Bürgertums) und ›Die Armen‹
(Roman des Proletariats) bilden. Dies nun ist der Roman der *Führer*, und ich urteile vollkommen objektiv, wenn ich sage, daß er
nicht nur der überragende Höhepunkt dieser gesellschaftskriti-
schen Serie, in Wahrheit eine mächtige künstlerische Steigerung
innerhalb ihrer bedeutet, sondern zu den absolut schönsten und
stärksten Leistungen dieses glänzenden, im höchsten Sinn sensa-
tionellen Schriftstellers gehört: er rangiert für mich mit seinen
Meisterstücken, der ›Kleinen Stadt‹ und dem ›Professor Unrat‹.
Von allen deutschen Dichtern ist Heinrich Mann der sozialste, der
Mann eines gesellschaftlich-politischen Impulses, wie er in west-
europäischer und zumal lateinischer Sphäre nichts Ungewöhnliches, bei uns aber etwas Unerhörtes ist, – wenn auch dank schwerer Schicksalszüchtigungen, die über uns gekommen, etwas sehr
Zeitgemäßes. Es sind metaphysische, moralische, pädagogische,
kurz innermenschliche Motive und Interessen, die uns anderen am
Herzen liegen: der Erziehungs-, der Entwicklungs- und Bekennt-
nisroman war immer die spezifisch deutsche Spielart dieser literarischen Kunstgattung. Bei diesem Autor fast allein, und verbunden
mit soviel künstlerischem Glanz nur bei ihm, trug das moralische
Element von Anbeginn nicht das Gepräge »innerweltlicher As-
kese«, um sich eines religionsphilosophischen Terminus zu bedienen, sondern dasjenige der politisch-sozialkritischen Ausdehnung.
Er ist es, der, als wir noch im Glanze lebten, an der ideellen Stagnation unseres Staatslebens am tiefsten gelitten und unsere Führer in
literarischen Manifesten, deren fulminante Ungerechtigkeit dennoch einem höheren Rechte entsprang, vor das Forum des Geistes
gezogen hat. Er hat den Zusammenbruch des kaiserlichen Deutschland am Ende seines wütend karikaturistischen Romanes vom deutschen ›Untertan‹ symbolisch prophezeit. Und er erzählt nun, in
freier künstlerischer Gestaltung, die Geschichte dieses Unterganges, erzählt sie in einer Prosadichtung, die nicht mehr und nicht
weniger vorstellt als ein deutsches Gegenstück zu ›La débâcle‹.
Es ist das Buch eines Vierundfünfzigjährigen, Gereiften, Gemilder-

ten, das, weit entfernt von der rasenden Satire seiner Vorgänger, gerechter nach allen Seiten und menschlich durchwärmt ist, – wie denn die besondere dichterische Gabe dieses Schriftstellers darin besteht, das Poetisch-Menschliche aus dem Gesellschaftlichen so erwachsen zu lassen, daß jenes von diesem erhoben und bedeutend gemacht, dieses aber von jenem beseelt und poetisiert wird. Es ist großartig, wie hier das individuelle Schicksal in die Tragödie der Zeit hineinwächst, und wie, zugleich mit der Entfaltung des Romans aus provinzieller Intimität ins Europäische seine künstlerische Instrumentierung, sein Pathos sich steigert. Ich bedaure, daß der Raum mir nicht gestattet, eine wirkliche Analyse und Beschreibung des außerordentlichen Buches zu geben, aber es wäre wahrhaft zu wünschen, daß die Teilnahme daran sich nicht auf das Land seiner Entstehung beschränkte. Das dichterisch Schönste darin ist die Geschichte der Freundschaft zweier Männer, deren sich überkreuzende Schicksale getränkt sind mit der Melancholie des Widerstreits von Idee und menschlicher Unzulänglichkeit. Wilhelm dem Zweiten selbst sind ein paar glänzende Szenen gegeben, in denen die Hysterie und gefährliche Halbgenialität des pompösen und beklagenswerten Repräsentanten vollkommen gekennzeichnet sind. Sie spielen sich ab in dem Hause des Fürsten Lanas, einer Figur, die, gestaltet in freier Anlehnung an die Erscheinung des Fürsten von Bülow, kraft ihrer Klugheit und Geistnähe, kraft einer zugeständnisvollen Schmiegsamkeit aber auch, die letzten Endes unfähig bleibt, dem Bösen wahrhaft zu begegnen, zur bedeutendsten des Buches erwachsen ist.

Der Roman – wie man nun prinzipiell über ästhetische Rangordnungen denken möge – ist diejenige literarische Kunstform, in der das plastische und das kritische, das dichterische und das schriftstellerische, das »naive« und das »sentimentalische« Element einander am leichtesten und glücklichsten durchdringen. Kein Wunder, daß in dieser aufgewühlten und geistig bedürftigen Zeit die Prosaepopöe zur eigentlich modernen, zur herrschenden Dichtungsform geworden ist, – selbst in Deutschland, wo aus theoretischen Gründen und dank der praktischen Propaganda, die ein paar feierlichsieghafte theatralische Genien, Schiller und Wagner, für das Drama gemacht haben, bis vor kurzem dieses als die Krone der Dichtkunst galt. Die gesellschaftlichen, moralischen, allgemein geistigen Erschütterungen, denen wir ausgesetzt waren, haben bewirkt, daß heute bei uns ein Romandichter im öffentlichen Interesse eine Stellung einnehmen kann, wie sie bis vor kurzem nur dem Dramatiker vorbehalten war. Als ich vor dem Kriege, im ›Tod in Venedig‹, solche nationale Größe eines Prosaisten antizipierend beschrieb, bedeutete man mir, das sei unglaubwürdig; nie könne der Romanschreiber, »der Halbbruder des Dichters«, wie Schiller sagt, in Deutschland eines solchen Ehrenstandes teilhaftig werden wie dieser Gustav von Aschenbach. Heute ist diese Möglichkeit vollkommen vorhanden, als Begleiterscheinung faktischer, wenn auch nicht gewünschter und nicht anerkannter Demokratie. Der Roman dominiert, – zumal denn auch die Produktion auf diesem Gebiet die dramatische an Bedeutung ganz einfach übertrifft. Einem Roman wie dem ›Kopf‹ – und ich wage es sachlich, sein brüderliches Gegenstück, den »Zauberberg‹ mitzunennen –, den großen Büchern Alfred Döblins ferner, von denen hier noch nicht geredet zu haben ich mir zum Vorwurf machen muß, ist kein gleichzeitiges theatralisches Produkt seiner Konzeption und Wirkung nach an die Seite zu stellen.

Die Verleger sind weit entfernt, die Konjunktur zu verkennen. Sie greifen in die Vergangenheit zurück, um dem Zeitbedürfnis vollauf gerecht zu werden, den Triumph des Epos zu vervollständigen. Die gesammelten Werke Balzacs, in mehreren Übersetzungen, erleben eine Auflage nach der anderen. Jetzt ist eine Bücherreihe im Erscheinen begriffen, auf die ich namentlich zu sprechen kommen wollte: betitelt ›Epikon, eine Sammlung klassischer Romane‹, bestehend aus dreißig Werken der Weltliteratur, ein wahres episches Pantheon also, worin der Verleger, Paul List in Leipzig, »alles zusammenfassen will, was die Romanliteratur des letzten Jahrhunderts an Großem und Bleibendem aus dem Erleben der Menschheit geschaffen hat«. Die Auswahl, getroffen von einem jungen österreichischen Dichter namens E. A. Rheinhardt, ist vortrefflich. Von deutschen Autoren sind Immermann, Jean Paul, Goethe, Keller und Stifter vertreten, von Engländern Meredith, Dickens, Thackeray, Fielding, Defoe, von Franzosen Stendhal, Balzac, Flaubert und Hugo, von Russen Turgenjew, Tolstoi, Gogol, Gontscharow, von Italienern Manzoni und Fogazzaro, und es fehlen weder der ›Don Quijote‹ noch ›Nils Lyhne‹ noch etwa der unsterbliche ›Ulenspiegel‹ des de Coster. Die Übersetzer sind sorgfältig gewählt, ihre Leistungen außerordentlich. Schriftsteller vom Range eines Gerhart Hauptmann, Hermann Hesse, Hugo von Hofmannsthal, Rudolf Kaßner, eines Grafen Hermann Keyserling, Heinrich Mann, Rudolf Borchardt und Jakob Wassermann haben sich in den Dienst der Sache gestellt, indem sie die einzelnen Werke mit Vor- oder Nachworten versehen. Ihrem Korrespondenten selbst wurde der beklemmende, aber herrliche Auftrag zuteil, die ›Wahlverwandtschaften‹ Goethe's einzuleiten, und er berichtet davon aus persönlichem Vergnügen, das aber des überpersönlichen Rechtes nicht entbehrt. Man darf diese Sammlung auch dem Auslande rühmen. Sie ist ein schönes Denkmal weltliterarischer Umsicht nach Goethe's Herzen. Ihre Ausstattung ist einfach und nobel; sie besteht in flexiblen Leinen-Einbänden, die das Ergebnis eines besonderen Preisausschreibens sind, in einer schönen Antiqua-Schrift und einem undurchschlägigen Dünndruckpapier, das es möglich macht, Werke von tausend und noch mehr Seiten in einen handlichen Band zusammenzudrängen.

In aller Kürze will ich zum Schlusse noch Nachricht geben von einer so kuriosen wie eindrucksvollen Publikation, die etwas für Amerikaner sein dürfte. Seit einigen Tagen hüte ich einen Hort: Es ist die wirkliche und wahre Handschrift der Orchester-Partitur von Wagners ›Tristan und Isolde‹! Man hat sie mir zum Geburtstag geschenkt; alltäglich halte ich meine Andacht davor. Ich will nicht sagen, daß es die eigentliche und einzige Original-Partitur dieser hochentwickelten Oper ist, – die liegt in Bayreuth. Aber es ist, im allerprächtigsten Einband und hergestellt mit den Mitteln der raffiniertesten Technik, ein so vollkommenes Faksimile von Wagners minutiös-kolossalischem Manuskript, daß es keiner Phantasie bedarf, um die Einmaligkeit und Originalität zwanglos auf sich beruhen zu lassen und sich im verwirrenden Besitz von etwas Heiligem zu fühlen. Diese weitläufigen Massen reinlicher Runen bedeuten und bezeichnen ein Letztes, Höchstes und Geliebtestes, wovon Nietzsche für uns alle Abschied ohne Ende genommen hat, einen Abschied bis in den Tod: eine Welt, die allzusehr zu lieben, uns heutigen Deutschen von Gewissens wegen verboten ist. Es ist der Gipfel und die Erfüllung der Romantik, ihre äußerste künstlerische Expansion, der Imperialismus welterobernder Todestrunkenheit, – nicht zuträglich der europäischen Seele, welche dem Leben und der Vernunft zu retten ein hartes Stück Arbeit und eine Sache jener Selbstüberwindung ist, die Nietzsche heroisch-beispielhaft bewährte. Nie klaffte, für denjenigen wenigstens, der noch geboren ist, jene Welt zu lieben (denn die Jugend weiß kaum noch etwas davon), der Gegensatz ästhetischen Zaubers und ethischer Verantwortung tiefer als heute. Erkennen wir ihn als Ursprung der Ironie! Unsere Lebensfreundschaft ist es, die sich ironisch gegen die Faszination des Todes wehrt; aber unentschieden bleibt uns künstlerischer Weise, ob nicht jene Ironie, die sich gegen das Leben, die Tugend wendet und die Reize verbotener Liebe zu schätzen weiß, die tiefere, ja die religiösere ist. In diesem Sinne geschieht es, daß wir die Simili-Original-Partitur des ›Tristan‹ feierlich zu schwermutsvoll-ironischem Kult in unserem Arbeitszimmer aufbauen.

Der Drei-Masken-Verlag in München ist der Spezialist dieser erstaunlichen Ausgaben. Die Nachbildung des ›Meistersinger‹-Manuskripts ist der des ›Tristan‹ vorangegangen, diejenige des ›Parsifal‹ ist im Begriffe, ihr zu folgen.

Thomas Mann, Anmerkung zur ›Grossen Sache‹
[Die Literarische Welt, Jg. 6, Nr. 50,
Berlin, Dezember 1930, S. 1 f.]

Wir leben von Reizen, und die Kunst ist unter den lebenerregenden, lebenerhöhenden Kräften die stärkste, weil ihre Reizsendungen geistig-sinnlicher Art sind, das Gesamtsystem des Lebens treffen und erregen. ›Reiz‹ ist ein biologischer Begriff erster Ordnung und geheimnisvoll doppeldeutig in bezug auf das Leben, zu dem er wahrscheinlich nicht erst in einem aufrufenden und aktivierenden, sondern zugleich schon in einem hervorrufenden, organzeugenden, schöpferischen Verhältnis steht, – doppeldeutig auch in seiner Beziehung auf Lust und Unlust, zu denen er sich indifferent verhält und deren fließende Grenze sich individuell nach Dauer und Grad des Reizes bestimmt. Hier unterscheidet der Kunstreiz sich nicht von irgendeinem physiologischen. Er kennt eine Dauer-Intensität, die äußerst schmerzhaft und nach ihrer

Wirkung von allem Behagen so weit entfernt ist, daß, – gesetzt, es handle sich um Epik, – eine Art von Widerspruch zwischen dieser Wirkung und dem Wesen der Kunstform entsteht; denn wir sind gewohnt, mit der Idee des Epischen die einer gewissen Behaglichkeit und Güte, um nicht zu sagen: Gutmütigkeit zu verbinden.

Der neue Roman von Heinrich Mann, ›Die große Sache‹, ist – aber es war immer so bei diesem großen Künstler – in einem Grade reizgeladen und reizüberladen, daß die Lust, die er bereitet, jeden Augenblick im Begriffe ist, zur Pein zu werden; seine Lektüre tut weh – desto schlimmer also, daß es eine hinreißende Lektüre ist. Wirklich, kehrt man von ihr zu irgendwelcher anderen Erzählung von moderner Merkwürdigkeit zurück, in der man sich vielleicht zu seinen Ehren unterbrach, zu Hemingway, Hamsun oder auch Döblin, so spürt man das Nachlassen der Reizspannung, unter der man eine Weile, fliegenden Atems, gelächtervoll, peinvoll, bewunderungsvoll, gelebt hat: Es geht mäßiger zu, bei aller Verwegenheit, beschaulicher, epischer im friedlich ausgebreiteten, wohlignarrativen Sinne des Wortes; selbst Döblin, der doch für einen sehr radikalen Schriftsteller gilt, selbst sein ›Alexanderplatz‹, an den ›Die große Sache‹ jargonweise zuweilen erinnert, wirkt gutmütig in diesem Vergleich, – wobei es sich selbstverständlich nicht um ein Mehr an menschlichgeistiger, sozusagen persönlicher Güte handelt. Welche überlegene und wissende Vatergüte in der Figur dieses sonderbaren alten Magiers und Mystifikators von Oberingenieur namens Birk, der in jeder Beziehung die Seele und treibende Kraft des Buches ist, und hinter dessen Maske – ein wenig – des sechzigjährigen Dichters Antlitz sich verbirgt! Welches Vibrato von Güte in den Worten, die er, ein Sterbender schon, »über die Freude nachsinnend«, den jungen Leuten inständig zudenkt: »Lernt euch freuen. Die große Sache existiert nicht, die erfindet man. Wirklich sind eure Herzen, – die noch gesund sind!« Es ist schon biblisch-weihnachtlich. »Und abermals sage ich: Freuet euch!« Es ist übrigens viel verlangt, – auf Seite 404 eines überwahrheitsgetreuen Hexensabbaths von mörderischer Geschäftswut, naßkalter Existenzangst und purzelbaumschlagender Schurkerei. Aber die Geistesgüte, die sich hier – und nicht nur hier – zu den Zwanzigjährigen, zu ihrer Angst und Keßheit neigt, ist etwas anderes, als das, was man epische Güte nennen würde.

Diese fehlt. Schon das Tempo des Romans ist erbarmungslos und läßt nicht zu Atem kommen; an ein Sichlosmachen vom Lesen ist nicht zu denken; gereizt und gebannt von einem Stil, der an edler Schmissigkeit nicht seinesgleichen hat, einer Mischung aus Saloppheit und Glanz, Tages-Argot und intellektueller Hochspannung, wird man von Wirbel zu Wirbel gerissen und landet betäubt vom Drunter und Drüber leidenschaftlich-burlesker Abenteuer und krasser Travestieen, erschöpft vor Lachen über ihre vornehme Unwahrscheinlichkeit und zu Tränen ergiffen von Geistesgüte.

Auch sie, diese Güte, hat gespannten Glanz, der strengste Reiz kommt von ihr. Ich liebe sie brüderlich; aber vielleicht sind die Reize letzter Skurrilität und hochparodischen Ulks, von denen das Werk mit einem gefährlichen Knistern sprüht, noch mehr danach angetan, brüderliche Erinnerung und Rührung in mir zu wecken. Da ist zum Beispiel Mörder Mulle – dieser selbst betitelte sich so. »Ich bin Mörder Mulle, stellte er sich stolz den Leuten vor.« – Als wir jung waren, malten wir unserer Schwester ein blödsinniges Bilderbuch mit Erläuterungen wie: »Die Ermordung des Regierungsbeamten Hagemann durch den Raubmörder Georg Schandpfahl. Der Täter betritt das Zimmer des schlafenden Opfers.« Davon hat Mörder Mulle viel und nicht nur er... Die Körper altern und man wächst in den Ernst für eine oder die andere große Sache. Auch bringt eine Lehre wie »Freuet euch!« nur das Alter fertig, und die Jungen stehen etwas verlegen. Mörder Mulle aber lehrt, daß wir im Grunde geblieben sind, die wir waren: zum Ulk gestimmt über das Heiligste, – denn was wäre heiliger im Ursinne des Wortes als der Mord?

»Das ist mein Opfer«, sagt Mulle und zeigt auf den daliegenden Schattich, einen unglaublichen Generaldirektor und ehemaligen Reichskanzler. »Gleich kommt die Olle dran, ich bin der nachweislich jüngste Doppelmörder«, behauptet er vorweg, »ich schlage den Rekord. Sind Herren von der Presse da?« Mord, Rekord und Presse. Dahin ist es mit dem Urheiligen, dem Morde, gekommen, unter dem zersetzenden Einfluß der Zivilisation, daß sein erster Gedanke die Presse ist. Wie gefällt euch die Bitterkeit, ihr Konservativen? Hättet Ihr sie erwartet von dieser Seite? Sie verbindet sich jedoch mit der Verulkung auch des Urphänomens in der Person Mörder Mulles, die denn freilich doch durch gehaltvolle Anzüglichkeit ihren jugendlichen Vorgänger im Bilderbuch tief in Schatten stellt. »Wieso machen Sie das ganze Theater?« fragt man ihn. Er antwortet: »Und mein Erbe ist gar nichts? Ich bin sein Sohn, er hat meine Mutter enteignet und mich enterbt, das ist ein Dolchstoß in den Rücken der bestehenden Gesellschaftsordnung. « Die nationale Zeitungsphrase gehört zu Mörder Mulles Rotwelsch, und er stellt sie in den Dienst seiner Verehrung für die bestehende Gesellschaftsordnung, – auf welche immerhin ein zweifelhaftes Licht fällt durch solche Parteigängerschaft. Wie soll ein geradsinniger Konservativismus sich daraus vernehmen?

Verwirrung gibt es auch sonst. Der Roman, der seinem Gattungsnamen durch ausgelassenste ›Handlung‹ auf eine fast atavistische Weise Ehre macht, weist einen magisch-okkulten Einschlag auf, der zu denken gibt. Jener Oberingenieur Birk, krank infolge eines Unglücksfalles, aber man weiß nicht recht, wie, wie sehr und ob überhaupt, bringt es dahin, aus sich herauszugehen und mit mühsamer Geisterhand in die Geschehnisse einzugreifen, wo sie am turbulentesten sind, während sein Körper im Krankenhaus liegt. Seine Tochter – die eine, es sind zwei, sehr liebevoll modellierte Frauengestalten – wird am Telephon kraft eines technisch-parapsychologischen Vorgangs auf hellseherische Weise an den großen Sportpalast angeschlossen, wo eben in Gegenwart wichtiger Personen ein sensationeller Boxmatch vonstatten geht – eine Massenszene von grotesker Kraft und Komik übrigens, wohl die lebensvollste des Buches, an der also Margo mit Augen und Ohren teilnimmt, als sei sie nicht ganz woanders. Wie vertragen sich solche Wunder mit dem rational-humanitären Ruf des Autors? Müßte er nicht fürchten, durch Zulassung des Außervernünftigen dem Bösen, wie er es versteht, Tür und Tor zu öffnen? Handelt es sich um einfallenden Altersmystizismus? Um Konnivenz gegen den Modehaß der Zeit auf alles was ratio heißt, – einen Haß, von dem er doch wohl weiß, daß er seine politische Seite hat? Wir müssen Unzuverlässigkeit feststellen, Dichter-Unzuverlässigkeit in Dingen der humanitas, eine skeptische Waghalsigkeit, die auf der gediegen anti-humanen Gegenseite – und das ist ihre Stärke – durchaus unbekannt ist. Verdient die Freiheit den Namen eines Prinzips? Lange Zeit nicht; bis zum äußersten nicht. Und erst ganz zuletzt plötzlich: ja.

Was ist ›Die große Sache‹? Der Titel ist dem Geschäftsjargon entnommen, die große Sache ist eine Millionenangelegenheit, die jeder an sich zu bringen sucht, eine Mystifikation übrigens, Birks
»Erfindung«. Zuweilen ist sie die Liebe, zuletzt der Tod. Aber
ganz zuletzt und schon außerhalb des Buches ist sie die Freiheit,
unendliche Kritik, der Geist selbst, in Kunst vermummt und in das
gegen seine eigene Unglaublichkeit gleichgültige Abenteuer. Das
Verhältnis des Autors zu der Welt, die er in verzweifelten und
unverantwortlichen Späßen wirbeln läßt, ist bedenkenswert. Dieser Gesellschaftsphantast, der zugleich ein Gesellschaftsprophet
ist, hat es erlebt, daß die Zeit sich seinem durchaus sozial und
politisch orientierten Talent fügte. Natürlich haßt er den Krieg;
aber er müßte ihm dankbar sein für das, was er aus Deutschland
gemacht, dafür, daß er es wider alles Erwarten aus der autoritären
Starre gelöst, in Fluß gebracht, republikanisiert, die demokratische Heimsuchung, die Beteiligung aller am Staatsschicksal bewirkt hat. Krisis, Umschichtung, soziales Abenteuer, Politisierung bis ins Mark – es fehlt nicht an Leben in der Bude, und der
Gesellschaftsromancier ist in seinem Element. Er, der dies wollte
und sah, als wir es höchstens sahen, aber nicht zu wollen wagten,
will es, eben weil es sich erfüllt hat, so unbedingt nicht mehr. Den
Jungen, in all dies Hineingeborenen sagt er: »Wirklich sind nur
eure Herzen – die noch gesund sind.« Der Satz ist es wert, von
einem politischen »Hört, hört!« begleitet zu werden. Es ist ein
Führersatz und bedeutet ein Einlenken, eine Wendung. Das Herz,
die »Freude«, das ist ja das Individuum. Wer hätte es gedacht. Die
große Sache – das Herz. Wie abhängig ist die Wahrheit von ihrem
Augenblick!
Was die republikanische Gesellschaft betrifft, so könnte kein Todfeind der Freiheit mehr Hohn über sie ausschütten und sie klamaukhafter darstellen, als es in diesem Roman geschieht. Wer
soll's denn auch leisten, wenn nicht die Freiheit selbst? Der Gegnerschaft fehlt das Talent. Aber man lasse sich nicht täuschen: Die
Selbstkritik der Freiheit führt kein Wasser auf die Mühlen ihrer
Feinde. Ihre skeptische Waghalsigkeit geht bis zum Äußersten, –
um im letzten Augenblick zu erklären: dies alles muß sein, die
Korruption, der leidvolle Klamauk müssen sein; sie sind viel besser, viel menschlicher und auch viel sittlicher als tote Ordnung.

Es geht zu –! Ich sagte schon ungefähr, wie. Die wölfische Raff-
gier, die namenlose Primitivität der Instinkte, die Unbildung, die
auf den Namen Sachlichkeit hört, die schauerlich-rührende Redu-
ziertheit einer Menschheit, die alles verloren und vergessen hat, –
sie wird, der Wirklichkeit wohlbekannt, zur Farce gesteigert durch
einen Ästhetizismus, der der Gemeinheit nur vorzuwerfen hat,
daß sie nicht gemeiner ist und sie ins Überwirkliche hebt. Diese
geistige Steigerung und Entwirklichung herrscht überall, macht
bis in die Dialoge hinein alles imaginär und abstrakt, so daß man
schwankt, ob diese in Wirklichkeit oder nur im Geiste geführt
werden. Realversöhnlich und anheimelnd wirkt die schon erwähnte Existenzangst, von der alle Welt feuchte Hände hat, nicht
nur Boxer Brüstung, sondern auch Generaldirektor Schattich und
wahrscheinlich selbst »Karl der Große«, der unfaßliche Obergott
des »Konzerns«, in dessen Bannkreis sich alles abspielt. Ein helle-
rer Lichtpunkt ist die Liebe...
Gesellschaftsgeist ist erotischer Geist; seine Beziehung zur Natur
ist die zum Geschlecht. Geist mit Geschlecht, phallischer Geist,
der Geist als Künstler. Man glaube hier an keine Beschränktheit
seiner Sensibilität. Bei einer tollen Geschäftskonferenz in Sachen
der Vierzig-Millionen-Erfindung bietet der junge Emanuel für
den Älteren seiner beiden Partner »auch gleich seinen Jugendreiz
auf, er lächelte ihm auffordernd in die Augen«. Das nenne ich eine
Geschäftssitzung menschlich beleben. Der Ältere bleibt denn auch
wirklich nicht unzugänglich, »es überraschte ihn selbst. Seine
Tochter war erwachsen, sein Geschäft stand vor dem Absterben;
er hatte es nötig, seinem Gefühlsleben eine neue Wendung zu
geben; hier kündigte sie sich noch undeutlich an.« Vorzüglich.
Aber ganz glänzend ist die Figur Nora Schattichs, eine Figur wie
von Toulouse Lautrec, grell, gefährlich, eine ›Dame‹ von vor der
Flut, mit erotischen Traditionen, überlegen, anti-primitiv und
schlimm, sehr farbig und komisch gesehen. Noch einmal, das alles
ist streng, noch im Jux und noch in der Güte, streng und schmerzhaft, einsam in seiner Gesellschaftlichkeit, wissend und ahnungslos, faszinierend und schwer erträglich, rührend und beleidigend
wie was? Wie das Genie.

Thomas Mann, Vom Beruf des deutschen Schriftstellers
in unserer Zeit

Ansprache an den Bruder

[Gehalten am 27. März 1931 anläßlich der Feier von Heinrich
Manns 60. Geburtstag in der Preußischen Akademie der Künste
zu Berlin]

Lieber Heinrich – nach dem Minister und dem großen Maler, den
du aus guten persönlichen Gründen so innig verehrst, nimmt nun
der Bruder das Wort, und er braucht es, denke ich, am brüderlich-
sten, indem er seinem und zweifellos auch deinem Gefühl für die
tiefe Lebenssonderbarkeit der Stunde Ausdruck verleiht, – überzeugt, daß keine Abgebrühtheit durchs Wirkliche, keine Welt-
und Ruhmesgewöhnung dir dies kindliche Gefühl hat entfremden
können. Brüder sein, das heißt: Zusammen in einem würdig provinziellen Winkel des Vaterlandes kleine Jungen sein und sich zusammen über den würdigen Winkel lustig machen; heißt: die
Freiheit, Unwirklichkeit, Lebensreinheit, die absolute Boheme der
Jugend teilen. Heißt dann: einzeln, aber immer in organischer
Verbundenheit und im Gedanken aneinander, hineinwachsen,
hineinaltern ins eben noch radikal ironisierte ›Leben‹, hineinwachsen vor allem durch das Werk, das als Erzeugnis absoluter
Boheme gemeint war, aber sich als eingegeben vom Leben, als in
seinem Dienste getan und damit als sittlich verwirklichend erweist. Brüder sein, wie wir es sind, das heißt aber auch: gemeinsam dem wirklichkeitsreinen Unernst von einst im tiefsten die
Treue halten; es heißt: mit jener halb geistigen, halb kindheitsprovinziellen Erregung und Schüchternheit, welche die große
Welt der Wirklichkeit uns einflößt, die Ironie der Frühzeit verbinden; und es heißt: in Stunden besonders pointierter und unter
dem kindlichen Gesichtspunkt unglaubwürdiger Verwirklichung
sich aus dem Einzeldasein wieder zueinanderfinden, sich lächelnd
anblicken und, wenn nicht mit dem Munde, so doch mit den
Augen zueinander sagen: »Wer hätte es gedacht.«
So warst du an meiner Seite, als man im Münchener Rathaussaal
meinen fünfzigsten Geburtstag beging: du standest auf bei Tisch,
du sprachst in seltsam und heiter erschütternden Akzenten von

Kindheitsgeburtstagen im Elternhaus und hattest den größten Erfolg des Abends. Du warst es, der, als die Schweden aus Sympathie mit meinem nordisch gefärbten Bürgerroman mir ihren großen Preis verliehen hatten, der deutschen Welt in brüderlich erregten und feierlichen Worten durch den Rundfunk von diesem Geschehnis Mitteilung machte. Mit mir dachtest du gewiß an unsere Jugend dabei, an unser steinernes Zimmer in Rom, wo wir zuerst meinen ausgelassenen Plan berieten und uns nicht viel mehr dabei dachten, als daß ein paar amüsable Leute etwas zu lachen haben würden. Einen Familienroman übrigens hattest auch du damals schon geschrieben: er hieß sogar ›In einer Familie‹; er war Paul Bourget gewidmet, die studierte und delikate Psychologie des konservativen Franzosen war sein Vorbild gewesen – wie denn überhaupt deine konservative Periode in deiner Jugend lag. Das wirkliche brüderliche Gegenstück zu den ›Buddenbrooks‹ aber, das als ihr Gegenstück die ganze Variationsfähigkeit des Grundbrüderlichen erkennen ließ, war erst das große Werk, an das du damals noch nicht dachtest oder kaum zu denken begannst: die kunstglühende, gestaltenschäumende, rausch- und farbenvolle, zugleich barocke und strenge Romantrilogie der ›Herzogin von Assy‹ – diese Talentexplosion, die manchem jungen Menschen von damals ein neues, aufwuhlendes Erlebnis der Prosa vermittelte und deinen Ruhm begründete.

Unsere ernsthaft großen Stunden haben nicht öffentliche Säle zu Schauplätzen. Sie sind unscheinbar in ihrer Produktivität, wir selbst beachten sie kaum, und wir sind notwendig allein mit ihnen. Aber das Leben bringt solche heran, die ich die kindlichgroßen nennen möchte, Fest- und Ehrenstunden, Stunden der Verwirklichung und des ›Wer hätte es gedacht‹; und in denen, die das Leben dir brachte, war ich allzu selten bisher an deiner Seite. Ich mußte fern sein, zum Beispiel, als bei der Victor Hugo-Feier im Pariser Trocadero eine fünftausendköpfige Menge, in generöser Wallung, mit einer minutenlangen Beifallskundgebung in dir den Vertreter des geistigen Deutschlands begrüßte. Was magst du, der Bewunderer und Zögling gallischen Genies von jung auf, empfunden haben in dieser Stunde der Liebeserfüllung? Ich hätte es dir gern vom Gesicht gelesen. Aber durch nichts habe ich's mir nehmen lassen, heute und hier dabei zu sein, da du, sechzig geworden, nach einem werkreichen Leben voll Kunststrenge, Reinheit, Wahrheitsmut, Führertum, ein Erster der geistigen Gesellschaft Europas, die Huldigung des kulturellen Berlin, die Ehrerweisung des neuen Staates, die Glückwünsche der Preußischen Akademie der Künste entgegennimmst – und diese Glückwünsche durch wessen Mund entgegengenommen hast? Durch den Mund des genialen Malers von deutscheuropäischer Prägung, der deinem Herzen und Sinn unter allen heutigen am nächsten steht, des Freundes und Peers der großen Pariser Impressionisten, durch den Mund des ehrwürdigen Max Liebermann. Fest- und Ehrenstunden, Stunden der Verwirklichung, der Liebeserfüllung, – dies ist eine; und dir wird ähnlich dabei zumute sein, wie damals, als dir, du warst noch jung, der bewunderte Steinlen für den Umschlag deiner ›Göttinnen‹ das wunderschöne Frauenbild gezeichnet hatte, in dem du mit Ergriffenheit das vollendete Porträt deiner Heldin Violante erkanntest. –

Dies alte Lübeck, lieber Bruder, in dem wir kleine Jungen waren, ist ein merkwürdiges Nest. Es ist, mit seiner pittoresken Silhouette, heute ja eine Mittelstadt wie eine andere, modern schlecht und recht, mit einem sozialdemokratischen Bürgermeister und einer kommunistischen Fraktion im Bürgerschaftsparlament – tolle Zustände, wenn man sie mit den Augen unserer Väter ansieht, aber durchaus normal. Ich will diese moderne Normalität nicht in Zweifel ziehen und keineswegs die bürgerliche Gesundheit unserer Herkunft verdächtigen. Ich bin froh, daß man mir die ›Buddenbrooks‹ dort verziehen hat, und vertraue, daß man dir eines Tages auch den ›Professor Unrat‹ verzeihen wird; jedenfalls wünsche ich keinen Anstoß zu erregen. Und doch, wenn ich sie mir so ansehe, diese Herkunft – und aus einem gewissen aristokratischen Interesse habe ich sie mir oft angesehen –, so scheint es mir um ihre bürgerliche Gesundheit eigentümlich suspekt zu stehen, nicht ganz geheuer, nicht ganz uninteressant. Es hockt in ihren gotischen Winkeln und schleicht durch ihre Giebelgassen etwas Spukhaftes, allzu Altes, Erblasthaftes – hysterisches Mittelalter, verjährte Nervenexzentrizität, etwas wie religiöse Seelenkrankheit –, man würde sich nicht übermäßig wundern, wenn dort, dem marxistischen Bürgermeister zum Trotz, noch heutigen Tages plötzlich der Sankt Veitstanz oder ein Kinderkreuzzug ausbräche – es wäre nicht stilwidrig. Unser Künstlertum, daß es ist und auch wie es ist – ich habe nie umhingekonnt, es auf irgendeine Weise mit diesem heimlich umgehenden und nicht ganz geheuren Stadtspuk in kausalen Zusammenhang zu bringen –, nicht nur mit ihm: es ist da noch die romanische Blutmischung, die gewiß ein übriges unter anderem übrigen getan hat, aber den Effekt kaum gezeitigt hätte, wäre sie nicht auf solches seelisches Altertum getroffen.

Lübecker Gotik und ein Schuß Latinität – es wäre ja ein Irrtum, wollte man bei jedem von uns nur das eine oder andere finden: das Altdeutsche bei mir, weil ich ›Buddenbrooks‹ schrieb, das Romanische bei dir, weil du die ›Herzogin‹, die ›Kleine Stadt‹ und so manche italienische Novelle geschrieben hast. In dem Roman, den ich schon nannte und der jetzt neben seinem literarischen Ruhm in Form des Films eine demokratische Popularität gewonnen hat, in ›Professor Unrat‹, ist von dem heimatlichen gotischen Spuk so viel, daß man sagen kann: er ist ganz darin; und man braucht sich nur genauer bei dir umzusehen, um ihn im einzelnen auch sonst zu finden. Aber gewiß ist, daß in deinem Fall das Romanische nach Gesamthaltung, frühestem Bildungshang, Kunstgesinnung entschieden und entscheidend prävaliert. Du bist, auf später Stufe, ein klassischer Repräsentant des deutsch-mittelländischen Künstlertums, dieser geistigen Lebensform, deren hohe Legitimität unter dem nationalen Druck von heute, einer Zeit verbreiteter Abkehr vom Universellen und Humanen, von einem Deutschtum also, das einfach umfassender, reicher, vollkommener war als das heute vielfach gemeinte und geforderte, fast in Vergessenheit geraten ist, so daß sie fremd, undeutsch, ja widerdeutsch genannt werden kann, obgleich sie etwas durchaus Vertrautes und Überlieferungsvolles ist, mögen ihr auch die traulichen, ofenwarmen Eigenschaften abgehen, von denen eine gewisse vaterländische Gesinnung angeheimelt zu werden begehrt, bevor sie von deutschem Meistertum sprechen mag.

Deutsches Meistertum! Wir wollen es lieben und preisen – aus einer Verbundenheit, die niemand unterschätzen soll. Die Welt Dürers tut sich auf bei diesem Wort mit alldem, was Goethe ihre »Männlichkeit und Ständigkeit« nannte, mit ihrem Rittertum zwischen Tod und Teufel, mit ihrer Neigung zur Passion, ihrem

Leidenszug und Kryptenhauch, ihrer faustischen Melencolia, ihrer demütigen Kleinlichkeit, die Ewigkeitsblick besitzt. Hier herrscht das Graphische vor dem Koloristischen. Biederkeit, Werktreue, Echtheit, Kunst und Lebensreife vereinen sich hier zu jenem sittlich-geistigen Führertum, das zum Begriff gehört. Ins Reputierliche geht das Verwegene ein. Fleiß wird Tiefsinn, Genauigkeit – Größe. Geduld und Heldentum, Würde und Problematik, Überlieferungspflege und Zumutung des Ungeahnten, das geht zusammen, das wird eins. Ach, und was spielt noch alles an urererbter, an nationaler und tief natürlicher Unzulänglichkeit, an winkligem Ungeschick hinein in diese krausexakte, versonnene, kindlich-greisenhafte, skurril-dämonische, unendlichkeitskranke Welt deutscher Kunst, schamvoll und dennoch redlich zutage liegend: Philisterei und Pedanterie, grübelnde Mühsal, Selbstplage, rechnende Ängstlichkeit – zusammen wieder und in eins verfließend mit jener Unbedingtheit, zähen Ungenügsamkeit, Hochbedürftigkeit, die die Tapferkeit zeitigt: dies Nichts-sich-Schenken, dies Aufsuchen der letzten Schwierigkeit, dies Lieber-ein-Werk-Verderben-und-weltunbrauchbar-Machen, als nicht an jeder Stelle damit bis zum Äußersten gehen...

Ja, dies alles ist deutsches Meistertum. Aber unzertrennlich davon, gerade in seinen großen und größten Fällen, unzertrennlich geradezu von dem Begriff ist etwas Weiteres und Letztes: das Ungenüge an sich selbst, das Bedürfnis nach Ergänzung und Erlösung durch das ganz andere, den Süden, die Helligkeit, Klarheit und Leichtigkeit, das *Geschenk* des Schönen. Goethe klagte angesichts Dürers über »trübe Form und bodenlose Phantasie« – aus mediterranem Geist, aus grundsätzlichem Widerwillen gegen die »Fratze«, den Norden. Aber der halb ungarische Nürnberger und er waren ja Brüder in einem unselbstgenügsamen, expansiven und transzendenten Deutschtum; sie beide, diese Deutschesten »fror es nach der Sonne«. Wir kennen die Rolle, die Mantegna und Venedig in Dürers Leben gespielt haben; und daß bei Goethe neben der romantischen Walpurgisnacht die klassische steht, bleibt ein Symbol. Da ist Schiller, dessen gewaltig populäres Werk die Symbiose von Königsberger Philosophie und französischem grand siècle verwirklicht. Da ist Wagner, der, Schauspielerblut, das er war, sich eine Dürermütze aufsetzte und seinem gläubigen Volk den »deutschen Meister« in antiwelscher Reinkultur vorspielte – er, dessen erste Bewunderer und Verkünder aus guten Gründen europäische Artisten und Dekadents wie Baudelaire gewesen waren... Ach ja, der deutsche Meister! Ich kenne einen, einen Musiker von hohen Graden, Hans Pfitzner, eine charaktervolle und fesselnde Künstlerpersönlichkeit zweifellos, betont deutsch, exemplarisch deutsch, auf eine politisch-polemische Weise deutsch, wie man weiß – trotzig-melancholisch ins Deutsch-Romantische zurückgewandt. Er hat, unter uns gesagt, Motive erfunden, die von Puccini sein könnten. Aber seine politisch-polemische Anhängerschaft drückt da ein Auge zu. Es gibt folgende kleine Geschichte von ihm. Man hatte ihm in München – es wird zu seinem fünfzigsten Geburtstag gewesen sein – ein etwas tendenziöses Fest gegeben, alles war dagewesen, was treudeutsch und unentwegt antirepublikanisch ist an der Isar, Dr. von Kahr an der Spitze, und drei Stunden lang hatte man Pfitzner mit Nachdruck als deutschen Meister gefeiert. Es war spät, er ging fort und trat mit seiner Frau auf die nächtige Straße hinaus. Draußen, vor der Haustür, blieb er stehen und atmete tief auf. »Weißt du«, fragte er, »was ich jetzt möchte? Jetzt möchte ich einen Juden sehen!« – Das ist der deutsche Meister, belauscht in einem Augenblick, wo er es nicht mehr aushält.

Es ehrt ihn, daß er's nicht aushält. Er ist desto größer, je weniger er's aushält. *Nur* deutsch, das ist klein-deutsch, das ist nicht weltdeutsch, das ist Deutschtum geringer und verkümmerter Art. Keine anti-universalistische Bewegung, und sei sie noch so populär für ein paar Jahrzehnte, kann daran etwas ändern, und mit höherem Fug dürfen wir ihren militanten Trägern den Vorwurf des Undeutschen zurückgeben. Wenn es ihn je gegeben hat, den deutschen Meister ohne Welt, ohne Europa im Blut – heute kann es ihn gar nicht geben; in einer Welt, die überall die Mauern nationalaristokratischer Naivität und Selbstgenügsamkeit in vollem Abbau begriffen sieht, in einem geistig und bald wohl auch wirtschaftlich-politisch zusammenwachsenden Europa wäre ein Meistertum der Enge, der Verstocktheit und des provinziellen Winkels eine weinerliche Erscheinung. Für Deutschland war es

Nietzsche, der die Veränderungen der geistigen Atmosphäre, die Europäisierung und Psychologisierung der deutschen Prosa bewirkt hat, durch die ein Seelentum konservativ deutscher Art der Dumpfigkeit verfallen und jeder höheren Gültigkeit verlustig gegangen ist. Er war es eigentlich, der den alten Gegensatz von Norden und Süden, von Romantisch und Klassisch, dessen Aufhebung die Sache großer Deutscher gewesen war, erweiterte und zuspitzte zu dem von National und Europäisch. Der sehnsüchtige Hang zum Mittelmeer, seiner Sonne, seiner Form, hat die deutsche Klassik geschaffen; Nietzsche's neuklassische Synthese heißt: der gute Europäer.

Man könnte sagen, lieber Bruder, daß deine Natur an der älteren deutschen Synthese, der nord-südlichen, festhält, könnte dich konservativ nennen in diesem Sinn. Nicht umsonst nannte ich dich einen klassischen Repräsentanten deutsch-mittelländischen Künstlertums: das Slawische, das in Nietzsche so stark war, das Skandinavische, das Angelsächsische etwa, hat dich kaum oder nur flüchtig berührt. »Sobald ich konnte«, sagst du in einer kleinen frühen Autobiographie, »ging ich heim nach Italien.« »Heim« – was liegt an Innigkeit und Herausforderung nicht alles in dieser Silbe. In dem Lande deutsch-klassischer Südsehnsucht hast du entscheidende Jugendjahre verbracht, die glücklichsten deiner Meisterwerke spielen dort. Und doch hat dich geistig in viel höherem Grade als das apenninische Südland ein anderes Gebiet der Romania, das keltisch-modifizierte, gebildet und bestimmt: Frankreich, das Frankreich Voltaire's, Michelets, Stendhals, Anatole France's, das deine Heimat ist, soweit es für den naturgebundenen Menschen eine Heimat außer der angeborenen gibt. Undeutsch? O ja, undeutsch ist die Liebesherrschaft dieses gallischen Bildungselements, das dein literarisches Timbre färbt, den Tonfall, die Gebärde deiner Prosa bestimmt – undeutsch im Sinne jener Resignation, die gewisse Eigenschaften: Helligkeit, Brio, Wurf und Glanz, Kritik, Farbigkeit, eine sinnliche Geistigkeit, psychologischen Instinkt, artistische Delikatesse ein für allemal vom Begriff der Deutschheit ausschließen will und behauptet, dergleichen komme ihr nun einmal nicht zu. Wenn es ihr nun aber einmal zukommt? Wenn es nun einmal aus Deutschland kommt, so daß kein Gallier es besser machen könnte, was dann? Sollte es nicht, als Erweiterung nationaler Möglichkeiten, ein Gegenstand der Genugtuung sein und ein Anlaß zu dem Hinweis: »Seht, das haben wir auch«? Statt daß man mit dem Schnabel danach hackt und es für literarischen Landesverrat erklärt? Wahrhaftig, was deutsch ist, was alles deutsch sein kann und welchen Platz dein Werk einnehmen wird in deutscher Formengeschichte, darüber werden endgültig nicht die zu befinden haben, die heute den keineswegs einfältigen Begriff des Deutschen zu verwalten sich anmaßen.

Man kann sagen, daß in der europäisch-deutsch-lateinischen Synthese, die du verkörperst, das Seelische deutsch und nur das Geistige französisch ist. Der Radikalismus deiner Ausdruckskunst war es, der das zur Gotik schwörende deutsche Expressionistengeschlecht um die Zeitenwende des Krieges bestimmte, in dir ihren Vater und Führer zu sehen. Assimiliertes Franzosentum dagegen ist die paradoxe und dabei klassisch voltairische Mischung aus Pessimismus und Hochherzigkeit, Menschenverachtung und revolutionärem Elan; ist der literarische Stolz und Ehrbegriff, die ästhetische Verachtung des Niedrigen, die Kritik der Wirklichkeit durch den mit der Schönheit verbundenen Geist. Aber wer will es noch französisch nennen, nachdem es deutsch geworden? Immer sind bedeutende Geister Veränderer des Bildes gewesen, das die Welt sich von einem nationalen Charakter machte. Wenn auch in Deutschland heute die organisch-untrennbare Verbindung von Kunst und Kritik sich gegen ein nichts als innerliches und formschwaches Seelendichtertum durchgesetzt und es zur Provinz, zum zweiten Range, zur halben Gültigkeit verurteilt hat; wenn auch bei uns nun der Typus des grand écrivain, des europäischen Moralisten, zu Hause und kein Fremder mehr ist, du warst gewiß weder allein noch zuerst der Urheber dieses Entwicklungsschicksales, aber dein Werk gehört zu denen, die es am mächtigsten gefördert haben. –

Als wir jung waren, zu jener vorläufigen Zeit in Rom, saßest du während vieler Wochen täglich am Tisch und stricheltest mit deiner Zeichenfeder an einer endlosen Bilderfolge, die wir ›Das Lebenswerk‹ nannten und deren eigentlicher Titel ›Die soziale Ordnung‹ lautete. Wirklich stellten diese Blätter, die wir zum langen Fries und dicker Rolle zusammenklebten, die menschliche Gesellschaft in allen ihren Typen und Gruppen dar, vom Kaiser und Papst bis zum Lumpenproletarier und Bettler – es war nichts ausgelassen in diesem trionfo sozialer Stufung, wir hatten Zeit und amüsierten uns wie wir konnten. Aber zweierlei deutete sich spielerisch und vorläufig an in diesem übermütig-geduldigen Jugendzeitvertreib: Im Format der Sinn für das große Unternehmen, das Monument, das Standardwerk, die Riesenkomposition, das große Geduldsopfer – dieser Sinn, der unserem Jahrhundert, dem neunzehnten, dem Jahrhundert des Nibelungenringes und der Rougon-Macquart angehört, und der sich in deinen Romantrilogien bewährt. Und zweitens, im Thema, der eingedeutscht-romanische Gesellschaftsgeist, der dein Wesen bestimmt, die sozialkritisch-politische Leidenschaft und Empfindlichkeit, die dir qualvoll den Blick schärfte für deutsche Übelstände, welche einem noch rein kulturell gesinnten, musikalisch-metaphysischen Deutschland nicht wie dir auf den Nägeln brannten, dir aber das Werk voll patriotischer Bitternis und Hellsicht, den Roman vom deutschen Untertan eingab.

An der Stellung, die du heute im deutschen Leben einnimmst, hat, von allem künstlerischen Genie abgesehen, dieser Gesellschaftsgeist, der mit dir ist, entscheidenden Anteil. Auch er ist künstlerischer Geist, denn er ist Wille zur Form. Die staatlich-gesellschaftliche Anerkennung, Einbeziehung und Sichtbarmachung der Literatur durch den neuen republikanischen Staat – wie sehr war sie nach deinem Sinn, und wie glücklich und richtig hat es sich gefügt, daß dank deiner Übersiedlung nach Berlin die literarische Sektion der Preußischen Akademie der Künste dich an ihre Spitze berufen konnte! Als ihren Führer grüßt sie dich heute und bringt dir durch mich, lieber Heinrich, zu deinem sechzigsten Geburtstag in kollegialer Bewunderung und Ehrerbietung ihre herzlichsten Glückwünsche dar.

Heinrich Mann, Der Sechzigjährige
[Die Sammlung, Amsterdam, Juni 1935]

Das war schon bis jetzt ein weiter Weg, und soll noch weiter führen. Wir haben ihn in demselben Hause angefangen, noch eher
war es dasselbe Zimmer. Große Strecken sind wir zusammenge-
gangen, während anderer waren wir getrennt. In letzter Zeit traf
uns das verwandteste Schicksal: wir hatten es uns natürlich selbst
bereitet, jeder für sich, in heimlicher Einmütigkeit. Damit wird
uns bedeutet, daß wir niemals Grund gehabt haben, Abweichun-
gen ganz ernst zu nehmen. Ausgegangen von der gleichen Heimat, zuletzt aber darüber belehrt, daß eine Zuflucht außerhalb der
deutschen Grenzen das Anständigste, daher Mildeste ist, was
könnte uns inzwischen begegnet sein, das nicht in Wahrheit brüderlich war.
Wir haben beide der Vernunft gelebt, dies große Wort, wenn wir
es denn zu nennen wagen, in seiner ewigen Bedeutung gebraucht:
als menschliches Gesetz, nicht als Kennwort für Parteien. Die Väter sagen allerdings Rationalismus, bis dann ihre Söhne, oder noch
sie selbst, übergehen zum Irrationalen. Die Vernunft hingegen ist
nicht ersetzbar durch ein Widerspiel, und kein Nachwuchs, der
mit dem Vorigen aufräumt, ergreift über sie die Herrschaft. Das
Wort sie sollen lassen stahn. Das Wort: das ist das genaue Wort.
Es ist die sprachliche Strenge. Es ist die Selbsterziehung, die wir
üben, wenn wir nach unseren Kräften der Wahrheit die Ehre geben und uns annähern ihrem vollkommenen Ausdruck.
Der Mann des Wortes glaubt, daß dieses auch die Vernunft ist,
und außerhalb des Wortes gibt es eigentlich keine. Die menschlichen Dinge werden erst wirklich durch den Ausdruck, der sie
deckt. Nur durch ihn werden sie vernünftig, während das Leben,
vom Wort unbeaufsichtigt, selten anders handelt als Hals über
Kopf und beschämend ungenau. Das Wort verleiht der Wirklichkeit den Körper, ja, es bekleidet sie mit einiger Dauer: sonst wäre
sie beschränkt auf vergeßliche Schatten – niemand weiß, warum
diese vorüberfliehen. Es ist zweifellos das Vernünftigste und enttäuscht verhältnismäßig wenig, am Wort zu arbeiten. Außerdem
ist es etwas Festes, Tatsächliches, indessen die Wirklichkeit nicht
hinauskommt über »Scherz und Anspielung«.

Diese beiden Worte beziehen sich im »Joseph« von Thomas Mann auf einen Vorgang, den jeder Uneingeweihte für echt und unmittelbar halten würde: die Versenkung des jungen Joseph durch seine Brüder in eine Grube. Die Geschichte wird genannt »ein Ansatz nur und Versuch der Erfüllung und eine Gegenwart, die nicht ganz ernst zu nehmen, sondern nur ein Scherz und eine Anspielung ist«. Die Grube, wie auch der hineingesenkte Bruder und überhaupt die Geschichte sollen keineswegs schon geworden, sondern noch sehr im Werden sein. Das sagt dort eine Persönlichkeit, die hinlänglich verdächtig ist, ein Engel zu sein und aus der Sphäre des Geistes zu kommen. Für ihn ist das wirkliche Geschehen nur »Scherz und Anspielung«. Worauf Anspielung? Auf etwas dahinter, Vergangenheiten, uralte Tiefen, worin alles Menschliche sich immer wiederholt und zuletzt verliert im Bodenlosen. Abraham sowohl wie der Knecht Eliezer, sie sind eigentlich nicht, die sie scheinen, mindestens sind sie gleichzeitig andere, viel ältere, halten sich auch nicht für eindeutig und an diese einmalige Erscheinung gebunden. Sogar der Turm zu Babel ist dieser, und dennoch ein viel älterer. Das sind Geheimnisse, – weil das Wort beim genauen Ausdruck der menschlichen Dinge auf Geheimnisse stößt. Vernünftige Geheimnisse, sie sind die von der Ehre des Geistes erlaubten. Beabsichtigt ist im »Joseph« die Vermenschlichung des Mythos. Erreicht wird ebensowohl eine Mystik des Vernünftigen. Auch dadurch ist der »Joseph« ein so neues Buch. Man müsse immer wieder etwas Neues versuchen, meinte sein Verfasser, ob er nun wußte oder nicht, was er getan hatte.

Der Dichter des »Joseph« hat vieles gemacht. Das Leben ist lang, es hat Zeit für die volkstümliche Schlichtheit eines Romans aus dem Bürgerhause und auch für die Vermenschlichung des Heiligen, Uralten. Indessen wäre möglich, daß schon der Roman aus dem Bürgerhause eigentlich ehrwürdigere Dinge meint, als scheinbar erzählt werden. Man fasse nur die Todesfälle ins Auge, den Tod des Senators Buddenbrook, der alten Konsulin, endlich des Knaben, der aus dem Haus der Letzte ist. So sterben doch Personen in immer gültigen Sagen: dieselbe innere Feierlichkeit hat das, auch denselben ironischen Zweifel, den lange nachher der Engel äußert, ob nicht »Scherz und Anspielung« hier walten.

Um seines »Verfalles« willen ist das Haus überhaupt der Gegenstand geworden; es sollte werden, sterben, auferstehn im Wort – wie auch Joseph, in Befolgung eines endlos wiederholten Ritus, in die Grube fährt, um demnächst wieder aufzustehen.

Buddenbrooks und Joseph, ich bemühe mich, die unsichtbare Brücke zwischen ihnen nachzuzeichnen, da ein Leben und ein Werk notwendig eine Einheit sind. »Man muß etwas sein, um etwas zu machen.« Nur daß man es anders macht mit sechzig als mit fünfundzwanzig. In der Jugend gab dieser Schriftsteller sich als reinen Realisten, hält sogar noch viel später seinen Jugendroman für den einzigen ganz realistischen unter den deutschen Romanen seiner Zeit. Indessen verrät er ein allzu ironisches Verhältnis zur Wirklichkeit – und mehr Gespanntheit auf den Tod, als daß er eindeutig lebensfest- und -freudig gestaltet sein könnte. Der tüchtige Verfasser des »Goetz« schrieb um dasselbe Alter den wenig lebenstüchtigen »Werther«. Das ist auch diesem jugendlichen Romancier zugestoßen, und zwar in ein und demselben Buch. Es bezeugt nicht mehr den Nihilismus des unruhigen Jünglings, aber vielleicht die Erinnerung an ihn.

Nennt ein Sechzigjähriger die Vorgänge der Wirklichkeit »Scherz und Anspielung« oder läßt auch nur eine verdächtige Person sie so nennen, dann ist das offenbar etwas anderes und hat angefangen, Weisheit zu heißen. Gleichviel – das zauberische Wort sucht weiter das Bodenlose. Dem widerspricht schwerlich, wenn um das vierzigste Lebensjahr, in dem naivsten Alter des Menschen, gehandelt wird, als stände man auf ganz festem Boden: alles soll jetzt seine Richtigkeit haben, und hier an Ort und Stelle, sonst nirgends, sollen das Recht und der Sieg sein. So verhielt sich auch dieser Vierzigjährige in damaliger Zeit, die gerade die erste Kriegszeit war, gegen die Welt und ihren Kampf. Er machte große, ergreifende Anstrengungen für Deutschland: er suchte es geistig zu retten, es ehrlich zu sprechen und zu reinigen bis in das Sublime. Die »Betrachtungen eines Unpolitischen« wurden auch dankbar aufgenommen als Unterstützung von besonderer Seite, weil gerade Bedrängnis herrschte. Allerdings bestand damals noch eine deutsche Gesellschaft, die geistiger Bemühungen würdig war. Sie hielt im Einsturz aller Dinge aus, weil sie sagte: Dies ist das Land Luthers, Goethes, Nietzsches; es kann nicht verurteilt sein, nicht untergehen. Es hat der Welt zu viel gegeben und ist zu eng verbunden mit der Welt.

Der Vorgang wird so zu verstehen sein, daß ein national niemals begrenzter Geist den tiefen Anschluß an das Deutschland seiner Tage sucht, schon früh durch Vermittlung Nietzsches und Wagners, während des Mannesalters in seiner wahrhaft innigen Vereinigung mit Goethe. Im Ergebnis unterscheidet er nur noch wenig, was sein und was deutsch ist. Er erachtet sich selbst für einbeschlossen in eine machtvolle Überlieferung: so will er es. Das macht ihm seine Leistung und macht ihm Deutschland wert. Es wurde ihm zuerst noch gedankt.

Als er es 1933, zum fünfzigsten Todestage Wagners, nochmals unternahm, fand er keinen Dank, sondern erregte groß Ärgernis. Dies ist ein Zeitpunkt, sehr ungeeignet, um den Deutschen ihre Verbundenheit mit der Welt zu rühmen. Eure Gesittung, Schulung des Gefühls, Intellektualität, alles habt ihr für die Welt mit, ihr tauscht es aus mit ihr, eure Deutschesten gehören doch auch den sogenannten Fremden, manchmal früher ihnen als euch: seht Wagner. Das ist eine wenig zeitgemäße Art, das Deutsche zu feiern. Es wird im Augenblick gerade anders verstanden: kein natürlicher Zusammenhang mit allem übrigen, sondern gewaltsame Abschließung, gewalttätiger Eigensinn. Darum wird die Trennung vollzogen nicht nur von der äußeren Welt außerhalb der Grenzen, sondern ebensowohl von dem geistig Universalen. Das aber sind besonders die deutschen Geister, sofern sie Höhe und Feinheit haben, alle mehr als nur provinziellen Geister, die das Land hatte und noch hat oder haben könnte.

Man weiß, daß Heroisches jetzt nicht zergliedert und erkannt werden darf. Es muß grobschlächtig vergrößert, aufgetrieben, muß zweckvoll entstellt sein. Damit fängt man Dumme, wird selbst dumm und ergeht sich in einer beängstigenden Welt schuppiger Riesenmolche, wie der Mensch zu Beginn der Zeiten. Die Sendung des Dichters ist daher vorerst aufgehoben. »Ein Befreier war er wie jeder Dichter und Schriftsteller durch die Erregung des Gefühls und durch die analytische Erweiterung des Wissens vom Menschen«, so deutet Thomas Mann sich seinen Goethe. Befreier sind indessen unbeliebt geworden und sind abgeschafft. »Man halte sich an das fortschreitende Leben«, so befiehlt Goethe. Das wird jetzt durchaus abgelehnt. Er stellt übrigens selbst fest: »Das Menschenpack fürchtet sich vor nichts mehr als vor dem Verstand; vor der Dummheit sollten sie sich fürchten, wenn sie begriffen, was fürchterlich ist: aber jener ist unbequem, und man muß ihn beiseite stellen; diese ist nur verderblich, und das kann man abwarten.« So Goethe.

Es ist der äußeren Stellung und Geltung eines Schriftstellers in Deutschland abträglich, wenn er noch 1932 diese Sätze angeführt hat und sie 1935 in »Leiden und Größe der Meister« wiederholt. Indessen würde er durch die Verleugnung seiner Vernunft den größeren Schaden genommen haben: Schaden an seiner Seele. Über die Lehre und den Roman der Seele steht etwas in dem Vorspiel »Höllenfahrt«, das die »Geschichten Jaakobs« einleitet und schon für sich allein das merkwürdigste Stück Prosa ist: Der Urmensch oder die Seele sei zu allem Anfange der erkorene Streiter Gottes im Kampfe gegen das in die junge Schöpfung eindringende Böse gewesen. So ist es. Der Kampf gegen das Böse, er hat auch uns beide, in jedem Sinne, dahin gebracht, wo wir sind.

Lieber Bruder, es hat sich trotz allem, wie Du selbst am besten weißt, gelohnt. Zwar sind ihre Klassiker über die Köpfe der Deutschen wie Kraniche hingerauscht, was jemand schon in besseren Tagen bemerkt hat. Grade deshalb sind ihre und auch Deine Stellung und Geltung vollauf gesichert: beide spielen oberhalb der Landesgrenzen. Andererseits ist für unsereinen die wirklichste Form der Volksgemeinschaft: Teil zu haben an der Überlieferung, angeschlossen zu sein den uns voraufgegangenen Geistern, ihrer Anerkennung versichert. Der Erdenrest geschieht nebenbei und nur sehr vorläufig, weder Du noch ich überschätzen ein zeitweiliges Unheil, soweit es uns selbst betrifft. Mein eigener Sechzigster war Anlaß für mehrere der letzten Veranstaltungen, die eine schon ihrer Auflösung entgegensehende deutsche Gesellschaft sich noch erlaubte. Im festlichen Saal und vor einem beifällig bewegten Publikum umarmten wir uns damals, nachdem Du auf mich gesprochen hattest als Schriftsteller und als Bruder. Wir umarmen uns wieder zu Deinem Sechzigsten, und können es auch jenseits der Feste und der Grenzen, solange wir leben, da wir Brüder sind; ja, können es noch nachher, da wir Schriftsteller sind.

Thomas Mann, Dem Fünfundsechzigjährigen

[Erstmals in ›Die Neue Weltbühne‹, Paris, 26. 3. 1936]

Küsnacht am Zürichsee, 13. März 1936

Meinem Bruder Heinrich zu seinem Geburtstag auch öffentlich meine liebevolle Huldigung darzubringen ist mir ein Herzensbedürfnis, und ich weiß es Ihrer Zeitschrift Dank, daß sie den Rahmen dazu bietet.

Der Fünfundsechzigjährige ist wahrhaft zu beglückwünschen. In diesem doch schon späten Jahr seines Lebens hat er außer einer Menge kleinerer Beiträge zum Ideenkampf der Zeit, deren jeden wir mit einer ob seiner moralischen Klarheit und Gewißheit fast heiteren Ergriffenheit lasen, den großen Roman von der Jugend des König Henri siegreich vollendet: ein Werk erster Ordnung, in dem Güte und Kühnheit sich auf eine Weise mischen, die, aus dem Intellektuellen ins Wirkliche übertragen, einen Erdteil erretten könnte; ein Geschichts- und Menschheitsgedicht, dessen trauernde Ironie und grimmige Kenntnis des Höllisch-Bösen seinem Glauben an die Vernunft und das Gute keinen Abbruch tut; eine Synthese aller Gaben dieses großen Künstlers, worin sich der schon politisch gespannte Ästhetizismus seiner Jugend mit der durchaus eigenartigen kämpferischen Milde seines Alters bewundernswert zusammenschließt. Dies Leben ist eine klare Einheit; da es außerdem großes Format hat, so gewährt es den immer noch unvergleichlichen Genuß des Anblicks einer Persönlichkeit. Und wenn es wahr ist, was Goethe sagt, daß »der der Glücklichste ist, welcher das Ende seines Lebens mit dem Anfang in Verbindung setzen kann«, dann ist Dein Gestalter-Leben, lieber Bruder, bei aller Bitterkeit, die nach unverbrüchlichen Gesetzen darin einschlägig ist, das glücklichste zu nennen.

Welchen Wunsch soll ich Dir sagen an diesem Tag? Nun, den natürlichsten, größten, der alles umfaßt: Daß in fünf Jahren, bis Du siebenzig wirst, unser Volk und Land uns wieder möge brauchen können.

Heinrich Mann, Begrüssung des Ausgebürgerten
[›Die Neue Weltbühne‹, Jg. 32, Nr. 50, Prag, Zürich,
Paris, 10. 12. 1936, S. 1564–1566]

Aber müssen wir ihn bei den Ausgebürgerten noch erst begrüssen? Den berühmtesten der deutschen Schriftsteller hielt niemand
für ein Mitglied des Dritten Reiches. Das Ausland hatte den Ereignissen vorgegriffen, die Welt war seit langem der Meinung, er
gehöre ihr, und nicht dem Kleindeutschland Hitlers. Das Reich der
deutschen Geister, von jeher hat es weiter gereicht als die Landesgrenzen – auch vorgeschobene Grenzen könnten sie niemals ein-
holen. Wenn man denkt, ich sei in Weimar, bin ich schon in Jena:
so ähnlich sprach Goethe, aber im Sinne hatte er Kontinente und
sah ein Jahrhundert voraus.
Seien wir bescheiden. Thomas Mann, seit Neuestem kein »Deutscher« mehr, hat mit Goethe wenigstens, allerwenigstens gemein,
dass er sich müht und trägt die auferlegte Last. Wo ist er, der sich
müht, und trägt die Last, die wir getragen haben? Dieser Goe-
thesche Satz ist hier nicht wörtlich wiedergegeben, er ist zurück-
übersetzt. In dem Manifest an die Europäer, verfasst von Thomas
Mann zu ihrer Warnung, war der Satz in allen ihren Mundarten
zu lesen. Ein Deutscher, im Begriff ausgebürgert zu werden,
macht gemeinsame Sache mit einem anderen Deutschen, Goethe,
der jetzt auch nicht in Weimar sässe, sondern Haus und Habe wären ihm fortgenommen, er teilte mit uns allen das Exil. Er würde
französisch wie deutsch schreiben; Napoléon hat ihn schon damals
aufgefordert, nach Paris zu kommen. Demgemäss erlässt nach
hundert Jahren ein Deutscher seinen Aufruf an die Europäer in
allen ihren Sprachen.
Vielleicht hat den letzten Anstoss, ihn auszubürgern, dieser Aufruf gegeben. Er sagt der europäischen Jugend genau das, was das
Dritte Reich sie nicht hören lassen will: höchstes Gut des Menschen ist die Persönlichkeit. Denn sie will erarbeitet sein. Europa
verfällt, weil die neuen Europäer ihre wesentliche Arbeit nicht
mehr erfüllen wollen. Sie wissen nichts, das wäre schon schlimm
genug; aber sie massen sich Unwissenheit als ihren Vorzug an.
Die Arbeit an der eigenen Vervollkommnung, die persönliche
Verantwortung und Mühe, sie geben alles billig, wenn sie sich

dafür einreihen dürfen in Gemeinschaften, und »Führern« folgen. Das ist bequem, und gewährt die wohlfeilste Abart der seelischen Berauschtheit: anstatt der dionysischen die kollektive. Man braucht sich nicht zu vervollkommnen, braucht weder das Wissen noch die Verantwortung, die beide in hohen, bewegten Stunden die Trunkenheit des Geistes ergäben. Dann hätte man durch langes, redliches Bemühen zuweilen den Gipfel gewonnen, wo alles Lebende eins ist mit dir. Nein, sondern sie treiben ihr eigensüchtiges Vergnügen, berauschen sich an der Unterordnung, marschieren Schritt und Tritt und singen dazu Leitartikel aus dem Propaganda-Ministerium.

Merkwürdig genug, dass ein Drittes Reich und sein Propaganda-Ministerium diese Sprache einem Deutschen so lange nachgesehen haben. Sie hatten natürlich die plattesten Beweggründe, immer nur solche, die den äusserlichen Aspekt – und das Auswärtige Amt – betreffen. Es sollte nicht offen in die Erscheinung treten, dass auch der letzte Schriftsteller von Weltruf ihr Herrschaftsgebiet geräumt hatte. An seinem Namen wollten sie sich unredlich bereichern. Bis sie anderen Völkern ihr Land geraubt hätten und mit dem Umfang des Reiches ihre Ehre vermehrt, die einzige Ehre, die sie begreifen, bis dahin versuchten sie einen Nobelpreisträger auszuspielen als den Ihren. Das hat ihnen nichts genützt, der Nobelpreisträger sorgte selbst dafür, dass es fehlschlug. Übrigens ist die Mitwelt vorzüglich unterrichtet über ein Reich, das keine grössere Sorge kennt als von sich reden zu machen. Es war nirgends unbekannt, was in den Buchhandlungen Deutschlands vor sich ging, und dass die Schriften des Nobelpreisträgers, die jeder Buchladen Europas führt, in seinem Heimatlande nur insgeheim verkauft werden durften. Was ändert seine Ausbürgerung?

Sie stellt offen dar, dass der Geist Europas das Deutschland Hitlers verwirft und ausschliesst. Das Umgekehrte ist Vorspiegelung und Mache. Nicht Hitler bürgert Thomas Mann aus, sondern Europa Herrn Hitler. Dieser Zeitgenosse überschätzt seine Macht in jedem Betracht, militärisch, ideologisch, aber besonders hinsichtlich der Persönlichkeiten, die nicht eines Tages »die Macht ergriffen« haben: sondern sie haben sich selbst, und damit ihr Deutschland, ihr Europa, die Zukunft und das Reich erworben und verdient ihr ganzes ernstes Leben lang.

Thomas Mann, Ansprache zu Heinrich Manns
siebzigstem Geburtstag
[Gehalten am 2. Mai 1941, anläßlich einer nachträglichen
Feier bei Frau Salka Viertel]

So ist denn dies festliche Zusammensein doch noch zustande gekommen, – sein Anlaß – ein wie rührender und würdevoller Anlaß! – liegt schon so weit zurück, daß es fast notwendig ist, an ihn
zu erinnern. Es ist dein siebzigster Geburtstag, lieber Bruder, den
du am 27. März begingst, und daß wir nicht früher zu seiner Feier
zusammen kommen konnten, ist meine Schuld, oder doch die
Schuld von Umständen, die mich betrafen. Du deinerseits mach-
test deinen Ehrentag zu einem Ehrentag für dieses Land: du voll-
zogst die Zeremonie deiner Einwanderung; und da es die Stunde
der Glückwünsche ist, wollen wir dich auch dazu beglückwünschen, – dich beglückwünschen vor allem dazu, daß du unter uns
bist, daß du in Sicherheit bist, daß es gelang, dir im letzten Augenblick den Weg zu uns zu bahnen, gerade noch bevor das arme,
gebrochene, sich selbst entfremdete Frankreich von den niedrigen
Menschenquälern und -schändern, die heute Europa beherrschen,
zur Erfüllung gräßlicher Verpflichtungen gezwungen wurde.
Ich weiß wohl, und wir alle wissen, daß du ein Land verlassen
mußtest, das du liebst, dessen Kultur deine eigene bilden half, mit
dessen Sprache du bis zur künstlerischen Beherrschung vertraut
bist, und daß du dich auf dieser jungen Erde hier notwendig in
der Fremde fühlst. Aber schließlich, was heißt heute Fremde, was
Heimat? In Lübeck an der Trave sind wir ohnedies lange nicht
mehr. Wo die Heimat zur Fremde wird, da wird die Fremde zur
Heimat. Die tiefste Fremde ist uns heute Deutschland, das verwil-
dert abenteuernde und aufgelöste Land unserer Herkunft und
Sprache, und verglichen mit seiner tödlichen Fremdheit wirkt jede
Fremde traulich. Die Welt ist klein und intim geworden, sie ist
überall derselbe Schauplatz ein und desselben Kampfes: der Welt-
Bürgerkrieg, in dem wir stehen, in dem wir unseren Mann zu stehen haben, hat nichts mit Nationen und National-Kulturen zu
tun, er ist zugleich Ursache und Folge, er ist einfach Ausdruck der
Vereinheitlichung der Welt; und wenn es vor einem Menschenalter noch hieß: Europa will eins werden, so heißt es heute schon

unmißverständlich und unüberhörbar: die Welt will eins werden.

Einheit, Vereinheitlichung ist das Schlüsselwort der Zeit. Schon Goethe wußte: »National-Literatur will heute wenig sagen; Welt-Literatur ist an der Tagesordnung.« Er wüßte und sagte heute: »National-Staaten und National-Kulturen wollen nichts mehr besagen; Welt-Einheit und Welt-Kultur ist die Forderung des Tages.« – Man hört heute viel vom totalen oder totalitären Staat. Daß er nichts ist, als der totale Krieg, wußten wir immer schon, und es hat sich erwiesen. Der Grund ist, daß sich in dieser Mißidee das Neue, der Gedanke der Einheit, mit dem Alten, dem nationalen Gedanken vermischt, von dem nichts Gutes mehr kommen kann. Das Ergebnis ist ein schmutziger Greuel und eine Geschichtsmacherei, die nichts ist als blutiger Schaum. Was wir dem Unfug des totalen Staates entgegenstellen, ist der totale Mensch.

Die Zeiten sind längst vorbei, wo man das Menschliche in verschiedene Sphären eingeteilt sehen konnte, von denen eine die politische war: eine Sonder-Sphäre, um die man sich nicht zu kümmern brauchte. Die Frage des Menschen, das Problem der Humanität steht längst schon als ein unteilbares Ganzes vor unseren Augen und ist als Ganzes dem geistigen Gewissen auferlegt. Das Problem der Humanität aber schließt die politische Frage ein; sie ist nicht das Ganze, aber sie ist ein Teil, ein Segment, eine Seite davon, – ja, man kann sagen, daß die Frage des Menschen sich heute in wesentlich politischer Form darstellt, daß sie mehr, als vielleicht in jeder früheren Epoche, ein politisches Gesicht gewonnen hat. Das Problem der Humanität als Einheit, das Politische, mit umfaßt von der Frage des Menschen: das war es, wovon der bürgerliche Geist in Deutschland nichts wußte. Es war der verhängnisvolle Fehler dieser gebildeten deutschen Mittelklasse, zwischen Geist und Leben, Denken und Wirklichkeit, einen scharfen Trennungsstrich zu ziehen und von der Höhe einer absoluten Kultur verachtungsvoll auf die Sphäre des Sozialen und Politischen herabzublicken. Dies ist es, was dem bürgerlichen Geist in Deutschland seine heutige Erniedrigung eingetragen hat. Die Hilf- und Widerstandslosigkeit der Demokratie in Deutschland hat hier ihren Grund: in dem vielleicht fundamentalen Mangel an jenem Pragmatismus, der nichts weiter als Lebensfreundlichkeit, Lebensverbundenheit, Verantwortungsgefühl des

Geistes ist für das Leben und für die Ergebnisse des Gedankens im Wirklichen, im gesellschaftlichen und politischen Leben der Menschen.

Neulich las ich den Aufsatz eines Engländers, Betrachtungen über Kultur und Freiheit, die eine Kritik an Natur und Schicksal des deutschen Geistes nicht vermeiden. »I feel«, sagt der Verfasser, »for German culture a sympathy which is deep and genuine. But at the same time this feeling of sympathy has always been accompanied by a feeling of despair. It is as though every road taken by German poets and philosophers led to the edge of an abyss – an abyss from which they could not withdraw, but must fall into headlong, – an abyss of intellect no longer controlled by any awareness of the sensuous realities of life.« – Das ist vorzüglich; und es ist unnötig zu sagen, daß die »Verzweiflung«, der Schmerz, die der fremde Liebhaber deutscher Kultur zugleich bei ihrem Anblick empfindet, uns Angehörigen dieser Kultur, die wir in ihrer Überlieferung stehen, nur zu vertraut sind. Es gibt etwas unter uns Deutschen, was es, glaube ich, bei anderen Völkern nicht gibt: das Leiden an unseren großen Männern.

Nehmen Sie Nietzsche, den Urheber wohl der faszinierendsten und farbenvollsten philosophischen oder lyrisch-kritischen Produktion unseres Zeitalters. Wo würde das Verhängnis, das über den Wegen des deutschen Geistes waltet, die Tendenz zum intellektuellen Abgrund, an dessen Rande alles Verantwortungsgefühl des Gedankens für seine Folgen im Menschlich-Wirklichen erlischt, deutlicher als bei ihm? Persönlich war er eine zarte, komplizierte, tief leidensfähige Künstlernatur, fremd aller Brutalität und primitiven Gesundheit, – eine christliche Natur, wenn nicht in der religiösen, so doch in der konstitutionellen Bedeutung des Wortes. Aber im heroischen Widerspruch zu sich selbst bildete er eine rauschvoll anti-humane Lehre aus, deren Lieblingsbegriffe Macht, Instinkt, Dynamismus, Übermenschentum, naive Grausamkeit, die »Blonde Bestie«, die amoralisch triumphierende Lebenskraft waren. Zuweilen, privat, in seinen Briefen, kam ein ganz anderer Nietzsche zum Vorschein, als der seiner Bücher. Als Kaiser Friedrich III., der englandfreundliche Liberale, am Krebs gestorben war, schrieb der Verherrlicher Cesare Borgias an einen Freund, dieser Tod sei ein großes, entscheidendes Unglück für Deutschland; die letzte *Hoffnung auf deutsche Freiheit* gehe damit zu Grabe. – Das ist der einfache, natürliche und unverstiegene Ausspruch eines geistigen Menschen, der als solcher die Freiheit liebt und auf sie angewiesen ist. Es ist die unwillkürlich und im Vergleich mit den hektischen Wagnissen seiner Philosophie sogar banale Äußerung von Nietzsches Verhältnis zur Wirklichkeit des Lebens, zu *seiner* Wirklichkeit im Gegensatz zu dem romantischen Poem, das sein Werk war. Wer zweifelt, daß er sich im Grabe umdrehen würde, wenn er dort unten erführe, was man aus seinem Macht-Philosophem gemacht hat? Und lebte er – sein persönliches Schicksal würde der einfachen und geistig natürlichen Briefstelle entsprechen, die ich anführte; mit seiner Lehre hätte es nichts zu tun. Er, der als Emigrant lebte, schon unterm Kaiserreich – wo wäre er heute? Bei uns wäre er, in Amerika.

Seit seine Kritik der Moral uns psychologisch erregte, hat die Zeit uns das Gewissen geschärft für die Verpflichtung des Gedankens auf Leben und Wirklichkeit, eine Verpflichtung, die durch das Harakiri des Geistes zu Ehren des Lebens sehr schlecht erfüllt wird. Es gibt Schauspiele im Denken und Dichten, die uns weniger eindrucksvoll, als früher, sondern eher instinktlos und frevelhaft vorkommen. Unverkennbar tritt heute der Geist in eine *moralische* Epoche ein, eine Epoche neuer religiöser und moralischer Scheidung von Gut und Böse. Das bedeutet eine gewisse Vereinfachung und Verjüngung des Geistes im Gegensatz zu allem müden und skeptischen Raffinement, – es ist *seine* Art, sich zu »rebarbarisieren«. Wir sind des Bösen in so äußerst niedriger und abschreckender Gestalt ansichtig geworden, daß Nietzsches Unterscheidung von Böse und *Schlecht* uns nichts mehr zu sagen hat: Das Schlechte, das ist das Böse, es ist das Allerböseste, und das Böse das Allerschlechteste; so haben wir's erlebt, und auf eine ganz unironische Weise, wie sie noch vor kurzem nicht für geistig gegolten hätte, haben wir uns zum Guten entschlossen. Freiheit, Wahrheit, Recht, Menschlichkeit – der Geist wagt es, wagt es wieder, diese Worte auszusprechen, er schämt sich nicht länger, wie er glaubte, es tun zu müssen, solange sie selbstverständlich schienen. Da sie in äußerster Gefahr sind, wird ihm bewußt, daß sie sein tägliches Brot, seine Lebensluft, sein Leben selbst sind, und er begreift, daß er für sie kämpfen muß und selbst untergehen.

Du, lieber Heinrich, hast diese neue Situation des Geistes früher geschaut und erfaßt, als wohl wir alle; du hast das Wort »Demokratie« gesprochen, als wir alle noch wenig damit anzufangen wußten, und die Totalität des Menschlichen, die das Politische einschließt, in Werken verkündet, die vornehmste Kunst und Prophetie sind in einem. Empfinden wir nicht Bücher wie den »Untertan«, den »Professor Unrat«, die »Kleine Stadt« heute als vollendete Prophetie? Wenn Genie Vorwegnahme ist, Vorgesicht, die leidenschaftliche Gestaltung kommender Dinge, dann trägt dein Werk den Stempel des Genialen, und über seine Schönheitswagnisse hinaus ist es ein moralisches Phänomen. Ich sprach von einer Vereinfachung und Verjüngung des Geistes, – deine Kampfschriften gegen das schlechthin Infame, das jetzt seinen blutigen Schaum schlägt, diese Kampfschriften in ihrer Mischung aus literarischem Glanz und einer – ich möchte fast sagen: märchenhaften Simplizität, einer menschheitlichen Volkstümlichkeit, sind das großartigste Beispiel dafür. Die Schul-Lesebücher der Zukunft, glaube ich, werden sie einer Jugend bieten, die das Leiden, den sublimen Haß nicht mehr nachempfinden kann, aus dem sie kamen, und der doch das Herz dabei höher schlagen wird.

Diese Zukunft, diese Jugend werden kommen, wir wollen uns dessen versichert halten. Unsere Deutschen glauben zu sehr an den kruden Erfolg, an die Gewalt, an den Krieg. Sie glauben, es gelte nur eiserne Tatsachen zu schaffen, vor denen die Menschheit sich schon beugen werde. Sie wird sich nicht davor beugen, weil sie es nicht kann. Man mag über die Menschheit noch so bitter-zweifelhaft denken – es ist, unter aller Erbärmlichkeit, ein göttlicher Funke in ihr, der Funke des Geistes und des Guten. Den endgültigen Triumph des Bösen, der Lüge und der Gewalt, kann sie nicht hinnehmen – sie kann damit einfach nicht leben. Die Welt, die das Ergebnis vom Siege des Hitler, wäre ja nicht nur eine Welt universeller Sklaverei, sondern auch eine Welt des absoluten Zynismus, eine Welt, die jedem Glauben an das Gute, das Höhere im Menschen Hohn spräche, eine durchaus dem Bösen gehörige, dem Bösen untertänige Welt. Das gibt es nicht, das wird nicht geduldet. Die Revolte des Menschentums gegen eine Hitler-Welt vollkommener Negierung dessen, was im Menschen zu Geiste strebt – diese Revolte ist die gewisseste der Gewißheiten; sie wird eine elementare Revolte sein, vor der »eiserne Tatsachen« zerbröckeln werden wie Zunder.

Vor einem Menschenalter, lieber Bruder, gabst du uns den Mythos vom Professor Unrat. Hitler ist kein Professor – weit davon. Aber Unrat ist er, nichts als Unrat, und wird bald ein Kehricht der Geschichte sein. Wenn du, wie ich vertraue, die organische Geduld hast, auszuharren, so werden deine alten Augen sehen, was du in kühner Jugend beschriebst: das Ende eines Tyrannen.

Heinrich Mann, Tischrede bei Frau Viertel
[Gehalten am 2. Mai 1941]

Lieber Bruder,
ich danke Dir für Deine Worte, die allen zum Herzen gegangen sind, besonders aber mir. Obwohl ich diese uneingeschränkte Schätzung meiner Tätigkeit und Person natürlich nicht ohne Bedenken hinnehmen dürfte, tue ich es heute dennoch. Denn erstens ist dies ein Festtag, er erlaubt mir mehr als andere Tage und Jahre. Sodann meinst Du, was Du sagst. Deine Aufrichtigkeit, die meisterliche Eindringlichkeit Deiner Wahrheiten war es von je, was die Herzen gewann, auch meins – glaube mir, sogar vorzeiten, in dem seltenen Fall, als wir verschieden dachten. Verschieden, das bringt ein langes Leben mit sich. Brüderlich ist unser Leben und Denken jederzeit geblieben, und nicht nur meine Geburt, auch Herz und Wissen berechtigen mich, auf Deine Größe, Deinen Ruhm stolz zu sein – »als wär's ein Stück von mir«. Sollte ich über mich und mein Ergehen einer Tröstung bedürfen, ich bin getröstet, da es für uns wie im Liede heißt: »Er ging an meiner Seite.« Und die Kugeln, die geflogen kommen, sind für uns beide.
Man ist an Gedenktagen dankesfroh, darum will ich nicht unbedankt lassen die Frau, die mich im Glück kennen lernte, aber in das Exil ist sie mir gefolgt und teilte das Geschick mit mir. Verzeihe mir jeder, was unter anderen Umständen nicht erlaubt schiene: ich sprach soeben von meiner Frau.
Verehrte Tischgenossen –
oder soll ich sagen Festgenossen? Die Dankbarkeit für Ihr Erschei-

nen verpflichtet mich; die einfache Bescheidenheit rät mir ab. Mein Jahrestag wird gewiß nur aus besonderer Güte von Ihnen gefeiert – mit Rücksicht auf die Altersstufe, die sonst der Anlaß einer ungewöhnlichen Anerkennung war. Heute, Sie denken darüber im Grunde wie ich, würden sogar neunzig Jahre kaum genügen, daß einer sich mit Recht herausstellt und sagt: hier bin ich; das war ich.

Zu viele werden nie mehr für ihr Dasein bedankt werden, weil sie vor der Zeit, vor meiner zurückgelegten Zeitspanne, dahin mußten, und hätten leben können. Die Umstände und Ereignisse, die Lage, die uns allen gemeinsam ist, würden wohl eigentlich auffordern, zu schweigen und allein zu bleiben. Folgerichtig – indessen, wer handelt folgerichtig – wäre weiter gar nichts erlaubt außer Trauer und gespannter Erwartung.

Bis wir das Verhängnis kennen und die längst verfügte Entscheidung, aber unsere Welt hinter uns liegt, trägt mancher Bedenken, mit seiner Person in die Öffentlichkeit zu gehen, wäre es nur, daß er sein heutiges Können vorführt. Die vorigen schon bekannten Leistungen läßt man besser ruhen. Andererseits ist das Leben kurz, die Kunst, sie achtet der Zeit nicht. Was meinen Sie, wenn plötzlich Shakespeare, wie er leibte und lebte, wieder die Erde besuchte; zuerst natürlich die Englisch redenden Länder. Für meinen Teil bin ich versucht zu glauben: der Krieg bräche ab. Er würde schlechthin, mit allen Tanks und scheußlichem Geschirr, in den Boden oder to the bottom versenkt sein.

Der Feind müßte vor Scham ersterben. Er hatte den größten Briten ungefähr für sich annektiert, bevor er auf den Gedanken verfiel, auch seine Insel zu erobern. Das letzte, oder schon nicht mehr das letzte der Shakespeare-Dramen, das in Berlin gespielt wurde, ist auffallenderweise dieser Richard II., worin diese eherne Hymne auf England steigt: Sie kennen sie:

»This royal throne of Kings, this scepter'd isle«,
und weiter:
»This fortress built by nature for herself
Against infection and the hand of war –«

Sehr möglich, daß die Verse, und es folgen viele, immer gesteigerte, bei der deutschen Aufführung letzthin fortgelassen wurden. Wie hätte man sie gesprochen? Mit Emphase, um den Gegner abzuführen? Oder ironisch – gegen wen, wenn man den Autor der Verse nicht entbehren kann? Vielleicht im Konversationston, damit sie unter den Tisch fielen. Dennoch, das Stück war da, und was damit getan ist, stirbt nicht. Eher endet der unzeitgemäße Krieg, den ein Affe der Geschichte entgegen ihrer Absicht noch herauszufordern gewagt hat. Das Wort und die Gabe, es zu gebrauchen, enden nie.

Dies, verehrte Tisch- und Festgenossen, entbehrt keineswegs der Beziehung auf uns und den mäßigen Anlaß unseres reichen Mahles. Als Goethe es sich verbat, mit Tieck verglichen zu werden, fügte er hinzu, er selbst vergleiche sich nicht mit Shakespeare. Jedes geistige Vermögen, ohne daß es sich einem anderen vergleicht, darf aus der uralten Erfahrung schließen: solange wie die Unternehmungen von Zerstörern dauert unser schöpferisches Bemühen immer. Oft haben wir die späten Nachwirkungen der Vernichter und Nichtdenker überlebt.

Unseresgleichen wurde Herr über die zeitgenössischen Leidenschaften und Ängste. Sie waren nachher unverständlich, außer in unserer Gestaltung, unserem Tag des Gerichts. Wir müssen die Hoffnung bewahren, älter zu werden als der jetzt so lebendige Haß und alles Aufsehen, das sein eigentlich gespenstischer Unfug macht. Um auch den heilsamen Zweifel nicht zu vergessen: »Wenn die Welt aus einer Schlammgrube sich aufgerafft hat, fällt sie wieder in eine andere; gesitteten Jahrhunderten folgen Jahrhunderte der Barbarei. Die Barbarei wird bald verjagt; bald erscheint sie wieder: beständig wechseln Tag und Nacht.« Dies ist in einem Jahrhundert der Gesittung gesprochen worden – von Voltaire, nur mit ihm war es gesittet.

Beglückwünschen wir niemand einzeln, aber um so mehr uns alle, die wir auf den nächsten Sieg der Gesittung vertrauen. Ich erhebe mein Glas; je lève mon verre, sagte der trinkfrohe Maire von Monaco, als er mich nach Monte Carlo zu einem Bankett geladen hatte. Ich erwies ihm alle Ehre, und entbiete sie heute unserer verehrten Gastgeberin. Ihnen allen meinen Dank. Dies Glas für Frau Salka Viertel.

Heinrich Mann, Mein Bruder
[Aus ›Ein Zeitalter wird besichtigt‹, 1945]

Als mein Bruder nach den Vereinigten Staaten übersiedelt war, erklärte er schlicht und recht: »Wo ich bin, ist die deutsche Kultur.« Wirklich erfassen wir erst hier die Worte ganz: »Was du ererbt von deinen Vätern hast, erwirb es, um es zu besitzen!« Das ist unser mitbekommener Inhalt an Vorstellungen und Meinungen, Bildern und Gesichten. Sie ändern sich im ganzen Leben nicht wesentlich, obwohl sie bereichert und vertieft werden. Endlich sind sie an keine Nation mehr gebunden.

Unsere Kultur – und jede – hat die Nation unserer Geburt als Ausgang und Vorwand, damit wir vollwertige Europäer werden können. Ohne Geburtsstätte kein Weltbürgertum. Kein Eindringen in andere Sprachen, Literaturen gar, ohne daß gleichzeitig unser angeborenes Idiom, gedruckt und mündlich, von uns erlebt worden ist bis zur Verzweiflung, bis zur Seligkeit. Anfangs seiner zwanziger Jahre war mein Bruder den russischen Meistern ergeben, mein halbes Dasein bestand aus französischen Sätzen. Beide lernten wir deutsch schreiben – erst recht darum, wie ich glaube.

Ihn sehe ich an meiner Seite, wir beide jung, meistens auf Reisen, zusammen oder allein: an nichts gebunden – hätte man gesagt. Man weiß nicht, wieviel unerbittliche Verpflichtung ein Gezeichneter, der sein Leben lang hervorbringen soll, als Jüngling überall hin und mit sich trägt. Es war schwerer, als ich mir heute zurückrufen kann. Später wäre der Zustand der Erwartung unerträglich gewesen. Wir bedurften der ganzen Widerstandskraft unserer Jugend.

Ich möchte nicht zu weit vordringen; die Untersuchung eigener Schmerzen habe ich damals, aus Furcht, sie für immer festzulegen, auf bessere Zeiten verschoben. Die guten Zeiten kommen nie, aber mit den Schmerzen, die übrigens in reicher Auswahl wechseln, auszukommen lernen, ist eigentlich die Lehre, wie man lebt. Mein Bruder verstand dies früher als ich.

Wir stiegen, nach der Hitze des Sommertages, von unserem römischen Bergstädtchen – zehn Jahre darauf die Dekoration meiner »Kleinen Stadt« – auf die Landstraße hinab. Vor uns, um uns hatten wir den Himmel aus massivem Gold. Ich sagte: »Die byzantinischen Bilder sind goldgrundiert. Das ist kein Gleichnis, wie wir sehen, es ist eine optische Tatsache. Nur noch der schmale Kopf der Jungfrau, und ihre viel zu schwere Krone, die aus ihrem plastischen Zenit unbeteiligt niederblicken!« Meinem Bruder mißfiel die Schönseligkeit. »Das ist der äußere Aspekt«, sagte er.

Niemals ließ er seinen kleinen Hund zu Hause. »Sollen wir wirklich allein gehen?« fragte er, wenn Titino nicht zur Stelle war. Wir hatten ihn auf einem Heuhaufen gefunden. Sein Gehaben in allen Lagen, die Äußerungen seiner kleinen Instinkte, dieselben wie unsere, nur unbefangener, es gewährte ihm Trost und gab ihm Unterricht. Titino, der Realist, war eine muntere Berichtigung, wenn das junge Gemüt seines Herrn sich verdüstern wollte.

Die beste Gegenkraft hieß »Buddenbrooks, Verfall einer Familie«. In unserem kühlen, steinernen Saal, auf halber Höhe einer Treppengasse, begann der Anfänger, mit sich selbst unbekannt, eine Arbeit, – bald sollten viele sie kennen, Jahrzehnte später gehörte sie der ganzen Welt. In dem Entwurf, den er unternahm, war es einfach unsere Geschichte, das Leben unserer Eltern, Voreltern, bis rückwärts zu Geschlechtern, von denen uns überliefert worden war, mittelbar oder von ihnen selbst.

Die alten Leute haben bedachtsamer als wir ihre Tage gezählt, sie führten Buch. Die Geburten im Familienhaus, ein erster Schulgang, die Krankheiten und was sie die Etablierung ihrer Kinder nannten, Eintritt in die Firma, Verheiratung, alles wurde schriftlich aufbewahrt, besonders eingehend die Kochrezepte, mit den erstaunlich niedrigen Preisen der Lebensmittel – die Urgroßmutter klagte dennoch über Teuerung. Diese Dinge waren, als wir einander daran erinnerten, hundert Jahre vergangen, unsere miterlebten keine zehn.

Wenn ich mir die Ehre beimessen darf, habe ich an dem berühmten Buch meinen Anteil gehabt; einfach als Sohn desselben Hauses, der auch etwas beitragen konnte zu dem gegebenen Stoff. Hätte aber hinter uns ein abgeschiedener Herr gestanden im gestickten Kleid, mit gepudertem Haar, er hätte mehr als ich zu sagen gehabt. Der junge Verfasser hörte hin: die Einzelheiten der Lebensläufe zu wissen war unerläßlich. Jede forderte inszeniert zu werden. Das wesentliche, ihr Zusammenklang, die Richtung, wohin die Gesamtheit der Personen sich bewegte – die Idee selbst gehörte dem Autor allein.

Nur er begriff damals den Verfall; erfuhr gerade durch seinen eigenen, fruchtbaren Aufstieg, wie es geht, daß man absteigt, aus einer zahlreichen Familie eine kleine wird und den Verlust eines letzten tüchtigen Mannes nie mehr verwindet. Der zarte Junge, der übrig ist, stirbt, und gesagt ist alles für die ganze Ewigkeit. In Wirklichkeit, wie sich dann herausstellte, blieb vieles nachzutragen, wenn für keine Ewigkeit, doch für die wenigen Jahrzehnte, die wir kontrollieren. Die »verrottete« Familie, so genannt von einem voreiligen Pastor, sollte noch auffallend produktiv sein.

Dies war die tatkräftige Art eines neu Beginnenden, sich zu befreien von den Anfechtungen seines ungesicherten Gemütes. Als sein Roman mitsamt dem Erfolg da waren, habe ich ihn nie wieder am Leben leiden gesehen. Oder er war jetzt stark genug, um es mit sich abzumachen. Der letzte tüchtige Mann des Hauses war keineswegs dahin. Mein Bruder bewies durchaus die Beständigkeit unseres Vaters, auch den Ehrgeiz, der seine Tugend war. Der Ehrgeiz veredelt die Selbstsucht, wenn er nicht von ihr ablenkt.

Nach sechzig Jahren höre ich wieder meinen Vater, seine Antwort auf die Bemerkung eines Mitbürgers, sein Name werde natürlich auch diesmal genannt. »Ja. Ich bin überall dabei, wo nichts zu verdienen ist.« Der Kaufmann legte Wert auf unbezahlte Arbeiten, die gemeinnützig dienten. Die Steuerpflichtigen seines Stadtstaates kosteten ihn mehr Mühe und Zeit, als ein Mitglied des regierenden Senates ersetzt bekam. Ich glaube nicht, daß er, obwohl 25 Jahre Chef der Firma, ihr Vermögen vermehrt hat.

Sein Geschäft war, Getreide zu kaufen, es zu lagern und es zu verschiffen. Als Knaben nahm er mich auf die Dörfer mit. Damals hoffte er noch, ich könnte ihm nachfolgen. Er ließ mich ein Schiff taufen, er stellte mich seinen Leuten vor. Das alles schlief ein, als ich zuviel las und die Häuser der Straße nicht hersagen konnte. Über Land fuhren wir im gemieteten Wagen. Niemand, kaum die Millionäre, hielt sich damals den eigenen, den jetzt Besitzlose haben. Beim Getrappel der Pferde trat der Bauer vor seinen Hof, und der Kauf wurde ohne Besichtigung abgeschlossen, beiderseits bestand Vertrauen. Gerade um die gute Freundschaft frisch zu erhalten, reiste mein Vater.

Seine Popularität, die groß und aufrichtig war – aufrichtig erworben und dargebracht –, erscheint mir, wenn ich die außerordentliche Namhaftigkeit meines Bruders bedenke, als ihre Vorgestalt. Er fing früher an, als er selbst zugegen war. Er ist namhaft außer jeder Reihe, in der Art eines Patriziers, der seine Tradition mitbringt. Vorurteile, die ihr anhängen, werden dem Abkömmling nachgesehn. Auch sind sie mit Skepsis verbunden. Eine unbeherrschte Abneigung gegen Neuheiten, die ihnen Gefahr bringen, ist, sozial gesprochen, bei Neureichen, geistig, bei Ungesicherten.

Unser Vater arbeitete mit derselben Gewissenhaftigkeit für sein Haus wie für das öffentliche Wohl. Weder das eine noch das andere würde er dem Ungefähr überlassen haben. Wer erhält und fortsetzt, hat nichts anderes so sehr zu fürchten wie das Ungefähr. Um aber erst zu gestalten, was dauern soll, muß einer pünktlich und genau sein. Es gibt kein Genie außerhalb der Geschäftsstunden. Die feierlichsten Größen der Vergangenheit haben mit ihren Freunden gelacht und Unsinn geschwatzt. Man halte seine Stunden ein. In unserer Macht steht übrigens nicht das Genie: nur die Vollendung, gesetzt, wir wären stark und zuverlässig.

Wenn ich richtig sehe, wird meinem Bruder, noch mehr als seine Gaben, angerechnet, daß er, was er machte, fertig machte. Die ganz erreichte Vollendung ginge über menschliches Vermögen. Sich ihr unermüdlich anzunähern, ist schon die erlaubte Höchstleistung. Der uneigennützige Ehrgeiz, selbstlos, weil er das Werk will, und bliebe es unbedankt, er befremdet und bezwingt sowohl die Leute wie die Völker. Denn beide, soviel sie selbst betrifft, nehmen sich eher nachlässig. Solange wie möglich machen sie es sich bequem.

Hiermit wäre unvollständig erklärt, daß viele Amerikaner, sein neueres Publikum, übereingekommen sind, Thomas Mann den ersten Schriftsteller der Welt zu nennen. Wenn wir zurückdenken, hatten die meisten Deutschen dieselbe Meinung und waren nur unterschiedlich gehemmt, sie auszusprechen. Damit ein einzelner dieses unbezweifelte Ansehen erwirbt, muß er mehr darstellen als nur sich selbst: Ein Land und seine Tradition, noch mehr, eine gesamte Gesittung, ein übernationales Bewußtsein vom Menschen. Eins wie das andere trug bis zu diesen Tagen den Namen Europas. Es war Europa selbst.

Die Amerikaner sind, wohl mit Recht, überzeugt von ihrer künftigen Bestimmung, mitzubilden an der Kultur der Welt. Einiger Zweifel, ob dies so leicht getan wäre, erweist sich in ihrer vorbehaltlosen Anerkennung des Mannes, der deutsch schreibt, deutsch ist. Wollte er es auch, er könnte nichts gegen seine Herkunft und lebenslange Schulung. Jetzt gebraucht er täglich, auch öffentlich, das Englische. Ich hörte ihn aber das Deutsche seine »sakrale« Sprache nennen.

Erasmus von Rotterdam, dessen Bildnis schon vor Zeiten, als Vorahnung, neben dem Schreibtisch meines Bruders hing, schrieb lateinisch. Das Deutsche ist – auf wie lange? – tot. Wir müssen übersetzt werden, wenn man uns lesen soll. Leibniz, obwohl der gelehrten Sprache mächtig, drückte sich lieber gleich für die Laien französisch aus. Wer, Leibniz oder Erasmus, befolgte den höheren Ehrgeiz? Es ist erstaunlich, wie viele zugereiste Autoren nach kurzer Pause ihre Gedanken jetzt englisch äußern – ein ungefähres Englisch und ungefähre Gedanken. Der geachtetste aller Schriftsteller bleibt deutsch und wird sakral.

Man kann es sich im Alter erlauben, nach vielen abgelegten Proben, gegen das Ende einer bedeutenden Repräsentation. Seine Natur, sagt er, sei gewesen zu repräsentieren. Nicht, zu verwerfen. Er hat Deutschland, wie es war, vormals gehalten gegen die Wut der Welt und gegen eigene Bedenken. Sein Gewissen hatte einen schweren Weg, bis es gegen sein Land entschied. Um so höher wird ihm sein Entschluß vergolten, hier mit Liebe, dort mit Haß. Er ist ein Zeuge außerhalb der Reihe. Und er ist nicht lau.

Die Prinzessin von Oranien, Madame d'Orange, wie ihr Jahrhundert sie nannte, legt durch meine Vermittlung ihr Bekenntnis ab. »Ich gehe durch die Ereignisse als immer gleiche: das ist ein großer Mangel. Wir sollen mit Gebrechen behaftet sein, damit wir sie heilen können durch Erkenntnis und Willenskraft. Ich hatte gar nichts abzulegen, weder Hochmut noch Ehrgeiz noch Eigennutz«... Zum Abschluß wiederholt die Prinzessin: »Und das alles kostet mich nichts. Ich kämpfe nicht, mich lenkt ein heiterer Starrsinn, den man aus Irrtum tugendhaft nennt. «

Die Christin sucht offenbar ihre Genugtuung in ihrer Härte gegen sich selbst; sie spricht: »Niemals irren, bei unserem Herrn im Himmel heißt das Lauheit. «

Nun verkennt sie hierin die Idealisierung ihrer eigenen Fehlerhaftigkeit. Wie sie sich haben will, ist sie nie gewesen. Dieses Maß von Unbeteiligtheit an den allgemeinen Leidenschaften kennen wir nicht. Indessen bestehen Abstufungen für die Ergriffenheit oder Lauheit. Heute ist der Ergriffene mein Bruder. Ihn mußte, mehr als die meisten, sein Deutschland enttäuschen. Was es seither aus sich gemacht hat – oder wie es erlaubt hat, daß man es zeige – Feind der Vernunft, des Gedankens, des Menschen: ein Anathem, das traf ihn persönlich, je später es ihn traf. Er fühlte sich verraten.

Als er noch wenig veröffentlicht hatte, bezog er sich einmal auf das Wort eines anderen, das ich nicht mehr genau weiß: mir im Rücken atmet ein Volk, – war der Sinn. Er wünschte schon damals, allein vor seinem Blatt Papier, daß eine Nation ihm über die Schulter blicke und zustimme. Sein Bedürfnis war, neu und tief, aber für eine Gesamtheit von Zeitgenossen neu und tief zu sein. Wie erst, als die Nation ihn wirklich der Welt als einen Meister anbot! Wenn keine Nation uns anbietet, erfährt die Fremde von uns spät oder nie.

Die Dinge sind indessen dahin gediehen, daß einige fremde Länder ihn kennen dürfen, nicht mehr alle, und nur zuletzt das seine. Gerade ihm hatte er immer sein Wort zugedacht; die anderen erreichte es, dank seiner Vorzüglichkeit unter den deutschen Worten. Es ist wahr, daß die Gipfel der europäischen Literatur oberhalb der Nationen einander nahe sind. Ihr Grund und Ansatz hat sich den Blicken entzogen. Das betrifft wahrhaftig kein einzelnes Land mehr, wenn unter der Hand eines Autors die Josephslegende zum Gleichnis der alten, im Wesen unveränderlichen Menschheit wird. Das spielt für alle. Es spielt in uns allen.

Aber der »Joseph« ist, wie vorher der »Zauberberg«, ein Erziehungsroman: seit dem »Wilhelm Meister« die deutsche Erscheinung des Romans schlechthin. Wenn nicht »L'Ingénu«, von Voltaire, schon vorher erschienen wäre, mit seinem Schlußkapitel, das ein Zaubermärchen der Moral und die Einfachheit selbst ist.

Im »Zauberberg« wird auch nur leben gelernt. Zu leben lehren ist die Absicht der Literatur, der Theologie und Medizin. Alle drei, und noch einige Disziplinen hinzu, muß ein Phantasiebegabter von jedem seiner Bücher zum nächsten nüchtern studieren, damit er sozusagen erfinden kann. »Ich habe eigentlich gar nichts erfunden«, meinte dieser Autor, so sehr überzeugen ihn seine Geschichten.

Einer erzieht schreibend sich selbst, umfaßt vom Leben mehr mit jedem Buch, gelangt über das von Mal zu Mal erweiterte Wissen zu der Weisheit, die das Ziel ist. Was soll da Deutschland? Dem Werk gibt es nichts und kann ihm nichts nehmen. Ja, aber es steht da, wenn auch mit eingestürzten Häusern. Das alte Haus, aus dem er kam, ist in seiner Erinnerung aufrecht, und so das Land, wie es war, wie er gewollt hat, daß es sei. Der Schmerz über einen sittlichen Zusammenbruch ist stärker, als wenn Städte untergehen. Er hatte Deutschland sittlich gesichert geglaubt. Daher ein Zorn, der nichts nachgibt.

Das Verhältnis zum eigenen Land gestaltet sich manchmal anders. Jemand kann vor der Zeit mit ihm zusammenstoßen, ungewiß warum. Vielleicht vermöge seiner jugendlichen Einfühlung in andere Zonen, oder aus Ursachen, die bis hinter seine Geburt reichen. Ich hatte mein zeitgenössisches Deutschland früh angezweifelt, zum berechtigten Unwillen meines Bruders. Aber was vermag einer gegen seine lebendigen Eindrücke.

1906 in einem Café Unter den Linden betrachtete ich die gedrängte Menge bürgerlichen Publikums. Ich fand sie laut ohne Würde, ihre herausfordernden Manieren verrieten mir ihre geheime Feigheit. Sie stürzten massig an die breiten Fensterscheiben, als draußen der Kaiser ritt. Er hatte die Haltung eines bequemen Triumphators. Wenn er gegrüßt wurde, lächelte er – weniger streng als mit leichtsinniger Nichtachtung.

Ein Arbeiter wurde aus dem Lokal verwiesen. Ihm war der absonderliche Einfall gekommen, als könnte auch er, für dasselbe billige Geld wie die anders gekleideten, hier seinen Kaffee genießen. Unter einer Decke, von der lebensgroße Stuckfiguren hingen! Zwischen den schlecht gemalten Militärparaden an beiden Längswänden! Obwohl der Mann keine Gegenwehr leistete, fanden der Geschäftsführer und die Kellner lange ihr Genüge nicht, bis der peinliche Zwischenfall aus der Welt war.

Ich brauchte sechs Jahre immer stärkerer Erlebnisse, dann war ich reif für den »Untertan«, meinen Roman des Bürgertums im Zeitalter Wilhelms des Zweiten. Der Roman des Proletariates, »Die

Armen« benannt, kam im Krieg 1916 zustande. An die leitenden Gestalten des Kaiserreiches ging ich erst im Sommer 1918, wenige Monate vor seinem Zusammenbruch – dessen Zeitpunkt bis zuletzt unbestimmt war. Für meinen ersten Entwurf des Romans »Der Kopf« fand ich es noch geraten, die Handlung in ein Land mit ausgedachtem Namen zu verlegen.

Früh war ich nicht aufgestanden, meine Eingebung hatte nichts von Prophetie. Allerdings begann ich, als die Tatsachen noch dämmerten. Als Sonnen sind sie nicht gerade aufgegangen. Litt ich an meinen Erkenntnissen, die zu der gleichen Zeit ein jeder hätte empfangen können? War ich ein Kämpfer? Ich gestaltete, was ich sah, und suchte mein Wissen überzeugend, wenn es hoch kam, auch anwendbar zu machen.

Es ist nicht angewendet worden. Nach dem Kaiserreich betrachtete ich die Republik und hielt von ihr ziemlich genau so viel, wie sie wert war. Der Zustand, der sie abgelöst hat, das durchaus grauenhafte Fazit der früher durchlaufenen Zustände, dieses Hitlerdeutschland, mußte mich anwidern wie jedes andere Individuum von Geschmack, Selbstachtung und Mitgefühl. Erduldet habe ich, dank Hitler, seiner Herrschaft, seinem Krieg Ängste, Schmerzen, die tiefste Erniedrigung meines Daseins.

Nicht eigentlich Zorn. Der Zorn überrascht uns. Wir müssen die Menschen, die uns erbittern, für unfähig ihrer Schande gehalten haben. Nur den Milden bringen sie wahrhaftig außer sich. Wir dürfen die Vorzeichen, Vorstufen ihrer Schande nicht zu deutlich verzeichnet haben, wenn wir eines bösen Tages den Zorn kennenlernen sollen. Mein Bruder kennt ihn jetzt.

Das bedeutet: er war gütig. Ihn verlangte, an die Deutschen zu glauben – gewiß um seiner Arbeit willen, sie bedurfte des sittlichen deutschen Bodens, der viel ehrliches Werk hervorgebracht hat. Aber er vertraute den Deutschen auch aus Freundlichkeit. Wie hätte er anders ihnen helfen, wie ihren guten Namen, nicht seinen nur, hinaustragen dürfen. Der Seelenkenner, der er ist, gründet sein Wissen auf keine schwierige Gesamtheit. Die einzelnen Deutschen – Goethe unterscheidet sie von der Nation – waren oft tugendhaft.

Ein Überraschter in seinem Zorn muß wohl achtgeben, damit er nicht mit wenigen Bösewichtern, oder mit einem gerade lebenden

Geschlecht von Boshaften, die Nation verwirft. Wenn wir nunmehr besprechen, was dieses Zeitalter tut, seine ganze schöne Bescherung – wir reden selten und knapp: aber eher bin ich es, der in dem unglücklichen Land unseres Ursprunges keinen monströsen Einzelfall erblickt.

Wohlverstanden weiß auch ich, was dieses eine Land verschuldet oder doch veranlaßt hat. Von seiner tristen Entartung habe ich Beispiele, die mir und anderen zugestoßen, gerade genug.

Nur mache ich geltend, daß dieser nicht der erste Versuch einer Welteroberung ist und nicht der letzte bleiben wird. Der Realist Stalin sagt: »Kriege wird es immer geben.« Was sind aber Kriege in einer räumlich leichter beherrschbaren Welt? Sie können nur die Unterwerfung der Menschheit durch eine oder zwei Mächte sein. Das muß sich wiederholen – wenn Napoleon, der allen hätte genügen sollen, sich dennoch wiederholen konnte. Diesmal traf das Los der Geschichte auf Deutschland. Der nächste ist vielleicht nicht weit. »Die Füße derer, die dich forttragen werden, sind vor der Tür.«

Oh! die Eroberer sind einander unähnlich in der Gesinnung und im Lebensgefühl. Das Frankreich, das mit seinem Kaiser antrat, brachte den Völkern das Beste, die Menschenrechte, die Freiheit – gesichert durch kaiserliche Festungen. Davon wird man wunderbar geschwellt, jahrelang atmet man Bewunderung ein, und eine wirkliche Überlegenheit strömt der Freund der Völker aus.

Wie anders hat es sich für die verhaßten Deutschen gewendet. Vielmehr wartete ihre übernommene Rolle nicht den letzten Akt ab, um abscheulich zu werden. So war sie gleich angelegt. Sie hatten auf ihrem Blitz durch die Welt nichts, gar nichts mitzunehmen für sich und andere, was die Herzen hebt. Ihr Atem war Lüge, und die Vernichtung nennt sich ihre Amme. Schrecklich, wie? Aber abgesehen davon, daß sie nach Rache lechzten und einen verkommenen Stolz ausgebrütet hatten, wären sie vielleicht edle Menschen geworden, gesetzt, einmütig hätte man sie empfangen als die ersehnten Einiger und Schützer des Kontinentes.

Was nicht wohl denkbar ist, und sie wußten es. Daher waren sie greulich und wurden immer greulicher. Der nächste Eroberer wird wieder voll reinster Absichten sein. Vertrauen wir darauf! Die Motive wechseln ab, nach diesen Deutschen sind entgegengesetzte geboten. Leider können sie an den Ergebnissen nichts ändern. Der währende Krieg ist auf dreißig Millionen direkter Opfer, bei längerer Dauer auf fünfzig zu berechnen; – die mittelbaren folgen. Der nächste würde einer unerbittlich vorgeschrittenen Technik die größere Hälfte der lebenden Menschheit darbringen.

Kein Wort von dem allen weiß ich wirklich. Ich habe nur gesehen, daß im Verlauf meines miterlebten Zeitalters jedes Ding seinen Weg bis an das äußerste Ende machte: es mußte nur ein verderbliches Ding sein. Das beweist nichts, meine Skepsis hat unrecht. Der Irrationalismus, der mich aus meinem Lande, und noch weiter, fortwies, ist ausgekostet. Nächstens soll die Vernunft – nicht allmächtig sein, aber zugelassen, als ein Versuch, der den Reiz der Neuheit und auch sonst einiges verspricht.

Nicht mein Bruder würde diese Zweifel äußern an der unbedingten, so gut wie zusammenhanglosen Verschuldung der Deutschen und an der nachhaltigen Belehrung des ganzen Planeten. Auch ich sollte meine Bedenken still und für mich tragen. Es ist nur, meine Lauheit zu bekennen. Ich habe getan, was kämpfen heißt – ohne daß ich eines Kampfes bewußt war. Dafür haßte ich nicht blind genug und wurde vom Zorn nicht überrascht. Ich habe inständig geliebt, das ist wahr. Aber meine Liebe? Wo ist sie hin, wo ihre Spur?

Noch in der ersten Hälfte unserer Tätigkeit teilten mein Bruder und ich einander denselben heimlichen Gedanken mit. Wir hätten ein Buch gemeinsam schreiben wollen. Ich sprach als erster, aber er war vorbereitet. Wir sind niemals darauf zurückgekommen. Vielleicht wäre es das merkwürdigste geworden. Nicht umsonst hat man den frühesten, mitgeborenen Gefährten. Unser Vater hätte in unserer Zusammenarbeit sein Haus wiedererkannt. Nachgerade vergesse ich, daß er seit mehr als fünfzig Jahren abberufen ist.

Thomas Mann, Bericht über meinen Bruder
Anläßlich des 75. Geburtstages Heinrich Manns
am 27. März 1946
[Freies Deutschland, Jg. 5, Nr. 3/4, Mexiko,
März/April 1946, S. 3 f.]

Geehrte Herren vom ›Freien Deutschland‹,
bei Annäherung des fünfundsiebzigsten Geburtstages meines
Bruders fragen Sie mich nach seinem Ergehen. Es geht ihm recht
wohl, ich danke sehr. Den vor bald anderthalb Jahren erlittenen
Verlust seiner Lebensgefährtin, der Frau, die ihn an jenem 21. Februar 1933 in Berlin zur Straßenbahn, zum Bahnhof nach Frankfurt (zunächst nach Frankfurt) begleitete und tapfer dabei ihre
Tränen unterdrückte, hat er mit der eigentümlichen Kraft und Ge-
faßtheit des Geistes, die dem Schicksal ebenbürtig sind, überwunden, und seine Einsamkeit, ein im Grunde natürliches Element für
seinesgleichen und ihm vertraut durch viele Jugend- und frühe
Mannesjahre, ist belebt und diskret betreut von bewundernder
Freundschaft, von der ehrerbietigen Liebe seiner Nächsten.
Die Entfernungen hierzulande sind beschwerlich. Die zwischen
seinem Platz und unserem könnte hinderlicher sein: Sie beträgt
eine halbe Stunde Wagenfahrt, wenn man Glück hat mit den Lich-
tern. Es ist so, daß wir näher dem Ozean, schon in den Hügeln von
Santa Monica leben, während er in städtischerer Gegend, landein-
wärts, nicht gerade down-town, aber in Los Angeles doch, seine
Wohnung hat. Gern, einmal wöchentlich gewiß, läßt er sich von
uns ins Ländliche holen und verbringt die Stunden vom Lunch bis
zum Dunkelwerden bei uns. Zur Abwechslung finden wir uns bei
ihm zu einer Art von Picknick-Abendessen ein, das außerordentlich gemütlich zu sein pflegt und nach welchem er uns, nach Befinden, aus neuen Merkwürdigkeiten liest, die er geschrieben, oder
von dem zu hören verlangt, was ich zustande gebracht.
Man plaudert, man spricht von der Vergangenheit, von italienischen Tagen, von unseres Lebens wunderlicher Führung, in deren
Billigung wir uns finden, von den Zeitereignissen. Seine Art, sich
über diese zu äußern, könnte man jovial nennen, da sie nicht weit
entfernt ist von dem, was kritische Beobachter Goethe's seine »To-
leranz ohne Milde« nannten. Nein, milde ist er nicht, aber duld-

sam von oben herab und recht pessimistisch. Dem Faschismus verheißt er noch eine große Zukunft – natürlich, denn da nie ernstlich
und ungebrochenen Willens gegen ihn Krieg geführt wurde, ist er
auch nicht geschlagen und wird bewußt, halbbewußt, am liebsten
unbewußt begünstigt so gut wie zur Zeit des appeasement. Die
Furcht vor seinen Greueln, die schließlich Ordnungsgreuel sind,
wird weit überwogen von der vor seiner Alternative, dem Sozialismus, und so stehen die Gemüter ihm offen. Die amerikanischen
Soldaten lernen ihn in Europa – sie könnten ihn ebenso gut zu
Hause lernen, wenn sie ihn überhaupt erst lernen müßten. Die
Epoche selbst ist faschistisch – eine Feststellung, die sich gelassen
gibt, aber eine resignierte Brandmarkung ist.

Es gibt über diese Dinge zwischen uns keine Meinungsverschiedenheiten. Zu seiner Nichte Erika, meiner Ältesten, hat er auf
einer Heimfahrt von uns einmal gesagt: »Mit Deinem Vater verstehe ich mich politisch jetzt wirklich recht gut. Etwas radikaler ist
er als ich.« Das klang unendlich komisch, aber was er meinte, war
unser Verhältnis zu Deutschland, dem teuern, auf das er weniger
zornig ist als ich, aus dem einfachen Grunde, weil er früher Bescheid wußte und keinen Enttäuschungen ausgesetzt war. Heute
lehnt er es ab, in der deutschen Aufführung einen ganz und gar
»monströsen Einzelfall«, eine »unbedingte und zusammenhanglose Verschuldung« zu sehen – ich brauche seine Worte. Es ist
alles bedingt und erklärlich, wenn nicht verzeihlich, und die Deutschen sind auch nur Menschen: Ich glaube, die Behauptung, sie
seien so ganz ausnehmend schlecht, würde ihm als eine Form des
Nationalismus erscheinen. Er hat von der deutschen Verrücktheit
an Qual und Einbuße so viel auszustehen gehabt wie ich – mehr
sogar, da er bei seiner Flucht aus Frankreich in persönlicher Lebensgefahr geschwebt hat. Aber er bringt es fertig, es den Leuten
dort nicht so übelzunehmen, wie ich ihnen, schlecht und recht, den
Verlust von Freunden nachtrage, die Zierden meines Lebens waren (Karel Čapek, der an gebrochenem Herzen starb, Menno ter
Braak in Holland, der sich erschoß). Die Sache ist, daß er, obgleich
von zarterer Körperbeschaffenheit, seelisch immer viel ausgeglichener war als ich, und dabei politisch viel früher auf dem Plan.

Wäre in Deutschland beizeiten die rettende Revolution ausgebrochen, ihn hätte man zum Präsidenten der Zweiten Republik berufen müssen, ihn und keinen anderen. Und selbst jetzt – wie lächerlich, daß um mich dieser törichte Lärm entstanden ist, ob ich zurückkehre, ob nicht, – während nach ihm niemand zu fragen schien. In wem von uns beiden war denn unser lateinisch-politisches Bluterbe aktiv von je? Wer war der gesellschaftskritische Seher und Bildner? Wer hat den ›Untertan‹ geschrieben und wer in Deutschland die Demokratie verkündet, zu einer Zeit, als andere sich in der melancholischen Verteidigung protestantisch-romantisch-antipolitischer deutscher Geistesbürgerlichkeit gefielen? Ich habe mir in die Lippe gebissen, als er schließlich in aller Sanftmut fragte: »Warum läßt man eigentlich mich ganz in Ruh?« Und es war mir eine wahre Erleichterung, als jetzt endlich ein Ruf ihn aus Deutschland erreichte, natürlich aus der russischen Zone: Becher hat ihm geschrieben und ihm gemeldet, daß alles dort auf ihn warte. Nun, es war Zeit. Er wird kaum gehen; er ist, Gott weiß es, entschuldigt. Aber es schickte sich doch, daß man nach ihm verlangte.

»Wie heute die Dinge liegen«, meinte er kürzlich, »bleibt man am besten zu Hause.« Auch das kam rührend komisch heraus, denn es ist ja, gelinde gesagt, ein etwas zufälliges Zuhause, das er so nennt, – irgendwo in der Gegend, wo Los Angeles in Beverly Hills übergeht. Er hängt aber an seiner bequemen kleinen Parterre-Wohnung, South Swall Street, von wo er zu Fuß seine Einkäufe machen kann und durch die noch der Atem der Verstorbenen weht. Der nach der Straße gelegene living-room, gut eingerichtet, mit elegantem Schreibtisch, den er aber nicht benützt, da er zurückgezogen im Schlafzimmer arbeitet, hat einen vorzüglichen Radio-Apparat, und viel hört er abends Musik – in Kalifornien ausgerechnet hat er seine Kenntnis des symphonischen Weltbestandes bedeutend erweitert und vertieft. Zu bestimmten Stunden des Tages liest er französisch, deutsch und englisch, und zwar, wenn die Prosa es wert ist, laut. Am Morgen, wenn er seinen starken Kaffee gehabt, früh sieben Uhr wohl bis Mittag, schreibt er, produziert unbeirrbar in alter Kühnheit und Selbstgewißheit, getragen von jenem Glauben an die Sendung der Literatur, den er so oft in Worten von stolzer Schönheit bekannt hat, – fördert das aktuelle Werk, indem er, immer noch mit eingetauchter Stahlfeder, Blatt auf Blatt mit seiner überaus klaren und deutlich ausgeformten Lateinschrift bedeckt, – gewiß nicht mühelos, denn das Gute ist schwer, aber doch mit der trainierten Fazilität des großen Arbeiters.

Da entstehen denn die unermüdeten, von seines Geistes Siegel unverwechselbar geprägten Neuigkeiten, von denen man bald hören wird: die in eigentümlichem Emaille-Glanz historischen Kolorits leuchtenden episch-dramatischen Szenen, die, überraschende Stoffwahl, dialogisch das Leben des preußischen Friedrich erzählen; der Roman ›Empfang bei der Welt‹, gespenstische Gesellschaftssatire, deren Schauplatz überall und nirgends; ein neuer Roman schon wieder, ich weiß noch nicht welchen Gegenstandes; vor allem (ich finde: vor allem) das faszinierende Memoiren-Buch ›Ein Zeitalter wird besichtigt‹, von dem große Teile in der Moskauer ›Internationalen Literatur‹ zu lesen waren und dessen englische Übersetzung abgeschlossen ist: eine Autobiographie als Kritik des erlebten Zeitalters von unbeschreiblich strengem und heiterem Glanz, naiver Weisheit und moralischer Würde, geschrieben in einer Prosa, deren intellektuell federnde Simplizität sie mir als die Sprache der Zukunft erscheinen läßt. Ja, ich bin überzeugt, daß die deutschen Schul-Lesebücher des einundzwanzigsten Jahrhunderts Proben aus diesem Buch als Muster führen werden. Man druckt es in Stockholm zur Zeit, und für mein Teil kann ich kaum erwarten, daß unsere Deutschen daheim es zu lesen bekommen. Natürlich werden sie beleidigt sein – wann wären sie es nicht? Sie müssen sich immerfort und um jeden Preis beleidigt fühlen und unverstanden, und wenn man sie nur zu gut versteht, so sind sie desto beleidigter. Aber das ist Kinderei. Die objektive Tatsache, daß dieser nun Fünfundsiebzigjährige einer ihrer genialsten Schriftsteller war, wird sich als stärker erweisen als ihre Laune und über kurz oder lang auch von ihrem widerstrebenden Bewußtsein Besitz ergreifen.

Thomas Mann, Brief über das Hinscheiden
meines Bruders Heinrich
[The Germanic Review, Jg. 25, Nr. 4, New York,
Dezember 1950, S. 243 f.]

Es hat mich gefreut, von Ihnen zu hören, und gerührt hat es
mich, Ihrem Brief zu entnehmen, daß Sie vorhaben, in Ihrer Zeitschrift meines fünfundsiebzigsten Geburtstags mit einer oder der
anderen wohlwollenden Betrachtung meiner Lebensarbeit zu gedenken. Eine noch größere Genugtuung aber war es mir, zu hören,
daß Sie diese Aufmerksamkeiten verbinden wollen mit einer Huldigung vor dem Genius meines heimgegangenen Bruders, an dem
in der Tat, wie Sie sagen, dieses Land einiges gutzumachen hat. Er
lebte recht unerkannt, recht einsam hier, und wenn ich ihm, solange es nicht augenscheinlich zu spät war, zuredete, der dringen-
den Einladung der volksdemokratischen deutschen Regierung
nach Berlin zu folgen, so war es, weil ich wußte, daß dort ein Le-
bensabend voller Ehren sein gewesen wäre. Den wünschte ich
ihm, fand, daß es ihm zukam und unterstützte also den Wunsch
der offiziellen deutschen Stellen, obgleich seine Übersiedelung
wohl die Trennung von ihm für immer bedeutet hätte und auch
obgleich immer deutlicher wurde, daß er nichts mehr wünschte,
als in Ruhe gelassen zu werden.
Er war in letzter Zeit sehr alt geworden, heimgesucht von wech-
selnden Leiden. Er arbeitete nicht mehr, schrieb einige Briefe, in
denen er von den Vorbereitungen zu seiner Abreise sprach, las ein
wenig und hörte Musik. Mit der Produktivität ist es sonderbar:
wird man schließlich zu müde für sie, so vermißt man sie auch
nicht; ich habe ihn nie über das Versagen seiner Arbeitskraft klagen hören, sie ließ ihn scheinbar ganz gleichgültig. Auch wußte er
wohl, daß sein Werk – ein gewaltiges Werk! – getan war, wenn
auch sein letztes ganz großes Unternehmen, die in eigentümlichem Emailleglanz historischen Kolorits leuchtenden episch-
dramatischen Szenen, welche (überraschende Stoffwahl!) dialogisch das Leben des preußischen Friedrich erzählen, unvollendet
liegenblieb. Was liegt daran, daß diese Fragmente Fragment blieben! Sein Kunsterleben ist vollendet ausgeklungen in den beiden
letzten Romanen, dem ›Empfang bei der Welt‹, einer geisterhaften

Gesellschaftssatire, deren Schauplatz überall und nirgends ist, und dem ›Atem‹, dieser letzten Konsequenz seiner Kunst, Produkt eines Greisen-Avantgardismus, der noch die äußerste Spitze hält, indem er verbleicht und scheidet.

Auf ebendieselbe Weise hat der große Essayist sich vollendet in dem faszinierenden Memoirenbuch ›Ein Zeitalter wird besichtigt‹, einer Autobiographie als Kritik des erlebten Zeitalters von unbeschreiblich strengem und heiterem Glanz, naiver Weisheit und moralischer Würde, geschrieben in einer Prosa, deren intellektuell federnde Simplizität sie mir als Sprache der Zukunft erscheinen läßt. Ja, ich bin überzeugt, daß die deutschen Schullesebücher des einundzwanzigsten Jahrhunderts Proben aus diesem Buch als Muster führen werden. Denn die Tatsache, daß dieser nun Heimgegangene einer der größten Schriftsteller deutscher Sprache war, wird über kurz oder lang auch von dem widerstrebenden Bewußtsein der Deutschen Besitz ergreifen.

Seinen letzten Abend hatte er ungewöhnlich ausgedehnt, hatte bis gegen Mitternacht mit Genuß Musik gehört und war von seiner Pflegerin nur schwer zu überreden gewesen, zu Bette zu gehen. Dann, man weiß nicht zu welcher Nachtstunde, im Schlaf, die Gehirnblutung, ohne Laut oder Regung von seiner Seite. Am Morgen war er einfach nicht mehr zu erwecken. Das Herz arbeitete noch bis in die Nacht hinein weiter, bei nicht mehr meßbarem Blutdruck und längst unstörbarer Bewußtlosigkeit. Es war im Grunde die gnädigste Lösung.

Die Trauerfeier war würdig. Feuchtwanger und Reverend Stephen Fritschman von der Unitarian Church sprachen, und das Temianka-Quartett spielte einen schönen langsamen Satz von Debussy. Das hätte ihm zugesagt. Dann folgte ich dem Sarge über den warmen Rasen des Friedhofs von Santa Monica.

Er ruhe in Frieden, nach einem tatenreichen Leben, dessen Spur von dieser Erde, so meine ich, nur mit der Kultur selbst und der Selbstachtung des Menschen vergehen kann.

ANHANG

Anmerkungen

24. 10. 1900

1] *Erfolg:* Heinrich Mann, ›Im Schlaraffenland. Ein Roman unter fei- 57
nen Leuten‹. Das Buch erschien 1900 in 2000 Exemplaren bei Langen
in München. Das 3.–4. Tausend kam 1901 beim gleichen Verlag heraus. – Der Roman wurde im Januar 1898 in Rom begonnen und im
März 1900 in Riva abgeschlossen. »1897 [!] in Rom, Via Argentina 34,
überfiel mich das Talent, ich wusste nicht, was ich tat. Ich glaubte einen
Bleistiftentwurf zu machen, schrieb aber den beinahe fertigen Roman.« (Heinrich Mann am 29. 1. 1947 an Karl Lemke.)

2] *Piepsam:* Hauptfigur in Thomas Manns Novelle ›Der Weg zum
Friedhof‹, Simplicissimus, Jg. 5, Nr. 30, München, 20. 9. 1900,
S. 238–239.

3] *Dr. von Staat:* In den ›Betrachtungen eines Unpolitischen‹ (XII 247)
schreibt Thomas Mann: »Als Knabe personifizierte ich mir den Staat
gern in meiner Einbildung, stellte ihn mir als eine strenge, hölzerne
Frackfigur mit schwarzem Vollbart vor, einen Stern auf der Brust und
ausgestattet mit einem militärisch-akademischen Titelgemisch, das
seine Macht und Regelmässigkeit auszudrücken geeignet war: als General Dr. von Staat.«

4] *Kaserne:* Thomas Mann war am 1. 10. 1900 als Einjährig-Freiwilli-
ger beim Königlich-Bayerischen Infanterie-Leibregiment einberufen
worden. Im Dezember erfolgte seine Entlassung wegen Dienstuntaug-
lichkeit. »Schon nach einem Vierteljahr, noch vor Weihnachten,
wurde ich mit schlichtem Abschied entlassen, da meine Füsse sich nicht
an jene ideale und männliche Gangart gewöhnen wollten, die Parade-
marsch heisst« (XI 331). Vgl. auch Brief vom 27. 4. 1912.

5] *Otto Grautoff* (1876–1937): Klassenkamerad und engster Jugendfreund von Thomas Mann, Mitherausgeber der Schülerzeitschrift ›Der
Frühlingssturm‹ (1893). Ihm ist das Schulkapitel der ›Buddenbrooks‹
gewidmet. Schrieb ›Exzentrische Liebes- und Künstlergeschichten‹
(Leipzig 1907), mit gedruckter Widmung: »Thomas Mann, dem Menschen und dem Dichter für viele Jahre treuer Freundschaft«; der Held
der ersten Novelle, Hans Pahlen, trägt Züge von Thomas Mann. –
Grautoff wurde Kunsthistoriker, studierte in München, Paris und in
der Schweiz; Dr. phil., Dozent an der Lessing-Hochschule und an der
Handelshochschule in Berlin. Gründete 1925 die Deutsch-französische
Gesellschaft in Berlin. Starb 1937 in Paris. Unter seinen Werken: ›Mo-
ritz von Schwind‹ (1904); ›Auguste Rodin‹ (1908); ›Lübeck‹, Stätten
der Kultur, Bd. 9, Leipzig (1908), mit gedruckter Widmung an Frau
Julia Löhr, geb. Mann; ›Die neue Kunst‹ (1920); ›Zur Psychologie
Frankreichs‹ (1922); ›Das gegenwärtige Frankreich‹ (1926); ›Franzosen

sehen Deutschland. Begegnungen, Gespräche, Bekenntnisse‹ (1931). –
Vgl. ›Thomas Mann, Briefe an Otto Grautoff 1894–1901‹, hrsg. von
Peter de Mendelssohn, Frankfurt 1975.

58 6] *Savonarola:* Thomas Mann war damals mit Vorarbeiten zu ›Fiorenza‹ beschäftigt.

7] *Riva:* Vgl. Brief vom 29. 12. 1900.

8] *Studienfahrt nach Florenz:* Thomas Manns Reise nach Florenz kam
erst im Mai 1901 zustande.

9] *Arthur Holitscher* (1869–1941): Schriftsteller. Hatte bis dahin folgende Werke veröffentlicht: ›Leidende Menschen‹, Erzählungen
(1893); ›Weisse Liebe‹, Roman (1896); ›An die Schönheit‹, Trauerspiel
(1896); ›Der vergiftete Brunnen‹, Roman (1900). In der Frühzeit guter
Bekannter von Thomas Mann. In seiner ›Lebensgeschichte eines Rebel-
len‹ (1924) schreibt Holitscher über Thomas Manns damalige Wohnung: »Ein Pianino stand in dem Arbeitszimmer, auf dem Schreibtisch
war ein mit dünnem Kranz geschmücktes Porträt Tolstojs zu sehen,
grosse, mit präziser, steiler Schrift bedeckte Manuskriptblätter lagen, zu
beträchtlicher Höhe getürmt, vor dem Bild. Es war das fast vollendete
Manuskript der ›Buddenbrooks‹. Mann zeigte vorzüglich und ich begleitete ihn, so gut ich konnte. « Holitscher fühlte sich verletzt, als er sich
in Detlev Spinell, dem Schriftsteller in ›Tristan‹, wiedererkannte.

10] *»Buddenbrooks«:* Thomas Mann hatte das Romanmanuskript im
August an Samuel Fischer gesandt und wartete nun auf einen Bericht
des Verlegers.

2. 11. 1900

59 1] *Dr. von Staat:* Vgl. Brief vom 24. 10. 1900, Anm. 3.

2] *Ferrarenser Karte:* Nicht ermittelt.

60 3] *Samuel Fischer* (1859–1934): Thomas Manns Berliner Verleger.
Vgl. Thomas Mann, ›S. Fischer zum siebzigsten Geburtstag‹ (x 458)
und ›In memoriam S. Fischer‹ (x 472). – Thomas Mann spielt auf Samuel Fischers Brief vom 26. 10. 1900 an.

61 4] *Piepsam:* Hauptfigur von Thomas Manns Novelle ›Der Weg zum
Friedhof‹.

5] *Reinhold Geheeb* (1872–1932): Seit März 1900 verantwortlicher
Schriftleiter des ›Simplicissimus‹. Bruder des Landschulpädagogen
Paul Geheeb. Vgl. Thomas Mann, ›Glückwunsch an den Simplicissi-
mus‹ (x 850), ferner Thomas Mann, ›Lebensabriß‹ (xi 105 f.).

25. 11. 1900

61 1] *Herzogstraße:* Die damalige Wohnung von Thomas Manns Mutter
befand sich in der Herzogstraße 3 in München (vgl. Viktor Mann, ›Wir
waren fünf‹, S. 79–92).

62 2] *Hofrath [Richard] May* (1863–1936): Münchner Arzt. 1886 promoviert, 1894 habilitiert, 1901 außerordentlicher Professor, 1911 Ordinarius für Innere Medizin und Geschichte der Medizin an der Uni-

versität München. Im ›Krull‹ als Sanitätsrat Düsing karikiert. Vgl. Brief vom 27. 4. 1912, Anm. 3.

3] ›Schlaraffenland‹: Vgl. Brief vom 24. 10. 1900, Anm. 1.

4] Grautoff: Vgl. Brief vom 24. 10. 1900, Anm. 5.

5] Sternberg: Vermutlich August Sternberg, ein Bankier in Berlin, der in Korruptionsprozesse verwickelt war. Vgl. Brief vom 17. 12. 1900.

6] Richard Schaukal (1874–1942) hatte damals bereits mehrere Gedichtbände veröffentlicht, dazu das Drama ›Rückkehr‹ (1894). In der ›Wiener Abendpost‹ vom 24. 1. 1902 besprach er die ›Buddenbrooks‹. Thomas Mann lernte ihn im September 1902 persönlich kennen und widmete ihm im Novellenband ›Tristan‹ die Erzählung ›Luischen‹. (Schaukal besprach den Band in der ›Wiener Abendpost‹ vom 25. 7. 1903). Der Bruch erfolgte nach Schaukals abschätziger ›Fiorenza‹-Kritik im ›Zeitgeist‹, der Beilage zum ›Berliner Tageblatt‹ vom 5. 3. 1906 (vgl. Thomas Manns Brief vom 13. 3. 1906, Anm 1). In den Notizen zu ›Geist und Kunst‹ wendet sich Thomas Mann wiederholt gegen Schaukal, insbesondere gegen dessen bekanntes Werk ›Leben und Meinungen des Herrn Andreas von Balthesser‹ (1907).

7] Lobgott Piepsam: Vgl. Brief vom 24. 10. 1900, Anm. 2.

8] ›Der König von Florenz‹: Ursprünglich für ›Fiorenza‹ vorgesehener Titel.　　63

9] ›Cultur der Renaissance‹: Hauptwerk von Jacob Burckhardt (1860), eine der Quellen zu ›Fiorenza‹. Thomas Mann besaß die 7. Auflage, 1899 (vgl. Brief vom 17. 12. 1900).

10] ›Herzogin‹: Heinrich Mann, ›Die Göttinnen oder die drei Romane der Herzogin von Assy‹, München: Langen 1903. Konzipiert in Riva, 1899–1900. ›Diana‹: Beginn der Niederschrift in Florenz, November 1900; ›Minerva‹/›Venus‹: München, Ulental u. a. 1901–1902. Auslieferung: Nov. / Dez. 1902.

17. 12. 1900

1] Florenzfahrt: Vgl. Brief vom 24. 10. 1900, Anm. 8.　　64

2] Sternberg: Vgl. Brief vom 25. 11. 1900, Anm. 5.

3] Ludwig Ewers (1870–1946): Schriftsteller, Journalist, Kritiker. In Lübeck Klassenkamerad von Heinrich Mann; stand mit beiden Brüdern in freundschaftlicher Verbindung. Redakteur der ›Bonner Zeitung‹, seit 1902 der ›Leipziger Allgemeinen Zeitung‹, später der ›Königsberger Allgemeinen Zeitung‹, seit 1913 der ›Hamburger Nachrichten‹. Unter seinen Werken: ›Kinderaugen‹, Skizzen (1896); ›Frau Ingeborgs Liebesgarten‹, Roman (1906); ›Geschichten aus der Krone‹, Novellen (1913); ›Die Großvaterstadt‹, Roman (1926). – Der Artikel ›Ein neuer sozialer Roman‹ erschien in der ›Bonner Zeitung‹ vom 28. 10. 1900.

4] Eduard Engels (1869–1958): Münchner Journalist. Die Weihnachtsbücherliste erschien unter dem Titel ›Briefe an eine Münchener Dame‹ in der ›Münchener Zeitung‹ vom 15. 12. 1900. Neben Heinrichs ›Schlaraffenland‹ wird auch d'Annunzios ›Feuer‹ genannt.

5] *bruciamento delle vanità:* ›Verbrennung der Eitelkeiten‹ an den
Florentiner Karnevalen von 1497 und 1498 (vgl. Villari, Bd. II, S. 107,
S. 199). Vgl. auch ›Gladius Dei‹ (VIII 212 ff.).

6] *Broschüre über Sternberg:* Nicht ermittelt.

29. 12. 1900

65   1] *Hartungens:* Dr. Christoph Hartung von Hartungen (1849–1917)
leitete in Riva am Gardasee ein Erholungsheim für Nervenkranke und
Diabetiker. Die Brüder Mann weilten wiederholt bei ihm zur Kur.
Heinrich hat ihn in den ›Göttinnen‹ als Dr. von Männigen porträtiert.

2] *die Löhr'schen Herrschaften:* Julia Mann (1877–1927), die Schwester der Brüder, verheiratete sich 1900 mit Dr. Josef Löhr, Direktor der
Bayerischen Handelsbank, München.

3] *Dr. von Staat:* Vgl. Brief vom 24. 10. 1900, Anm. 3.

66   4] ›*Savonarola*‹: Neben ›Der König von Florenz‹ einer der für ›Fiorenza‹ vorgesehenen Titel.

5] *Novelle bitter-wehmütigen Charakters:* ›Tonio Kröger‹.

6] *Copieen-Ausstellung:* Dem Ausstellungskatalog, herausgegeben
vom Verein bildender Künstler Münchens, ›Secession‹, entnehmen
wir u. a. folgende Angaben: Jacopo della Quercia (1374–1438); Andrea Pisano (1273–1349); Giovanni Pisano (1240–ca. 1321); Niccolò
Pisano (1206–1278); Andrea della Robbia (1435–1525); Luca della
Robbia (1399–1482); Mino da Fiesole (1431–1484).

7] *Krafft Tesdorpf* (1842–1902): Lübecker Kaufmann, Amtsvormund
von Thomas Mann.

8. 1. 1901

66   1] *zwischen zwei Kerzen:* Anspielung auf die »zwei Kerzen«, bei deren
Schein Konsul Buddenbrook »kalt und aufmerksam« seine Vermö-
gensrechnung aufstellt (148, 50).

67   2] *Vicco:* Viktor Mann (1890–1949), jüngster Bruder von Heinrich
und Thomas Mann. Verfasser von ›Wir waren fünf, Bildnis der Familie
Mann‹, 1. Aufl., Konstanz 1949.

3] *»Du fragst – o frage mich nicht, warum«:* Aus Platens ›Liedern und
Romanzen‹:

> Ich schleich' umher
> Betrübt und stumm,
> Du fragst, o frage
> Mich nicht, warum?

4] *Was ich jetzt schreibe:* ›Tonio Kröger‹ (vgl. Brief vom 29. 12. 1900).

5] *Richard Strauss* (1864–1949): Seit 1894 Erster Kapellmeister an
der Hofoper. Ging am 1. 5. 1898 als Hofkapellmeister nach Berlin. Dirigierte gelegentlich als Gast in München.

6] *Ludwig Wüllner* (1858–1938): Schauspieler, Sänger und Rezitator. Trat wiederholt im Münchner Hoftheater auf; besonders gefeiert als Shylock und Hamlet.

7] *Aufführungen der Litterarischen Gesellschaft:* Die Gesellschaft wurde am 19. 12. 1897 von Ernst von Wolzogen und Ludwig Ganghofer gegründet.

8] *Novellen:* Thomas Mann unterbrach kurz darauf die Arbeit am ›Tonio Kröger‹, um ›Tristan‹ zu schreiben (vgl. Brief vom 13. 2. 1901). Wohl Ende 1899, im 3. Notizbuch, hatte sich Thomas Mann auch schon ›Gladius Dei‹ vorgemerkt: »Der christliche Jüngling im Kunstladen. (Psychol. Vorstudie zum Savonarola)«. Die genaue Entstehungszeit der Novelle ist nicht bekannt. Sie wurde am 12. / 19. 7. 1902 in der Wiener Wochenschrift ›Die Zeit‹ publiziert.

9] *Burckhardt:* Vgl. Thomas Manns Brief vom 25. 11. 1900, Anm. 9.

10] *Pasquale Villari* (1827–1917): ›Die Geschichte Girolamo Savonarolas und seiner Zeit‹, nach neuen Quellen dargestellt, unter Mitwirkung des Verfassers aus dem Italienischen übersetzt von Moritz Berduschek, 2 Bde., Leipzig 1868. Eine der Hauptquellen zu ›Fiorenza‹ (in Thomas Manns Nachlaßbibliothek erhalten).

11] *Holitscher:* Vgl. Brief vom 24. 10. 1900, Anm. 9. 68

12] *Leo Greiner* (1876–1928): Schriftsteller, Mitglied des Münchner Überbrettls ›Die elf Scharfrichter‹; später Leiter der Theater-Abteilung des S. Fischer Verlags. – Bei der Besprechung handelt es sich um: Leo Greiner, ›Neue Romane‹ [Arthur Holitscher, ›Der vergiftete Brunnen‹; Heinrich Mann, ›Im Schlaraffenland‹; Kurt Aram, ›Unter Wolken‹], Münchener Zeitung, 1. 12. 1900.

13] *Albert Langen* (1869–1909): Bekannter Münchner Verleger. Herausgeber des ›Simplicissimus‹. Bei ihm arbeitete Thomas Mann von 1898–1900 als Lektor und Korrektor. Langen brachte einige der frühen Romane Heinrich Manns heraus: ›Die Göttinnen‹ (1903); ›Die Jagd nach Liebe‹ (1903); ›Professor Unrat‹ (1905).

14] *Ferdinand Grautoff* (1871–1935): Schriftsteller, Dr. phil., politischer Redakteur der ›Leipziger Neuesten Nachrichten‹; Bruder von Thomas Manns Jugendfreund Otto Grautoff.

15] *Samuel Fischer* (1859–1934): Vgl. Brief vom 2. 11. 1900, Anm. 3.

16] *Wechselbalg:* ›Buddenbrooks‹.

21. 1. 1901

1] *Der irre Hymnus:* Die ›Münchner Neuesten Nachrichten‹ brachten 68
am 19. 1. 1901 folgende Besprechung: »Im Akademisch-dramatischen Verein trugen am Donnerstag [17. 1. 1901] die Herren Kurt Martens und Thomas Mann eigene Dichtungen vor. [...] Thomas Mann beschloß den Abend mit seiner prachtvollen Novelle: ›Der Weg zum Friedhof‹. Diese Schöpfung schlägt durch ihre Mischung von sublimer Symbolik mit burleskenhafter Komik, vorgetragen in einem individu-

ellen, temperamentvollen Stil, einen ganz neuen, eigenartigen Ton in der deutschen Literatur an, in pikantem Raffinement weiß Mann mit seiner Komik zu ergreifendem Ernst hinüberzuleiten und uns die Hintergründe des Daseins aufzuhellen. Beide Autoren – insbesondere Mann – ernteten reichen Beifall.« Der Artikel ist ungezeichnet, stammt aber offenbar von Otto Grautoff.

2] *J. Georg Stollberg* (1853–1926): Regisseur. Begann als Statist am Theater in der Josefstadt zu Wien. In Berlin Schüler von Otto Brahm; mitbeteiligt an der berühmten Inszenierung der ›Weber‹ am Deutschen Theater. Inszenierte 1891/92 am Belle-Alliance-Theater in Berlin zehn moderne Stücke für die Berliner Freie Volksbühne. Auch am Weimarer Tivoli-Theater setzte er einen modernen Spielplan durch. 1895 am Deutschen Theater in München. Gründete 1898 mit Schmederer zusammen das Münchener Schauspielhaus in der Neuturmstraße. Die Aufführung von Wedekinds ›Erdgeist‹ führte zu einem Skandal. 1901–1919 Direktor des Schauspielhauses an der Maximilianstraße. (Eröffnung am 19. 4. 1901 mit der Aufführung von Sudermanns ›Johannes‹; am 2. 3. 1919 verabschiedete sich Stollberg mit der 250. Aufführung von Max Halbes ›Jugend‹.)

3] *Korfiz Holm* (1872–1942): Schulkamerad von Thomas Mann und sein »Vorturner« am Lübecker Katharineum. Arbeitete unter dem Pseudonym »Anthropos« an der Schülerzeitschrift ›Der Frühlingssturm‹ mit. In München Redakteur am ›Simplicissimus‹. Leiter, seit 1918 Teilhaber des Albert Langen Verlages. Verfasser von Romanen, Novellen und des Erinnerungsbuches ›ich – kleingeschrieben, Heitere Erlebnisse eines Verlegers‹ (1932). 1905 erschien seine Übersetzung von Dostojewskis Roman ›Ein Werdender‹, die in Thomas Manns Nachlaßbibliothek steht. – Vgl. ›Lebensabriß‹ (XI 105).

69 4] *Alfred Capus* (1858–1922): Französischer Schriftsteller und Journalist. Sein Roman ›Qui perd gagne‹ (›Wer zuletzt lacht...‹) erschien 1901 in der Übersetzung von Heinrich Mann bei Langen.

25. 1. 1901

69 1] *Die Yriarte'schen Bücher:* Charles Yriarte, ›Un condottiere au XVe siècle: Rimini, Etudes sur les lettres et les arts à la cour des Malatesta‹ (Paris 1882) steht in Heinrich Manns Nachlaßbibliothek (Heinrich-Mann-Archiv, Berlin).

2] *Rieger:* Die Rieger'sche Münchener Universitätsbuchhandlung, Odeonsplatz 2.

3] *Kurt Martens* (1870–1945): Schriftsteller, Dr. jur., Feuilletonredakteur der ›Münchner Neuesten Nachrichten‹. War etwa 1900–1905 Thomas Manns vertrautester Freund. Widmete ihm 1904 seinen Novellenband ›Katastrophen‹. Veröffentlichte am 24. 3. 1906 im ›Leipziger Tageblatt‹ den Aufsatz über ›Die Gebrüder Mann‹ (vgl. Thomas Manns Brief vom 28. 3. 1906, Thomas Mann Jahrbuch, Bd. 3, Frankfurt 1990, S. 225 ff.). Über Heinrich Manns Roman ›Im Schlaraffenland‹ äußerte sich Martens in seinem Buch ›Literatur in Deutschland‹ (Berlin 1910, S. 129–130). Der erste Band seiner ›Schonungslosen Lebenschronik‹ erschien 1921 (vgl. Thomas Manns Besprechung ›Ein Schriftstellerleben‹, x 613). Martens ließ sich später in Dresden nieder. Unter seinen Werken: ›Roman aus der Décadence‹ (1898); ›Die Vollendung‹, Roman (1902); ›Kaspar Hauser‹, Drama (1903); ›Kreislauf der Liebe‹, Roman (1906); ›Die alten Ideale‹ [›Deutschland marschiert‹ – ›Pia‹ – ›Hier und drüben‹], Romantrilogie (1915); ›Schonungslose Lebenschronik‹, Autobiographie (1921/24); ›Die deutsche Literatur unserer Zeit‹ (1921); ›Abenteuer der Seele‹, Novelletten (1923); ›Gabriele Bach‹, Roman (1935); ›Die junge Cosima‹, Roman (1937); ›Verzicht und Vollendung‹, Roman (1941).

4] *das Buch über englische Kunst:* Nicht bekannt.

13.2.1901

1] *Giorgio Vasari* (1511–1574): Italienischer Maler, Baumeister und   70
Schriftsteller. Autor der ›Vite de' più eccellenti pittori, scultori ed architetti italiani‹, 1550; 2. erw. Ausg. 1568. Thomas Mann benützte möglicherweise: Giorgio Vasari, ›Sammlung ausgewählter Biographien‹, Zum Gebrauche bei Vorlesungen hrsg. von Carl Frey, 4 Bde., Berlin 1885–87. – Vgl. Heinrich Mann, ›Die Göttinnen‹, Nachwort von Alfred Kantorowicz, S. 712.

2] *bewegten Winter:* Die schwierige Freundschaft mit dem Maler Paul Ehrenberg (1878–1949). Ehrenberg war ein Schüler von Heinrich von Zügel (1850–1941). Als Mitglied der Luitpoldgruppe und der Künstlergenossenschaft war er mit seinen Porträts, Landschaften, Stilleben und Tierbildern auf allen großen Münchener Ausstellungen vertreten. Sein Bild ›Die Hetzjagd‹ hing eine Zeitlang in Thomas Manns Zimmer. Ehrenberg verheiratete sich später mit der Malerin Lilly Teufel. Er geigte vorzüglich und schwankte ursprünglich zwischen Musik und Malerei. Hans Hansen im ›Tonio Kröger‹, der Maler in der Novelle ›Die Hungernden‹ und Rudi Schwerdtfeger im ›Doktor Faustus‹ tragen Züge Paul Ehrenbergs. – Vgl. auch Thomas Manns Brief vom 17.11.1950 an Richard Braungart: »Zu den Zügel-Schülern gehörte auch mein jüngst verstorbener Jugendfreund Paul Ehrenberg, Bruder des an der Münchener Musik-Akademie tätigen Professor Carl E.. Paul malte damals, vor 50 Jahren, ein Portrait von mir. Wir nannten das Bild immer ›Schriftsteller in der Sonne‹.«

3] *Brief von S. Fischer:* Der Brief vom 4.2.1901 ist abgedruckt in: 71
Paul Scherrer, ›Bruchstücke der Buddenbrooks-Urhandschrift und Zeugnisse zu ihrer Entstehung 1897–1901‹, Die Neue Rundschau, Jg. 69, H. 2, Frankfurt 1958, S. 278 f.

4] *Novellenband:* ›Tristan‹, Thomas Manns zweiter Novellenband, erschien im Frühjahr 1903 bei S. Fischer. Er enthielt: ›Der Weg zum Friedhof‹, ›Tristan‹, ›Der Kleiderschrank‹, ›Luischen‹, ›Gladius Dei‹, ›Tonio Kröger‹.

5] ›*Litteratur*‹: ›Tonio Kröger‹. (Die Novelle wurde im Herbst 1899 konzipiert: im September war Thomas Mann nach Dänemark gereist, vor Weihnachten trug er die ersten Gedanken ins 3. Notizbuch ein. Mit der Niederschrift begann Thomas Mann vielleicht unmittelbar nach Abschluß der ›Buddenbrooks‹. Nach verschiedenen Unterbrechungen und Neuansätzen wurde das Manuskript im Spätherbst 1902 abgeschlossen. Vgl. Hans Wysling, ›Dokumente zur Entstehung des ‚Tonio Kröger'‹, in: Thomas-Mann-Studien 1, Bern und München 1967, S. 48–69.

28. 2. 1901

72 1] *Übersetzung des Schlaraffenlandes:* ›Au pays de Cocagne‹, Paris 1903.

2] *Typhus:* Vgl. ›Buddenbrooks‹, I 751.

7. 3. 1901

72 1] »*Rittersmann*«: ›Buddenbrooks‹, I 618.

73 2] *Typhus:* Anspielung auf den Tod des Hanno Buddenbrook (I 751 ff.).

3] »*Wunderreich der Nacht*«: ›Tristan und Isolde‹, II. Akt, Liebesduett.

4] *Freundschaft:* Vgl. Thomas Manns Brief vom 13. 2. 1901, Anm. 2.

5] *Märchenbuch:* Nicht ermittelt.

25. / 27. 3. 1901

74 1] *Glückwunsch zum Geburtstage:* Heinrich Mann wurde am 27. 3. 1901 dreißig Jahre alt.

2] *Frühlingskribbeln:* Ironische Anspielung auf ›Tonio Kröger‹ (VIII 294).

3] *Läben:* Anspielung auf das ›Bilderbuch für artige Kinder‹, das Thomas und Heinrich Mann im Winter 1897 in Rom gezeichnet und geschrieben haben (vgl. Viktor Mann, ›Wir waren fünf‹, S. 46–61. Thomas Manns Zeichnung ›Das Läben‹ ist dort gegenüber S. 56 abgebildet).

4] *Bild:* Paul Ehrenbergs Thomas-Mann-Porträt ist nicht erhalten. Vgl. Brief vom 1. 4. 1901.

5] *Platen:* Die (ungenau) zitierten Verse stammen aus dem Gedicht ›Antwort‹, das zu den ›Liedern und Romanzen‹ gehört. Bei Platen lauten die Verse:

> Dem frohen Tage folgt ein trüber,
> Doch alles wiegt zuletzt sich auf.

Aus Platen zitiert Thomas Mann auch im Brief vom 8. 1. 1901 (vgl. ferner Br. III 444). Eine Zeitlang beabsichtigte er, den ›Buddenbrooks‹ eine Strophe aus Platens ›Romanzen und Jugendliedern‹ voranzustellen:

So ward ich ruhiger und kalt zuletzt,
Und gerne möcht' ich jetzt
Die Welt, wie außer ihr, von ferne schau'n:
Erlitten hat das bange Herz
Begier und Furcht und Grau'n,
Erlitten hat es seinen Theil von Schmerz,
Und in das Leben setzt es kein Vertrau'n;
Ihm werde die gewaltige Natur
Zum Mittel nur,
Aus eigner Kraft sich eine Welt zu bau'n.

Die Strophe ist mit Bleistift auf das erste Blatt der ›Buddenbrooks‹-
Handschrift geschrieben, wurde aber nicht abgedruckt. Thomas Mann
zitiert sie in den ›Betrachtungen eines Unpolitischen‹ (XII 191). Im
3. Notizbuch, S. VII, merkte sich Thomas Mann um die Jahreswende
1898/99 »Platens Tagebücher« zur Lektüre vor. (Sie erschienen 1896
bis 1900 bei Cotta.) In seiner Bibliothek sind Platens Werke in 2 Bänden, hrsg. von C. A. Wolff und V. Schweizer, Meyers Klassiker-Aus-
gaben, Leipzig [1895] erhalten. 1926 erhielt Thomas Mann von Ernst
Bertram die Cotta'sche Platen-Ausgabe in 5 Bänden geschenkt. – Auch
Heinrich befaßte sich gegen Ende der neunziger Jahre mit Platen; im
Heinrich-Mann-Archiv liegt ein ungedruckter Text, ›Platen in Italien‹,
datiert vom 22. 3. 1899. In einem Brief vom 18. 11. 1900 an Richard
Schaukal schreibt Heinrich: »Platen und die Emaux et Camées liegen
immer auf meinem Tisch.« (Vgl. André Banuls, ›Heinrich Mann‹, Paris 1966, S. 52, 123.)

6] *Briefe von Fischer und seinem Lector:* S. Fischers Brief vom   75
23. 3. 1901 ist abgedruckt in: Paul Scherrer, ›Bruchstücke der Buddenbrooks-Urhandschrift und Zeugnisse zu ihrer Entstehung
1897–1901‹, Die Neue Rundschau, Jg. 69, H. 2, Frankfurt 1958,
S. 282 f.

7] *Dr. Moritz Heimann* (1868–1925): Essayist, Erzähler, Dramatiker. Lektor des S. Fischer Verlags. Sein essayistisches Werk ist jetzt
z. T. wieder zugänglich in: ›Die Wahrheit liegt nicht in der Mitte‹,
Frankfurt 1966.

8] *Gipprigkeit:* Im Brief vom 18. 2. 1905 schreibt Thomas Mann von
einem »Gipper-Roman«, den er mit seinem Bruder zusammen in Palestrina ausgedacht habe. (Auch das Verb »gippern« kommt in frühen
Briefen vor. Es ist in den uns zugänglichen Wörterbüchern nicht aufgeführt, bedeutet aber wohl »verulken«.)

1. 4. 1901
1] *neue Novelle:* Wohl ›Tonio Kröger‹. Im 7. Notizbuch, S. 41, merkt   76
sich Thomas Mann zum Anfang der Novelle vor (vgl. VIII 271): »Es fiel
eine Art von weichem Hagel, nicht Eis, nicht Schnee.« Diese Notiz
dürfte noch auf die Zeit vor der Italienreise (Mai / Juni) anzusetzen
sein. Vgl. Thomas Manns Brief vom 13. 2. 1901.

2] *der gute Junge:* Paul Ehrenberg.

3] *einen Abschnitt von ›Buddenbrooks‹:* Thomas Mann hat Paul Ehrenberg in der Erstausgabe den Neunten Teil gewidmet: »Paul Ehrenberg, dem tapferen Maler, zur Erinnerung an unsere Münchener musikalisch-litterarischen Abende.«

77 4] *Buch von Schaukal:* Vermutlich ›Intérieurs aus dem Leben der Zwanzigjährigen‹, Leipzig 1901 (Bibliothek Tiefenbach, Bd. 19).

7. 5. 1901

78 1] *Verleger:* Zusammenhang unbekannt.

2] *Papyria:* Nicht ermittelt.

3] *Miß Edith und Miß Mary [Smith]:* Im ›Lebensabriß‹ (XI 117) berichtet Thomas Mann, daß sich damals zu Mary »ein zärtliches Verhältnis entwickelte, von dessen ehelicher Befestigung zwischen uns die Rede war«. Er hat ihr die Novelle ›Gladius Dei‹ gewidmet: »To M. S. in remembrance of our days in Florence.«

15. 9. 1903

79 1] *›Hedda Gabler‹:* Eleonora Duse gastierte mit ihrer Truppe im Gärtnertheater. Die im Brief erwähnten Erstaufführungen im Schauspielhaus ließen sich nicht mit Sicherheit ermitteln: am 10. 10. 1903 wurde Eduard von Keyserlings ›Peter Hawel‹ uraufgeführt; am 31. 10. 1903 folgte Max Halbes ›Strom‹.

2] *Artikel:* Richard Schaukal, ›Thomas Mann‹, Rheinisch-Westfälische Zeitung, Essen, 9. 8. 1903.

5. 12. 1903

79 1] *Ich bin jetzt wieder »mein König auch«:* In Thomas Manns Ausgabe der ›Kinder- und Hausmärchen‹ der Gebrüder Grimm (vollständige Ausgabe, Halle a.d.S.: Otto Hendel, o. J. [1894]) stehen hintereinander ›Des Teufels rußiger Bruder‹ und ›Der Bärenhäuter‹. Sie haben teilweise die gleiche Handlung. Ein arbeitslos gewordener Soldat verdingt sich dem Teufel gegen Goldlohn. »[...] sieben Jahre sollst du mir dienen, hernach bist du wieder frei. Aber eins sag ich dir, du sollst dich nicht waschen, nicht kämmen, nicht schnippen, keine Nägel und Haare abschneiden und kein Wasser aus den Augen wischen.« Nach der Fronarbeit in der Hölle muß der Soldat auf Anweisung des Teufels sein wildes Aussehen mit dem Satz erklären: »Ich bin des Teufels rußiger Bruder und mein König auch.« Später wird er tatsächlich König. – Im Kontext von Thomas Manns Brief entspricht die Hölle der »Noth und Drangsal einer Terminarbeit«.

2] *Terminarbeit / Studie:* Thomas Mann, ›Ein Glück‹, Die neue Rundschau, Jg. 15, H. 1, Berlin, Jan. 1904, S. 85–93.

80 3] *Oscar Bie* (1864–1938): Kunst- und Musikschriftsteller. Seit 1894 Redakteur der ›Neuen Rundschau‹. Thomas Mann hatte ihm im Dezember 1896 das Manuskript zum ›Kleinen Herrn Friedemann‹ zugestellt. Bie bat ihn daraufhin, alles bisher Geschriebene einzusenden. Er

setzte sich auch für die Herausgabe der ›Buddenbrooks‹ ein. Thomas Mann besuchte ihn im Dezember 1904 in Berlin. – Zusammen mit Emil Faktor und Herbert Ihering gehörte Bie zur Kritikergruppe des ›Berliner Börsen-Couriers‹. Er war seit 1890 Privatdozent, später Professor für Kunstgeschichte an der Technischen Hochschule in Berlin. Unter seinen Werken: ›Der Tanz‹ (1906); ›Die Oper‹ (1913); ›Franz Schubert‹ (1925).

4] *Berlin:* Thomas Mann hatte sich vom 20.–27. Oktober 1903 in Königsberg und Berlin aufgehalten (im Hause des Verlegers Samuel Fischer erstes Zusammentreffen mit Gerhart Hauptmann).

5] *ausgerutscht:* Vgl. Thomas Manns Brief an Carl Ehrenberg vom 20.11.1903 (Br. III 447): »Gestern habe ich mein Manuskript fortgeschickt, froh, es los zu sein, aber angewidert und enttäuscht. Die Arbeit ist mir infolge von schlechtem Wetter und Stimmungslosigkeit total ausgerutscht, und es wäre wohl wünschenswerth, dass sie nie ans Licht käme. Etwas Neues sollte sie übrigens nicht bringen und ist als Gelegenheits- und Bestellungsarbeit ja deutlich genug gekennzeichnet.«

6] *Vorlesung:* Thomas Mann las in der Königsberger ›Literarischen Gesellschaft‹ aus ›Tonio Kröger‹.

7] *Ida Springer:* Erzieherin im Hause des Senators Mann.

8] *Großmama:* Elisabeth Mann, geb. Marty (1811–1890).

9] *Ludwig Ewers* (1870–1946): Vgl. Brief vom 17.12.1900, Anm. 3. – Heinrich Mann, ›Briefe an Ludwig Ewers 1889–1913‹, hrsg. von Ulrich Dietzel und Rosemarie Eggert (1980).

10] *Leipzig.* Ewers war 1902 Redaktor der ›Leipziger Allgemeinen Zeitung‹ gewesen.

11] *Ferdinand Grautoff* (1871–1935): Vgl. Brief vom 8.1.1901, Anm. 14.

12] »*phantastischen Roman*«: Es handelt sich wohl um ›Frau Ingeborgs Liebesgarten‹ (1906).

13] *Gedichte:* Unbekannt. Mit dem Gedicht an das Meer könnte allenfalls »Zweimaliger Abschied« gemeint sein (VIII 1102). Der Walnußbaum begegnet in den frühen Erzählungen wiederholt, z. B. VIII 274.

14] *Hauptmann:* Das Zusammentreffen mit Hauptmann fand Ende Oktober in Berlin statt.

15] *Üz:* Nicht ermittelt.

16] »*Rose Bernd*«: Gerhart Hauptmann, ›Rose Bernd, Schauspiel in fünf Akten‹, Berlin: S. Fischer 1903.

17] *Schlaraffenland-Komik:* In seinem Roman ›Schlaraffenland‹ (1900) hatte Heinrich Mann die Berliner Literaturszene karikiert.

18] *Otto Brahm* (1856–1912): Kritiker und Bühnenleiter. Mitbegründer der Berliner ›Freien Bühne‹. 1894–1904 Leiter des Deutschen Theaters. 1904–1912 Leiter des Lessing-Theaters.

19] *Roman:* Heinrich Mann, ›Die Jagd nach Liebe‹, München: Langen

1903. Der Roman wurde im Januar 1903 am Gardasee konzipiert. Beginn der Niederschrift in Florenz, Februar 1903; beendet in Polling, Sommer 1903.

82   20] *Claude's Meditation:* ›Die Jagd nach Liebe‹, S. 437.

21] *plebejisch:* In der ›Freistatt‹-Besprechung (vgl. Anm. 4) waren die folgenden Sätze auf Heinrich Manns ›Göttinnen‹ gemünzt: »Was ich sagen wollte, ist dies: Uns armen Plebejern und Tschandalas, die wir unter dem Hohnlächeln der Renaissance-Männer ein weibliches Kultur- und Kunstideal verehren, die wir als Künstler an den Schmerz, das Erlebnis, die Tiefe, die leidende Liebe glauben und der schönen Oberflächlichkeit ein wenig ironisch gegenüberstehen: uns muss es wahrscheinlich sein, dass von der Frau als *Künstlerin* das Merkwürdigste und Interessanteste zu erwarten ist, ja, dass sie irgendwann einmal zur Führer- und Meisterschaft unter uns gelangen kann. [...] Es ist nichts mit dem, was steife und kalte Heiden ›die Schönheit‹ nennen.« Im Abschnitt vorher steht der Satz: »Denn wer die Liebe kennt, kennt auch das Leid. (Wer sie aber nicht kennt, der kennt höchstens ›die Schönheit‹.)«

22] *Attacken auf des Lesers Interesse:* In der oben erwähnten Besprechung hebt Thomas Mann die »sanfte Gehobenheit« der Schwabe von der Aufdringlichkeit gewisser moderner Romane ab: »Nichts von wütenden und verzweifelten Attaquen auf des Lesers Interesse. Ein beseeltes Wort, das betroffen und glücklich aufhorchen ließ. Ein lebendiges Detail, das plötzlich irgendwo zart erglänzte und vorwärts lockte. Und bei jeder Zeile verstärkte sich die Gewissheit, dass dies etwas sei. Und zwar Kunst. Und zwar auserlesene Kunst...«

83   23] *»Blasebalg«:* In der gleichen Besprechung hatte Thomas Mann geschrieben: »Eine zarte Eindringlichkeit der Wirkungen wird erzielt, die, um es näher zu bezeichnen, ungefähr das Gegenteil ist von jener Blasebalg-Poesie, die uns seit einigen Jahren aus dem schönen Land Italien eingeführt wird. Zuweilen bei Storm kommen Stellen, wo ohne den geringsten sprachlichen Aufwand die Stimmung sich plötzlich verdichtet, wo man die Augen schliesst und fühlt, wie die Wehmut einem die Kehle zusammenpresst.« Blasebalg-Poesie: Das wendet sich gegen die von d'Annunzio und Balzac entfachten Lohen in Heinrich Manns Stil (vgl. auch VI 181). – Die Kritik in der ›Freistatt‹ wandte sich ursprünglich gegen Heinrich Manns ›Göttinnen‹. Thomas Mann erhebt im Brief vom 5. 12. 1903 den gleichen Vorwurf auch gegen ›Die Jagd nach Liebe‹. Am 30. 12. 1903 schreibt er an Kurt Martens, er habe mit seinem Bruder eine ›sehr ernste und tief gehende Korrespondenz über sein neuestes Buch‹ [›Die Jagd nach Liebe‹] gehabt: »Kennen Sie es? Was sagen Sie? Ich bin rathlos.«

24] *Ernst Ritter von Possart* (1841–1921): Schauspieler, Regisseur. 1895 bis 1905 Generalintendant der Königlich Bayerischen Hofbühnen. – Vgl. Thomas Manns ›Erinnerungen ans Münchner Residenz-Theater‹ (XI 517). Possart war wegen des »drastischen Virtuosentums«

(XIII 284) auch seiner Privatauftritte zur anekdotenumwobenen Figur geworden.

25] ›Salome‹/Cavalleria: Oscar Wilde, ›Salome‹, Tragödie in einem Akt. Entstanden 1891 in französischer Sprache. 1894 englische Übersetzung von Lord Alfred Douglas. 1903 deutsche Übersetzung von Hedwig Lachmann (danach Oper von Richard Strauss, Uraufführung 9. 12. 1905). – Pietro Mascagni, ›Cavalleria rusticana‹ (1890).

26] ›Königliche Hoheit‹: Thomas Manns Pläne zur ›Königlichen Hoheit‹ gehen auf das Jahr 1903 zurück.

27] das ›Wunderbare‹: Heinrich Mann, ›Das Wunderbare‹, Novelle,   84
Pan, Jg. 2, H. 3, Berlin, Nov. 1896, S. 193–204.

28] Otto Grautoff (1876–1937): Vgl. Brief vom 25. 11. 1900, Anm. 4.

29] Grautoffs [...] Flunkerei: ›Die Jagd nach Liebe‹, S. 32–34.

30] Riva: Das bezieht sich wohl auf den gemeinsamen Aufenthalt der Brüder in Riva vom Dezember 1901. Möglicherweise hat Heinrich Mann seinen Bruder auch im Oktober 1902 dort besucht, auf der Durchreise nach Florenz.

31] ›Die Geliebten‹: Thomas Mann plante seit Winter 1901/02 eine Novelle mit dem Titel ›Die Geliebten‹. Der Plan wurde später ein Teil des ›Maja‹-Projekts, eines Münchner Gesellschaftsromans. Vgl. Hans Wysling, ›Zu Thomas Manns Maja-Projekt‹, in ›Thomas-Mann-Studien‹ 1, S. 23–47.

32] ›Die Göttinnen‹: Heinrich Mann, ›Die Göttinnen oder Die drei Romane der Herzogin von Assy‹, München: Langen 1903. – In den ›Geliebten‹ hätte Thomas Mann seine Liebe zum Maler Paul Ehrenberg verschlüsselt dargestellt. In Heinrich Manns ›Göttinnen‹ gehört Nino zu den Geliebten, Siebelind zu den Ungeliebten. Siebelind trägt Züge von Thomas Mann (vgl. ›Die Göttinnen‹, S. 434).

33] Alexander von Fielitz (1860–1930): Komponist und Dirigent. In   85
Thomas Manns Jugend erster Kapellmeister am Lübecker Stadttheater. – Vgl. Thomas Mann, ›Erinnerungen ans Lübecker Stadttheater‹ (XI 417).

34] Richard Schaukal (1874–1942): Vgl. Brief vom 25. 11. 1900,   86
Anm. 6.

35] Sterbebett: ›Die Jagd nach Liebe‹, S. 48 ff.   87

36] Frà Girolamo: In Thomas Manns ›Fiorenza‹ der asketische Gegenspieler von Lorenzo de' Medici.

37] Wort Börne's: »Aufrichtigkeit ist die Quelle aller Genialität, und die Menschen wären geistreicher, wenn sie sittlicher wären.« Der Satz steht in Börnes Aufsatz ›Die Kunst, in drei Tagen ein Original-Schriftsteller zu werden‹ (1823), in ›Gesammelte Schriften‹ von Ludwig Börne, Neue vollständige Ausgabe, Hamburg 1862, Bd. 1, S. 245.

38] Matteo Maria Boiardo (ca. 1440–1494): Dichter und Übersetzer. Thomas Mann spielt hier wohl auf das Epos ›Orlando innamorato‹ (1495) an. – Luigi Pulci (1432–1484): Aus Florenz gebürtiger Dichter,

anfänglich mit Lorenzo de' Medici befreundet. ›Il morgante‹, ein tragi-
komisches Ritterepos in 28 Gesängen (1483), umkreist ebenfalls die
Geschicke Karls des Großen und seiner Paladine.

88 39] *Thränen:* Aus Goethes ›Prometheus‹.

23. 12. 1903

90 1] *Buchbesprechung in der ›Freistatt‹:* Vgl. Brief vom 5. 12. 1903.
    2] *Studien:* ›Das Wunderkind‹, Neue Freie Presse, Wien, 25. 12. 1903.
    – ›Ein Glück‹, Die neue Rundschau, Januar 1904, S. 85–93.

8. 1. 1904
Die kursiv gedruckten Stellen hat Heinrich Mann am Rande mit Blaustift angestrichen.

91 1] *Zeilen von neulich:* Brief vom 23. 12. 1903.
    2] *Gleichgültigkeit:* Der Brief ist nicht erhalten. – In ihrem Brief an
    Heinrich vom 20. 11. 1904 spielt Julia Mann auf die ›Jagd nach Liebe‹
    an (abgedruckt in: André Banuls, ›Heinrich Mann‹, Paris 1966,
    S. 593 f.):
    »Nun mein lieber Heinrich zum anderen Thema, über welches Du
    mir in dankenswerter Weise aufrichtig schreibst (Nebenhergesagt
    habe ich wieder Deinen famosen Stil des Briefes bewundert, umso
    mehr, da Du Dich doch ganz Deiner Stimmung hingabst). Aber
    Heinrich mich betrübt eben diese Stimmung, die doch sicher auf
    Dein Gemüt wirken muß. Wenn es noch dabei sein Bewenden hätte,
    daß T. u. L[öhr]s wie ein großer Theil des lesenden Publikums Deine
    letzten Romane scharf verurtheilen, – aber daß Du Dich von den
    Geschwistern abwendest, thut mir für dich sehr leid. Halte Dich
    zu ihnen, mein lieber Heinrich, schicke ihnen ab und zu einige
    freundliche Zeilen und Kritiken, u. zeige ihnen nicht, daß Du Dich
    von der litterarischen Welt nicht so anerkannt fühlst als es T. mo-
    mentan ist, – oder wenn dann so daß Dich das Gefühl nicht ver-
    stimmt. Du hast der Welt einen Spiegel vorhalten wollen, hast stel-
    lenweise Undank u. Unwillen geerntet (zugegeben: weil sie sich zu
    sehr getroffen fühlt), – zugleich aber auch in dieser Weise jetzt ge-
    nügend ausgesprochen (nach meiner Meinung) u. gehst auf ein
    anderes Geleise, nicht wahr? Doch ich fühle, lieber Heinrich, daß es
    anmaßend von mir ist, Dir in Deiner Kunst Vorschriften machen zu
    wollen, möchte nur offen Dir gegenüber sein. Auf voriges zurück-
    kommend: ich finde, solange die persönliche Fühlung unter Ge-
    schwistern und Freunden, Mutter u. Kindern nicht gestört ist, hält
    das Band; ich habe solche Erfahrungen gemacht, u. zu solchen Zei-
    ten alles gethan, was einer Mutter möglich ist, um das Band nicht
    reißen zu lassen, u. es hat sich bewährt. Bitte, bitte lieber Heinrich,
    befolge meinen Rat und ziehe Dich nicht von T. u. L.s zurück; be-
    halte persönliche Liebenswürdigkeit bei, u. zeige von nun an wieder,
    daß Du auch der sensibleren Classe von Lesern gerecht zu werden
    befähigt bist. Man darf nicht zu sehr Idealist sein, denn man wird

ja vom kleinsten Theil der Mitmenschen verstanden. Und auch Tommy weiß ja, daß nicht Jeder ihn unbedingt rühmt, u. nicht alles was er schreibt seinen Anhängern gefällt. Uebrigens bei meiner Mittheilung an ihn, daß Du mir gute Kritiken geschickt habest, antwortete er ungefähr: Sei nur stolz daß H. Dir sie schickt, ich u. auch L.s bekommen nichts dergl. von ihm mehr, – H. muß doch am besten wissen wie hoch ich ihn einschätze, trotzdem ich Vieles in seinen letzten Romanen nicht goûtire – Das ist nun doch nicht unbillig, nicht wahr? – Daß Du in der ›Jagd n. Liebe‹ in zu gewagter Weise Münchener bekannte Persönlichkeiten hineinzogst, ist Löhr in seiner Stellung etwas unangenehm; [...] aber was wird nicht Alles geschrieben u. wie wird nicht auch mit der Feder herausgefordert u. Krieg geführt; da stehst Du nicht vereinzelt da. Doch nochmals, mein lieber Heinrich, das Andere was Du nach dieser Uebersetzung schreibst, soll wieder weniger starke Unsittlichkeiten aufdecken, nicht wahr? Ich wünschte so von ganzer Seele daß auch Dir die äußerliche Anerkennung zu Theil würde, denn leider kann der Schriftsteller nicht ohne sie fertig werden, u. mir persönlich als Eure Mutter gehen abfällige Urtheile über einen von Euch jedesmal durch und durch; so wie mich anerkennende Kritiken, wie die mir gesendete, u. mündliche Lobeserwähnungen, u. pecuniäre Fortschritte bei Euch, jedesmal hoch erfreuen. Mit den Uebersetzungen stehst Du Dich ja auch recht gut, nicht? u. das ist etwas was auch nicht Jeder kann. Ihr seid beide gottbegnadete Menschen, lieber Heinrich, – laß das persönliche Verhältnis zu T. u. L.s nicht getrübt werden; wie konnten 1½ Jahre es so ändern blos weil Deine letzten Arbeiten nicht durchwegs gefielen. Das hat doch mit d. geschwisterl. Verhältnis nichts zu thun! Ich schweige ihnen gegenüber von Deinem Briefe an mich, denn Du selber kannst alles wieder in's Geleise bringen, – d. h. nur wenn Du mich bittest, T. zu unterbreiten, warum Du den ganzen Winter fern bleibst, oder Löhr-s zu sagen, daß Du Dich innerlich Tommy entfremdet fühlst, – dann vielleicht thäte ich es; aber ich finde, das würde wieder nichts offenes Deinerseits ihnen gegenüber sein, daher es besser ist, was ich oben riet.«

3] *Friedrich Wilhelm Lebrecht Mann* (1847–1926): Äußeres Modell 92
zu Christian Buddenbrook. Onkel Friedl hat am 29. 10. 1913 in einem Inserat der Lübeckischen Anzeigen den gleichen Vorwurf erhoben (vgl. Brief vom 11. 11. 1913, Anm. 1). An den Rand schreibt Heinrich Mann mit Blaustift: »Ida Springer«.

4] *Hans Müller*, Pseud. Müller-Einigen (1882–1950): Dr. jur., Dramatiker, Erzähler, Chefdramaturg. Lebte zuletzt in Einigen am Thunersee. – Unter seinen Werken: ›Dämmer‹, Gedichte (1900); ›Das stärkere Leben‹, Einakterzyklus (1900); ›Die lockende Geige‹, Gedichte (1904); ›Der Garten des Lebens‹. Eine biblische Dichtung (1904); ›Buch der Abenteuer‹, Novellen (1905); die Novelle ›Die Rosen des heiligen Antonius‹ ist in dieser Sammlung enthalten. – Der Anfang des Zitats ist am linken Rande blau angestrichen. – Schaukals Brief ist uns nicht erhalten, auch nicht die hier erwähnte Beilage.

5] *Gerhard Ouckama Knoop* (1861–1913): Schriftsteller. Unter seinen Werken: ›Die Dekadenten‹, Roman (1898); ›Das Element‹, Roman (1901); ›Outsider‹, Novellen (1901); ›Die Grenzen‹, Roman in zwei Bänden (1903–05).

6] *›Renate‹:* Jakob Wassermann, ›Die Geschichte der jungen Renate Fuchs‹ (1900).

93 7] *»Nichtgeltenlassenwollen«:* Zitate aus Heinrich Manns Antwort auf den Brief vom 23. 12. 1903.

8] *Lucifer und Clown:* Die Formel »Mischung aus Lucifer und Clown« begegnet wieder in ›Geist und Kunst‹, Notiz 59 (›Thomas-Mann-Studien‹ I 182), in ›Der alte Fontane‹ (IX 18) und in Thomas Manns Brief vom 13. 6. 1910 an Samuel Lublinski.

9] *»Gang vors Thor«:* Heinrich Mann, ›Ein Gang vors Tor‹, Die Insel, Jg. 3, Bd. 1, Okt. /Dez. 1901, S. 137–149.

10] *Löhrs:* Josef Löhr, Thomas Manns Schwager, und Julia Löhr-Mann, Thomas Manns Schwester.

95 11] *Gestalt des Pico:* Die Stelle »Reaktionen in mir [. . .] sondern muss eine« ist am linken Rande mit Blaustift angestrichen, »Gestalt des Pico« ist zusätzlich unterstrichen. – Die Figur des Pico della Mirandola in ›Fiorenza‹ trägt Züge von Paul Ehrenberg.

12] *Heine's Buch über Börne:* Heine unterscheidet in ›Ludwig Börne‹ (S. 22) zwischen »Nazarenern« (Juden und Christen) und »Hellenen« (Sämtliche Werke, 1876, XII 21): »[. . .] alle Menschen sind entweder Juden oder Hellenen, Menschen mit ascetischen, bildfeindlichen, vergeistigungssüchtigen Trieben, oder Menschen von lebensheiterem, entfaltungsstolzem und realistischem Wahn. [. . .] Börne war ganz Nazarener, seine Antipathie gegen Goethe ging unmittelbar hervor aus seinem nazarenischen Gemüthe [. . .].«

13] *Gelegenheitsarbeiten:* Thomas Mann, ›Das Wunderkind‹, Novelle, Neue Freie Presse, Wien, 25. 12. 1903. – Thomas Mann, ›Ein Glück‹, Studie, Die neue Rundschau, Berlin, Jan. 1904, S. 85–93.

14] *Gabr. Reuters neuen Roman:* Thomas Mann, ›Gabriele Reuter‹, Der Tag, Berlin, 14. und 17. 2. 1904. Insbesondere eine Besprechung ihres Romans ›Liselotte von Reckling‹.

27. 2. 1904

96 1] *Novelle:* ›Fulvia‹. Die Entstehungszeit des Manuskripts ist nicht genau feststellbar. Die Novelle erschien erstmals in: Heinrich Mann, ›Flöten und Dolche‹, München: Langen 1905.

2] *›Jagd nach Liebe‹:* Heinrich Mann, ›Die Jagd nach Liebe‹, München: Langen 1903.

97 3] *Essay:* Thomas Mann, ›Gabriele Reuter‹, Der Tag, Berlin, 14. und 17. 2. 1904.

4] *Dialoge:* ›Fiorenza‹, Drei Akte von Thomas Mann, Die neue Rundschau, Berlin, Juli und August 1905, S. 785 ff., 944 ff.

5] ›*Wunderkind*‹: Thomas Mann, ›Das Wunderkind‹, Neue Freie Presse, Wien, 25. 12. 1903.

6] ›*Neuen Verein*‹: Am 28. 11. 1903 hatte der Senat der Universität das Verbot des ›Akademisch-Dramatischen Vereins‹ ausgesprochen. Am 11. 12. 1903 erfolgte die Gründung des ›Neuen Vereins‹, einer freien literarisch-künstlerischen Gesellschaft, die den akademischen Behörden nicht mehr unterstellt war. Vorstand und Ausschuß: Josef Ruederer, Dr. Wilhelm Rosenthal, Otto Falckenberg und Dr. Philipp Witkop.

7] *Bernsteins:* Max Bernstein (1854–1925), Rechtsanwalt, Schriftsteller. Seit 1881 in München. Lange Jahre Theaterkritiker der ›Münchner Neuesten Nachrichten‹. Schrieb vor allem Lustspiele.

Elsa Bernstein, geb. Porges, Pseud. Ernst Rosmer (1866–1949), Schriftstellerin. Gattin von Max Bernstein. Ihr Märchenspiel ›Königskinder‹ (1895) wurde 1897 im Hoftheater uraufgeführt (später von Humperdinck vertont); es hat möglicherweise ›Königliche Hoheit‹ beeinflußt. Unter ihren übrigen Werken: ›Dämmerung‹, Schauspiel (1893); ›Themistokles‹, Tragödie (1897); ›Nausikaa‹, Tragödie (1906); ›Maria Arndt‹, Schauspiel (1908); ›Achill‹, Tragödie (1910).

Im ›Lebensabriß‹ (XI 116) schreibt Thomas Mann: »Immerhin begann ich in ein paar Münchener Salons von literarisch-künstlerischer Atmosphäre zu verkehren, vor allem in dem der Dichterin Ernst Rosmer, der Gattin des berühmten Verteidigers Max Bernstein. Von hier ging der Weg in das Pringsheim'sche Haus in der Arcisstraße [...]«

8] *Pringsheims:* Alfred Pringsheim (1850–1941), Ordinarius für Mathematik an der Universität München. Passionierter Wagnerianer, Kunstsammler. Sein Haus an der Arcisstraße war eines der kulturellen Zentren Münchens.

Hedwig Pringsheim-Dohm (1855–1942), Tochter von Ernst Dohm, dem Gründer und Herausgeber des Berliner Witzblattes ›Kladderadatsch‹, und der Hedwig Dohm, Schriftstellerin und Frauenrechtlerin (vgl. ›Lebensabriß‹, XI 116 f., und ›Little Grandma‹, XI 467).

Katja Pringsheim (1883–1980).

9] *Franz von Lenbach* (1836–1904): Münchner Bildnismaler. (Malte u. a. Ludwig I., Liszt, Papst Leo XIII., die Duse, Paul Heyse, Bismarck, Moltke, Kaiser Wilhelm I.)

10] *giallo antico:* Gelber Marmor. In der Erzählung ›Beim Propheten‹   98
(VIII 366) heißt es von ihr der »reichen Dame« (Hedwig Pringsheim): »Sie war [...] aus ihrem prachtvollen Hause mit [...] in den Türumrahmungen aus Giallo antico hierhergekommen [...].«

11] *Hans Thoma* (1839–1924): Maler. Lebte von 1870–1876 in München, wo er Leibl, Steinhausen und Böcklin nahestand. 1899–1919 Akademieprofessor in Karlsruhe. Der hier erwähnte Wandfries ist abgebildet in: ›Thoma, Des Meisters Gemälde in 874 Abbildungen‹, hrsg. von Henry Thode, Stuttgart und Leipzig 1909.

12] *fürstliches Talent zum Repräsentiren:* Thomas Manns Pläne zu ›Königliche Hoheit‹ gehen auf das Jahr 1903 zurück; am 5.12.1903 schrieb er an Walter Opitz: »Man führt, möchte ich sagen, ein symbolisches, ein repräsentatives Dasein, ähnlich einem Fürsten, – und, sehen Sie! In diesem Pathos liegt der Keim zu einer ganz wunderlichen Sache, die ich einmal zu schreiben gedenke, einer Fürsten-Novelle, einem Gegenstück zu ›Tonio Kröger‹, das den Titel führen soll: ›Königliche Hoheit‹. . . .«

13] *Klaus Pringsheim* (1883–1972): Zwillingsbruder von Katja Pringsheim. Kapellmeister. Schüler Gustav Mahlers, zeitweilig musikalischer Leiter der Reinhardt-Bühnen. Wirkte jahrzehntelang in Tokio.

99   14] *Klumpe-Dumpe:* In Andersens Märchen ›Der Tannenbaum‹ erzählt der »kleine, dicke Mann« die Geschichte von »Klumpe-Dumpe, der die Treppe hinunterfiel und doch auf den Ehrenplatz kam und die Prinzessin erhielt«.

15] *»nach meinem Werke«:* Zitat aus Nietzsches ›Zarathustra‹.

27.3.1904

100   1] *meine große Lebensangelegenheit:* Im 7. Notizbuch, S. 129, findet sich der Eintrag: »Sonnabend d. 9ten April: Große Ausspr[ache] mit K[atja] P[ringsheim].« Auf S. 132 folgt der Eintrag: »Montag d. 16. Mai: Zweite große Aussprache mit K. P. Mit Donnerstag d. 19. Mai begann die Wartezeit.« In die Wartezeit fallen zur Hauptsache jene Briefe an Katja, die Thomas Mann später z. T. abgeschrieben hat, um sie für ›Königliche Hoheit‹ zu benutzen (Br. I 42–57).

2] *Riva:* Thomas Mann weilte vom 16.4. bis 6.5.1904 in Riva am Gardasee, Villa Cristoforo, dem Sanatorium von Dr. med. Christoph Hartung von Hartungen.

3] *von »Katja« rede:* Vgl. ›Beim Propheten‹ (VIII 370): »[...] und dabei las er mit Spannung in ihrer Miene, wie sie es aufnehmen werde, daß er einfach von ›Sonja‹, nicht von ›Fräulein Sonja‹ oder von ›Fräulein Tochter‹ sprach.«

23.12.1904

102   1] *Verlobung:* Sie fand am 3.10.1904 statt.

2] *Berlin:* Thomas Mann reiste am 28.11.1904 mit Frau Pringsheim und Katja nach Berlin und wurde dort der Großmutter seiner Braut, der Schriftstellerin Hedwig Dohm, vorgestellt. Er las am 29.11.1904 im ›Verein für Kunst‹ aus ›Tonio Kröger‹, ›Das Wunderkind‹ und ›Ein Glück‹.

3] *Lübeck:* Thomas Mann las am 2.12.1904 in der ›Literarischen Gesellschaft, Lübecker Leseabend von 1890‹ aus ›Fiorenza‹ und ›Das Wunderkind‹. Auf der Rückreise über Berlin traf er mit Oscar Bie, dem Redakteur der ›Neuen Rundschau‹, zusammen.

103   4] *Löweneckerchen:* Julia Löhr-Mann vergleicht Katja mit der Lerche

aus dem Märchen ›Das singende springende Löweneckerchen‹, das in
den ›Kinder- und Hausmärchen‹ der Brüder Grimm enthalten ist.

18. 2. 1905
1] *meiner Frau:* Die Hochzeit mit Katja Pringsheim fand am 103
11. 2. 1905 in München statt. Die Hochzeitsreise führte in die Schweiz.
Am 23. 2. 1905 kehrte das junge Ehepaar wieder nach München zurück.
2] *Carla:* Schwester von Thomas Mann (1881–1910), Schauspielerin.
Heinrich Mann, der ihr von allen Geschwistern am nächsten stand, hat
die weibliche Hauptperson des Romans ›Die Jagd nach Liebe‹ (1903) und
die Heldin der ›Schauspielerin‹ (1906) nach ihr gezeichnet. Carla beging
am 30. 7. 1910 in der Wohnung ihrer Mutter zu Polling Selbstmord.
Heinrich Mann schrieb im Gedenken an sie das Drama ›Schauspielerin‹
(1911); Thomas Mann hat ihr Schicksal im ›Lebensabriß‹ (XI 119 ff.) und
im XXXV. Kap. des ›Doktor Faustus‹ dargestellt (VI 503 ff.).
3] *Tiergartenstraße:* An der Berliner Tiergartenstraße befand sich das
Haus der Familie Hermann Rosenberg-Pringsheim (Rosenberg, Direktor der Berliner Handelsgesellschaft, war mit Else Pringsheim, Katja
Manns Tante, verheiratet). »Es war prunkvoll«, erinnert sich Erika
Mann, die als Kind wiederholt in der Tiergartenstraße weilte. »Im
Dachgeschoß hatte Hedwig Dohm ihre kleine Wohnung, weswegen
denn auch dies Haus mit einem lautlosen Lift versehen war. Autos gab
es zwar längst, doch fuhren die feinen Rosenbergs ausschließlich in
ihrer zweispännigen Equipage. – Das Geschenk aus der Tiergartenstraße war keineswegs protzig, vielmehr ging es da einfach um unser
silbernes Teeservice, eben jenes, welches wir heute noch benutzen.
Doch Thomas Mann, dem Heiner gegenüber irgendwie beschämt, weil
er ein wohlhabendes Mädchen geehlicht, liebte es, die Gaben aus dieser
Gegend herabzusetzen.«
4] *Palestrina:* In der Casa Bernardini hatten die Brüder 1895 und 1897
einige Sommerwochen verbracht. Dort hatte Thomas Mann mit den
Vorarbeiten zu den ›Buddenbrooks‹ begonnen. Leverkühns Gespräch
mit dem Teufel (›Doktor Faustus‹, VI 281 ff., 294 ff.) ist hierher verlegt.
5] *Gipper-Roman:* Vgl. Brief vom 27. 3. 1901, Anm. 8.
6] *Guido Biermann* (1846–?): Versicherungskaufmann, Gatte von
Alice Haag, einer Cousine der Brüder. In ›Buddenbrooks‹ tritt er als
Hugo Weinschenk auf (vgl. I 438, 524, 553, 640).
7] *Lübeck:* Vgl. Thomas Manns Brief vom 23. 12. 1904, Anm. 3.
8] *Baur au lac:* Aus einer späteren Notiz zum Hochstapler-Roman
geht hervor, daß Thomas Mann daran dachte, Felix Krull als Kellner im
Baur au Lac, Zürich, auftreten zu lassen.
9] *Solneß-Absturz:* Anspielung auf Ibsens Tragödie ›Baumeister Sol- 105
ness‹, die damals im Münchner Schauspielhaus wieder aufgeführt
wurde.

10] *Oscar Bie*: Vgl. 5. 2. 1903, Anm. 3.

11] *Hermann Bahr* (1863–1934): Wiener Schriftsteller und Kritiker. Studierte in Wien, Berlin und an anderen Orten Nationalökonomie, daneben Jura und klassische Philologie. Während seiner Berliner Zeit (1884–1887) Bekanntschaft mit Arno Holz. Leitete 1890 neben Otto Brahm die ›Freie Bühne‹. Seit 1894 Kritiker in Wien, zeitweilig eine der Hauptfiguren des »Jungen Wien«, Mitherausgeber der liberalen Zeitschrift ›Die Zeit‹. 1906/07 Spielleiter bei Reinhardt in Berlin. Lebte ab 1912 in Salzburg, war 1918/19 Erster Dramaturg am Wiener Burgtheater. Ab 1922 in München. Unter seinen frühen Werken: ›Die neuen Menschen‹, Schauspiel (1887); ›Die Mutter‹, Drama (1891); ›Neben der Liebe‹, Roman (1891); ›Theater‹, Roman (1897); ›Der Meister‹, Komödie (1904). Der junge Thomas Mann war von Bahrs »nervöser Romantik« beeindruckt und widmete ihm die Prosa-Skizze ›Vision‹ (in: Der Frühlingssturm, 1893; VIII 9). Auch Bahrs ›Kritik der Moderne‹ (1890) und ›Die Überwindung des Naturalismus‹ (1891) haben auf ihn gewirkt. Als es sich zeigte, daß Bahr mit seinem theatralischen Naturell allen Richtungen gerecht werden wollte, wandte sich Thomas Mann von ihm ab (vgl. Brief an Kurt Martens vom 11. 1. 1910, Thomas Mann Jahrbuch, Bd. 4, Frankfurt 1991, S. 187 ff.). – Die zitierte Stelle stammt aus Hermann Bahrs ›Dialog vom Marsyas‹ (Die neue Rundschau, Berlin 1904, S. 1187).

12] ›*Schauspielerin*‹: Novelle von Heinrich Mann (Leipzig 1906); vgl. Thomas Manns Brief vom 17. 1. 1906, Anm. 1 und 2.

13] *Hermione von Preuschen*, eigentlich Hermine von Zitelmann (1857–1918): Malerin und Schriftstellerin. Heinrich Mann ist vermutlich in der Novelle ›Monte Brè‹ portraitiert, die 1901 in dem Sammelband ›Lebenssphinx‹ erschien.

15. / 17. 10. 1905

106   1] *Rudolf Johannes Schmied* (1878–1935): Schriftsteller. Bruder von Ines Schmied, der damaligen Freundin Heinrich Manns. Schmied wurde in Buenos Aires geboren. Von seinem Leben weiß man wenig. In Berlin war er häufig Gast im Café Größenwahn (dem Romanischen Café) und im Café des Westens, wo er im Kreise der Paul Scheerbart, Ludwig Rubiner, Jacob van Hoddis und Else Lasker-Schüler als geistreicher Anekdotenerzähler bewundert wurde. Die letzten Jahrzehnte seines Lebens verbrachte er in Südamerika. Er starb am 2. Mai 1935 in Trinidad, Paraguay. – Schmied las am 12. 10. 1905 im Neuen Verein, München, aus seinem Buch ›Carlos und Nicolas, Kinderjahre in Argentinien‹, das 1906 bei Piper erschien. (Heinrich Mann besprach das Werk unter dem Titel ›Doppelte Heimat‹, in: ›Mnais und Ginevra‹, München: Piper 1906, S. 77–80.) Der zweite Teil, ›Carlos und Nicolas auf dem Meere‹, erschien 1909.

2] *Riva*: Dr. von Hartungens Sanatorium in Riva am Gardasee.

3] *Hans von Gumppenberg* (1866–1928): Schriftsteller, Theaterkritiker der ›Münchner Neuesten Nachrichten‹. Mitglied des Überbrettls ›Die elf Scharfrichter‹. – Gumppenbergs Bericht über Schmieds Vortragsabend steht in den ›Münchner Neuesten Nachrichten‹ vom 13. 10. 1905.

4] *Felix Salten,* eigentlich Siegmund Salzmann (1869–1947): Schriftsteller. Wurde Burgtheaterkritiker der ›Wiener Allgemeinen Zeitung‹, später Feuilletonredakteur der ›Zeit‹, 1906 der ›Berliner Morgenpost‹, zuletzt Theaterreferent der ›Neuen Freien Presse‹ in Wien. Emigrierte 1933 in die USA. Unter seinen Werken: ›Die kleine Veronika‹, Novelle (1903); ›Der Schrei der Liebe‹, Novelle (1904); ›Wiener Adel‹, Essays (1905); ›Das Buch der Könige‹, Karikaturen (1905); später: ›Bambi‹ (1923). – Saltens Aufsatz ›Gottes Segen bei Bong‹ (über: Edward Stilgebauer, ›Götz Krafft, Die Geschichte einer Jugend‹, Berlin 1904/1905) stand in der ›Zeit‹, Wien, 1. 10. 1905.

5] *Georg [Freiherr] von Ompteda* (1863–1931): Schriftsteller. Publizierte (zunächst unter dem Decknamen Georg Egerstorff) Romane, die damals sehr populär waren. Übersetzte Maupassant. Seine ›Erinnerungen‹ erschienen 1927/28 in ›Velhagen & Klasings Monatsheften‹.

6] *Schaukal:* Der Brief an Schaukal ist uns nicht erhalten. Schaukal 107 hatte Thomas Mann ein »dickes Manuskript« geschickt, damit er es bei Fischer unterbringe (vgl. Thomas Manns Brief vom 13. 3. 1906).

7] *Verlobungsanzeige:* Paul Ehrenberg hatte sich mit der Malerin Lilly Teufel verlobt (vgl. ›Die Hungernden‹, VIII 263).

8] ›*Fiorenza‹:* Buchausgabe bei S. Fischer, Berlin 1906.

9] *Julie Wassermann-Speyer* (1876–1963): Erste Frau von Jakob Wassermann. Schrieb ›Jakob Wassermann und sein Werk‹ (1923) und ›Das lebendige Herz, Roman einer Ehe‹ (1928). – Julie Speyer, ›Heinrich Mann‹, Die Zukunft, Berlin, 30. 9. 1905, S. 515–519.

10] *Zukunft-Beitrag:* Heinrich Mann, ›Jungfrauen‹, Novelle, Die Zukunft, Berlin, 7. 10. 1905, S. 31–37. Wieder abgedruckt in ›Stürmische Morgen‹, München: Langen 1906. Die kleinen Mädchen Ada und Claire sind möglicherweise nach Julia und Carla Mann gezeichnet.

11] *Tiergarten-Novelle:* Die Novelle ›Wälsungenblut‹ spielt, wie 108 Heinrich Manns ›Schlaraffenland‹, im Berliner Tiergarten-Viertel. Im Brief vom 27. 2. 1904 bezeichnet Thomas Mann das Pringsheimsche Haus an der Arcisstraße als »Tiergarten mit echter Kultur« (vgl. Brief vom 18. 2. 1905, Anm. 3).

12] ›*Versuchungen‹:* Gustave Flaubert, ›Die Versuchung des heiligen Antonius‹, Deutsche Übertragung von F. Paul Greve, Minden: Bruns 1905.

13] *Geburt des Kindes:* Erika Mann wurde am 9. 11. 1905 geboren (vgl. Thomas Manns Brief vom 20. 11. 1905); sie starb am 27. 8. 1969.

14] *Kunstreise:* Thomas Mann reiste im Dezember 1905 nach Dresden und Breslau, um zu lesen.

22. 10. 1905
108 1] *dies Werk:* ›Fiorenza‹.

2] *Feuilleton:* Editha du Rieux, ›Renaissance‹, Fremden-Blatt, Wien, 15. 10. 1905. ›Fiorenza‹ wird hier als »höchst interessante Arbeit des klug abwägenden, verständigen Norddeutschen« bezeichnet.

20. 11. 1905
109 1] *Abschnitt in* ›*Buddenbrooks*‹: Thomas Mann hatte seinem Bruder den Achten Teil des Romans gewidmet: »Meinem Bruder Heinrich, dem Menschen und dem Schriftsteller, zu Ehren.« Er beginnt mit der Weinschenk-Episode, die einst als ›Gipper-Roman‹ von den Brüdern gemeinsam geplant worden war (vgl. Thomas Manns Brief vom 18. 2. 1905). Heinrich Mann nimmt in seinem Lebensrückblick, ›Ein Zeitalter wird besichtigt‹ (Berlin: Aufbau-Verlag 1947, S. 218), auf dieses gemeinsame Vorhaben Bezug.

2] *Novelle:* ›Abdankung‹, Simplicissimus, München, 22. 1. 1906, S. 508 f. und S. 511. Widmung: »Meinem Bruder Thomas«. Vgl. Thomas Manns Brief vom 22. 1. 1906.

3] *ein Mädchen:* Erika Mann wurde am 9. 11. 1905 geboren.

4] ›*Wälsungenblut*‹: Zum ursprünglichen Schluß dieser Novelle vgl. Thomas Manns Brief vom 5. 12. 1905, Anm. 2.

110 5] *Gustav Frenssen* (1863–1945): Schriftsteller. Studierte Theologie. 1890–1902 Pfarrer in Hennstedt und Hemme (Dithmarschen). In ›Jörn Uhl‹ (1901) schilderte er den niederdeutschen Menschen und begründete damit seinen Ruhm als Verfasser von Heimatromanen; vgl. Thomas Manns Brief vom 16. 10. 1902 an Kurt Martens (Thomas Mann Jahrbuch, Bd. 3, Frankfurt 1990, S. 206 f.) und ›Lebensabriß‹ (XI 114). 1902 freier Schriftsteller in Meldorf, 1906 bis 1912 in Blankensee, seit 1916 in Barlt. Bei dem hier erwähnten Roman dürfte es sich um ›Hilligenlei‹ (1905) handeln. Unter seinen weiteren Werken: ›Der Pastor von Poggsee‹, Roman (1921); ›Lebensbericht‹ (1940).

5. 12. 1905
111 1] *Reise:* Thomas Mann las in Prag, Dresden und Breslau (vgl. Brief vom 17. 1. 1906).

2] ›*Wälsungenblut*‹: Die Novelle hätte im Januar-Heft 1906 der ›Neuen Rundschau‹ erscheinen sollen, wurde aber von Thomas Mann auf Wunsch seines Schwiegervaters zurückgezogen. Die Buchausgabe erschien erst 1921 im Phantasus-Verlag, München, mit Steindrucken von Th. Th. Heine. Der dort abgedruckte Schluß entspricht der hier erwogenen Variante, die nun auch aus den Gesammelten Werken in zwölf Bänden, Frankfurt 1960, bekannt ist (VIII 410). Der von Bie beanstandete Schluß wurde als ›Textvariante‹ beigegeben: »»Nun‹, sagte er, und einen Augenblick traten die Merkmale seiner Art sehr scharf auf seinem Gesichte hervor, ›was wird mit ihm sein? Beganeft haben wir ihn, – den Goy!‹« (Der jiddische Ausdruck ›beganeft‹ bedeutet soviel

wie ›übertölpeln, hintergehen‹. ›Goi‹ (Volk) bezeichnet in der biblischen Sprache jedes Volk, auch das jüdische; später dient es hauptsächlich zur Bezeichnung des fremden, nicht-jüdischen Volkes und wird
häufig abschätzig gebraucht.)

Die auf Bies Wunsch abgeänderte Fassung lag Ende 1905 bereits gedruckt vor. Die Bogen wurden schließlich als Packmaterial verwendet,
und durch Zufall erkannte der Münchner Buchhändlerlehrling Rudolf
Brettschneider, daß sie einen Text von Thomas Mann enthielten. Er
hat später einen Bericht über seine Entdeckung geschrieben (Die Bü-
cherstube, München 1920, S. 110–112):

›Eines Tages packte ich wieder einen dickbäuchigen Ballen aus und
erntete hiebei eine ganze Menge solcher Makulaturbogen mit Tie-
mann-Initialen. Zu Mittag nahm ich sie mit nach Hause, und während ich meine Suppe löffelte, begann ich unwillkürlich die vor mir
auf dem Tisch liegenden verdrückten Bogen zu lesen. Ich lese eine
Seite und eine zweite. Ein teuflisch guter Stil! denke ich. Von wem
mag das wohl sein? Ich lese weiter, aufmerksam und gespannt. Beim
Kompott angelangt glaubte ich meiner Sache sicher zu sein: das war
Thomas Mann. Ich suchte alle Bogen ab. Nirgends ein Titel, nirgends ein Anfang, weit und breit kein Autor ersichtlich. Na schön!
Die Hauptsache ist, daß ich mein Tiemann-Alphabet um 12 Buch-
staben bereichert habe. Ich zündete meine Zigarette an und ging
wieder in meinen Buchladen.

Am nächsten Sonntag war ich bei Dr. F. B. zum Tee geladen. Dort
traf man stets einen kleinen Kreis von Künstlern und Literaten,
und es wurde, wie das schon ist, von nichts anderem als von Kunst
und Literatur gesprochen. Kritik, Projekte, boshafte Anekdoten,
Tratsch-Geschichten aus Schwabing, witzige und manchmal auch
recht spitzige Worte. Da fällt auf einmal der Name Thomas Mann.
Irgend jemand erzählt von einer neuen Novelle des Meisters, einer
Novelle, die in der ›Neuen Rundschau‹ hätte erscheinen sollen, die
aber aus Gründen privater Natur aus dem Druck zurückgezogen
worden sei. Fischer habe sich verpflichtet, die Auflage zu makulie-
ren und einzustampfen. Eine ganze Weile beschäftigte sich das Gespräch mit diesem interessanten Thema. Einer der Anwesenden
wußte sogar den Titel der Novelle zu sagen: ›Wälsungenblut‹, so
sollte sie heißen. – Ich saß schweigsam in meinem Fauteuil und
lauschte mit offenen Ohren jedem Wort. Meine Makulaturbogen
fielen mir ein. Donnerwetter! das wäre so ein Fang! Eine unveröf-
fentlichte Novelle von Thomas Mann zu besitzen. Ein Exemplar, ein
Unikum dieser eingestampften ersten Auflage! Und es bestand kein
Zweifel, die zerknitterten Bogen, die ich in meinem Schreibtisch
verwahrte, enthielten ein Bruchstück der kuriosen Novelle; war mir
doch spontan bei der flüchtigen Lektüre der Name Thomas Mann
eingefallen. Auch mochte das, was ich gelesen hatte, recht wohl zu
dem Titel ›Wälsungenblut‹ passen. Vermutlich aber hatte ich nur

einen kleinen Teil des Schriftwerkes in Händen. Vielleicht auch sollte die Novelle in mehreren Fortsetzungen erscheinen? – Ich verabschiedete mich bald, denn ich konnte es kaum erwarten, zu Hause nochmals meine Makulaturbogen zusammenzustellen und auf ihre Vollständigkeit zu überprüfen. Soweit ich es beurteilen konnte, fehlte nichts als die Anfangsseiten. [...]

Der nächste Tag war ein Montag, da mußte wieder ein Bücherballen aus Leipzig eintreffen. Zu hoffen, daß darin neuerlich Makulaturbogen der Novelle von Thomas Mann sein könnten und noch dazu gerade die, die mir fehlten, war geradezu absurd, der helle Wahnsinn, ein Ding der Unmöglichkeit. – Und doch trat diese absurde, wahnsinnige Unmöglichkeit ein. Zwei Pakete des Verlags S. Fischer enthielt dieser Ballen und das eine davon war in den mir fehlenden Bogen eingepackt. Meine Freude kannte keine Grenzen, entzückt betrachtete ich das zerdrückte und doch so kostbare Blatt Papier. ›Wälsungenblut. Novelle von Thomas Mann‹ stand als Überschrift auf der ersten schön gedruckten und mit einer großen Tiemann-Initiale geschmückten Seite. Nun war mein Unikum komplett. Zu Hause stellte ich die Bogen sorgfältig zusammen, feuchtete sie ein, preßte sie und heftete sie in einen Umschlag aus hübschem Buntpapier.

Das ›Wälsungenblut‹ war eine Zeit lang ohne Zweifel der kostbarste Besitz meiner damals noch recht bescheidenen Bibliothek.«

Vgl. Thomas Manns Brief vom 6. 2. 1906 an Samuel Fischer. Vgl. ferner den ausführlichen Bericht von Klaus Pringsheim, ›Ein Nachtrag zu ‚Wälsungenblut'‹, Neue Zürcher Zeitung, 17. 12. 1961.

3] *neuer Roman:* Heinrich Mann, ›Zwischen den Rassen‹, Leipzig: Langen 1907. Begonnen 1905 in Rossholzen bei Brannenburg; beendet 1907. – Die Memoiren der Mutter kamen später als Buch heraus: Julia Mann, ›Aus Dodos Kindheit‹, Konstanz 1958.

112   4] *Artikel für die M. Neuesten Nachrichten:* ›Bilse und ich‹, Münchner Neueste Nachrichten, 15. / 16. 2. 1906 (x 9–22).

5] *Replik in den Lübecker Anzeigen:* Thomas Mann, ›Ein Nachwort‹, Lübecker Generalanzeiger, 7. 11. 1905. – Der Schriftsteller Richard Dohse aus Lübeck schrieb einen Roman, in dem Leute aus Tondern allzu ähnlich porträtiert waren. Rechtsanwalt Ritter aus Tondern verklagte den Schriftsteller. Die Vertretung der Klage wurde von dem Lübecker Rechtsanwalt Enrico von Brocken übernommen. Dieser zog, zur Stützung seiner Klage gegen Dohse, die ›Buddenbrooks‹ heran und nannte sie dabei einen »Roman à la Bilse«. Fritz Oswald Bilse (Fritz von der Kyrburg) war der Verfasser des Romans ›Aus einer kleinen Garnison, Ein militärisches Zeitbild‹ (Braunschweig 1903). Thomas Mann schätzte es nicht, mit Bilse verglichen zu werden, und protestierte mit dem Artikel ›Ein Nachwort‹ (xi 546–549). Kurz darauf ließ er noch den Aufsatz ›Bilse und ich‹ folgen (vgl. Anm. 4).

6] *Maximilian Harden,* urspr. Maximilian Felix Ernst Witkowski

(1861–1927): Berliner Essayist und Publizist. Gründete 1892 die führende Wochenschrift ›Die Zukunft‹, in der er die Politik Wilhelms II. scharf bekämpfte. Sein unablässiges Eintreten für den demokratischen Gedanken verschaffte ihm viele Gegner in den Reihen der radikalen Nationalisten und Antisemiten. 1923 gab er seine publizistische Tätigkeit auf und zog sich in die Schweiz zurück. Unter seinen frühen Schriften: ›Literatur und Theater‹ (1896); ›Kampfgenosse Sudermann‹ (1903); ›Köpfe‹, Essays, 4 Bde. (1905–1915).

7] *Frank Wedekind* (1864–1918): Dramatiker und Schauspieler. Jugend auf Schloß Lenzburg / Aargau. Studium der Rechte, Journalistik. 1886 Reklamechef der Firma Maggi in Kemptthal bei Zürich. 1888 Sekretär beim Zirkus Herzog. Dann freier Schriftsteller in Zürich, Paris; seit 1890 meist in München. 1896 Mitarbeiter am ›Simplicissimus‹ (1899 / 1900 Festungshaft wegen Majestätsbeleidigung). 1901 / 02 Regisseur, Rezitator und Lautensänger im Kabarett ›Die elf Scharfrichter‹. 1906 Heirat mit der Schauspielerin Mathilde (Tilly) Newes. 1906 Mitglied des Deutschen Theaters Berlin; dann wieder in München. Hatte bis dahin u. a. geschrieben: ›Frühlings Erwachen‹, Drama (1891); ›Der Erdgeist‹, Tragödie (1895, 1903 unter dem Titel ›Lulu‹); ›Der Marquis von Keith‹, Drama (1901); ›Die Büchse der Pandora‹, Tragödie (1904); ›Hidalla‹, Drama (1904). Die Brüder Mann, vor allem Heinrich, waren mit ihm befreundet. Sie wandten sich 1911 zusammen mit anderen Schriftstellern gegen die Polizei- und Zensurmaßnahmen, mit denen Wedekinds Werk behelligt wurde. Beide beteiligten sich auch an dem Aufruf ›Für Frank Wedekind‹ zu dessen 50. Geburtstag am 24. 7. 1914. Heinrich Mann schrieb einige Aufsätze über Wedekind, darunter: ›Über Wedekind, Wie ich ihn kennenlernte‹, Das Forum, Jg. 1, H. 4, Berlin, Juli 1914, S. 246–247; ›Zu Ehren Wedekinds‹, Berliner Tageblatt, 22. 3. 1918 (Nachruf); ›Erinnerung an Frank Wedekind‹, Neue Zürcher Zeitung, 20. / 21. 6. 1923; ›Wedekind und sein Publikum‹, Frankfurter Zeitung, 13. 3. 1928 (Gedenkrede zu Wedekinds 10. Todestag, gehalten am 13. 3. 1928 im Münchner Schauspielhaus). In ›Ein Zeitalter wird besichtigt‹ zählt er Wedekind zu seinen »Gefährten«; in der Komödie ›Das Strumpfband‹ (geschrieben 1902) hatte er ihn in der Gestalt des Bohemiens Killich auftreten lassen. Thomas Mann schrieb 1914 den Aufsatz ›Über eine Szene von Wedekind‹ (x 70).

8] ›*Friedrich*‹: Die ersten Notizen zu dem geplanten Roman stehen auf den letzten Seiten des 7. Notizbuchs (neben Einträgen zu ›Maja‹ und zum ›Hochstapler‹), sie sind also wohl auf Ende 1905 zu datieren. In den Jahren 1906–1912 hat Thomas Mann ein besonderes Exzerpt-Buch zu ›Friedrich‹ geführt (53 beschriebene Seiten, Thomas-Mann-Archiv, Zürich).

9] *Carlyle's* ›*Friedrich der Große*‹: Wahrscheinlich benützte Thomas Mann die gekürzte Ausgabe in 1 Bd., besorgt und eingeleitet von Karl Linnebach, Berlin 1905 (vgl. x 568). Im 9. Notizbuch, S. 9 f. (1906) hält Thomas Mann fest: » F r i e d r i c h . Tüchtig heruntergemacht wird er bei

Macaulay. Dabei lernt man. Was mein Buch auszeichnen soll, ist eine radikale, ehrliche und naturalistische Psychologie der Größe. Meine Gerechtigkeit u. psychologische Freiheit soll bis zur Gehässigkeit gehen. (Das hat Carlyle nicht!) Maria Theresia soll überaus rein, lieblich, sympathisch und verehrungswürdig erscheinen, als rührendes Opfer einer dämonischen Existenz.« – Vgl. Thomas Manns spätere Besprechung ›Carlyle's ‚Friedrich'‹, Frankfurter Zeitung, 24.12.1916 (x 567).

10] *Gehässigkeit:* Was »Gehässigkeit der Erkenntnis« ist, hatte Thomas Mann vor allem in Nietzsches Wagner-Kritik erfahren. Im 9. Notizbuch, S. 58f. (1908), bemerkt er dazu: »Nichts von brennenderem Interesse, als die Kritik der Modernität: Das fühlte ich schon mit neunzehn, als ich zum ersten Mal Nietzsche's Wagner-Kritik las. [...] Es fehlt in Deutschland an Psychologie, an Erkenntnis, an Reizbarkeit, Gehässigkeit der Erkenntnis, es fehlt an kritischer Leidenschaft...«. Der Passus wird in der Polemik gegen Theodor Lessing verwendet (vgl. xi 723).

11] *der Prinz von Preußen, der die Voss liebte:* August Wilhelm, Prinz von Preußen (1722–1758), Sophie Marie Gräfin von Voss (1729–1814), Hofdame beim König von Preußen.

113 12] *Münchener Ereignis:* Bahrs Münchner Pläne wurden nicht verwirklicht; unter dem Datum des 14.3.1906 meldet Hans Wagners ›Münchner Theaterchronik‹ (München 1958): »Unter den unliebsamen Fall Hermann Bahr wird der Schlußstrich gesetzt. Die Verpflichtung des Schriftstellers als Dramaturg wird endgültig gelöst. Bahr tritt zurück und erhält eine Abfindung von 24000 Mark.«

17.1.1906

113 1] *Weihnachtsgeschenk:* Heinrich Mann, ›Schauspielerin‹, Novelle, Wien: Wiener Verlag 1906 (Bibliothek moderner deutscher Autoren, Bd. 12). Heinrich Mann spielt darin auf sein Verhältnis zu seiner Schwester Carla an.

2] *in Zeitungsausschnitten:* Ein Vorabdruck der ›Schauspielerin‹ ist nicht bekannt. Vgl. Thomas Manns Brief vom 18.2.1905.

114 3] *Bahr:* Vgl. Brief vom 5.12.1905.

115 4] *Basel:* Ende Januar/Anfang Februar 1906 las Thomas Mann zweimal in Basel aus seinen Werken (›Fiorenza‹, ›Das Wunderkind‹ und ›Schwere Stunde‹). Die Vorträge wurden von der ›Allgemeinen Lesegesellschaft‹ veranstaltet. Vgl. den Bericht von E. J. über den ersten Abend in den ›Basler Nachrichten‹, Jg. 62, Basel, 2.2.1906, S. 1.

5] *Tante Elisabeth:* Maria Elisabeth Hippolythe Haag, geb. Mann (1838–1917). Schwester des Senators Mann. Modell zu Tony Buddenbrook. Vgl. Viktor Mann, ›Wir waren fünf‹, S. 39f.

6] *Volksthümlichkeit:* Thomas Mann befaßt sich später im ›Versuch über das Theater‹, dann wieder in den Notizen zu ›Geist und Kunst‹ mit diesem Thema.

7] *Würde:* Am Rande links hat Heinrich mit Bleistift vermerkt: »Und
den ›großen Männern‹ sollte die Würde ihres Gegenstandes, ihrer
Menschen, ihrer Ideen, gleich sein?«

8] *Großstadt-Roman:* Thomas Mann sammelte damals Material zu
einem in München spielenden Gesellschaftsroman, der wohl als Gegenstück zu Heinrichs ›Schlaraffenland‹ gedacht war. Das Werk hätte
den schopenhauerischen Titel ›Maja‹ tragen sollen; das Illusionäre von
Leben und Welt wäre sein Thema gewesen. Thomas Mann hat den
geplanten Roman später an Gustav von Aschenbach abgetreten. Das zu
›Maja‹ gesammelte Material verwertete er schließlich doch noch selbst,
in den Münchener Kapiteln des ›Doktor Faustus‹.

9] *›Schiller‹:* Thomas Mann, ›Schwere Stunde‹, Simplicissimus, München, 9. 5. 1905.

10] *Skepsis:* Randbemerkung Heinrich Manns: »Es giebt den enthu-
siastischen Skeptiker.«

11] *[Schillers] Briefe an Goethe:* Am 29. 12. 1797 schreibt Schiller:
»Wenn das Drama wirklich durch einen so schlechten Hang des Zeitalters in Schutz genommen wird, wie ich nicht zweifle, so müßte man die
Reform beim Drama anfangen und durch Verdrängung der gemeinen
Naturnachahmung der Kunst Luft und Licht verschaffen. Und dies,
deucht mir, möchte unter andern am besten durch Einführung symbo-
lischer Behelfe geschehen, die in allem dem, was nicht zu der wahren
Kunstwelt des Poeten gehört und also nicht dargestellt, sondern bloß
bedeutet werden soll, die Stelle des Gegenstandes verträten. Ich habe
mir diesen Begriff vom Symbolischen in der Poesie noch nicht recht
entwickeln können, aber es scheint mir viel darin zu liegen. Würde der
Gebrauch desselben bestimmt, so müßte die natürliche Folge sein, daß
die Poesie sich reinigte, ihre Welt enger und bedeutungsvoller zusam-
menzöge und innerhalb derselben desto wirksamer würde.

Ich hatte immer zur gewissen Vertrauen zur Oper, daß aus ihr wie aus
den Chören des alten Bacchusfestes das Trauerspiel in einer edlern
Gestalt sich loswickeln sollte. In der Oper erläßt man wirklich jene
servile Naturnachahmung, und obgleich nur unter dem Namen von
Indulgenz, könnte sich auf diesem Wege das Ideale auf das Theater
stehlen. Die Oper stimmt durch die Macht der Musik und durch eine
freiere harmonische Reizung der Sinnlichkeit das Gemüt zu einer
schönern Empfängnis; hier ist wirklich auch im Pathos selbst ein
freieres Spiel, weil die Musik es begleitet, und das Wunderbare, welches hier einmal geduldet wird, müßte notwendig gegen den Stoff
gleichgültiger machen.« (›Briefwechsel zwischen Schiller und Goethe‹, mit Einführung von Houston Stewart Chamberlain, Jena 1905,
Bd. 1, S. 511 f.)

12] *Freundschaft und Familienverkehr:* Heinrich Mann verkehrte damals mit den Geschwistern Rudolf und Ines (Nena) Schmied.

13] *Artikel:* ›Bilse und ich‹, Münchner Neueste Nachrichten, 15. /
16. 2. 1906.

22. 1. 1906

117   1] *Novelle:* Heinrich Mann, ›Abdankung‹, Simplicissimus, München,
      22. 1. 1906, S. 508 ff. Widmung: »Meinem Bruder Thomas«.

118   2] *Klösterlein:* Erika Mann schrieb uns dazu: »Gemeint ist ein schrei-
      bender Herr Achim von Klösterlein, der sich bei uns durch die Vorle-
      sung einer selbstgedichteten Novelle unsterblich gemacht hat. Der er-
      ste Satz dieser Novelle – sehr bedeutungsvoll vorgetragen – lautete:
      ›Der Jordan stinkt.‹ Ob das Klösterlein je publiziert hat, wissen wir
      nicht. Auch sonst wissen wir rein gar nichts von ihm.«

      13. 3. 1906

118   1] *Schaukal:* Im ›Zeitgeist‹ (Beiblatt zum ›Berliner Tageblatt‹,
      5. 3. 1906) veröffentlichte Schaukal unter dem Titel ›Thomas Mann
      und die Renaissance‹ eine vernichtende Kritik über ›Fiorenza‹. Der
      zweite Abschnitt lautet:
      »Aber es will mich dünken, als sei die Beziehung des brillanten Ro-
      manciers zu diesem so inbrünstig geliebten Motiv: ›Welt-Teufe-
      linne wider den Geist‹ der heißesten, der nicht erwiderten Passion zu
      vergleichen: in beiden Fällen, in der Novelle und im ›Drama‹, bleibt
      das Thema dem unermüdlichen Werber gegenüber kühl. ›Gladius
      dei‹ hinterläßt einen halbschlächtigen Eindruck, den man mit der
      saloppen Formel: ›nicht warm und nicht kalt‹ bezeichnen kann, ›Fio-
      renza‹ wirkt überhaupt nicht: eine frostige Kälte strömt von dem
      Werk aus. Nur der Autor ist – und doppelt und dreimal redselig
      scheint's bei diesen Gegensätzen – am Worte; aber die Geliebte, Fio-
      renza, will sich dem Wortreichen nicht ergeben. Woran liegt dieses
      völlige Versagen? Warum konnte Thomas Mann, der Erschaffer,
      der Gestalter, der unübertreffliche Dirigent seiner Geschöpfe, hier
      nicht über den unsichtbaren Grenzstrich hinübergelangen, der im
      Reiche der Kunst Lebendiges vom Maskenhaften scheidet? Liegt's
      am Stoffe nur? Dann müßte Mann, der Künstler, doch wenigstens
      ganz klar umrissen bestehen bleiben, man müßte, indem sich die
      Sympathie für den bisher so Siegreichen Genüge täte an seinem ge-
      winnenden Anblick, darüber den offenbaren Mißerfolg des Savona-
      rola-Dichters verwinden können. Aber dem ist durchaus nicht so.
      Auch Mann verliert, und nicht nur um der Stellung willen, die er
      gedemütigt als Unterliegender einnimmt. Der Dichter des ›Tonio
      Kröger‹ ist kaum an einigen blaß vorüberhuschenden, charakteristi-
      schen Momenten zu erkennen. Er gebärdet sich diesmal (befremdet
      gesteht sich's sein Verehrer) wie einer der in guter Gesellschaft so
      übelberüchtigten neuen Epigonen: literarisch bis aufs Mark. Wäre
      dies ein bisher verborgen gebliebener Wesenszug an dem sonst so
      maß- und taktvollen Autor? ›Gladius dei‹ gibt die Antwort: Mann
      ist nicht à son aise, er fühlt sich befangen und verbirgt seine Befan-
      genheit hinter faltigen Worten. An der Beziehung liegt's, die als
      unfruchtbar sich erweist. Und eines wird klar: Mann ist keiner, der

uns immer wieder überraschen wird, kein Proteus, kein Vielseitiger. Wo er nicht liebenswürdig-bequem ganz er selbst sein kann, da wird er unfehlbar enttäuschen. Uhland, Geibel, Saar als Dramatiker, Grillparzer, Kleist als Lyriker, Hebbel als Novellist: es gibt eben Grenzen. Dies ist nicht so zu verstehen, als ob Mann uns nicht noch ein ausgezeichnetes Drama schreiben könnte; nicht das Versagen im Dramatischen: es ist das durch die Gewaltsamkeit der Unternehmung bedingte völlige Versagen des Dichterischen, das hier mit Bedauern festgestellt werden soll. Daß in ›Fiorenza‹ kein ›Drama‹ vorliegt, hat wenig zu besagen. Auch die wundervolle Penthesilea Kleists, auch Grabbes Napoleon, die Renaissanceszenen des Grafen Gobineau sind, auf ihre Bühnengerechtsamkeit geprüft, unzulänglich. Mann als Dichter ist in ›Fiorenza‹ – man wird dessen (verblüfft) beim stockenden Weiterlesen mehr und mehr inne – ohnmächtig; und was betont werden muß, nicht etwa ›dilettantisch‹ wirkt er, das hieße immerhin warmblütig, sondern dünn, arm, leblos, eben ›literarisch‹. In der Manier d'Annunzios und seiner Nachahmer staut sich zwischen den Gesprächen szenische Wortmalerei. Langwierige Expektorationen, Selbstbiographien, wie auf Bandstreifen aus automatisch sich öffnenden Lippen gleitend, ersetzen das Charakterisieren, das Ausinnenherausgestalten. Vorn der mehr oder weniger gleichgültige historische Name, hintendrein ein geringelter Schweif von behutsam geklebten ›Lesefrüchten‹, von emsiger Lektüre zeugend, aber seelenloses Geredsel, Material bloß, und – nicht eben unzugängliches. Und das Ganze immer wieder in stilisierten Schnörkeln gebrochen, in der drangsalierten Sprache, wie sie halbwüchsige Snobs der »Moderne‹ heute allüberall pflegen. Selbst die bei der geflissentlichen Schnörkelung mit dem höhnischen Kichern des ›Objekts‹ unterlaufenden stilistischen Nachlässigkeiten, die groben Verstöße gegen die grammatischen Regeln fehlen nicht [...].

In seinem Brief vom 28. 3. 1906 an Kurt Martens bezieht sich Thomas Mann auf diese Kritik (Thomas Mann Jahrbuch, Bd. 3, Frankfurt 1990, S. 225 ff.). Obwohl Heinrich Mann des Bruders Ausfälle gegen ›Die Göttinnen‹ und ›Die Jagd nach Liebe‹ noch nicht vergessen haben konnte, kam er seinem Bruder zu Hilfe und bezog in einem öffentlichen Brief an Maximilian Harden gegen Schaukal Stellung: ›Mache‹, Die Zukunft, Berlin. 31. 3. 1906, S. 500–502 (abgedruckt in der Dokumentation, S. 359–362). Ein Nachspiel folgte in der ›Zukunft‹ vom 14. 4. 1906: ein öffentlicher Brief von Richard Schaukal (S. 74–76) und Heinrich Manns Antwort darauf (S. 76).

2] *Brief von damals:* Vgl. Thomas Manns Brief vom 15. 10. 1905,   119
Anm. 6.

3] *Dresden:* Thomas Mann las am 1. 5. 1906 in Dresden und begab sich danach ins Sanatorium ›Weißer Hirsch‹, wo ihn sein Verleger Samuel Fischer in der Villa Thalblick untergebracht hatte. Das Kurhaus wurde von Dr. Heinrich Lahmann geführt und hatte bis in die zwanziger

Jahre hinein einen großen Ruf. Allerdings schrieb Thomas Mann am 15. 7. 1906 an Fischer (Brw. Fischer 406): »Mir hat Lahmann gesundheitlich garnichts genützt, nicht das Geringste. Ich war hernach müder und trüber, als zuvor.« Um sich richtig zu regenerieren (hatte Thomas Mann schon am 25. 5. 1906 an Fischer geschrieben), »müßte man das Geschäft ein halbes Jahr, ja ein Jahr betreiben – und das hielte man nicht aus«. Vgl. den Eingang der Erzählung ›Das Eisenbahnunglück‹ (VIII 416). Thomas Mann nahm auf die Reise die Notizen und den Anfang des Manuskripts zur »Fürsten-Novelle« mit.

4] *Venedig:* Die Reise scheint nicht zustande gekommen zu sein. Während des sommerlichen Aufenthalts in Oberammergau schrieb Thomas Mann an der ›Königlichen Hoheit‹, die er sich inzwischen als Roman zurechtgelegt hatte (vgl. Brief vom 15. 7. 1906 an Samuel Fischer, Brw. Fischer 406 f.).

21. 3. 1906

120   1] *Artikel:* Heinrich Mann, ›Mache‹, Die Zukunft, Berlin, 31. 3. 1906, S. 500–502. Vgl. Thomas Manns Briefe vom 13. 3. 1906 an Heinrich und vom 20. 3. 1906 an Maximilian Harden (ungedruckt, TMA).

2] *Samuel Lublinski* (1868–1910): Dramatiker und Kritiker. Zu seiner Zeit galt er neben Paul Ernst und Wilhelm von Scholz als der namhafteste Vertreter des neuklassischen Dramas. Nach naturalistischen Frühwerken schrieb er historische Tragödien, die ihn in Hebbels Fußstapfen zeigen: ›Der Imperator‹ (1901); ›Hannibal‹ (1902); ›Elisabeth und Essex‹ (1903); ›Peter von Rußland‹ (1906); ›Gunther und Brunhild‹ (1908); ›Kaiser und Kanzler‹ (1910). – Lublinski hatte 1901, als einer der ersten, im ›Berliner Tageblatt‹ die ›Buddenbrooks‹ lobend besprochen. In seiner ›Bilanz der Moderne‹ (1904) nannte er Thomas Mann den schlechthin bedeutendsten Romandichter der Zeit. Sein zeitkritisches Werk, ›Ausgang der Moderne‹ (1909), bestätigte seinen Ruf, einer der gescheitesten Kritiker des Naturalismus und der Neuromantik zu sein. Seit 1904 stand Thomas Mann mit ihm in Briefwechsel. Als Lublinski 1910 von Theodor Lessing angegriffen wurde, setzte sich Thomas Mann in einigen polemischen Aufsätzen für ihn ein (vgl. ›Der Doktor Lessing‹, XI 719 ff., und ›Thomas-Mann-Studien‹, 1, Bern und München 1967, S. 108 ff.).

7. /8. 6. 1906

121   1] ›*Stürmische Morgen*‹: Novellenband von Heinrich Mann, München: Langen 1906; darin enthalten: ›Heldin‹, ›Der Unbekannte‹, ›Jungfrauen‹, ›Abdankung‹.

122   2] *das mir gewidmete:* ›Abdankung‹.

3] *Björnson:* Maximilian Harden zitiert in einem Aufsatz über ›Ibsen‹ (Die Zukunft, Berlin, 2. 6. 1906) aus einem Aufsatz, den Björnstjerne Björnson schon Jahre vorher in der gleichen Zeitschrift hatte erscheinen lassen (S. 311 f.):

»Die Gedankenkraft des Dramatikers kommt wohl am Stärksten in seiner Psychologie zur Geltung; und diese besitzt bei Ibsen nicht immer einen sicheren Untergrund. Der Aufbau ist stets musterhaft; so, zum Beispiel, in ›Nora‹; aber das Fundament, auf dem er ruht: nämlich, daß Nora (die lügt, – und wer ist weltklüger als Die, die lügen können?) nicht wissen sollte, was eine Wechselfälschung ist, läßt viel zu wünschen übrig. Die Voraussetzung für die Handlung der ›Wildente‹ ist, daß die vierzehnjährige Märtyrerin ihrem Vater glaubt, obwohl dieser Schwätzer kaum ein wahres Wort zu sagen vermag. Nun wissen wir aber Alle, daß Niemand rascher als ein Kind erfassen kann, ob man auf die Worte Dessen, von dem man abhängt, Etwas geben darf. Seit ihrem vierten Jahr hat Hedwig sicher Bescheid gewußt; wenn Jemand zweifelt, so denke er an die Mutter! Wie der gute, von Damen erzogene Professor in ›Hedda Gabler‹ dazu kommen konnte, Hedda als sein Weib heimzuführen, das ist gewiß eben so unfaßlich wie der Umstand, daß diese mit Dynamit geladene Dame es ungefähr dreißig Jahre aushalten konnte, ohne daß es zu der geringsten Explosion kam und ohne daß die Umgebung merkte, wie es um Hedda stand. Dazu kommt die gewagte, manchmal geradezu falsche Anwendung der Studien über Suggestion, Hypnotismus und Erblichkeit. Die noch wenig aufgeklärte Macht der Erblichkeit hält Ibsen für größer als die der Erziehung, mit der er gar nicht rechnet.«

4] *Lothar Brieger-Wasservogel*, eigentlich Brieger (1879–1949): Berliner Buchhändler und Kunstkritiker. Unter seinen Werken: ›Max Klinger‹ (1902); ›Auguste Rodin‹ (1902); ›Deutsche Maler‹ (1903); ›Plato und Aristoteles‹ (1905); ›Der Fall Liebermann. Über das Virtuosentum in der bildenden Kunst‹ (1906); ›Die Darstellung der Frau in der modernen Kunst‹ (1906). – Möglicherweise ist hier die Reihe ›Aus der Gedankenwelt grosser Meister‹ gemeint, die Brieger-Wasservogel seit 1906 herausgab.

5] *Georg Hirschfeld* (1873–1942): Dramatiker und Erzähler. Von Brahm, Hauptmann und Fontane gefördert. Hatte damals u. a. schon geschrieben: ›Dämon Kleist‹, Novelle (1895); ›Zu Hause‹, Drama (1896); ›Die Mütter‹, Drama (1896); ›Agnes Jordan‹, Drama (1897); ›Der Weg zum Licht‹, Märchenspiel (1902); ›Nebeneinander‹, Drama (1904).

6] *Hugo Salus* (1866–1929): Lyriker und Erzähler. Seit 1895 Frauenarzt in Prag. Hatte bis dahin u. a. geschrieben: ›Gedichte‹ (1898); ›Susanna im Bade‹, Schauspiel (1901); ›Ernte‹, Gedichte (1903); ›Novellen des Lyrikers‹ (1904).

7] *Toni Schwabe* (1877–1951): Schriftstellerin. Lebte bis 1950 in Bad Blankenburg, zuletzt in Weimar. Unter ihren frühen Werken: ›Ein Liebeslied‹ (1900); ›Die Hochzeit der Esther Franzenius‹, Roman (1. Aufl. 1902, 2. Aufl. 1905); ›Die Stadt mit lichten Türmen‹, Roman (1903). – Vgl. Thomas Manns Brief vom 5. 12. 1903.

123 1] *Deine Verlobte:* Ines Schmied, Sängerin, 1883 in Buenos Aires geboren, Schwester von Rudolf Schmied, war von ca. 1905 bis 1910 mit
Heinrich Mann befreundet; sie galt als seine Verlobte. Julia Mann, die
Mutter, schrieb am 20. 4. 1908 an Ludwig Ewers: »Heinrich, der Son-
derling der er ist, hat sich vor 1 ½ Jahren in Florenz verlobt ohne uns es
mitzuteilen, er stellte mir in München vor ca. 3 Wochen plötzlich seine
Braut, Ines Schmied aus Buenos Aires vor, mittelgroß, zierlich, gold-
blond, goldbraune Augen, Teint wie Milch u. Blut, liebenswürdig, wie
eine gute Fee. Vor kurzem fuhren sie nach Meran Hotel-Pension
Windsor. In nicht langer Zeit werden sie ebenso geräuschlos heiraten,
wie sie sich gefunden haben!« Viktor Mann berichtet in ›Wir waren
fünf‹ (S. 291 f.): »Wenn Heinrich in jenen Jahren nach München kam,
was nicht oft geschah, wohnte er in einer Pension an der Türkenstraße,
und wir sahen uns meist nur bei Mama. Einmal aber traf ich ihn im
Foyer eines Varietés und wurde einer Frau von solcher Schönheit vorgestellt, daß sie geradezu als Schock wirkte. Ich mußte sofort an die
Senhoras da Silva und an die Lola aus ›Zwischen den Rassen‹ denken.
Tatsächlich erfuhr ich, die Dame stammte aus Südamerika. Leider bin
ich ihr später nie mehr begegnet.« Vgl. René Schickeles Tagebuch, in:
›Werke in drei Bänden‹, hrsg. von Hermann Kesten, Köln, Berlin: Kiepenheuer & Witsch 1959, Bd. 3, S. 1065. Die Heirat kam nicht zu-
stande. Ines Schmied gilt als Modell zur jungen Branzilla, zu Lola
(›Zwischen den Rassen‹) und zu Flora Garlinda (›Die kleine Stadt‹).

124 2] *Zieblandstraße:* Wann Heinrich Mann in der Münchener Zieblandstraße gewohnt hatte, ließ sich nicht ermitteln.

3] *Eckerthal:* Heinrich Mann hielt sich damals im Harz auf.

4] ›*Maja‹:* Vgl. Thomas Manns Brief vom 17. 1. 1906, Anm. 7.

5] *Novellen:* Zu den damals geplanten Novellen gehören die ›Bekenntnisse des Hochstaplers Felix Krull‹.

6] *Otto Erich Hartleben* (1864–1905): Schriftsteller. Mitarbeiter an
der Kunst- und Literatur-Zeitschrift ›Pan‹. Seit 1901 meist in München. Unter seinen Werken: ›Angele‹, Komödie (1891); ›Die Geschichte vom abgerissenen Knopfe‹, Erzählungen (1893); ›Vom gast-
freien Pastor‹, Erzählungen (1895); ›Die sittliche Forderung‹, Komödie
(1897); ›Der römische Maler‹, Erzählungen (1898); ›Rosenmontag‹,
Tragödie (1900); ›Meine Verse‹ (1902); ›Liebe kleine Mama‹, Erzählungen (1904); ›Diogenes‹, Szenen einer Komödie in Versen (1905);
›Tagebuch‹ (1906).

27. 5. 1907

125 1] *Gr. Hôtel:* Bezieht sich wohl auf Thomas Manns Reise nach Venedig (Mai 1907), wo er Heinrich Mann getroffen zu haben scheint.

2] ›*Fiorenza‹:* Die Uraufführung fand am 11. 5. 1907 im Schauspielhaus Frankfurt statt. Thomas und Katja Mann wohnten am 23. 5. 1907
einer Vorstellung bei.

3] ›Zwischen den Rassen‹: Roman von Heinrich Mann, München: Langen 1907.

4] *Carl Busse* (1872–1918): Schriftsteller, Kritiker. Seit 1893 meist in Berlin. Im ›Zwanzigsten Jahrhundert‹ (Jg. 6, H. 1, Oktober 1895, S. 468–472) war ein Artikel erschienen, in dem sich der Verfasser – vermutlich Heinrich Mann – über ›Des Form-Lyrikers Busse niedliches Talent‹ lustig macht. Busse schrieb im November 1906 in ›Velhagen & Klasings Monatsheften‹ (Jg. 21, H. 3, S. 383): »Hochgepeitschte Phantasie bei innerer Kälte… Und die Dichtungen, die dabei herauskommen, ob sie nun ›Die Göttinnen‹ oder ›Die Jagd nach Liebe‹, ›Flöten und Dolche‹ oder ›Professor Unrat‹, ›Stürmische Morgen‹ oder sonst wie heißen, und ob sie im einzelnen noch so viel ›Kunst‹ enthalten, – sie gehören in die Kategorie jener Werke, die ich bis zum letzten Atemzuge bekämpfen werde.« (Heinrich Mann erinnert sich noch in seinem Brief vom 20. Juli 1947 an Karl Lemke an diese Kritik.) Thomas Mann bezieht sich in Notiz 9 zu ›Geist und Kunst‹ auf Busse.

5] *Hesse:* Die Besprechungen, auf die sich Thomas Mann hier bezieht, konnten nicht ermittelt werden. Den Novellenband ›Tristan‹ hatte Hesse in der ›Neuen Zürcher Zeitung‹ vom 5. 12. 1903 besprochen.

7. 6. 1907

1] *Du hast wieder etwas fertig:* ›Die Branzilla‹ oder ›Der Tyrann‹. Beide Novellen wurden gemeinsam veröffentlicht in: Heinrich Mann, ›Die Bösen‹, Leipzig: Insel-Verlag 1908. ›Die Branzilla‹ war vermutlich um die Jahreswende 1906/07 schon in der Wiener Wochenschrift ›Die Zeit‹ erschienen (nicht nachweisbar).

2] *mit Deinem Letzten:* ›Zwischen den Rassen‹.

3] *unser Haushalt löst sich auf:* Thomas Mann verbrachte den Sommer mit seiner Familie in Seeshaupt am Starnberger See, wo Heinrich Mann ihn im August besuchte.

4] *›Kgl. Hoheit‹:* Vgl. Thomas Manns Brief vom 25. 3. 1909, Anm. 1.

5] *Polling:* Dorf bei Weilheim (im ›Doktor Faustus‹ Pfeiffering genannt). Frau Julia Mann hatte dort Wohnung genommen.

19. 6. 1907

1] *Lula:* Julia Löhr-Mann (1877–1927). Verheiratete sich 1900 mit dem Münchner Bankdirektor Josef Löhr. Thomas Mann widmete ihr den Dritten Teil der ›Buddenbrooks‹: »Meiner Schwester Julia sei dieser Teil zur Erinnerung an unsere Ostseebucht von Herzen zugeeignet.« Julia nahm sich 1927 das Leben.

22. 6. 1907

1] *Paul Busching:* Politischer Redakteur der ›Münchner Neuesten Nachrichten‹.

2] *Emil Grimm:* Feuilleton-Redakteur der ›Münchner Neuesten Nachrichten‹.

128 3] *Versuch über das Theater:* Erstmals in ›Nord und Süd‹, Jg. 32, H. 370/371, Berlin, Jan./Febr. 1908. In seiner ›Mitteilung an die literar-historische Gesellschaft in Bonn‹ (XI 713) schreibt Thomas Mann:

»Vor einiger Zeit veranstaltete die Zeitschrift ›Nord und Süd‹ eine Enquete über das Theater. [. . .] Und so saß mir nun die Theaterfrage wie ein Widerhaken im Fleisch: in einem erregten, gereizten, dialektischen Zustande ging ich umher, räsonierte, disputierte, komponierte, warf mit heißem Kopf einzelne Pointen aufs Papier... kurz, ich beschloß, den Roman, an dem ich schreibe, ›auf ein paar Tage‹ zu unterbrechen und der Zeitschrift die beste Antwort zu geben, die sie überhaupt bekommen würde. Was zustande kam, war ein Manuskriptum von einunddreißig Groß-Quart-Seiten, betitelt: ›Versuch über das Theater‹. Ich habe nicht Tage, sondern Wochen damit im Kampfe gelegen; mehr als einmal war ich der Sache bis zur Verzweiflung überdrüssig; mehr als einmal wollte ich angesichts der Widersprüche, die sich bei der Behandlung des Verhältnisses eines künstlerischen Menschen zum Theater notwendigerweise auftun, die Hände sinken lassen, aber ich hatte mich engagiert und gehorchte meinem kategorischen Imperativ ›durchhalten‹!«

4] *Harden:* Thomas Mann spielt hier auf zwei Artikel zur Eulenburg-Affäre an: Maximilian Harden, ›Nur ein paar Worte‹, Die Zukunft, Berlin, 15. 6. 1907, S. 367–374; ›Die Freunde‹, Die Zukunft, Berlin, 22. 6. 1907, S. 405–425.

5. 7. 1907

128 1] *Flaubert bei Müller:* Die Ausgabe kam offenbar nicht zustande. Dagegen erschien 1907–1909 bei J. C. C. Bruns in München die »erste deutsche, von den Rechtsnachfolgern Flauberts autorisierte Gesamtausgabe« in 10 Bänden, hrsg. von E. W. Fischer; Heinrich Mann war nicht an ihr beteiligt.

2. 10. 1907

128 1] *Otto Eisenschitz,* eigentlich Eisenschütz (1863– um 1943, KZ Theresienstadt): Wiener Dramaturg, Publizist, Schriftsteller. Lange Jahre Feuilleton-Korrespondent der ›Frankfurter Zeitung‹. Dramaturg des Josefstädter und später des Parisiana-Theaters in Wien.

129 2] *Fiorenza:* Die Münchner Aufführung fand am 17. 12. 1907 im Residenztheater statt. Regie führte nicht Otto Falckenberg, sondern, unter dem künstlerischen Beirat von Otto Hierl-Deronco, der Schauspieler Albert Heine, der statt Matthieu Lützenkirchen auch den Lorenzo gab. Den Savonarola spielte Emil Höfer, die Fiore Josefine Rottmann.

3] *Otto Falckenberg* (1873–1947): Dramatiker und Regisseur. Er kam 1896 nach München, führte bei vielen Aufführungen des Akademisch-Dramatischen Vereins Regie, war 1901 Mitbegründer der ›Elf Scharfrichter‹ und schließlich, von 1916 bis 1944, Leiter der Münchner Kammerspiele.

15. 1. 1908

1] *Gabriele d'Annunzio* (1863–1938): Heinrich Mann war von d'An- 130
nunzios Renaissance-Kult beeinflußt: ›Minerva‹, der zweite Teil der
›Göttinnen‹, spielt im Venedig d'Annunzios, dessen Roman ›Il Fuoco‹
1900 in deutscher Übersetzung bei Langen/Müller in München erschien und damit Heinrich Mann bereits als Muster dienen konnte.
Thomas Mann kommt in ›Geist und Kunst‹ (Notiz 12) und in den ›Betrachtungen‹ auf die »Schönheits-Großmäuligkeit des d'Annunzio«
(XII 106) zu sprechen und nennt ihn dort »den Affen Wagners‹
(XII 577). Gegen Heinrichs »hysterische Renaissance« (XII 540) wendet
er sich schon im ›Tonio Kröger‹ und in ›Fiorenza‹; in Axel Martini und
Helmut Institoris werden »Renaissance-Männer« (vgl. Brief vom
5. 12. 1903, Anm. 20) karikiert. – Auf welche Begebenheit Thomas
Mann in diesem Brief anspielt, ist nicht klar; d'Annunzio ging 1908
freiwillig ins Exil nach Frankreich.

2] *Prozeß:* Philipp Fürst zu Eulenburg und Hertefeld (1847–1921),
der Vertraute Wilhelms II., war in der Presse, vor allem in Hardens
›Zukunft‹, beschuldigt worden, er übe einen unheilvollen Einfluß auf
den Kaiser aus. Harden beschuldigte ihn überdies homosexueller Ver-
fehlungen. Noch ehe dieser Vorwurf untersucht war, gab der Kaiser
deutlich zu erkennen, daß Eulenburg in Ungnade gefallen sei. Der
Strafprozeß gegen Eulenburg konnte nie zu Ende geführt werden, weil
der Angeklagte schwer erkrankte. Die heutigen Historiker vertreten
die Meinung, daß Eulenburg unschuldig gewesen sei. Der Vorwurf,
daß er einen unheilvollen Einfluß auf Wilhelm II. ausgeübt habe, sei
mit Sicherheit unberechtigt; denn Eulenburg habe sich immer wieder
bemüht, den Kaiser von unbesonnenen Schritten zurückzuhalten. In
der Öffentlichkeit erweckte der Eulenburg-Skandal damals jedoch den
Eindruck, daß der deutsche Kaiser sich jahrelang von einem sittlich
minderwertigen Menschen in seinen politischen Entschlüssen habe
beeinflussen lassen (nach Bruno Gebhart, ›Handbuch der deutschen
Geschichte‹, 8. Aufl., Stuttgart 1960, S. 302). – Thomas Mann veröffentlichte am 13. 12. 1907 im Berliner ›Morgen‹ eine Äußerung ›Über
Maximilian Harden‹. Er nimmt auch in ›Geist und Kunst‹ auf den
Eulenburg-Prozeß Bezug.

6. 2. 1908

1] *Dräge:* Nicht ermittelt. Vielleicht hatten die Brüder 1907 in Rom 131
einen Unbekannten nach ihrem Lübecker Zeichenlehrer Georg Heinrich Wilhelm Drege (1841–1919) benannt.

2] *Genzano:* Römisches Restaurant, in dem die Brüder, wie Thomas
Mann im ›Lebensabriß‹ (XI 103) berichtet, 1897/98 verkehrt hatten.

3] *›Luischen‹:* Novelle von Thomas Mann, erschien erstmals in der
›Gesellschaft‹, Jg. 16, Bd. 1, Leipzig 1900. Mit ›Villa B.‹ ist wohl die
Villa Borghese gemeint. Vgl. ›Buddenbrooks‹ (I 32): Jean Jacques
Hoffstede »sprach von der Villa Borghese, wo der verstorbene Goethe

einen Teil seines ›Faust‹ geschrieben habe, er schwärmte von Renaissance-Brunnen, die Kühlung spendeten, von wohlbeschnittenen Alleen, in denen es sich so angenehm lustwandeln lasse [...].«

4] *Prozeß-Einzelheiten:* Eulenburg-Prozeß (vgl. Thomas Manns Brief vom 15. 1. 1908, Anm. 2). Graf Kuno von Moltke hatte inzwischen gegen Harden Privatklage eingereicht; sie führte dazu, daß Harden in München wegen Verleumdung vor Gericht gestellt wurde. Justizrat Bernstein übernahm Hardens Verteidigung. Vgl. Hardens Darstellung in der ›Zukunft‹: ›Der zweite Prozeß‹, 15. 2. 1908; ›Der zweite Prozeß II‹, 29. 2. 1908; ›Der zweite Prozeß III‹, 21. 3. 1908. (In diesem Artikel berichtet Harden über Frau Lily von Elbe, frühere Gräfin von Moltke.)

5] *Magnus Hirschfeld* (1868–1935): Arzt. Gründer des Instituts für Sexualwissenschaft in Berlin. Hirschfeld wurde häufig als Sachverständiger zu Sexualprozessen hinzugezogen.

132 6] *Siegfried Jacobsohn* (1881–1926): Berliner Kritiker. Seit 1905 Herausgeber der ›Schaubühne‹. Schrieb eine Monographie über Reinhardt. Antipode zu Alfred Kerr. Vgl. Günther Rühle: ›Theater für die Republik‹, Frankfurt 1967, S. 1169 f.

7] *Hermann Georg Stilke* (1870–1928): Verleger. Übernahm 1904 die Leitung des 1872 von seinem Vater Georg Stilke gegründeten Verlags (seit 1872 ›Gegenwart‹, seit 1877 ›Nord und Süd‹, seit 1896 auch die ›Preußischen Jahrbücher‹, denen später Hardens ›Zukunft‹ folgt; 1882 erste Bahnhofsbuchhandlung bei der Berliner Stadtbahn).

8] *›Werdandi-Bund‹:* Der Werdandi-Bund – nach einer der drei Nornen benannt – hatte den Zweck, den »Künstlern, deren Kunst auf gesunder deutscher Gemütsgrundlage beruht, größeren und unmittelbaren Einfluß auf die Kultur zu verschaffen« (Kürschners Deutscher Literatur-Kalender 1909). Organ des Bundes war die ›Werdandi-Zeitschrift‹. Dem Ehrenbeirat gehörten u. a. an: Henry Thode, Hans Thoma, Ernst von Wildenbruch, Siegfried Wagner. Thomas Mann polemisiert auch in der 18. Notiz zu ›Geist und Kunst‹ gegen den Werdandi-Bund.

9] *Oncle Friedl:* Friedrich Wilhelm Lebrecht Mann (1847–1926) war das Modell zu Christian Buddenbrook. Dieser erzählt seiner Schwester Tony von einer »Dame«, die jeweilen das Lied »That's Maria!« gesungen habe – »Maria ist die Allerschlimmste« (I 263).

10] *Henry Thode* (1857–1920): Kunsthistoriker. Schrieb ›Wie ist R. Wagner vom deutschen Volk zu feiern?‹ (1903). Vgl. ›Geist und Kunst‹, Notiz 19.

11] *Richard Nordhausen,* Ps. Caliban (1868–?): Berliner Schriftsteller. Stand dem ›Werdandi-Bund‹ nahe. Unter seinen Werken: ›Vestigia Leonis‹, Epos (1893); ›Die rote Tinktur‹, Roman (1895); ›Deutsche Lieder‹ (1896); ›Was war es?‹, Roman (1898); ›Zwischen Vierzehn und Achtzehn‹ (1910, 1. Band der ›Werdandi-Bücherei‹); ›Die versunkene

Stadt‹, Roman (1911). Gemeint ist hier Nordhausens ›Berliner Brief‹, Münchner Neueste Nachrichten, 23. 1. 1908.

12] *in der ›Neuen Revue‹:* Walter Behrend, ›Heinrich Mann, ein Künstlerproblem‹, Neue Revue, Halbmonatsschrift für das öffentliche Leben, hrsg. von Josef Ad. Bondy und Fritz Wolff, Jg. 1, 2. Januarheft, Berlin 1908, S. 448–454. Der erste Satz des George-Schülers lautet: »Der Schöpfer der flammenden Historien der Herzogin von Assy wurde in Lübeck geboren, der nordischen Stadt, deren gotisches Zakkenwerk, wie es der schlaue und stolze Geist kriegerischer Handelsherrengeschlechter heischte, in schwere Meeresluft stößt, in ergrauter Herrlichkeit, die trotzig und traumhaft in den Azur greift.«

13] *ausführliche Besprechung:* ›Thomas Mann‹, Nuova antologia di lettere, scienze ed arti, vol 133, serie 5. Roma, 16 gennaio 1908, p. 346–348. (Der Verfasser wird nicht genannt.)

14] *Arams Kritik:* Kurt Aram, eigentlich Hans Fischer (1869–1934). Dramatiker und Erzähler. Lebte seit 1904 in München-Schwabing. Herausgeber der Halbmonatsschrift ›März‹. Seit 1908 Redakteur am ›Berliner Tageblatt‹. Unter seinen Werken: ›Wetterleuchten‹, Drama (1898); ›Unter Wolken‹, Roman (1900); ›Pastorengeschichten‹, Novellen (1906); ›Jugendsünden‹, Roman (1908). – Angespielt wird hier auf: Kurt Aram, ›Literarischer Monats-Bericht‹, Nord und Süd, Jg. 32, Bd. 124, H. 370, Berlin, Januar 1908, S. 176–182 (über ›Mnais und Ginevra‹, S. 181).

15] *Aufsatz:* Heinrich Mann, ›Flaubert und die Kritik‹, Nord und Süd, Jg. 32, Bd. 124, H. 370, Berlin, Januar 1908, S. 142–148.

16] *Anfang meiner Sache:* Der erste Abschnitt von Thomas Manns ›Versuch über das Theater‹ erschien im Januarheft von ›Nord und Süd‹ (S. 116–119); die Abschnitte II bis VI folgten im Februarheft (S. 259–290).

29. 4. 1908

1] *Ines:* Ines Schmied. 133

2] *Hugo Isenbiel:* Oberstaatsanwalt (vgl. Maximilian Harden, ›Der 134 zweite Prozeß‹, Die Zukunft, Berlin, 15. 2. 1908, S. 218).

3] *der bon juge Meyer:* Oberlandesgerichtsrat Wilhelm Meyer.

4] *Insel-Verlag:* Von Heinrich Mann erschien 1908 im Insel-Verlag, Leipzig: ›Die Bösen‹ (Inhalt: ›Die Branzilla‹, ›Der Tyrann‹).

30. 9. 1908

1] *Deinen Roman:* Heinrich Mann, ›Die kleine Stadt‹, Leipzig: Insel- 135 Verlag 1909. (Der Roman erschien nicht in der ›Neuen Rundschau‹, vgl. Brief vom 7. 12. 1908.)

2] *›Antonius und Kleopatra‹:* Shakespeares Drama wurde damals im Hoftheater aufgeführt.

3] *Wiese:* Theresienwiese, wo alljährlich das Münchner Oktoberfest stattfindet.

10. 11. 1908

135 1] *Dein M[anuskrip]t:* ›Die kleine Stadt‹.

2] *Interpellation im Reichstag:* Am 10. / 11. 11. 1908 kam im Reichstag die ›Daily-Telegraph‹-Affäre zur Sprache. (In einem Interview hatte Wilhelm II. erklärt, während des Burenkrieges habe er eine Kontinental-Liga gegen England verhindert; er sei ein Freund Englands, sehe sich aber in dieser Haltung nur von einer Minderheit des deutschen Volkes bestärkt. Das Interview entfesselte in Deutschland einen Sturm der Entrüstung. Unter der Schockwirkung der allgemeinen Kritik mußte Wilhelm eine Woche später dem Reichskanzler von Bülow zugestehen, daß er künftig die verfassungsmäßigen Verantwortlichkeiten in der Politik des Reiches wahren wollte.) – Heinrich Mann spielt in seinem Roman ›Der Kopf‹ (1925) auf diese Affäre an.

3] *Bernhard von Bülow* (1849–1929): 1879 Staatssekretär des Auswärtigen Amts. Von 1900–1909 Reichskanzler. Stand Kaiser Wilhelm II. freundschaftlich nahe, bis die ›Daily-Telegraph‹-Affäre seine Stellung erschütterte. Nach dem Scheitern der Reichsfinanzreform erhielt er am 14. 7. 1909 seine Entlassung. Seine nachgelassenen ›Denkwürdigkeiten‹ (1930 / 31) entfesselten wegen ihrer Entstellungen eine heftige Polemik.

7. 12. 1908

136 1] *N[eue] Fr[eie] Pr[esse]:* Thomas Mann, ›Das Eisenbahnunglück‹, Neue Freie Presse, Wien, 6. 1. 1909.

2] *Wiener Ausflug:* Ende November bis Anfang Dezember hielt sich Thomas Mann in Wien auf. Begegnungen mit Schnitzler, Wassermann und Hofmannsthal.

3] *am Rande der Erschöpfung:* Die Formulierung ist in den ›Tod in Venedig‹ eingegangen (VIII 453).

4] *Roman:* Heinrich Mann hatte ›Die kleine Stadt‹ 1907 in Florenz begonnen und 1909 in Meran abgeschlossen.

5] *Wilhelm Herzog* (1884–1960): Schriftsteller und Publizist. Von jung auf pazifistischer Sozialist. Jahrzehntelang Heinrich Manns nächster Freund. Lektor bei Paul Cassirer; brachte im ›Pan‹ verschiedene Arbeiten Heinrich Manns heraus. 1912 Redakteur der Münchner Wochenschrift ›März‹, 1914 / 15 gab er die Monatsschrift ›Das Forum‹ heraus (sie wurde wegen ihrer kriegsfeindlichen Haltung verboten), 1916 gründete er in Gemeinschaft mit Walter Hirth das Wochenblatt ›Die Weltliteratur‹. Nach der Revolution entstand unter seiner Leitung die sozialistische Tageszeitung ›Die Republik‹. Reisen in die Sowjetunion und nach Südamerika. Seit 1929 in Sanary-sur-Mer. 1933 bis 1939 Mitarbeiter der ›Nation‹ und der Basler ›National-Zeitung‹. 1941 bis 1945 auf der Insel Trinidad, 1945–1947 in den USA. Später wieder in München, wo er die kulturpolitische Gesellschaft ›Forum 52‹ gründete. Über sein Verhältnis zu den Brüdern Mann berichtet Herzog ausführlich in ›Menschen, denen ich begegnete‹ (1959). Herausgeber von Lichtenbergs Schriften (1907), von Kleists Werken und Briefen (1908–1911); unter seinen Werken: ›Im Zwischendeck nach Südamerika‹ (1924); ›Die Affaire Dreyfus‹, Schauspiel (1929); ›Panama‹, Schauspiel (1931); seit 1950 arbeitete Herzog an einer ›Kritischen Enzyklopädie‹.

27. 12. 1908
1] *Gedichte:* In Thomas Manns Nachlaßbibliothek steht nur noch ein   137
Widmungsexemplar der Ausgabe von 1911.

25. 3. 1909
1] *›K. H.‹:* ›Königliche Hoheit‹ wurde am 13. 2. 1909 abgeschlossen.   137
Der Vorabdruck erschien 1909 in der ›Neuen Rundschau‹, die Buchausgabe folgte im Oktober.
2] *Neuausgabe:* Thomas Mann, ›Der kleine Herr Friedemann und andere Novellen‹, Berlin: Fischer 1909.
3] *›Die Hungernden‹:* Novelle von Thomas Mann. Lag im Oktober 1902 abgeschlossen vor (vgl. Brief vom 22. 10. 1902 an Paul und Carl Ehrenberg, Thomas-Mann-Archiv, Zürich). Die Studie erschien erstmals am 21. 1. 1903 in Hardens ›Zukunft‹.
4] *›Das Eisenbahnunglück‹:* Vgl. Brief vom 7. 12. 1908.
5] *Essay:* ›Geist und Kunst‹. Der Essay wurde nicht geschrieben; nur   138
Thomas Manns Notizen dazu sind erhalten. (Sie sind ediert in: ›Thomas-Mann-Studien‹ I, Bern und München 1967, S. 152–223).
6] *Novelle:* ›Bekenntnisse des Hochstaplers Felix Krull‹.
7] *»18. Jahrhundert«:* Anspielung auf Thomas Manns Vorarbeiten zum ›Friedrich‹-Roman.
8] *Katja's Niederkunft:* Angelus Gottfried Thomas (Golo) Mann wurde am 27. 3. 1909 geboren; er starb am 7. 4.1994.

1. 4. 1909
1] *Die siebzehn Stunden mit Katja:* Golo Manns Geburt; vgl. Brief   138
vom 25. 3. 1909.
2] *die Ines-Lula-Sache:* Julia Löhr-Mann, die streng-bürgerliche, dabei aber sehr labile Schwester der Brüder, vertrug sich schlecht mit Ines Schmied. – Auf Rückseite zu 1. 4. 1909 Entwurf der Antwort:
»Ines ist schuldlos, hat nichts gewußt.
Deine Schwiegereltern – aber Lula und ihre Schwägerin!
Herzlichkeit: ich bin es, der sie sucht.
Warum alle Vorwürfe für mich. Die schlechte
Behandlung ist ganz einseitig
Keine gesellschaftliche Sache, die Schwester«
3] *›K. H.‹:* ›Königliche Hoheit‹ erschien damals in Fortsetzungen in der   140
›Neuen Rundschau‹. In Albrecht, dem älteren Bruder von Klaus Heinrich, hat Thomas Mann seinen Bruder Heinrich porträtiert; Ditlind trägt Züge von Julia Mann.

4] *Beckergrube No. 52:* 1881 erwarb Senator Mann das Grundstück Beckergrube 52 und errichtete dort ein repräsentatives Haus. Thomas Mann berichtet darüber in seinem ›Lebensabriß‹ (XI 98): »Meine Kindheit war gehegt und glücklich. Wir fünf Geschwister, drei Knaben und zwei Schwestern, wuchsen auf in einem eleganten Stadthause, das mein Vater sich und den Seinen erbaut hatte, und erfreuten uns eines zweiten Heims in dem alten Familienhaus bei der Marienkirche, das meine Großmutter väterlicherseits allein bewohnte und das heute als ›Buddenbrook-Haus‹ einen Gegenstand der Fremdenneugier bildet.«

5] *das Zeppelin'sche Luftschiff:* Thomas Mann hat sich später – in den Notizen zu ›Geist und Kunst‹ – darüber mokiert, daß Graf Zeppelin zum deutschen Nationalhelden proklamiert wurde.

6] *Max Osborn* (1870–1946): Kritiker. Von 1900–1909 neben Karl Frenzel an der ›National-Zeitung‹, vorübergehend Redakteur von ›Nord und Süd‹, 1910 Kunstkritiker der ›BZ am Mittag‹, 1914 der ›Vossischen Zeitung‹. Später Theaterreferent der ›Berliner Morgenpost‹. Emigrierte nach Frankreich, dann in die USA. Starb in New York. Vgl. Thomas Manns Brief zum 75. Geburtstag (Br. II 394), der Osborns Memoiren, ›Der bunte Spiegel‹ (1945), als Vorwort diente.

7] *Mucki:* So wurde in ihren ersten Jahren Erika Mann genannt.

5. 4. 1909

141 1] *Taine:* Samuel Saenger, ›Der Kampf um Taine‹, Die Zukunft, Berlin, 3. 4. 1909, S. 3–13.

2] *Gogol:* Dimitrij Mereschkowskij, ›Gogol‹, Die Zukunft, Berlin, 3. 4. 1909, S. 29–33.

3] *Artikel:* Karl Scheffler, [Besprechung von Georg Hirths] ›Wege zur Heimat‹, Die neue Rundschau, Berlin 1909, S. 617 f.

4] *Felix Mottl* (1856–1911): Dirigent. Seit 1903 Generalmusikdirektor an der Münchener Hofoper, seit 1907 ihr Direktor.

5] *Friedrich August von Kaulbach* (1850–1920): Maler. 1886–1891 Direktor der Akademie der bildenden Künste in München. Auf seinem Bild ›Kinderkarneval‹ sind die Pringsheim-Kinder dargestellt (reproduziert in: Katia Mann, ›Meine ungeschriebenen Memoiren‹, hrsg. von Elisabeth Plessen und Michael Mann, Frankfurt 1974).

6] *Thomas Knorr* (1851–1911): Verleger und Publizist. Übernahm nach dem Tode seines Vaters Julius Knorr (gest. 1881) zusammen mit seinem Schwager, Dr. Georg Hirth, den Verlag Knorr und Hirth. Herausgeber der ›Münchner Neuesten Nachrichten‹ und der Zeitschrift ›Jugend‹. Sein Haus an der Briennerstraße 18 war Mittelpunkt des Münchner kulturellen Lebens. (Richard Wagner hatte 1864/65 als Gast in diesem Hause gewohnt.)

7] *Hugo von Maffei* (1836–1921): Münchner Industrieller.

8] *Albert Frhr. von Speidel* (1858–1912): Generalintendant des Münchner Hoftheaters. – Eine Notiz zum ›Krull‹ nimmt auf diese Gesellschaft Bezug (›Thomas-Mann-Studien‹ V 414).

10. 5. 1909

1] *Bircher-Benner:* Privatklinik von Dr. med Maximilian Oskar Bir-   141
cher-Benner in Zürich. Behandlung durch Rohkost, Licht- und Luftbä-
der, Kalt- und Warmwasseranwendungen, Heilgymnastik. – In den
Notizen zu einem Kapitel über Krulls Leben im Zuchthaus wird Bircher-Benner, das »hygienische Zuchthaus«, wieder genannt: »Er
kann, auf Veranlassung des Arztes, Gartenarbeit bekommen. (Bir-
cher.)«

3. 6. 1909

1] *Martini-Scene:* In seinem Brief vom 25. 7. 1909 (Brw. Autoren   142
199 ff.) schreibt Thomas Mann an Hugo von Hofmannsthal: »Ich habe
mich während des Schreibens auf den Dialog in den ›Kronprätendenten‹ zwischen Skule und dem Skalden berufen – vielleicht mit Unrecht.«
2] *›Die Gabe des Schmerzes‹:* In den ›Kronprätendenten‹, IV. Akt, sagt
der Skalde Jatgejr zu König Skule: »Ich empfing die Gabe des Leids,
und da ward ich Skalde.«
3] *Weber:* Vitale Gegenfigur zu Martini (II 179 ff.).
4] *Arbeit:* Thomas Mann arbeitete damals an seinem ›Litteratur-Essay‹; daneben befaßte er sich mit den Vorarbeiten zu ›Friedrich‹ und zu
›Felix Krull‹.

30. 9. 1909

1] *Vorlesung:* Heinrich Mann las an einem von der Allgemeinen Ver-   143
einigung deutscher Buchhandlungsgehilfen veranstalteten Autoren-
abend ein Kapitel aus ›Die Jagd nach Liebe‹ und das Einleitungskapitel
aus ›Die kleine Stadt‹.
2] *Arbeit:* Notizen zu ›Geist und Kunst‹. Am 26. 8. 1909 schreibt Thomas Mann an Walter Opitz (Br. I 77): »Ich habe mich da auf eine Sache
eingelassen, etwas Kritisches, eine Abhandlung, und daran zermürbe
ich mir jeden Vormittag die Nerven so sehr, daß ich nachmittags dem
Blödsinn näher bin als der Epistolographie. Ja, Schiller hat recht, wenn
er sagt, daß es schwerer sei, einen Brief des Julius zu schreiben, als die
beste Szene zu machen!«
3] *Messe im Dom:* Thomas Mann bespricht hier Szenen aus Heinrich
Manns neuem Roman ›Die kleine Stadt‹.

23. 10. 1909

1] *Bilderbuch:* Vielleicht ›Der Kinder Wundergarten‹ (vgl. Thomas   143
Manns Brief vom 18. 9. 1910).

12. 12. 1909

1] *›Fiorenza‹:* Das Stück wurde erst am 3. 1. 1913 in Berlin aufgeführt   144
(vgl. Brief vom 16. 1. 1913).
2] *zwei Ausschnitte:* Es handelt sich um zwei Besprechungen der ›Kö-

niglichen Hoheit<: Franz Servaes, ›Königliche Hoheit<, Literarisches
Echo, Jg. 12, H. 5, Berlin, 1.12.1909, S. 356–358; Carl Busse, ›Neues
vom Büchertisch<, Velhagen & Klasings Monatshefte, Jg. 24, H. 4, Bie-
lefeld, Dez. 1909, S. 612–616.

3] *Bahr:* Gemeint ist Hermann Bahrs Besprechung der ›Königlichen
Hoheit< (Die neue Rundschau, Berlin 1909, S. 1803–1808). Vgl. Tho-
mas Manns Brief vom 11.1.1910 an Kurt Martens (Thomas Mann
Jahrbuch, Bd. 4, Frankfurt 1991, S. 187 ff.)

4] *Wassermann:* Gemeint ist Jakob Wassermanns Essay ›Der Literat
oder Mythos und Persönlichkeit<, Leipzig 1910. (Ein Teildruck erschien in der ›Neuen Rundschau<, 1910, S. 1236–1246, unter dem Titel
›Der Literat als Psycholog<.) Wassermann behandelt in seinem Essay
ähnliche Themen wie Thomas Mann in ›Geist und Kunst<.

5] *Ewers:* Heinrich Manns Jugendfreund besprach unter dem Titel
›Die Gebrüder Mann< die eben erschienenen Romane der Brüder (Bon-
ner Zeitung, 2.12.1909; Königsberger Blätter für Literatur und Kunst,
Beilage der Königsberger Allgemeinen Zeitung, 10.12.1909).

18.12.1909

144   1] *einen italienischen Artikel:* G. Caprin, ›Altezza Reale<, Marzocco,
Jg. 14, Florenz 1909.

30.12.1909

145   1] *›Pester Lloyd‹:* ›Die kleine Stadt<, Pester Lloyd, Budapest,
12.12.1909 (signiert M. J. E-r).

2] *B. Z. am Mittag:* Karl Georg Wendriner, ›Die kleine Stadt, Ein Sa-
tyrspiel von Kunst und Liebe<, BZ am Mittag, 21.12.1909.

146   3] *Alfred Walter Heymel* (1878–1914): Lyriker, Verleger. Gründete
1899 mit Otto Julius Bierbaum und Rudolf Alexander Schröder die
Zeitschrift ›Die Insel<. Seit 1909 in München. Unter seinen Werken:
›Ritter Ungestüm<, Erzählung (1900); ›Der Tod des Narcissus<, Drama
(1901); ›Spiegel, Freundschaft, Spiele<, Studien (1908); ›Gesammelte
Gedichte 1895–1914< (1914). O. J. Bierbaum läßt Heymel in ›Prinz
Kuckuck< (1907) auftreten, Jakob Wassermann in ›Christian Wahn-
schaffe< (1919); aber auch Claude Marehn in ›Die Jagd nach Liebe< trägt
Züge von Heymel. Vgl. R. A. Schröder: ›Zum Gedächtnis Alfred Wal-
ter Heymels<, Das Inselschiff, Leipzig 1925, S. 5.

10.1.1910

146   1] *Leitartikel in der Frankfurter:* In einem ungezeichneten Artikel der
›Frankfurter Zeitung< vom 8.1.1910 wird ›Königliche Hoheit< mit
Prof. Dr. Wilhelm Münchs Buch über Fürstenerziehung verglichen:
»Nichts ist natürlicher«, heißt es in diesem Artikel, »als daß ein Dich-
ter einen Roman und ein Professor ein Lehrbuch schreibt. Aber
manchmal wird das Unnatürliche Ereignis, und dann ist der Roman das
Lehrbuch und das Lehrbuch, wenn schon kein Roman, so doch eine Art

von Belletristik. Das Buch von Münch wird die Lehrkonkurrenz mit der ›Königlichen Hoheit‹ von Mann nicht aushalten können.«

2] *Schickele'sche Aktion:* Zusammenhang nicht ermittelt.

3] *Heinrich Jaffé* (1862–1922): Münchner Buchhändler. Vgl. Thomas Manns ›Brief an Herrn Jaffé‹, in: ›1903–1913, Katalog der Buchhandlung Jaffé‹, München 1912 (x 843).

4] *des Hochstaplers:* ›Bekenntnisse des Hochstaplers Felix Krull‹.

5] *Alfred Kerr*, eigentlich Alfred Kempner (1867–1948): Kritiker. Kerr hatte am 10. 10. 1909 im ›Tag‹ (Berlin) ›Königliche Hoheit‹ abschätzig besprochen (vgl. den Wiederabdruck in: Alfred Kerr, ›Gesammelte Schriften‹, Bd. 4, Berlin 1917, S. 266). Der hier zitierte Satz stammt aus seinem Aufsatz ›Shaws Anfang und Ende‹, Die neue Rundschau, Berlin 1910, S. 115–125.

6] *Hermann Sudermann* (1857–1928): Studierte in Königsberg und   147
Berlin Philosophie. Lebte als freier Schriftsteller in Königsberg und Dresden, seit 1896 in Berlin oder auf seinem Landsitz Blankensee bei Trebbin. Wurde durch seinen autobiographischen Roman ›Frau Sorge‹ (1887) bekannt. Sein Sozialdrama ›Die Ehre‹ (1889) wurde kurz nach Hauptmanns ›Vor Sonnenaufgang‹ von der revolutionären ›Freien Bühne‹ aufgeführt. Unter seinen frühen Werken: ›Der Katzensteg‹, Roman (1890); ›Sodoms Ende‹, Trauerspiel (1891); ›Heimat‹, Schauspiel (1893); ›Morituri‹, 3 Einakter (1896); ›Johannisfeuer‹, Schauspiel (1900); ›Es lebe das Leben!‹, Drama (1902); ›Das Blumenboot‹, Schauspiel (1905); ›Das Hohe Lied‹, Roman (1908); ›Strandkinder‹, Schauspiel (1909). – Kerr hatte Sudermann in dem Pamphlet ›Herr Sudermann, der D... Di... Dichter. Ein kritisches Vademecum‹ (Berlin 1903) erstmals angegriffen.

26. 1. 1910

1] *Monty Jacobs* (1875–1945): Journalist und Theaterkritiker. 1905   147
bis 1910 am ›Berliner Tageblatt‹; 1914–1918 als Nachfolger von Arthur Eloesser an der ›Vossischen Zeitung‹; 1921–1933 Chef des Feuilletons. – Der hier erwähnte Artikel, ›Heinrich Manns Kleinstadtroman‹, erschien am 19. 1. 1910 im ›Berliner Tageblatt‹.

2] *Hedda Sauer* (1875–1953): Prager Lyrikerin. Stand mit F. v. Saar, M. Ebner-Eschenbach, R. M. Rilke, M. Mell u. a. in Briefwechsel. Verfasserin einiger Gedichtbände. – Der erwähnte Aufsatz konnte nicht ermittelt werden. Vgl. Hedda Sauer, ›Heinrich Mann‹, Literarisches Echo, Jg. 11, H. 1, Sp. 16–21, Berlin, 1. 10. 1908.

3] *Lucia Dora Frost* (1882–?): Kritikerin, Frauenrechtlerin. Veröffentlichte am 22. 1. 1910 in der ›Zukunft‹ eine Besprechung des Romans ›Die kleine Stadt‹. Heinrich Mann antwortete ihr in der gleichen Zeitschrift am 19. 2. 1910. Vgl. Thomas Manns Brief vom 20. 2. 1910.

4] *Max Reinhardt* (1873–1943): Über den berühmten Regisseur und Theaterleiter äußert sich Thomas Mann auch in den Notizen zu ›Geist und Kunst‹, vgl. vor allem Notiz 102. Am 15. 12. 1943 hielt Thomas

Mann an der Max-Reinhardt-Gedenkfeier eine ›Gedenkrede auf Max Reinhardt‹ (x 490).

5] *das »strenge Glück«:* Die Schlußformel von ›Königliche Hoheit‹ kommt schon in Heinrich Manns ›Jagd nach Liebe‹ vor (›Gesammelte Romane und Novellen‹, Leipzig 1917, Bd. 5, S. 328).

148 6] *Referat der Litterarhistorischen Gesellschaft Bonn:* Ernst Bertram: »Thomas Mann, Zum Roman ›Königliche Hoheit‹, Mitteilungen der Literarhistorischen Gesellschaft Bonn, Jg. 4, H. 8, Dortmund, 16. 11. 1909. – Mit Ernst Bertram (1884–1957) war Thomas Mann später lange Jahre freundschaftlich verbunden (vgl. Thomas Mann, ›Briefe an Ernst Bertram‹, hrsg. von Inge Jens, Pfullingen 1960).

7] *ein bischen populär verlogen:* Ähnlich schrieb Thomas Mann am 28. 1. 1910 an Ernst Bertram.

8] *›Friedrich‹:* Vgl. Thomas Manns Brief vom 5. 12. 1905.

17. 2. 1910

148 1] *das psychologische Material:* Zu den zunächst als Novelle geplanten ›Bekenntnissen des Hochstaplers Felix Krull‹.

2] *Goethe-Voltaire-Kapitel:* Heinrich Mann, ›Französischer Geist‹ (später unter dem Titel ›Voltaire–Goethe‹), Der Sozialist, Jg. 2, Nr. 11, Berlin, 1. 6. 1910. Vgl. ›Voltaire–Goethe‹, in: Heinrich Mann, ›Macht und Mensch‹, München: Wolff 1919, S. 10–16.

20. 2. 1910

149 1] *Brief in der Zukunft:* Heinrich Mann, ›Die kleine Stadt, Brief an Fräulein Lucia Dora Frost‹, Die Zukunft, Berlin, 19. 2. 1910.

2] *Essay:* Vermutlich Heinrich Mann, ›Geist und Tat‹, Pan, Jg. 1, Nr. 5, Berlin, 1. 1. 1911, S. 137–143 (vgl. ›Essays‹, S. 7–14).

16. 3. 1910

149 1] *Trophäen:* Besprechungen von Heinrich Manns Drama ›Der Tyrann‹. Der Einakter war am 2. 3. 1910 im Neuen Deutschen Theater zu Berlin aufgeführt worden.

2] *Theodor Lessing* (1872–1933): Philosoph, Schriftsteller, Feuilletonist. Am Lyceum Hannover Freundschaft mit Ludwig Klages. 1892 Beginn eines Medizinstudiums in Freiburg, 1893 / 1894 Fortsetzung in Bonn und in München, zusammen mit Philosophie. Hier wieder mit Ludwig Klages zusammen (Bruch 1899). Verkehrt in Münchner Literatenkreisen. 1899 Dr. phil. in Erlangen. 1902 Lehrer im Landerziehungsheim Haubinda. 1903 Bruch mit der Schule. 1904 wieder in München. Scheidung von Maria von Stach. Vorträge in Dresden (Schopenhauer, Wagner, Nietzsche). Habilitationsgesuch in Dresden abgelehnt. 1907 Privatdozent, später Professor in Hannover. 1914 wird er als Arzt eingezogen, 1926 wegen Kritik an Hindenburg aus dem Lehramt entlassen. Emigriert 1933 in die Tschechoslowakei (Lessing war jüdischer Herkunft). Am 31. 8. 1933 in Marienbad von nationalsozialistischen Häschern ermordet. (Zur Biographie vgl. Ekkehard Hieronimus, ›Theodor Lessing, Otto Meyerhof, Leonard Nelson, Bedeutende Juden in Niedersachsen‹, Hannover 1964, S. 5–57.) Unter seinen Werken: ›Comödie‹, Roman in 2 Bänden (1893); ›Laute und leise Lieder‹ (1896); ›Die Nation‹, Drama (1896); ›Weiber! 301 Stossseufzer über das ‚schöne' Geschlecht‹ (1897); ›Das Recht des Lebens‹, Drama (1898); ›Einsame Gesänge‹ (1899); ›Schopenhauer, Wagner, Nietzsche, Einführung in die moderne Philosophie‹ (1906); ›Theater-Seele, Studie über Bühnenästhetik und Schauspielkunst‹ (1907); ›Studien zur Wertaxiomatik, Untersuchungen über reine Ethik und reines Recht‹ (1908); ›Weib, Frau, Dame‹, Essay (1910); ›Der fröhliche Eselsquell. Gedanken über Theater, Schauspieler, Drama‹ (1912); ›Philosophie als Tat‹ (1914); ›Europa und Asien‹ (1914); ›Geschichte als Sinngebung des Sinnlosen‹ (1919); ›Nietzsche‹ (1925); ›Der jüdische Selbsthass‹ (1936); ›Einmal und nie wieder‹, Autobiographie (1935). – Theodor Lessing hatte den Kritiker Samuel Lublinski öffentlich angegriffen. Thomas Mann nahm im ›Literarischen Echo‹ für Lublinski Stellung (1. März, 1. April 1910). Zu dieser Kontroverse vgl. Hans Wysling, ›Ein Elender‹, Zu einem Novellenplan Thomas Manns, in: Thomas-Mann-Studien 1, Bern und München 1967, S. 106–122.

3] *Ines' Bruder:* Rudolf Schmied. Schon am 6. 1. 1909 hatte Ines Schmied an Heinrich Mann geschrieben (Heinrich-Mann-Archiv, Berlin): »Immer noch sehe ich das Gesicht Deines Bruders wie er so kalt, gleichmütig und doch mit einer Art Unbehagen in die Luft guckt. Dazu diese nüchterne poesielose Gegend [Tölz]. Ein Klex Berge, ein Klex Wiese, ein Klex Wald, von allem ein bischen. Nichts Großes, nichts Schönes, mit einem Wort nüchtern, bürgerlich, kalt ... Daß Deine Verwandten mich nicht leiden mögen ist kein Wunder, aber daß ich sie auch nicht leiden mag, auch keins.«

20. 3. 1910

1] *ein erbärmlicher Tropf:* Theodor Lessing.   150

2] *ein thörichter Sprudler:* Rudolf Schmied (vgl. Brief vom 16. 3. 1910).

3] *Die Sache mit Reinhardt:* Reinhardts Plan, Szenen aus ›Fiorenza‹ zusammen mit Heinrich Manns Einakter ›Der Tyrann‹ zur Aufführung zu bringen, kam, soweit wir sehen, nicht zustande. Die Berliner Aufführung von ›Fiorenza‹ fand erst am 3. 1. 1913 statt.

4] *Deine Novelle:* Heinrich Mann, ›Das Herz‹, Neue Freie Presse,   151
Jg. 47, Wien, 27. 3. 1910.

16. 6. 1910

1] *freudiges Ereignis:* Heinrich Mann hatte am 14. 6. 1910 mit dem   151
Berliner Verleger Paul Cassirer einen Verlagsvertrag abgeschlossen, der als Honorar 25 % des Ladenpreises und die Zusicherung eines Jah-

reseinkommens von M 6000,–, zahlbar in monatlichen Raten zu
M 500,– vorsah.

4. 8. 1910

152 1] *Photographien von Carla's Leiche:* Carla Mann hatte sich am
30. 7. 1910 in Polling das Leben genommen (vgl. Viktor Mann, ›Wir
waren fünf‹, S. 305–315). – Sie hatte Heinrich Mann von allen Geschwistern am nächsten gestanden: »Das Wesen, das ich mir am nächsten gewußt habe, war meine Schwester. Sie war Schauspielerin, schön
und elegant, ein Kind des Lebens, voll Bereitschaft, es ganz durch ihr
Herz gehen zu lassen, und doch nahm sie es im tiefsten nur wichtig als
beherrschtes Spiel; und da sie dies endlich aus dem Auge verlor, und
vollkommen ›ernst‹ sein wollte, mußte sie sterben.« (›Autobiographi-
scher Abriß‹, Florenz, 21. / 22. Februar 1911). Ute, in der ›Jagd nach
Liebe‹, und Leonie, in ›Schauspielerin‹ – Novelle von 1906 und Drama
von 1911, – sind nach ihr gezeichnet (26. 10. 1948 an Karl Lemke):
»Die große Novelle ›Schauspielerin‹ und das Drama gleichen Titels
sind beide sie selbst, in zweierlei Führung des Schicksals. Das Buch
erschien 1911 in Wien, es hatte wohl Erfolg, dies aber ist ein Fall, wo
das Theater seinen weltlichen Vorrang vor der Literatur behauptet.
Fremde Leute sprechen einen Autor auf der Straße nicht an, weil er
etwas geschrieben, erst wenn er es öffentlich gezeigt hat. Eine große
Frau, Tilla Durieux, spielte das Stück auf großartigen Gastreisen; nicht
nur ein Dichter erblickte seine Gestalt, der Bruder sah seine Tote zu-
rückbeschworen von dort, wo sie noch lebt, das ist sein Herz. Ihr eigenes schlug, als sie ›Die Jagd nach Liebe‹ las. ›Da find ich alles wieder,
auch auf meiner Kommode den Schädel Nathanael.‹ Ein Zusammensein erlaubten die Theaterferien; er holt sie aus dem Engagement ab,
sie wohnen auf einem wilden Berg Südtirols; in Venedig am Lido mit
Thomas und seiner Frau; lange über die Piazza Signoria. Gerade Florenz hat ihm für später eine Entdeckung vorbehalten: in einer Vor-
stadtstraße, hinter der Glastür eines armen Papiergeschäftes hingen
ihre Ansichtskarten, überall diese Figur, koloriert und mit Blumen.«
2] *Cousine:* Käte Rosenberg (1883–1960), Übersetzerin aus dem Russischen.

3] *Tante [Elisabeth]:* Vgl. Thomas Manns Brief vom 17. 1. 1906,
Anm. 4.

4] *Lula:* Heinrich Mann hatte sich mit seiner Schwester Julia Löhr-
Mann überworfen, als er sah, daß Ines Schmied von ihr nicht akzeptiert
wurde. Zu den Spannungen mochte beitragen, daß er in der Münchener Gesellschaftssatire ›Die Jagd nach Liebe‹ Bekannte von Josef Löhr
als Modell verwendet hatte.

7. 8. 1910

153 1] *einen langen Brief:* Das Konzept ist nicht erhalten. Zu den Fami-
lienzwistigkeiten vgl. Thomas Manns Briefe vom 16. 3. 1910 und vom
4. 8. 1910.

18. 9. 1910

1] *Kerr:* In seinem Artikel ›Gedanken und Erinnerungen Wedekinds‹   153
(Die neue Rundschau, Berlin 1910, S. 1300–1302) schreibt Alfred
Kerr: »... Er tritt für gute Besoldung der Kritiker ein. Doch er denkt an
Provinzfälle. Er weiß nicht, daß der Kritiker heute manchmal so viel
erwirbt wie ein Schauspielerstar, jede Laune stillen kann, ein Reiterleben in den Weltteilen führen und als Genießer, unabhängig wandelnd,
auf ein Kunstwerk blickt. (So muß es auch sein.)«

2] *Ida ihr Pinger:* So sprach die kleine Julia Mann den Namen Ida
Springer aus.

3] ›*Der Kinder Wundergarten*‹: Märchen aus aller Welt, mit 80 in den
Text gedruckten Holzschnitten von C. v. Binzer, Oscar Pletsch, Ludwig Richter u. a., hrsg. von Friedrich Hoffmann, Leipzig 1904
(36. Aufl. als Volksausgabe; die 1. Aufl. erschien 1874 als »Prachtaus-
gabe«). Dazu Erika Mann: »›Der Kinder Wundergarten‹ haben wir natürlich besessen. Es war wunderschön, doch kam es anno 33 abhan-
den.«

4] *Komödie:* Vermutlich Heinrich Mann, ›Varieté‹, Berlin: Cassirer
1910. (Erstmals in: Pan, Jg. 1, Nr. 1, Berlin, 1. 11. 1910, S. 16–30;
Nr. 2, 15. 11. 1910, S. 51–59.)

5] *Mahler-Symphonie:* Die Uraufführung der 8. Symphonie von Gustav Mahler hatte am 12. 9. 1910 stattgefunden. Nach dem Konzert
war Thomas Mann mit Mahler und Reinhardt zusammengewesen.
Gustav von Aschenbach, der Held der Venedig-Novelle, trägt Mahlers
Vornamen und auch seine Gesichtszüge.

6] *Weltspiegel:* Im ›Weltspiegel‹, der illustrierten Halbwochen-Chro-
nik des ›Berliner Tageblattes‹, war am 25. 8. 1910 zu Prof. Pringsheims
60. Geburtstag eine Notiz mit dem Porträt des Gefeierten erschienen.

5. 10. 1910

1] *Fontane:* Die Bemerkung bezieht sich vielleicht auf ›Theodor Fon-   153
tanes Briefwechsel mit Wilhelm Wolfsohn‹, hrsg. von Wilhelm Wol-
ters [Wilhelm Wolfsohn], Berlin 1910. Thomas Mann schrieb im Juli
den Essay ›Der alte Fontane‹ (am 1. 10. 1910 in der ›Zukunft‹ veröffentlicht).

2] *Korrektur:* Vermutlich der Nachdruck von Heinrich Manns Novelle ›Contessina‹ in ›Deutsches Novellenbuch‹, hrsg. von Hermann
Beuttenmüller, Leipzig und Berlin: Moeser 1910.

3] *umgezogen:* Der Umzug in die neue Wohnung am Herzogpark,
Mauerkircherstraße 13, fand am 1. 10. 1910 statt.

4] *Taufe:* Monika Mann wurde am 7. 6. 1910 geboren; sie starb am   154
17. 3. 1992.

5] *Georg Martin Richter* (1875–1941): Kunsthistoriker, Schriftsteller. Damals wohnhaft in München-Schwabing und in Feldafing, später
in Florenz. Emigrierte 1933 nach London, 1939 nach den USA. Tauf-
pate von Michael Mann, Thomas Manns jüngstem Sohn.

16. 11. 1910

154 1] *Weimar:* Vortragsreise im November 1910.

2] *zwei Zeitungsbeiträge:* ›Peter Schlemihl‹, Berliner Tageblatt, 25. 12. 1910 (wieder abgedruckt in ›Blätter der Thomas-Mann-Gesellschaft‹, Nr. 5, Zürich 1965, S. 17–21). Mit dem zweiten Beitrag ist wohl die Erzählung ›Wie Jappe und Do Escobar sich prügelten‹ gemeint, die Thomas Mann am 11. 12. 1910 im Familienkreis vorlas und die im Februar 1911 in den ›Süddeutschen Monatsheften‹ erschien.

3] *die drei Sachen:* Vgl. Thomas Manns Brief vom 24. 11. 1910, Anm. 1.

4] *im Vitzthum'schen Hause:* Thomas Mann war in Weimar Gast eines ehemaligen Schulkameraden, des Grafen Vitzthum von Eckstädt, der 1893 an der Schülerzeitschrift ›Der Frühlingssturm‹ mitgearbeitet hatte.

24. 11. 1910

155 1] *Berliner Ereignis:* Die Uraufführung von Heinrich Manns Einaktern ›Varieté‹, ›Die Unschuldigen‹, ›Der Tyrann‹ hatte am 21. 11. 1910 im Berliner Kleinen Theater stattgefunden. Kerrs Kritik erschien am 24. 11. 1910 in ›Der Tag‹. Der ›Pan‹ druckte in Jg. 1, Nr. 3 (1. 12. 1910, S. 99–101) die Kritiken der wichtigsten Berliner Tageszeitungen im Auszug ab; in der gleichen Nummer schrieb Lucia Dora Frost über ›Heinrich Manns Einakter‹ (S. 83–86).

23. 12. 1910

155 1] *Liste:* Zusammenhang nicht ermittelt.

2] *Vicco:* Viktor Mann.

26. 1. 1911

156 1] *Auszug aus* ›*Geist und That*‹: Heinrich Mann, ›Geist und Tat‹, Pan, Jg. 1, H. 5, Berlin, 1. 1. 1911, S. 137–143.

2] *›D[eutsche] Tageszeitung‹:* Artikel nicht ermittelt.

3] *Onkel Friedels Maria:* Vgl. Thomas Manns Brief vom 6. 2. 1908, Anm. 9.

4] *Reise:* Vortragsreise ins Ruhrgebiet und nach Westfalen. In Mülheim a. d. Ruhr besuchte Thomas Mann vermutlich Adeline Stinnes-Coupienne (1844–1925), Gattin des Industriellen und Reeders Hugo Stinnes (1842–1887). – In dem satirischen Märchen ›Kobes‹ (Berlin: Propyläen-Verlag 1925; mit 10 Lithographien von George Grosz) bezieht sich Heinrich Mann auf ihren zweiten Sohn, den Großindustriellen Hugo Stinnes (1870–1924); vgl. Raphael Gaston, ›Hugo Stinnes, der Mensch, sein Werk, sein Wirken‹, Berlin 1925.

5] *Melchior Lechter* (1865–1937): Maler und Buchkünstler aus dem George-Kreis.

6] *Lublinski:* Vgl. Thomas Manns Brief vom 21. 3. 1906, Anm. 2. Lublinski starb am 26. 12. 1910. Theodor Lessings Nachruf erschien in der ›Schaubühne‹, Jg. 7, Bd. 1, Berlin 1911, S. 41–46.

24. 3. 1911

1] *die ›Rückkehr vom Hades‹:* Novelle von Heinrich Mann, zuerst er- 157
schienen in: Pan, Jg. 1, Nr. 9, Berlin, 1. 3. 1911, S. 292–301; Nr. 10,
15. 3. 1911, S. 333–346. Dann in: ›Die Rückkehr vom Hades‹, Novellen, Leipzig: Insel-Verlag 1911.

2] *Dreiakter:* Heinrich Mann, ›Schauspielerin‹, Drama in 3 Akten,
Berlin: Cassirer 1911.

3] *Affaire Pan-Jagow:* Der Berliner Polizeipräsident von Jagow hatte
Nr. 6 des ›Pan‹ beschlagnahmen lassen, weil darin »unzüchtige« Aus-
züge aus Flauberts Tagebüchern abgedruckt waren; Nr. 7 wurde aus
dem gleichen Grunde zensuriert. Kerr griff ihn daraufhin wegen Verletzung der Pressefreiheit an: ›Jagow, Flaubert, Pan‹ (Pan, Jg. 1, Nr. 7,
1. 2. 1911, S. 217–223). In seinem ›Vorletzten Brief an Jagow‹ (Pan,
Jg. 1, Nr. 9, 1. 3. 1911, S. 287–290) spielte Kerr die »Affäre« des Poli-
zeipräsidenten mit der Schauspielerin Tilla Durieux, der Gattin des
›Pan‹-Mitherausgebers und -Verlegers Paul Cassirer, hoch. In zwei Erklärungen distanzierte sich Cassirer von Kerr, sicherte ihm aber das
Recht zu, »die öffentlich-rechtliche Seite des Falles zu besprechen«.
Kerr schloß seine Polemik in der 10. Nummer (15. 3. 1911, S. 321–326)
mit einem Artikel unter dem Titel ›Nachlese‹ fürs erste ab. Über den von
Kerr angestrengten Prozeß berichtet Wilhelm Herzog in Nr. 18
(1. 8. 1911, S. 587–590); Kerr steuerte seine ›Prozeß-Ballade‹ bei. Der
Fall hatte noch einige Nachspiele, die hier zu verzeichnen sich nicht
lohnt. Ende 1911 schied Kerr aus der Redaktion des ›Pan‹ aus.

4] *Dalmatinische Reise:* Anspielung auf Hermann Bahrs ›Dalmatini-
sche Reise‹, die 1909 in der ›Neuen Rundschau‹ erschienen war. Die
Reise führte Thomas Mann nach Brioni und Venedig (Konzeption der
Novelle ›Der Tod in Venedig‹).

3. 10. 1911

1] *Dein Werk:* Heinrich Mann, ›Schauspielerin‹, Drama in 3 Akten, 157
Berlin: Cassirer 1911. Dem Werk lag das Schicksal seiner Schwester
Carla zugrunde.

17. 2. 1912

1] *Schwiegervater:* Prof. Dr. Alfred Pringsheim. 159

2. 4. 1912

1] *Injektionskur:* Katja Mann weilte vom 10. 3.–25. 9. 1912 im Wald- 159
sanatorium Davos (Leitung: Dr. Friedrich Jessen). Thomas Mann besuchte sie dort vom 15. 5. bis 12. 6. 1912 (›Lebensabriß‹, XI 125) und
sammelte bei dieser Gelegenheit die ersten Eindrücke zum ›Zauberberg‹.

2] *der ›Tod in Venedig‹:* Die Novelle erschien im Sommer 1912 als
›Hundertdruck‹ in Hans von Webers Hyperionverlag, München.

3] *Dein Drama:* Heinrich Mann, ›Die große Liebe‹, Drama in 4 Akten, 160
Berlin: Cassirer 1912.

4] *Bernhard von Jakobi* (1880–1914): Schauspieler der Königlich Bayerischen Hofbühnen.

27. 4. 1912
160 1] *Vollendung des Dramas:* ›Die große Liebe‹.
2] *Novelle:* ›Der Tod in Venedig‹.
3] *Das Militärische:* Vgl. Thomas Manns Briefe vom 25. 11. 1900 und 17. 12. 1900. Thomas Mann hat die Eindrücke seiner Militärzeit in den ›Bekenntnissen des Hochstaplers Felix Krull‹ (VII 349–372) verwertet; Heinrich Mann stützt sich im ›Untertan‹ (S. 47–56) auf den Bericht seines Bruders.

8. 6. 1912
162 1] *Erfolg Deines Stückes:* ›Die große Liebe‹, Berlin 1912.
2] *Ewers:* Thomas Manns Mutter versuchte vergeblich, dem in Königsberg tätigen Ludwig Ewers eine Redaktionsstelle in München zu verschaffen. Ewers wurde 1913 Redakteur an den ›Hamburger Nachrichten‹. Vgl. Thomas Manns Brief vom 14. 6. 1912.

14. 6. 1912
163 1] *Eugenie Schäuffelen:* Nahe Freundin des Hauses Pringsheim, Taufpatin von Katja Mann.

17. 7. 1912
163 1] *Dein Stück:* ›Die große Liebe‹.
164 2] *Bruno Frank* (1887–1945): Schriftsteller. Naher Freund von Thomas Mann. Bis 1933 in München; später in Österreich, in der Schweiz, in Frankreich und England; ab 1938 in Kalifornien. Dort wieder Nachbar von Thomas Mann, wie einst im Münchner Herzogpark (vgl. X 484, 497, 566). Vor 1912 hatte Bruno Frank u. a. veröffentlicht: ›Aus der goldenen Schale‹, Gedichte (1905); ›Die Nachtwache‹, Roman (1909).

3. 11. 1912
164 1] *Novelle:* Thomas Mann, ›Der Tod in Venedig‹, Die neue Rundschau, Berlin 1912, S. 1368 ff., S. 1499 ff.

17. 11. 1912
165 1] *Alexander Moissi* (1880–1935): Schauspieler am Deutschen Theater in Berlin. Moissi spielte 1909 in München unter Reinhardt den Hamlet, 1911 gastierte er in der Rolle des Oswald im Volkstheater.

16. 1. 1913
165 1] *Berliner Abenteuer:* Die Premiere von ›Fiorenza‹ fand am 3. 1. 1913 in Berlin statt. Eduard von Winterstein (1871–1961) führte Regie, Paul Wegener (1874–1948) spielte den Lorenzo. – Kerrs Kritik erschien

am 5. 1. 1913 in der Berliner Zeitung ›Der Tag‹. Thomas Mann erbat sich die Besprechung zurück, um für die geplante psychologische Studie ›Ein Elender‹ die nötigen Unterlagen zur Hand zu haben. Vgl. Briefe vom 9. 1. 1913 an Hugo von Hofmannsthal (Brw. Autoren 205) und vom 30. 1. 1913 an Ernst Bertram: »[...] und wenn der Essay über Geist und Kunst wohl ein Werk meines verstorbenen Freundes G. v. Aschenbach bleiben wird, so wird die Geschichte vom ›Elenden‹ mit ziemlicher Sicherheit eines Tages geschrieben werden. Habe ich Studien gemacht!! Es könnte eine wirklich gute ›Charakter‹-Novelle werden.«

2] *Herzog:* Vgl. Thomas Manns Brief vom 7. 12. 1908, Anm. 5.

3] *Deine Première:* ›Die große Liebe‹ wurde, mit Tilla Durieux in der Hauptrolle, im Berliner Lessing-Theater uraufgeführt. (Das Datum der Aufführung war nicht zu ermitteln.)

8. 11. 1913

1] *dem ›Unterthanen‹:* Heinrich Manns Roman ›Der Untertan‹ wurde   166
im Juli 1914 abgeschlossen. Vorabdrucke einzelner Abschnitte erschienen in ›Licht und Schatten‹ (1912), im ›Simplicissimus‹ (1911 / 12), im ›März‹ (1913), in ›Zeit im Bild‹ (1914). Der Verleger Kurt Wolff gab 1916 einen Privatdruck (10 Exemplare) heraus. 1918 erschien die erste Massenauflage. Die russische Übersetzung von Adele Polotsky hatte schon seit 1914 vorgelegen. – Zur Entstehung des Romans schreibt Heinrich Mann am 3. 3. 1943 an Alfred Kantorowicz: »[...] meine ersten Notizen für den ›Untertan‹ sind von 1906. Geschrieben wurde er 1912 bis 14; (erschien bis zum Ausbruch des Krieges in einer Zeitschrift, als Buch erst Dezember 1918; hatte in 6 Wochen 100000 Auflage).« Zur Entstehungsgeschichte vgl. auch ›Weimarer Beiträge‹, 1960, S. 112–131.

2] *Eißi·* Klaus Mann (1906–1949), Thomas Manns ältester Sohn. Schriftsteller. Herausgeber der Zeitschriften ›Die Sammlung‹ (Amsterdam: Querido, 1933–1935) und ›Decision‹ (New York, 1941 bis 1942) Diente während des Krieges in der amerikanischen Armee. Nahm sich 1949 in Cannes das Leben. Autobiographien: ›Kind dieser Zeit‹ (1932); ›The Turning Point‹ (1942); ›Der Wendepunkt‹ (1952, erweiterte Fassung von ›The Turning Point‹). Andere Werke: ›Der fromme Tanz‹, Roman (1926); ›Alexander‹, Roman (1929); ›Symphonie pathétique‹, Roman (1935); ›Mephisto‹, Roman (1936); ›Der Vulkan‹, Roman (1939); ›André Gide and the Crisis of Modern Thought‹ (1943). Vgl. Thomas Manns Brief über den Roman ›Der Vulkan‹ (x 766); ›Vorwort zu einem Gedächtnisbuch für Klaus Mann‹ (xi 510).

3] *Grundstück:* Thomas und Katja Mann kauften am 25. 2. 1913 das Grundstück Poschingerstraße 1 in München.

4] *Arbeitskraft und -Lust:* Thomas Mann hatte im Juli 1913 den Hochstapler-Roman erneut zur Seite geschoben und mit den Vorarbeiten zum ›Zauberberg‹ begonnen.

167 1] *Onkel Friedls Ausschreitung:* Friedrich Mann hatte in den ›Lübekkischen Anzeigen‹ vom 28. 10. 1913 folgendes Inserat erscheinen lassen:

> Es sind mir im Laufe der letzten 12 Jahre durch die Herausgabe der
> ›Buddenbrocks‹,
>
> verfaßt von meinem Neffen, Herrn Thomas Mann in München,
> dermaßen viele Unannehmlichkeiten erwachsen, die von den trau
> rigsten Konsequenzen für mich waren, zu welchen jetzt noch die
> Herausgabe des Alberts'schen Buches ›Thomas Mann und
> seine Pflicht‹ tritt.
>
> Ich sehe mich deshalb veranlaßt, mich an das lesende
> Publikum Lübecks zu wenden und dasselbe zu bitten,
> das oben erwähnte Buch gebührend einzuschätzen.
>
> Wenn der Verfasser der ›Buddenbrocks‹ in karikierender Weise
> seine allernächsten Verwandten in den Schmutz zieht und deren
> Lebensschicksale eklatant preisgibt, so wird jeder rechtdenkende
> Mensch finden, daß dieses verwerflich ist. Ein trauriger Vogel, der
> sein eigenes Nest beschmutzt.
>
> Friedrich Mann, Hamburg

Die Anzeige wurde in vielen deutschen Zeitungen publiziert und kommentiert. Mit dem Alberts'schen Buch ist gemeint: Wilhelm Alberts, ›Thomas Mann und sein Beruf‹ (1913).

2] *ich bin ja jetzt Jude:* In ›Deutsche Dichtung der Gegenwart‹ (Leipzig 1910, S. 307 f.) hatte Adolf Bartels geschrieben: »Die Gebrüder Mann, Heinrich und Thomas, von denen der letztere mit den ›Buddenbrooks‹ einen großen Erfolg hatte, sind nach Thomas' Aussage keine Juden, aber auch ihre Kunst erscheint wesentlich jüdisch.« Am 8. 12. 1912 publizierte die ›Staatsbürgerzeitung‹, Berlin, einen Brief Thomas Manns vom 5. 12. 1912, in dem er sich gegen die Behauptung wandte, er gehöre zu den jüdischen Autoren des S. Fischer Verlags. Am 15. 12. 1912 erschien unter dem Titel ›Das Rassenbekenntnis Thomas Manns‹ in derselben Zeitung ein weiterer Brief Thomas Manns, datiert vom 12. 12. 1912; er enthielt die Antwort auf einen Angriff, den Adolf Bartels in ›Deutsche Stimme‹ veröffentlicht hatte.

3] *Befehl des Arztes:* Katja Mann reiste am 15. 11. 1913 zu einem Kuraufenthalt nach Meran.

168 1] *Sturm von »weltlichen Geschäften«:* Vgl. ›Der Tod in Venedig‹ (VIII 457).

2] *mit den Kindern ins Haus gezogen:* Poschingerstr. 1. Vgl. Brief vom 6. 1. 1914 an Ernst Bertram: »Ich bin sehr bekümmert, daß meine Frau nicht mit mir Einzug halten konnte. Sie ist seit vorgestern in Arosa: Man verlangte abermals einen mehrmonatigen Hochgebirgsaufenthalt. Es ist hart.«

3] *Dein Drama:* Heinrich Mann, ›Madame Legros‹, Berlin: Cassirer 1913.

4] *Das Oppenheimer'sche Bild:* Die Radierung von Max Oppenheimer (Dezember 1913) ist abgebildet in: Theo Piana, ›Heinrich Mann‹, Leipzig 1964, S. 31. Das bei Thannhauser ausgestellte Bild konnte nicht ermittelt werden. Max Oppenheimers Thomas-Mann-Portrait ist wiedergegeben in: Heinz Saueressig, ›Die Entstehung des Romans ‚Zauberberg'‹, Biberach an der Riß 1965, nach S. 20. – Max Oppenheimer, genannt Mopp (1885–1954) gehörte zum Freundeskreis von Heinrich Mann (vgl. Viktor Mann, ›Wir waren fünf‹, S. 427). Thomas Mann veröffentlichte am 12. 1. 1926 im ›Berliner Tageblatt‹ einen Aufsatz über ihn: ›Symphonie‹ (x 877). – Die Moderne Galerie von Heinrich Thannhauser befand sich an der Theatinerstraße 7.

5] *verheiratet:* Heinrich Mann verheiratete sich am 12. 8. 1914 mit der jüdischen Schauspielerin Maria (Mimi) Kanova (1886–1946) aus Prag, die er während der Proben seines Stückes ›Die große Liebe‹ kennengelernt hatte. 1916 wurde die Tochter Carla Maria Henriette Leonie geboren – Leonie heißt auch Carla Manns Abbild in der Novelle ›Schauspielerin‹. Nach der Scheidung (um 1930) kehrte Maria Kanova in die Tschechoslowakei zurück. Während der Besetzung des Landes verbrachte sie 5 Jahre im Konzentrationslager von Theresienstadt. Sie starb kurz nach der Aufhebung des Lagers.

6] *Novelle:* ›Der Zauberberg‹.

30. 7. 1914

3] *Vicco:* Die Kriegstrauung Viktor Manns mit Magdalena (Nelly) Kilian aus München fand am 1. 8. 1914 statt. Anschließend zog er als Artillerie-Vizewachtmeister ins Feld.

7. 8. 1914

2] *Maximilian Brantl* (1881–1959): Münchner Rechtsanwalt. Freund von Heinrich und Thomas Mann. Betätigte sich auch als Schriftsteller.

4] *Welche Heimsuchung!:* Der Ausbruch des Ersten Weltkrieges am 1. 8. 1914. Die gleiche Formulierung findet sich auch im Brief vom 12. 8. 1914 an Kurt Martens (Thomas Mann Jahrbuch, Bd. 4, Frankfurt 1991, S. 206).

5] *daß Du eben fertig bist:* Vgl. Brief vom 30. 7. 1914. Die Erstausgabe des ›Untertans‹ trägt den Vermerk: »Abgeschlossen Anfang Juli 1914«.

6] *meine Aufgabe:* Gemeint ist vermutlich die Arbeit am ›Zauberberg‹. Im August 1914 begann Thomas Mann sodann den Artikel ›Gedanken im Kriege‹, der im November 1914 in der ›Neuen Rundschau‹ erschien. Im September folgte die Niederschrift des Essays ›Friedrich und die große Koalition. Ein Abriß für den Tag und die Stunde‹ (Der neue Merkur, München und Berlin, Jan. / Febr. 1915).

13. 9. 1914

170   1] *wirtschaftlich so sehr engagiert:* Durch den Bau des Hauses in der Poschingerstraße 1 in München.

171   2] *Emma Grammann:* Durch Crolls und Martys mit der Familie Mann verwandt.

30. 12. 1917
[Handschriftlicher Entwurf]

172   1] *Artikel im B. T.:* Thomas Mann, ›Weltfrieden?‹, Berliner Tageblatt, 27. 12. 1917. Wir geben hier den vollen Wortlaut wieder:

»Weltfriede … Wir Menschen sollten uns nicht allzu viel Moral einbilden. Wenn wir zum Weltfrieden, zu einem Weltfrieden gelangen – auf dem Wege der Moral werden wir nicht zu ihm gelangt sein. Scheidemann sagte neulich, die Demokratie werde auf Grund der allgemeinen Erschöpfung reißende Fortschritte machen. Das ist nicht sehr ehrenvoll für die Demokratie – und für die Menschheit auch nicht. Denn die Moral aus Erschöpfung ist keine so recht moralische Moral.

Außerdem aber – ich weiß genau, was sich gehört, aber außerdem könnte bezweifelt werden, daß die Begriffsverbindung ›demokratischer Weltfriede‹ eine besonders unlösbare Verbindung sei. Daß Volksherrschaft Herrschaft der Vernunft oder gar des Geistes, daß sie sicheren Frieden bedeute, ist nicht erhärtet – so weit ich sehe, nicht. Die Völker wollen den Frieden, und zwar unbedingt, wenn der Krieg sehr lange gedauert hat und sehr schwer war. Bevor dies der Fall, steht es um ihre Tugend so-so. Die Rousseau-Lehre vom ›guten Volk‹, der revolutionäre Optimismus überhaupt, das heißt: der Glaube an die Politik, an den Ameisenbau, den Sozialismus und die république démocratique, sociale et universelle – ich weiß genau, was sich heute gehört, aber meiner Natur und Erziehung nach kann ich dieser Lehre nicht anhängen und diesen Glauben nicht teilen. Russischer und deutscher Geist, Dostojewski und Schiller stimmen darin überein, daß die Frage des Menschen überhaupt nicht politisch, sondern nur seelisch-moralisch zu lösen ist: durch Religion, durch die christliche Selbstvervollkommnung d e s e i n z e l n e n – so will es der eine; durch die Kunst, durch ›ästhetische Erziehung‹

und Befreiung des einzelnen – so will es der andere. In Richard Dehmels neuem merkwürdigen, dreistrophigen Drama sagt jemand, der sich auf Gewissensangelegenheiten versteht: ›Selbst das größte Gefühl wird klein, wenn es sich aufputzt mit großen Begriffen; ein bißchen Güte von Mensch zu Mensch ist besser als alle Liebe zur Menschheit.‹ So ist es, glaube das nur! Die rhetorisch-politische Menschheitsliebe ist eine recht periphere Art der Liebe und pflegt am schmelzendsten verlautbart zu werden, wo es im Zentrum hapert. Werde besser du selbst, weniger hart, weniger rechthaberisch-dünkelhaft, weniger angreiferisch-selbstgerecht, bevor du den Philantropen spielst ... Es mag einer großen Sukzeß haben, der sehr schön zu sagen versteht: ›Ich liebe Gott!‹ Wenn er aber unterdessen ›seinen Bruder hasset‹, dann ist, nach dem Johannes-Evangelium, seine Gottesliebe nichts als schöne Literatur und ein Opferrauch, welcher nicht steigt.

Weltfriede ... Keinen Tag, auch in tiefster nationaler Erbitterung nicht, bin ich des Gedankens unfähig gewesen, daß der Haß und die Feindschaft unter den Völkern Europas zuletzt eine Täuschung, ein Irrtum ist – daß die einander zerfleischenden Parteien im Grunde gar keine Parteien sind, sondern gemeinsam, nach Gottes Willen, in brüderlicher Qual an der Erneuerung der Welt und der Seele arbeiten. Ja, es ist erlaubt, von einem begütigten und versöhnten Europa zu träumen – wenn Güte und höhere Eintracht auch nur der Erschöpfung werden zu danken sein und jener Sensitivität und Verfeinerung, die durch großes Leiden erzeugt wird. Denn die Verfeinerung durch Leiden ist höher und menschlicher, als die durch Glück und Wohlleben; ich glaube daran, und auch an jenes zukünftige Europa glaube ich in guten Stunden, welches, einer religiösen Menschlichkeit und duldsamen Geistigkeit zugetan, seines heutigen verbissenen Weltanschauungszankes sich nur mit Scham und Spott wird erinnern können. Undoktrinär, unrechthaberisch und ohne Glauben an Worte und Antithesen, frei, heiter und sanft möge es sein, dieses Europa, und für ›Aristokratie‹ oder ›Demokratie‹ nur noch ein Achselzucken haben. Es war ein dramatisches Tagesprodukt, über das Goethe bemerkte, die Idee des Ganzen drehe sich nur um Aristokratie und Demokratie, und dieses habe kein allgemein menschliches Interesse... So sprach ein antipolitischer Künstler, und wird es nicht antipolitisch und künstlerisch sein, das nachkriegerische Europa? Wird es nicht, denen zum Trotz, die nach Alleinherrschaft der Politik, nach ›politischer Atmosphäre‹ schreien, Menschlichkeit und Bildung zu Leitsternen nehmen?

Einem Aristokratismus freilich möge es huldigen: seinem eigenen. Es möge auf sich halten lernen in Dingen der Kultur und des Geschmacks, wie es das vordem nicht verstand, möge dem geilen Ästhetizismus und Exotismus, dem selbstverräterischen Hang für Barbarei entsagen, dem es zügellos frönte, Verrücktheiten in seiner Kleidermode, närrische Infantilismen in seiner Kunst verpönen und gegen Anthropophagenplastik und südamerikanische Hafenkneipentänze eine Gebärde vornehmer Ablehnung sich zu eigen machen. Dergleichen tut nicht gut. Solange Europa auf diese Weise zum Unfug neigt, so lange wird es immer auch wieder in Krieg fallen können, das ist sicher. Wird es nicht vorderhand übrigens a rm sein, unser Europa, werden die Entbehrungen, die es sich bereitete, es nicht gelehrt haben, das Simple und Natürliche köstlich zu finden und eine Mahlzeit aus Eiern, Schinken und Milch dankbarer zu genießen als irgendwelche Vomitoriumsvöllerei von ehedem? Ja, denken wir es uns von Widerwillen erfüllt gegen seine negerhafte Genußsucht und zivilisierte Knallprotzerei von früher, denken wir es uns einfach und anmutig von Sitten und einer Kunst hingegeben, die reiner Ausdruck seines Zustandes wäre: zart, schmucklos, gütig, geistig, von höchster humaner Noblesse, formvoll, maßvoll und kraftvoll durch Intensität ihrer Menschlichkeit...

Ich fürchte, der ›europäische Intellektuelle‹ wird mir das Recht bestreiten auf solche Träume. Es ist wahr, ich fand mich nationaler, als ich gewußt hatte, daß ich sei; aber ein Nationalist, ein ›Heimatskünstler‹ war ich ja niemals. Ich fand es unmöglich, mich den Krieg ›nichts angehen‹ zu lassen, – etwa, weil Krieg nichts mit Kultur zu tun habe, was eine sehr gewagte Behauptung ist. Erschüttert, aufgewühlt, gellend herausgefordert, warf ich mich in den Tumult und verteidigte disputierend das Meine. Aber wohler, Gott weiß es, wird mir sein, wenn meine Seele wieder, von Politik gereinigt, Leben und Menschlichkeit wird anschauen dürfen, besser als jetzt wird mein Wesen sich bewähren können, wenn die Völker hinter gefriedeten Grenzen in Würden und Ehren beieinander wohnen und ihre feinsten Güter tauschen: der schöne Engländer, der polierte Franzose, der menschliche Russe und der wissende Deutsche.«

Vgl. ›Betrachtungen‹, Kap. ›Einiges über Menschlichkeit‹, XII 78, 487. Im Frühjahr 1916 hatte sich Thomas Mann notiert (Notizbuch 10, S. 42): »1. Joh. 4,20–21: So jemand spricht: Ich liebe Gott und hasset seinen Bruder, der ist ein Lügner. Denn wer seinen Bruder nicht liebet, den er siehet, wie kann er Gott lieben, den er nicht siehet?«

173 2] »*Güte von Mensch zu Mensch*«: In seiner Ausgabe von Dehmels Drama ›Die Menschenfreunde‹ (Berlin 1917) hat sich Thomas Mann den Satz unterstrichen, dem das Zitat entnommen ist (S. 77): »Selbst das größte Gefühl wird klein, wenn es sich aufputzt mit großen Begriffen; ein bißchen Güte von Mensch zu Mensch ist besser als alle Liebe zur Menschheit.« Zu Richard Dehmel vgl. Thomas Manns Brief vom 3. 1. 1918, Anm. 7.

3] ›*Freistatt‹*: Thomas Mann, ›Das Ewig-Weibliche‹, Freistatt, Jg. 5, H. 12, 21. 3. 1903. Vgl. Thomas Manns Brief vom 23. 12. 1903.

4] *Dein jüngstes Buch:* Wohl Thomas Mann, ›Betrachtungen eines Unpolitischen‹, Berlin: Fischer 1918; Vorabdrucke einzelner Abschnitte waren bereits erschienen: ›Der Taugenichts‹, Die neue Rundschau, Berlin, November 1916; ›Kunst und Politik‹, Münchner Neueste Nachrichten, 16. 2. 1917; ›Einkehr‹, Die neue Rundschau, Berlin, März 1917; ›Palestrina‹, Die neue Rundschau, Berlin, Oktober 1917; ›Das unliterarische Land‹, Berliner Tageblatt, 26. 9. 1918.

5] ›Zola‹: Heinrich Mann, ›Zola‹, Die weißen Blätter, Jg. 2, H. 11, Leipzig, Nov. 1915. Darin, gleich zu Beginn, der Satz: »Sache derer, die früh vertrocknen sollen, ist es, schon zu Anfang ihrer Zwanzigerjahre bewußt und weltgerecht hinzutreten.« Thomas Mann, der am 8. 11. 1913, in einer Stunde des Unmuts, Heinrich gegenüber ähnliche Befürchtungen geäußert hatte – »Ich bin ausgedient, glaube ich, und hätte wahrscheinlich nie Schriftsteller werden dürfen« –, reagierte ungemein scharf auf diesen Satz. Als er Maximilian Brantl am 18. 6. 1916 die November-Nummer der ›Weißen Blätter‹ zurücksandte, schrieb er dazu: »Ich schicke Ihnen endlich die Weißen Blätter zurück und bitte tausend mal um Entschuldigung wegen der Bleistiftstriche. Ich habe angefangen zu radieren, fürchtete aber, die Sache dadurch zu verschlimmern. Übrigens gehören Bleistiftstriche beinahe zu diesem Artikel; es scheint, daß die trefflichsten Doppelsinnigkeiten von den meisten Lesern nicht bemerkt werden.« Die Radierspuren neben dem zweiten Satz des Essays sind in dem aus Brantls Nachlaß erhaltenen Exemplar (Thomas-Mann-Archiv, Zürich) noch heute deutlich sichtbar. Thomas Mann zitiert den Satz einer gegen den Bruder gerichteten Passage der ›Betrachtungen‹ (XII 190); in seinem Brief vom 3. 1. 1918 nennt er ihn einen »unmenschlichen Exzeß«. Heinrich Mann hat »aus dem Zola-Essay für spätere Drucke einige persönlich gezielte Sätze« gestrichen (vgl. Brief Thomas Manns vom 1. 7. 1954 an Alfred Kantorowicz).

6] *Geburt unseres Kindes:* Carla Maria Henriette Leonie Mann wurde 174
am 10. 9. 1916 geboren.

7] *Deine neueste Klage:* Der eingangs genannte Artikel ›Weltfrieden?‹.

8] *Dann mögest du erfahren [...]:* Statt dieses letzten Satzes hatte Heinrich Mann zunächst geschrieben: »Hat sie andere Gründe, muß ich mich bescheiden und kann nur bitten, diesen Brief, statt ihn mißzuverstehen, einfach als ungeschrieben zu betrachten. In meinem Fall glaube ich, daß es für Dich erfreulich oder aussichtsvoll wäre, mich schon jetzt wieder sprechen zu hören. Ich wollte nur sagen, Du brauchst meiner nicht als eines Feindes zu denken.«

3. 1. 1918
1] *Reise:* Vortragsreise nach Hamburg und Lübeck. 174
2] *mich verglichen:* Vielleicht eine Anspielung auf das zweite Motto 175
der ›Betrachtungen‹: »Vergleiche dich! Erkenne, was du bist! (Goethe, ›Tasso‹)«.
3] *Galeeren-Arbeit:* Anspielung auf das erste Motto der ›Betrachtun-

gen‹: »Que diable allait-il faire dans cette galère? (Molière, ›Les Four-
beries de Scapin‹)«.

4] *Schmarotzer:* Anspielung auf Heinrich Manns ›Zola‹-Essay. Der
Ausdruck wird in den ›Betrachtungen‹ zitiert (XII 194, 199).

5] *Stifter:* Der Satz steht in Stifters Brief vom 22.2.1850 an Joseph Türck. Thomas Mann zitiert ihn erstmals in dem Brief vom
25.12.1917 an Ernst Bertram: »In einer Besprechung der Briefe
Stifters fand ich gestern folgende Stelle, die Sie mir nicht angezeigt
haben, und die unbedingt in meinem Buche stehen müßte, wenn sie
nicht mit anderen Worten ohnedies darin stünde: ›Meine Bücher
sind nicht Dichtungen allein..., sondern als sittliche Offenbarungen, als mit strengem Ernste bewahrte menschliche
Würde haben sie einen Wert, der bei unserer elenden, frivolen Literatur länger bleiben wird als der poetische.‹ Gut, gut. Für die ›fri-
vole Literatur‹ von damals könnte man unseren Expressionismus
setzen, der zur Schluderei verführt und die Prosa verdirbt.« Er führt
das Zitat dann in einer gegen Heinrich gerichteten Tirade der ›Betrachtungen‹ wieder an (XII 220). Bertram seinerseits zitiert den Satz
(abgekürzt) in seinem Vortrag über ›Adalbert Stifter‹ (Bonn 1919,
S. 66f.).

6] *contrat social:* Anspielung auf die ›Betrachtungen‹ (XII 219): »Ich
stand nicht da, eine Hand auf dem Herzen, die andere in der Luft, und
rezitierte den Contrat social.« (Heinrich Mann hatte Rousseau in
›Geist und Tat‹ gehuldigt.)

7] *Richard Dehmel* (1863–1920): Seit 1895 freier Schriftsteller in
Berlin. Von Nietzsche stark beeinflußt, trieb er die naturalistische
Revolution gegen die Heyse-Schule weiter voran als der ihm nahe-
stehende Detlev von Liliencron. Ließ sich 1901 in Blankenese nieder. Unter seinen Werken: ›Erlösungen‹, Gedichte (1891); ›Aber
die Liebe‹, Gedichte (1893); ›Weib und Welt‹, Gedichte (1896);
›Zwei Menschen‹, Roman in Romanzen (1903); ›Gesammelte Werke‹,
10 Bde. (1906–09); ›Die Verwandlungen der Venus‹, Gedichte
(1907); ›Michel Michael‹, Komödie (1911); ›Die Menschenfreunde‹,
Drama (1917); ›Mein Leben‹ (1922). – Dehmel hatte Thomas Manns
Erstlingsnovelle, ›Gefallen‹, günstig beurteilt; Thomas Mann sandte
ihm daraufhin die Manuskripte zu ›Der kleine Professor‹ und ›Walter
Weiler‹ zur Begutachtung ein (vgl. Briefe an Dehmel von 1894/95,
Brw. Autoren 141ff.). Am Ersten Weltkrieg nahm Dehmel als
Kriegsfreiwilliger teil; er sandte Thomas Mann einen »Gruß aus dem
Felde« (vgl. Thomas Manns Antwort vom 14.12.1914, Brw. Autoren
150f.).

176 8] *meinen ersten Kriegsartikel:* ›Gedanken im Kriege‹, Die neue
Rundschau, Jg. 25, H. 11, Berlin, November 1914.

5.1.1918
[Handschriftliche Notizen und Entwurf einer Antwort]

177 1] *Nicht abgeschickt:* Selbst die Mutter glaubte damals nicht mehr

daran, eine Versöhnung zwischen den Brüdern herbeiführen zu können. Am 7. 1. 1918 schrieb sie an Heinrich folgenden Brief:

Lieber Heinrich!

Das hat mir eine traurige Enttäuschung bereitet! Dein Brief war mein letzter Hoffnungsanker.

Lasse nun auch bitte Mimi mich nicht mehr nach dem Befinden der Geschwister fragen, was gewöhnlich den Anlaß zu Erörterungen gab.

Nun glaube ich auch nicht mehr, daß mein Tod Euch alle wieder vereinigen wird, da es Carla's Tod nicht einmal vermochte; nun mußt Du, sowie ich, uns mit dem Gedanken abfinden, daß das, was nun noch von Deiner Seite geschah, das Letzte, deutlich Gutes wollende, war*. Nun bitte ich Dich recht herzlich, alles, auch in Schriften, ruhen zu lassen, u. nicht die Spur einer Kritik den Augen Unberufener, die nur Sensation aus dem Zwist zweier großer Brüder machen, auszusetzen. Mit Dir sprach ich nun zuletzt über diese für mich so traurige Sache, mit T. nicht mehr, so lieb ich ihn habe. Ich hätte doch erwartet, daß er auf gegenseitige Verzeihung hin, Versöhnung willkommen heißen werde**.

Also, lieber guter Heinrich, ich bleibe Dir, was ich war, u. nie aufgehört habe zu sein u. hoffe, Dich bald wiederzusehen.

Mit herzlichen Grüßen! Deine Mama

* Aber es war gut daß Du es tatest!
** Ich hörte vor längerer Zeit, u. las ja auch selber einmal so etwas, was mich anstieß, daß Du Dich öffentlich sehr unangenehm über T. äußertest, – es geschah gar wohl in der ersten Aufregung nach einem Auftritt; – aber es scheint daß T. dies nicht überwinden kann, u. es nicht für möglich hält, wieder dauernd brüderlich neben- oder miteinander zu leben, obgleich ich es für möglich hielt, daß man beiderseits gemachte Fehler gutmachen könnte, wenn man wollte.
Ob die Gewürze aus Lübeck schon eintrafen? Ist kein ganzer Zimt mitgekommen, so kann ich damit aushelfen.

Die Brüder scheinen sich in diesen Jahren nur zweimal gesehen zu haben, 1917 anläßlich eines Vortrags von Karl Kraus (vgl. ›Über Karl Kraus‹, x 847) und im März 1918, als Heinrich Mann die Grabrede auf Wedekind hielt (vgl. ›Betrachtungen‹, xii 535).

Noch am 6. 4. 1921 schrieb Thomas Mann an Ludwig Ewers:

Lieber Ludwig Ewers:

Dein schöner Artikel zu Heinrichs 50. Geburtstag hat mich sehr gerührt und gefreut, und gewiß ist bei dem Gefeierten das Gleiche der Fall gewesen. Heinrich wird jetzt durch ungemessene Ehrungen für alles entschädigt, was er in jungen Jahren bitterer, als ich mir früher träumen ließ, entbehrt hat. Der innere Entstehungsherd des Giftes, das sein Dichtertum zu zersetzen drohte, war sicher hier. War er durch Vernachlässigung so bestimmbar, so wird er es durch die Huldigungen von heute nicht weniger sein. Ich halte ihn für einen gesättigten, mit der Welt und sogar mit dem Vaterlande versöhnten Menschen, der Deine Freundschaft heute im Grunde seiner Seele derjenigen seiner jüdisch-radikalen Galoppins und Verkünder vielleicht wieder vorzieht. Wie es zwischen uns Brüdern steht, wirst Du wissen. Der Krieg mußte die Gegensätze zwischen uns akut machen. Was mich betrifft, so kennst Du meine Natur gut genug, um zu glauben, daß ich das Verhältnis um Lebens und Sterbens willen gern gefristet hätte. Aber Heinrich hat sich damals, auf hochliterarische Weise, in seinem Zola-Essay, dessen Lektüre mich für Wochen krank machte, feierlich und ausdrucksvoll von mir getrennt und hätte mich kaum sehr achten können, wenn ich auf einen überlegenen Wiederannäherungsversuch, den er vor einiger Zeit, als eben mit Deutschland seine kühnsten Wünsche sich erfüllten, unternahm, gutmütig-leichtsinnig eingegangen wäre. Zuletzt, man soll einen Zwist wie den unseren in Ehren halten, ihm den toternsten Akzent nicht nehmen wollen. Vielleicht sind wir, getrennt, m e h r einer des anderen Bruder, als wir es an gemeinsamer Festtafel wären.

Dein Thomas Mann

2] *via Argentina trenta quattro:* Die Brüder hatten während ihres Rom-Aufenthalts von 1897/98 an der Via Torre Argentina 34 gewohnt.

179 3] *Stück:* ›Madame Legros‹ (Berlin: Cassirer 1913) wurde im Februar 1917 gleichzeitig in den Münchner Kammerspielen und im Lübecker Stadttheater aufgeführt. Am 27. 8. 1917 schrieb Thomas Mann an Paul Amann: »Das Stück meines Bruders (ein Berliner Witzblatt nannte es ›Mme Engros‹, von wegen der vielen Aufführungen) ist zweifellos ein starker Wurf. [...] Das Verhältnis zwischen meinem Bruder und mir, zart seit Jahren, war nach Kriegsausbruch nicht länger haltbar. Ich hätte es um Lebens und Sterbens willen gern gefristet; aber die politische Leidenschaft meines Bruders ist stärker, als seine Menschlichkeit: er verabscheut Deutschland oder doch das Deutschland dieses Krieges zu sehr, als daß er nicht mein Verhalten als Verbrechen gegen Recht und Wahrheit brandmarken und den Trennungsstrich hätte ziehen müssen. Eine melancholische und blamable Sache. Die Ehre, zu glauben, daß auch er darunter leidet, erweise ich ihm gern.« Im Brief vom 21. 2. 1917 an Philipp Witkop (ungedruckt, Thomas-Mann-Archiv, Zürich) schreibt er: »Das neueste kulturelle Ereignis ist ein glänzender Theatererfolg meines Bruders Heinrich mit seinem Drama ›Madame Legros‹ in den hiesigen ›Kammerspielen‹. Es handelt sich um kein Kriegsprodukt, aber eigentlich doch; denn mein Bruder war ja schon vor dem Kriege durchaus ›Entente‹, und das Stück ist durchaus antideutsch, eine Apotheose des französischen Revolutionsidealismus, was aber niemand merkte oder woran doch niemand den leisesten Anstoß nahm, – eine jener kerndeutschen Thatsachen, von denen man nie weiss und nie wissen wird, ob man sich ihrer freuen oder darüber verzweifeln soll. Etwas Entsprechendes wäre die Aufführung eines Lu-

ther- oder Bismarck-Drama's zu Paris, jetzt im Kriege. Die Aufnahme wäre ein wenig geteilt, denke ich mir fast. Sie war es hier, wie gesagt, nicht im mindesten: Der stärkste Theatererfolg der letzten Jahre, glaube ich, an dem meiner Überzeugung nach nicht die vorhandenen dichterischen Schönheiten, sondern die der Geistigkeit des Premierenpublikums der ›Kaṁerspiele‹ entgegenkommende Revolutionsethik den größten Anteil hatte. Über diese Tendenzen ließe sich vieles sagen. Von dem Ereignis glaubte ich Ihnen doch kurz erzählen zu sollen.«

31. 1. 1922

1] *schwere Tage:* Am 2. 2. 1922 schrieb Thomas Mann an Ernst Bertram: 179

»Mein Bruder [. . .] erkrankte vor einigen Tagen schwer: Grippe, Blinddarm- und Bauchfellentzündung, Operation bei Bronchial-Katarrh, der Lungen-Komplikationen befürchten ließ. Auch vom Herzen her drohten Gefahren, und drei, vier Tage lang war die Lage sehr ernst. Sie können sich denken, was da alles aufgeregt wurde. Meine Frau besuchte die seine. Man meldete ihm meine Teilnahme, meine täglichen Erkundigungen und berichtete mir von der Freude, die er darüber gezeigt habe. Diese Freude soll auf ihren Gipfel gekommen sein, als ich ihm, sobald dergleichen nicht mehr schaden konnte, einen Blumengruß und einige Zeilen sandte: Es seien schwere Tage gewesen, aber nun seien wir über den Berg und würden besser gehen, – zusammen, wenn es ihm ums Herz sei, wie mir. Er ließ mir Dank sagen und wir wollten uns nun – Meinungen hin und her –, ›nie wieder verlieren‹.

Freudig bewegt, ja abenteuerlich erschüttert, wie ich bin, mache ich mir doch keine Illusionen über die Zartheit und Schwierigkeit des neu belebten Verhältnisses. Ein modus vivendi menschlich-anständiger Art wird alles sein, worauf es hinauslaufen kann. Eigentliche Freundschaft ist kaum denkbar. Die Denkmale unseres Zwistes bestehen fort, – übrigens versichert man mir, daß er die ›Betrachtungen‹ niemals gelesen hat. Das ist gut – und auch wieder nicht; denn von dem, was ich durchgemacht, weiß er also nichts. Das Herz will sich mir umkehren, wenn ich höre, daß er nach dem Lesen einiger Sätze im ›Berl. Tageblatt‹, in denen ich von Solchen sprach, die Gottesliebe verkünden und ihren Bruder hassen, sich hingesetzt und geweint habe. Aber mir ließ der Jahre lange Kampf um Gut und Blut, den ich bei physischer Unterernährung zu führen hatte, zu Thränen keine Zeit. Davon, und wie die Zeit mich zum Manne schmiedete, wie ich dabei wuchs und auch anderen zum Helfer und Führer wurde, – von alldem weiß er nichts. Vielleicht wird ers irgendwie fühlen, wenn wir wieder zusammen kommen. Noch darf er niemanden sehen.

Er soll weicher, gütiger geworden sein in diesen Jahren. Unmöglich, daß seine Anschauungen nicht irgendwelche Korrektur erlitten haben. Vielleicht kann von einer gewissen Entwicklung zu einander hin doch die Rede sein: Mir ist so zu Mute, wenn ich mich erinnere, daß der mich zur Zeit eigentlich beherrschende Gedanke der einer neuen, persönlichen Erfüllung des Humanitätsgedankens ist [...].«

Die Ziele dieser Entwicklung suchte Thomas Mann in seiner Rede ›Von deutscher Republik‹ (XI 809) genauer zu bestimmen.

19. 4. 1922

180 1] *Badehotel:* Heinrich Mann erholte sich in Überlingen von der Operation, der er sich Ende Januar in München hatte unterziehen müssen. Nachher begab er sich geschäftlich nach Berlin und hielt sich, zusammen mit Thomas Mann, einige Tage an der Ostsee auf.

20. 10. 1922

180 1] *Berliner Abenteuer:* Am 13. Oktober 1922 hielt Thomas Mann im Beethovensaal zu Berlin seine Rede ›Von deutscher Republik‹. Mit der Niederschrift hatte er im Juli 1922 begonnen. Am 6. 10. 1922 las er sie seinem Bruder und einigen Freunden – Kurt Martens, Emil Preetorius und Björn Björnson – erstmals vor. Er hielt die Rede darauf in verschiedenen Städten des In- und Auslandes. Im Brief vom 1. 3. 1923 an Félix Bertaux nennt Thomas Mann die ›Betrachtungen‹ ein »Kriegsprodukt, an dem mir selbst heute manches Periphere unhaltbar erscheint, dessen apolitische Humanität aber nur grobes Mißverstehen ins politisch Reaktionäre umdeuten konnte. Eine gewisse anti-liberale Tendenz dieser Bekenntnisschrift erklärt sich aus meinem Verhältnis zu Goethe und Nietzsche, in denen ich meine höchsten Meister erblicke, – wenn es nicht unverschämt ist, sich zum Schüler solcher Wesen zu ernennen. Über meine Idee der Humanität versuchte ich Auskunft zu geben in der Schrift ›Von deutscher Republik‹, die mir als Abfall vom Deutschtum und Widerspruch zu den ›Betrachtungen‹ verübelt worden ist, während sie innerlich ihre gerade Fortsetzung bildet.«

2] *Wahlredner für Eberten:* Friedrich Ebert (1871–1925), während des Weltkriegs Führer der Mehrheitssozialisten, war am 11. 2. 1919 von der Weimarer Nationalversammlung zum vorläufigen Reichspräsidenten gewählt worden; er behielt dieses Amt auch nach dem Inkrafttreten der Weimarer Verfassung. Um einen Wahlkampf in kritischer Zeit zu vermeiden, verlängerte der Reichstag durch verfassungsänderndes Gesetz vom 27. 10. 1922, unter Verzicht auf die unmittelbare Volkswahl, Eberts Amtszeit bis zum 30. 6. 1925.

17. 2. 1923

180 1] *Vortragsreisen:* Thomas Mann hatte in Dresden aus dem ›Zauberberg‹ gelesen, der jetzt wieder sein »Hauptgeschäft« war. In Berlin hatte er wegen einer Verfilmung der ›Buddenbrooks‹ verhandelt. In

Augsburg las er am 27. Februar 1923 den Aufsatz ›Okkulte Erlebnisse‹.
(Er hatte im Dezember und Januar an drei spiritistischen Sitzungen im
Hause des Freiherrn von Schrenck-Notzing teilgenommen.)
2] *Details von der Ruhr:* Besetzung des Ruhrgebietes durch französische und belgische Truppen im Januar 1923.

1. 4. 1923

1] *Abreise:* Auf seiner österlichen Vortragsreise nach Wien, Budapest   181
und Prag las Thomas Mann wieder den Aufsatz ›Okkulte Erlebnisse‹
(Die neue Rundschau, Berlin, März 1924).

2] *Arthur Schnitzler* (1862–1931)*:* Österreichischer Schriftsteller,
Arzt. Gehörte mit Hermann Bahr, Peter Altenberg, Richard Beer-Hof-
mann und Hugo von Hofmannsthal zur ›Wiener Moderne‹. Seine
Stücke behandeln vor allem psychologische und sozialkritische Fragen.
Am bekanntesten: ›Liebelei‹, Schauspiel (1896); ›Lieutenant Gustl‹,
Novelle (1901); ›Reigen‹, Schauspiel (1903); ›Der Weg ins Freie‹, Ro-
man (1908); ›Casanovas Heimfahrt‹, Novelle (1918); ›Komödie der
Verführung‹ (1924). Vgl. Thomas Manns Huldigungen zu Schnitzlers
50. und 60. Geburtstag (x 406, 428).

3] *Raoul Auernheimer* (1876–1948): Burgtheater-Kritiker, Feuilletonist, Redakteur der ›Neuen Freien Presse‹. Emigrierte 1939 nach
Amerika. Schrieb Romane und Lustspiele.

4] *Mimi:* Maria Mann-Kanova.

5] *Hofmannsthal:* Vgl. Thomas Mann, ›Hofmannsthals Lesebuch‹
(x 636); ›In memoriam Hugo von Hofmannsthal‹ (x 453); Thomas
Mann/Hugo von Hofmannsthal, ›Briefwechsel‹, Fischer-Almanach,
Das 82. Jahr, Frankfurt 1968; Thomas Mann, ›Briefwechsel mit Hugo
von Hofmannsthal‹ (Brw. Autoren 193–225, 627–637).

17. 10. 1923

1] *Hauptmann:* Thomas Mann konzipierte damals die Gestalt des   182
Mijnheer Peeperkorn: »Ich trachtete nach einer Figur, die notwendig
und kompositionell längst vorgesehen war, die ich aber nicht sah, nicht
hörte, nicht besaß. Unruhig, besorgt und ratlos auf der Suche kam ich
nach Bozen – und dort, beim Weine, bot sich mir an, unwissentlich,
was ich, menschlich-persönlich gesehen, nie und nimmer hätte annehmen dürfen, was ich aber, in einem Zustande herabgesetzter menschlicher Zurechnungsfähigkeit, annahm, annehmen zu dürfen glaubte,
blind von der begeisterten Überzeugung, der Voraussicht, der Sicherheit, daß in meiner Übertragung (denn natürlich handelt es sich nicht
um Leben, sondern um eine der Wirklichkeit innerlich überhaupt
fremde und äußerlich kaum noch verwandte Übertragung und Einstili-
sierung) die auf immer merkwürdigste Figur eines, wie ich nicht länger
zweifle, merkwürdigen Buches daraus werden würde.« (Brief an
Hauptmann vom 11. April 1925; xi 597 ff. Thomas Mann Jahrbuch,
Bd. 6, Frankfurt a. M. 1993, S. 260 f.)

2] *den schlimmen, instinktlosen Kindern:* Erika und Klaus Mann.

6. 5. 1924

182 1] *Amsterdam:* Als Gast des Letterkundige Kring hielt Thomas Mann eine Tischrede über ›Demokratie und Leben‹ (Vossische Zeitung, Berlin, 23. 5. 1924). In London war Thomas Mann Ehrengast des PEN-Clubs; Galsworthy, damals Präsident des Clubs, hielt die Begrüßungsrede.

2] *John Galsworthy* (1867–1933): Romanschriftsteller und Dramatiker. Sein bekanntestes Werk ist die Romantrilogie ›The Forsyte Saga‹ (1906–1921).

3] *Herbert George Wells* (1866–1946): Romanschriftsteller und Essayist. Wurde nach Galsworthy Präsident des PEN-Clubs. Berühmt geworden durch seine ersten Romane, naturwissenschaftliche Phantasien in der Art Jules Vernes, z. B. ›The Time Machine‹ (1895).

4] *George Bernard Shaw* (1856–1950): Schriftsteller, Dramatiker, Kritiker. Trat 1884 der sozialistischen Fabian Society bei. Stand als Gesellschaftskritiker zunächst in der Nachfolge Ibsens; hatte damals eben ›Saint Joan‹ (1923) geschrieben.

5] *Katia:* Nachsatz von Frau Katja Mann.

16. 11. 1924

182 1] ›*Abrechnungen*‹: Sammelband mit neuen Novellen von Heinrich Mann, Berlin: Propyläen-Verlag [1924]. Darin enthalten: ›Der Gläubiger‹, ›Szene‹, ›Der Bruder‹, ›Die Verjagten‹, ›Liebesspiele‹, ›Ehrenhandel‹, ›Die Tote‹.

11. 12. 1924

182 1] *Dein Buch:* Thomas Mann, ›Der Zauberberg‹, Berlin: Fischer 1924.

2] *in dem meinen:* Heinrich Mann, ›Der Kopf‹, Berlin u. a.: Zsolnay 1925. Vgl. Thomas Manns Besprechung in ›The Dial‹, Jg. 79, Nr. 4, Camden, N. J. 1925, S. 333–338 (XIII 309–312).

18. 3. 1925

183 1] *Griechenland:* Vom 2.–25. 3. 1925 unternahm Thomas Mann auf Einladung der Stinnes-Linie auf M. S. ›General San Martin‹ eine Mittelmeerreise, die ihn auch nach Ägypten, dem Schauplatz seines nächsten großen Werkes, führte. Am 4. 2. 1925 hatte er an Ernst Bertram geschrieben: »Auf diese Weise werde ich etwa 4 Wochen unterwegs sein, [...] in denen es mir, ohne den humanistischen Punkten zu nahe treten zu wollen, hauptsächlich um Ägypten zu tun ist. Ich werde einen Blick auf die Wüste, die Pyramiden, die Sphinx werfen, dazu habe ich die Einladung angenommen, denn das kann bestimmten, wenn auch noch etwas schattenhaften Plänen, die ich im Geheimen hege, nützlich sein.« – Vgl. ›Unterwegs‹ (XI 355).

22. 4. 1925 [Thomas Mann schrieb versehentlich: 22. v. 1925]

1] *Dein Roman:* ›Der Kopf‹. 183

2] *Florenz:* Thomas Mann hielt anläßlich der Internationalen Kulturwoche (9.–16. 5. 1925) den Vortrag ›Goethe und Tolstoi‹.

3] *Wien:* Während seines Wiener Aufenthalts (8.–11. 6. 1925) hielt
Thomas Mann im PEN-Club den Vortrag ›Natur und Nation‹. Am
Festbankett hielt er eine Tischrede (›Zum Problem des Österreich-
tums‹, Neue Freie Presse, Wien, 11. 6. 1925).

24. 8. 1925

1] *Salzburg:* Vom 20. bis 30. 8. 1925 besuchte Thomas Mann die Salz- 183
burger Festspiele.

2] *Aufsatz:* Heinrich Mann, ›Victor Hugo und ‚1793'‹, Der neue Merkur, Jg. 8, Bd. 2, H. 10, Stuttgart und Berlin, August 1925, S. 861 bis
870.

17. 5. 1926

1] *Arosa:* Thomas Mann hielt sich vom 1. bis 28. Mai 1926 in Arosa 184
auf. Arbeit an der Festrede zur 700-Jahrfeier seiner Heimatstadt: ›Lübeck als geistige Lebensform‹ (Lübeck: Quitzow 1926). Am 1. August
1926 schreibt er an Félix Bertaux: »Ich sitze tief in den Vorarbeiten zu
einem kleinen, schwierigen, aber überaus reizvollen Roman: ›Joseph in
Ägypten‹. Es ist die biblische Geschichte selbst, die ich real und humoristisch wiedererzählen will.«

15. /16. 3. 1927

1] *Warszawa:* Die Reise nach Warschau (12.–15. 3. 1927) erfolgte auf 184
Einladung des polnischen PEN-Clubs. Thomas Mann sprach über
›Freiheit und Vornehmheit‹.

2] *Censur-Protest:* Am 11. März verlas Thomas Mann auf einer Sitzung der Preußischen Akademie der Künste, Sektion für Dichtkunst,
Heinrich Manns Protest gegen das Zensurgesetz, das damals im
Reichstag vorbereitet wurde. Die Sektion für Dichtkunst war am
27. 10. 1926 gegründet worden; vgl. Thomas Manns ›Rede zur Gründung der Sektion für Dichtkunst der Preußischen Akademie der Künste‹ (x 211). Heinrich Mann nahm 1928 in Berlin Wohnsitz und wurde
1931 Präsident der Sektion.

3] *Danzig:* Thomas Mann hielt im Kunstverein den Vortrag ›Freiheit
und Vornehmheit‹.

19. 8. 1927

1] *Sylt:* Hier weilte die Familie Thomas Mann vom 10. 8. bis 11. 9. 1927 185
zur Erholung.

23. 8. 1927

185 1] *Ponten:* Pontens Brief an Heinrich Mann ist uns nicht bekannt.

2] *Comoedia:* Milano 1919–1934. Die Stelle wurde nicht ermittelt.

3] *des bisherigen Präsidenten:* Am 18. 11. 1926 hatte die neu konstituierte Sektion für Dichtkunst durch Abstimmung unter den Berliner
Mitgliedern Wilhelm von Scholz zum Ersten, Ludwig Fulda zum Zweiten Vorsitzenden gewählt.

186 4] *Programm:* Vgl. Heinrichs Brief vom 6. 8. [9.]1927, Anm. 2.

5] *Sekretär:* Alexander Amersdorffer.

187 6] *Herrn Ponten:* Vgl. Thomas Manns Brief an Josef Ponten vom
30. 8. 1927, abgedruckt in Anmerkung 3 zum Brief vom 29. 8. 1927,
S. 486 f.

29. 8. 1927

188 1] *Wilhelm Schäfer* (1868–1952): Seit 1898 freier Schriftsteller in
Berlin, mit Dehmel befreundet. 1900 in Vallendar, Herausgeber der
Zeitschrift ›Die Rheinlande‹. Seit 1918 in Ludwigshafen am Bodensee,
später in Überlingen. Von Schäfer waren damals u. a. schon erschienen: ›Winckelmanns Ende‹, Novelle (1925); ›Hölderlins Einkehr‹, Novelle (1925); ›Huldreich Zwingli‹, Roman (1926); ›Neue Anekdoten‹
(1926).

2] *Josef Ponten* (1883–1940): Erzähler und Reiseschriftsteller. Seit
1920 in München. Thomas Mann hatte seinen Roman ›Der Babylonische Turm‹ (1918) gelobt (vgl. Briefe an Ponten vom 9. 1. und
6. 6. 1919). In einem ›Offenen Brief an Thomas Mann‹ (Deutsche
Rundschau, Jg. 51, H. 1, Berlin, Oktober 1924) wandte sich Ponten gegen Thomas Mann, weil dieser sich in seinem Aufsatz ›Zum sechzigsten Geburtstag Ricarda Huchs‹ gegen die »feindseligen Tröpfe«
(x 432) verwahrt hatte, welche, »die Nase im Sande«, nicht aufhörten,
»das tote Gewäsch vom deutschen Dichter und vom unvölkischen
Schriftsteller zu wiederholen«. – »Ist es nötig«, hatte er gefragt, »die
heillose Abgeschmacktheit der Antithese von Dichtertum und Schrift-
stellertum auszusprechen [. . .]? Es sollte nicht nötig sein.« (Vgl. Thomas Manns Briefe an Ponten vom 31. 1. und 22. 4. 1925).

3] *Aktion:* Am 21. 8. 1927 schrieb Thomas Mann an Ponten: »So unbedingt wohl, wie gesagt, ist mir ja nicht bei der Sache. Es könnte
aussehen, als sei die von mir gezeichnete Aktion die planmäßige Vorbereitung für diese gewesen. Auch hätte vielleicht die Idee eines auswärtigen Sektionspräsidenten den Angegangenen etwas ausführlicher
plausibel gemacht werden müssen.« Nach Heinrichs Intervention vom
23. 8. 1927 sandte er Ponten am 30. 8. 1927 folgenden Brief:

Lieber Ponten,

ich muß gleich noch einmal schreiben, denn ich habe von meinem
Bruder, der ja unter den Empfängern Ihrer Rundfrage ist, einen langen Brief, worin er sich mit sachlichen und starken Gründen gegen
meine Kandidatur wendet und sie mir ausredet. Natürlich würde er,

um nicht banalen Mißverständnissen sich auszusetzen, Ihren Antrag äußerlich unterstützen, mißbilligt ihn aber in Wirklichkeit, weil er einen in Berlin wohnhaften Präsidenten oder vielmehr Direktor für notwendig hält, der auf Jahre hinaus den größten Teil seiner Arbeitskraft frei hat für die Aufgaben der Akademie. Er wendet sich dagegen, daß der Posten zu einer Ehrung für Einzelne gemacht wird. Statt aller Repräsentation brauche die Akademie vielmehr einen Direktor oder Generalsekretär, der arbeite und Gehalt dafür beziehe. Dergleichen wollen Sie ja wohl auch; nur daß Sie außerdem die Repräsentation wollen. Der Mangel an Ausführlichkeit, den Ihr Rundschreiben aufwies, und auf den ich Sie gleich aufmerksam machte, hat sich wenigstens im Falle meines Bruders sogleich gerächt. Darin aber hat er unbedingt recht, daß die Repräsentation eine Angelegenheit zweiter Ordnung ist, und daß es vor allem darauf ankommt, in oder außer der Akademie den Mann zu finden, der entschlossen ist, etwas zu tun. Mit meiner Wahl wäre sachlich wenig gebessert, und wenn ich denke, man könnte annehmen, wir hätten mit der von mir gezeichneten Aktion nichts weiter angestrebt, als sie, so kriege ich einen heißen Kopf. Außerdem wäre es mir höchst widerwärtig, meinen Bruder zu zwingen, äußerlich mitzutun, während er innerlich Nein sagt. Es bleibt also garnichts übrig, als den Adressaten Ihrer Rundfrage mitzuteilen, daß diese gegenstandslos geworden sei, da ich nach näherer Überlegung den Antrag abgelehnt hätte. Ich bitte Sie, dies sofort zu tun. Es genügt ein Satz »An Alle«.

Ihr Thomas Mann

4] *Ludwig Fulda* (1862–1939): Schriftsteller. Studium der Germa-   189
nistik. 1884–1888 freier Schriftsteller in München, später in Berlin.
Mitbegründer der Freien Bühne, die Sudermann und Hauptmann
zum Erfolg verhalf. Setzte sich auch für Arno Holz und Arthur
Schnitzler ein. Übersetzer von Molière, Rostand, Beaumarchais, Petöfi. Unter seinen Werken: ›Das Recht der Frau‹, Komödie (1884);
›Das verlorene Paradies‹, Schauspiel (1892); zahlreiche Gesellschaftssatiren: ›Des Esels Schatten‹ (1921); ›Die Gegenkandidaten‹
(1924); ›Filmromantik‹ (1928); ›Die verzauberte Prinzessin‹ (1930)
u. a.

6. 8. [wohl 9.] 1927
1] *der bisherige Präsident:* Wilhelm von Scholz.   190
2] *Programm-Entwürfe:* Vgl. Inge Jens, ›Dichter zwischen rechts und
links‹. Die Geschichte der Sektion für Dichtkunst der Preußischen
Akademie der Künste dargestellt nach Dokumenten, München: Piper
1971. In Anhang III sind hier Thomas und Heinrich Manns Antworten
.(3. und 6. 12. 1926) auf die Umfragen über Ziel und Aufgabe einer
Sektion für Dichtkunst abgedruckt (S. 244–248).

3] *Schickele:* Vgl. Brief vom 14. 5. 1939. Anm. 10.

4] *Wilhelm von Scholz* (1874–1969): Schriftsteller. Gymnasium in Berlin. Ab 1890 in Konstanz. 1897 Dr. phil. in München. 1916–1922 Dramaturg und Spielleiter am Hoftheater in Stuttgart. 1944 Dr. h. c. der Universität Heidelberg. 1949 Präsident des Verbandes Deutscher Bühnenschriftsteller. Lebte zuletzt auf Gut Seeheim bei Konstanz. Unter seinen zahlreichen Werken: ›Frühlingsfahrt‹ (1896); ›Hohenklingen‹, Gedichte (1898); ›Der Jude von Konstanz‹ (1900); ›Der Bodensee‹ (1907); ›Die Unwirklichen‹, Erzählungen (1916); ›Zwischenreich‹, Erzählungen (1922). Zu seinem Leben vergleiche seine Darstellungen ›Lebensjahre‹ (1939) und ›Lebenslandschaft‹ (1943).

18. 4. 1931

190 1] *Statuten-Entwurf:* Neue Statuten der Preußischen Akademie der Künste, Sektion für Dichtkunst.

2] *Paul F. Hübner:* Ministerialdirektor im Ministerium für Wissenschaft, Kunst und Volksbildung.

3] *Feier in der Akademie:* Am 27. 3. 1931 war in der Preußischen Akademie der Künste zu Berlin Heinrich Manns 60. Geburtstag gefeiert worden. (Reden von Kultusminister Adolf Grimme, Gottfried Benn, Lion Feuchtwanger und Thomas Mann.) Vgl. ›Heinrich Mann, Fünf Reden und eine Entgegnung zum sechzigsten Geburtstag‹, Berlin: Kiepenheuer 1931. Thomas Manns Rede ›Vom Beruf des deutschen Schriftstellers in unserer Zeit‹ erschien auch in der ›Neuen Rundschau‹, Berlin, Mai 1931 (abgedruckt in der Dokumentation, S. 378–386).

4] *Pelzer:* Weinrestaurant in der Tauentzienstraße 12 b, Berlin.

191 5] *Max Liebermann* (1847–1935): Impressionistischer Maler. Gründete 1898 die Berliner Sezession. 1920–1932 Präsident der Preußischen Akademie der Künste. Zeichnete in S. Fischers Auftrag eine Porträtstudie von Thomas Mann für die zehnbändige Werkausgabe, die zum 50. Geburtstag des Autors (1925) erschien. Vgl. Thomas Mann, ›Max Liebermann zum achtzigsten Geburtstag‹ (x 442).

6] *Carl Heinrich Becker* (1876–1933): Preußischer Minister für Wissenschaft, Kunst und Volksbildung.

192 7] *Adolf Grimme* (1880–1963): Beckers Nachfolger als Preußischer Kultusminister.

193 8] *Erwin Guido Kolbenheyer* (1878–1962): Seit 1919 freier Schriftsteller, zuerst in Tübingen, ab 1932 in München-Solln; 1926 Mitglied der Preußischen Akademie der Künste, 1928 Mitbegründer des faschistischen Kampfbundes für deutsche Kultur. Wurde nach dem Zweiten Weltkrieg mit einem Schreibverbot belegt. Vor allem durch seine ›Paracelsus‹-Trilogie (1917, 1922, 1926) bekannt.

9] *Alfred Döblin* (1878–1957): Berliner Schriftsteller und Arzt. Sohn eines jüdischen Kaufmanns aus Stettin. 1910 Mitbegründer und Mitarbeiter der Expressionistenzeitschrift ›Der Sturm‹. Ende 1914

Militärarzt. Entwickelte einen freiheitlichen humanistischen Sozialismus. Wurde berühmt durch seinen Großstadtroman ›Berlin Alexanderplatz‹ (1929). 1933 floh er über Zürich nach Paris, 1940 über Spanien, Portugal nach New York und Los Angeles. Konvertierte auf der Flucht zum Katholizismus. Wurde 1945 Leiter des literarischen Büros der Direction de l'éducation publique in Baden-Baden, später Mainz. 1946–1951 Herausgeber der literarischen Zeitschrift ›Das goldene Tor‹. Fand sich als Dichter in Deutschland vergessen und isoliert. Ging 1951 wieder nach Paris. Von März 1956 bis zu seinem Tode in Sanatorien bei Freiburg i. Br. Unter seinen Werken: ›Die Ermordung einer Butterblume‹, Erzählungen (1913); ›Die drei Sprünge des Wanglun‹, Roman (1915); ›Wadzeks Kampf mit der Dampfturbine‹, Roman (1918); ›Wallenstein‹, Roman (1920); ›Berge, Meere und Giganten‹, Roman (1924); ›Manas‹, Epos (1927); ›Babylonische Wandrung‹, Roman (1934); ›Pardon wird nicht gegeben‹, Roman (1935); ›Das Land ohne Tod‹, Romantrilogie (1937–1948); ›November 1918‹, Romantrilogie (1948–1950); ›Schicksalsreise, Bericht und Bekenntnis‹ (1949); ›Hamlet‹, Roman (1956); ›Die Zeitlupe‹, Kleine Prosa aus dem Nachlaß (1962). – Vgl. Thomas Mann, ›An Alfred Döblin‹ (x 489 f.); Heinrich Mann, ›Der Dichter Alfred Döblin‹, Freies Deutschland, Jg. 2, Nr. 12, Mexiko, November 1943.

10] *[Austritt] Hesses:* Hermann Hesse war zur gleichen Zeit wie Kolbenheyer und Schäfer – jedoch mit anderer Begründung – aus der Akademie ausgetreten; Thomas Mann versuchte ihn mit seinem Brief vom 27. 11. 1931 zum Wiedereintritt zu bewegen (vgl. Hermann Hesse – Thomas Mann, ›Briefwechsel‹, S. 19–25).

11] *Max Halbe* (1865–1944): Begann als naturalistischer Dramatiker, schrieb später psychologische Romane. Seit 1888 freier Schriftsteller in Berlin, seit 1895 ständig in München; mit Wedekind, Hartleben, Eduard Graf Keyserling und Thoma befreundet. Unter seinen Werken: ›Jugend‹, Drama (1893); ›Jahrhundertwende, Geschichte meines Lebens 1893–1914‹ (1935).

12] *Der literarische Senat:* Die Senatsabteilung für Dichtkunst konstituierte sich am 8. 10. 1931. Es wurden berufen: Heinrich Mann, Thomas Mann, Ricarda Huch, Walter von Molo, Alfred Döblin und Ludwig Fulda.

13] *Oskar Loerke* (1884–1941): Lyriker, Schriftsteller. Von 1917 bis zu seinem Tod Lektor beim S. Fischer Verlag in Berlin, Mitarbeiter der ›Neuen Rundschau‹. 1927 Senator und Dritter Ständiger Sekretär in der Sektion für Dichtkunst der Preußischen Akademie der Künste. Unter seinen Werken: ›Wanderschaft‹, Gedichte (1911); ›Gedichte‹ (1916; Neuauflage unter dem Titel ›Panmusik‹, 1929); ›Der Oger‹, Roman (1921); ›Der längste Tag‹, Gedichte (1926); ›Atem der Erde‹, Gedichte (1930); ›Tagebücher 1903–1939‹, hrsg. von Hermann Kasack (1955); ›Reden und kleinere Aufsätze‹, hrsg. von Hermann Kasack (1957); ›Gedichte und Prosa‹, hrsg. von Peter Suhrkamp (1958); ›Der

Bücherkarren, Besprechungen im Berliner Börsen-Courier 1920 bis 1928‹, hrsg. von Hermann Kasack (1964); ›Literarische Aufsätze aus der ›Neuen Rundschau‹, hrsg. von Reinhard Tgahrt (1967).

14] *Julius Petersen* (1878–1941): Literarhistoriker. 1909 Privatdozent in München, 1913 Professor in Basel, 1915 in Frankfurt a. M., seit 1920 in Berlin.

15] *Theaterintendant:* Als Kontaktmann zu den Preußischen Staatstheatern Berlins wurde Ernst Legal in die Senatsabteilung für Dichtkunst gewählt.

16] *Alexander Amersdorffer* (1875–1946): Von 1910 bis 1946 Erster Ständiger Sekretär der Königlichen und späteren Preußischen Akademie der Künste zu Berlin.

17] *Jurist:* Paul F. Hübner.

194 18] *Ricarda Huch* (1864–1947): Schriftstellerin. Schulbesuch in Braunschweig. 1892 Dr. phil. in Zürich, 1891–1898 Angestellte der Zentralbibliothek Zürich. 1906 in Triest, später hauptsächlich in München, Berlin, Heidelberg, Freiburg, Jena, Schönberg (Taunus). Trat 1933 unter Protest aus der Preußischen Akademie der Künste aus. Begann vor ihrem Tod ein Buch über die dt. Widerstandsbewegung: ›Der lautlose Aufstand‹. Unter ihren Werken: ›Erinnerungen von Ludolf Urslen dem Jüngeren‹, Roman (1893); ›Aus der Triumphgasse‹, Roman (1902); ›Seifenblasen‹, Erzählungen (1905); ›Der große Krieg in Deutschland‹ (1912/14). Ferner literaturhistorische Arbeiten: ›Die Blütezeit der Romantik‹ (1899); ›Gottfried Keller‹ (1904); ›Die Romantik‹ (1908).

15. 6. 1931

195 1] *Rede:* Thomas Mann, ›Vom Beruf des deutschen Schriftstellers in unserer Zeit‹ (vgl. Dokumentation, S. 378–386). In: ›Heinrich Mann. Fünf Reden und eine Entgegnung zum sechzigsten Geburtstag‹, Berlin: Kiepenheuer 1931.

2] *Attersee:* Thomas Mann schrieb am 29. 7. 1896 von Unterach am Attersee, Salzkammergut, Hotel »Zur Post«, eine Postkarte an Otto Grautoff. (Der von Heinrich vorgeschlagene gemeinsame Urlaub kam nicht zustande; Thomas Mann hielt sich von Mitte Juli bis Anfang September 1931 in seinem Sommerhaus zu Nidden auf.)

3] *Vollsitzung der Sektion:* Heinrich Mann war zu Beginn des Jahres 1931 zum Vorsitzenden der Sektion für Dichtkunst der Preußischen Akademie der Künste gewählt worden.

4] *Föderation:* Die »Schriftsteller-Internationale« tagte vom 26. bis 28. 5. 1931 im Hôtel de Massa in Paris. Vgl. Heinrich Manns Bericht in der Sammlung ›Das öffentliche Leben‹, Berlin u. a. 1932.

196 *Gespräch mit Briand:* Heinrich Mann wurde am 3. 6. 1931 in Paris von Aristide Briand empfangen. Er berichtete darüber in der Zeitschrift ›Europe‹, Bd. 29, Paris 1931, S. 34–39. Vgl. ›Gespräch mit Briand‹, in: ›Das öffentliche Leben‹, Berlin u. a. 1932.

31. 5. 1932

1] *Buch:* Heinrich Mann, ›Das öffentliche Leben‹, Berlin u. a.: Zsol-   196
nay 1932.

2] *Barbarei:* Vgl. dazu Heinrich Manns Artikel ›Die Entscheidung‹,
Berliner Tageblatt, 27. 3. 1932, und ›Autoritäre Demokratie‹, Vossische Zeitung, 21. 4. 1932.

3] *Heinrich Brüning* (1885–1970): 1924 bis 1933 Reichstagsabgeord-
neter als Mitglied des Zentrums. Deutscher Reichskanzler vom
28. 3. 1930 bis Ende Mai 1932. Im Dezember 1931 übernahm er auch
das Auswärtige Amt. Entschloß sich im April 1932 unter Zustimmung
des Reichspräsidenten zu entschiedenem Vorgehen gegen den Nationalsozialismus (Verbot der SA). Übernahm im Mai 1933 die Führung
des Zentrums, sah sich jedoch gezwungen, die Partei Anfang Juli 1933
aufzulösen. Entzog sich der Festnahme durch Emigration in die USA.
Professor an der Harvard-Universität. 1938 wurde ihm die deutsche
Staatsangehörigkeit aberkannt. 1952 Rückkehr nach Deutschland,
Professor an der Universität Köln.

4] *Präsident:* Max von Schillings (1868–23. 7. 1933). Komponist und
Dirigent. Löste Max Liebermann am 1. 10. 1932 von seinem Amt ab.
Unter seiner Leitung fand am 15. 2. 1933 die Sitzung statt, auf der
Heinrich Mann und Käthe Kollwitz der Austritt aus der Akademie na-
hegelegt wurde (vgl. Inge Jens, ›Dichter zwischen rechts und links‹,
S. 181 ff.). Am 22. 3. 1933 schrieb Max von Schillings an Thomas
Mann, der fünf Tage vorher seinen Austritt aus der Akademie erklärt
hatte:

Sehr verehrter Herr Professor,
ich bestätige Ihnen den Eingang Ihres eingeschriebenen Briefes vom
17. d. Mts. aus Lenzerheide. Ich muß aus ihm ersehen, daß Sie nicht
gesinnt sind, weiter der Akademie anzugehören. Eine Stellungnahme zu Ihrem Entschluß steht mir bei der Entschiedenheit Ihrer
Absage nicht zu. Ich möchte aber Ihren Abschied sich nicht vollzie-
hen lassen, ohne Ihnen meinen Dank für Ihre Zugehörigkeit zur
Akademie und Ihre Tätigkeit als Senator auszusprechen.
In vorzüglicher Hochachtung
Ihr ganz ergebener Max v. Schillings
(Das Original des Briefes liegt im Thomas-Mann-Archiv der ETH Zü-
rich.)

2. 6. 1932

1] *Alfons Paquet* (1881–1944): Schriftsteller. Bereiste Sibirien, die   197
USA, Syrien, Kleinasien; seine Reiseberichte waren zum Teil von
Whitman beeinflußt. Lebte in Dresden-Hellerau, zuletzt als freier
Schriftsteller in Frankfurt, wo er während eines Luftangriffs infolge
Herzanfalls starb. In seinen erzählerischen und dramatischen Werken
stehen soziale Probleme und weltpolitische Strömungen im Vorder-
grund. Das Stück ›Fahnen‹ wurde 1924 von Erwin Piscator an der Berli-

ner Volksbühne aufgeführt. Unter seinen Werken: ›Lieder und Gesänge‹ (1902); ›Held Namenlos‹, Gedichte (1911); ›Kamerad Fleming‹, Roman (1911–1926); ›Prophezeiungen‹, Erzählungen (1923); ›Fahnen‹, Drama (1923); ›Sturmflut‹, Drama (1926). – Paquet verließ 1933 die Preußische Akademie der Künste aus Protest. Vgl. die biographische Einleitung zu seinen ›Gesammelten Werken‹ (1970) und Inge Jens, ›Dichter zwischen rechts und links‹, S. 212.

1. 11. 1932

197 1] *Dr. Fiedler:* Vgl. Brief vom 27. 9. 1936, Anm. 1, und ›Blätter der Thomas-Mann-Gesellschaft‹, Nr. 11 / 12, Zürich 1971 / 72.

2] *mein letztes Wort über den Nationalismus:* Heinrich Mann, ›Das Bekenntnis zum Übernationalen‹, Die Neue Rundschau, Jg. 43, Bd. 2, Heft 12, Berlin, Dezember 1932, S. 721–746. Vgl. Thomas Manns Brief vom 7. 12. 1932 an Wilhelm Herzog: »Haben Sie schon den großen Essay meines Bruders in der Neuen Rundschau gesehen? Er ist ein Ereignis, so sonderbar es ist, daß das Aussprechen aller dieser offenkundigen Wahrheiten als Ereignis empfunden werden kann. Wut und Genugtuung darüber, beides wird stark sein in Deutschland.«

198 3] *Hans Heinrich Lammers* (1879–1962): Jurist, Politiker. 1921 bis 1933 im Reichsministerium des Innern; 1933 bis 1945 Chef der Reichskanzlei; 1939 bis 1945 war er zugleich Mitglied und Geschäftsführer des Ministerrats für die Reichsverteidigung. Im »Wilhelmstraßenprozeß« wurde er 1949 in Nürnberg zu zwanzig Jahren Haft verurteilt; 1952 entlassen.

4] *Roman:* Heinrich Mann, ›Ein ernstes Leben‹, Berlin u. a.: Zsolnay 1932 (konzipiert in Nizza 1931; beendet in Berlin 1932).

26. 11. 1932

198 1] *Dein Brief:* Im Thomas-Mann-Archiv Zürich nicht vorhanden.

2] *Roman:* ›Ein ernstes Leben‹.

3] *Bäuerlein:* Rechtsanwalt Bäuerlein, Figur aus Heinrich Manns neuem Roman.

199 4] *Festwoche:* Thomas Mann hielt am 11. 11. 1932 an der Feier von Gerhart Hauptmanns 70. Geburtstag (15. 11. 1932) im Münchener Nationaltheater seine Rede ›An Gerhart Hauptmann‹ (Vossische Zeitung, Berlin, 15. 12. 1932; x 331). Auch in Berlin wurde Hauptmanns Geburtstag ausgiebig gefeiert.

5] *Deines weltgeschichtlichen Romans:* ›Joseph und seine Brüder‹.

6] *Aufsatz:* Heinrich Mann, ›Das Bekenntnis zum Übernationalen‹, Die Neue Rundschau, Jg. 43, Bd. 2, Heft 12, Berlin, Dezember 1932, S. 721–746.

7] *Vertrag von Verdun:* Im Jahr 843.

200 8] *Heinrich Sahm* (1877–1939): Politiker. 1931 bis 1935 Oberbürgermeister von Berlin; 1936 bis 1939 Gesandter in Oslo.

9] *Joseph-Arthur Gobineau* (1816–1882): Diplomat, Schriftsteller.

Sein Werk ›La Renaissance. Savonarola, César Borgia, Jules II, Léon X, Michel-Ange, Scènes historiques‹ (1877) gehörte zu den Quellen von Heinrich Manns ›Göttinnen‹ und Thomas Manns ›Fiorenza‹. Durch seinen ›Essai sur l'inégalité des races humaines‹ (1853–1855) wirkte Gobineau auf Nietzsche, Wagner, Chamberlain und Barrès. Im Roman ›Les Pléiades‹ (1874) gestaltete er seine These von der Überlegenheit des Herrenmenschen.

29. 1. 1933
1] *Kursivtext:* Von Thomas Mann mit Bleistift unterstrichen oder am Rande angestrichen.   201

2] *Paul Fechter* (1880–1958): Schriftsteller, Journalist. Studium in   202 Berlin und Erlangen. 1911 bis 1915 Feuilletonredakteur der ›Vossischen Zeitung‹, 1918 bis 1933 Redakteur an der ›Deutschen Allgemeinen Zeitung‹. Seither Theaterkritiker und Kunstreferent der Zeitschrift ›Deutsche Zukunft‹. Unter seinen Werken: ›Der Expressionismus‹ (1914); ›Frank Wedekind‹ (1920); ›Die Tragödie der Architektur‹ (1921); ›Gerhart Hauptmann‹ (1922); Erzählungen und Dramen. – Vgl. Brief vom 9. 2. 1933, Anm. 1.

9. 2. 1933
1] *Kundgebung:* Am 6. 12. 1932 hatte Franz Werfel den Antrag ge-   203 stellt, die Sektion für Dichtkunst müsse vor Paul Fechters Literaturgeschichte, von der die Deutsche Buchgemeinschaft damals gerade eine Millionenauflage verbreitete, öffentlich warnen. In der Sektionssitzung vom 6. 2. 1933 – der letzten von Heinrich Mann geleiteten – wurde auf eine Kundgebung gegen Fechter verzichtet. Seine Literaturgeschichte erfuhr in der Nazizeit noch größere Verbreitung (vgl. Inge Jens, ›Dichter zwischen rechts und links‹, S. 176–180).

2] *Rudolf Olden* (1885–1940): Schriftsteller und Journalist. Bis 1933 politischer Redaktor des ›Berliner Tageblattes‹. Emigrierte 1933 nach Prag, 1934 nach Paris, von dort nach England. Ertrank bei der Versenkung des englischen Evakuierungsschiffes »City of Benares« auf der Überfahrt nach Kanada. Unter seinen Werken im Exil: ›Hitler. Der Agent der Macht‹ (1935); ›The History of Liberty‹ (1939); ›Is Germany a Hopeless Case?‹ (1940).

15. 4. 1933
1] *Madame Bertaux:* Céline Bertaux-Piquet, Frau von Félix Ber-   204 taux.

2] *Aufenthalt:* Thomas Mann hielt sich vom 24. 3. bis 29. 4. 1933 in Lugano auf.

3] *Professor:* Alfred Pringsheim (1850–1941), Thomas Manns Schwiegervater.

4] *›La Croix‹:* Quotidien catholique d'information, Paris. (Der erwähnte Artikel wurde nicht ermittelt.)

5] *Scene mit Göring:* Vgl. Heinrich Mann, ›Goering zittert und schwitzt‹, in ›Der Haß‹, Amsterdam 1933, S. 115–123.

6] *James Louis Garvin* (1868–1947): Englischer Publizist. Schrieb hauptsächlich für den ›Daily Telegraph‹, später (1908–1942) für den ›Observer‹. 1926 bis 1929 Herausgeber der ›Encyclopedia Britannica‹, 14. Auflage. Unter seinen Werken: ›The Life of Joseph Chamberlain‹, 3 Bände (1932–1934). – Der erwähnte Artikel wurde nicht ermittelt.

21. 4. 1933

205 1] *Aufsatz:* Thomas Manns Aufsatz ›Leiden und Größe Richard Wagners‹ erschien, übersetzt von Félix Bertaux, unter dem Titel ›Souffrances et grandeur de Richard Wagner‹ in ›Europe‹, Bd. 31, Paris 1933, S. 305–338.

2] *Karl Häusser* (1842–1907): Schauspieler.

3] *Ernst Ritter von Possart* (1841–1921): Vgl. Brief vom 5. 12. 1903, Anm. 23.

4] *Sommer:* Im Frühjahr 1933 überlegte Thomas Mann, ob er sich in Bozen, Südfrankfreich oder Basel niederlassen solle. Vgl. Thomas Manns Brief an René Schickele vom 13. 4. 1933.

12. 5. 1933

205 1] *Bandol:* Vom 10. 5. bis 11. 6. 1933 wohnte Thomas Mann provisorisch in Bandol (Var) an der französischen Riviera. Heinrich Mann traf am 16. Mai in Bandol ein. Die Zeit vom 12. 6. bis 22. 9. 1933 verbrachte Thomas Mann dann in Sanary-sur-Mer.

8. 10. 1933

206 1] *Hans Frank* (1900–1946): 1927 Mitglied der NSDAP. 1930 Mitglied des Reichstags. 1933 bayrischer Justizminister und Reichsleiter der NSDAP für Rechtsangelegenheiten. 1939 Generalgouverneur der besetzten polnischen Gebiete; Terrorregime, Massenvernichtung, Deportation. 1946 in Nürnberg vom internationalen Militärgerichtshof zum Tod durch den Strang verurteilt.

2] *Leipziger Prozess:* Prozeß gegen die angeblichen Urheber des Reichstagsbrandes. Er dauerte vom 21. 9. bis 23. 12. 1933. Das Gericht verurteilte den (schwachsinnigen) van der Lubbe zum Tode, sprach aber die Mitangeklagten frei. Göring rühmte sich später, er wisse am besten, wer den Brand verursacht habe, da er es selber gewesen sei.

207 3] *Anwalt:* Gemeint ist wohl Valentin Heins (1894–1971), Thomas Manns Münchner Rechtsanwalt.

4] *Heinrich Hauser* (1901–1955): Schriftsteller. Als Seekadett und Leichtmatrose in Hamburg. Schrieb hauptsächlich Reiseberichte und Seefahrtserzählungen. Mit dem irischen Erzähler Liam O'Flaherty befreundet; Hauser übersetzte von ihm ›Die Bestie erwacht‹ und ›Verdammtes Gold‹. Bekannte sich 1933 zu den Nazis, wandte sich nachher von Hitler ab. 1938 bis 1948 in den USA. Dann Chefredaktor der

494

Wochenillustrierten ›Stern‹. Unter seinen Werken: ›Brackwasser‹ (1928); ›Donner überm Meer‹ (1929); ›Noch nicht‹ (1932); ›Männer an Bord‹ (1936); ›Notre Dame von den Wogen‹ (1937); ›Gigant Hirn‹ (1958); Berichte: ›Schwarzes Revier‹, Ruhrgebietsreportage (1929); ›Die letzten Segelschiffe‹ (1930); ›Feldwege nach Chicago‹ (1931); ›Kampf‹, Autobiographie (1934). Bücher über den Balkan, Kanada, Australien. – Zu Heinrich Manns kritischen Bemerkungen vgl. Peter de Mendelssohn, ›S. Fischer und sein Verlag‹ (Frankfurt 1970, S. 1279 f.): »Nur ein Autor bereitete dem Verlag eine ernste Unzuträglichkeit. Heinrich Hauser lieferte im Januar 1933 das Manuskript seines neuen Buches ›Ein Mann lernt fliegen‹ ab, das sofort in die Druckerei ging und im Mai erscheinen sollte. Im April verlangte er plötzlich, daß dem Buch eine Widmung an den vormaligen Kampfflieger und jetzigen national-sozialistischen preußischen Ministerpräsidenten Hermann Göring vor-angestellt werde. Eine Ablehnung dieses Ansinnens hätte, wie Bermann Fischer zu Recht befürchtete, die Schließung oder Enteignung des Ver-lags und Maßnahmen gegen die Familie Fischer und ihre Mitarbeiter zur Folge haben können; die Annahme hätte wie ein jämmerlicher ›Kniefall‹ ausgesehen, der den Verlag alle Sympathien unter den Gegnern des Regimes innerhalb und außerhalb Deutschlands gekostet hätte. Ber-mann Fischer sann auf einen Ausweg. Er verlangte von Hauser die Einholung von Görings ausdrücklicher Genehmigung, in der Überzeu-gung, daß Göring sie einem ›jüdischen‹ Verlag selbstverständlich ver-weigern werde. Doch Göring war geschmeichelt und nahm sie an; das Buch mußte mit der Widmung an einen ›unserer Erzfeinde und Verfol-ger‹ erscheinen. Nicht genug damit, veröffentlichte Hauser im gleichen Maiheft 1933 der ›Neuen Rundschau‹, in dem Suhrkamps Aufsatz ›März 33‹ erschien, eine hymnische Schilderung der nationalsozialisti-schen Maikundgebung auf dem Tempelhofer Feld:
›Die Hände der Millionen wuchsen in langsamer Bewegung über die Köpfe hinaus und verharrten wie der Schaum einer Brandung über einer heranrollenden Woge. Die Batterien der Selterswasserflaschen, an den Rändern des Heerlagers aufgefahren, glitzerten. Zehntausend Banner in unaufhaltsamem Anmarsch wehten wie ein Wald im Sturm. Die wehenden Fahnen leuchteten wie strömendes Blut... Eine seltsame Entrückung und Erhebung lagerte über dem Meer. Es war das Gefühl der eigenen Masse und Unendlichkeit, das jedes Atom in ihr erhob... Niemand, der dabei war, wird diesen Tag jemals vergessen.‹
Der Verlag trennte sich von Heinrich Hauser; Eugen Diederichs über-nahm den Vertrag für drei Bücher, die Hauser noch nicht geliefert hatte, auf die er aber bereits eine beträchtliche Vorauszahlung erhalten hatte [...].«
Vgl. ferner Gottfried Bermann Fischer, ›Bedroht – bewahrt‹ (Frankfurt 1967, S. 293 f.; Taschenbuchausgabe 1991, S. 244).
5] *mein Buch:* Heinrich Mann, ›Der Haß. Deutsche Zeitgeschichte‹, Amsterdam: Querido 1933.

6] *Deinen ersten Band:* Thomas Mann, ›Die Geschichten Jaakobs‹, Berlin: S. Fischer 1933. Der erste Band des Josephromans erschien am 10. 10. 1933.

7] *Erika:* Erika Mann bemühte sich im September 1933 um die Erlaubnis der Schweizer Behörden, ihr literarisch-politisches Kabarett ›Die Pfeffermühle‹, das Ende Februar 1933 in München verboten worden war, in Zürich weiterführen zu können. Am 30. September 1933 wurde es im Hotel ›Hirschen‹ am Hirschenplatz in Zürich mit stürmischem Erfolg wiedereröffnet. Vgl. Thomas Manns Tagebuch-Eintragungen vom 30. 9. bis 5. 10. 1933.

17. 10. 1933

207   1] *Dein Buch:* ›Die Geschichten Jaakobs‹.

208   2] *Widmung:*
    An Heinrich
    Zum Gedenken an den Austausch
    eines Sommers, den sie uns gönnen mussten.
    Zürich-Küsnacht, den 12. x. 1933
(Vgl. Heinz Saueressig, »Die gegenseitigen Buchwidmungen von Heinrich und Thomas Mann, Eine Dokumentation«, in: ›Betrachtungen und Überblicke‹. Zum Werk Thomas Manns, hrsg. von Georg Wenzel, Berlin und Weimar 1966, S. 485.)

3] *Austritt Deutschlands:* Deutschland trat am 14. 10. 1933 aus dem Völkerbund aus.

3. / 4. 11. 1933

208   1] *Erfolg:* Von den ›Geschichten Jaakobs‹ wurden noch 1933 das 11. bis 15. und das 16. bis 20. Tausend aufgelegt.

209   2] *›Der Haß‹:* Heinrich Mann, ›Der Haß. Deutsche Zeitgeschichte‹, Essays, Amsterdam: Querido 1933; ›La Haine. Histoire contemporaine d'Allemagne‹, Paris: Verlag Gallimard 1933.

3] *Lion Feuchtwanger* (1884–1958): Vgl. Brief vom 3. 10. 1935, Anm. 8.

4] *Ernst Torgler* (1893–1963): Damals Vorsitzender der KPD-Fraktion im Reichstag, wurde nach dem Reichstagsbrand (27. 2. 1933) als angeblicher Mitbrandstifter verhaftet, aber mangels Beweisen wieder freigesprochen. Gleich nach dem Freispruch nahmen ihn die Nazis jedoch in »Schutzhaft« und schoben ihn in ein Konzentrationslager ab. Vgl. Thomas Mann, ›Leiden an Deutschland. Tagebuchblätter aus den Jahren 1933–1934‹ (XII 688, 724).

5] *Oswald Spengler* (1880–1936): Geschichtsphilosoph. 1908 bis 1911 Gymnasiallehrer in Hamburg, dann freier Schriftsteller. Sein Hauptwerk, ›Der Untergang des Abendlandes‹, erschien 1918 bis 1922. Unter seinen übrigen Werken: ›Preußentum und Sozialismus‹ (1920); ›Neubau des deutschen Reiches‹ (1924); ›Politische Pflichten der deutschen Jugend‹ (1924); ›Der Mensch und die Technik‹ (1931);

›Politische Schriften‹ (1932); ›Jahre der Entscheidung‹ (1933); ›Reden und Aufsätze‹ (1937).

6] *Franz von Papen* (1879–1969): Politiker. Wurde am 1.6.1932 als 210 Nachfolger Brünings zum Reichskanzler gewählt. Das Zerwürfnis mit Reichswehrminister von Schleicher veranlaßte ihn am 3.12.1932 zur Aufgabe seines Amtes. Schleicher übernahm Anfang Dezember das Amt des Reichskanzlers. Von Papen hatte am 4.1.1933 in Köln eine Aussprache mit Hitler und trug in den folgenden Wochen maßgebend zum Sturz Schleichers bei. Er wurde am 30.1.1933 Vizekanzler unter Hitler. Versuchte vergeblich, gegen die totale Machtergreifung durch die Nationalsozialisten zu wirken. Nach dem Röhm-Putsch vom 30.6.1934 trat er, persönlich gefährdet, aus Hitlers Kabinett aus. Ende Juli 1934 als Hitlers Gesandter in Wien. Später Botschafter in der Türkei. 1946 im Nürnberger Prozeß freigesprochen, im Spruchkammerverfahren jedoch zu acht Jahren Arbeitslager verurteilt. 1949 entlassen. Unter seinen Werken: ›Appell an das deutsche Gewissen‹, Reden (1933); ›Der Wahrheit eine Gasse‹, Erinnerungen (1952).

7] *Kurt von Schleicher* (1882–1934): Berufsoffizier und Politiker, aus alter preußischer Offiziersfamilie. Seit 1913 im Generalstab, 1918/19 politischer Referent im Stabe Groeners, dann im Truppenamt als enger Mitarbeiter von Seeckts. 1926 Abteilungsleiter im Reichswehrministerium; 1929 Chef des neu errichteten Ministeramts unter Groener. An der Vorbereitung des Kabinetts Brüning maßgebend beteiligt. Wurde im Juni 1932 Reichswehrminister. Als Reichskanzler (Dezember 1932 bis Januar 1933) versuchte er vergeblich, durch Spaltung der Nationalsozialisten sowie durch ein Bündnis von Reichswehr und Gewerkschaften aller Richtungen der Gefahr der Bildung einer nationalsozialistischen Regierung zu begegnen. 1934 wurde er von der SS ermordet.

8] *88 »Dichter«*: Ende Oktober/Anfang November erschien in verschiedenen Zeitungen Deutschlands und der Schweiz folgende »Treuekundgebung deutscher Schriftsteller« (im genauen Wortlaut, mit teilweise entstellten Namen wiedergegeben):

»88 deutsche Schriftsteller haben durch ihre Unterschrift dem Reichskanzler Adolf *Hitler* das folgende Treuegelöbnis abgelegt: ›Friede, Arbeit, Ehre und Freiheit sind die heiligsten Güter jeder Nation und die Voraussetzung eines aufrichtigen Zusammenlebens der Völker untereinander. Das Bewußtsein der Kraft und der wiedergewonnenen Einigkeit, unser aufrichtiger Wille, dem inneren und äußeren Frieden vorbehaltlos zu dienen, die tiefe Überzeugung von unsern Aufgaben zum Wiederaufbau des Reichs und unsere Entschlossenheit, nichts zu tun, was nicht mit unserer und des Vaterlandes Ehre vereinbar ist, veranlassen uns in dieser ernsten Stunde, vor Ihnen, Herr Reichskanzler, das Gelöbnis treuester Gefolgschaft feierlichst abzulegen.‹

Friedrich Ahrenhövel, Gottfried Benn, Werner Beumelburg, Rudolf G. Binding, Walter Bloem, Max Karl Böttcher, Hans Fr. Blunck, Rudolf Brandt, Arnold Bronnen, Otto Brües, Alfred Brust, Carl Bulcke, Hermann Claudius, Hans Martin Cremer, Marie Dies, Peter Dörfler, Max Dreyer, Franz Dülberg, Ferdinand Eckardt, Richard Euringer, Ludwig Finkh, Hans Franck, Otto Flake, Heinrich von Gleichen, von Gleichen-Rußwurm, Gustav Frenssen, Friedrich Griese, Max Grube, Johannes Günther, Max Halbe, Ilse Hamel, Agnes Harder, Carl Haensel, Hans Ludwig Held, Karl Heinl, Friedrich W. Herzog, Rudolf Herzog, Hans von Hülsen, Paul Oskar Höcker, Rudolf Huch, Bruno W. Jahn, Hanns Johst, Max Jungnickel, Hans Knudsen, Ruth Köhler-Irrgang, Gustav Kohne, Karl Lange, Joh. von Leers, Heinrich Lilienfein, Heinrich Lersch, Oskar Loerke, Herybert Menzel, Gerhard Menzel, Alfred Richard Meyer, Agnes Miegel, Walter von Molo, Börries Frhr. von Münchhausen, Müller-Partenkirchen, Mühlen-Schulte, Eckart von Naso, Helene von Nostiz-Wallwitz, Josef Ponten, Rudolf Presber, Hofrat Rehbein, Ilse Reicke, Hans Richter, Heinz Schauwecker, Johannes Schlaf, Anton Schnack, Friedrich Schnack, Rich. Schneider-Edenkoben, Wilhelm von Scholz, Lothar Schreyer, Gustav Schröer, Schussen (Wilhelm), Ina Seidel, Prof. Heinrich Sohnrey, Dr. Willy Seidel, Diedrich Speckmann, Heinz Steguweit, Lulu v. Strauß u. Torney, Eduard Stucken, Will Vesper, Magnus Wehner, Leo Weißmantel, Bruno Werner, Heinrich Zerkaulen, Hans Caspar von Zobeltitz.«

211   9] Rebecca Christine *Caroline* Claudius (1819–1900) und Emilie *Rebecca* Claudius (1828 bis 1900), zwei Enkelinnen des Hamburger Dichters Matthias Claudius, die um 1890 einige Jahre in der Beckergrube 48, also zwei Häuser von der Beckergrube 52, wohnhaft waren. Modelle zu Lea Gerhardt und Schwester in den ›Buddenbrooks‹. Thomas Mann gab ihnen wohl den Namen Paul Gerhardts, weil ihm die literarische Herkunft der beiden Schwestern bekannt war. (Nach der freundlichen Mitteilung Hans Bürgins.)

10] *Kursivtext:* Von Thomas Mann mit Bleistift unterstrichen und / oder am Rande angestrichen.

11] *Paul Zsolnay* (1895–1961): Verleger. Gründete 1923 den Paul-Zsolnay-Verlag (Berlin und Wien). Zu seinen Autoren zählten Werfel, Meier-Graefe, Däubler, Schnitzler und Salten. Von 1925 bis 1933 war er Heinrich Manns Verleger. (Vorher hatte Mann seine Werke zur Hauptsache bei Langen, Cassirer und Wolff verlegen lassen; in den Exiljahren übernahm Querido den Verlag seiner Werke.)

12] *Beermann:* Der Verleger Gottfried Bermann Fischer.

18. 11. 1933

212   1] *Nice:* Heinrich Mann und Käthe Kollwitz waren am 15. 2. 1933 aus der Preußischen Akademie der Künste ausgeschlossen worden, weil sie, zusammen mit Albert Einstein, einen Aufruf zur Einigung der

Linksparteien und damit zur Abwendung der faschistischen Gefahr unterzeichnet hatten. Heinrich Mann nahm den Ausschluß als eine Warnung und floh am 21. 2. 1933 nach Frankreich; Nelly Kröger folgte ihm bald nach Nizza. Im August 1933 wurde ihm die deutsche Staatsangehörigkeit aberkannt. – Vgl. Thomas Manns Brief vom 26. 2. 1933 an Alfred Döblin.

2] ›Vorspiel‹: ›Höllenfahrt‹, Einleitung zur ›Joseph‹-Tetralogie, deren erster Band, ›Die Geschichten Jaakobs‹, am 10. 10. 1933 bei S. Fischer erschienen war.

3] *Anatole France,* eigentlich Jacques-Anatole Thibault (1844–1924): Heinrich Mann bezieht sich hier wohl vor allem auf den Roman ›La révolte des anges‹ (1914). Von France hatte er ›Histoire comique‹ (1903) übersetzt (›Komödiantengeschichte‹, München: Langen 1904).

4] *Robert Aron* (1898–1975): Französischer Schriftsteller. 1922 bis   213
1939 Mitarbeit bei den Editions de la N.R.F. Unter seinen Werken: ›La Révolution nécessaire‹, in Zusammenarbeit mit Arnaud Dandieu (1934); ›Victoire à Waterloo‹ (1937); ›Le piège où nous a pris l'Histoire‹ (1950); ›Histoire de Vichy‹ (1954); Histoire de la Libération de la France‹ (1959); ›De Gaulle‹ (1964).

5] *André Gide* (1869–1951) hatte sich Anfang der dreißiger Jahre den französischen Kommunisten angeschlossen, distanzierte sich aber wieder nach einer Reise in die Sowjetunion (1935).

6] *Schweizer Tournée:* 29. 1.–9. 2. 1934. Thomas Mann las meist seinen Vortrag über Wagner oder ›Das bunte Kleid‹ aus ›Joseph‹.

7] *Meine beiden Bücher:* Vermutlich Heinrich Mann, ›Das Bekenntnis zum Übernationalen‹, Berlin u. a.: Zsolnay 1933; ›Der Haß. Deutsche Zeitgeschichte‹, Amsterdam: Querido 1933.

8] *Nelly Kröger* (1898–1944): Spätere Frau Heinrich Manns (Heirat am 9. 9. 1939); vgl. Joachim Seyppel, ›Wer war Nelly Mann? Biographische Notizen zur zweiten Ehefrau Heinrich Manns‹, Heinrich-Mann-Jahrbuch, Bd. 4, Lübeck 1986, S. 39–55.

18. 11. 1933
1] *In beiderlei Gestalt:* Heinrich Mann, ›Der Haß. Deutsche Zeit-   214
geschichte‹, Essays, Amsterdam: Querido 1933. (Die französische Ausgabe unter dem Titel ›La Haine‹.) – Vgl. dazu Thomas Mann im Tagebuch am 15. 11. 1933: »Las abends in der französischen Ausgabe von Heinrichs Buch über die Deutsche Revolution.« – Am 17. 11. 1933 schreibt er: »Es kam ferner die deutsche Ausgabe von Heinrichs ›Der Haß‹. Ich las nach Tische darin, erschüttert von seinem Pathos trotz seinen Schwächen, Fehlern, realen Irrtümern. Dennoch bleibt das Beste darin der große Einleitungsaufsatz, dessen Aufnahme mein Verdienst ist. [...] Las auch abends noch lange in Heinrichs Buch, das einem oft heftig Genüge tut, oft mehr als freie Phantasie wirkt, denn als Analyse des Wirklichen, ab- oder weggleitend ins Irreale.«

2] *das Dokument des Petit Parisien:* ›Le Petit Parisien‹ war die größte
Tageszeitung der Dritten Republik. Sie erschien vom 15. 10. 1876 bis
zum 24. 8. 1944 hauptsächlich in Paris und war damit eine der wenigen
Zeitungen, die im Zweiten Weltkrieg erscheinen konnten. Am 16. und
17. 11. 1933 publizierte sie zwei Artikel unter dem Titel ›Le vrai visage
des maîtres du IIIe Reich‹. Es ging um Weisungen des Berliner Propa-
gandaministeriums an die auswärtigen Diplomaten, vor allem an jene
in Nord- und Südamerika. Das als vertraulich klassifizierte Dokument,
das die außenpolitischen Ziele des Nationalsozialismus vorgab und die
(noch aufzubauende) Organisation der Propaganda in jenen Ländern
beschrieb, wurde in französischer Sprache veröffentlicht und von Albert Jullien mit aller Schärfe kommentiert. Es löste das erwartete und
von vornherein als lügenhaft eingeschätzte Dementi Deutschlands aus,
das nur die Bestätigung von Authentizität bewirkte. Am 18. 11. 1933
folgte der Abdruck eines neuen Dementis, außerdem gab die Zeitung
zustimmende Meinungen aus der in- und ausländischen Presse zur
Affäre wieder. Nun schaltete sich Goebbels selbst ein, und es kam zu
einem Protest des deutschen Botschafters bei der französischen Regierung. ›Le Petit Parisien‹ veröffentlichte darauf am 22. 11. 1933, nicht
ohne Rekurs auf die in Frankreich geltende Pressefreiheit, den dritten
Teil des Dokuments. Weitere Äußerungen aus aller Welt gingen mit
der Empörung von ›Le Petit Parisien‹ einig; das notwendige Gehör fand
die Veröffentlichung, wie die Geschichte zeigt, aber nicht.
Am 18. 11. 1933 notierte Thomas Mann im Tagebuch: »Die Dokumen-
ten-Veröffentlichung des Petit Parisien verdirbt ein wenig, wenn auch
nicht hinreichend, Hitlers Friedens-Concept, das mindestens so gefälscht ist wie das Dokument.« – Am 25. 11. 1933: »Die intellektuelle
Schamlosigkeit der deutschen Machthaber ist immer wieder erregend.
Dem ›Temps‹ entnimmt man, daß der ›Völkische Beobachter‹ die Pu-
blikationen des ›Petit Parisien‹ mit der Erklärung pariert, es handle sich
um Kriegstreibereien im Dienste ›der Rüstungsindustrie‹. Sie sei es,
die um ihrer Geschäfte willen abscheulicher Weise die Erde Europas
mit dem Blute seiner Jugend zu düngen wünsche. Wer das bisher sagte
war antideutsch, war eine Friedenshyäne, ein Pazifist und Verräter,
geradezu ein Republikaner und muß heute im Concentr. Lager
schreien: ›Ich war ein Kommunistenschwein.‹ Die freche Aneignung
der niedergestampften Gesinnung ist nicht mehr neu, hört aber nicht
auf, erstaunlich zu sein. Offenbar wird sie mit Genuß geübt. Auf den
idiotischen Cynismus aufmerksam machen, darf niemand.–«
3] *Deine Fragen von neulich:* Vgl. den Brief Heinrich Manns vom 3. /
4. 11. 1933 an Thomas Mann.
4] *Rascher:* Der Zürcher Verlag Rascher & Cie. bemühte sich im
Herbst 1933 um einen Essayband von Thomas Mann. Diesem war Ra-
schers Vorhaben willkommen, doch Gottfried Bermann Fischer war
nicht bereit, die Verlagsrechte abzutreten. Vgl. dazu den Brief Thomas
Manns vom 19. [= 9.] 7. 1933 an Gottfried Bermann Fischer.

5] *seit Sanary:* Vom 12. 6. bis 22. 9. 1933 wohnte Thomas Mann mit   215
seiner Familie in Sanary-sur-Mer, das damals zum Sammelpunkt emi-
grierter Schriftsteller wurde.

25. 12. 1933
1] *einige Seiten Deines Buches:* ›Die Geschichten Jaakobs‹.   215
2] *Im Sommer:* Thomas Mann hatte sich im Mai 1933 in Bandol an der
Côte d'Azur niedergelassen. Im Juni zog er nach Sanary-sur-Mer um.
Im Oktober 1933 nahm er in Küsnacht bei Zürich Wohnsitz.
3] *Ferdinand Bruckner,* eigentlich Theodor Tagger (1891–1958):   216
Dramatiker und Dramaturg. 1917 Herausgeber der Monatsschrift
›Marsyas‹. 1923 Oberspielleiter des Renaissance-Theaters in Berlin.
Emigrierte 1933 nach Frankreich, 1939 nach New York. Unter seinen
Werken: ›Die Vollendung eines Herzens‹, Novelle (1917); ›1920 oder
Die Komödie vom Untergang der Welt‹ (1920); ›Krankheit der Jugend‹,
Schauspiel (1928); ›Die Verbrecher‹, Schauspiel (1929); ›Die Kreatur‹,
Schauspiel (1930); ›Elisabeth von England‹, Schauspiel (1930); ›Timon‹,
Tragödie (1932); ›Die Marquise von O.‹, Schauspiel (1933); ›Napo-
leon I.‹, Drama (1936); ›Die Befreiten‹, Schauspiel (1945); ›Simon Boli-
var‹, Schauspiel (1945); ›Fährten‹, Schauspiel (1948). – Gemeint ist hier
vermutlich das Schauspiel ›Die Rassen‹ (1933).
4] *Golo Mann* (1909–1994): Zweiter Sohn Thomas Manns. Historiker. 1933–1936 Lehrer für deutsche Literatur und Geschichte an der
Ecole Normale Supérieure, St. Cloud. 1937–1940 Dozent an der Universität Rennes. Mitredakteur der von Thomas Mann und Konrad
Falke herausgegebenen Zeitschrift ›Mass und Wert‹ in Zürich. Meldete
sich im Mai 1940 als Kriegsfreiwilliger; im Spätherbst Flucht in die
USA. Dort Professor an den Colleges von Olivet/Michigan und Clare-
mont/Californien. 1958–1959 Gastprofessor in Münster. 1960–1964
Professor für Politische Wissenschaft an der Technischen Hochschule
in Stuttgart. Zuletzt als Privatgelehrter und Publizist in Kilchberg am
Zürichsee. Unter seinen Werken: ›Friedrich von Gentz, Geschichte
eines europäischen Staatsmannes‹ (1947); ›Vom Geist Amerikas, Eine
Einführung in amerikanisches Denken und Handeln im 20. Jahrhundert‹ (1954); ›Deutsche Geschichte des 19. und 20. Jahrhunderts‹
(1958); ›Geschichte und Geschichten‹, Essays (1961); ›Wallenstein‹
(1971); ›Erinnerungen und Gedanken. Eine Jugend in Deutschland‹
(1986); ›Wir alle sind, was wir gelesen. Aufsätze und Reden zur Literatur‹ (1989). Herausgeber der Propyläen-Weltgeschichte. 1963–1980
Mitherausgeber der ›Neuen Rundschau‹.

25. 1. 1934
1] *Paul Graetz* (1890–1937): Kabarettist, Schauspieler. Trat in den   216
zwanziger Jahren im Berliner Kabarett ›Schall und Rauch‹ auf (Friedrich Hollaender/Kurt Tucholsky). Gehörte um 1930 zur Equipe des
›Kabaretts der Komiker‹ (mit Curt Bois, Paul Morgan, Siegfried Arno).

Wirkte 1927 im Ufa-Stummfilm ›Monna Vanna‹ mit (Regie: Richard Eichberg), 1927 im Sportlustspiel ›Der große Sprung‹ (zusammen mit Luis Trenker). Emigrierte 1933 nach England, wo er in der englischen Verfilmung des Feuchtwanger-Romans ›Jud Süß‹ auftrat (Regie: Lothar Mendes); Veit Harlan stellte später die berüchtigte NS-Version des gleichen Stoffes her. Um 1935 ging Graetz nach Hollywood, wo er in ›Mr. Cohn Takes a Walk‹ (Regie: Irving Asher) mitwirkte. Offenbar war er von Ernst Lubitsch für den Garbo-Film ›Ninotschka‹ (1938/39) als Mitakteur vorgesehen, doch starb er unmittelbar vor Beginn der Dreharbeiten.

2] *Pressechef des Circus Busch:* Karl Lemke (1895–1969), Publizist und Schriftsteller. (Schrieb unter den Pseudonymen Fr. Massan, Charles Scott, Role.) 1918 Redakteur an der Königsberger ›Ostpreußischen Zeitung‹. Seit 1924 freier Schriftsteller, 1930 in Freiburg im Breisgau, 1936 in Breisach am Rhein, von wo aus er über die Postämter Colmar und Basel mit einigen emigrierten Schriftstellern in Verbindung blieb. 1939 Übersiedlung nach München. Seit 1946 Redaktor an den ›Jüdischen Nachrichten‹. Lemke lernte Heinrich Mann in den späten zwanziger Jahren in Berlin kennen. Er setzte sich noch 1933, nach Heinrichs Flucht, mit einer Flugschrift ›Damit Heinrich Mann gelesen wird‹ für den Freund ein. 1946 erschien sein Essay über ›Heinrich Mann‹; vgl. Heinrich Mann, ›Briefe an Karl Lemke und Klaus Pinkus‹, hrsg. von der Deutschen Akademie der Künste (Berlin), Hamburg: Claassen 1964. Unter seinen Werken: ›Samo und Sämlinde‹, Novelle (1917); ›Claus der Seemann‹, Roman (1938); ›Ambra‹, Roman (1940); ›Die Reise ins Glück‹, Roman (1940); ›Zug der Zeit‹, Gedichte (1943); ›Meister des Wortes‹, Essays (1946); ›Erlebnis in Paris‹, Reisebericht (1961).

3] *Balder Olden* (1882–1949): Schriftsteller. Bruder von Rudolf Olden. Emigrierte 1933 über die Tschechoslowakei, Frankreich, Argentinien nach Uruguay. Mitglied im Ehrenpräsidium des Lateinamerikanischen Komitees ›Freies Deutschland‹, dem auch Heinrich Mann angehörte. Starb in Montevideo. Zahlreiche Erlebnis- und Liebesromane: ›Kilimandscharo‹ (1922); ›Ich bin Ich‹ (1927); ›Das Herz mit einem Traum genährt‹ (1929). – Es handelt sich hier um den Roman ›Dawn of Darkness‹, London 1933 (dt. ›Anbruch der Finsternis. Roman eines Nazi‹, Berlin 1981). Der Roman, der Deutschland in der Zeit von Dezember 1932 bis Mai 1933 schildert, veranlaßte die Nationalsozialisten, Olden auszubürgern und seine Bücher zu verbrennen.

4] *Arbeit Golo's:* Wohl Golo Mann, ›Ernst Jünger‹, in: Die Sammlung, Literarische Monatsschrift unter dem Patronat von André Gide, Aldous Huxley, Heinrich Mann, hrsg. von Klaus Mann. Jg. 1, Heft 5, Amsterdam (Januar) 1934, S. 249–259. Es könnte sich aber auch um den Aufsatz ›Wallenstein und die deutsche Politik‹ handeln, der in Heft 10, S. 509–517, erschienen ist. (Wiederabdruck der ›Sammlung‹ durch Kraus Reprint, Nendeln/Liechtenstein 1970.)

5] *Wassermann:* Jakob Wassermann (geb. 1873) war in den Morgen-
stunden des 1.1.1934 in Altaussee gestorben. Obwohl bereits schwer
leidend, hatte er kurz vorher noch eine Vortragsreise in Holland absolviert. In seinen letzten Lebensjahren wurde Wassermann von seiner
ersten Gattin Julie Wassermann-Speyer in endlose Prozesse und
Rechtsstreitigkeiten verwickelt. Wassermann schildert diesen Konflikt
in seinem autobiographischen Schlüsselroman ›Joseph Kerkhovens
dritte Existenz‹, dem dritten Roman der Etzel-Andergast-Trilogie. Julie, die darin unverkennbar porträtiert ist, versuchte das Erscheinen des
Buches zu verhindern, indem sie den S. Fischer Verlag und andere Verlage mit Schadenersatz-Prozessen bedrohte. Der Roman erschien erst
nach Wassermanns Tod 1934 im Querido-Verlag, Amsterdam. Vgl.
Wassermanns Brief an Gottfried Bermann Fischer vom 27.12.1933.
6] *Dein Buch:* Thomas Mann, ›Die Geschichten Jaakobs‹, 1934: 1. bis
25. Tausend.
7] *meinem grossen König:* Heinrich Mann, ›Die Jugend des Königs
Henri Quatre‹, Amsterdam: Querido 1935.
8] *Geistesfreiheit:* Vgl. Heinrich Mann, ›Denken nach Vorschrift‹,
Die Neue Weltbühne, Prag, Zürich, Paris, 8.3.1934. Die amerikanische Zeitschrift konnte nicht ermittelt werden.
9] *Vorgang eines Systemwechsels:* Heinrich Mann, ›Changement de
régime‹, La Dépêche, Toulouse, 7.3.1934.

5.3.1934
1] *30. Januar:* Der Brief ist nicht ermittelt.
2] *Mein Roman:* ›Henri Quatre‹.
3] »*Um etwas Bleibendes zu machen...*«: Nicht ermittelt. Heinrich
Mann zitiert den Satz auch in ›Nietzsche‹, Mass und Wert, Jg. 2,
Heft 3, Zürich, Januar/Februar 1939, S. 302.
4] *einen ersten Roman:* Heinrich Mann, ›Die Jugend des Königs Henri
Quatre‹, Amsterdam: Querido 1935.
5] *Der 3. Band:* Thomas Mann, ›Joseph in Ägypten‹, Wien: Bermann
Fischer 1936.
6] *Essai-Band:* Thomas Mann, ›Leiden und Größe der Meister‹, Berlin: S. Fischer 1935.
7] *Ligue:* Die gegen die Hugenotten gerichtete Heilige Liga wurde
1576 von den Geusen gegründet.
8] *Georges Boulanger* (1837–1891): Französischer General und Politiker. 1888 aus der Armee entfernt. Unterstützt von den Boulangisten
und den Monarchisten, forderte er eine Revision der Verfassung,
wurde aber 1889 wegen seiner Staatsstreichpläne angeklagt und floh
nach Brüssel.
9] *Heinz Liepmann* (1905–1966): Schriftsteller und Journalist. 1934
nach Holland, dort wegen seines in Holland veröffentlichten antifa-
schistischen Buches ›Das Vaterland‹ verhaftet und wegen »vorsätz-
licher Beleidigung eines mit Holland befreundeten Staates« zu einem

Monat Gefängnis verurteilt; nach der Haft nach Belgien abgeschoben. 1935 Frankreich, 1936 England. Mitarbeiter der ›Neuen Weltbühne‹. 1937 bis 1947 USA. Mitarbeiter an verschiedenen amerikanischen Zeitschriften. Später in Hamburg. Unter seinen Werken: ›Das Vaterland‹, Roman (1933); ›... wird mit dem Tode bestraft‹, Roman (1935); ›Death from the Skies‹ (1938).

10] *Naturalisirung:* Am 16. 11. 1935 schreibt René Schickele an Thomas Mann: »Ihr Bruder wäre längst naturalisiert, wenn nicht dieser Stavisky dazwischengekommen wäre. Sarraut hängte einfach ab... Nun muß erst der *dreijährige* Aufenthalt in Frankreich ›gegeben‹ sein.« (Brw. Schickele 89.) Alexandre Stavisky, ein rumänischer Hochstapler, hatte sich, da er in einen Korruptionsskandal verwickelt war, im Februar 1934 erschossen. Infolge dieses Skandals wurden mehrere Minister des Kabinetts Daladier kompromittiert und – wie Daladier selbst – zum Rücktritt gezwungen. Die französischen Behörden nahmen die Stavisky-Affäre zum Anlaß, die Fremdengesetze schärfer als bisher zu handhaben. Heinrich Mann mußte, trotz seiner persönlichen Beziehungen zu den Brüdern Maurice und Albert Sarraut (Politiker und Herausgeber von ›La Dépêche‹ in Toulouse), wie alle anderen Emigranten, die gesetzlichen Bedingungen erfüllen, um die französische Staatsbürgerschaft zu erhalten.

11] *Florenz:* Angeregt durch die Berichte seines Münchner Freundes Alfred Neumann und dessen Frau, die 1933 nach Florenz emigriert waren, erwogen Thomas und Katja Mann im Januar/Februar 1934, ob sie sich ebenfalls dort niederlassen sollten. Vgl. Thomas Manns Brief an René Schickele vom 2. 2. 1934 und an Alexander Moritz Frey vom 4. 2. 1934.

12] *Schickele:* René Schickele und seine Frau Anna zogen im März 1934 von Sanary-sur-Mer nach Nice-Fabron um und mieteten dort die Villa »La Florida«, Chemin de la Lanterne. Dieser Umzug erfolgte aus gesundheitlichen Gründen: sowohl Schickele als auch sein Sohn Hans litten an schwerem Asthma. Siehe Schickeles Tagebuch vom 11. 1. 1934.

13] *im Sommer:* Thomas Mann reiste erst im August/September 1936 wieder nach Südfrankreich.

14] *der junge Hans:* Hans Schickele, der zweite Sohn René Schickeles, der damals an der Ecole des beaux-arts in Nizza Architektur studierte und heute mit seiner Familie in Berkeley/Kalifornien wohnt.

15] *Klaus Pinkus:* Bekannt durch seine Briefwechsel mit Robert Musil und Heinrich Mann (vgl. ›Briefe an Karl Lemke und Klaus Pinkus‹, Hamburg 1964).

16] *Hjalmar Schacht* (1877–1970): Bankier und Politiker. 1924 bis 1929 Reichsbankpräsident. Förderte später die Bildung der Regierung Hitler. 1933 bis 1939 erneut Reichsbankpräsident, 1934 bis 1937 Reichswirtschaftsminister, dann Reichsminister ohne Geschäftsbereich. 1944/45 im Konzentrationslager. 1946 im Nürnberger Prozeß freigesprochen. 1948 von den deutschen Behörden verhaftet. 1953 Mitinhaber eines privaten Bankhauses in Düsseldorf. Unter seinen Werken: ›Abrechnung mit Hitler‹ (1948); ›76 Jahre meines Lebens‹ (1953).

17] »*Dr Paul Aron*«: Nähere Angaben waren nicht zu ermitteln. Gemeint ist möglicherweise Robert Aron, der 1933–1938 mit Arnaud Dandieu die Zeitschrift ›L'ordre nouveau‹ herausgab.

19. 4. 1934

1] Anlage dieses Briefes ist ein Zeitungsausschnitt: ›Révolutions 221 vraies et fausses‹ von Guglielmo Ferrero; nach einer handschriftlichen Anmerkung Heinrich Manns vermutlich aus der ›Dépêche de Toulouse‹ vom 15. 4. 1934.

2] *Theodor Tagger:* Ferdinand Bruckner.

3] *Gustav Hartung* (1887–1946): Regisseur. Wirkte als Oberspielleiter oder Schauspieldirektor u. a. in Köln und Darmstadt. Gründer der Heidelberger Festspiele (1926, mit R. K. Goldschmit). 1927–1933 Intendant des Berliner Renaissance-Theaters. Emigrierte über Zürich nach Basel, wo er als Regisseur am Stadttheater tätig war. – Heinrich Mann war von Gustav Hartung, der zu jener Zeit Direktor des Zürcher Schauspielhauses war, zu einem Vortrag eingeladen worden. Thomas Mann sprang für ihn ein mit dem Vortrag ›Goethe als Repräsentant des bürgerlichen Zeitalters‹. Vgl. Tagebuch vom 23. 4. 1934.

4] *von meinem Roman:* ›Die Jugend des Königs Henri Quatre‹.

5] *Sanary:* Der gemeinsame Aufenthalt kam nicht zustande. Thomas Mann reiste im Mai erstmals nach den Vereinigten Staaten. Im Juli nahm er am Internationalen Kunst-Kongreß in Venedig teil.

13. 5. 1934

1] *Amerika:* Vom 29. 5. bis 8. 6. 1934 weilte Thomas Mann zum ersten 222 Mal in den Vereinigten Staaten, und zwar auf Einladung des Verlegers Alfred A. Knopf aus Anlaß der amerikanischen Ausgabe der ›Geschichten Jaakobs‹ in der Übersetzung von Helen T. Lowe-Porter.

2] *In Deinem Brief:* Nicht erhalten.

3] *Oskar Ludwig Levy* (1867–1946): Nietzsche-Forscher; Herausgeber von: ›The Complete Works of Friedrich Nietzsche‹, 18 Bände, Edinburgh and London 1909–1913. Mit Heinrich Mann befreundet, auch mit Thomas Mann gut bekannt.

4] *Verkehr mit Schickele:* Am 25. 1. 1934 schreibt René Schickele an Thomas Mann: »Über den Aufsatz von H. M. in der letzten ›Sammlung‹ bin ich entsetzt. Ich beneide ihn nicht um die Ruhe, mit der er dem Krieg entgegensieht. Und dass die Schrecken eines solchen Unternehmens ein nationalsozialistischer Einschüchterungsversuch sein sollen, das dürfte den beiden friedwilligsten Völkern der Erde, Frankreich und Russland, keineswegs einleuchten. Es liegt im Gesetz dieser Emigration, dass ihre politischen Wortführer unweigerlich auf die extremsten Flügel gedrängt werden, zu den Nationalisten oder zu den Kommunisten. Doch wehe dem Nationalisten, der es wagen würde, in der französischen Kammer das zu sagen, was H. M. in seinem Aufsatz so gemütsruhig ausspricht! Er würde ›von einem Sturm der Entrüstung weggefegt werden‹. Ich mag ihm gar nicht darüber schreiben und muss abwarten, bis ich ihn sprechen kann. Leider verstehn wir einander immer weniger.« (Brw. Schickele 54)

223   5] *Arnold Zweig* (1887–1968): Schriftsteller. Studierte in München Germanistik. 1914 Kleist-Preis. Ließ sich nach Kriegsende am Starnberger See als freier Schriftsteller nieder. 1923 bis 1933 in Berlin. 1933 Emigration nach Haifa. 1948 Rückkehr nach Ostberlin, wo er Präsident der Deutschen Akademie der Künste wurde. – Unter seinen Werken: ›Novellen um Claudia‹ (1912); ›Abigail und Nabal‹, Tragödie (1913); Romanzyklus, in dem die Zeit des Ersten Weltkriegs analysiert werden sollte: ›Der Streit um den Sergeanten Grischa‹ (1927); ›Junge Frau von 1914‹ (1931); ›Erziehung vor Verdun‹ (1935); ›Einsetzung eines Königs‹ (1937).

27. 6. 1934

223   1] *New York Herald:* Dorothy Thompson, ›The most eminent living man of letters, Thomas Mann gives an old tale new beauty and significance: Joseph and his Brothers‹, New York Herald Tribune, 10. 6. 1934.

2] *Carl von Ossietzky* (1889–1938): Journalist. Sekretär der ›Deutschen Friedensgesellschaft‹. 1927 Hauptschriftleiter der ›Weltbühne‹ als Nachfolger Siegfried Jacobsohns. Kritisierte als Pazifist die deutsche Rüstung. 1931 wegen Landesverrats zu einer Gefängnisstrafe verurteilt, 1932 amnestiert. Seit 1933 in Konzentrationslagern. Erhielt 1936 den Friedens-Nobelpreis, worauf die nationalsozialistische Regierung allen Reichsdeutschen die Annahme des Nobelpreises verbot. Heinrich und Thomas Mann haben eine Reihe von Artikeln über Ossietzky geschrieben. Zu Ossietzky vgl. Kurt R. Grossmann, ›Ossietzky, Ein deutscher Patriot‹, München 1963.

2. 7. 1934

224   1] *Max Pallenberg* (1877–1934): Schauspieler. Als Charakterkomiker in Wien, München und Berlin tätig. Seit 1918 mit Fritzi Massary verheiratet. Starb am 26. 6. 1934 bei einem Flugzeugabsturz in Karlsbad.

2] *Berliner Greuel:* Ernst Röhm, Stabschef der SA, wurde am 30. 6. 1934 nach Hitlers Weisung zusammen mit andern SA-Männern von der SS erschossen. Daß er einen Putsch geplant hatte, ist nicht zu erweisen. Vgl. Thomas Manns Tagebuch, 30. 6.–12. 7. 1934.

3] *Fritzi Massary*, eigentlich Masareck (1882–1969): Operettensängerin und Schauspielerin. In Wien geboren, mit Max Pallenberg verheiratet. Berühmt durch ihre Auftritte in Berlin (bis 1933) und Wien.

Hauptrollen in Operetten von Lehár, Kálmán, Fall, Oscar Straus, Offenbach. Später in Beverly Hills/Kalifornien.

5.7.1934

1] *Prof. Böök:* Der schwedische Germanist Martin Fredrik Böök   224
(1883–1961), Mitglied der schwedischen Akademie, setzte sich 1929
maßgebend für die Verleihung des Nobelpreises an Thomas Mann ein.
– Über Thomas Manns persönliche Beziehung zu Böök vgl. Georg
C. Schoolfield, ›Thomas Mann und Fredrik Böök‹, in: ›Deutsche Weltliteratur – Festgabe für J. Alan Pfeffer‹, Tübingen 1972, S. 158–188.

2] *Hermann Stehr* (1864–1940): Erzähler. Seit 1926 Mitglied der   225
Preußischen »Dichterakademie«. War nach dem Ersten Weltkrieg
berühmt geworden durch seinen 1918 erschienenen Roman ›Der Hei-
ligenhof‹, stand aber, als Autor des S. Fischer Verlags, im Schatten
Gerhart Hauptmanns. Unter Stehrs Werken: ›Der Schindelmacher‹,
Novelle (1899); ›Leonore Griebel‹, Roman (1900); ›Der begrabene
Gott‹, Roman (1905); ›Drei Nächte‹, Roman (1909); ›Peter Brindeise-
ner‹, Roman (1924); ›Das Geschlecht der Maechler‹, Roman-Trilogie
(1929, 1933, 1944); ›Mein Leben‹, Autobiographie (1934).

3] *Hermann Hesse:* Vgl. den Brief Thomas Manns vom 4.2.1934 an
Martin Fredrik Böök, worin er den Wunsch äußert, daß man in diesem
Jahr Hermann Hesse den Nobelpreis verleihen möge. »Indem Sie ihn
wählten, würden Sie die Schweiz zusammen mit dem älteren, wahren,
reinen, heiligen, ewigen Deutschland ehren.« Im Brief vom 18.7.1934
an Martin Fredrik Böök richtet Thomas Mann noch einmal die Aufmerksamkeit auf Hermann Hesse als möglichen Kandidaten für den
Nobelpreis. »Man würde etwas echt und unzweifelhaft Deutsches vor
der Welt ehren und krönen, ohne sich dem Mißverständnis auszusetzen, daß man etwas anderes *mit* zu ehren und krönen beabsichtige.«

4] *an Franks in Sanary:* Der Schriftsteller Bruno Frank und seine Gattin Elisabeth (Liesl) lebten, nachdem sie Deutschland am Tag nach dem
Reichstagsbrand (27.2.1933) verlassen hatten, vorübergehend in Sanary-sur-Mer. Pallenbergs Witwe, die berühmte Operettendiva Fritzi
Massary, war die Mutter von Liesl Frank. – Vgl. dazu auch Thomas
Mann im Tagebuch am 27.6.1934: »Zeitungsmeldung vom Tode Pallenbergs, herbeigeführt durch ein Flugzeug-Unglück. Ein schaurig-
kraus-genialisches Virtuosengewächs ist dahin und fehlt dem Welt-
bild. Telegramm an Franks in Sanary.«

5] *Blut-Obszönitäten:* Ermordung Ernst Röhms 30.6.1934.

6] *Dankesrede:* Thomas Mann, ›American Address, At the Testimonial Dinner in New York on his 59th Birthday on June 6, 1934‹, Satur-
day Review of Literature, Bd. 10, Nr. 48, New York, 16.6.1934,
S. 749f., 754.

7] *La Guardia:* Fiorello La Guardia (1882–1947), war von 1933 bis   226
1945 Oberbürgermeister von New York.

8] *George Groß:* Der Maler und Grafiker George Grosz (eigentl.

Georg Ehrenfried, 1893–1959), ging 1932 in die Vereinigten Staaten, lebte in New York, war an der Dada-Bewegung beteiligt und nahm vom Futurismus wesentliche Anregungen auf. Seine ehemals klassenkämpferische Haltung gab er in Amerika zugunsten eines anspruchslosen Realismus auf. Unter seinen Werken: ›Ecce homo‹ (1922); ›Das Gesicht der herrschenden Klasse‹ (1923); ›Die Gezeichneten‹ (1930); daneben Bildnisse von Max Herrmann-Neisse (1925); Max Schmeling (1926).

9] *Aufsatz über die Demokratie:* Heinrich Mann, ›Revolutionäre Demokratie‹, Europäische Hefte, Jg. 1, H. 8, Prag 1934, S. 208 ff.

10] *Königsroman:* Heinrich Mann, ›Die Jugend des Königs Henri Quatre‹.

6. 9. 1934

226 1] *in Deinen dritten Band vertieft:* ›Joseph in Ägypten‹.

2] *in meinen ersten [Band]:* ›Die Jugend des Königs Henri Quatre‹.

3] *Josephs-Film:* Am 11. 8. 1934 schreibt Thomas Mann an Stephan Zweig: »Eine Londoner Film-Firma, die London-Film-Production, deren Dramaturg der mir bekannte ungarische Schriftsteller Ludwig Biro ist, hat sich an mich gewandt wegen der Verfilmung meines biblischen Romanes.« Ein Optionsvertrag zu den von Thomas Mann gewünschten Bedingungen wurde schließlich abgeschlossen, die Verfilmung selbst kam aber nicht zustande.

227 4] *King Vidor* (1896–1982): Filmregisseur. Drehte bis 1935 folgende Filme: ›Turn in the Road‹ (1920); ›The Sky Pilot‹ (1921); ›Three Wise Fools‹ (1923); ›The Big Parade‹ (1925); ›La Bohème‹ (1926); ›The Crowd‹ (1928); ›Hallelujah‹ (1929); ›Billy the Kid‹ (1930); ›The Champ‹ (1931); ›Bird of Paradise‹ (1932); ›Our Daily Bread‹ (1935).

11. 9. 1934

227 1] »*Sammlung*«: Heinrich Mann, ›Sammlung der Kräfte‹, Die Sammlung, Jg. 2, H. 1, Amsterdam, Sept. 1934, S. 1–9 (geschrieben vom 25. 7. bis 2. 8. 1934 in Bagnères de Bigorre).

2] *Besuch aus dem Reich:* Thomas Mann wurde in jenen Tagen z. B. von Alfred Neumann, Peter Pringsheim, Prof. Perron (München), Dr. Erich Knoche (Zahnarzt aus München), Emil Preetorius, Annette Kolb, Wilhelm Kiefer, Carl Zuckmayer, Gottfried Bermann Fischer u. a. besucht.

3] *Studentenschaft:* Vgl. dazu Thomas Mann im Tagebuch am 7. 8. 1934: »Der ›Stürmer‹ ist für 14 Tage verboten worden. [...] Der Grund ist angeblich eine Beleidigung Masaryks, in Wirklichkeit ein Studentenbrief, der die oppositionelle Stimmung in der Münchener Universität plump verrät. (Siehe die Forderung nach einem Kolleg über mich.)«

4] »*Stürmer*«: ›Der Stürmer, Deutsches Wochenblatt zum Kampfe um die Wahrheit‹, herausgegeben vom nationalsozialistischen Gauleiter von Franken, Julius Streicher (1885–1946).

5] *Thomas Garrigue Masaryk* (1850–1937): Präsident der Tschechoslowakischen Republik. Gründer der ČSR und seit 1917 ununterbrochen ihr Staatspräsident. Aus Altersgründen trat er am 14.12.1935 zurück.

6] *Romanow:* Das russische Herrscherhaus, das 1613–1730 und in 228 der Linie Romanow-Holstein-Gottorp bis 1917 regierte.

7] *Goethe sagte einfach:* Vgl. den Brief Wilhelm von Humboldts vom 17./18.11.1808 an seine Frau: »Er [= Goethe] versicherte darum, daß er sich nicht mehr um andere bekümmern, sondern nur seinen Gang gehen wolle, und treibt es so weit, daß er versichert, der beste Rat, der zu geben sei, sei, die Deutschen wie die Juden, in alle Welt zu zerstreuen, nur auswärts seien sie noch erträglich.« – Vgl. ›Lotte in Weimar‹ (II 665).

8] *»eine abweisende Gestalt«:* »[…] aber fester als alles die eine abweisende Gestalt.« Der Satz bezieht sich auf Goethe. In: Heinrich Mann, ›Sammlung der Kräfte‹, Die Sammlung, Jg. 2, H. 1, Amsterdam, Sept. 1934, S. 8.

9] *Alexander Viller:* ›Briefe eines Unbekannten‹. Auswahl aus den Briefen des Alexander Heinrich von Villers (1812–1880). Thomas Mann besaß die zweibändige Ausgabe, aus dem Nachlaß neu herausgegeben von Karl Graf Lanckoronski & Wilhelm Weigand, Leipzig: Insel-Verlag 1910.

10] *große alttestamentliche Schau:* Gemeint ist der Film ›The Eternal Road‹ (›Der Weg der Verheißung‹). Max Reinhardt führte Regie, Franz Werfel schrieb den Text (›Der Weg der Verheißung, Ein Bibelspiel in vier Teilen‹, in: Franz Werfel, ›Die Dramen‹, Bd. 2, Frankfurt: S. Fischer 1959), und Kurt Weill komponierte die Musik. Uraufführung: 7.1.–1/.5.1937 in New York, Manhattan Opera House. – Vgl. dazu auch Thomas Mann im Tagebuch am 25.8.1934: »Weitere Post, u.a. von Zweig, der mir in Sachen der London Film Produktion ›zuzugreifen‹ rät, da ein jüdisch-erzväterlicher Monstre-Film von Werfel-Reinhardt unterwegs sei.« Vgl. ferner: Edda Fuhrich-Leisler und Gisela Prossnitz, ›Max Reinhardt in Amerika‹, Publikation der Max Reinhardt-Forschungsstätte V, Salzburg: Otto Müller Verlag 1976, S. 135–179.

11] *Kampf- und Bekenntnisschrift:* Thomas Mann erwähnt im April 229 1934 wiederholt seinen Plan, ein »Buch über Deutschland zu schreiben« (vgl. ›Dichter über ihre Dichtungen, Thomas Mann, Teil II‹, München 1979, 431–435). Am 10.8.1934 schreibt er z. B. an René Schickele (Br. I, 371): »Die Tagesereignisse, die Vorgänge in Deutschland üben beständig einen so scharfen Reiz auf mein moralisches, kritisches Gewissen aus, daß die Arbeit an meinem 3. Band völlig stockt und ich im Begriffe bin, sie hinzuwerfen, um mich einer politischen Bekenntnis- und Kampfschrift hinzugeben, durch die ich mir rücksichtslos das Herz erleichtern, Revanche für alle in diesen 1½ Jahren erlittene geistige Unbill nehmen und gegen das Regime vielleicht einen

Schlag führen könnte, den es spüren würde. Natürlich ist es mir leid und weh um den Roman, der ohnehin übertragen und verschleppt ist, und ich fühle wohl, wieviel gegen eine solche Investition an Zeit und Kräften spricht.« – Vgl. dazu den Eintrag am 31. 7. 1934 im Tagebuch: »Der Gedanke, über Deutschland zu schreiben, meine Seele zu retten in einem gründlichen offenen Brief an die ›Times‹, worin ich die Welt und namentlich das zurückhaltende England beschwören will, ein Ende zu machen mit dem Schand-Regime in Berlin, – dieser Gedanke, wach geworden oder wieder erwacht in den letzten Tagen, läßt mich nicht los, beschäftigt mich tief. Vielleicht ist es wirklich die rechte Stunde dafür, vielleicht kann gerade ich zur notwendigen Wende und zur Wiedereinführung Deutschlands in die Gemeinschaft gesitteter Völker mit verhelfen?«

12] *Essayband:* Thomas Mann, ›Leiden und Größe der Meister‹, Essays, Berlin, S. Fischer 1935.

13] *Feuilleton:* Thomas Mann, ›Meerfahrt mit Don Quijote‹, erstmals publiziert in der ›Neuen Zürcher Zeitung‹ vom 5.–15. 11. 1934, später als Schlußstück aufgenommen in den Essay-Band ›Leiden und Größe der Meister‹.

14] *Dein Roman:* Heinrich Mann, ›Die Jugend des Königs Henri Quatre‹.

15] *Korrekturbogen:* Klaus Mann, ›Flucht in den Norden‹, Roman, Amsterdam: Querido 1934. Thomas Mann begann mit der Lektüre der Korrekturbogen am 5. 9. 1934. Vgl. dazu den Eintrag im Tagebuch: »Habe Klaus' ›Flucht in den Norden‹ zu lesen begonnen. Anmutig.«

20. 9. 1934

230 1] *Artikel:* Vielleicht: ›Une nation tragique‹, La Dépêche, Toulouse, 7. 10. 1934, oder ›Verfall einer geistigen Welt‹, Die Neue Weltbühne, Prag u. a. 6. 12. 1934.

2] *Victor-Henri de Rochefort* (1830–1913): Republikanischer Politiker. Nach der Revolution vom 4. 9. 1871 Mitglied der Regierung der nationalen Verteidigung; nahm am Aufstand der Commune teil. Bekämpfte seit 1880 in seiner Zeitschrift ›L'Intransigeant‹ die Politik Gambettas und Ferrys. Schloß sich 1887 Boulanger an. – Zitat nicht ermittelt.

3] *in der französischen Zeitung:* Vermutlich Heinrich Mann, ›Liberté et nation‹, La Dépêche, Toulouse, 30. 10. 1934.

4] *Prag:* Heinrich Mann weilte im Oktober 1934 in Prag, hielt dort am 19. 10. 1934 den Vortrag ›Nation und Freiheit‹ und war Ehrengast eines vom tschechoslowakischen PEN-Clubs veranstalteten Banketts.

13. 12. 1934

231 1] *Plauderei:* Vgl. 11. 9. 34, Anm. 13.

2] *Baseler Nationalzeitung:* Thomas Mann hat am 11. 11. 1934 in Basel am ›Tag der Völkerverständigung‹, einer Kundgebung der ›Europa-Union‹, teilgenommen und auch eine Rede gehalten. Vgl. dazu Hans Wysling, Thomas Manns Rede vor der ›Europa-Union‹ in Basel, Blätter der Thomas-Mann-Gesellschaft Zürich, Nr. 20, 1983/84, S. 5–13. Hier ist auch die Rede Thomas Manns abgedruckt sowie der Bericht der Basler National-Zeitung vom 12. 11. 1934.

3] *Goschi:* Die Tochter Carla Maria Henriette Leonie aus Heinrich Manns erster Ehe mit der Schauspielerin Maria Kanova.

4] *einen Vortrag:* Ob dieser Vortrag vor den Basler Studenten stattgefunden hat, konnte nicht ermittelt werden.

5] *»Madame Legros«:* Heinrich Mann, ›Madame Legros‹, Drama in drei Akten, Berlin: Cassirer 1913.

6] *»Pfeffermühle«:* Erika Mann hatte am 1. 10. 1933 ihr Kabarett ›Die Pfeffermühle‹ im Zürcher Niederdorflokal ›Zum Hirschen‹ wiedereröffnet. Anläßlich der Aufführungen vom November 1934 im Kursaal Zürich kam es zu Störungsversuchen der Nationalen Front (vgl. Neue Zürcher Zeitung vom 19. bis 25. 11. 1934).

7] *im Januar:* Vom 19. bis 31. 1. 1935 war Thomas Mann auf einer Vortragsreise, die ihn nach Prag, Brünn, Wien und Budapest führte. Er las den Aufsatz ›Leiden und Größe Richard Wagners‹.

17. 12. 1934

1] *Roman:* Heinrich Mann, ›Die Jugend des Königs Henri Quatre‹,   233
Amsterdam: Querido 1935.

2] *›Sieg und Auflösung‹:* Der zweite Band des Königs-Romans kam 1938 unter dem Titel ›Die Vollendung des Königs Henri Quatre‹ heraus. Das Manuskript wurde am 16. 8. 1938 in Nizza abgeschlossen. Ein Vorabdruck erschien in der ›Internationalen Literatur‹, Moskau.

3] *Arnoldo Mondadori:* Mailänder Verleger. Brachte Thomas Manns Werke in italienischer Übersetzung heraus.

4] *mein Kind:* Carla Maria Henriette Leonie (Goschi) Mann, spätere Aškenazi-Mann, wurde am 10. 9. 1916 geboren. Seit 1933 mit ihrer Mutter in Prag, dann einige Zeit in Paris. 1968 verließ sie Prag, wohnte mit ihrer Familie kurz in München, dann in Bozen. Am 25. 10. 1986 ist sie in Berlin gestorben. Vgl. Klaus Schröter, ›Leonie Mann zu Gedenken‹, Heinrich Mann-Jahrbuch, Bd. 4, Lübeck 1986, S. 1 f.

5] *Mutter:* Maria (Mimi) Mann-Kanova (1886–1946), Schauspiele- 234
rin. Von 1914 bis 1930 mit Heinrich Mann verheiratet. Sie verließ 1933 die Münchner Wohnung und zog zu ihren Eltern nach Prag. Durch Vermittlung Masaryks gelangten damals Heinrich Manns Bibliothek und eine Reihe von Manuskripten nach Prag. Nach der Besetzung der Tschechoslowakei war Maria Kanova-Mann fünf Jahre im Konzentrationslager Theresienstadt inhaftiert. Sie starb 1946 an den Folgen der Haft.

234 1] *Logierbesuch:* Hans Reisiger, einer der engsten Freunde Thomas Manns, wohnte ab 27. 12. 1934 bei den Manns. Weitere Logiergäste waren die Schauspielerin Therese Giehse (ab. 29. 12. 1934) und Fritz H. Landshoff, der Leiter der deutschen Abteilung im Amsterdamer Querido Verlag (ab 31. 12. 1934).

2] *Kundgebung nach Moskau:* Unbekannt.

3] *Hinrichtungen:* Gemeint sind wahrscheinlich die Säuberungsaktionen, die im Zusammenhang mit dem Mord an S. M. Kirow (1. 12. 1934) einsetzten. Bis Ende 1934 fielen ihnen über 100 Personen durch Hinrichtungen zum Opfer.

4] *Fritz H. Landshoff* (1901–1988): Verleger. War bis 1933 Direktor des Gustav Kiepenheuer Verlags in Berlin und gründete 1933 die deutsche Abteilung des Amsterdamer Querido Verlags. Ein großer Teil der namhaften deutschen Exilliteratur erschien zwischen 1933 und 1940 unter seiner Obhut im Querido Verlag. Mit ihm zusammen gründete Gottfried Bermann Fischer nach der Emigration in die USA die L. B. Fischer Corp. in New York.

5] *Deines Buches:* Heinrich Mann, ›Die Jugend des Königs Henri Quatre‹, Amsterdam: Querido 1935.

6] *Lavinia Mazzucchetti* (1889–1963): Italienische Germanistin und Übersetzerin. Veröffentlichte seit dem Ende des Ersten Weltkriegs bedeutende Arbeiten über Thomas Mann und übersetzte nach 1945 auch einige seiner Werke. – Der Brief von Lavinia Mazzucchetti liegt uns nicht vor.

7] *Dein Beileid:* Kurz vor Vollendung seines 75. Lebensjahres war der Verleger Samuel Fischer am 15. 10. 1934 in Berlin gestorben.

235 8] *Meinem Anwalt:* Valentin Heins (1894–1971), Rechtsanwalt in München. Ihn hatte Thomas Mann mit der Wahrung seiner Interessen gegenüber der deutschen Behörde betraut. Heins bemühte sich jahrelang – und letztlich ohne Erfolg –, die gegen Thomas Mann verfügten Maßnahmen (Beschlagnahmung des Vermögens, Konfiskation des Hauses an der Poschingerstraße, Verweigerung des Passes) rückgängig zu machen.

9] *Ostreise:* Vortragsreise nach Prag, Brünn, Wien und Budapest vom 20. bis 30. 1. 1935.

10. 3. 1935

235 1] *Artikel:* Vielleicht Heinrich Mann, ›Das Trampeltier‹, Pariser Tageblatt, 22. 1. 1935.

2] *Absage-Coup:* Seit Anfang Februar strebten England und Frankreich ein Nichtangriffs- und Rüstungskontrollabkommen mit Deutschland an; am 7. März sollte der englische Außenminister Hoare in Berlin mit Hitler zu Gesprächen über eine sogenannte »Luftkonvention« zusammentreffen. Die Deutschen zeigten sich anfänglich an Verhandlungen interessiert, machten dann aber offenbar eine Kehrtwendung: Anfang März ersuchten sie den englischen Außenminister kurzfristig, seinen Besuch zu verschieben. Hitler habe sich eine leichte Erkältung, verbunden mit starker Heiserkeit, zugezogen.

3] *Nizza:* Am 6. 2. 1935 hatte Thomas Mann von der Société des 236 Nations (Völkerbund) eine Einladung zu den Sitzungen des Comité permanent des Lettres et des Arts vom 1. bis 3. 4. 1935 in Nizza erhalten. Für diese Tagung schrieb er vom 8. bis 14. 3. 1935 das Referat ›La formation de l'homme moderne‹ (dt. ›Achtung, Europa!‹), welches er am 2. 4. 1935 halten sollte. Auf Drängen Gottfried Bermann Fischers, der um die Auswanderungsbewilligung für seinen Verlag fürchtete, sagte Thomas Mann seine Teilnahme ab (vgl. Tagebuch vom 27. 3. 1935). Thomas Mann bat das Comité zudem, das Schriftstück nicht über den Personenkreis der Vereinigung hinausdringen zu lassen. Auf der Tagung wurde die Rede in französischer Sprache vorgelesen. Sie wurde in dem vom Institut International de Coopération Intellectuelle, Paris, herausgegebenen Sammelband veröffentlicht (deutsch unter dem Titel ›Achtung, Europa!‹ im ›Neuen Wiener Tagblatt‹ vom 15. und 22. 2. 1936 und in dem Band gesammelter Aufsätze gleichen Titels im Bermann-Fischer Verlag, Stockholm, 1938). – Seinen Bruder und René Schickele hat Thomas Mann dann im darauffolgenden Mai besucht.

4] *Seitz:* Der sozialdemokratische österreichische Politiker Karl Seitz (1869–1950); er war von 1923 bis 1934 Bürgermeister von Wien.

5] *Mimi und Goschi:* Heinrich Manns erste Frau Maria Kanova (Mimi) und Tochter Carla Maria Henriette Leonie (Goschi).

6] *Erholungsaufenthalt:* Thomas Mann weilte vom 8. bis 21. Februar in St. Moritz im Hotel Chantarella; öfters traf er dort mit Bruno Walter und dessen Gattin zusammen.

7] *dritter Band:* Thomas Mann, ›Joseph in Ägypten‹, Wien: Bermann Fischer 1936.

26. 3. 1935
1] *Sitzungen:* Vgl. dazu den Brief Thomas Manns vom 10. 3. 1935 an 237 Heinrich Mann, Anm. 3.

28. 3. 1935
1] *Memoire:* Thomas Mann, ›La formation de l'homme moderne‹ 237 (deutsch später unter dem Titel ›Achtung, Europa!‹), in: ›La formation de l'homme moderne‹, éd. par la Société des Nations, Paris: Institut International de Coopération Intellectuelle 1935.

2] *Genf:* Siehe Thomas Manns Brief an Massimo Pilotty (Unter-Generalsekretär für geistige Zusammenarbeit im Völkerbund Genf) vom 30. 3. 1935: »Ihre Anteilnahme an meiner augenblicklichen Lage und Ihr dringender Wunsch, ich möchte die Reise nach Nizza doch noch unternehmen, rührt mich sehr und würde ihre Wirkung auf mich nicht verfehlen, wenn es mir nicht eben unmöglich wäre, meinen Entschluß rückgängig zu machen. Was ich in meinem Brief über meine durch die Erlebnisse der letzten Jahre und namentlich der letzten Wochen erschütterte Gesundheit sagte, ist keine Phrase, sondern ernst gemeint. Es kommt aber hinzu, daß die leichten Ausstellungen, die der Völkerbund selbst an meinem Exposé glaubte machen zu müssen, mir erst recht die Augen geöffnet haben darüber, wie sehr dieses mémoire ein aus spezifisch deutschen Schmerzen kommendes Produkt ist, wie man es in diesem Augenblick und bei dieser Gelegenheit durchaus nicht von mir gewünscht und erwartet hatte und das, an dieser Stelle vorgebracht, befremdend hätte wirken müssen.«

30. 3. 1935

239   1] *Geburtstag:* Thomas Mann feierte am 6. 6. 1935 seinen 60. Geburtstag im Kreis seiner Familie, zusammen mit Hans Reisiger, Therese Giehse, Gottfried Bermann Fischer und cirka 20 anderen Freunden (siehe Tagebuch vom 6. 6. 1935). Vom S. Fischer Verlag erhielt Thomas Mann als Geschenk eine Kassette mit handschriftlichen Glückwünschen fast aller S. Fischer-Autoren und zahlreicher anderer Freunde. Heinrich Mann ließ in der Zeitschrift ›Die Sammlung‹ einen Geburtstagsartikel erscheinen: ›Der Sechzigjährige‹ (Jg. 2, H. 10, Amsterdam, Juni 1935, S. 505–509, abgedruckt in der Dokumentation, S. 387–391).

2] *Teilnahme:* Thomas Mann, ›Vom Beruf des deutschen Schriftstellers in unserer Zeit‹, Ansprache an den Bruder, gehalten am 27. 3. 1931 anläßlich von Heinrich Manns 60. Geburtstag in der Preußischen Akademie der Künste zu Berlin (abgedruckt in der Dokumentation, S. 378–386).

3. 4. 1935

239   1] *Gottfried Bermann Fischer* (geb. 1897): Dr. med., Verleger. Schwiegersohn Samuel Fischers. Nach dessen Tod übernahm er 1934 die Leitung des S. Fischer Verlags. 1936 etablierte er in Wien, 1938 in Stockholm mit Hilfe des Verlagshauses Bonnier den Emigrationsverlag Bermann-Fischer GmbH. 1941 gründete er in New York – zusammen mit dem aus Amsterdam geflohenen Leiter von Querido, Fritz H. Landshoff – den L. B. Fischer Verlag. 1947 errichtete er den Bermann-Fischer Verlag in Wien und vereinigte seine Stockholmer Firma mit dem Querido-Verlag zum Bermann-Fischer/Querido-Verlag in Amsterdam. 1950 wurde der S. Fischer Verlag in Frankfurt und Berlin in seiner ursprünglichen Form wiederhergestellt. Vgl. Gottfried Bermann Fischer, ›Bedroht – Bewahrt. Weg eines Verlegers‹, Frankfurt 1967.

239   2] *Alfred Gigon* (1883–1975): Arzt in Basel; Thomas Mann hat ihn regelmäßig konsultiert.

3] *Annette Kolb* (1870–1967): Erzählerin und Essayistin. Sie war eine Jugendfreundin Katja Manns und mit dem Hause Mann seit Jahrzehnten befreundet. Sie verließ Deutschland im März 1933, emigrierte in die Schweiz, von dort nach Paris und verbrachte die Kriegsjahre in den Vereinigten Staaten. Unter ihren Werken: ›Das Exemplar‹, Roman (1913); ›Dreizehn Briefe einer Deutsch-Französin‹ (1921); ›Daphne Herbst‹, Roman (1928); ›Beschwerdebuch‹, Essays (1932); ›Die Schaukel‹, Roman (1934); ›Mozart‹, Biographie (1937); ›Franz Schubert‹, Biographie (1941); ›Memento‹, Erinnerungen (1960).

4] *Eltern Katjas:* Alfred Pringsheim und seine Frau Hedwig Pringsheim-Dohm weilten von Ende April bis Mitte Mai in Küsnacht zu Besuch.

5] *Ferienreise:* Am 14. 5. 1935 fuhren Thomas und Katja Mann mit dem Auto nach Genf und von dort per Bahn nach Nizza, wo sie sich bis zum 20. 5. 1935 im Hôtel d'Angleterre aufhielten. Sie besuchten dort Klaus Mann, Heinrich Mann und René Schickele.

6] *Amerika:* Vom 10. 6. bis 13. 7. 1935 reiste Thomas Mann zum zweitenmal in die Vereinigten Staaten, auf Einladung der Harvard University, Cambridge, die ihm – zusammen mit Albert Einstein – anläßlich ihres Gründungstages am 20. Juni den Ehrendoktor of letters zu verleihen wünschte.

7] *Ernst (genannt »Putzi«) Hanfstängl* (1887–1975): Auslandspressechef der Hitler-Regierung. Die Universität Harvard hatte ein von ihm angebotenes Stipendium abgelehnt, worauf die Regierung Hitler von einer offiziellen Vertretung beim Harvard-Jubiläum Abstand nahm. Ernst Hanfstängl war ein alter Vertrauter Hitlers; er hat sich aber 1937 mit ihm überworfen und ist anschließend nach England und Kanada geflohen. Seine Schwester, Erna Hanfstängl, war eine Nachbarin Thomas Manns im Münchner Herzogpark, und beide waren mit der Familie Mann bekannt.

8] *Konflikt:* Gemeint ist der schweizerisch-deutsche Konflikt im Zusammenhang mit der Entführung von Berthold Jacob (1898–1944), Publizist und militärpolitischer Mitarbeiter der ›Weltbühne‹. Dieser hatte durch seine Enthüllungen über die sogenannte »Schwarze Reichswehr« großes Aufsehen erregt und sich den Haß der Nationalsozialisten zugezogen. Er emigrierte 1932 nach Straßburg, wurde dann 1935 vom NS-Agenten Wesemann in die Schweiz gelockt und von dort durch die Gestapo nach Deutschland überführt. Auf Intervention der Schweizer Regierung mußte er – nach langem Hin und Her – freigelassen und in die Schweiz zurückgebracht werden. Jacob wurde anschließend ausgewiesen.

8. 4. 1935

1] *Reise über See:* Zweite Reise in die Vereinigten Staaten, 10. 6. bis   241
13. 7. 1935.

2] *Dein Buch:* Thomas Mann, ›Leiden und Größe der Meister‹, Berlin: 242
S. Fischer 1935. Inhalt: ›Goethe als Repräsentant des bürgerlichen Zeitalters‹, ›Goethes Laufbahn als Schriftsteller‹, ›Leiden und Größe

Richard Wagners‹, ›August von Platen‹, ›Theodor Storm‹, ›Meerfahrt mit Don Quijote‹.

3] *dasselbe Gedicht:* August von Platen, ›Tristan‹.

4] *Vortrag:* Wohl ›La Formation de l'homme moderne‹, vgl. 10. 3. 35, Anm. 3.

12. 5. 1935

242 1] *einfallenden Besuch:* Von Ende April bis Mitte Mai weilten die alten Pringsheims, Thomas Manns Schwiegereltern, zu Besuch in Küsnacht.

24. 5. 1935

243 1] *Arzt:* Vgl. Heinrich Mann, ›Die Jugend des Königs Henri Quatre‹, Teil IX, Kap. »Zu einander streben«, S. 590. – Zusammenhang unbekannt.

244 2] *Alexander Moritz Frey* (1881–1956): Schriftsteller. Emigrierte 1933 von München nach Österreich. 1938 nach Basel. Ausgedehnte Korrespondenz mit Thomas Mann. – Unter seinen Werken: ›Dunkle Gänge‹, Erzählungen (1913); ›Solneman [Namenlos] der Unsichtbare‹, Roman (1918); ›Kastan und die Dirnen‹, Roman (1918); groteske und skurrile Erzählungen: ›Spuk des Alltags‹ (1920); ›Sprünge‹ (1922); ›Der unheimliche Abend‹ (1923); ›Phantastische Orgie‹ (1924); ›Phantome‹ (1925); ›Robinsonade zu zwölft‹, Roman (1925); ›Das abenteuerliche Dasein‹, Roman (1930); ›Hölle und Himmel‹, Roman (1945); ›Kleine Menagerie‹, eingeleitet von Thomas Mann (1955); ›Verteufeltes Theater‹, Roman (1957).

3] *Emil Oprecht* (1895–1952): Zürcher Verleger und Buchhändler. Gründete 1924 die Buchhandlung Dr. Oprecht AG, 1933 den Europa-Verlag. Verlegte ›Mass und Wert‹, brachte 1937 Thomas Manns ›Briefwechsel‹ mit dem Dekan der Universität Bonn heraus. Präsident der Neuen Schauspiel AG (Zürcher Schauspielhaus). Jahrelang aktiver Sozialdemokrat. Half selbstlos Flüchtlingen aus Deutschland. Gehörte mit seiner Frau Emmie, geb. Fehlmann, zu Thomas Manns engstem Zürcher Freundeskreis.

27. 5. 1935

244 1] *Salzburg:* Vom 18. bis 29. August 1935 weilte Thomas Mann in Bad Gastein und Salzburg. Am 20. August las er in Bad Gastein aus dem ›Joseph‹, am 21. August hielt er in Salzburg einen Wagner-Vortrag, und am 27. August las er im Mozarteum den »Bericht von Montkaws bescheidenem Sterben« aus dem ›Joseph‹-Roman. Daneben hörte er Beethovens ›Fidelio‹ und Verdis ›Falstaff‹ unter Arturo Toscanini sowie Mozarts ›Don Giovanni‹ unter Bruno Walter.

2] *im Theater:* Gemeint ist die offizielle Feier zum 60. Geburtstag Thomas Manns am 26. Mai 1935 im Zürcher Corso-Theater, veranstaltet vom Lesezirkel Hottingen. Das Programm bestand aus:

I. Ouverture: Concerto grosso in d-moll von Antonio Vivaldi ge-
spielt vom verstärkten Corso-Orchester
Musikalische Leitung: Robert Blum
II. Rede: Prof. Dr. Robert Faesi
III. Festgabe der Stadt Zürich, überreicht durch Vizepräsident Stadt-
rat Gschwend
IV. Ansprache von Dr. Thomas Mann
V. Festaufführung: *Fiorenza*, 3. Akt, Schauspiel von Thomas
Mann
Regie: Direktor F. Falkenhausen

3.6.1935
1] *Zitate:* ›Die Jugend des Königs Henri Quatre‹, S. 674.   244

3.6.1935
1] *Glückwunsch:* Heinrich Mann, ›Der Sechzigjährige‹, Die Samm-   245
lung, Jg. 2, H. 10, Amsterdam, Juni 1935, S. 505–509, abgedruckt in
der Dokumentation, S. 387–391.
2] *Deutschland:* Am 7.6.1935 schreibt Thomas Mann an René Schik-
kele: »Hier gehen die Wogen hoch dieser Tage, und ich leugne nicht,
daß die Hunderte von Briefen aus Deutschland, ja, ja, aus Deutschland,
sogar aus Arbeitslagern, meinem Herzen wohltun.« (Brw. Schik-
kele 83).

7.7.1935
1] *Kassette:* Gottfried Bermann Fischer, der Inhaber des S. Fischer   246
Verlags, schenkte Thomas Mann zum 60. Geburtstag eine Kassette mit
handgeschriebenen Glückwünschen fast aller S. Fischer-Autoren und
anderer nahestehender Freunde, darunter Albert Einstein, Bernard
Shaw, Alfred Kubin, Knut Hamsun, Karl Kerényi.
2] *Harvard:* Am 20. Juni 1935 wurde Thomas Mann von der Harvard   247
University die Ehrendoktorwürde verliehen.
3] *James B. Conant* (1893–1978): Wurde 1929 Chemieprofessor an der
Harvard University und war 1933–1953 Rektor der Universität.
1953–1955 amtierte er als amerikanischer Hochkommissar in Deutschland und war bis Januar 1957 erster amerikanischer Botschafter in der
Bundesrepublik. Von 1963 bis 1965 wirkte er als Berater für Bildungs-
fragen der Ford-Stiftung in Berlin.
4] *Hendrik van Loon:* Der in Amerika lebende und englisch schrei-
bende holländische Schriftsteller Hendrik Willem van Loon
(1882–1944), erfolgreicher Populärwissenschaftler und humoristi-
scher Zeichner; er nahm sich deutscher Schriftsteller im Exil sehr hilfreich und gastfrei an.
5] *Washington:* Am 29.6.1935 wurden Thomas und Katja Mann vom
amerikanischen Präsidenten Roosevelt und dessen Gattin zu einem
privaten Dinner im Weißen Haus empfangen.

248 1] *Kongress:* Heinrich Mann hielt am internationalen Schriftstellerkongreß zur Verteidigung der Kultur, der vom 21. bis 25. 6. 1935 in
der Pariser Mutualité stattfand, das Hauptreferat unter dem Titel ›Probleme des Schaffens und Würde des Denkens‹. Henri Barbusse, Romain Rolland, André Gide und André Malraux waren Mitteilnehmer.
Vgl. Heinrich Manns Bericht über den Kongreß: ›Wir sind da‹, Pariser
Tageblatt, 30. 6. 1935. Ferner: ›Ein denkwürdiger Sommer‹, Internationale Literatur, Jg. 6, Nr. 1, Moskau 1936, S. 21 / 22. Der Text dieses
Aufsatzes ist wieder abgedruckt in: Der Bienenstock, Blätter des Auf-
bau-Verlages, Nr. 91, Frühjahr 1971:

>»Der Sommer des Jahres 1935 wird mir denkwürdig bleiben durch
>den Internationalen Schriftstellerkongreß, der Ende Juni in Paris ab-
>gehalten wurde. Es war etwas völlig Neues: so viele schaffende In-
>tellektuelle aus vielen Ländern, mehreren Erdteilen, aber alle von
>derselben Front, alle zur ›Verteidigung der Kultur‹ entschlossen.
>Die Knechtung des Geistes ist herrschend in einem Teil der Welt.
>Das mußte erst kommen, damit wir alle zusammenfanden und Mar-
>xisten sowie bürgerliche Schriftsteller ihre tiefe Verwandtschaft
>entdeckten. Beide wollten eine denkende Gesellschaft anstatt einer
>verdummten.
>
>Die geknechteten Länder glauben durch die Abschaffung des Den-
>kens die Gesellschaft zu retten. Alle in Paris Versammelten waren
>dagegen überzeugt, daß eine Gesellschaft mit dem Denken jedes
>Recht auf ihr Bestehen verliert. Es gibt gar keinen Grund, weshalb
>Menschen sich ihr innerlich noch verbunden fühlen sollten, sobald
>die Gesellschaft die Erkenntnisse unterdrückt und ihre Verwirkli-
>chungen mit Gewalt verhindert. Die Menschen haben an jeder Ge-
>sellschaft nur gerade das Interesse, daß sie Erkenntnisse verwirk-
>licht. Die richtigen Erkenntnisse stimmen bemerkenswerterweise
>immer überein mit einer Verbesserung der menschlichen Lage.
>
>Ein ehrlicher Demokrat wird, wie die Dinge sich nun gewendet ha-
>ben, erkennen müssen, daß nur der Marxismus die Voraussetzun-
>gen schafft für wirkliche Demokratie. Auch der ernste Religiöse
>sieht die Verwirklichung seines Glaubens im Sozialismus. Auf der
>anderen Seite muß ein siegreicher Sozialismus, im sicheren Besitz
>eines großen Teiles der Erde, seiner menschlichen Sendung bewußt
>werden. Demokratie, die politische Gleichberechtigung aller, ist
>starken Völkern erlaubt. Solange noch jemand da ist, der sich wirt-
>schaftlich, und damit politisch, zum Herrn aufwerten konnte, ver-
>zichte man auf die Demokratie. Auch den Humanismus darf sich mit
>Recht nur beimessen, wer ein gesichertes Volk hinter sich hat. Auf
>Grund vollzogener Tatsachen des wirklichen Lebens, die dieses ge-
>recht und wahr gemacht haben, läßt sich erst richtig menschlich und
>in gesunder Art hochherzig sein.
>
>Hieraus ergab sich auf jenem Kongreß, daß die Teilnehmer aus der

Sowjetunion und die aus den kapitalistischen Ländern sehr wohl befähigt waren, dieselbe oder eine verwandte Sprache zu reden. Die einen hatten sie erlernt durch den Versuch ihres Landes, besser zu werden. Den anderen, besonders den Deutschen, war sie beigebracht durch den schändlichen Druck, der ihr Land immer tiefer erniedrigt. Die Tausende der Zuhörer verstanden diese wie jene und ehrten in beiden den Kampf, so verschieden er hier und dort auch stand. Das ist es aber, worauf es ankommt: vielen und eigentlich allen Menschen verständlich zu sein, ja, ihnen ein Beispiel zu geben. Der Kongreß der Schriftsteller, als erster in großer Öffentlichkeit abgehalten, hat einer außerordentlichen Zahl von Menschen Mut gemacht. Alle diese Menschen haben entschlossene Freunde ihrer Sache gesehen und gehört.

Humanisten taugen erst dann etwas, wenn sie, anstatt nur zu denken, auch zuschlagen. Henri Barbusse, der, als letzte seiner irdischen Taten, den Pariser Kongreß, Juni 1935, erfand und durchsetzte, war streitbar, und das sollen wir sein. Er hatte den Sinn für das Wirkliche als Werkzeug der geistigen Zwecke, und für die greifbare Macht. Ich selbst habe zu Ende dieses Sommers 1935 meinen Roman ›Die Jugend des Königs Henri Quatre‹ erscheinen lassen. Darin verstehen die Humanisten des 16. Jahrhunderts auch zu reiten und zuzuschlagen. In Frankreich hatten sie einen Fürsten, er war der Fürst der Armen und Unterdrückten, wie er der Fürst der Denkenden war. Der junge Henri hat allerdings das Leben erfahren wie ein mittlerer Mensch.

Aus seinen Abenteuern, Taten, Leiden habe ich eine lange Reihe von Bildern und Szenen gemacht, bunt zu lesen und anzusehen. Alle zusammen haben den Sinn, daß das Böse und Furchtbare überwunden werden kann durch Kämpfer, die das Unglück zum Denken erzog, wie auch durch Denkende, die gelernt haben, zu reiten und zuzuschlagen. Sogar noch aus der Bartholomäusnacht gehen sie gestärkt hervor. Auch ich konnte erst nach harten Erlebnissen mein Buch vom menschlichsten, weil geprüftesten der Könige schreiben. Es erschien im Sommer 1935 und trägt bei, daß er mir denkwürdig bleibt.«

2] *Ilja Ehrenburg* (1891–1967): Russischer Schriftsteller und Journalist. 1908 wegen revolutionärer Umtriebe verhaftet; Flucht nach Paris. Kehrte 1917 nach Rußland zurück. Nach Zerwürfnis mit den Bolschewisten 1921 Korrespondent in Paris, dann in Belgien. Von 1923 an zeitweise, von etwa 1930 an ständig in der Sowjetunion; viele Auslandsreisen. 1936 Kriegsberichterstatter in Spanien. Schrieb von 1940 an für ›Prawda‹ und ›Krasnaja Swesdja‹. Seit 1959 im Präsidium des sowjetischen Schriftstellerverbandes. Verfasser zahlreicher Romane, Erzählungen und Essays. Unter seinen Werken: ›Die ungewöhnlichen Abenteuer des Julio Jurenito‹ (1923); ›Moskau glaubt nicht an Tränen‹ (1933); ›Der Fall von Paris‹ (1945); ›Der Sturm‹ (1948).

3] *Alexej N. Tolstoi* (1883–1945): Russischer Schriftsteller. Aus alter

Adelsfamilie. Bis 1908 Studium am Technologischen Institut in Petersburg. Erste literarische Versuche 1905; beschreibt in seinen Werken oft den Verfall von Landadelsgeschlechtern. Während des Ersten Weltkriegs Kriegsberichterstatter. Emigrierte 1918 nach Paris. Kehrte 1923 nach Moskau zurück; schrieb zunächst in der Weise des ihm befreundeten H. G. Wells phantastische und naturwissenschaftlich-utopische Romane, ferner satirische Romane über die Emigranten. Vollendete 1941 die Romantrilogie ›Der Leidensweg‹, eine Darstellung der russischen Intelligenz in der Vorkriegs-, Kriegs- und Revolutionszeit, die in die Anerkennung des Bolschewismus mündet. Unter seinen Werken: ›Nikitas Kindheit‹, Roman (1921); ›Der Leidensweg‹, Romantrilogie (1921–1941); ›Das Geheimnis der infraroten Strahlen‹, Roman (1925); ›Peter der Große‹, Roman (1929–1945).

4] *Michail Jefimowitsch Kolzow* (1898–1942): Vorsitzender des sowjetischen Schriftstellerverbandes, 1922–1938 Feuilletonredakteur der ›Prawda‹.

5] *Telegramm* (Paris, 28. 6. 1935): CONGRES INTERNATIONAL ECRIVAINS POUR DEFENSE CULTURE VOUS A NOMME PAR ACCLAMATIONS UNANIMITE MEMBRE PRESIDIUM ASSOCIATION INTERNATIONALE ECRIVAINS FONDEE FIN CONGRES AUX COTES GIDE BARBUSSE ROLLAND HEINRICH MANN GORKI FORSTER HUXLEY SHAW SINCLAIR LEWIS LAGERIOFF VALLE INCLAN [sic].

249 6] *nach einem amerikanischen Bericht:* Am 30. 6. 1935 hatte Thomas Mann der ›Washington Post‹ ein Interview gewährt. Es wurde am 1. 7. 1935 publiziert. In der Ausgabe vom 6. 7. 1935 zitierte das ›Pariser Tageblatt‹ daraus die folgenden Sätze: »Ich bin nicht Kommunist, aber ich bin der Meinung, daß der Kommunismus das einzige System ist, das dem Faschismus entgegengestellt werden kann. Wenn es gilt, zwischen Kommunismus und Faschismus zu wählen, ziehe ich den Kommunismus vor.« Thomas Mann dementierte diese Äußerung. In einem Brief an den S. Fischer Verlag vom 5. 9. 1935, der vom Verlag zu Thomas Manns Entlastung an das Reichsministerium des Inneren weitergeleitet wurde, heißt es: »Das in Washington geführte Gespräch ist natürlich... nicht sehr exakt wiedergegeben worden... Es war ein Gespräch, wie man es überall in der Welt unter gebildeten Leuten führt über die nachliberalen Staatsformen. Ich habe erklärt, daß ich kein Kommunist sei und mich auch unter dem Kommunismus nicht glücklich fühlen würde, so viel aber sei zugegeben, daß der Kommunismus, wenn wirklich die Freiheit tot sei, die einzige positive Idee sei, die man dem Faschismus entgegenstellen könne.« Siehe hierzu die detaillierte Darstellung der Zusammenhänge in Paul Egon Hübinger, ›Thomas Mann, die Universität Bonn und die Zeitgeschichte‹, München, Wien 1974, S. 470 ff.

7] ›*Weltbühne‹:* ›Die Neue Weltbühne‹ vom 11. 7. 1935. In dieser Nummer erschien unter dem Titel ›Die Verteidigung der Kultur‹ ein Auszug aus Heinrich Manns Referat auf dem internationalen Schriftstellerkongreß.

27. 7. 1935

1] ›Wackeln‹: Heinrich Mann, ›Wackeln‹, Pariser Tageblatt, 2. 8.   250
1935.

2] *Tante Minna:* Zusammenhang unbekannt.

3] ›Internationale Literatur‹: Heinrich Mann, ›Bartholomäusnacht‹,
Internationale Literatur, Jg. 5, H. 5, Moskau 1935, S. 12–26; Heinrich
Mann, ›Die Vollendung des Königs Henri Quatre‹ (in Fortsetzungen),
Internationale Literatur, Jg. 7–9, Moskau, Januar 1937–April 1939. –
Der Brief von Johannes R. Becher (Redakteur von 1933 bis 1945) an
Heinrich Mann liegt uns nicht vor.

29. 7. 1935

] *Deine russischen Erfolge:* Bezieht sich vermutlich auf die russischen   251
Ausgaben von Heinrich Manns Romanen ›Die Jugend des Königs
Henri Quatre‹ und ›Die Vollendung des Königs Henri Quatre‹, beide
veröffentlicht im Staatsverlag der nationalen Minderheiten der UdSSR,
Kiew 1938.

2] *Humanité:* Pariser Zeitschrift, Organ der Kommunistischen Partei
Frankreichs. Bezieht sich auf das der ›Washington Post‹ gewährte In-
terview vom 1. 7. 1935 über die Bedeutung des Kommunismus. Vgl.
Brief vom 16. 7. 1935, Anm. 6.

1. 9. 1935

1] *Salzburg:* Siehe Anm. 1 vom 27. 5. 1935.   251
2] *Lese-Exemplar Deines Henri:* Heinrich Mann, ›Die Jugend des Kö-   252
nigs Henri Quatre‹.

2. 9. 1935

1] *Das Buch:* ›Die Jugend des Königs Henri Quatre‹; am 8. 6. 1935   252
beendet.

2] *Sanary:* Sanary war zum Treffpunkt deutscher Emigranten gewor-   253
den. Neben Lion Feuchtwanger waren dort: Bert Brecht, Wilhelm
Herzog, Hermann Kesten, Ludwig Marcuse, Fritzi Massary, Balder
Olden, Erwin Piscator, Ernst Toller, Franz Werfel, Arnold Zweig.
Heinrich Mann und René Schickele ließen sich in Nizza nieder, Julius
Meier-Graefe in Saint-Cyr.

5. 9. 1935

1] *Deinen Roman:* Heinrich Mann, ›Die Jugend des Königs Henri   253
Quatre‹.

3. 10. 1935

1] *Deinen Brief:* Thomas Manns Brief vom 26. 9. 1935 ist nicht erhal-   254
ten. Vgl. Thomas Manns Brief an René Schickele vom 31. 10. 1935:
  »Für Heinrichs Roman habe ich größte Bewunderung. Zweifellos,
  das ist große Literatur, und Besseres hat Europa heute wohl nicht zu

bieten, nicht erst zu reden davon, wie hoch es die innerdeutsche Mediokrität überragt. Daß die öftere Zuspitzung des Historischen ins Aktuelle das Journalistische streift, habe ich ihm auch in meinem Brief nicht verschwiegen. Aber schließlich, warum nicht? Man kommt sich fast erbärmlich vor und jedenfalls allzu »deutsch« als Konservator des Rein Dichterischen. Auch fehlt es daran ja nicht: Ich denke nicht nur an das Kapitel »Der Tod und die Amme«, sondern an die durchgehende Weisheit, Ironie, moralische Schönheit und Schlichtheit des Buches, das mich als Synthese aller Gaben des Autors, als persönlich-großartige Zusammenfassung von Spät und Früh und auch als geistige Zusammenfassung der Epoche von Montaigne bis Goethe (siehe die verstreuten kleinen Faust-Citate) ergreift. Die Zusammenfassung des Deutschen und Französischen ist nichts Schlechteres als die faustische von Deutschland und Griechenland; sie ist wohl im wesentlichen dasselbe, und die Moralités, von denen Bertaux erklärt, sie seien in klassischem Französisch geschrieben, hätten ihren guten und schönen Sinn schon als Huldigung an die geliebte Sphäre, der er den Großteil seiner Bildung verdankt, und die sich auch ihm dankbarer erweisen sollte. Der Mann müßte längst die Ehrenlegion haben, aber nicht erst das Band, sondern die Rosette, – statt sich als Durchschnittsemigrant mit den Nizzaer Aemtern herumschlagen zu müssen, zu denen er leider auch noch, um alles zu erschweren, seine Geliebte schickt.« (Brw. Schickele 88)

2] *Artikel:* Anlage dieses Briefes ist ein Zeitungsausschnitt von Heinrich Mann: ›Kastendeutschland‹, Pariser Tageblatt, 3.10.1935. Handschriftliche Bemerkung von Heinrich Mann: »So was erscheint alle 8 Tage.«

3] ›*Der Tod und die Amme*‹: Abschnitt im Kapitel ›Die Schule des Unglücks‹ (›Die Jugend des Königs Henri Quatre‹, S. 408). Vgl. Br. I 403.

4] ›*Moralités*‹: Einzelnen Kapiteln seines Romans hatte Heinrich Mann ›Moralités‹ beigefügt, kurze moralisierende Betrachtungen in französischer Sprache, in denen das Vorgefallene zusammengefaßt und gewertet wird. Die ›Moralités‹ waren als Huldigung an Montaigne gedacht, dessen ›Essais‹ auf den Roman gewirkt haben und der – in einer von Heinrich Mann erfundenen Episode – persönlich darin auftritt.

5] *Félix Bertaux* (1881–1948): Französischer Germanist und Übersetzer. Mit Heinrich und Thomas Mann befreundet. Übersetzte 1925 den ›Tod in Venedig‹, 1933 ›Leiden und Größe Richard Wagners‹. Vgl. Heinrich Mann, ›Ein Zeitalter wird besichtigt‹, Berlin: Aufbau-Verlag 1947, S. 237 ff.

6] *Rosette:* Die rote Knopfloch-Rosette des Kreuzes der Légion d'honneur. Vgl. Thomas Manns Brief an René Schickele vom 31.10. 1935.

7] *Vorstand des Weltkomitees gegen Krieg und Fascismus:* Henri Barbusse (1873–1935), Romain Rolland (1866–1944), Paul Langevin (1872–1946).

8] *der dritte Band:* Thomas Mann, ›Joseph in Ägypten‹, Wien: Bermann-Fischer 1936. Der Band wurde am 23.8.1936 abgeschlossen und erschien am 15.10.1936.   255

9] *Forschungsreise nach der Soviet-Union:* Die geplante Rußlandreise im Mai 1936 – gemeinsam mit Lion Feuchtwanger – kam nicht zustande, weder Heinrich noch Thomas Mann haben die Sowjetunion je besucht.

10] *Lion Feuchtwanger* (1884–1958): Schriftsteller. Emigrierte 1933 nach Südfrankreich, 1940 in die USA. Mit Bert Brecht und Thomas Mann befreundet. Vgl. Thomas Manns Aufsatz: ›Freund Feuchtwanger‹ (X 533).

10.10.1935

1] *Sowjet-Ausgabe:* Gemeint ist die in Rußland erschienene Ausgabe der Gesammelten Werke: ›Sobranie sŏcinenij‹, Ed. V. A. Sorgenfrej, Leningrad: Gospolitizdat 1934/1938, 6 vols.   256
vol. 1: ›Buddenbroki‹, Roman, Tom. I, 1935,
vol. 2: ›Buddenbroki‹, Roman, Tom. II, 1936,
vol. 3: ›Novelly‹, 1936,
vol. 4: ›Volsebnaja gora‹ [›Der Zauberberg‹], Roman, Tom. I, 1934,
vol. 5: ›Volsebnaja gora‹ [›Der Zauberberg‹], Roman, Tom. II, 1935,
vol. 6: ›Fiorenca‹, 1938.

2] *Besuch der Sowjet-Schriftsteller in Prag:* Der genannte Schriftstellerbesuch fand im Rahmen der damaligen sowjetisch-tschechischen Kulturaustauschbestrebungen statt. Ende 1934/Anfang 1935 weilte eine tschechische Journalistendelegation auf Einladung des sowjetischen Pressevereins (Leiter: M. I. Kolzow) in der Sowjetunion, wo ihr die kulturellen, wirtschaftlichen und technischen Errungenschaften vor Augen geführt wurden. Vom eigenen Augenschein der Gäste versprach man sich eine »objektivere« (sprich: prosowjetische) Berichterstattung in der bürgerlichen tschechischen Presse. Im Sommer 1935 erfolgte die Gegeneinladung des tschechischen Journalistenverbandes. Der sowjetischen Delegation gehörten, neben Journalisten und politischen Funktionären, auch die unten genannten Schriftsteller an; sie kam am 5. Oktober 1935 in Prag an und weilte bis zum 21. Oktober 1935 auf offizieller Besuchstour in der Tschechoslowakei (auf dem Programm stand auch ein Empfang beim Außenminister Eduard Beneš). Alexei Tolstoi und Michail I. Kolzow berichteten darüber ausführlich in der ›Prawda‹, Sergej Michailowitsch Tretjakow verfaßte Reiseerinnerungen in Buchform.

3] *spanische Reise:* Sie ist nicht zustande gekommen. Vgl. dazu den Brief Thomas Manns an Heinrich Mann vom 1.4.1936: »Unser Reiseprogramm hat sich geändert. Spanien fällt vorläufig aus.«

4] *Giuseppe Motta* (1871–1940): Schweizer Staatsmann, seit 1912 Mitglied des Schweizer Bundesrats und seit 1920 Leiter des Politischen Departements (Auswärtiges). Er war insgesamt fünfmal Bundespräsident, zuletzt 1932 und 1937.

257 5] *Mein Professor:* Professor Alfred Gigon (1883–1975), Arzt in Basel.

6] *Deine Anrede:* Gemeint ist wahrscheinlich Heinrich Manns Artikel ›Kastendeutschland‹, Pariser Tageblatt, 3. 10. 1935; wieder abgedruckt in: ›Es kommt der Tag‹, Zürich: Europa-Verlag 1936, S. 175–178. Der Anfangssatz lautet: »Herr Hitler, haben Sie nicht auch das Gefühl, daß es zu Ende geht?«

24. 10. 1935

257 1] *nach Oslo geschickt:* Thomas Mann, ›Nobelpriset och Carl von Ossietzky‹, Göteborgs Handels- och Sjöfarts-Tidning, 11. 7. 1936. Deutsch: ›An das Nobel-Friedenspreis-Comité, Oslo‹, in: Felix Burger, Kurt Singer, ›Carl von Ossietzky‹, Zürich: Europa-Verlag 1937, S. 117–121.

2] *Frieden machen:* Bezieht sich auf den italienisch-abessinischen Krieg. Ungeachtet weltweiter diplomatischer Bemühungen ließ der italienische Staatschef Benito Mussolini am 3. 10. 1935 seine Streitkräfte in Abessinien einmarschieren. Am 7. 10. 1935 verurteilte der Völkerbundsrat Italien als Aggressor dieses Krieges, und am 19. 10. endete eine Konferenz des Völkerbundes mit Sanktionsempfehlungen gegen die kämpfenden Parteien. Am 18. 11. wurde mit wirtschaftlichen Sanktionen begonnen (Waffenausfuhr- und Kreditsperre, Ein- und Ausfuhrverbote gegen Italien), ohne Beteiligung Deutschlands, Österreichs, der Schweiz, Ungarns und Albaniens. Seit dem 9. 12. tagte in Paris eine britisch-französische Konferenz, die einen Friedensplan – den sogenannten Hoare-Laval-Plan – zur friedlichen Beilegung des Abessinien-Konflikts ausarbeitete. Da dieser Plan bedeutende Zugeständnisse an Italien vorsah, wurde er von der politischen Opposition in England und in Frankreich als ein Verrat am Völkerbund bezeichnet und mußte daraufhin fallengelassen werden. – Vgl. in diesem Zusammenhang auch: Heinrich Mann, ›Rede vor dem Völkerbund‹, Die Neue Weltbühne, Jg. 4, Nr. 51, Prag, Zürich, Paris, 19. 12. 1935, S. 1599–1601. Vgl. auch Thomas Manns Brief an René Schickele vom 31. 10. 1935.

3] *Putt-Höneken:* Putthöhneken n., Kosewort für ein Huhn, »Nestküchlein«. Klaus Groth, ›Gesammelte Werke‹, 4 Bände, Kiel 1904, Bd. II, S. 213. Vom Lockruf Putt, putt, putt! (Vgl. ›Schleswig-Holsteinisches Wörterbuch‹, hrsg. von Otto Mensing, 5 Bände, Neumünster 1925/35, Bd. III, Sp. 1158.) – *gar tau groff:* gar zu grob.

258 4] *ein Reichswehroffizier:* Nicht ermittelt.

26. 10. 1935

258 1] *Pierre Laval* (1883–1945): Sozialistischer Politiker. 1931/32 fran-

524

zösischer Ministerpräsident, nachher Außenminister. Juni 1935 bis Januar 1936 Ministerpräsident. Wurde unter Pétain wieder Ministerpräsident. 1945 wegen Kollaboration mit Deutschland hingerichtet.

2] *Juden:* Vgl. Heinrich Mann, ›Die Deutschen und ihre Juden‹, Die Neue Weltbühne, Prag, Zürich, Paris, Jg. 4, Nr. 49, 5. 12. 1935, S. 1532–1536.

15. 11. 1935

1] *Ausschnitt:* Nicht ermittelt.   259

2] *Mussolinis Plumpheit:* Bezieht sich vermutlich auf den Protest Italiens vom 11. 11. 1935 an die Mitglieder des Völkerbundsrats gegen die von diesem beschlossenen Sanktionen.

3] *Saar-Abstimmung:* Nach dem Waffenstillstand vom 11. 11. 1918 wurde das Saargebiet aus dem Staatsverband des Deutschen Reiches herausgelöst. Ziel der französischen Politik war es, das deutsche Machtpotential möglichst langfristig zu schwächen, um dadurch die Wiederholung der Kriegskatastrophe zu verhindern. Versuche Deutschlands, so durch dessen Außenminister Stresemann 1926, das Saargebiet wieder zurückzuholen, scheiterten wiederholt an innen- und außenpolitischen Widerständen. Erst am 13. 1. 1935 fand eine Volksabstimmung darüber statt. 8,8% der Stimmen waren für den Status quo, 0,4% für Frankreich; 90,8% aber votierten für die Rückgliederung des Saargebietes an Deutschland. Sie erfolgte am 1. 3. 1935. Die Saargruben wurden von Deutschland für 900 Mill. FF zurückgekauft. Thomas Mann verfolgte die Wahlvorbereitungen aufmerksam und, da er sie als Reklame für das Hitler-Regime erkannte, mit Widerwillen (vgl. den Brief vom 1. 1. 1935 an René Schickele; Tagebuch vom 15. 12. 1934, 4.–12. 1. 1935). Das Wahlergebnis bezeichnete er als »ein Faktum, von dem ich mich möglichst gleichmütig abwende« (Tagebuch, 15. 1. 1935; vgl. auch die Eintragungen vom 19. 1. 1935 und 5. 3. 1935).

4] *Hans Bauer* (geb. 1901): Präsident der Europa-Union, bei deren Tagung Thomas Mann am 11. 11. 1934 im Großen Festsaal der Basler Mustermesse gesprochen hatte (vgl. Blätter der Thomas-Mann-Gesellschaft, Nr. 20, Zürich 1983–1984, S. 5 ff.). Bauer war vom 1. 9. 1926 bis 1. 2. 1952 Redakteur der ›Basler Zeitung‹.

20. 11. 1935

1] *französischen Artikel:* Heinrich Mann, ›L'Olympiade‹ [später: 260
›Hochglanz‹, in: ›Es kommt der Tag‹], La Dépêche, Toulouse, 14. 1. 1936.

2] *Wilhelm Koenen* (1886–1963): Politiker und Schriftsteller. 1926 bis 1932 Mitglied des preußischen Staatsrats. Nach 1945 Mitglied des Zentralkomitees der SED.

3] *Völkerbund:* Vgl. Heinrich Mann, ›Rede vor dem Völkerbund‹, Die Neue Weltbühne, Prag, Zürich, Paris, Jg. 4, Nr. 51, 19. 12. 1935, S. 1599–1601.

23. 12. 1935

261 1] *Ausgabe:* Thomas Mann, ›Gesammelte Werke in zehn Bänden‹, Berlin: S. Fischer 1925.

2] *Fontane:* Theodor Fontane, ›Gesamtausgabe der erzählenden Schriften‹, 9 Bde., Berlin: S. Fischer 1925.

3] *Deinen Brief:* Heinrich Manns Brief vom 18. 12. 1935 an Klaus Mann, in: Klaus Mann, ›Briefe und Antworten‹, Bd. 1, München: edition spangenberg im Ellermann-Verlag 1975, S. 239 f.

7. 1. 1936

261 1] *Sitzung:* Heinrich Mann leitete in Paris eine Reihe von Beratungen, die die Schaffung einer deutschen Volksfront zum Ziele hatten. Die Teilnehmer (Kommunisten, Sozialdemokraten, aber auch Katholiken und bürgerliche Oppositionelle) bildeten den sogenannten ›Lutetia-Kreis‹, nach dem Namen des Hotels, in dem Heinrich Mann zu wohnen pflegte.

2] *Arosa:* Thomas Mann weilte vom 13. bis 27. 1. 1936 in Arosa, Waldhotel.

3] *meines Briefes nach Oslo:* Thomas Mann, ›Nobelpriset och Carl von Ossietzky‹.

4] *Wassermann-Vorwort:* Thomas Mann, ›Zum Geleit‹, Martha Karlweis, ›Jakob Wassermann. Bild, Kampf und Werk‹, Amsterdam: Querido 1935, S. 5–11.

5] *St. Galler Tagblatt:* Thomas Mann, ›Hoffnungen und Befürchtungen für 1936‹, St. Galler Tagblatt, 30. 12. 1935, Nr. 610 (GW X, 917 f.).

6] *Emigrantenhilfe:* Am 10. 1. 1936 las Thomas Mann in Basel zugunsten des »Hilfswerks für die Flüchtlinge aus geistigen Berufen«.

6. 2. 1936

262 1] *»Nation«:* Thomas Mann, ›Das beste Buch des Jahres‹, Die Nation, Jg. 3, Nr. 47, Bern, 28. 11. 1935. Thomas Mann bespricht in dem Artikel neben Heinrich Manns Roman ›Die Jugend des Königs Henri Quatre‹ noch zwei weitere Bücher: ›Der Erkenntnistrieb als Lebens- und Todesprinzip‹ von Jakob Klatzkin und ›Briefe Napoleons‹, eine Neuerscheinung bei S. Fischer. Vgl. Tagebuch vom 4. 11. 1935.

2] *Korrodi:* Thomas Mann protestierte am 3. 2. 1936 in einem offenen Brief an Eduard Korrodi (1885–1955) gegen dessen Artikel ›Deutsche Literatur im Emigrantenspiegel‹ (vgl. 11. 2. 1936, Anm. 1). Diese öffentliche Solidaritätserklärung mit dem Emigrantentum bedeutete den endgültigen Bruch mit dem nationalsozialistischen Regime (Br. 1409–413).

3] *Auslands-Etablierung Bermanns:* Gottfried Bermann Fischer hatte bereits zu Samuel Fischers Lebzeiten mehrmals versucht, diesen zur Auswanderung des Verlags zu bewegen; er war aber stets an Fischers Widerstand gescheitert. Nach dessen Tod am 15. 10. 1934 war seine Witwe, Frau Hedwig Fischer, Alleininhaberin des Verlags, und obwohl sie selbst Deutschland nicht zu verlassen beabsichtigte, willigte sie schließlich in eine Verlegung der Firma ein. Im Frühjahr 1935 gelang es Bermann Fischer, mit dem Propagandaministerium eine Vereinbarung zu treffen, wonach die in Deutschland unerwünschten bzw. verbotenen Autoren des Verlags sowie das zugehörige Buchlager und einige Vermögenswerte zur Auswanderung freigegeben wurden, unter der Bedingung, daß die Familie Fischer die verbleibenden Teile des Verlags verkaufe und in ›zuverlässige Hände‹ übergehen lasse. Peter Suhrkamp brachte eine Gruppe von Finanzleuten zusammen, die den in Deutschland verbleibenden Teil des Verlags erwarben und unter seiner Leitung weiterführten. Bermann Fischer vereinbarte einen Fusionsvertrag mit dem großen Londoner Verlagshaus William Heinemann Ltd. und beabsichtigte, sich mit dem neuen Verlag in der Schweiz niederzulassen. Dieser Plan scheiterte am Einspruch der Schweizer Verleger, die sich bei den Behörden gegen eine Niederlassungserlaubnis aussprachen. Bermann Fischer wandte sich daraufhin nach Wien. Aber Österreich erschien dem britischen Partner Heinemann zu riskant, und er trat von der Fusionsvereinbarung zurück. Bermann Fischer ging folglich mit dem Verlag allein nach Wien und gründete dort die Bermann-Fischer Verlag GmbH, in der hinfort die Werke Thomas Manns erschienen. ›Leiden und Größe der Meister‹ war sein letztes Buch, das noch im alten S. Fischer Verlag in Berlin herauskam. Bermann Fischer hatte ursprünglich gehofft, daß auch Hermann Hesse sich ihm anschließen werde, aber Hesse blieb beim Berliner S. Fischer Verlag.

4] *Korrekturen:* Heinrich Mann, ›Es kommt der Tag. Deutsches Lesebuch‹, Zürich: Europa-Verlag 1936.

11. 2. 1936

1] *Schnödigkeiten:* Die von Leopold Schwarzschild (1891–1950) geleitete, in Paris erscheinende deutsche Exil-Wochenschrift ›Das Neue Tage-Buch‹ veröffentlichte am 11. 1. 1936 einen scharfen Angriff gegen Gottfried Bermann Fischer, den Leiter des S. Fischer Verlags. Ihm wurde vorgeworfen, mit Goebbels' Einverständnis und mit Thomas Mann als Aushängeschild in Wien einen »getarnten Exilverlag« gründen zu wollen. (Der volle Wortlaut dieses Artikels in: Klaus Schröter, ›Thomas Mann im Urteil seiner Zeit‹, Hamburg: Wegner 1969, S. 259–260.) Telefonisch bat Bermann Fischer – von London aus, wo er zu Verhandlungen mit dem Heinemann-Verlag weilte – Thomas Mann um eine öffentliche Protest-Erklärung. Sie erschien, unterzeichnet von Thomas Mann, Hermann Hesse und Annette Kolb, unter der Überschrift ›Ein Protest‹ in der ›Neuen Zürcher Zeitung‹ vom

262

18. 1. 1936 (siehe auch XI 787). Leopold Schwarzschild antwortete auf diesen ›Protest‹ mit einer ›Antwort an Thomas Mann‹ im ›Neuen Tage-Buch‹ vom 25. 1. 1936, worin er Thomas Mann aufforderte, sich von Bermann Fischers Verlagsplänen zu distanzieren. (Der volle Wortlaut in: Klaus Schröter, ›Thomas Mann im Urteil seiner Zeit‹, S. 260–266.) Aber auch die ›Neue Zürcher Zeitung‹ reagierte auf Thomas Manns ›Protest‹: Eduard Korrodi, Schweizer Publizist und Literaturhistoriker, seit 1914 Feuilletonredaktor an der ›Neuen Zürcher Zeitung‹, polemisierte im Aufsatz ›Deutsche Literatur im Emigrantenspiegel‹ (Neue Zürcher Zeitung vom 26. 1. 1936) gegen Schwarzschilds ›Antwort an Thomas Mann‹. Auf Korrodis »Mesquinerien und Schnödigkeiten« antwortete Thomas Mann wiederum in einem ›Offenen Brief an Korrodi‹ (Neue Zürcher Zeitung, 3. 2. 1936, siehe auch XI 788–793). Dieser Aufsatz ist Thomas Manns erste öffentliche Absage an Nazi-Deutschland; er bekundet hier offen seine Solidarität mit den exilierten Deutschen. – Vgl. dazu auch ›Die ersten Jahre des Exils. Briefe von Schriftstellern an Thomas Mann‹. Dritter Teil: 1936–1939, hrsg. von Hans Wysling, Blätter der Thomas-Mann-Gesellschaft, Nr. 15, Zürich 1975, S. 5 ff.

263   2] *halb- und halbe Vorstellungen:* Vgl. Thomas Manns Brief an René Schickele vom 19. 2. 1936: »Ich mußte ein solches Wort einmal sprechen und habe es in dem Augenblick getan, als man mich in tendenziöser Weise von der Emigration abzudrängen versuchte, in dem Gefühl außerdem, daß in der Welt recht unangenehme halb-und-halbe Vorstellungen von meinen Beziehungen zum Dritten Reich teilweise herrschten, außerdem aber einfach aus inneren, seelischen Gründen. Es war zum guten Teil eine Temperaments-Handlung, eine natürliche Reaktion auf all das Beleidigende und Empörende, was täglich auf einen eindringt, die wirkliche, tiefe Überzeugung, daß dieses Unwesen dem ganzen Erdteil mit Sicherheit zum Verhängnis werden wird, wenn es bleibt, und das Bedürfnis, nach meinen schwachen Kräften ihm hier und heute entgegenzutreten, wie ich es schon zu Hause getan hatte.« (Brw. Schickele 97)

3] *ausbürgern:* Am 2. Dezember 1936 wurde Thomas Mann aufgrund des »Gesetzes über den Widerruf von Einbürgerungen und die Aberkennung der deutschen Staatsangehörigkeit vom 14. Juli 1933« die deutsche Staatsbürgerschaft aberkannt. Frau Katja Mann und die vier jüngeren Kinder wurden in diese Verfügung miteingeschlossen.

4] *Olympiade:* Am 1. August eröffnete Hitler die XI. Olympischen Sommerspiele.

5] *Gilde:* Aufgrund wirtschaftlicher Erwägungen wehrte sich die Büchergilde Gutenberg, Zürich, gegen eine von Bermann Fischer in Aussicht genommene Niederlassung seines Exilverlags in Zürich. Auf einer Sitzung der beiden Vorstände des Schweizerischen Buchhändlervereins und des damals noch selbständigen Verlegervereins wurde am 7. 1. 1936 ein Gutachten ausgearbeitet: Die Niederlassung eines aus-

ländischen Großverlags in Zürich würde die Gesamtinteressen des
schweizerischen Verlagswesens schwer gefährden. Diesem Gutachten
scheint dann auch die Kantonale Fremdenpolizei gefolgt zu sein: Sie
verweigerte nicht nur die Einfuhr des von der deutschen Nazi-Regierung freigegebenen Buchlagers, sondern lehnte auch Bermann Fischers Niederlassungsgesuch ab.

6] *Wien und Prag:* Der Bermann-Fischer Verlag nahm im Sommer
1936 in Wien seine Produktion auf; Sitz des Verlags war Wien III,
Esteplatz 5.

7] *Heinemann:* Eine Verlagskooperation Heinemann–Fischer war
nicht zustande gekommen; vgl. Brief vom 6. 2. 1936, Anm. 3.

8] *Moskauer Zeitschrift:* Vermutlich die Zeitschrift ›Internationale
Literatur‹, Moskau; darin hatte Heinrich Mann einen Bericht über den
Internationalen Schriftstellerkongreß zur Verteidigung der Kultur
vom Sommer 1935 in Paris veröffentlicht: ›Ein denkwürdiger Sommer‹, Internationale Literatur, Jg. 6, Nr. 1, Moskau 1936, S. 21 f. –
Thomas Mann bezieht sich hier auf Fritz Landshoffs Brief vom
5. 2. 1936 (Thomas-Mann-Archiv Zürich).

26. 2. 1936

1] *Aufruf:* Vermutlich Heinrich Mann, ›Einheit! Einheit! Einheit! 264
Gegen Faschismus und Krieg‹, Die Volks-Illustrierte, Jg. 1, Nr. 12, Prag
1936, S. 179. Möglicherweise auch Heinrich Mann, ›Seid einig!‹, Arbei-
ter-Illustrierte-Zeitung, Jg. 15, Nr. 14, Prag, 29. 3. 1936, S. 220. – Vgl.
Tagebuch vom 26. 2. 1936: »Nachmittags handschriftlich an Heinrich:
Idee eines von der Kulturwelt Europas und Amerikas unterzeichneten
Aufrufs an das deutsche Volk.«

2] *Offener Brief:* Thomas Mann, ›Offener Brief an Korrodi‹, Neue
Zürcher Zeitung, 3. 2. 1936.

3] *Rechtsanwalt:* Im Tagebuch notiert sich Thomas Mann am
26. 2. 1936: »Ins Baur au lac zur Konferenz mit Rechtsanwalt v. Bran-
denstein aus Berlin. Saßen in derselben Ecke der Halle wie mit Wassermann, 14 Tage vor seinem Tode. Mit B. über Lage und Aussichten in
Deutschland. Will echte Ergebnisse wahrhaben wie die innere Realität
der ›Arbeitsfront‹. Fügt aber hinzu, daß [man] mit dem Negativismus
der Emigranten in Deutschland ›nicht leben könne‹. Erwartet übrigens
in 1½ bis 2 Jahren den wirtschaftlichen Zusammenbruch und das Eingreifen der ›Straße‹. Schacht könne und möge nicht mehr. Heiter.
Zwei Jahre wollte man schon warten, wenn es dann gründlich und lehrreich käme. B. scheint Halbjude.«

1. 3. 1936

1] *dem ernsten jungen Gelehrten:* Golo Mann hatte zu Heinrich 265
Manns ›Lesebuch‹ einige Texte beigesteuert.

2] *›Lesebuch‹:* Heinrich Mann, ›Es kommt der Tag. Deutsches Lesebuch‹, Zürich: Europa-Verlag 1936.

29. 3. 1936

265 1] *Geburtstags-Artikel:* ›Dem Fünfundsechzigjährigen‹, Die Neue Weltbühne, Prag, Zürich, Paris, 26. 3. 1936 (abgedruckt in der Dokumentation, S. 392).

266 2] *AIZ:* In der ›Arbeiter-Illustrierten-Zeitung‹, Prag, publizierte Heinrich Mann am 15. 7. 1936 den Artikel ›Der Welt-Friedenskongress‹. Weitere Artikel folgten.

3] *Spanien:* Siehe Thomas Manns Brief vom 10. 10. 1935, Anm. 3.

1. 4. 1936

266 1] *zu Freuds 80. Geburtstag:* Vom 6. bis 14. 5. 1936 weilte Thomas Mann auf einer Vortragsreise in Wien, Brünn und Prag. Anläßlich des 80. Geburtstages von Sigmund Freud am 6. Mai hielt Thomas Mann im ›Akademischen Verein für medizinische Psychologie‹ am 8. Mai den Festvortrag ›Freud und die Zukunft‹.

2] *Budapest:* Vom 5. bis 18. 6. 1936 befand sich Thomas Mann auf einer Reise zur Tagung des ›Comité de la Cooperation Intellectuelle‹ in Budapest: Am 7. Juni las er im Innerstädtischen Theater aus dem ›Joseph‹; vom 8. bis 12. Juni nahm er an der Tagung des Komitees teil und hielt am 9. Juni den Vortrag ›Humaniora und Humanismus‹. Am 12. Juni wiederholte er den Freud-Vortrag (Innerstädtisches Theater). Anschließend Rückreise nach Wien, wo Thomas Mann am 13. Juni im Konzerthaus aus ›Joseph in Ägypten‹ las.

3] *Joseph-Vorlesung:* Vgl. Anm. 2.

267 4] *Buenos Aires:* Die Reise nach Buenos Aires ist nicht zustande gekommen; statt dessen hat Thomas Mann im Spätsommer seinen Bruder Heinrich an der Côte d'Azur besucht.

5] *meines III. Bandes:* Thomas Mann, ›Joseph in Ägypten‹, Wien: Bermann-Fischer 1936. Am 23. August hat Thomas Mann diesen Band abgeschlossen. Er erschien am 15. Oktober 1936.

6] *Zsolnay:* Der österreichische Verleger Paul Zsolnay (1895–1961); er gründete 1923 den großen belletristischen Zsolnay-Verlag, emigrierte 1938 nach England und kehrte 1946 nach Wien zurück.

7] *Engländer:* Das herausragende politische Ereignis der »letzten Wochen« war die Nichtigkeitserklärung des Locarno-Paktes von 1925 durch Adolf Hitler am 7. 3. 1936 und der damit verbundene Einmarsch der deutschen Wehrmacht in die entmilitarisierte Zone des Rheinlandes. Am 19. 3. 1936 erläuterte der Sonderbotschafter Joachim von Ribbentrop vor dem Völkerbundsrat den deutschen Standpunkt. Der Rat sprach anschließend Deutschland des Bruchs am Versailler Vertrag für schuldig. Dieser Schuldspruch wurde aber von einigen Staaten – darunter Großbritannien – lediglich zur Kenntnis genommen; von entsprechenden Gegenmaßnahmen war keine Rede.

8] *Emil Ludwig* (1881–1948): Schriftsteller und Journalist.

9] *Memorandum:* Im Tagebuch notiert Thomas Mann am 1. 4. 1936: »Während des Essens: aufgeregt desperater Anruf Emil Ludwigs aus

Ascona, der das vom deutschen Sender verlesene deutsche Memorandum abgehört hatte und es so bestechend fand, daß er das Gefühl hat, wir hätten eine große Schlacht verloren. Hörten aus Bern einen kurzen Auszug und die Meldung, daß die engl. Presse die Gegenvorschläge als versöhnlich bezeichne. Wird es dem Menschen gelingen mit Hülfe der Friedenslüge sein Reich zu befestigen und den Völkerbund statt auf den Vertrag von Versailles auf den Reichstagsbrand zu gründen?« – Am. 7. 3. 1936 erfolgte der deutsche Einmarsch im Rheinland, das nach dem Vertrag von Locarno von 1925 als demilitarisierte Zone galt. Hitler erklärte den genannten Vertrag für nichtig und proklamierte die Wiederherstellung der vollen deutschen Souveränität. Die Okkupation zog rege diplomatische Aktivität nach sich. Frankreich und Belgien bestanden auf den Sicherheitsgarantien des Locarno-Vertrages, England nahm eine vermittelnde Position ein. Am 19. 3. 1936 verurteilte der Völkerbundsrat das Vorgehen Deutschlands als Bruch des Versailler Vertrags von 1919. Gleichentags erklärten sich aber die »Locarno-Mächte« zu Verhandlungen mit Deutschland über eine Revision des Rheinlandstatuts sowie über Fragen der Rüstung und Sicherheit bereit, unter der Voraussetzung, daß Deutschland seine Truppenpräsenz im Rheinland auf dem gegenwärtigen Bestand plafoniere. Die Forderung nach Abzug der Truppen wurde nicht erhoben. Am 24. 3. 1936 erging von deutscher Seite eine vorläufige Antwort auf diesen Vorschlag, und am 1. April brachte Ribbentrop einen deutscheen »Friedensplan« nach London. In diesem Memorandum war vom Wunsch nach Versöhnung und Verständigung die Rede, und es wurde versichert, Deutschland habe nicht die Absicht, Frankreich oder Belgien jemals anzugreifen. Gleichzeitig wurde Anspruch auf ein Selbstverteidigungsrecht Deutschlands in den eigenen Grenzen (und mithin auf uneingeschränkte militärische Hoheit im Rheinland) erhoben. Konkrete Zusagen (Plafonierung der Truppenstärke) wurden nicht gemacht. (Keesing's Archiv der Gegenwart, März/April 1936, insbes. 2455 D, 2476 F, 2498 E; Völkischer Beobachter, Süddeutsche Ausgabe, München, 2. 4. 1936.)

3. 4. 1936
1] *Emigrantenblatt:* Thomas Manns Artikel zu Heinrichs 65. Geburtstag erschien am 26. 3. 1936 in der ›Neuen Weltbühne‹ (x 483). 268
2] *Bomst:* Ehemalige Kreisstadt in der Grenzmark Posen-Westpreußen. Seit 1945 unter polnischer Verwaltung (Babimost).
3] *Kongreß:* Internationaler PEN-Kongreß vom 5. bis 16. September 1936 in Buenos Aires.
4] *Crémieux:* Wohl Benjamin Crémieux (1888–1944). Französischer Kritiker. Leitete längere Zeit die ›Nouvelle Revue Française‹, übersetzte Pirandello. Starb in einem deutschen Konzentrationslager.
5] *Liebesgeschichte:* Mut-em-enets Leidenschaft für Joseph, dargestellt in ›Joseph in Ägypten‹.

6] *Henri-Gabrielle d'Estrées:* ›Die Vollendung des Königs Henri Quatre‹, »Wechselfälle der Liebe«, S. 91 ff.

269 7] *Artikel:* Heinrich Mann, ›Fin de régime?‹, La Dépêche, Toulouse, 31. 3. 1936. Deutsch: ›Hitler bedeutet Krieg!‹, Pariser Tageblatt, 5. 4. 1936 (gekürzt).

8] *Artikel:* Heinrich Mann, ›Der Vertragsbruch‹, Die Neue Weltbühne, Prag, Zürich, Paris, Jg. 5, Nr. 12, 19. 3. 1936, S. 364–367.

9] *Artikel:* Heinrich Mann, ›Ein schwerer Anfall‹, Die Neue Weltbühne, Prag, Zürich, Paris, Jg. 5, Nr. 15, 9. 4. 1936, S. 452–457.

26. 4. 1936

269 1] *Friedrich Burschell* (1889–1970): Schriftsteller, Biograph. Mitarbeiter an der ›Frankfurter Zeitung‹, der ›Neuen Rundschau‹, den ›Weißen Blättern‹. Emigrierte 1933 nach Frankreich, dann nach Spanien, in die Tschechoslowakei. 1938 nach England. Seit 1954 in München. Unter seinen Werken: ›Jean Paul‹ (1925); ›Heine und Boerne in Exile‹ (1943); ›Schiller‹ (1958). – Burschell war damals Sekretär der in Prag gegründeten Thomas-Mann-Gesellschaft.

4. 5. 1936

270 1] *Oprechts Entschluß:* Oprecht hatte sich entschlossen, Heinrich Manns Lesebuch ›Es kommt der Tag‹ herauszubringen.

2] *Weltbühnen-Aufsätze:* Die zahlreichen Aufsätze, die Heinrich Mann in jenen Jahren in der ›Neuen Weltbühne‹ (Prag, Zürich, Paris) veröffentlichte, sind jetzt in Edith Zenkers ›Heinrich-Mann-Bibliographie‹ zusammengestellt. Mit der »Vernichtung des Reiches‹ ist vielleicht gemeint: ›Verfall einer geistigen Welt‹, Die Neue Weltbühne, Jg. 3, Nr. 49, 6. 12. 1934.

271 3] *zu Freuds 80. Geburtstag:* Thomas Mann hielt am 8. 5. 1936 in Wien den Vortrag ›Freud und die Zukunft‹ (IX 478). Da Freud damals schon zu krank war, um der offiziellen Feier im Akademischen Verein für medizinische Psychologie beizuwohnen, las Thomas Mann den Vortrag im Hause Freuds der Familie und einigen Freunden nochmals vor.

4] *Kurt von Schuschnigg* (1897–1977): 1934–1938 österreichischer Bundeskanzler. 1938–1945 in verschiedenen Gefängnissen und Konzentrationslagern interniert; von den Amerikanern befreit. 1948 Professor an der St.-Louis-Universität, USA. Seit 1967 wieder in Österreich (Mutters bei Innsbruck).

19. 5. 1936

271 1] *Eduard Beneš* (1884–1948): 1935–1938 Präsident der Tschechoslowakischen Republik. Mit seiner Hilfe erhielten Heinrich und Thomas Mann das tschechische Bürgerrecht.

2] *Arthur Neville Chamberlain* (1869–1940): 1937–1940 britischer Premierminister. Unterzeichnete 1938 das Münchner Abkommen.

3] *Einbürgerung:* Vgl. Bruno Walters Brief an Thomas Mann vom 6. 12. 1936 und Thomas Manns Brief an Bruno Walter vom 10. 12. 1936.

4] *Stelle über das Leben Jesu:* ›Freud und die Zukunft‹, IX 496 f.

272

5] *Antonio Aita:* Sekretär des PEN-Clubs in Argentinien, Buenos Aires.

6] *Beendigung meines III. Bandes:* Thomas Mann arbeitete damals an den Schlußkapiteln von ›Joseph in Ägypten‹.

7] *Reise:* 5. bis 18. 6. 1936 Reise zur Tagung des Comité de la Coopération Intellectuelle in Budapest.

8] *Sommer:* Auf seiner Südfrankreichreise vom 27. 8. bis 23. 9. 1936 besuchte Thomas Mann in Saint-Cyr-sur-Mer René Schickele und hielt sich anschließend mit Heinrich und dessen Tochter Leonie (Goschi) in Aiguebelle-Le Lavandou an der Côte d'Azur auf.

2. 7. 1936

1] *dort oben:* Heinrich Mann wohnte damals in Briançon (Hautes Alpes), Hôtel du Cours.

272

2] *Lajos Hatvany* (1880–1961): Ungarischer Schriftsteller. Nach dem Ersten Weltkrieg führend in der radikalen Partei. Er floh vor dem Horthy-Regime; wurde bei seiner Rückkehr in Haft genommen. Exil in Oxford. Kehrte später nach Budapest zurück. Vgl. Thomas Manns ›Brief an den Verteidiger L. Hatvany's‹ (XI 773).

3] *Rede über »militanten Humanismus«:* Thomas Mann, ›Der Humanismus und Europa‹, Pester Lloyd, 11. 6. 1936. Aus der Rede, gehalten am 9. 6. 1936 auf der Tagung des Comité de la Coopération Intellectuelle in Budapest (XIII 633). Vgl. Thomas Mann, ›Humaniora und Humanismus‹ (X 339).

273

4] *Wien:* Am 13. 6. 1936 las Thomas Mann im mittleren Konzerthaussaal aus ›Joseph in Ägypten‹.

5] *Bruno Walter* (1876–1962): Dirigent. Von 1913 bis 1922 Generalmusikdirektor in München und seither mit Thomas Mann nah befreundet. 1933 Emigration nach Österreich. 1934 1936 Leiter der Staatsoper Wien. 1940 in die USA. Seine Autobiographie, ›Thema und Variationen‹, erschien 1947 im Bermann-Fischer Verlag in Stockholm. Vgl. Thomas Mann, ›Musik in München‹ (XI 339); ›Für Bruno Walter‹ [Zum sechzigsten Geburtstag] (X 479); ›An Bruno Walter zum siebzigsten Geburtstag‹ (X 507).

6] *›Joseph in Ägypten‹:* Wurde am 23. 8. 1936 abgeschlossen. Der Band erschien Mitte Oktober bei Bermann-Fischer in Wien.

7] *Frankreich:* Hitler hatte die durch den Versailler Vertrag demilitarisierte Zone des Rheinlandes besetzen lassen. Frankreich traf Anstalten zum Widerstand, ergab sich aber in das Fait accompli, als es sah, daß es von den anderen Vertragsmächten nicht unterstützt wurde.

18. 7. 1936

274   1] *Rudolf Fleischmann:* Dank der Vermittlung des Kaufmanns Rudolf
Fleischmann erhielten Heinrich und Thomas Mann das Bürgerrecht
der tschechischen Gemeinde Proseč, welches die Voraussetzung für die
Einbürgerung in die Tschechoslowakei war. Am 24. 4. 1936 wurde
Heinrich, am 19. 11. 1936 Thomas Mann die tschechische Staatsbürgerschaft zugesprochen. Vgl. Gertrude Albrecht, ›Thomas Mann –
Staatsbürger der Tschechoslowakei‹, in: ›Vollendung und Größe Thomas Manns‹, Halle / Saale 1962, S. 118–129.
2] *mein Buch:* ›Es kommt der Tag‹.
3] *dem hilfreichen jungen Gelehrten:* Golo Mann.

20. 7. 1936

275   1] *Lesebuch:* ›Es kommt der Tag, Deutsches Lesebuch‹. – Vgl. Tagebuch vom 11. 7. 1936: »Vor dem Abendessen und noch abends die Lektüre von H.'s Buch fortgesetzt. Bewegt von diesen oft naiven, aber
selbstsicheren und fulminant moralischen Manifesten, von denen ich
glaube, daß die Zukunft sie hoch in Ehren halten wird.«
2] *Kundgebung Niemöllers:* Der evangelische Theologe Martin Niemöller (1892–1984) war der markanteste Vertreter der ›Bekennenden
Kirche‹. Er setzt sich gegen Eingriffe des faschistischen Staats in kirchliche Angelegenheiten zur Wehr. 1937–1945 in den Konzentrationslagern Dachau und Buchenwald. Vgl. Thomas Mann, ›Niemöller‹, 1941
(XII 910–918).
3] *»Abschweifung«:* Thomas Mann, ›Freud und die Zukunft‹, Wien:
Bermann-Fischer 1936.
4] *Fleischmann:* Vgl. Tagebuch vom 6. 8. 1936: »Zum Essen Herr
Fleischmann aus Proseč, Č.S.R., rührender Mann, der mit heiligem
Eifer und ›historischer‹ Feierlichkeit meine und der Meinen Ehren-
Einbürgerung betreibt. Dazu Prof. *Frankl* (Prag), der zufällig zum Kaffee erschien. Angeregte Unterhandlungen, merkwürdiger, vielleicht
denkwürdiger Tag. Ich unterschrieb den Einbürgerungsantrag an die
tschechische Gemeinde. Mit Rücksicht auf die Rückgewinnung meiner
Habe und auf das Erscheinen des dritten Joseph soll die Angelegenheit
vorläufig diskret behandelt werden. Bin jedoch dem Reich gegenüber
gedeckt durch meine wiederholten Mahnungen, ich würde gezwungen
sein, eine andere Staatsangehörigkeit anzunehmen.«

2. 8. 1936

276   1] *'s ist Krieg:* Matthias Claudius, ›Kriegslied‹. Vgl. Heinrich Mann,
›Kriegslied‹, Pariser Tageszeitung, 28. 10. 1936.
2] *gegen das spanische Volk:* Am 17. 7. 1936 fand in Spanisch-Ma-
rokko die von Franco geleitete Militärrevolte statt, die sich zum Spanischen Bürgerkrieg auswuchs. Auf der Regierungsseite kämpfte die
›Internationale Brigade‹. Franco wurde seit dem Juli 1936 durch italienische Freiwillige und die deutsche ›Legion Condor‹ unterstützt.

3] *Goschi:* Heinrich Manns Tochter, Carla Maria Henriette Leonie (Goschi) Mann, später Aškenazi-Mann.
4] *Mutter:* Maria (Mimi) Mann-Kanova.

4.8.1936
1] *Sils Maria:* Thomas Mann hatte sich Ende Juli ein paar Tage in Sils   277
(Engadin) aufgehalten.
2] *Triebschen:* Zu Tribschen vgl. Tagebuch vom 17.7.1936.
3] *Küste:* Vgl. Thomas Manns Brief vom 19.5.1936, Anm. 7.   278
4] *Broschüre:* ›Freud und die Zukunft‹.

7.8.1936
1] *Rede:* ›Freud und die Zukunft‹.   278

24.8.1936
1] *Brüsseler Kongreß:* Weltkongreß der Friedensbewegung, 3. bis   279
6.9.1936.
2] *Meinen Band:* Thomas Mann, ›Joseph in Ägypten‹, Wien: Bermann-Fischer 1936.
3] *Oskar Ludwig Levy* (1867–1946): Nietzsche-Forscher.   280

21.9.1936
1] *das trotz allem gute Zusammensein:* Thomas Mann war an einer   280
Angina erkrankt.
2] *Henri-Vorlesung:* Vgl. Tagebuch vom 19.9.1936: »Zum Diner hinunter. Nach diesem las H. im Wohnzimmer 3 Kapitel aus dem II. Band seines Henri. Schöne Dinge: Renaissance, Doré, Frühling der Modernität.«

27.9.1936
1] *Kuno Fiedler* (1895–1973): Protestantischer Pfarrer. Mit Thomas   281
Mann seit dem Ersten Weltkrieg bekannt; hatte Elisabeth, Thomas Manns jüngste Tochter, getauft. Wurde wegen seines Widerstands gegen die Gleichschaltung der protestantischen Kirche verhaftet; entfloh aus dem Würzburger Polizeigefängnis und fand in Küsnacht, im Hause Thomas Manns, erste Unterkunft. Später Pfarrer in St. Antönien/Graubünden. Lebte dann in Purasca/Tessin. Unter seinen Werken ›Der Anbruch des Nihilismus‹ (1923); ›Die Stufen der Erkenntnis‹ (1929); ›Glaube, Gnade und Erlösung nach dem Jesus der Synoptiker‹ (1939; vgl. Thomas Manns Besprechung in ›Mass und Wert‹, Jg. 3, H. 4, Zürich 1940); ›Bekennen und Bekenntnis‹ (1943). – Vgl. Hans Wysling (Hrsg.), ›Aus dem Briefwechsel Thomas Mann – Kuno Fiedler‹, Blätter der Thomas Mann Gesellschaft Nr. 11/12, Zürich 1971/1972.

23. 10. 1936

281   1] *starken Band:* Thomas Mann, ›Joseph in Ägypten‹. – Das Exemplar
für Heinrich trägt die Widmung: »Dies war meine Art, lieber Heinrich, den letzten drei Jahren die Stirn zu bieten. Möge auch sie nicht
ganz verworfen sein! Küsnacht 18. x. 1936. Dein Bruder T.«

2] *mein Roman:* Heinrich Mann, ›Die Vollendung des Königs Henri
Quatre‹.

3] *Auskunft, um die ich sie bat:* Nicht bekannt.

15. 11. 1936

282   1] *Appell:* Gemeint ist vielleicht der ›Spanien-Aufruf der deutschen
Opposition. Hitler führt Krieg‹, Pariser Tageszeitung, 25. 12. 1936.
Der Aufruf war unterzeichnet von: Heinrich Mann, Georg Bernhard,
Otto Klepper, Rudolf Breitscheid, Max Braun, Georg Denicke, Franz
Dahlem, Kurt Funk, Willi Münzenberg.

2] *Artikel:* Thomas Mann hatte unter dem Titel ›La formation de
l'homme moderne‹ ein Referat geschrieben für die Tagung der Völker-
bundskommission für geistige Zusammenarbeit in Nizza vom 1. bis
3. 4. 1935. Das – nicht gehaltene – Referat erschien deutsch unter dem
Titel ›Achtung, Europa!‹ im ›Neuen Wiener Journal‹ vom 15. und
22. 2. 1936, später auch in dem Band gesammelter Aufsätze gleichen
Titels im Bermann-Fischer Verlag (Stockholm 1938). Die redigierte
Fassung vermittelte die Agentur unter dem Titel ›Offene Worte‹ einer
großen Anzahl europäischer Zeitungen. Vgl. Tagebuch vom 1. bis
7. 11. 1936, 11. 11. 1936, 17. 11. 1936.

3] »*Mephisto*«: Klaus Mann, ›Mephisto. Roman einer Karriere‹, Amsterdam: Querido 1936. Vgl. Thomas Manns Brief an Klaus Mann
vom 3. 12. 1936: »Ich weiß nicht, ob Du Dich hier als Moralist gefühlt
hast, aber im Ganzen des Buches bist Du es, und das ist das Merkwürdige und Neue daran, das, was dem Roman sein geistesgeschichtliches
Gepräge gibt und woran man ihn später einmal erkennen wird. [. . .]
Die besten und bedeutendsten Momente in Deinem Roman sind vielleicht die, wo die Idee des Bösen vermittelt und gezeigt wird, wie der
komödiantische Held seine Sympathie dafür entdeckt und sich ihm
dann verschreibt.« (Klaus Mann, ›Briefe und Antworten 1922–1949‹,
München 1987, S. 274.)

4] *Baden:* Vgl. Tagebuch vom 13. 11. 1936 und vom 16. 11. 1936. Zur
Kur kam es nicht: »Hoffnung, daß das Rheuma von selbst vergeht.«

5] *Erzählung:* Thomas Mann, ›Lotte in Weimar‹. Vor der Niederschrift der Venedig-Novelle hatte Thomas Mann eine Novelle mit dem
Titel ›Goethe in Marienbad‹ geplant. Vgl. Notizbuch 9, S. 67, und Thomas Manns Brief vom 6. 9. 1915 an Elisabeth Zimmer, vom 10. 9. 1915
an Paul Amann und vom 4. 7. 1920 an Carl Maria Weber. Der ganze
Zusammenhang ist dargestellt in Thomas-Mann-Studien I, S. 119.

12.12.1936

1] *Deine schöne Äusserung:* Thomas Mann war am 2.12.1936 mit 282
seiner Familie ausgebürgert worden. Heinrich Mann veröffentlichte
darauf den Artikel ›Begrüssung des Ausgebürgerten‹ (Die Neue Weltbühne, Prag u. a., 10.12.1936, abgedruckt in der Dokumentation,
S. 393 f).

2] *Kurt Hiller* (1885–1972): Publizist, Schriftsteller. Studium der
Rechte in Berlin und Freiburg im Breisgau. Mitarbeiter der ›Weltbühne‹, des ›Sturms‹ und der ›Aktion‹; seit 1915 Herausgeber der ›Ziel‹-
Jahrbücher. 1918 Vorsitzender des politischen Rats geistiger Arbeiter.
1920 Eintritt in die Deutsche Friedensgesellschaft. 1926 bis 1933 Gründer und Präsident der Gruppe revolutionärer Pazifisten. 1933/34 Konzentrationslager. September 1934 Flucht nach Prag. In Paris Mitarbeiter des Internationalen Sozialistischen Kampfbunds und der Editions
Nouvelles Internationales. Dezember 1938 Übersiedlung nach London;
von 1938 bis 1946 Vorsitzender der dortigen Gruppe unabhängiger
deutscher Autoren. 1955 Rückkehr nach Deutschland. Unter seinen
Werken: ›Die Weisheit der Langeweile‹ (1913); ›Geist, werde Herr‹
(1920); ›Aufbruch zum Paradies‹ (1922); ›Verwirklichung des Geistes
im Staat‹ (1925); ›Presse und politische Kultur‹ (1927); ›Der Sprung ins
Helle‹ (1931); ›Profile, Prosa aus einem Jahrzehnt‹ (1937); ›Köpfe und
Tröpfe‹ (1950); ›Rote Ritter‹ (1951); ›Ratioaktiv‹, Reden (1966); ›Leben
gegen die Zeit‹ (1969). – Vgl. Kurt Hiller, ›Für Thomas Mann‹, Die Neue
Weltbühne, Jg. 32, Nr. 49, Prag 1936, S. 1540–1543.

3] *Ernst Bloch* (1885–1977): Philosoph und Schriftsteller. Promo-
vierte 1908 in Würzburg mit einer Arbeit über den Neukantianer
Heinrich Rickert. Als freier Schriftsteller in Berlin, Heidelberg und
München. Emigrierte 1915 nach Bern, unterstützte die pazifistischen
Bestrebungen von Zweig, Rolland und Hesse. Nach dem Ersten Weltkrieg wieder in Berlin; regelmäßiger Mitarbeiter der ›Frankfurter Zeitung‹ und der ›Vossischen Zeitung‹. Kehrte 1933 von einem Aufenthalt in der Schweiz nicht mehr nach Deutschland zurück. 1936 Exil in
der Tschechoslowakei; Mitarbeiter der ›Neuen Weltbühne‹. Ging 1938
nach Paris, dann nach New York; Mitbegründer des Aurora-Verlags.
1949 folgte er einem Ruf der Leipziger Universität; wurde als »Ver-
fechter revisionistischer Bestrebungen« emeritiert. 1957 Rückkehr
nach Westdeutschland. Ab 1961 Ordinarius für Philosophie an der
Universität Tübingen. Unter seinen Werken: ›Geist und Utopie‹
(1918, erw. 1923); ›Erbschaft dieser Zeit‹ (1935); ›Das Prinzip Hoffnung‹ (1954–1958); Gesamtausgabe, 15 Bde. (seit 1962). – Thomas
Mann bezieht sich hier auf einen Artikel, den Bloch in der ›Neuen
Weltbühne‹ vom 10.12.1936 publiziert hatte: ›Nobelpreis und Ausbürgerung‹ (Ossietzky und Thomas Mann). Er hat später (1939/40)
mit Bloch über die Umfunktionierung mythischer Gehalte korrespondiert und in jener Zeit offenbar Blochs ›Geist der Utopie‹ und ›Erbschaft
dieser Zeit‹ sowie eine frühe Fassung von Teilen des ›Prinzips Hoff-

nung‹ im Manuskript gelesen. Bloch trug zu ›Mass und Wert‹ den Aufsatz ›Über das noch nicht bewußte Wissen‹ bei (Jg. 3, H. 5/6, Zürich 1940).

283   4] *tschechische Regierung:* Thomas Mann hatte am 19. 11. 1936 die tschechische Staatsangehörigkeit zugesprochen erhalten.

16. 12. 1936

283   1] *Die aufregenden Tage:* Thomas Mann war am 2. 12. 1936 ausgebürgert worden.

284   2] *Hiller:* Vgl. Kurt Hiller, ›Für Thomas Mann‹, Die Neue Weltbühne, Jg. 32, Nr. 49, Prag 1936, S. 1540–1543.

     3] *Hermann Budzislawski* (1901–1978): Publizist, Dr. rer. pol. Emigrierte über Prag und Paris in die USA (1940–1948). Rückkehr nach Europa, Professor in Leipzig. – Von März 1934 bis 1939 Herausgeber der ›Neuen Weltbühne‹. Zu Heinrich Manns Mitarbeit an der ›Neuen Weltbühne‹ vgl. Hans-Albert Walter, ›Heinrich Mann im französischen Exil‹, in: ›Text und Kritik‹, Sonderband Heinrich Mann, Stuttgart 1971, S. 140.

     4] *mein Roman:* Wohl »Der Todessprung«. ›Die Vollendung des Königs Henri Quatre‹ weist in der Endfassung acht Teile auf.

     5] *in dem Deinen:* ›Joseph in Ägypten‹.

     6] *»Meditation«:* ›Die Vollendung des Königs Henri Quatre‹, S. 208 ff.

19. 1. 1937

284   1] *›Briefwechsel‹:* Thomas Mann, ›Ein Briefwechsel‹ (Brief des Dekans der philosophischen Fakultät der Universität Bonn vom 19. 12. 1936 und Thomas Manns Antwort an den Dekan vom Neujahr 1936/37), Neue Zürcher Zeitung, 24. 1. 1937. – Es handelt sich um die Veröffentlichung von Thomas Manns Briefwechsel mit dem Dekan der philosophischen Fakultät Bonn anläßlich der Streichung Thomas Manns aus der Liste der Ehrendoktoren.

285   2] *Joseph:* ›Joseph in Ägypten‹.

     3] *Zeitung:* Nicht ermittelt.

24. 2. 1937

285   1] *»Mass und Wert«:* Zweimonatsschrift für freie deutsche Kultur. Hrsg. von Thomas Mann und Konrad Falke. Red. von Ferdinand Lion (Jg. 3: von Golo Mann und Emil Oprecht). Erschienen sind: Jg. 1, H. 1–6, September/Oktober 1937 bis Juli/August 1938; Jg. 2, H. 1–6, September/Oktober 1938 bis Juli/August 1939; Jg. 3, H. 1–5/6, November/Dezember 1939 bis September/Oktober/November 1940.

     2] *Aline Mayrisch de Saint-Hubert:* Witwe des luxemburgischen Stahlmagnaten Emile Mayrisch; sie kam, ohne daß ihr Name an die Öffentlichkeit gelangte, vielen exilierten deutschen Schriftstellern –

unter ihnen Annette Kolb – zu Hilfe und trug ab 1937 wesentlich zur Finanzierung von Thomas Manns Zeitschrift ›Mass und Wert‹ bei.

3] *Jean Schlumberger* (1877–1968): Französischer Essayist, Publizist und Romancier, gründete 1909, zusammen mit André Gide und Jacques Rivière, die Nouvelle Revue Française und schrieb seit 1938 regelmäßig in der Pariser Tageszeitung Figaro über deutsch-französische Probleme. Unter seinen Werken: ›L'inquiète paternité‹, Roman (1913); ›Un homme heureux‹, Roman (1920); ›La mort de Sparte‹, Drama (1921); ›Les yeux de dix-huit ans‹, Roman (1928); ›Saint-Saturnin‹, Roman (1931); ›Plaisir à Corneille‹, Essays (1936); ›Stéphane le glorieux‹, Roman (1940); ›Jalons‹, Essays (1941); ›Nouveaux jalons‹, Essays (1943); ›Madeleine et André Gide‹, Biographie (1956).

4] *Emil Oprecht* (1895–1952): Zürcher Verleger und Buchhändler. Er verlegte die Zeitschrift ›Mass und Wert‹.

5] *Ferdinand Lion* (1883–1965): Elsässischer Literatur- und Kulturkritiker und Essayist. (Thomas Mann kannte ihn aus seiner Münchner Zeit.) Er schrieb die 1947 erschienene, 1955 erweiterte Monographie ›Thomas Mann. Leben und Werk‹ und war 1937–1938 Redakteur der Zeitschrift ›Mass und Wert‹.

6] *Arosa:* Vom 20. Januar bis 9. Februar weilten Thomas und Katja   286
Mann, zusammen mit Lajos Baron Hatvany und dessen Frau, in Arosa.

7] *Goethe-Novelle:* Thomas Mann, ›Lotte in Weimar‹, Roman, Stockholm: Bermann-Fischer 1939.

8] *»Briefwechsels«:* Thomas Mann, ›Ein Briefwechsel‹, Zürich: Oprecht 1937.

9] *»Marianne«:* Pariser illustrierte Wochenzeitung. Die französische Übersetzung von ›Ein Briefwechsel‹ erschien unter dem Titel ›Avertissement à l'Europe‹, Transl.: Rainer Biemel; Préf.: André Gide, Paris: Gallimard 1937. [Enthält: André Gide, ›Préface à quelques écrits récents de Thomas Mann‹; Thomas Mann, ›Ein Briefwechsel‹; ›Achtung, Europa!‹; ›Spanien‹; ›Christentum und Sozialismus‹.]

10] *Hitlers »Rede«:* Heinrich Mann, ›Die Rede [II]‹, Die Neue Weltbühne, Jg. 33, Nr. 6, Prag, Zürich, Paris, 4. 2. 1937, S. 196–201.

4. 6. 1937

1] *Dein Vierter Band:* ›Joseph, der Ernährer‹, Stockholm: Bermann-   286
Fischer 1943.

2] *Amerika-Reise:* Vom 6. 4. bis 1. 5. 1937 unternahm Thomas Mann seine dritte Reise in die Vereinigten Staaten, auf Einladung der New School for Social Research, New York. 15. April: Festrede ›The Living Spirit‹ auf dem Bankett der ›New School for Social Research‹, New York, zur Feier des vierten Jahrestages der Gründung der Graduate Faculty of Political and Social Sciences. 19. April: Ebd. ›Wagner‹-Vortrag. Um den 20. April: Rede ›Zur Gründung der ‚American Guild for German Cultural Freedom' und der ‚Deutschen Akademie'‹. –

Auf dieser Reise lernte Thomas Mann den Verleger der ›Washington Post‹, Eugene Meyer, und dessen Frau, Agnes E. Meyer, kennen, sowie die Psychoanalytikerin Caroline Newton, eine große Verehrerin und Sammlerin seines Werkes.

23. 7. 1937

287 1] *des Klubs der Sauberen:* In diesem Klub suchten Leopold Schwarzschild und Konrad Heiden nicht- oder antikommunistische Emigranten um sich zu versammeln. Es handelte sich vor allem um Mitarbeiter des ›Neuen Tagebuchs‹. Vgl. Briefe vom 30. 7. 1937 und 15. 8. 1937.

2] *Leopold Schwarzschild* (1891–1950): Publizist. Trat während des Ersten Weltkriegs in der ›Europäischen Staats- und Wirtschaftszeitung‹ (Berlin) gegen Militarismus und Nationalismus auf. Gründete 1923 zusammen mit Stefan Grossmann den ›Montag-Morgen‹ (Berlin). 1925 Gründung des ›Magazins der Wirtschaft‹. Seit 1927 Herausgeber der von Stefan Grossmann gegründeten Wochenschrift ›Das Tagebuch‹. Emigrierte 1933 nach Paris. Redakteur des ›Neuen Tagebuchs‹. Vorübergehend Mitarbeit in der Volksfront. 1940 Emigration in die USA. Kehrte 1950 nach Europa zurück. Starb in Santa Margherita. Unter seinen Werken: ›Das Ende der Illusion‹ (1934); ›World in Trance‹ (1942); ›Hamilton‹ (1943); ›The Red Prussian, The Life and Legend of Karl Marx‹ (1947); ›Von Krieg zu Krieg‹ (1947).

3] *Konrad Heiden* (1901–1966): Publizist und Schriftsteller. 1919 bis 1923 Studium der Rechts- und Wirtschaftswissenschaften in München. Seit 1920 Studium der Hitler-Bewegung. Kam mit Hitler und anderen Führern der NSDAP persönlich zusammen. 1923 bis 1930 Mitarbeiter der ›Frankfurter Zeitung‹, danach freier Schriftsteller. Emigrierte 1933 ins Saargebiet. 1935 bis 1940 in Paris. 1940 über Portugal in die USA. Starb in New York. – Unter seinen Werken: ›Adolf Hitler, eine Biographie‹ (1936/37); ›Europäisches Schicksal‹ (1937); ›The New Inquisition‹ (1939); ›Les Vêpres hitlériennes‹ (1939); ›Der Führer. Hitler's Rise to Power‹ (1943). Vgl. Thomas Mann. ›Deutsche Hörer!‹, 28. 2. 1944 (XI 1094).

4] *Ragaz:* Vom 11. 6. bis 7. 7. 1937 weilte Thomas Mann wegen eines Ischiasleidens in Bad Ragaz zur Kur.

30. 7. 1937

288 1] *Verse:* Im ersten Band des ›Henri Quatre‹ (S. 234) deklamiert Agrippa d'Aubigné: »Nicht fern ist uns der Tod. Erst dann ist uns gegeben / ein Leben ohne Tod, nicht mehr ein falsches Leben. / Gerettet ist das Leben, der Tod, er ist besiegt. / Wer will nicht sicher gehn, wer möchte immer scheitern? / Wem macht die schwere Fahrt noch Lust, sie zu erweitern. / Wer ist nicht froh, wenn er zuletzt im Hafen liegt?« (Golo Mann, nach dem Zitat befragt, hat sich spontan an die Verse erinnert.)

2] *Tschaikowsky:* Klaus Mann, ›Symphonie pathétique, ein Tschaikowsky-Roman‹, Amsterdam: Querido 1935.

3] *Georg Bernhard* (1875–1944): Publizist. 1892 bis 1898 Bankbeamter, Buchhalter und Börsenvertreter. 1898 in der Handelsredaktion der ›Berliner Zeitung‹. 1901 bis 1903 ständiger Mitarbeiter der ›Zukunft‹ Maximilian Hardens. 1904 eigene Zeitschrift unter dem Titel ›Plutus‹. Seit 1909 redaktionelle Leitung der ›Vossischen Zeitung‹. 1914 Chefredaktor und Geschäftsführer des Ullstein-Nachrichtendienstes. Seit 1916 Professor an der Berliner Handelshochschule für Bank-, Börsen- und Geldwesen. 1928 Mitglied des Reichstags der Deutschen Demokratischen Partei; Vorsitz im Reichsverband der deutschen Presse bis 1930; Mitwirkung bei der Gründung der extrem pazifistischen Radikaldemokratischen Partei. 1933 Emigration nach Paris; gründete 1933 das ›Pariser Tageblatt‹ und 1936 die ›Pariser Tageszeitung‹; Mitarbeiter im Pariser Volksfrontausschuß; 1940 bei Bordeaux interniert. Emigrierte 1941 in die USA. Starb in New York. Unter seinen Werken: ›Die deutsche Tragödie. Der Selbstmord einer Republik‹ (1933); ›Meister und Dilettanten am Kapitalismus im Reiche der Hohenzollern‹ (1936).

4] *Gide für antibolschewistische Zwecke zu benutzen:* Vgl. Brief vom 18.11.1933, Anm. 4.

5] *Otto Strasser* (1897–1974): Publizist und Politiker. Nahm als Kriegsfreiwilliger am Ersten Weltkrieg teil. Bis 1920 Mitglied der SPD. Studium der Rechtswissenschaft. Mit Moeller van den Bruck befreundet. 1925 bis 1930 Mitglied der NSDAP. Gründung des Kampfverlages; Herausgeber der ›Berliner Arbeiterzeitung‹; betonte gegenüber Hitler die sozialistischen Ideen des Parteiprogramms. 1926 Auseinandersetzung mit Hitler in der Frage der Fürstenenteignung; 1930 Austritt aus der Partei. Emigrierte über Wien, Prag und Paris nach Kanada (1940). 1955 Rückkehr nach Deutschland. 1956 Gründung der Deutschen Sozialen Union. Seit 1957 Herausgeber der ›Vorschau‹. Werke: ›Exil‹, Autobiographie (1958); ›Deutschland und der 3. Weltkrieg‹ (1961); ›Der Faschismus, Geschichte und Gefahr‹ (1965).

6] *einen ernsten Brief*: Heinrichs Briefe vom 26.7. und vom 21.8.1937 an Klaus Mann sind abgedruckt bei Dietzel, Brw. 468ff. Am 24.8.1937 schrieb Klaus Mann seinem Onkel:

289

K. M. Küsnacht/Zürich
den 24. VIII. 37.

Lieber Onkel Heinrich –

... auf Deinen Brief hin habe ich – wie in den letzten Tagen und Wochen übrigens häufig – die ganze Situation noch einmal gründlich überdacht. Nein, es geht wohl nicht: ich gehöre nicht in diese »Gruppe«, es wäre eine Halbheit und Schwachheit, aus äußeren Rücksichten dabei zu bleiben.

Ich schreibe also mit gleicher Post an Schwarzschild, an Heiden und das Sekretariat des Vereines, daß ich ausscheide. Mein Name darf nicht mehr genannt werden, wenn man die Mitglieder aufzählt.

Die letzte Rücksicht, die ich übe, ist die, daß ich auf eine Publizierung meines Entschlusses verzichte. Denen, deren Meinung in dieser Sache mir am wichtigsten ist, werde ich selber Mitteilung machen. Da ich nun einmal ein geschworener Feind aller »Eclats« innerhalb der Emigration bin, scheint es mir am richtigsten, in aller Stille auszuscheiden. Denen, die sich für diese Zusammenhänge interessieren, wird es ja mit der Zeit ohnedies auffallen, wenn mein Name nicht mehr in der Schwarzschild-Gruppe figuriert. Und ob ich nun im Neuen Tage-Buch noch weiter Figur machen werde, muß sich zeigen.

Dir danke ich für Deine schönen und eindringlichen Worte. Ich werde von jetzt ab vorsichtiger sein und es mir sieben mal siebzig mal überlegen, ehe ich irgendwo »eintrete«...

Stets Dein getreuer Klaus

Der Brief ist auch abgedruckt in: Klaus Mann, ›Briefe und Antworten 1922–1949‹, München 1987, S. 312 f. – Zu Schwarzschild und Bernhard vgl. nun auch: Hermann Hesse an Klaus Mann, Ende Januar 1936; an unbekannten Empfänger, etwa Februar 1936 (›Neue Rundschau‹, Berlin 1972, Jg. 83, Heft 2, S. 224 ff.).

15. 8. 1937

289 1] *Roman:* Thomas Mann, ›Lotte in Weimar‹, Ein kleiner Roman, Erstes Kapitel, Mass und Wert, Jg. 1, Heft 1, Zürich, September/Oktober 1937, S. 17–34.

2] *Volkszeitung Prag:* Nicht ermittelt.

3] *Sch.:* Leopold Schwarzschild.

4] *V. F.:* Volksfront

290 5] *Karl Radek*, eigentlich Karl Sobelssohn (1885–1939?): Russischer Publizist und Politiker. Arbeitete seit 1918 in Berlin am Aufbau der KPD mit; wurde 1919 ausgewiesen. 1919 bis 1924 Mitglied des ZK der KPdSU und des Exekutivkomitees der Komintern. Versuchte als deren Vertreter 1923 in Deutschland die Politik der deutschen und der sowjetischen KP zu koordinieren. 1927 bis 1929 und wieder von 1937 bis 1939 als angeblicher Trotzkist und Verschwörer gegen die UdSSR (Stalin) inhaftiert. Seither verschollen. Vgl. ›Ein Zeitalter wird besichtigt‹, Stockholm 1945, S. 120.

6] *Edikt von Nantes:* Vgl. ›Die Jugend des Königs Henri Quatre‹, S. 725.

2. 10. 1937

290 1] *Das beigefügte Rundschreiben:* Wortlaut des dem Brief beigelegten maschinengeschriebenen Durchschlags:

Sehr verehrter Herr,

die neue freiheitlich-soziale Gruppe der Volksfront, deren Mitglied Sie sind, will zum ersten Mal an die Öffentlichkeit treten. Es ist von großer Bedeutung, daß besonders die deutschen Intellektuellen, aber auch das Ausland von dem Bestehen dieser geistigen Auslese der Volksfront erfahren. Inzwischen konnte man sich überzeugen, daß die Regierungen der großen Demokratien, zum mindesten die für Deutschland wichtigste, bereit wären, eine deutsche Freiheitsbewegung anzuerkennen. Die Bedingung ist gerade das Erscheinen einer Führung, die Vertrauen einflößt. Alle Parteien, sofern sie sich zur Demokratie bekennen, sind willkommen. Praktisch erwartet man, daß namhafte Persönlichkeiten die Ablösung des noch bestehenden Regimes vorbereiten.

Es wird beabsichtigt, die Propaganda für die »*Liberal-sozialistische Vereinigung*« derart zu beginnen, daß der Aufsatz, mit dem Thomas Mann seine Zeitschrift »Maß und Wert« eröffnet hat, in besonderer Ausgabe, Dünndruck und kleines Format, nach Deutschland eingeführt und außerhalb Deutschlands verbreitet wird. Eine bessere Fassung der humanen, zukunftssicheren Grundanschauungen des wahren Deutschlands stände schwerlich zur Verfügung. Die Genehmigung des Verfassers wird für die geplante Weitergabe seiner Schrift ausdrücklich eingeholt. Gleichzeitig ergeht an Sie die Bitte, zuzustimmen, daß

1. die Verbreitung des Aufsatzes von Seiten der *Liberal-sozialistischen Vereinigung* erfolgt und daß

2. auf der inneren Titelseite die Namen der Mitglieder, darunter der Ihre, aufgeführt werden.

Die beträchtlichen Mittel für diese erste propagandistische Aktion sind bereitgestellt. Damit sie beginnen kann, bedarf es Ihrer Ermächtigung, und ich bitte sie so schnell zu erteilen, wie die Umstände es verlangen.

2] *Aufsatz:* Thomas Mann, ›Mass und Wert‹, Vorwort zu ›Mass und Wert‹, Jg. 1, Heft 1, Zürich, September / Oktober 1937, S. 1–16.

4. 11. 1937

1] *Querido:* Emmanuel Querido (1871–1943), holländischer Verleger. Gliederte 1933 seinem Verlag eine deutsche Abteilung an, die zu einem bedeutenden Zentrum der Exilliteratur wurde. Heinrich Mann veröffentlichte im Querido-Verlag den ›Henri Quatre‹ (1935/1938) und später den Roman ›Der Atem‹ (1949). Querido verlegte von 1933 bis 1935 auch Klaus Manns Zeitschrift ›Die Sammlung‹. Nach der Besetzung Hollands (1940) wurde Querido in ein Lager verschleppt, wo er den Tod fand. – Querido hatte Heinrich Mann offenbar die erweiterte

Ausgabe der ›Bekenntnisse des Hochstaplers Felix Krull‹ zugestellt (Amsterdam 1937).

2] ›Mass und Wert‹: Das zweite Heft (November/Dezember 1937) enthielt ›Lotte in Weimar‹, Drittes Kapitel: Lottes Gespräch mit Riemer.

3] *Besprechung:* Hermann Kesten, ›Heinrich Mann und sein Henri Quatre‹, Mass und Wert, Jg. 2, H. 4, Zürich, März/April 1939.

4] *Fortsetzung:* ›Die Vollendung des Königs Henri Quatre‹, Internationale Literatur, Jg. 7, H. 1–9, 12; Jg. 8, H. 1–7, 11–12; Jg. 9, H. 1–4, Moskau 1937–1939.

5] *Amerika:* Vom 15. 2. bis 6. 7. 1938 unternahm Thomas Mann seine vierte Reise in die Vereinigten Staaten – eine vom literarischen Agenten Harold Peat, New York, organisierte Vortragsreise, die insgesamt durch 15 Städte führte. Er hielt seinen Vortrag ›The Coming Victory of Democracy‹. Die deutsche Fassung des Vortrags war im gleichen Jahr bei Oprecht in Zürich erschienen: ›Vom zukünftigen Sieg der Demokratie‹ (vgl. XI 910).

20. 2. 1938

293. 1] *Amerika-Fahrt:* Vierte Reise in die Vereinigten Staaten. – Nach dem am 13. 3. 1938 erfolgten »Anschluß« Österreichs an das Deutsche Reich beschloß Thomas Mann, künftig in den USA zu bleiben. Am 29. Juni trat er nochmals die Überfahrt nach Europa an, um in den kommenden zwei Monaten den Schweizer Haushalt aufzulösen. Am 14. September reiste er wieder in die Vereinigten Staaten zurück.

2] *Oesterreichs Fall:* Auf dem Obersalzberg bei Berchtesgaden verlangte Hitler am 12. 2. 1938 von Österreichs Bundeskanzler Kurt von Schuschnigg die bedingungslose Erfüllung aller Punkte des Vertrages vom 11. 7. 1936, vor allem die Amnestie der in Österreich inhaftierten Nationalsozialisten. Am 16. 2. 1938 bildete Schuschnigg die Regierung um und ernannte den »Großdeutschen« Arthur Seyss-Inquart zum Innenminister. – Am 11. 3. 1938 dann gab Schuschnigg seinen unter deutschem Druck erzwungenen Rücktritt bekannt. Bereits am 12. 3. marschierte die deutsche Wehrmacht in Österreich ein, und am 13. 3. wurde das Gesetz über die Wiedervereinigung Österreichs mit dem Deutschen Reich verkündet.

3] *Joachim von Ribbentrop* (1893–1946): Ursprünglich Kaufmann, Hitlers außenpolitischer Hauptberater. Er schloß als Sonderbotschafter im Juni 1935 das deutsch-britische Flottenabkommen ab, wurde im August 1936 deutscher Botschafter in London und war anschließend 1938–1945 Reichsaußenminister. Er wurde 1946 als Hauptkriegsverbrecher in Nürnberg zum Tode verurteilt und hingerichtet.

4] *Kurt von Schuschnigg* (1897–1977): Österreichischer Bundeskanzler.

21. 4. 1938

1] *lecture-Tour:* Vierte Reise in die Vereinigten Staaten. 294

2] *Long Island:* Thomas Mann verbrachte im Mai / Juni 1938 einige Wochen im Landhaus von Miss Caroline Newton in Jamestown, Rhode Island. Er beendete dort den Essay über ›Schopenhauer‹ (Auftragsarbeit für The Living Thoughts Library, erschien 1939 in der Übersetzung von Helen T. Lowe-Porter) und nahm am 26. 5. 1938 dann die Arbeit an ›Lotte in Weimar‹ wieder auf. – Hier rang er sich zum Entschluß durch, trotz der unsicheren Weltlage nochmals nach Europa zu fahren, um den Küsnachter Haushalt aufzulösen und die Herausgabe von ›Mass und Wert‹ zu regeln. Vgl. Tagebuch vom 27. 5. 1938, 31. 5. 1938, 7. 6. 1938.

3] *Monika Mann-Lányi* (1910–1992): Schriftstellerin. War mit dem Kunsthistoriker Jenö Lányi verheiratet, der 1940 bei der Versenkung der ›City of Benares‹ ums Leben kam. Autobiographisches Werk: ›Vergangenes und Gegenwärtiges‹ (1956).

4] *Ehren-Professur:* Im Mai 1938, während seines vierten Amerika-Aufenthaltes, wurde Thomas Mann von der Princeton University eine Ehrenprofessur angeboten, die ihn für ein Jahr zu vier Vorlesungen, bei einem Gehalt von 6000 Dollar, verpflichtete. In einem Brief vom 27. 5. 1938 an den Präsidenten der Princeton University, Harold Willis Dodds, nahm Thomas Mann die ehrenvolle Berufung an.

10. 6. 1938

1] *Brief zum 6. Juni:* 63. Geburtstag von Thomas Mann. 294

2] *im Sommer:* Thomas Mann weilte noch vom 7. 7. bis 14. 9. 1938 in Küsnacht. Während dieser Zeit arbeitete er an ›Lotte in Weimar‹ weiter.

3] *Arbeit:* Heinrich Mann, ›Die Vollendung des Königs Henri 295 Quatre‹, Amsterdam: Querido 1938; Kiew: Staatsverlag der nationalen Minderheiten der UdSSR 1938.

6. 8. 1938

1] *Dein großes Werk:* ›Die Vollendung des Königs Henri Quatre‹. 295

2] *Engadin:* Thomas Mann hielt sich vom 13. bis 21. 8. 1938 in Sils-Baselgia auf.

3] *l'infâme:* Hitler war am 12. 3. 1938 in Österreich einmarschiert.

4] *Nietzsche-Einleitung:* Heinrich Mann, ›Nietzsche‹, Mass und 296 Wert, Jg. 2, H. 3, Zürich, Jan. / Febr. 1939. (Einleitung zu ›The Living Thoughts of Nietzsche. Presented by Heinrich Mann‹, New York: Longmans, Green 1939.)

5] *Schopenhauer:* Thomas Mann, ›Schopenhauer‹, Stockholm: Bermann-Fischer 1938.

9. 9. 1938

1] *Bruchstücke:* Heinrich Mann hatte in Küsnacht aus der ›Vollen- 296 dung des Königs Henri Quatre‹ vorgelesen.

2] *Küsnacht:* Heinrich Mann war vom 26. 8. bis 6. 9. 1938 in Küsnacht zu Besuch.

3] *Entscheidung:* Am 12. 9. 1938 hielt Hitler vor dem Forum des Reichsparteitages eine Rede, in der er den tschechoslowakischen Staat und den Präsidenten Beneš angriff und die Sache der Sudetendeutschen zu der seinen machte.

22. 11. 1938

297 1] ›*Nietzsche*‹: Vgl. Brief Thomas Manns vom 6. 8. 1938, Anm. 3.

2] *Robert Ley* (1890–1945): Seit 1933 Reichsleiter der Deutschen Arbeitsfront.

3] *Buch:* Heinrich Mann, ›Mut‹, [hrsg. von der] Association internationale des écrivains, Paris: Ed. du 10 mai, 1939.

4] *Zeit des ägyptischen Abenteuers:* Napoleons Expedition nach Ägypten 1798/99.

5] *Amerikaner:* Ludvik Aškenazi [Aschermann] (gest. 1986), Schwiegersohn von Heinrich Mann. Vgl. Briefe vom 29. 12. 1938, 25. 1. 1939, 2. 3. 1939 und 25. 5. 1939.

6] »*erwünscht, da kömmt er*«: In Lessings ›Philotas‹ ruft König Aridäus am Schluß des 7. Auftritts: »Gewünscht! da kömmt er!«

298 7] *Manifest:* Thomas Mann, ›Dieser Friede‹, Stockholm: Bermann-Fischer 1938.

29. 12. 1938

298 1] *Schriften:* ›Dieser Friede‹. Widmung: »An Heinrich ›in sicherem Bunde mit allen Besten‹. Princeton N. J. Weihnachten 1938. T. « – Thomas Mann, ›Achtung, Europa!‹, Stockholm: Bermann-Fischer 1938. Widmung: »An Heinrich in brüderlicher Verbundenheit. Princeton, Weihnachten 1938. T. «

2] »*Europa*«: Vgl. Thomas Manns Brief an René Schickele vom 31. 12. 1938: »Die Gemütskrankheit – man kann es nicht anders nennen – der besseren Menschheit über den Münchener Frieden habe ich redlich geteilt und mir meinen Gram in den ersten Tagen hier, während wir uns noch einrichteten, mit dem Vorwort zu dem Büchlein ›Achtung, Europa!‹ vom Herzen geschrieben, das Ihnen unterdessen möglicherweise schon vor Augen gekommen ist, das ich aber diesen Zeilen doch mit auf den Weg geben will. Ich bin seither wieder ein wenig gläubiger geworden. Dies nihilistische Geschmeiß wird nicht Europa organisieren und nicht die Welt beherrschen.« (Brw. Schickele 131)

3] »*macht ihr euern Dreck alleene*«: Ausspruch des Königs Friedrich August III. von Sachsen, als man 1918 seine Abdankung verlangte.

4] *meinen Roman:* ›Die Vollendung des Königs Henri Quatre‹.

299 5] *Dr. Aschermann:* Ludvik Aškenazi. Vgl. Brief vom 22. 11. 1938, Anm. 5.

6] *Therese von Konnersreuth,* eigentlich Therese Neumann (1898 bis 1962): Seit der Fastenzeit 1926 stigmatisiert.

25. 1. 1939

1] ›*Achtung Europa!*‹: Vgl. Heinrich Manns Brief vom 29. 12. 1938, 299
Anm. 1.

2] *Meine nächste Sache:* Vermutlich ›Empfang bei der Welt‹. Vgl. 300
Heinrich Manns Brief vom 15. 4. 1942, Anm. 1.

2. 3. 1939

1] *Dein Roman:* ›Die Vollendung des Königs Henri Quatre‹. 300

2] *Hermann Kesten* (geb. 1900): Schriftsteller. 1927–1933 erst Lek- 301
tor, dann literarischer Leiter des Kiepenheuer-Verlags, Berlin. Emigrierte 1933 nach Paris, Brüssel, Nizza, London, Amsterdam;
1933–1940 Leiter des A. de Lange-Verlags für Emigrantenliteratur in
Amsterdam. Seit Mai 1940 in New York; unterstützte dort – mit Thomas Mann u. a. zusammen – das Emergency Rescue Committee. 1949
Rückkehr nach Europa, jetzt freier Schriftsteller in Rom. Bekannt
durch zahlreiche Romane, darunter ›Die Zwillinge von Nürnberg‹
(1947); ›Die fremden Götter‹ (1949); ferner durch ›Dichter im Café‹
(1959); ›Lauter Literaten‹ (1963). – Gemeint ist Kestens Aufsatz
›Heinrich Mann und sein Henri Quatre‹, Mass und Wert, Zürich,
März/April 1939.

3] *die Sache mit Deinem Schwiegersohn:* Vgl. Heinrich Manns Brief
vom 22. 11. 1938, Anm. 5.

4] *Vortragsreise:* 8. März bis Mitte April 1939. Thomas Mann las den 302
Vortrag ›The Problem of Freedom‹ u. a. in Boston, New York, Detroit,
Chicago, Baltimore.

14. 5. 1939

1] *Verpflichtungen:* Nach der Rückkehr von seiner lecture-tour las 303
Thomas Mann in Princeton über Goethes ›Faust‹ (um den 20. April).
Am 9. 5. 1939 hielt er in New York die ›Ansprache auf dem Weltkongreß der Schriftsteller‹ (Auszug in ›Literaturnaja gazeta‹, Moskau,
10. 6. 1939). Am 10. 5. 1939 las er in Princeton seine ›Einführung in
den ‚Zauberberg'‹.

2] *Aufsätze:* Heinrich Mann, ›Verfall eines Staates‹, Die Neue Weltbühne, Prag u. a., 2. 3. 1939; ›Die deutschen Soldaten‹, a. a. O.,
13. 4. 1939.

3] »*Nation*«: Linksliberale, von Freda Kirchwey herausgegebene poli-
tisch-literarische New Yorker Wochenschrift, die Thomas Mann regelmäßig las und in der mehrfach Beiträge von ihm erschienen.

4] *Gegenstand des Briefes:* Vgl. den folgenden Brief Thomas Manns,
ebenfalls vom 14. 5. 1939.

14. 5. 1939

1] *November-Pogrome:* ›Kristallnacht‹ vom 9. 11. 1938. 304

2] *das ›Schwarze Corps‹:* ›Das schwarze Korps‹. Wochenzeitung der 305
SS.

547

3] *Frank Kingdon* (1894–1972): Universitätsprofessor und Radio-Kommentator. 1936–1940 Präsident der Universität Newark. Chairman des International Rescue and Relief Committee; New York Chairman des Committee to Defend America by Aiding the Allies; Chairman des Fight for Freedom Committee und des Committee for Care of European Children. Außerdem Mitbegründer des Emergency Rescue Committee. Stand in enger Verbindung mit Thomas Mann. – Unter seinen Werken: ›That Man in the White House, You and Your President‹, Biographie von Roosevelt (1944); ›An Uncommon Man, Henry Wallace and 60 Million Jobs‹ (1945); ›Architects of the Republic‹ (1947).

4] *Wilhelm (William) Dieterle* (1893–1972): Schauspieler und Regisseur. Ging 1910 zum Theater (Heilbronn, Mainz, Zürich, München, Berlin). Seit 1932 in Hollywood. 1958 wieder in Deutschland, seit 1960 künstlerischer Leiter der Hersfelder Festspiele. Danach in Triesen, Liechtenstein. Unter seinen Filmen: ›Die Heilige und ihr Narr‹; ›A Midsummer Night's Dream‹; ›The Life of Emile Zola‹; ›Dr. Ehrlich's Magic Bullet‹; ›Portrait of Jennie‹.

5] *James Franck* (1882–1964): Physiker. Bis 1935 am Kaiser-Wilhelm-Institut, Berlin. Emigrierte in die USA; lehrte zunächst an der Johns Hopkins University, Baltimore; seit 1938 Professor für physikalische Chemie an der Universität Chicago. Nobelpreis 1925.

6] *Leonhard Frank* (1882–1961): Schriftsteller. Wollte ursprünglich Maler werden, ging deshalb 1904 nach München. Seit 1910 in Berlin. Emigrierte 1914 in die Schweiz. 1918 in München, 1920–1933 freier Schriftsteller in Berlin. Floh 1933 nach Zürich, 1927 nach Paris; wurde in Frankreich mehrmals interniert. 1940 Flucht nach Lissabon und in die USA (Hollywood, ab 1945 New York). 1950 Rückkehr nach München. Unter seinen Werken: ›Die Räuberbande‹, Roman (1914); ›Der Mensch ist gut‹, Novellen (1918); ›Das Ochsenfurter Männerquartett‹, Roman (1927); ›Karl und Anna‹, Erzählung (1927; als Schauspiel 1929); ›Bruder und Schwester‹, Roman (1929); ›Links, wo das Herz ist‹, Lebensbericht (1952, 1967).

7] *Lotte Lehmann* (1888–1976): Lyrisch-dramatische Sängerin. 1910 am Hamburger Staatstheater, 1914–1938 an der Wiener Staatsoper, seit 1934 auch an der Metropolitan Opera, New York. Lehrte in Santa Barbara, Calif. Erste Christine in Richard Strauss' ›Intermezzo‹; wandte sich in späteren Jahren mehr dem Liedgesang zu. Als Schriftstellerin trat sie mit dem Roman ›Orplid, mein Land‹ (1937) hervor. Autobiographien: ›Anfang und Aufstieg‹ (1937); ›My Many Lives‹ (1948). Anleitung zur Liedinterpretation: ›More than Singing‹ (1945); ›Five Operas and Richard Strauss‹ (1963).

8] *Hermann Rauschning* (1887–1982): Publizist und Diplomat. Bis 1936 Präsident des Senats der Freien Stadt Danzig; galt zuerst als Vertrauensmann Hitlers, floh aber 1936 in die Schweiz; 1938 nach Frankreich, 1940 nach England, 1941 in die USA. Lebte seit 1948 als Farmer in Portland, Oregon. ›Revolution des Nihilismus‹ (1938); ›Gespräche mit Hitler‹ (1939); ›Die Zeit des Deliriums‹ (1944). Mitarbeiter von ›Mass und Wert‹.

9] *Ludwig Renn*, eigentlich Arnold Friedrich Vieth von Golssenau (1887–1979): Schriftsteller. Verfasser des bekannten Romans ›Krieg‹ (1928). Schloß sich 1928 der Kommunistischen Partei an. Nach dem Reichstagsbrand wegen Hochverrats zu zweieinhalb Jahren Zuchthaus verurteilt. Floh 1936, nach seiner Entlassung, in die Schweiz. Nahm am Spanischen Bürgerkrieg teil. Emigrierte 1939 über Frankreich, England und die USA nach Mexiko. 1940 Professor für moderne europäische Geschichte an der Universität Morelia; Präsident der Bewegung ›Freies Deutschland‹. Seit 1947 Professor für Anthropologie an der Technischen Hochschule in Dresden. Weitere Werke: ›Vor großen Wandlungen‹, Roman (1936); ›Adel im Untergang‹, Roman (1944). – Vgl. Heinrich Mann, ›Zu Ludwig Renns 50. Geburtstag‹, Internationale Literatur, Jg. 9, H. 5, Moskau 1939, S. 135.

10] *René Schickele* (1883–1940): Schriftsteller. Kindheit im Elsaß, Studium in Straßburg. Gründete 1902 mit Otto Flake und Ernst Stadler die Zeitschrift ›Der Stürmer‹. Arbeitete in München, Paris, Berlin als Journalist und Lektor. Herausgeber der Zeitschrift ›Das neue Magazin für Literatur‹. Reisen durch Europa, Nordafrika, Indien. Gab von 1915 bis 1919 in Zürich die ›Weißen Blätter‹ heraus. 1920 bis 1932 in Badenweiler. 1932 erneute Emigration (Sanary-sur-Mer). Unter seinen Werken: ›Der Fremde‹, Roman (1909); ›Das Erbe am Rhein‹, Roman-Trilogie (1925–1931); ›Witwe Bosca‹, Roman (1933); ›Die Flaschenpost‹, Roman (1937); ›Die Heimkehr‹, Erzählung (dt. 1939).

11] *Erwin Schrödinger* (1887–1961): Physiker. Lehrte in Stuttgart, Breslau, Zürich, 1927 in Berlin als Nachfolger Plancks (Nobelpreis für Physik 1933). Emigrierte 1933 nach Oxford. 1936 in Graz, 1940 in Dublin, dann USA; seit 1956 in Wien.

12] *Paul Tillich* (1886–1965): Theologe. 1919 Privatdozent in Berlin. Lehrte in Marburg, Dresden, Frankfurt. Vertreter des »religiösen Sozialismus«. Emigrierte 1933 nach den USA, Prof. am Union Theological Seminary in New York. Seit 1955 an der Harvard Divinity School. Während der Vorarbeiten zum ›Doktor Faustus‹ bat ihn Thomas Mann um eine Beschreibung des Theologiestudiums. Tillichs Antwort vom 25. 5. 1943 ist in den ›Blättern der Thomas-Mann-Gesellschaft‹, Nr. 5, Zürich 1965, S. 48–52, abgedruckt. Unter seinen Werken: ›Kairos‹ (1926–1929); ›Die sozialistische Entscheidung‹ (1933); ›The Protestant Era‹ (1948); ›Systematic Theology‹ (1951–1957); ›The New Being‹ (1955); ›Auf der Grenze‹, Essays (1963).

13] *Fritz von Unruh* (1885–1970): Schriftsteller. Aus alter Offiziersfamilie, wurde durch das Erlebnis des Ersten Weltkriegs zum Pazifisten. Lebte in Diez/Lahn und in der Schweiz, emigrierte 1932 nach Italien und Frankreich. Dort 1940 interniert. Flucht nach New York. Seit 1948 teils in Deutschland, teils in den USA. Ließ sich 1952 wieder in Diez nieder. Ging 1955 nach New York zurück, dann nach Atlantic

306

City. Seit 1962 in Frankfurt am Main. Unter seinen Werken ›Offiziere‹, Drama (1911); ›Louis Ferdinand, Prinz von Preußen‹, Drama (1913); ›Opfergang‹, Erzählung (1916); ›Ein Geschlecht‹, Tragödie (1918); ›The End is Not Yet‹ (1947); ›Die Heilige‹, Roman (1952); ›Der Sohn des Generals‹, Autobiogr. Roman (1957).

14] *Arbeit:* Möglicherweise handelt es sich um den Aufsatz ›Kultur und Politik‹ (XII 853).

25. 5. 1939

306   1] *Zeitschrift ›Life‹:* Marquis Childs, ›Thomas Mann, Germany's foremost literary exile speaks now from freedom and democracy in America‹, Life, vol. 6, nr. 16, New York 1939, p. 56–59, 74–76.

307   2] *Dünndruck-Manifeste:* Vgl. Edith Zenker, ›Heinrich-Mann-Bibliographie‹: Essays, Reden, Aufrufe.

3] *Rede:* Näheres unbekannt. Möglicherweise steht Heinrich Manns Artikel ›Das andere Deutschland‹ (Deutsche Volkszeitung, Paris, 27. 8. 1939) mit dieser Rede in Zusammenhang.

4] *Meiner Frau kann ich helfen:* Heinrich Manns Trauung mit Nelly Kröger fand am 9. 9. 1939 in Nizza statt.

308   5] *meine Tochter:* Leonie (Goschi) Mann.

6] *Mimi:* Maria Kanova, Heinrich Manns erste Frau.

7] *der Sohn:* Dr. Aschermann (eigentl. Ludvik Aškenazi).

19. 6. 1939

308   1] *erste Etappe unseres europäischen Sommers:* Europareise vom 6. Juni bis 18. September 1939. Die Brüder hielten sich vom 13. bis 14. 6. 1939 gemeinsam in Paris auf. Thomas Mann verbrachte anschließend einige Ferienwochen in Nordwijk aan Zee; am 6. 8. 1939 reiste er nach Zürich (Arbeit am 8. Kapitel von ›Lotte in Weimar‹). Nach einem Aufenthalt in London (18.–23. 8. 1939) flog Thomas Mann nach Stockholm, wo er vor dem PEN-Kongreß über ›Das Problem der Freiheit‹ hätte sprechen sollen. Wegen des Einmarsches der deutschen Truppen in Polen (1. 9. 1939) reiste er vorzeitig, am 12. 9. 1939, nach Princeton zurück.

309   2] *die alten Leute:* Prof. Alfred Pringsheim emigrierte im November 1939 mit seiner Frau in die Schweiz.

3] *Ida Springer:* Erzieherin im Hause des Senators Mann.

4] *Hans Meisel* (geb. 1900): Schriftsteller. Emigrierte 1934 aus Deutschland, ging 1938 in die USA. 1938–1940 Thomas Manns Sekretär. Später Professor für politische Wissenschaften an der Michigan University. Unter seinen Werken: ›The Myth of the Ruling Class‹ (1958).

28. 6. 1939

310   1] *›Mut‹:* Heinrich Mann, ›Mut‹, Paris: Ed. du 10 mai, 1939.

5. 7. 1939

1] *Peter Grund*, Pseud. für Otto Mainzer (geb. 1903): Staatsrechtler   310
und Rechtsphilosoph. 1929 erschien von ihm das Buch ›Gleichheit vor
dem Gesetz, Gerechtigkeit und Recht‹. Emigrierte, bevor er sich habili-
tieren konnte, 1933 nach Paris, dann nach den USA. Begann im Exil,
Dichtung zu veröffentlichen. Seine Erzählung ›Prometheus, das Werk
ohne Ende‹ wurde von den Preisrichtern der American Guild for German Cultural Freedom, darunter Thomas Mann, mit einer besonderen
Empfehlung zur Veröffentlichung ausgezeichnet. Als die Guild die
Entscheidung anfocht, bat Otto Mainzer Heinrich Mann um Intervention. Unter seinen Werken: ›Der zärtliche Vorstoß‹, Gedichte (1939);
›Die sexuelle Zwangswirtschaft – Ein erotisches Manifest‹ (1981, ge-
schrieben in den dreißiger Jahren); nicht erschienen: ›Prometheus-
Trilogie‹, Roman; ›Astarte‹, ›Die olympische Krankheit‹, ›Hochzeit‹,
Dramen; ›Die Eroberung des Geschlechts‹, Essay.

2] *Melantrich:* Prager Verlag, der seit etwa 1930 Thomas Manns
Werke in tschechischer Sprache herausbrachte.

17. 7. 1939

1] *Rudolf Olden:* Vgl. Thomas Manns Brief an Rudolf Olden vom   310
28. 7. 1939.

2] *Vortrag [...] für Stockholm:* Thomas Mann, ›Das Problem der Frei-   311
heit‹, Stockholm. Bermann-Fischer 1939. Vgl. Thomas Manns Brief
vom 19. 6. 1939, Anm. 1.

3] *leider nichts zu machen:* Auf Heinrichs Wunsch hatte Thomas
Mann versucht, der in Prag lebenden Leonie Mann Geld zu überwei-
sen.

20. 7. 1939

1] *Anliegendes:* ›Botschaft an Deutschland‹, vorgelegt von Bruno   311
Frank.

2] *Roman:* Thomas Mann, ›Lotte in Weimar‹, Stockholm: Bermann-
Fischer (November) 1939.

3] *›Vulkan‹:* Klaus Mann, ›Der Vulkan‹, Amsterdam 1939. – Vgl.
Thomas Manns Brief an Klaus Mann vom 22. 7. 1939 und Klaus Manns
Brief an Thomas Mann vom 3. 8. 1939: »Dabei ist es längst an der Zeit,
daß ich Dir über Deinen Roman berichte – Mielein hat's, was sie angeht, schon eingehend getan, nachdem sie unser Exemplar lange einbe-
halten. Aber auch ich habe, seit ich es nun auch besessen, schon verschiedenen Leuten darüber geschrieben, um sie ernstlich auf das Buch
hinzuweisen und sie zu bitten, sich darum zu kümmern, weil es eine
wirklich vorzügliche Sache sei, die von einer in Banden der Dummheit
und Bosheit liegenden Welt doch natürlich vernachlässigt werde: so an
Alfred Neumann, Onkel Heinrich, Fränkchen und andere. Ich bin
überzeugt, daß jeder, der sich, selbst skeptischen Sinnes, damit einläßt,
es gefesselt, unterhalten, gerührt und ergriffen zu Ende lesen wird.

[...] Also denn: ganz und gar durchgelesen und zwar mit Rührung und Heiterkeit, Genuß und Genugtuung und mehr als einmal mit Ergriffenheit. Sie haben Dich ja lange nicht für voll genommen, ein Söhnchen in Dir gesehen und einen Windbeutel, ich konnt es nicht ändern. Aber es ist nun wohl nicht mehr zu bestreiten, daß Du mehr kannst, als die Meisten – daher meine Genugtuung beim Lesen, und die anderen Empfindungen hatten auch ihren guten Grund. Schon mitten drin war ich vollkommen beruhigt darüber, daß das Buch als Unternehmen, also als Emigrationsroman, vermöge seiner persönlichen Eigenschaften ganz konkurrenzlos ist, und daß Du keine andere Erscheinung dieser Art, auch Werfel nicht, zu fürchten brauchst.« (Klaus Mann, ›Briefe und Antworten 1922–1949‹, hrsg. von Martin Gregor-Dellin, München 1987, S. 388 ff.)

26.11.1939

312 1] *der Flug von Malmö nach Amsterdam:* Darüber berichtet Erika Mann in ›Das letzte Jahr‹ (Frankfurt 1956, S. 39).

2] *Vermählung:* Heinrich Mann heiratete am 9. 9. 1939 seine langjährige Lebensgefährtin Nelly Kröger.

3] *Hochzeit:* Elisabeth Mann heiratete am 23. 11. 1939 den Historiker und Schriftsteller Giuseppe Antonio Borgese (1882–1952), Professor für deutsche Literatur an den Universitäten Rom und Mailand. Er war seit 1931 Gastprofessor für italienische Literatur an der Berkeley University, 1932–1936 am Smith College, danach bis 1947 an der Universität Chicago, wo er auch politische Wissenschaft lehrte. 1946 bis 1951 Generalsekretär des Committee to Frame a World Constitution und Herausgeber der Monatsschrift ›Common Cause‹. 1951 kehrte er nach Italien zurück, wo er als Gastprofessor an der Universität Mailand wirkte. Lebte zuletzt in Florenz. Unter seinen Werken: ›Gabriele d'Annunzio‹ (1909); ›La vita e il libro‹, Essays, 3 Bde. (1910 bis 1913); ›Rubé‹, Roman (1921); ›I vivi e i morti‹, Roman (1923); ›Goliath, the March of Fascism‹ (1937); ›Common Cause‹ (1943); ›Foundation of the World Republic‹ (1953). Übersetzte Goethes ›Wahlverwandtschaften‹ ins Italienische.

313 4] *Gönnerin:* Miss Caroline Newton schenkte Thomas Mann den Pudel Nico.

5] *Mit Hilfe [...] des Hauses Wahnfried:* Dazu Erika Mann: »Das Haus Wahnfried war durchaus unbeteiligt an der Ausreise des Ehepaares Pringsheim. Hilfreich ist Professor Haushofer gewesen, ein alter Freund-Kollege von der Universität.«

6] *Ich bin gesund, das heißt, ich bin nicht krank:* ›Tasso‹, III. Aufzug, 1. Auftritt (Prinzessin zu Leonore).

7] *Goethe-Roman:* ›Lotte in Weimar‹ wurde im Oktober 1939 vollendet.

8] *Jean Giraudoux* (1882–1944): Französischer Diplomat und Schriftsteller. Unter seinen Dramen: ›Amphitryon 38‹ (1929); ›La guerre de

Troie n'aura pas lieu‹ (1935); ›Ondine‹ (1939); ›La folle de Chaillot‹ (1945). – Vgl. Jean Giraudoux' Brief an Thomas Mann vom 11. 10. 1939 und Klaus Manns Brief an Katja Mann vom 7. 10. 1939: »Ich weiß nicht, ob der Clipper-Brief an Giraudoux schon weg ist, und ob – falls er schon abgegangen sein sollte – man noch einen zweiten betreffend le pauvre Kesten nach-hetzen könnte. Vielleicht ließe sich, wenn man Giraudoux nicht noch mal bothern will, etwas mit Geneviève oder mit dem kleinen Bertaux oder mit Monsieur Lazareff vom ›Pariser Soir‹ machen. Jedenfalls gehört Kesten – wie auch Speyer, Neumann usw. – doch wohl zu denen, für die man sich gesondert und mit besonderem Nachdruck einsetzen sollte, abgesehen von allen allgemeinen Aktionen.« (Klaus Mann, ›Briefe und Antworten 1922–1949‹, München 1987, S. 398.)

9] *Jules Romains*, eigentlich Louis Farigoule (1885–1972): Französischer Schriftsteller. Setzte sich in jenen Jahren für deutsche Emigranten ein. Unter seinen Werken ›La vie unanime‹ (1908); ›Mort de quelqu'un‹, Roman (1911); ›Knock, ou le triomphe de la médecine‹ (1923); ›Les hommes de bonne volonté‹, Zyklen-Roman von 28 Bänden (1932–1956).

9. 12. 1939

1] *Ereignisse:* Gemeint ist der Deutsch-Französische Krieg 1870/71.   314

2] *Mitte des Lebens:* Gemeint ist der Erste Weltkrieg 1914/18.

3] *Medi:* Elisabeth Mann heiratete im November 1939 Giuseppe Antonio Borgese.

4] *ihre Eltern:* Im November 1939 emigrierten die Eltern von Katja Mann, Alfred Pringsheim und seine Gattin Hedwig, in die Schweiz.

5] *Deines Romans:* Thomas Mann, *Lotte in Weimar*. Roman, Stockholm: Bermann-Fischer 1939.

6] *Meine Frau:* Im September 1939 heiratete Heinrich Mann seine langjährige Gefährtin Nelly Kröger.

7] *Heirat:* Heinrich Manns Tochter Leonie hatte in Zürich Dr.   315
Aschermann (eigentlich Ludvik Aškenazi) geheiratet.

8] *Beneš:* Der tschechoslowakische Staatsmann Eduard Benesch (1884–1948); er war der engste Mitarbeiter T. G. Masaryks bei der Gründung der tschechoslowakischen Republik, amtierte 1918–1935 als Außenminister und 1921–1922 zugleich als Ministerpräsident der ČSR und wurde, nach Masaryks Rücktritt, 1935 Staatspräsident. Nach dem Münchner Abkommen und der erzwungenen Abtretung der Sudetengebiete trat er am 5. 10. 1938 zurück und war 1940–1945 Präsident der tschechoslowakischen Exilregierung in London. Am 16. 5. 1945 kehrte er nach Prag zurück, wurde erneut Staatspräsident und legte nach dem kommunistischen Staatsstreich im Februar 1948 sein Amt nieder.

9] *Herausgeber der Weltbühne:* Gemeint ist der Publizist Hermann Budzislawski (1901–1978); lebte ab 1934 in der Tschechoslowakei und war von 1934 bis 1939 Herausgeber der ›Neuen Weltbühne‹ in Prag und Paris.

10] *Hubert Ripka* (1895–1958): Tschechischer Journalist und Politiker. 1925–1930 Redakteur des ›Národní osvobození‹, 1930–1938 Redakteur der ›Lidové noviny‹. 1939 Emigration nach Frankreich, 1940 nach England. 1941–1945 Minister der tschechoslowakischen Exilregierung in London, danach Rückkehr in die ČSR. 1945–1948 tschechischer Außenhandelsminister. 1948 Emigration.

17. 1. 1940

315   1] *›Lotte in Weimar‹:* In ›Mass und Wert‹ waren von 1937 bis 1939 die Kapitel 1, 2, 3, 5, 6 und 7 erschienen. Offenbar hatte Heinrich Mann die Nummer vom November/Dezember 1939, in der ein Teil des ›Siebenten Kapitels‹ abgedruckt war, noch nicht gelesen.

316   2] *Charles-Augustin Sainte-Beuve* (1804–1869): Es handelt sich vermutlich um: Goethe, ›Werther; Hermann et Dorothée‹, Traductions de Sevelinges et de Bitaubé, soigneusement revues et complétées par Ernest Grégoire, avec une préface de Sainte-Beuve, Paris 1880.

3. 3. 1940

317   1] *Vortragsreise:* Thomas Mann las im Februar 1940 seinen Vortrag ›The Problem of Freedom‹ in einigen amerikanischen Städten, am 19. 2. in Dallas, am 21. 2. in Houston. Vom 22. 2. an hielt er sich in San Antonio auf, las aber am 26. noch in Denton, Texas.

  2] *meinen Roman:* ›Lotte in Weimar‹.

  3] *lectures:* Thomas Mann las im März über ›Goethe's Werther‹, am 10./17. 4. 1940 über ›Die Kunst des Romans‹ (beide erstmals abgedruckt in: ›Altes und Neues‹, Frankfurt: Fischer 1953), am 2./3. 5. 1940 ›On Myself‹ (erstmals abgedruckt in den ›Blättern der Thomas-Mann-Gesellschaft‹, Nr. 6, Zürich 1966).

318   4] *Gegenstück zu ›This peace‹:* Thomas Mann, ›This Peace‹, transl. by H. T. Lowe-Porter. New York: Knopf 1938. Deutsche Ausgabe: ›Dieser Friede‹, Stockholm: Bermann-Fischer 1938. – Thomas Mann, ›This War‹, transl. by Eric Sutton, London: Secker & Warburg; New York: Knopf 1940. Deutsche Ausgabe: ›Dieser Krieg!‹, Stockholm: Bermann-Fischer 1940.

  5] *Golo:* Ende 1939, nach dem Rücktritt von Ferdinand Lion, hatten Golo Mann und Emil Oprecht die Redaktion von ›Mass und Wert‹ übernommen.

  6] *Beitrag:* Im von Golo Mann redigierten dritten und letzten Jahrgang der Zeitschrift ›Mass und Wert‹ ist kein Beitrag von Heinrich Mann publiziert worden.

5. 5. 1940

319   1] *»Dieser Friede«:* Thomas Mann, ›Dieser Friede‹, erstmals fragmentarisch in: Die Zukunft, Jg. 1, Paris, 25. 11. 1938, S. 2. Erste Buchver-

öffentlichung unter dem Titel ›Die Höhe des Augenblicks‹ in: Thomas Mann, ›Achtung, Europa!‹, Stockholm: Bermann-Fischer 1938. Erste Buchausgabe: Stockholm: Bermann-Fischer 1938.

2] »*Dieser Krieg*«: Thomas Mann, ›Dieser Krieg‹, Stockholm: Bermann-Fischer 1940. Die in Amsterdam gedruckte Ausgabe kam nicht mehr zur Auslieferung; sie wurde im Zusammenhang mit dem Einmarsch der deutschen Wehrmacht in Holland vernichtet.

23. 7. 1940

1] *Alfred A. Knopf* (1892–1984): Thomas Manns amerikanischer Verleger.   321

2] *Valeriu Marcu* (1899–1942): Historisierender Schriftsteller rumänischer Herkunft. Emigrierte 1933 nach Südfrankreich, dann in die USA. Unter seinen Werken: ›Schatten der Geschichte, 15 europäische Profile‹ (1926); ›Lenin, 30 Jahre Rußland‹ (1927); ›Scharnhorsts großes Kommando, Die Geburt einer Militärmacht in Europa‹ (1928); ›Männer und Mächte der Gegenwart‹ (1930); ›Die Vertreibung der Juden aus Spanien‹ (1934); ›Machiavelli, Die Schule der Macht‹ (1937).   322

3] *Golo:* Über die Abenteuer seines Sohnes schrieb Thomas Mann im August 1940 eine Reihe von Briefen an Agnes E. Meyer (vgl. Brw. Meyer 220–233).

4] *mit Hilfe seines Bruders.* Hans Oprecht (1894–1978). Sekretär des Schweizerischen Verbandes des Personals öffentlicher Dienste, Präsident der Sozialdemokratischen Partei der Schweiz, Mitglied des Nationalrats. – Oprecht wirkte eine Zeitlang als Sekretär des Schweizerischen Hilfswerks für deutsche Gelehrte.

28. 8. 1940 [Testament]

1] Am 12. September 1940 flohen Heinrich und Nelly Mann, Golo Mann, Lion und Martha Feuchtwanger, Franz und Alma Werfel zu Fuß über die Pyrenäen nach Port Bou, Spanien, von dort mit der Eisenbahn nach Barcelona, Madrid und Lissabon. Mit vielen anderen deutschen Flüchtlingen schifften sie sich am 4. Oktober auf dem griechischen Schiff ›Nea Hellas‹ ein und erreichten New York am 13. Oktober 1940. Vgl. Heinrich Mann, ›Ein Zeitalter wird besichtigt‹, Berlin 1947, S. 427–437, und Alma Mahler-Werfel, ›Mein Leben‹, Frankfurt 1960, S. 312–321.   323

22. 9. 1940

1] *Telegramm:* Vgl. Tagebuch vom 20. 9. 1940: »Beim Frühstück *Telegramm von Golo* und Heinrich aus Lissabon, wo sie [auf] ein Schiff warten. Freude und Genugtuung.« Der hier vorliegende Brief wurde noch nach Lissabon geschickt. – Vgl. ferner Thomas Manns Brief vom 15. 9. 1940 an Karl Löwenstein.   323

2] *Rescue Committee:* Ende Juni 1940, nach dem Waffenstillstand

Frankreichs mit dem Dritten Reich, erfolgte die Gründung des Emergency Rescue Committee unter Leitung des Präsidenten der Newark University, Dr. Frank Kingdon, und unter Mitwirkung von Thomas und Erika Mann, später auch von Hermann Kesten. Das Komitee arbeitete eng mit dem President's Advisory Committee on Political Refugees zusammen.

3] *von den Unitariern:* Gemeint ist wahrscheinlich die Unitarian Church, die sich damals für Flüchtlinge einsetzte.

4] *aus Washington:* Agnes E. Meyer hatte Thomas Mann telegraphisch mitgeteilt, daß sie sich in Washington für Golo Mann verwende (vgl. Tagebuch vom 22. 8. 1940).

324 5] *Golo's Berufung:* Zweck der »Berufung« war, Golo Mann ein Visum zu beschaffen. Zu einem Lehrvertrag mit der New School ist es indessen nicht gekommen.

6] *Film-Vertrag:* Die Filmgesellschaften Metro-Goldwyn-Mayer und Warner Brothers boten Heinrich Mann einen Jahresvertrag als Scriptwriter. Dieser Vertrag war die eigentliche Grundlage für die amerikanische Einreiseerlaubnis. Heinrich Mann hatte für 6000 Dollar Jahressalär Filmszenarien zu verfertigen. Keines gelangte zur Realisation. Warner Brothers verlängerte den Vertrag nach Ablauf eines Jahres nicht.

7] *Grundstück mit sieben Palmen:* Thomas Mann kaufte am 12. 9. 1940 das Grundstück 1550 San Remo Drive, Pacific Palisades.

14. 11. 1940

324 1] *euer Telegramm:* Nach einem kurzen Aufenthalt in New York reiste Heinrich Mann nach Los Angeles weiter, wo er, wie zahlreiche andere Emigranten, seinen Wohnsitz nahm. – Das Telegramm ist nicht erhalten. Vermutlich meldete es die Ankunft Heinrich Manns und seiner Gattin Nelly in Los Angeles.

2] *Beverly und Hollywood:* Beverly Hills und Hollywood, Stadtbezirke von Los Angeles.

325 3] *Medi:* Thomas Mann hielt sich vom 14. bis 27. 11. 1940 bei den Borgeses in Chicago auf. Angelica Borgese, die Tochter von Elisabeth (Medi) Borgese-Mann, kam am 30. 11. 1940 zur Welt.

4] *election:* Gemeint sind die Präsidentschaftswahlen in den Vereinigten Staaten; am 5. 11. 1940 wurde Roosevelt zum drittenmal Präsident der USA. Vgl. Tagebuch vom 6. 11. 1940.

5] *Haus-Frage:* Seit dem 28. 9. 1938 wohnte Thomas Mann in Princeton, ›The Mitford House‹, 65 Stockton Street. Vom 5. 7. bis 6. 10. 1940 mietete er in Brentwood bei Los Angeles, 441 North Rockingham, ein Haus. Am 4. 10. 1940 berichtet er in einem Brief an Ida Herz vom Erwerb eines eigenen Grundstückes: »Wir kehren für den Winter nach Princeton zurück, haben aber hier ein Grundstück mit 7 Palmen und einer Menge lemon trees gekauft und werden wahrscheinlich bauen [. . .].« Am 17. 3. 1941 wurde der Haushalt in Princeton schließlich aufgelöst, und Thomas Mann zog nach Kalifornien, Pacific Palisades, 740 Amalfi Drive; hier ließ er sich am 8. 4. 1941 nieder und wartete die Fertigstellung des eigenen Hauses ab. Am 5. 2. 1942 schließlich bezog Thomas Mann sein Heim: Pacific Palisades, 1550 San Remo Drive.

16. 11. 1940

1] *Erik Charell:* Regisseur, Theaterleiter, ursprünglich Tänzer. Über- 326
nahm von Reinhardt das Große Schauspielhaus in Berlin. Inszenierte erfolgreiche Revuen und Filme (›Drei Musketiere‹, ›Der Kongreß tanzt‹).

2] *mich regelrecht einzuspannen:* Heinrich hatte mit Warner Brothers einen Jahresvertrag als Scriptwriter mit einem Gehalt von 6000 Dollar abgeschlossen, der ihm fürs erste den Lebensunterhalt sicherte. Da der Vertrag nicht erneuert wurde, sah sich Heinrich Mann gezwungen, das Haus in Beverly Hills aufzugeben und eine kleine Wohnung in Los Angeles zu beziehen. Er war von da an weitgehend auf die monatlichen Zuschüsse seines Bruders Thomas angewiesen.

3] *»Novelle«:* Es handelt sich vermutlich um eine Vorstufe des Drehbuchs zum geplanten Film ›Henri Quatre‹.

4] *Liesl Frank* (1903–1979): Tochter von Fritzi Massary, Gattin von Bruno Frank. Sie emigrierte 1937 mit ihrem Gatten über London in die USA.

5] *Nacht des Wahltages:* Franklin D. Roosevelt wurde am 5. 11. 1940 zum dritten Mal zum Präsidenten der Vereinigten Staaten gewählt.

6] *Herzogin von Windsor:* Der Herzog von Windsor und seine Gemahlin sympathisierten damals mit dem Faschismus.

7] *Princeton:* Thomas Mann hatte sich entschlossen, seine Gastprofessur in Princeton aufzugeben und sich in Kalifornien niederzulassen.

8] *die beiden Rottenberg:* Sarah Rottenberg war eine Freundin von Nelly Mann. Näheres nicht bekannt.

6. 12. 1940

1] *das glückliche Ereigniß:* Geburt der Enkelin Angelica Borgese am 327
30. 11. 1940.

8. 12. 1940

1] *Einbußen:* Bezieht sich wohl auf den Bericht über die schlechte fi- 328
nanzielle Lage Großbritanniens, den Winston Churchill am 8. 12. 1940 an den amerikanischen Präsidenten Franklin D. Roosevelt sandte.

2] *F.D.R.:* Franklin Delano Roosevelt (1882–1945), von 1933 bis 1945 Präsident der Vereinigten Staaten.

3. 2. 1941

1] *dieses neue Buch:* Thomas Mann, ›Die vertauschten Köpfe, Eine 329
indische Legende‹, Stockholm: Bermann-Fischer 1940. Mit hand-

schriftlicher Widmung: »Für Heinrich und Nelly eine kleine Unterhaltung. Princeton, 9. Jan. 1941. T.«

330 2] *Bermann-Fischer zeigt an:* Thomas Mann, ›Adel des Geistes‹, erschien erst 1945 bei Bermann-Fischer in Stockholm. – ›Das Problem der Freiheit‹, Stockholm: Bermann-Fischer 1939. – ›Die schönsten Erzählungen‹, Stockholm: Bermann-Fischer; Amsterdam: Querido und de Lange 1939.

4. 2. 1941

330 1] *Alfred A. Knopf:* Thomas Manns New Yorker Verleger.

2] *Reise:* Ab 11. Januar 1941 weilte Thomas Mann in Washington und war, zusammen mit seiner Frau Katja, am 13. / 14. 1. 1941 Gast von Präsident Franklin D. Roosevelt im Weißen Haus. Anschließend begab sich Thomas Mann vom 15. bis 18. 1. 1941 auf eine Vortragsreise nach Georgia und North Carolina mit ›The War and the Future‹.

3] *»Die vertauschten Köpfe«:* Thomas Mann, ›Die vertauschten Köpfe. Eine indische Legende‹, Stockholm: Bermann-Fischer 1940.

331 4] *Davidson:* Der aus Breslau gebürtige Berliner Architekt J. R. Davidson; hat in Los Angeles und den umliegenden Vororten zahlreiche Villen und Apartmenthäuser gebaut. Das für Thomas Mann erstellte Haus gilt als ein besonders gelungenes Bauwerk.

5] *Mietshäuschen:* Gemeint ist Thomas Manns vorübergehender Aufenthalt in Pacific Palisades, Calif., 740 Amalfi Drive; vgl. Brief vom 14. 11. 1940, Anm. 5.

23. 2. 1941

331 1] *nach Mexico:* Um die gesetzlich vorgeschriebenen Einwanderungspapiere zu erlangen, war eine neue, legale, Einreise in die USA erforderlich.

332 2] *Dein Buch:* Thomas Mann, ›Die vertauschten Köpfe. Eine indische Legende‹, Stockholm 1940.

3] *Jahrestag:* Heinrich Mann beging am 27. 3. 1941 seinen 70. Geburtstag.

4] *Joseph Marie de Maistre* (1753–1821): Französischer Philosoph.

25. 2. 1941

332 1] *Affidavit:* Vgl. Heinrichs Briefe vom 23. 2. 1941 und 28. 2. 1941; Brief an Siegfried Marck vom 7. 3. 1941. Im Tagebuch notiert Thomas Mann am 25. 2. 1941: »[. . .] an Heinrich geschrieben wegen Affidavit, das [ich] der Frau verweigere.«

2] *jüngsten speech unseres Schandkerls:* In seiner Rede vom 24. 2. 1941 im Festsaal des Münchner Hofbräuhauses kündigte Hitler mit bombastischen Worten eine neue U-Boot-Offensive an. (Zum weiteren Verlauf der Rede vgl. Max Domarus, ›Hitler. Reden und Proklamationen 1932–1945‹, Wiesbaden: R. Löwit, 1973, Bd. II / 2, S. 1667 bis 1670.)

28. 2. 1941

1] *Roman:* Frederick Hollander, ›Those Torn from Earth‹, Preface by 333
Thomas Mann, New York 1941.

2] *Filmroman:* Vgl. Heinrich Manns Brief vom 16. 11. 1940, Anm. 3,
4.

29. 2. 1941

1] *indischen Geschichte:* Thomas Mann, ›Die vertauschten Köpfe. 334
Eine indische Legende‹, Stockholm: Bermann-Fischer 1940.

2] *meiner Nachfrage:* Vgl. Brief vom 4. 2. 1941 an Heinrich Mann.

3] *Bruno Frank:* Vgl. den Brief an ihn vom 4. 2. 1941.

4] *»Adel des Geistes«:* Thomas Mann, ›Adel des Geistes‹, erschien erst
1945 bei Bermann-Fischer in Stockholm.

5] *»Das Problem der Freiheit«:* Thomas Mann, ›Das Problem der Freiheit‹, war schon 1939 bei Bermann-Fischer, Stockholm, erschienen.

6] *»Schönsten Erzählungen«:* Thomas Mann, ›Die schönsten Erzählungen‹, Stockholm: Bermann-Fischer, Amsterdam: Querido und de
Lange 1939.

7] *Deinem Geburtstag:* Heinrich Mann feierte am 27. 3. 1941 seinen
70. Geburtstag.

21. 3. 1941 [Telegramm]

1] Im Nachlaß Heinrich Manns befindet sich ein Telegramm gleichen 334
Wortlauts vom 22. 3. 1941.

2] *Geburtstags-Dinner:* Statt am 27. März fand die Geburtstagsfeier
am 2. Mai 1941 statt. Alfred Döblin berichtet am 24. 7. 1941 an Hermann Kesten: »Als wir neulich den 70. Geburtstag von H. Mann feierten bei der Salka Viertel, war es wie einstmals: Th. Mann zuckte ein
Manuskript und gratulierte daraus. Dann zückte der Bruder sein Papier und dankte auch gedruckt daraus, wir saßen beim Dessert, etwa 20
Mann und Weib, und lauschten deutscher Literatur unter sich. Da waren noch Feuchtwanger, Werfel, Mehring, die Reinhardts, einige vom
Film.« Thomas Manns ›Ansprache zu Heinrich Manns siebzigstem
Geburtstag‹ war für Klaus Manns Zeitschrift ›Decision‹ bestimmt,
wurde aber nicht veröffentlicht (Manuskript im Thomas-Mann-
Archiv, Zürich; abgedruckt in der Dokumentation, S. 395–400). Das
Manuskript zu Heinrichs ›Tischrede bei Frau Viertel‹ befindet sich im
Heinrich-Mann-Archiv, Berlin (vgl. Findbuch, Nr. 400; erstmals
abgedruckt in: Aufbau, Jg. 14, H. 5–6, Berlin 1958, siehe Dokumenta-
tion, S. 400 ff.).

3] *jedenfalls sehen wir uns am 26.:* Am 26. März hielt Thomas Mann 335
in Los Angeles den Vortrag ›The War and the Future‹ in neuer Fassung. Anschließend Zusammentreffen mit Heinrich Mann und Bruno
Frank.

19. 10. 1941

335 1] *von einer Station unseres Kalvarienberges:* Große Vortragsreise vom 14. Oktober bis 26. November 1941. Thomas Mann las am 18. 10. 1941 in New Orleans seinen Vortrag ›The War and the Future‹ (erstmals publiziert in ›Decision‹, New York, Februar 1941).

30. 12. 1941

335 1] *Joseph E. Davies* (1876–1958): Amerikanischer Diplomat. 1936–1938 Botschafter in Moskau.

336 2] *mein Schwager:* Peter Pringsheim (1881–1964), Physiker.

3] *Enkelsöhnchen:* Fridolin Mann (geb. 1940), Sohn von Michael Mann. Modell zu Nepomuk (Echo) Schneidewein im ›Doktor Faustus‹.

4] *nach Deutschland gebroadcastet:* Vgl. Thomas Mann, ›Deutsche Hörer! 55 Radiosendungen nach Deutschland‹ (XI 983–1123).

5] *Schicklgruber:* So hieß bis zu seinem 40. Lebensjahr Hitlers Vater, der uneheliche Sohn der Maria Anna Schickelgruber.

4. 4. 1942

337 1] *Checks:* Vgl. Heinrich Manns Brief vom 16. 11. 1940, Anm. 3.

15. 4. 1942

338 1] *drei unfertige Arbeiten:* In Frage kommen: Heinrich Mann, ›Lidice‹, Mexico: El Libro Libre 1943. (Erhalten sind Notizen von 1940 bis 1942; Manuskript abgeschlossen am 27. 9. 1942; vgl. Findbuch, Nr. 115–117.) ›Ein Zeitalter wird besichtigt‹, Stockholm: Neuer Verlag 1945. (Auf Aktendeckel das Datum ›1940‹; Notizen auf der Rückseite von Briefen aus der Zeit vom 5. 4. 1942 bis 25. 8. 1943; Manuskript abgeschlossen am 23. 6. 1944; die Korrekturbogen sind datiert: Stockholm, 16. 5. 1945; vgl. Findbuch, Nr. 222–232.) ›Empfang bei der Welt‹, Berlin: Aufbau-Verlag 1956. (Erster Entwurf 10. 4. 1941, erste Ausarbeitung 22. 4. 1941; Manuskript abgeschlossen am 8. 6. 1945; vgl. Findbuch, Nr. 98–107, und Brief an Karl Lemke vom 31. 1. 1948.) – Erst später nahm er in Arbeit: ›Der Atem‹, Amsterdam: Querido 1949. (Notizen auf der Rückseite eines Briefes vom 30. 11. 1945; Manuskript abgeschlossen am 25. 10. 1947; »Korrekturen zu Ende gelesen Mittwoch 2. März 1949 11 ¼ Uhr vormittags«; vgl. Findbuch, Nr. 1–7.) ›Die traurige Geschichte von Friedrich dem Großen‹ wurde wohl erst 1947–1949 bearbeitet (vgl. Findbuch, Nr. 65–84).

339 2] *Maxim M. Litwinow* (1876–1951): 1941–1943 Botschafter der UdSSR in den USA. Er übermittelte Heinrich Mann die Honorare für dessen Veröffentlichungen in der Sowjetunion (vgl. ›Die Entstehung des Doktor Faustus‹, XI 150).

25. 10. 1942

1] *Dein Buch:* Thomas Mann, ›Order of the Day, Political Essays and   341
Speeches of Two Decades‹, translated by H. T. Lowe-Porter, A. E.
Meyer, Eric Sutton, New York: Knopf 1942. (Darin u. a.: Foreword,
Europe Beware!, A. Brother, Niemöller.)

2] *Vorrede:* ›Foreword‹ (dated: Pacific Palisades, California, June 11,
1942).

3] *Europe beware:* ›Achtung, Europa!‹. Deutsch erstmals in: Neues
Wiener Journal, 15. und 22. 11. 1936.

4] *Worte über Niemöller:* Erstmals als ›Preface‹ in Martin Niemöllers
›God is My Führer‹, New York 1941. Deutsch in: Deutsche Blätter,
Santiago de Chile 1943.

5] *A Brother:* Thomas Mann, ›Bruder Hitler‹. Erstmals in: Das neue
Tagebuch, Jg. 7, H. 13, Paris 1939.

6] *Genghis Khan:* Tschingis Chan (1155 oder 1167–1227), Begründer
des Mongolischen Weltreichs.

7] *des armen Wilhelm:* Wilhelm II. (1859–1941), deutscher Kaiser
1888 bis 1918. Starb im Exil in Holland. – Zusammenhang unbekannt.

6. 4. 1943

1] *Brief aus Brasilien:* Von dem österreichischen Schriftsteller Karl   342
Lustig-Prean (1892–1965). Dieser emigrierte 1939 nach Brasilien, leitete dort die Bewegung der ›Freien Deutschen‹. Kehrte 1948 nach Wien
zurück. Unter seinen Werken: ›Der Krieg‹ (1914); ›Kultur‹ (1916);
›Blutgerüst‹ (1918); ›Die Krise des deutschen Theaters‹ (1929); ›Lu-
stig-Preans lachendes Panoptikum‹ (1952). – Vgl. Thomas Manns
Brief vom 8. 4. 1943 (Br. II 306).

11. 9. 1943, Thomas Mann und andere (Telegramm)

1] *Telegramm:* Die deutsche Übersetzung lautet: »Dürfen wir im Ein-   342
vernehmen mit dem amerikanischen Finanzministerium Ihre Hilfe in
Anspruch nehmen und Sie bitten, zur Unterstützung der dritten
Kriegsanleihe-Kampagne das Originalmanuskript eines schon veröffentlichten Werks beizusteuern, damit es bei einer Kriegsanleihe-Ver-
anstaltung versteigert werden kann? Das Finanzministerium wird es
sich angelegen sein lassen, die Gaben, die es von Ihnen und andern
bedeutenden eingewanderten Autoren, Künstlern, Wissenschaftlern
u. ä. erhält, als Ihren besonderen Beitrag zum Erfolg der dritten
Kriegsanleihe-Kampagne der ganzen amerikanischen Öffentlichkeit
bekanntzugeben. Für Ihre möglichst baldige Antwort wären wir dankbar. Melden Sie bitte, was Sie beizusteuern gedenken, durch Telegramm (auf Rechnung des Empfängers) an Mr. Julian Street, jr., dritte
Kriegsanleihe-Kampagne. Room 3005. RKO Building. 1270 sixth avenue New York City. Senden Sie Ihren Beitrag durch eingeschriebenen
Luftpostbrief oder durch vom Empfänger zu bezahlende Luftpost-Eil-
fracht an Mr. Street –«.

2] *Elisabeth Bergner* (1897–1986): Schauspielerin. Gattin des Bühnenschriftstellers und Regisseurs Paul Czinner. Spielte in Innsbruck, Zürich, Wien, München und Berlin. Emigrierte 1933 nach London, dann in die USA. Nach Kriegsende auch wieder Gastspiele in Deutschland. 1962 Schiller-Preis der Stadt Mannheim, 1963 Bundesfilmpreis.

3] *Emil Ludwig* (1881–1948): Schriftsteller und Journalist. Sohn des Augenarztes H. Cohn, der 1883 den Namen Ludwig annahm. Seit 1906 in der Schweiz, seit 1914 in London, während des Ersten Weltkrieges als Journalist in Konstantinopel und Wien, später freier Schriftsteller in Ascona. Verfasser von romanhaften Biographien, wie ›Goethe‹ (1920); ›Napoleon‹ (1925); ›Wilhelm II.‹ (1926); ›Bismarck‹ (1926); ›Michelangelo‹ (1930); ›Lincoln‹ (1930); ›Cleopatra‹ (1937); ›Roosevelt‹ (1938); ›Beethoven‹ (1943); ›Stalin‹ (1945).

21. 12. 1943

343   1] *Brief Bruckners:* Vgl. Ferdinand Bruckners Brief vom 16. 11. 1943 an Heinrich Mann (abgedruckt bei Dietzel, Brw. 1977, S. 484): »In allen Besprechungen beschäftigte uns natürlich die Frage, wie Sie und Ihr Bruder, an den ich gleichzeitig schreibe, sich zu einer Gründung des Schutzverbandes stellen würden. Überflüssig zu sagen, daß er ohne Ihre Förderung seine Aufgabe nicht erfüllen kann. Das soll nicht heissen, dass Sie mit jeder Vereinssache geplagt werden sollen! Aber wenn sich die Gründung als durchführbar erweist – wären Sie bereit, zusammen mit Thomas Mann das Ehrenpräsidium anzunehmen? Ihre beiden Namen würden nicht nur hier dem Verband einen legitimen Charakter geben, sie würden auch die schönste Fahne bilden, wenn man die freien deutschen Schriftsteller einmal werden zurückkehren können.«

2] *Barthold Fles* (1902–1989): Literarischer Agent, 1925 aus Holland in die USA emigriert. Setzte sich nach 1933 für die deutsche Exilliteratur ein. Vgl. Heinrich Mann, ›Briefwechsel mit Barthold Fles 1942–1949‹, Berlin u. Weimar; Aufbau-Verlag 1993.

24. 3. 1944

343   1] *Botschaft:* Heinrich Mann, ›Verehrte Zuhörer!‹, The German-American, New York, vol. 2, nr. II, March 1944. (Grußadresse an die Teilnehmer der Feier in der New Yorker Times Hall anläßlich des 73. Geburtstages von Heinrich Mann.)

2] *Louis Bromfield* (1896–1956): Amerikanischer Schriftsteller. Verfasser der Erfolgsromane ›Early Autumn‹ (1926) und ›The Rains Came‹ (1937).

344   3] *Töchterchen:* Domenica Borgese, geb. 6. 3. 1944.

4] *1925:* Sollte wohl heißen: 1952.

29. 7. 1944

344   1] *Handexemplar:* Thomas Mann, ›Joseph, der Ernährer‹, Stockholm: Bermann-Fischer 1943. – Das Exemplar für Heinrich trägt die Wid-

mung: »Meinem Bruder Heinrich ein Spiel in Worten für Stunden der Rast. Pacif. Palisades 30. Juli 1944. T.«

2] *über die alten und neuen Tage:* Heinrich Mann hatte vermutlich aus ›Ein Zeitalter wird besichtigt‹ öffentlich vorgelesen.

3] *meinen Musiker-Helden:* Adrian Leverkühn im ›Doktor Faustus‹.

4] *Palestrina:* Vgl. Thomas Manns Brief vom 18. 2. 1905, Anm. 4.   345

5] *Bibi und Gret:* Michael Mann (1919–1977) und seine Frau, geb. Moser aus Zürich.

2. 9. 1944

1] *Dein Buch:* ›Joseph, der Ernährer‹.   345

2] *»Aber die Witwe Pittelkow!«:* Heinrich Mann bezieht sich hier auf Fontanes Widmungsgedicht zu ›Stine‹ (1890):

> Will dir unter den Puppen allen
> Grade ›Stine‹ nicht recht gefallen,
> Wisse, ich finde sie selbst nur soso,
> Aber die Witwe Pittelkow!
>
> Graf, Baron und andere Gäste,
> Nebenfiguren sind immer das Beste,
> Kartoffelkomödie, Puppenspiel,
> Und der Seiten nicht allzuviel.
> Was auch deine Fehler sind,
> Finde Nachsicht, armes Kind!

3] *»der ruhige Mann«.* Mai-Sachme, der »Amtmann über das Gefängnis« in ›Joseph, der Ernährer‹ (V 1304).

4] *Eugène Sue* (1803–1857): Französischer Romanschriftsteller. Unter seinen Werken: ›Le Juif errant‹ (1844 f.).

5] *William Beveridge* (1879–1963): Britischer Nationalökonom. Der   346
von ihm 1942 vorgelegte Plan (Beveridge-Plan) wurde zur Grundlage des britischen Sozialversicherungsgesetzes von 1948.

6] *Mein eigenes Buch:* Heinrich Mann, ›Ein Zeitalter wird besichtigt‹, Stockholm: Neuer Verlag 1945.

7. 9. 1944

1] *Dein Brief:* Heinrich Manns Brief an seinen Bruder vom 2. 9. 1944.   346
Das Tagebuch vom 7. 9. 1944 vermerkt einen »Brief von Heinrich über den Joseph«.

2] *»Lidiçe«:* Roman von Heinrich Mann, erschienen in Mexico: El Libro Libre 1943.

3] *an Implikationen reichen Roman:* Thomas Mann hatte im März 1943 den ›Doktor Faustus‹ begonnen.

4] *Kritiker des »New Leader«:* Vgl. den Tagebuch-Eintrag vom   347
26. 7. 1944: »Der New Leader schickt erfreulichen Artikel über den

Joseph und seine Kritiker.« Es handelt sich dabei um William E. Bohns essayistische Besprechung in der Rubrik ›Home Front‹, The New Leader, vol. 27, no. 30, vom 22.7.1944, S. 10. Thomas Mann antwortete Dr. Bohn, der Herausgeber des ›New Leader‹ war, in einem grundsätzlichen Brief vom 30.7.1944. Dieser wurde, ohne Manns Wissen, unter der Überschrift ›Mann Comments on Critics from Thomas Mann‹ am 12.8.1944 im ›New Leader‹ veröffentlicht. Obgleich das Tagebuch vom 19.8.1944 festhält: »nicht angenehm«, machte Mann gute Miene und antwortete Bohn ohne Vorwurf noch am selben Tag freundlich.

5] *Buch-Club:* Book of the Month Club; ein 1926 von Harry Scherman gegründeter Buchklub, der das sog. »Book of the Month« auswählte. Eine solche Auszeichnung bewirkte eine hohe Auflage und, damit verbunden, beträchtliche finanzielle Gewinne.

6] *Dein der Epoche gewidmetes Buch:* Heinrich Mann, ›Ein Zeitalter wird besichtigt‹, Stockholm: Neuer Verlag 1945.

24.9.1944

348 1] *Martin Gumpert* (1897–1955): Berliner Arzt und Schriftsteller. 1936 in die USA emigriert, war er zeitweise mit Erika Mann in New York eng befreundet. Gumpert ging als Mai-Sachme in den dritten und vierten Joseph-Band ein. Vgl. XIII 435, 436–438.

2] *F.D.R.'s Wahlrede:* Roosevelts Rede vor der »Brotherhood of Teamsters, Chauffeurs, Warehousemen and Helpers of America« am 23.9.1944 im Statler-Hotel in Washington. Vgl. Tagebuch vom 23.9.1944.

19.5.1945

348 1] *Lektüre deines Vortrages:* Thomas Mann, ›Deutschland und die Deutschen‹, gehalten in englischer Sprache am 29.5.1945 im Coolidge-Auditorium der Library of Congress in Washington, Die Neue Rundschau, Stockholm, Oktober 1945, Jg. 56, H. 1, S. 4–21.

2] *Glückwünsche:* Vgl. Heinrich Manns Brief vom 3.6.1945, Anm. 2.

3.6.1945

349 1] *Artikel über Dich:* Marquis Childs, ›Inspiration in Thomas Mann's Career‹, St. Louis Post-Dispatch, 1.6.1945.

2] *Feststellungen in der Neuen Rundschau:* Heinrich Mann, ›Mein Bruder‹, Die Neue Rundschau, Sonderausgabe zu Thomas Manns 70. Geburtstag, 6. Juni 1945, Stockholm 1945, S. 3–12 (Vorabdruck aus: ›Ein Zeitalter wird besichtigt‹, abgedruckt in der Dokumentation, S. 403–412).

9.6.1945
1] *Aufsatz:* Vgl. Briefe vom 19.5. und 3.6.1945. 349
2] *»Spiel und Anspiel aufs Heil«:* Vgl. ›Joseph, der Ernährer‹ 350
(v 1804).
3] *»Wer hätt' es gedacht«:* ›Joseph, der Ernährer‹ (v 1798).

Frühjahr 1946 [handschriftliches Konzept eines Telegramms]
1] Die deutsche Übersetzung lautet: »Doktor Rosenthal schickte mir 350
genauen Bericht. Ich bemühe mich, zuversichtlich zu sein, und ich
bitte Tommy, seinen bewundernswerten Mut aufrechtzuerhalten.
Mein geliebter Bruder, Du mußt und wirst die Kraft zum Leben haben.
Du bist unentbehrlich für Deine großen Vorhaben und für alle, die
Dich lieben. Da ist einer, dem es sinnlos vorkäme, ohne Dich weiterzu-
machen. Dies ist der Augenblick, Dich meiner unbedingten Anhänglichkeit zu versichern. Mögen meine innigen Wünsche Dir helfen, die
Gefahr zu überstehen und die Gesundheit wiederzuerlangen. Mit
herzlichen Grüßen Heinrich.«
2] *Doctor [Frederick] Rosenthal:* Auf seinen Rat hin unterzog sich
Thomas Mann im April 1946 im Billings Hospital, Chicago, einer
Lungenoperation (vgl. seinen Bericht in der ›Entstehung des Doktor
Faustus‹, XI 255–269). Als er sich im Oktober 1946 anschickte, Krankheit und Tod des kleinen Echo darzustellen, bat er Dr. Rosenthal um
Auskunft über den Ablauf der Hirnhautentzündung (vgl. ›Entstehung
des Doktor Faustus‹, XI 290; ›Doktor Faustus‹, VI 627–636).

22.5.1947
1] *Nietzsche-Vortrag:* Thomas Mann, ›Nietzsche's Philosophie im 351
Lichte unserer Erfahrung‹, Die Neue Rundschau, Stockholm 1947,
S. 359–389. Thomas Mann hielt den Vortrag am 29. April in der Li-
brary of Congress in Washington, am 3. Mai im Hunter College in
New York, am 20. Mai im Senate House der London University, am
3. Juni vor dem XIV. Internationalen PEN-Kongreß in Zürich.
2] *Harold George Nicolson* (1886–1968): Englischer Diplomat und
Schriftsteller. 1935–1945 Parlamentsmitglied. Unter seinen Werken:
›Peace-Making‹ (1919); ›Public Faces‹ (1932); ›Curzon, the Last Phase,
1919–1925‹ (1934); ›Diplomacy‹ (1939); ›Some People‹ (1944); ›The
Congress of Vienna‹ (1946); ›The English Sense of Humour‹ (1946);
›King George V, His Life and his Reign‹ (1952); ›The Evolution
of Diplomatic Method‹ (1954); ›Diaries and Letters 1930–1939,
1939–1945, 1946–1964‹ (1966–1968). Deutsche Ausgabe in zwei Bän-
den: ›Tagebücher und Briefe‹ Bd. 1: ›1930–1941‹; Bd. 2: ›1942–1962‹,
Frankfurt am Main 1969 und 1971.

1948
1] *Professor Unrat:* Heinrich Manns Roman ›Professor Unrat oder 352
Das Ende eines Tyrannen‹ war erstmals 1905 bei Langen in München

erschienen. 1930 wurde er verfilmt und seitdem meist unter dem Film-
titel ›Der blaue Engel‹ herausgegeben, so 1948 bei Weichert in Berlin.

24. 5. 1949

352   1] *Nachricht:* Klaus Manns Selbstmord am 21. 5. 1949.

     2] *Reise:* Vom 19. bis 31. Mai 1949 reiste das Ehepaar Mann von Lon-
don nach Schweden und Dänemark. In Stockholm und Kopenhagen
trug Thomas Mann ›Goethe und die Demokratie‹ vor. An der Universität Lund wurde ihm die Ehrendoktorwürde verliehen.

353   3] *Übersiedlungsabenteuer:* Nach längerem Umworbenwerden – Eh-
rendoktorat der Humboldt-Universität (1947), Nationalpreis I. Klasse
für Kunst und Literatur der DDR (1949) – nahm Heinrich Mann die
Berufung zum ersten Präsidenten der neu zu gründenden Deutschen
Akademie der Künste in Ostberlin an. Damit hätte sich seine Rückkehr
nach Deutschland verbunden. Es kam nicht mehr dazu: Administra-
tive Schwierigkeiten, schließlich Heinrich Manns Tod am 12. 3. 1950
in Santa Monica verhinderten Abreise und Rückkehr.

     4] *nurse:* Heinrich Manns Krankenpflegerin, Frau Weyl (vgl. Katja
Manns Brief vom 24. 6. 1949).

26. 5. 1949

353   1] *traurige Tage:* Nach Klaus Manns Selbstmord am 21. 5. 1949.

     2] *meine Verpflichtungen:* Thomas Mann hielt den Vortrag ›Goethe
und die Demokratie‹ am 24. 5. 1949 in Stockholm, tags darauf in Kopenhagen. Er wiederholte ihn im Juni 1949 auch in Zürich und in
Bern.

     3] *Akademie:* Die schwedische Akademie veranstaltete den Vortrag,
den Thomas Mann am 24. 5. 1949 im Großen Börsensaal in Stockholm
hielt.

354   4] *Oxford:* Am 13. 5. 1943 wurde Thomas Mann zum Ehrendoktor der
Universität Oxford ernannt.

24. 6. 1949

Die mit * bezeichneten Kursivstellen sind von Heinrich Mann unterstrichen worden.

354   1] *Vorlesung:* Thomas Mann las am 24. 6. 1949 im Musiksaal des
Stadtkinos Basel aus dem ›Erwählten‹.

     2] *Schuls-Tarasp:* Das Ehepaar Mann hielt sich vom 27. 6. bis
18. 7. 1949 in Vulpera / Schuls im Hotel ›Schweizerhof‹ zur Erholung
auf. – Heinrich Mann hat die Adresse am Rand angestrichen.

     3] *in Frankfurt:* Nach sechzehn Jahren besuchte Thomas Mann vom
23. 7. bis 3. 8. 1949 zum erstenmal wieder Deutschland. Am 25. Juli
war er Gast in Frankfurt.

     4] *in Californien sein:* Am 6. 8. 1949 schiffte sich das Ehepaar Mann in
Le Havre ein zur Überfahrt nach New York. Am 13. 8. trafen sie in

Pacific Palisades ein. – Heinrich Mann setzt nach dem Wort »Mitte«
das Wort »August« ein.

5] *Frau Weyl:* Heinrich Manns Krankenpflegerin (vgl. Katja Manns
Brief vom 24.5.1949).

6] *Viko's Nelly:* Nelly Mann, geb. Kilian (1895–1962); Gattin von
Thomas Manns Bruder Viktor, der am 21.4.1949 gestorben war.

7] *»Der Atem«:* Heinrich Mann, ›Der Atem‹, Roman, Amsterdam: 355
Querido 1949.

14.7.1949

1] *Weimar:* Thomas Mann hielt am 1.8.1949 im Nationaltheater 355
Weimar seine ›Ansprache im Goethejahr‹ (vgl. Anm. 3).

2] *seit »dem Außenbleiben meines Sohnes«:* Klaus Mann nahm sich
am 21.5.1949 das Leben. Goethe hatte am 10.12.1830 anläßlich des
Todes seines Sohnes August an Zelter geschrieben: »Das Außenbleiben meines Sohnes drückte mich [...].«

3] *Rede für Frankfurt:* ›Ansprache im Goethejahr‹, gehalten am
25.7.1949 in der Paulskirche. Erstmals publiziert in: Neue Zeitung,
München, 26.7.1949.

4] *Besprechung:* Friedrich S. Großhut, ›Heinrich Manns Senaste‹, Ex- 356
pressen, 25.6.1949, über den Roman ›Der Atem‹. – Der Schriftsteller
Großhut (1906–1969) emigrierte 1933 nach Palästina, weilte
1948–1949 als Journalist in Stockholm, später in den USA.

5] *Etwas Einziges und Unvergleichliches:* Im Brief vom 5.9.1949 an
A.M. Frey schreibt Thomas Mann über den ›Atem‹: »Dank für die
Besprechung. Mein Bruder besitzt sie schon und schien nicht sehr entzückt. Aber ich finde doch, Sie haben sich mit gebührender Ehrerbietung, Anteilnahme und Würde geäußert. Die sprachliche Über-Kon-
zentration, die wirklich oft, auch wenn man scharf aufpaßt, bis zur
Unverständlichkeit geht – und damit auch die Handlung – ist ja nicht
zu leugnen, und als öffentlicher Kritiker müßte ich sie auch vermer-
ken.«

6] *Über den Sprachen ist die Sprache:* Vgl. ›Der Erwählte‹, VII 14.

7] *Georg Lukács* (1885–1971): Ungarischer Literarhistoriker. Emigrierte 1933 aus Deutschland in die UdSSR, später freier Schriftsteller
in Budapest. Die Gestalt Naphtas ist teilweise nach ihm gezeichnet.
Vgl. Thomas Manns Aufsatz über Georg Lukács, erstmals in: Aufbau,
Jg. 11, H. 4, Berlin 1955 (X 545).

Zu dieser Ausgabe

In der vorliegenden Ausgabe sind erstmals alle gegenwärtig bekannten Briefe der Brüder Mann abgedruckt. Es handelt sich um insgesamt 272 Briefe und Briefentwürfe, 184 von Thomas Mann, 3 von Katja Mann, 85 von Heinrich Mann.

1. Der größte Teil der *Thomas-Mann-Briefe* befand sich im Prager Nachlaß seines Bruders, im Besitz von Frau Leonie Aškenazi-Mann. Ein Teil davon wurde in den fünfziger Jahren vom Heinrich-Mann-Archiv der Deutschen Akademie der Künste in Berlin-Ost übernommen (vgl. dazu Alfred Kantorowicz, ›Briefe an Heinrich Mann‹, in: Aufbau, Jg. 11, H. 6, Berlin 1955, S. 532; ›Heinrich und Thomas Mann‹, Berlin 1956, S. 55; und Hugo Huppert, ›Nachgeholte Beiordnungen‹, in: Sinn und Form, Sonderheft Thomas Mann, Berlin 1965, S. 118–120). Ein anderer Teil des Prager Nachlasses – 50 Briefe und Karten Thomas Manns – gelangte 1957 auf uns unbekanntem Wege an eine Hauswedell-Auktion; das Konvolut wurde von dem Genfer Sammler Louis Glatt erworben und 1967 an das Schiller-Nationalmuseum in Marbach verkauft. Die Akademie der Künste, Berlin/DDR, erwarb im selben Jahr 10 weitere Thomas-Mann-Briefe aus dem Besitz von Maria Melichar, Wien und München. Die Briefe vom 24. 10. 1900 und vom 2. 11. 1900 befinden sich in einer Privatsammlung (vgl. Paul Schroers: ›Heinrich und Thomas Mann und ihre Verleger‹, in: Philobiblon, Jg. 2, H. 4, Dezember 1958, S. 310–314; Sammlung Dr. Ernst L. Hauswedell, Auktion 252, 23. und 24. Mai 1984, Nr. 982). Die Briefe vom 5. 12. 1903 und vom 8. 1. 1904 tauchten 1981 in einem Berliner Antiquariat auf; sie wurden vom Thomas-Mann-Archiv der Eidgenössischen Technischen Hochschule Zürich erworben.

1985 sind in Feuchtwangers Nachlaß überraschend zusätzliche 37 Briefe Thomas Manns aus den dreißiger und vierziger Jahren entdeckt worden. Heinrich Mann hat also diesen Teil seines literarischen Nachlasses Feuchtwanger übergeben, nicht dem Bruder. Die Briefe wurden im Thomas Mann Jahrbuch 1988 publiziert.

2. Weniger kompliziert liegen die Verhältnisse bei den *Briefen Heinrich Manns*. Im Kilchberger Nachlaß befanden sich 30 Briefe (1933–1945). 1973 wurden im Verlag Oprecht 46 weitere aufgefunden (1922–1937). Sie sind 1974 im III. Band der Thomas-Mann-Studien des Zürcher Thomas-Mann-Archvis erstmals publiziert worden. Der große Teil von Heinrich Manns frühen Briefen (vor 1933) ist verschollen. Erhalten geblieben sind nur ein Briefentwurf von Ende 1903 und vier Briefe aus den Jahren 1914–1918.

Im »Feuchtwanger Institut« sind 1985 zusätzlich zwei Briefe Heinrich Manns zum Vorschein gekommen (9. 12. 1939, 5. 5. 1940). Heinrich Manns Brief vom 23. 10. 1936 wurde zusammen mit andern an Thomas Mann gerichteten Briefschaften 1985 im Verlag Oprecht, Zürich, gefunden und dem Thomas-Mann-Archiv übergeben. Auch diese Briefe wurden 1988 im Thomas Mann Jahrbuch veröffentlicht.

3. *Bisherige Ausgaben*

Thomas Mann, Briefe an Heinrich Mann aus den Jahren 1900–1927, Einführung und Anmerkungen von Alfred Kantorowicz, in: Aufbau, Kulturpolitische Monatsschrift, Jg. 11, H. 6, Berlin, Juni 1955 [38 Briefe und Karten].

Thomas Mann, Briefe an Heinrich Mann aus den Jahren 1900–1927, hrsg. von Alfred Kantorowicz, in: Geist und Zeit, Eine Zweimonatschrift für Kunst, Literatur und Wissenschaft, Nr. 3, Düsseldorf 1956 [38 Briefe und Karten].

Alfred Kantorowicz, Heinrich und Thomas Mann. Die persönlichen, literarischen und weltanschaulichen Beziehungen der Brüder, Berlin: Aufbau-Verlag 1956 [42 Briefe].

Heinrich Mann, Fünf Briefe an Thomas Mann, in: Sinn und Form, Jg. 13, H. 5/6, Berlin 1961, S. 845–851, 959.

Thomas Mann, Briefe, 3 Bde., hrsg. von Erika Mann, Frankfurt 1961, 1963, 1965 [insgesamt 42 Briefe aus den Jahren 1900–1949].

Thomas Mann – Heinrich Mann, Briefwechsel 1900–1949, hrsg. von der Deutschen Akademie der Künste zu Berlin, Redaktion: Ulrich Dietzel, Berlin und Weimar 1965 [125 Briefe, mit einem Nachwort und Anmerkungen von Ulrich Dietzel].

Thomas Mann, Briefe an Heinrich Mann, in: Sinn und Form, Jg. 19, H. 4, Berlin 1967 [10 Briefe, die erst nach 1965 vom Heinrich-Mann-Archiv der Deutschen Akademie der Künste beigebracht worden sind].

Thomas Mann – Heinrich Mann, Briefwechsel 1900–1949, hrsg. von Hans Wysling, Frankfurt 1968.

Thomas Mann – Heinrich Mann, Briefwechsel 1900–1949, hrsg. von der Deutschen Akademie der Künste zu Berlin, Redaktion und Nachwort: Ulrich Dietzel, Berlin 1969 [172 Briefe].

Heinrich Mann an seinen Bruder. Neuaufgefundene Briefe (1922–1937), hrsg. von Hans Wysling in Thomas-Mann-Studien III, Bern und München 1974, S. 101–146, 196–214 [45 zusätzliche Briefe Heinrich Manns, die 1973 im Verlagshaus von Emmie Oprecht aufgefunden wurden].

Thomas Mann – Heinrich Mann, Briefwechsel 1900–1949, hrsg. von Ulrich Dietzel (Veröffentlichung der Akademie der Künste der Deutschen Demokratischen Republik), 3. erweiterte Auflage, Berlin 1977 [222 Briefe].

Thomas Mann – Heinrich Mann, Briefwechsel 1900–1949, hrsg. von Hans Wysling, Frankfurt 1984 (erweiterte Neuausgabe).

Hans Wysling / Thomas Sprecher (Hrsg.), Thomas Mann – Heinrich Mann, Briefwechsel. Neu aufgefundene Briefe 1933–1949. In: Thomas Mann Jahrbuch, Frankfurt: Klostermann 1988, Jg. 1, S. 167–230 [37 Briefe Thomas Manns aus Lion Feuchtwangers Nachlaß; 3 Briefe Heinrich Manns aus dem Feuchtwanger-Institut, 1 Brief aus dem Verlag Oprecht].

4. Orthographie und Interpunktion der Brieforiginale wurden beibehalten.

5. Ich danke Cornelia Bernini, meiner wissenschaftlichen Mitarbeiterin am Thomas-Mann-Archiv der ETH Zürich, für die Bearbeitung dieser Neuausgabe.

1. Oktober 1993   H. W.

Literaturverzeichnis

Zitiert wird nach:

Thomas Mann, Gesammelte Werke in dreizehn Bänden. Frankfurt: S. Fischer 1974 [Band und Seite].

Heinrich Mann [Ausgewählte Werke in Einzelausgaben]. Hamburg: Claassen 1958 ff. [Titel und Seite].

Thomas Mann, Briefe 1889–1936; Briefe 1937–1947; Briefe 1948–1955; hrsg. von Erika Mann. Frankfurt: S. Fischer 1961; 1963; 1965 [Br., Band und Seite].

Thomas Mann, Briefe an Paul Amann 1915–1952, hrsg. von Herbert Wegener. Veröffentlichungen der Stadtbibliothek Lübeck, Neue Reihe, Bd. 3, Lübeck: Schmidt-Römhild 1959.

Thomas Mann, Briefwechsel mit Autoren, hrsg. von Hans Wysling. Frankfurt: S. Fischer 1988 [Brw. Autoren].

Thomas Mann, Briefwechsel mit seinem Verleger Gottfried Bermann Fischer 1932–1955, hrsg. von Peter de Mendelssohn. Frankfurt: S. Fischer 1973.

Thomas Mann an Ernst Bertram. Briefe aus den Jahren 1910–1955, hrsg. von Inge Jens. Pfullingen: Neske 1960.

Briefwechsel mit Samuel und Hedwig Fischer, in: Samuel Fischer, Hedwig Fischer, Briefwechsel mit Autoren, hrsg. von Dierk Rodewald und Corinna Fiedler. Frankfurt: S. Fischer 1989, S. 394–466, 966–988 [Brw. Fischer].

›Mit Hauptmann verband mich eine Art von Freundschaft‹. Der Briefwechsel zwischen Thomas Mann und Gerhart Hauptmann, hrsg. von Hans Wysling und Cornelia Bernini, in: Thomas Mann Jahrbuch, Bd. 6, Frankfurt 1993, Teil I, S. 245–282; Bd. 7, Frankfurt 1994, Teil II, S. 205–291.

Hermann Hesse–Thomas Mann, Briefwechsel, hrsg. von Anni Carlsson. Frankfurt: Suhrkamp 1968; dass., erweitert von Volker Michels. Bibliothek Suhrkamp, Bd. 441. Frankfurt: Suhrkamp 1975.

Thomas Mann, Briefe an Kurt Martens, hrsg. von Hans Wysling unter Mitwirkung von Thomas Sprecher, in: Thomas Mann Jahrbuch, Bd. 3, Frankfurt 1990, Teil I, S. 175–247; Bd. 4, Frankfurt 1991, Teil II, S. 184–260.

Thomas Mann–Agnes E. Meyer, Briefwechsel 1937–1955, hrsg. von Hans Rudolf Vaget. Frankfurt: S. Fischer 1992 [Brw. Meyer].

Dichter oder Schriftsteller? Der Briefwechsel zwischen Thomas Mann und Josef Ponten 1919–1930, hrsg. von Hans Wysling unter Mitwirkung von Werner Pfister. Thomas-Mann-Studien, Bd. III. Bern: Francke 1988 [Brw. Ponten].

Jahre des Unmuts. Thomas Manns Briefwechsel mit René Schickele 1930–1940, hrsg. von Hans Wysling und Cornelia Bernini. Thomas-Mann-Studien, Bd. X. Frankfurt: Klostermann 1992 [Brw. Schickele].

Thomas Mann, Tagebücher, hrsg. von Peter de Mendelssohn resp. Inge Jens. Frankfurt: S. Fischer 1977 ff.

Thomas Mann, Notizbücher 1–14, hrsg. von Hans Wysling und Yvonne Schmidlin, 2 Bände. Frankfurt: S. Fischer 1991 f.

Heinrich Manns Briefe an Maximilian Brantl, hrsg. von Ulrich Dietzel, in: Weimarer Beiträge, Jg. 14, H. 2, Weimar 1968, S. 393–422.
Heinrich Mann, Briefe an Ludwig Ewers 1889–1913, hrsg. von Ulrich Dietzel und Rosemarie Eggert. Berlin und Weimar: Aufbau-Verlag 1980.
Heinrich Mann, Briefwechsel mit Lion Feuchtwanger, in: Lion Feuchtwanger, Briefwechsel mit Freunden 1933–1958, hrsg. von Harold von Hofe und Sigrid Washburn. Berlin: Aufbau-Verlag 1991, Bd. I, S. 297–349.
Heinrich Mann, Briefe an Karl Lemke und Klaus Pinkus. Hamburg: Claassen [1964].
Heinrich Mann, Briefwechsel mit Julia Mann, in: Julia Mann, Ich spreche so gern mit meinen Kindern. Erinnerungen, Skizzen, Briefwechsel mit Heinrich Mann, hrsg. von Rosemarie Eggert. Berlin und Weimar: Aufbau-Verlag 1991, S. 119–351.

Viktor Mann, Wir waren fünf. Bildnis der Familie Mann, 3., rev. Auflage. Konstanz: Südverlag 1973 [1. Aufl. 1949].

Klaus Mann, Briefe und Antworten 1922–1949, hrsg. von Martin Gregor-Dellin. München: Spangenberg 1987.

Als Hilfsmittel dienten:

Hans Bürgin, Das Werk Thomas Manns. Eine Bibliographie unter Mitarbeit von Walter A. Reichart und Erich Neumann. Frankfurt: S. Fischer 1959.
Klaus W. Jonas, Die Thomas-Mann-Literatur, Bd. 1. Bibliographie der Kritik 1896–1955, Berlin 1972. – Bd. II, 1956–1975, Berlin: Schmidt 1979.
Harry Matter, Die Literatur über Thomas Mann. Eine Bibliographie 1898–1969, 2 Bände. Berlin und Weimar: Aufbau-Verlag 1972.
Georg Potempa, Thomas Mann – Bibliographie. Das Werk. Mitarbeit Gert Heine, Morsum/Sylt: Cicero Presse 1992.
Thomas Mann. Eine Chronik seines Lebens, zusammengestellt von Hans Bürgin und Hans-Otto Mayer. Frankfurt: S. Fischer 1965; Frankfurt: Fischer Taschenbuch Verlag 1974.
Peter de Mendelssohn, Der Zauberer. Das Leben des deutschen Schriftstellers Thomas Mann. Erster Teil, 1875–1918. Frankfurt: S. Fischer 1975; Jahre der Schwebe: 1919 und 1933, Nachgelassene Kapitel, Gesamtregister, hrsg. von Albert von Schirnding. Frankfurt: S. Fischer 1992.

Edith Zenker, Heinrich-Mann-Bibliographie. Werke. Berlin und Weimar: Aufbau-Verlag 1967.
Rosemarie Eggert, Vorläufiges Findbuch der Werkmanuskripte von Heinrich Mann (1871–1950), hrsg. und vervielfältigt von der Abteilung Literatur-Archiv der Deutschen Akademie der Künste zu Berlin. Berlin 1963 [Findbuch].
Heinrich Mann 1871–1950. Werk und Leben in Dokumenten und Bildern.

Mit unveröffentlichten Manuskripten und Briefen aus dem Nachlaß, hrsg. von Sigrid Anger, 2. Auflage. Berlin und Weimar: Aufbau-Verlag 1977.
André Banuls, Heinrich Mann. Le poète et la politique. Paris: C. Klincksieck 1966 [mit Chronik und Bibliographie].
Klaus Schröter, Heinrich Mann in Selbstzeugnissen und Bilddokumenten. Rowohlts Monographien, Bd. 125. Reinbek: Rowohlt 1967.
Willi Jasper, Der Bruder. Heinrich Mann. Eine Biographie. München: Hanser 1992.

Briefverzeichnis
* Neue Briefe: 44; von Thomas Mann 37, von Katja Mann 3,
von Heinrich Mann 4

24. 10. 1900	Thomas Mann an Heinrich Mann
2. 11. 1900	Thomas Mann an Heinrich Mann
25. 11. 1900	Thomas Mann an Heinrich Mann
17. 12. 1900	Thomas Mann an Heinrich Mann
29. 12. 1900	Thomas Mann an Heinrich Mann
8. 1. 1901	Thomas Mann an Heinrich Mann
21. 1. 1901	Thomas Mann an Heinrich Mann
25. 1. 1901	Thomas Mann an Heinrich Mann
13. 2. 1901	Thomas Mann an Heinrich Mann
[28. 2. 1901]	Thomas Mann an Heinrich Mann
7. 3. 1901	Thomas Mann an Heinrich Mann
25. / 27. 3. 1901	Thomas Mann an Heinrich Mann
1. 4. 1901	Thomas Mann an Heinrich Mann
7. 5. 1901	Thomas Mann an Heinrich Mann
15. 9. 1903	Thomas Mann an Heinrich Mann
5. 12. 1903	Thomas Mann an Heinrich Mann
[Ende 1903]	Heinrich Mann an Thomas Mann [Entwurf]
23. 12. 1903	Thomas Mann an Heinrich Mann
8. 1. 1904	Thomas Mann an Heinrich Mann
27. 2. 1904	Thomas Mann an Heinrich Mann
27. 3. 1904	Thomas Mann an Heinrich Mann
23. 12. 1904	Thomas Mann an Heinrich Mann
18. 2. 1905	Thomas Mann an Heinrich Mann
15. / 17. 10. 1905	Thomas Mann an Heinrich Mann
22. 10. 1905	Thomas Mann an Heinrich Mann
20. 11. 1905	Thomas Mann an Heinrich Mann
5. 12. 1905	Thomas Mann an Heinrich Mann
17. 1. 1906	Thomas Mann an Heinrich Mann
22. 1. 1906	Thomas Mann an Heinrich Mann
13. 3. 1906	Thomas Mann an Heinrich Mann

* 5. 9. 1935	Thomas Mann an Heinrich Mann
3. 10. 1935	Heinrich Mann an Thomas Mann
* 10. 10. 1935	Thomas Mann an Heinrich Mann
* 24. 10. 1935	Thomas Mann an Heinrich Mann
26. 10. 1935	Heinrich Mann an Thomas Mann
* 15. 11. 1935	Thomas Mann an Heinrich Mann
20. 11. 1935	Heinrich Mann an Thomas Mann
* 23. 12. 1935	Thomas Mann an Heinrich Mann
* 7. 7. 1936	Thomas Mann an Heinrich Mann
6. 2. 1936	Heinrich Mann an Thomas Mann
* 11. 2. 1936	Thomas Mann an Heinrich Mann
* 26. 2. 1936	Thomas Mann an Heinrich Mann
1. 3. 1936	Heinrich Mann an Katja Mann
29. 3. 1936	Heinrich Mann an Thomas Mann
* 1. 4. 1936	Thomas Mann an Heinrich Mann
3. 4. 1936	Heinrich Mann an Thomas Mann
26. 4. 1936	Heinrich Mann an Thomas Mann
4. 5. 1936	Thomas Mann an Heinrich Mann
19. 5. 1936	Thomas Mann an Heinrich Mann
2. 7. 1936	Thomas Mann an Heinrich Mann
18. 7. 1936	Heinrich Mann an Thomas Mann
20. 7. 1936	Thomas Mann an Heinrich Mann
2. 8. 1936	Heinrich Mann an Thomas Mann
4. 8. 1936	Thomas Mann an Heinrich Mann
7. 8. 1936	Heinrich Mann an Thomas Mann
24. 8. 1936	Thomas Mann an Heinrich Mann
21. 9. 1936	Thomas Mann an Heinrich Mann
27. 9. 1936	Thomas Mann an Heinrich Mann
* 23. 10. 1936	Heinrich Mann an Thomas Mann
* 15. 11. 1936	Thomas Mann an Heinrich Mann
12. 12. 1936	Thomas Mann an Heinrich Mann
16. 12. 1936	Heinrich Mann an Thomas Mann
19. 1. 1937	Heinrich Mann an Thomas Mann
* 24. 2. 1937	Thomas Mann an Heinrich Mann
4. 6. 1937	Heinrich Mann an Thomas Mann
23. 7. 1937	Heinrich Mann an Thomas Mann
30. 7. 1937	Heinrich Mann an Thomas Mann
15. 8. 1937	Heinrich Mann an Thomas Mann
2. 10. 1937	Heinrich Mann an Thomas Mann
4. 11. 1937	Thomas Mann an Heinrich Mann
2. 1. 1938	Thomas Mann an Heinrich Mann
* 20. 2. 1938	Thomas Mann an Heinrich Mann
21. 4. 1938	Thomas Mann an Heinrich Mann
10. 6. 1938	Heinrich Mann an Thomas Mann
6. 8. 1938	Thomas Mann an Heinrich Mann
9. 9. 1938	Heinrich Mann an Thomas Mann

22. 11. 1938	Heinrich Mann an Thomas Mann
29. 12. 1938	Heinrich Mann an Thomas Mann
25. 1. 1939	Heinrich Mann an Thomas Mann
2. 3. 1939	Thomas Mann an Heinrich Mann
14. 5. 1939	Thomas Mann an Heinrich Mann
14. 5. 1939	Thomas Mann an Heinrich Mann
25. 5. 1939	Heinrich Mann an Thomas Mann
19. 6. 1939	Thomas Mann an Heinrich Mann
28. 6. 1939	Thomas Mann an Heinrich Mann
5. 7. 1939	Thomas Mann an Heinrich Mann
17. 7. 1939	Thomas Mann an Heinrich Mann
20. 7. 1939	Thomas Mann an Heinrich Mann
26. 11. 1939	Thomas Mann an Heinrich Mann
* 9. 12. 1939	Heinrich Mann an Thomas Mann
17. 1. 1940	Heinrich Mann an Thomas Mann
3. 3. 1940	Thomas Mann an Heinrich Mann
* 5. 5. 1940	Heinrich Mann an Thomas Mann
23. 7. 1940	Heinrich Mann an Thomas Mann
28. 8. 1940	Heinrich Mann (Testament)
* 22. 9. 1940	Thomas Mann an Heinrich Mann
* 14. 11. 1940	Thomas Mann an Heinrich Mann
16. 11. 1940	Heinrich Mann an Thomas Mann
6. 12. 1940	Heinrich Mann an Thomas Mann
* 8. 12. 1940	Thomas Mann an Heinrich Mann
23. 12. 1940	Heinrich Mann an Thomas Mann
3. 2. 1941	Heinrich Mann an Thomas Mann
* 4. 2. 1941	Thomas Mann an Heinrich Mann
23. 2. 1941	Heinrich Mann an Thomas Mann
* 25. 2. 1941	Thomas Mann an Heinrich Mann
28. 2. 1941	Heinrich Mann an Thomas Mann
* 29. 2. 1941	Thomas Mann an Heinrich Mann
21. 3. 1941	Thomas Mann an Heinrich Mann
19. 10. 1941	Thomas Mann an Heinrich Mann
30. 12. 1941	Thomas Mann an Heinrich Mann
2. 1. 1942	Heinrich Mann an Thomas Mann
4. 4. 1942	Heinrich Mann an Thomas Mann
15. 4. 1942	Heinrich Mann an Thomas Mann
19. 5. 1942	Thomas Mann an Heinrich Mann
31. 7. 1942	Thomas Mann an Heinrich Mann
25. 10. 1942	Heinrich Mann an Thomas Mann
6. 4. 1943	Thomas Mann an Heinrich Mann
11. 9. 1943	Thomas Mann an Heinrich Mann
21. 12. 1943	Thomas Mann an Heinrich Mann
24. 3. 1944	Thomas Mann an Heinrich Mann
29. 7. 1944	Thomas Mann an Heinrich Mann
2. 9. 1944	Heinrich Mann an Thomas Mann

REGISTER

Die *kursiv* gesetzten Ziffern verweisen auf die Anmerkungen

Werke und Figuren

Thomas Mann

Allgemeines Verzeichnis

INHALT